Н. М. Амосов

ЭНЦИКЛОПЕДИЯ АМОСОВА

АЛГОРИТМ ЗДОРОВЬЯ
ЧЕЛОВЕК И ОБЩЕСТВО

2002

УДК 615.89
ББК 51.204.0
А61

Подписано в печать 05.03.02 г. Формат 84х108$^1/_{16}$.
Бумага газетная. Печать высокая. Уч.-изд. л. 49,35. Усл. печ. л. 48,72.
Тираж 7000 экз. Заказ 0204330.

Амосов Н.М.
А61   Энциклопедия Амосова: Алгоритм здоровья. Человек и общество / Н.М. Амосов. — М.: ООО «Издательство АСТ»; Донецк: «Сталкер», 2002. — 461, [3] с.: ил.

ISBN 5-17-014432-6 (ООО «Издательство АСТ»)
ISBN 966-596-698-7 («Сталкер»)

Книга Н.М. Амосова, видного ученого, известного хирурга, кибернетика представляет собой результат сорока лет работы в гуманитарных науках теории мышления, психологии, социологии и философии. Особенностью работы автора является использование количественных моделей организма, разума, личности и общества с применением разработанного им метода эвристического моделирования.

Вы узнаете о том, что такое болезнь, как противостоять ей, об отличном средстве от болезней и старости, о тренировке для тела и интересных занятиях для души и ума.

Для широкого круга читателей.

УДК 615.89
ББК 51.204.0

ПРЕДИСЛОВИЕ

Не скрою, что был очень смущен, когда издательство «Сталкер» предложило мне написать книгу с таким претенциозным названием — «Энциклопедия Амосова». Даже стыдно: крупным ученым («энциклопедистом!») себя никогда не представлял. Больше смахивал на дилетанта, если оставить в стороне свою основную профессию — хирургию.

В общем — не удержался — согласился заняться. Уж очень велик был соблазн подержать в руках толстенький том, даже если и не дождешься откликов,— поскольку очень стар и сердце с протезом клапана, шунтами и стимулятором.

Но не тщеславие было главным мотивом. Представился случай — и обязательство перед издателями — заново пересмотреть прежние идеи и по возможности привести их в соответствие с современным состоянием науки. Сделать примечания, не зачеркивая, однако, того, что писал раньше. Даже если и «не соответствует» — это было бы нечестно.

Несколько сквозных тем интересовали меня со студенческих лет. Хирургия была среди них главная, но не первая — судьба поставила меня на нее перед войной. Но я честно служил больным больше полувека, много чего сделал, написал, получил внимание и награды. О хирургии в книге будет сказано вскользь, в связи с болезнями: слишком специально для публики.

«Тема здоровья» шла параллельно с хирургией — с начала и на всю жизнь — для себя (лично), а потом и в плане популяризации: «спрос на здоровье» у народа всегда был велик, а я любил читать публичные лекции.

Когда родилась дочка (мне уже было за сорок, и я очень ее любил), вышла вперед тема воспитания. Были поиски, лекции, даже книжечка.

В это время — в пятидесятые годы — появилась вторая профессия — кибернетика. Она должна была обслуживать мои старые увлечения физиологией сердца и мозга, а попутно — помочь медицине. Тут как раз выступила на сцену кибернетика с компьютерами (тогда их называли ЭВМ). Пригодились мои инженерные знания. При институте академика В. М. Глушкова создали «Отдел биологической кибернетики» с большой экспериментальной лабораторией.

Тематика быстро расширилась. В общем виде это была «теория биологических систем» с выходом в компьютерные модели. И, конечно,— в статьи, книжки, диссертации — аж 19! (Похвастаюсь?)

Исследования будут представлены в книге, а сейчас я только перечислю области наук: физиология, психология, социология, даже политика.

В этой книге («Энциклопедии»!) собраны тексты научно-популярных книг и статей, отредактированные, с сокращениями и многочисленными дополнениями.

Решившись на публикацию такой книги, чувствую себя виноватым перед будущими читателями. Не может она претендовать на достаточную научную глубину. Прошу читателей так ее и трактовать: «научно-популярная» (энциклопедия?).

СПИСОК СОКРАЩЕНИЙ

ДНК, РНК — Рибонуклеиновые кислоты
ИИ — Искусственный Интеллект
КР — Коллективный Разум
НТП — Научно-Технический Прогресс
ОАР — Общий Алгоритм Разума
ОТС — Общая теория систем
РФ — Ретикулярная формация мозга
РС — Регулирующие Системы организма
СУТ — Система Усиления—Торможения
ФА — Функциональный Акт
ЦФ — Целевая Функция
КЧР — Коэффициент Человеческого Развития
ВВП — Внутренний Валовой Продукт

АВТОБИОГРАФИЯ

Мама родила меня 6 декабря 1913 года. Она была акушеркой в северной деревне, недалеко от Череповца. Отец ушел на войну в 1914, а когда вернулся, то скоро нас покинул. Жили очень скудно: мама не брала подарков от рожениц и осталась для меня примером на всю жизнь. Бабушка научила молиться Богу, крестьянское хозяйство — работать, а одиночество — читать книги. Когда стал пионером, перестал ходить в церковь и узнал про социализм. Однако партийная карьера на пионерах закончилась — ни в комсомоле, ни в партии не был.

С 12 до 18 лет учился в Череповце, в школе, потом в механическом техникуме, окончил его и стал механиком. Жил бедно и одиноко. Скучал по дому, читал классиков.

Осенью 1932 г. начал работать в Архангельске, начальником смены на электростанции при лесопильном заводе — новостройке первой пятилетки. Работал хорошо. В 1934 году женился на Гале Соболевой и поступил учиться в Заочный индустриальный институт в Москве. В том же году умерла мама.

В 1935 году вместе с женой поступили в Архангельский медицинский институт. За первый год учения окончил два курса. Все время подрабатывал преподаванием. Близко познакомился со ссыльным профессором физики В. Е. Лашкаревым. Он открыл для меня мир парапсихологии. В 1939 году с «отличием» окончил институт. Хотелось заниматься физиологией, но место в аспирантуре было только по хирургии.

Параллельно с медициной продолжал учение в Заочном институте. Для диплома, по своему выбору, делал проект большого аэроплана с паровой турбиной. Затратил на него массу времени, надеялся, что проект примут к производству. Не приняли. Но зато в 1940 году получил диплом инженера «с отличием».

Между тем, аспирантура в клинике не нравилась, любовь прошла, семейная жизнь надоела, детей не было. Обсудили положение с Галей и решили разойтись.

Уехал из Архангельска и поступил ординатором-хирургом больницы в родном Череповце. Научился делать обычные операции на органах живота. Интерес к физиологии вылился в размышления над гипотезами о механизмах мышления, о взаимодействии регулирующих систем организма. Тетрадки с «идеями» храню.

Сформировались убеждения по политике: социализм признавал, но к коммунистическому начальству относился плохо и в армии служить не хотел. Возможно, повлиял горький опыт семьи, поскольку в лагерях погибли брат и сестра мамы.

22 июня 1941 года началась Отечественная война. Работал в комиссии по мобилизации, а через пару дней был назначен ведущим хирургом в полевой подвижной госпиталь («ППГ 22—66 на конной тяге»).

В этом госпитале, в одной должности, прослужил всю войну с Германией и с Японией. Госпиталь предназначался для работы в полевых условиях, был рассчитан на 200 раненых. Общий штат — 80 человек, врачей — пять. Плюс 22 лошади.

События войны опишу кратко.

Август и сентябрь 41-го работали в поселке Сухиничи, принимали легкораненых. После прорыва немцев под Вязьмой отступили, даже за Москву, в Егорьевск. В начале декабря началось наступление наших войск, а вслед за ними поехали и мы. Работали сначала в Подольске, потом — до конца 1942 года — в Калуге. Там госпиталь развернули на 500 кроватей, со специализированными отделениями. Я занимался лечением огнестрельных переломов бедра и ранениями суставов. Разработал свои методы операций. В канцелярской книге, от руки, написал первую кандидатскую диссертацию, представил ее в Московский мединститут. До того диссертаций никогда не видел: не удивительно, что эксперты ее забраковали.

В январе 1943 года госпиталь свернули до штатных двухсот коек и отправили к передовой линии фронта, южнее Брянска. Сразу попали в тяжелейшие условия: разрушенные деревни, снежные заносы, огромные потоки необработанных раненых. В деревне Угольная, в феврале, число раненых достигало 600. Было много смертей.

Весной и летом 43-го войска продвигались на запад, и госпиталь шел за ними по пятам. Научились работать: разворачиваться, оперировать, эвакуировать.

Поздняя осень и зима застали нас в большом селе Хоробичи, Черниговской области, рядом с железнодорожной станцией. Госпиталь принимал раненых из передовых ППГ и должен был эвакуировать их санитарными поездами. Однако поезда задержались, и у нас скопилось свыше двух тысяч только лежачих раненых. Были заняты, кроме школы и клуба, еще свыше 400 сельских хат. Разумеется, лечение было ограничено (всего 5 врачей!), однако организация была уже отработана, и «незаконные» смерти от кровотечений и газовой инфекции встречались редко. 1943 год был самый тяжелый за всю войну. Последующие были уже легче.

В январе 1944 года я женился на операционной сестре Лиде Денисенко. Она была студенткой, на войну пошла добровольно, в 1941 попала в окружение, месяц с подругой плутали по лесам, пока партизаны не перевели через линию фронта. Героическая девушка и отличная сестра.

Войну закончили в Восточной Пруссии. В июне госпиталь погрузили в эшелон и отправили на Дальний Восток. С Японией воевать было легко. Пару месяцев провели в Манчжурии, приняли всего пару десятков раненых, после чего госпиталь вернули во Владивосток и расформировали.

Так закончился славный путь ППГ 22–66.

За войну я стал опытным хирургом, мог оперировать в любой части тела. Особенно преуспел в лечении ранений груди, суставов и переломов бедра.

У меня сохранились записи и отчеты за всю войну. По свежей памяти, еще на Дальнем Востоке, написал несколько научных работ, вторую диссертацию, а спустя тридцать лет — воспоминания: «ППГ 22–66».

Раненых прошло чуть больше 40 тысяч. Почти половина — тяжелые и средней тяжести: с повреждением костей, проникающими ранениями груди, живота и черепа. Умерло свыше семисот: огромное кладбище, если бы могилы собрать вместе. В нем были и могилы умерших от моих ошибок.

Мнение о войне. Позорное начало на совести Сталина и генерального штаба во главе с Жуковым. Как показали исследования Суворова, в 1941 году сил для обороны было вполне достаточно: не было организации. В последующем, в ходе всей войны, победы достигались огромными потерями, в 3–4 раза превышавшими потери немцев. Оправдания этому нет, поскольку после 1942 года исход войны уже был предрешен: оружия делали в несколько раз больше, чем Германия, союзники помогали, людские резервы еще были. Несомненной заслугой Партии является организация тыла: эвакуация заводов на восток и наращивание производства. Солдаты и офицеры делали свое ратное дело отлично. Так же отлично работали граждане в тылу. В целом, война сплотила народ и позволила на некоторое время даже забыть о прежних репрессиях. Довольно скоро о них напомнили: отправили в лагеря всех наших бывших военнопленных.

После расформирования ППГ 22—66 нас с Лидой направили в другой госпиталь. Вместе с ним мы снова попали в Манчжурию — лечить японцев, больных тифом, в лагере военнопленных. Там мы встретили 1946 год, но уже в феврале главный хирург и мой друг А. А. Бочаров меня отозвал и назначил ординатором в окружной госпиталь.

Врачу, молодому мужчине, уйти из армии с Дальнего Востока можно было только по блату. Когда поехали в отпуск, в Москву, летом 1946 года, Бочаров дал письмо к С. С. Юдину, академику, с просьбой помочь. Юдин отказал, но меня спасли инженерный диплом и министр медицинской промышленности. Министр обратился к военному начальству, чтобы меня отпустили для министерства. Подействовало. Тогда же Юдин пообещал работу в институте Склифосовского.

Для оформления отставки пришлось снова ехать на Восток. Там, за два месяца ожидания, написал еще одну — третью уже — диссертацию, о ранениях коленного сустава.

Лиду восстановили в пединституте, а меня Юдин назначил заведовать операционным отделением: там было много неработающих аппаратов — задача для инженера. В военкомате получил паек и карточки. Нашли комнату — 4 квадратных метра.

В Москве прожили только до марта 1947 года. Работа не нравилась: техника не интересовала, а оперировать не давали. Смотреть чужие операции надоело. Без хирургии Москва не прельщала. Задумал уезжать.

Работу устроила наша бывшая госпитальная старшая сестра из Брянска Л. В. Быкова. Меня взяли главным хирургом области и заведующим отделением в областную больницу. О таком месте не смел даже мечтать!

Шесть лет в Брянске прошли, как в сказке. Отличная работа, отличные люди: помощницы — врачи из бывших военных хирургов, и администрация больницы. Но главное — работа. Много сложных больных и новых операций — на желудке, на пищеводе, на почках — во всех областях тела. Но самыми важными были резекции легких — при абсцессах, раках и туберкулезе. Их я никогда не видел, методику разработал самостоятельно и за четыре года прооперировал больных больше любого из хирургов в Союзе.

Работа в области, с районными хирургами, тоже была интересна: нужно проверять и учить. Много ездил, проводил конференции, показывал операции. Авторитет завоевал, хотя вначале был неприлично молод для такой должности.

Диссертацию защитил в 1948 году в Горьком. Через год уже выбрал тему для докторской: «Резекции легких при туберкулезе». Оперировал много, и в 1952 году диссертация была готова. Академик А. Н. Бакулев труд одобрил, прослушав мой доклад на конференции по грудной хирургии в Москве.

Лида работала старшей операционной сестрой и окончила пединститут заочно. Однако учительницей быть не собиралась. Говорила: «Хочу стать хирургом!»

Тут подвернулся Киев: сделал в Институте туберкулеза доклад и показал операции. Директор А. С. Мамолат пригласил работать, министр обещал открыть еще отделение в госпитале для инвалидов войны.

Очень не хотелось уезжать из Брянска! Но куда денешься? Жена поступила в Киевский мединститут. Возможностей для карьеры в области не было. Решился, и в ноябре 1952 года переехали. Диссертацию подал еще из Брянска — и снова в Горький.

Сначала в Киеве все не нравилось: квартира — одна комната, хирургия бедная, в двух местах, больных мало, помощники ленивые. Очень тосковал, ездил в Брянск оперировать. Постепенно проблемы разрешились. В марте 1953 года защитил докторскую диссертацию. С малым перевесом голосов, но все же выбрали на кафедру в мединституте. Здесь была новая клиника, сложные больные, выступления на обществе хирургов. Двое помощников приехали из Брянска. Квартиру улучшили. Работа пошла.

В январе 1955 года сделал доклад по хирургии легких на съезде в Москве: имел успех. Тогда же начал простые операции на сердце. Лида училась нормально.

Ездил с докладами на конгрессы в Румынию и Чехословакию.

В 1956 году произошло событие: родилась дочь Катя. Беременность Лиды шла с осложнениями, поэтому делали кесарево сечение. До того, за двадцать лет семейного стажа, потребности в детях не ощущал. Лида настояла. Но как увидел это маленькое, красненькое, хлипкое существо, так и понял — кончилась свобода, от жены уже не сбегу. Какие бы сирены ни обольщали.

В том же году нам дали трехкомнатную квартиру — первую в жизни с ванной и собственной уборной.

Мединститут Лида закончила в 1958 году. Исполнилось желание — стала хирургом, оперировала даже легкие. К сожалению, через семь лет случился инсульт у матери, три года лежала парализованная. Пришлось Лиде перейти на легкую работу — на физиотерапию.

1957 год был очень важный: в январе клиника переехала в новое трехэтажное здание, а осенью я ездил на конгресс хирургов в Мексику. Там увидел операцию на сердце с АИК (аппаратом искусственного кровообращения) и очень увлекся. Поскольку купить аппарат было невозможно, то разработал собственный проект — его сделали на заводе: наконец пригодились инженерные знания. Провели эксперименты на собаках, а к концу 1958 года попробовали на больном: у него случилась остановка сердца при обычной операции. Больной умер. После этого еще год экспериментировали. В 1959 году удачно прооперировали мальчика с тяжелым врожденным пороком сердца — так называемой «Тетрадой Фалло».

С 1958 года началась наша «кибернетика». Сначала это была лаборатория для отработки операций с АИК, потом присоединили физиологические исследования сердца с участием инженеров и математиков. В Институте кибернетики создали специальный отдел биокибернетики. Собрался коллектив энтузиастов.

В течение следующего десятилетия сформировались такие направления в развитии идей, которые зародились еще в Череповце. 1. Регулирующие Системы организма — от химии крови, через эндокринную и нервную системы до коры мозга. 2. Механизмы Разума и Искусственный Интеллект (ИИ). 3. Психология и модели личности. 4. Социология и модели общества. 5. Глобальные проблемы человечества. По всем направлениям были созданы группы, проводились исследования, создавались компьютерные модели, писались статьи. Защищено два десятка диссертаций (из которых шесть — докторских), издано пять монографий и много брошюр. В девяностые годы коллектив распался, в отделе осталась только группа сотрудников по ИИ. С ними дружу до сих пор.

В 1962 году, с академиком П. А. Куприяновым, мы совершили турне по клиникам США: познакомились с известными кардиохирургами — Лилихаем, Кирклином, Блэлоком (и другими), посмотрели много новых операций. Некоторые из них остались в моем арсенале, другие — закончились печально.

В тот год на первое место вышла проблема протезов клапанов. Американец Старр создал шаровой клапан, в нашей лаборатории — свою модель: из полусферы, дополненной специальной обшивкой корпуса, препятствовавшей образованию тромбов. Интересно, что Старр тоже придумал обшивку и почти в то же время.

С 1962 года началось восхождение моей карьеры сразу по нескольким линиям. Причем без всяких усилий с моей стороны: я свято следовал совету М. А. Булгакова: «Никогда ничего не проси».

Коротко перечислю карьерные успехи.

В начале 1962 года меня избрали членом-корреспондентом Академии Медицинских наук. Предложил сам президент, А. Н. Бакулев. Затем в тот же год присудили Ленинскую премию — в компании четырех легочных хирургов. Следующий чин, уже совсем неожиданный — избрание депутатом Верховного Совета СССР. Вот как это было. Вызвали в обком и сказали: «Есть мнение выдвинуть вас в депутаты. Народ поддержит». Я деликатно отказывался, мне действительно не хотелось, но настаивать побоялся: все под Партией ходим! Попадешь в немилость — работать не дадут.

В депутатах я пробыл четыре срока — 16 лет. Заседаниями не обременяли — дважды в год, по 2–3 дня, сиди, слушай и голосуй единогласно.

Но была серьезная обязанность: принимать граждан и помогать в их трудностях. Я честно отрабатывал — вел прием раз в неделю. Приходили по 4—10 человек, в основном, по квартирам. Писал бумаги к начальникам, и, как ни странно, в половине случаев помогало. Приемы эти были тягостные: горя наслушался свыше меры, в дополнение к хирургическим несчастьям. Все доходы депутата составляли 60 рублей в месяц, один только раз ездил с дочкой на курорт. Правда, были бесплатные билеты на транспорте, но зато не брал командировочных денег в институте.

Чтобы больше не упоминать о чинах и наградах, перечислю сразу все последующие: 1969 — академик Украинской АН. Потом — три государственные премии Украины — за хирургию и кибернетику. В 60 лет дали Героя Соцтруда. Потом еще были ордена Ленина, Октябрьской революции. Это не считая четырех орденов за войну, звания заслуженного деятеля науки. Вот так обласкала Партия беспартийного товарища. Но значков на пиджак не цеплял.

Моя совесть перед избирателями чиста: не обещал, не лгал, начальников не славил. То же касается и больных: никогда ничего не брал, и даже в вестибюле висело распоряжение: «Прошу не делать подарков персоналу, кроме цветов».

Что до фрондерства к властям, то преувеличивать не буду: «против» не выступал. Крамольные книжки из-за границы возил во множестве, пользуясь депутатской неприкосновенностью, но держал под замком.

Был ли я «советским человеком»? Наверное, все-таки — был. Менять социализм на капитализм не хотел. Завидовал западным коллегам по части условий работы, но чтобы уехать — такой мысли не возникало. Несмотря на правителей-коммунистов, даже на ГУЛАГ; наше общество выглядело более справедливым. Права бедного народа: на работу, пенсию, соцстрах, лечение, образование, почти бесплатные квартиры и транспорт — казались важнее свободы прессы и демонстраций против правительства. Они ведь нужны только кучке интеллигентов. Тем более, когда открытые репрессии после Сталина резко уменьшились. Истинное положение трудящихся на Западе я узнал много позднее. Пересмотр политических взглядов произошел уже после горбачевской перестройки.

Писатель. Однажды осенью 1962 года, после смерти при операции больной девочки, было очень скверно на душе. Хотелось напиться и кому-нибудь пожаловаться. Сел и описал этот день. Долго правил рукопись. Выжидал. Сомневался. Через месяц прочитал приятелю — писателю Дольду-Михайлику. Потом другу-хирургу, еще кому-то. Всем очень нравилось. Так возник «Первый день» в будущей книге «Мысли и сердце». Дольд помог напечатать в журнале в Киеве. Перепечатали в «Науке и жизни». Потом издали книжечкой. Потом — «Роман-газета». И еще, и еще. Все вместе: большой успех. Писатель Сент-Джордж, американец русского происхождения, перевел на английский. С него — почти на все европейские языки. В общей сложности издавали больше тридцати раз. Правда, денег платили мало: СССР не подписал конвенции о защите авторских прав. Знаменитым — стал, богатым — нет.

Понравилось: до сих пор пишу, хотя уже не столь успешно. Издал пять книг беллетристики: «Мысли и сердце», «Записки из будущего», «ППГ 22—66», «Книга о счастье и несчастьях». Последнюю — воспоминания — «Голоса времен» напечатали к юбилею — 85 лет. К этому стоит добавить еще одну — «Раздумья о здоровье» — изложение моей «Системы ограничений и нагрузок». С учетом массовых журналов, ее тираж достиг семи миллионов. Примерно столько же, как «Мысли и сердце».

Летом 1963 года потрясло страшное несчастье: взрыв в камере. Камера 2 на 1,5 м была изготовлена для проведения экспериментов и операций на больных с кислородным голоданием. Завод-изготовитель допустил грубую ошибку: камеру заполняли кислородом с давлением до 2 атмосфер. Физиологи из лаборатории кибернетики делали в ней опыты на собаках. Три—четыре раза врачи лечили больных. Сам однажды участвовал в таком сеансе.

Внутри камеры стоял один электрический измерительный прибор. Видимо, от искры, в атмосфере кислорода, прозошло взрывное возгорание. Две девушки-экспериментаторы получили сильнейшие ожоги и через несколько часов скончались. Приезжал прокурор, но до суда дело не довели. Я считал себя виноватым: допустил халатность, не вник в технику безопасности. Переживал. До сих пор казнюсь.

Когда Бернар пересадил сердце — это был вызов всем кардиохирургам. Я знал, что мой уровень ниже мирового, но все же решился попробовать. Техника операций не казалась очень сложной. Прочитал, продумал, и начали готовиться. Главная проблема — донор. Нужно бьющееся сердце при погибшем мозге. Сделали заказ на «скорую помощь», чтобы привозили раненых с тяжелейшими травмами черепа: мы обследуем и решим, если мозг умер, возьмем сердце для пересадки. Реципиента подобрать не трудно: есть больные с поражением миокарда, которых ожидает близкая смерть.

Приготовили стерильную палату, выделили маленькую операционную. Начали эксперименты на собаках — удавалось пересадить сердце и убедиться, что оно работало. Правда, недолго, всего несколько часов.

Положили больного — реципиента. Стали ждать донора. Через пару недель привезли молодую женщину после автомобильной аварии: сердце еще работало, а голова сильно разбита. На энцефалограмме — прямая линия. Консилиум невропатологов решил: мозг погиб. Разыскали родственников — нужно их согласие. Конечно — мать плачет, муж молчит. Был тягостный разговор. Просили подождать: «А вдруг она не умрет, сердце же работает». Приготовили АИК — чтобы оживлять сердце, как только начнет останавливаться, и родные дадут согласие. Ждали несколько часов, пока стало ясно — бесполезно. Согласия нет, а умирающее сердце пересаживать нельзя. У меня не хватило мужества оказывать давление на родных. Объявил отбой, и больше опыт не повторяли. Ясно, что не смогу переступить через психологический барьер.

Академия построила новый жилой дом, заслуженные академики в него переехали, а нам в старом доме дали квартиру: 85 метров, четыре комнаты, высокие потолки. Сделали ремонт, купили мебель, книжные полки. Выставил с ант-

ресолей все книги — это 6—7 тысяч, повесил на свободную стену две картины — получился интеллектуальный профессорский кабинет. И до сих пор нравится.

В 1970 году дочь Катя поступила в мединститут, в 15 лет: в один год сдала экстерном за три последние класса школы.

Любовь к дочке была самым сильным чувством в моей жизни. Воспитывал ее по науке: в три года умела читать, рано пристрастилась к книгам, с четырех — английский язык. Театры, музеи, выставки, поездки в Москву, в Ленинград, даже в Германию. А главное — разговоры и любовь родителей.

Перечислю все важное о Кате. Вышла замуж на последнем курсе, закончила с отличием, поступила в аспирантуру по терапии, защитила кандидатскую, потом — в 33 года — докторскую. Родила дочку — Анюту, получила кафедру, написала четыре книжки и много статей, подготовила два десятка диссертантов. Последнее событие — в 2000 году: избрали в членкоры Медицинской академии. Муж — профессор-хирург. Вот такая получилась дочь. Горжусь.

В том же 1970 году было еще событие: Лида взяла собаку, сучку трех месяцев, доберман-пинчера, назвали — Чари. Она побудила меня бегать, чтобы рационально использовать время, отведенное для гулянья.

Физкультура для меня — одна из основ жизни. Придется рассказать историю. В раннем детстве я рос один и «программы» физического развития не отработал. Труд в хозяйстве прибавил силы, но не дал ловкости: плавать, танцевать и ездить на велосипеде не научился. С уроков физкультуры сбегал в школе и в институте. Но всегда был здоров. На войне впервые был приступ радикулита, потом он часто повторялся, возможно, от длительных операций. В 1954 году стало совсем плохо: на рентгене определились изменения в позвонках. Тогда я и разработал свою гимнастику 1000 движений: 10 упражнений, каждое по 100. Это помогло. Чари добавила утренние пробежки. Система дополнилась ограничениями в еде: строго удерживал вес не более 54 кг. Продумал физиологию здоровья и получился «Режим ограничений и нагрузок» — любимая тема для публики.

О лекциях стоит сказать особо. К публичным выступлениям пристрастился в конце 60-х годов. Наверное, мне льстили аплодисменты и возможность говорить на грани дозволенного — надеялся, что депутатский статус защитит от КГБ. Сначала выступал от общества «Знание», а когда прославился, приглашали всюду: в Москву, Ленинград, Прибалтику. На Украине объездил все области: приезжал на один день и прочитывал три лекции. Темы были самые разные: от здоровья до социализма и искусственного интеллекта. Платили по 40 рублей за лекцию, но и те годились на «левые» мужские расходы.

Из лекции родилась книжка «Раздумья о здоровье», о которой уже упоминал.

Новая клиника. В конце шестидесятых годов трехэтажный дом стал для нас тесен. Высшее начальство решило построить еще одно большое здание. Проектировали долго. В 1972 году начали строить и через три года закончили. Большой дом в шесть этажей с операционными, конференц-залом, с расчетом на 350 кроватей. Расширили штаты, набрали выпускников из института. Получилось хорошо. К 1980 году количество операций довели до 2000, из которых 600 — с АИК.

Результаты, однако, не радовали, настроение было плохое, хотя я оперировал ежедневно.

В 1981 году, при моем неохотном согласии, Лида купила дачу — вполне приличный дом, в поселке за полсотни километров от города. Я приобщился к дачной жизни только через год — понравилось бегать в лесу и столярничать в мастерской. В институт ездил на электричке.

В июле того же 1982 года произошел очередной душевный кризис: часто умирали больные. Объявил, что на все лето бросаю хирургию и буду заниматься только кибернетикой. Жил на даче три месяца — делал модели общества и ездил на семинары в своем кибернетическом отделе.

Только в ноябре начал понемногу оперировать. Постепенно все вернулось к прежней жизни.

Летом 1983 года произошло событие: наша клиника отделилась от Тубинститута и превра-

тилась в самостоятельный Институт сердечно-сосудистой хирургии. Для этого мне пришлось идти в ЦК партии Украины, к В. В. Щербицкому. По его же настоянию меня назначили директором. Не хотелось, но дело важнее — отказаться не смог.

Организация института прошла легко. Поставил сверхзадачу: 4000 операций в год, 2000 — с АИК.

В декабре отпраздновали мой юбилей — 70 лет. Была научная конференция, много гостей.

Институт сразу заработал хорошо, число операций возросло.

Тут началась горбачевская перестройка — гласность. Вдохнули маленький глоток свободы. Очень нравилось. Выписывал массу газет и журналов. При публичных лекциях уже не оглядывался на Партию и КГБ.

Болезнь. Все беды приходят неожиданно: на фоне обычного режима летом 1985 года начались перебои в сердце. К осени развился полный блок: частота пульса — 40, бегать уже не могу. Нужен стимулятор, но я упорствовал, пока не развилась гипертония. Под новый год передал институт заместителю — думал, что насовсем, и поехал на операцию в Каунас, к Ю. Ю. Бредикису. Лида и Катя поехали со мной.

Стимулятор заработал отлично, и к средине февраля 1986 года я вернулся на работу: снова директорство, операции, бег.

Аварию в Чернобыле, в апреле 1986 года, семья пережила на даче, в 50 км от злополучного места. Я с самого начала считал, что вредные последствия преувеличены: писатели и политиканы напугали публику и весь мир. В результате миллионы людей сделали невротиками на многие годы. Врачи тоже поддались этому психозу.

В 1987 году в стране начались социальные эксперименты: выборный директор, кооперативы, самостоятельность предприятий, советы трудового коллектива. Мы тоже добились хозрасчета, чтобы получать деньги от министерства не по смете, а за операции. Результат — количество операций с АИК почти удвоилось и приблизилось к двум тысячам. В полтора раза повысилась зарплата. Работать стало интереснее.

В 1988 году, на волне гласности, началась моя публицистическая деятельность. «Литературная газета» опубликовала мой «манифест» — изложение взглядов на человека, общество и... на социализм. Да, тогда я еще не растерял иллюзий о «социализме с человеческим лицом» и пытался обосновать свои взгляды. Статья в ее критической части по тем временам была очень смелая. Ну а социальные взгляды теперь выглядят беспомощными. Я разочаровался в них еще в 1990–1992 годах, когда заседал в Верховном Совете и получил доступ к секретной статистике.

Между тем, в декабре 1988 года подошел юбилей: 75 лет. Решил оставить пост директора, но продолжать операции. Были трогательные проводы: чуть не расплакался.

Тайным голосованием из нескольких кандидатов выбрали нового директора, Г. В. Кнышова.

Раз в неделю я оперировал с АИК. Но это была уже другая жизнь, скучная.

В стране господствовала эйфория демократии — свободно выбирали народных депутатов.

С 1962 по 1979 годы я был членом Верховного Совета и уже тогда убедился, что это ширма для диктатуры Партии. Теперь, казалось, все будет иначе: народ получит реальную власть. Я-то знал, как ее нужно употребить. Поэтому, когда наши врачи выдвинули меня в кандидаты, я согласился. Было пять конкурентов, включая кандидата от КПСС, но я прошел в первом туре.

В мае 1989 года был первый Съезд народных депутатов: две недели свободных высказываний, выступления Сахарова, отмена контроля партии, первое притязание прибалтов на независимость и многое другое.

Меня выбрали в Верховный Совет: нужно заседать непрерывно, как в настоящем парламенте. Я просидел три месяца и убедился, что эти пустые словопрения не для меня. В Киеве пытался проводить свою программу помощи медицине и школе и снова потерпел неудачу: порядки остались прежние, администраторы со всем соглашались, но ничего не делали. На депутатские приемы приходили по 30–40 человек, они уже не просили помощи, как раньше, а требовали. При публичных встречах с избирателями народ резко критиковал власти. Депутатам тоже доставалось.

Осенью, по моей просьбе, московские коллеги помогли освободиться от парламента — нашли аритмию. Но заседания и приемы избирателей остались. Загрустил. А что сделаешь?

Но все-таки жизнь в Москве не прошла без пользы: депутатство открыло доступ к статистике и запрещенным книгам. Провел три больших социологических исследования через газеты, узнал настроения народа. Об этом опубликовал несколько статей в газетах и журналах.

Самое главное: пересмотрел свои убеждения, убедился, что социализм уступает капитализму по эффективности. Частная собственность, рынок и демократия необходимы для стойкого прогресса общества. От этого выигрывают не только богатые, но, со временем, и бедные.

Дальше следовали события 1991–1992 гг.: разгром путча, распад Союза. Верховный Совет перестал существовать, Горбачев ушел в отставку.

Независимость Украины я приветствовал. Раз есть народ, есть язык — должна быть страна. Казалось, наступает новая эра.

К сожалению, надежды на процветание Украины, да и России не оправдались. Партийные начальники овладели демократической властью и государственной собственностью, наступил жестокий кризис всего общества. Производство сократилось в два раза, половина народа обеднела, социальные блага резко уменьшились из-за недостатка денег в бюджете. Распространилась коррупция. Выросла преступность. Народ разочаровался в демократии.

В 1992 году я подытожил свои философские идеи и написал статью «Мое мировоззрение». Ее напечатали в нескольких изданиях. Расширение и совершенствование этого труда продолжается до сих пор: издаются книги и брошюры.

В том же году закончилась моя хирургия: после моей операции от инфекции умерла больная, и я решил, что негоже в 80 лет оперировать сердце. В институт стал ходить раз в неделю.

Осенью 1993 года сердечный стимулятор отказал, и его заменили на новый в нашем институте.

В декабре отпраздновали восьмидесятилетие. Получил очередной орден.

Скоро после юбилея стал замечать, что стал хуже ходить, хотя продолжал свою обычную гимнастику — 1000 движений и 2 км «трусцой». Почувствовал приближение старости. Тогда и решил провести «эксперимент»: увеличил нагрузки в три раза. Идея: генетическое старение снижает мотивы к напряжениям, падает работоспособность, мышцы детренируются, это еще сокращает подвижность и тем самым усугубляет старение. Чтобы разорвать этот порочный круг, нужно заставить себя очень много двигаться. Что я и сделал: гимнастика 3000 движений, из которых половина — с гантелями, плюс 5 км бега. За полгода (как мне казалось) я омолодился лет на десять. Знал, что есть порок аортального клапана, но не придал этому значения, пока сердце не мешало нагрузкам.

На таком режиме благополучие продолжалось 2–2,5 года, потом появились одышка и стенокардия. Сердце значительно увеличилось в размерах. Стало ясно, что порок сердца прогрессирует. Бегать уже не мог, гантели отставил, гимнастику уменьшил. Но работу за компьютером продолжал в прежнем темпе: написал две книги и несколько статей.

В 1997 году совместно с фондом членкора АНУ Б. Н. Малиновского провели большое социологическое исследование через украинские газеты — получили 10 000 анкет. В. Б. Бигдан и Т. И. Малашок их обработали. Основные выводы: народ бедствует, недоволен властями, пожилые хотят вернуть социализм, молодые — двигать реформы дальше. Такой же раскол по поводу ориентации Украины — на Россию или на Запад. Данные опубликовали, но полемики они не вызвали.

В зиму 1998 года состояние сердца еще ухудшилось. Ходил с трудом. Однако за компьютером работал и написал книгу воспоминаний «Голоса времен».

В начале мая 1998 года Толя Руденко из нашего института договорился с профессором Кером, кардиохирургом из Германии, что он возьмется меня оперировать. Катя и директор института Г. В. Кнышов организовали эту поездку. Городская администрация Киева согласилась оплатить операцию.

После этого решения воля к жизни упала, состояние ухудшилось, и я ощутил близость смерти. Страха не испытал: все дела в жизни сделаны.

26 мая Катя, Толя и я приехали в небольшой город Bad Oeynhausen, недалеко от Ганновера — в клинику к Reiner Korfer. Обследование подтвердило резкое сужение аортального клапана и поражение коронарных артерий. 29 мая профессор вшил мне биологический искусственный клапан и наложил два аорто-коронарных шунта. Сказал, что гарантия клапану — пять лет. После операции были осложнения, но все закончилось хорошо.

Через три недели вернулись домой. Сердце не беспокоило, однако слабость и осложнения еще два месяца удерживали в квартире. Легкую гимнастику делал со дня возвращения. Осенью полностью восстановил свои 1000 движений и ходьбу. Но не бегал и гантели в руки не брал. «Эксперимент окончен» написал в «Заключении» к воспоминаниям. Книгу издали ко дню рождения — в декабре минуло 85 лет. Снова было много поздравлений. И даже подарили новый компьютер.

Старость между тем снова догоняла: хотя сердце не беспокоило, но ходил плохо. Поэтому решил: нужно продолжить эксперимент. Снова увеличил гимнастику до 3000 движений, половину — с гантелями. Начал бегать, сначала осторожно, потом все больше, и довел до уровня «первого захода» — 45 минут.

И опять, как в первый раз, старость отступила. Снова много хожу, хотя на лестницах шатает, резкие движения неверные и «ближняя» память ухудшилась. Сердце уменьшилось до размеров 1994 года. Одышки и стенокардии нет.

Живу активной жизнью: пользуюсь вниманием общества, даю интервью, пишу статьи и брошюры. Подключился к Интернет. Имею свою страницу.

Занимаюсь наукой: совершенствую «Мировоззрение» — обдумываю процессы самоорганизации в биологических и социальных системах, механизмы мышления, модели общества, будущее человечества. Мотивами для работы являются любопытство, потребность самовыражения, и чуть-чуть — тщеславие.

Знаю, что благополучие нестойко, скоро менять стимулятор, а потом, возможно,— и клапан. Но смерти не боюсь — помню равнодушие к жизни перед операцией.

В мае приезжал на конференцию мой спаситель — Керфер. Мы принимали его дома, я рассказывал об эксперименте, показывал гантели. Он посмеялся, но упражнения не запретил и даже обещал прооперировать еще раз, если клапан откажет — в любом возрасте.

Так прошла жизнь. Что в ней было самое главное? Наверное — хирургия. Операции на пищеводе, легких, особенно на сердце, делал при прямой угрозе скорой смерти, часто в условиях, когда никто другой их сделать не мог; лично спас тысячи жизней. Работал честно. Не брал денег. Конечно, у меня были ошибки, иногда они кончались смертью больных, но никогда не были следствием легкомыслия или халатности. Я обучил десятки хирургов, создал клинику, потом институт, в которых оперировано свыше 80 тысяч только сердечных больных. А до того были еще тысячи операций на легких, органах живота, конечностях, не говоря уже о раненных на войне. Хирургия была моим страданием и счастьем.

Все остальные занятия были не столь эффективны. Разве что пропаганда «Режима ограничений и нагрузок» принесла пользу людям. Книга «Раздумья о здоровье» разошлась в нескольких миллионах экземпляров. То же касается и литературы: повесть «Мысли и сердце» читали на тридцати языках. Наверное, потому, что она тоже замыкалась на хирургию. На страдания.

Кибернетика служила лишь удовлетворению любопытства, если не считать двух десятков подготовленных кандидатов и докторов наук.

Мои статьи и лекции пользовались успехом и льстили тщеславию, а участие в Верховном Совете было скорее вынужденным, служило поддержанию престижа клиники. Вреда людям оно не принесло и большой пользы — тоже. Я не кривил душой, не славословил власти, но и против не выступал, хотя и не любил коммунистов-начальников. Однако верил в «социализм с человеческим лицом», пока не убедился, что эта идеология утопична, а строй неэффективен.

В личной жизни я старался быть честным и хорошо относился к людям. Они мне платили тем же.

Если бы можно начать жить сначала — я выбрал бы то же самое: хирургию и в дополнение — размышления над «вечными вопросами» философии: истина, разум, человек, общество, будущее человечества.

РАЗДУМЬЯ О ЗДОРОВЬЕ

Вы только посмотрите, как велик человек! Уже ступил на Луну и скоро побывает на других планетах, создаст искусственную жизнь и разум, способные конкурировать с естественными. Ну чем не бог?

А вот другие картины. Пройдитесь по улице большого города, вы всегда встретите немало людей, которые шаркают подошвами по асфальту, дышат с трудом, ожирели, глаза потухли. В страхе дрожат перед страданиями и смертью. Да тот ли человек покорил космос, создал сонаты Бетховена, выдвинул великие идеалы христианства?

Впрочем, я нарочно говорю банальные вещи. Эта дешевая риторика обыграна тысячи раз. Конечно, один и тот же человек. Наивные вопросы о его природе просто свидетельствуют о низком уровне науки.

А говорят, жили люди... Будто бы великие мыслители Греции были отличными спортсменами и некоторые даже участвовали в олимпийских играх... (Можете вы представить нашего профессора в этой роли?) И принципы гуманного общества придуманы задолго до паровой машины. Впрочем, не надо заблуждаться: наши античные учителя были рабовладельцами. А войны возникли раньше музыки... Или не раньше?

Неужели так и оставаться человеку жалким рабом своего тела и своих страстей? Неужели болезни и ужасы ГУЛАГов и Освенцимов так и будут следовать по пятам за открытиями двойной спирали и расщепления ядра?

Небось, каждому хочется бодренько воскликнуть: «Разумеется, нет! Наука, социальный прогресс... и т. д.»

Я тоже «за». За прогресс и за науку. Но при трезвом рассмотрении проблемы здоровья человека все оказывается совсем не так просто и однозначно.

Об этом и будут раздумья.

Статьи и даже книги о болезнях и здоровье очень любят. С удовольствием читают всякие рекомендации: как питаться, сколько и каких упражнений делать. Каждый думает: «Начну!» Или о болезнях: какие признаки? «Нет, у меня еще нет!» Какие лекарства появились... Лучше заграничные и дорогие. Если такая жажда знаний, то, кажется, бери, пропагандируй, и все в порядке! Все будут здоровы! Но, к сожалению, дальше любопытства дело не идет. Точнее, идет только в одну сторону, к болезням. Где не нужно никаких усилий и кое-кому даже приятно: можно пожаловаться, пожалеть себя.

Прочитал много разных книг о болезнях, в том числе и популярных. О здоровье — меньше. Рекомендации: физкультура, диеты, аутотренинг... Для всего предлагаются научные, а подчас и псевдонаучные обоснования, например, что моржевание, бег трусцой или умение расслабиться способны осчастливить человека. Может быть, я чересчур требователен, но мне кажется, что нужен более широкий взгляд на всю проблему. Попытаюсь это сделать.

К сожалению, никак нельзя избежать скучных мест. Но их можно пропустить при чтении, так же как и отступления от главной темы. На худой конец будут приложены столь любезные сердцу читателя рекомендации.

Вот **самые главные идеи**, которые я выдам авансом:

1. В большинстве болезней виноваты не природа, не общество, а только сам человек. Чаще всего он болеет от лени и жадности, но иногда и от неразумности.

2. Не надейтесь на медицину. Она неплохо лечит многие болезни, но не может сделать человека здоровым. Пока она даже не может научить человека, как стать здоровым.

Более того: бойтесь попасть в плен к врачам! Порой они склонны преувеличивать слабости человека и могущество своей науки, создают у людей мнимые болезни и выдают векселя, которые не могут оплатить.

3. Чтобы стать здоровым, нужны собственные усилия, постоянные и значительные. Заменить их нельзя ничем. К счастью, человек столь совершенен, что вернуть здоровье можно почти всегда. Только необходимые усилия возрастают по мере старости и углубления болезней.

4. Величина любых усилий определяется мотивами, мотивы — значимостью цели, временем и вероятностью ее достижения. И очень жаль, но еще и характером! К сожалению, здоровье, как важная цель, встает перед человеком, когда смерть становится близкой реальностью. Однако слабого человека даже призрак смерти не может надолго напугать: он свыкается с мыслью о ней, сдается и покорно идет к концу. (А может, это и хорошо? «Не трать, кума, силы, иди ко дну!» Конец-то один и тот же: раньше, позже...)

5. Для здоровья одинаково необходимы четыре условия: физические нагрузки, ограничения в питании, закаливание, время и умение отдыхать. И еще пятое — счастливая жизнь! К сожалению, без первых условий она здоровья не обеспечивает. Но если нет счастья в жизни, то где найти стимулы для усилий, чтобы напрягаться и голодать? Увы!

6. Природа милостива: достаточно 20—30 минут физкультуры в день, но такой, чтобы задохнуться, вспотеть и чтобы пульс участился вдвое.

Если это время удвоить, то будет вообще отлично.

7. Нужно ограничивать себя в пище. Поддерживайте вес рост (в см) минус как минимум 100.

8. Уметь расслабляться — наука, но к ней нужен еще и характер. Если бы он был!

9. О счастливой жизни. Говорят, что здоровье — счастье уже само по себе. Это неверно: к здоровью легко привыкнуть и перестать его замечать. Однако оно помогает добиться счастья в семье и в работе. Помогает, но не определяет. Правда, болезнь — она уж точно — несчастье.

Так стоит ли биться за здоровье? Подумайте! Еще одно маленькое добавление — специально для молодых. Разумеется, вы здоровы, и рано вам морочить себе голову мыслями о будущих болезнях. Но... время быстротечно. Не успеете оглянуться, как отпразднуете тридцатилетие, и начнется первая декада, когда нужно думать о будущем... Кроме того — увы! — и сейчас уже не все вы обладаете здоровьем.

Ко мне нередко приходят напуганные юноши и девушки, которые уже держатся за свою левую половину груди, жалуются на сердцебиение и разворачивают свитки электрокардиограмм. К счастью, у большинства из них нет никакой болезни, кроме детренированности. Посмотришь такого на рентгене: сердце у него маленькое — сжалось от бездействия. Ему бы бегать или хотя бы танцевать каждый день, а он сидит за книгами и сигарету не выпускает изо рта. И спит уже с таблетками.

Но и те, кто здоров, **не забывайте**: движение, свежие фрукты и овощи в рационе, закаливание и полноценный сон — действительно необходимы. А курение и алкоголь — вредны.

ФИЗИЧЕСКАЯ И ПСИХИЧЕСКАЯ ПРИРОДА ЧЕЛОВЕКА

Интересный вопрос: сколько в человеке животного? Религия внушила людям, что человек — высшее существо, отличное от всех других. Эта идея позднее проникла в науку и существует в ней по сию пору. То, что раньше называли «божественной сущностью», теперь называют «социальной сущностью человека» и противопоставляют ее биологической природе. Даже медики находятся под влиянием этой идеи.

Думаю, здесь явное недоразумение. При самом тщательном изучении невозможно найти в физиологии и биохимии человека такие отличия от прочих тварей, которые превышали бы различия, существующие между другими биологическими видами. Его тело функционирует так же, как у всех высших млекопитающих. И даже законы мышления у них общие. Просто у человека над «животной» корой надстроен «этаж» с большой памятью, обеспечивающей более сложное поведение и механизмы творчества. Конечно, они оказывают влияние на «тело», но меняют его физиологию и биохимию только количественно, а не качественно.

Впрочем, не будем преуменьшать: поведение может стать таким же источником патологии, как гены и среда. Получается запутанная картина с обратными связями: поведение определяется средой и телом, но само поведение сильно влияет на состояние тела, а следовательно, снова на поведение.

В доисторический период развития человек шел вровень со всей эволюцией мира. Среда и гены соответствовали друг другу.

Неясно, как произошел «вывих» в эволюции, в результате которого у человека появились новые отделы мозга, обеспечившие долгую память, творчество и изменившиеся условия его стадного существования. Думаю, что сработала самоорганизация, о которой здесь еще не раз будет идти речь. Полем для эволюции стала внутривидовая борьба: человек оттачивал свой ум в борьбе с другим человеком, а не с глупым зверем.

Когда доисторическое стадо превратилось в первобытное сообщество, значение межличностных отношений сильно возросло. Очень скоро добавились «техносфера» (элементарные орудия труда) и войны, изменившие отношения человека со средой, врагами и пищей. Именно это скоро стало главным фактором изменений человека.

Биологическое здоровье человека, если позволено так выразиться, зиждется на физиче-

ских усилиях, сопротивлении холоду и жаре, голоду и микробам. Механизмы их были заложены задолго до возникновения высших психических функций. Социальная и техническая среда цивилизации нарушила взаимодействие этих телесных функций с естественной природой. Возникли условия, способствующие детренированности одних структур и перетренировке других, главным образом «регуляторов».

Сравнение человека с животными показывает, что между ними гораздо больше общего, чем различий.

Начнем с **органов движения** — скелета и мышц. Сразу бросается в глаза отличие человека — он прямоходящий и двуногий. От этого возникает много как будто бы важных следствий: и видит он дальше, и положение органов иное... Однако все это несущественно. Даже само вертикальное положение, возможно, культурального происхождения, то есть человек ходит на двух ногах потому, что так уже давно «принято в обществе».

Человек и животное двигаются одинаково. Достаточно понаблюдать за акробатами и гимнастами, цирковые номера которых схожи с проделками обезьян. Если наш обычный цивилизованный гражданин не такой ловкий, то это из-за отсутствия тренировки.

Другое отличие, которое тоже очень заметно,— это голая кожа. Да, человек потерял волосы на большей части поверхности тела. Однако терморегуляция у него вполне совершенна. Это подтверждают «моржи» и любители ходить всю зиму полураздетыми.

Сердечно-сосудистая и дыхательная системы человека практически такие же, как у животных. При должной тренированности они вполне могут обеспечить очень интенсивную физическую нагрузку, по мощности сравнимую с той, что развивают дикие животные, например, при беге.

Про **органы пищеварения** можно сказать то же самое: человек всеяден и имеет набор пищеварительных ферментов, способных переваривать все, что едят обезьяны и хищники, вместе взятые. Зубы человека, правда, ослабли, но и они, наверное, были бы вполне здоровы долгое время, если бы мы жевали грубую пищу с детства.

Если спуститься очень глубоко, к истокам эволюции, то можно увидеть, что именно от тех времен нам досталась система соединительной ткани. Ее функции очень разнообразны. Главная из них — иммунная защита от чужеродных белков. Она действует совершенно так же, как и у других животных.

В одном аспекте телесной жизни есть все-таки у человека важное отличие. Это его половая сфера. Правда, оно касается преимущественно женщин, потому что непрерывность сексуальных потребностей у самцов наблюдают во многих биологических видах. У самок — другое дело, для них половые отношения строго ограничены определенными короткими периодами брачного цикла размножения.

Но и в этом отличии нет ли больше культурального, чем истинно биологического? Не чрезмерно ли тренируются эти функции условиями общественной жизни? Половые потребности женщин очень различны по своей интенсивности, зависят от менструального цикла, гораздо больше связаны с чувствами...

Человеческий детеныш рождается очень слабым и требует неусыпной заботы. Развивается он довольно медленно. Это тоже выдвигается как биологическое отличие Homo sapiens. Однако и оно неосновательно. У шимпанзе детеныш тоже совершенно беспомощен. Мать носит его на себе более года и кормит молоком два—три года. До восьми лет он держится при матери. Как видите, не очень большая разница с человеком.

Уникальность человека пытаются доказать также его болезнями, такими, например, как склероз, гипертония, язва желудка. Верно, в диком состоянии, в лесу, звери, может быть, и не страдают этими недугами, но в экспериментальных условиях они воспроизводятся довольно легко. Специфические инфекции? Да, действительно, есть, но и в животном царстве разные виды по-разному восприимчивы к разным микробам.

Итак, тело человека, наши телесные функции — животные, и никакие другие. И человек ничуть не слабее, чем его дальние родственники. Возможно, даже сильнее. Цивилизация еще не успела переделать его генофонд. Так, во всяком случае, утверждают генетики. Будем надеяться, что и не успеет.

И тем не менее человек уникален! Кто осмелится с этим спорить? Неважно, что у него сердце и легкие, как у обезьяны, зато голова! Все верно, разум неповторим. Он наше счастье и наше горе. Или горе от нашего тела — при разуме? Если природа заложила в нас такие же силы и прочность, как в диких зверей, то почему же так много болезней, почему они беспощадно уменьшают счастье нашего бытия?

Вот этот вопрос и требует детального разбора.

ПСИХОЛОГИЯ И ЗДОРОВЬЕ

Что между ними общего? **Однако неправильное поведение людей является более частой причиной их болезней, чем внешние воздействия или слабость человеческой природы.** Поведение — значит, поступки, психика. В Институте кибернетики Академии наук Украины мы занимаемся моделированием интеллекта и личности на профессиональном уровне. Можно было бы много написать об этом, но ограничусь самым необходимым.

К чему сводятся поступки? К целенаправленным движениям рук, ног, мышц гортани, позволяющим произносить слова. Движения могут быть простыми и короткими, сложными и продолжительными. И цели тоже могут быть самые различные, и для их достижения всегда есть много вариантов поступков.

Кто выбирает наилучший вариант? Разум. В нашей памяти хранится огромное количество информации, позволяющей распознавать предметы и события внешнего мира, оценивать их по разным критериям, планировать варианты действий, предполагать их результаты и вероятность. Чем выше интеллект, тем длительнее и разнообразнее планируемые и выполняемые действия, тем больше шансов для достижения цели с наименьшей затратой сил.

Ах если бы так! Умные всегда были бы счастливы. Они бы все сумели рассчитать: правильно выбрать цель, учесть все обстоятельства и спланировать самые наивыгоднейшие действия. По крайней мере, они были бы здоровыми, потому что, кажется, докажи умному, как нужно себя вести, чтобы не болеть, он убедится и станет выполнять. А этого не происходит. Почему? Говорят: нет характера.

И в остальном примерно так же: много ли умный закончит из того, что планирует? По той же причине: не хватает настойчивости. Или бывает так: на короткое дело характера достаточно, а для постоянного режима — мало. Смотришь, у очень толкового человека уже стенокардия, гипертония, диабет от ожирения. А ведь он знает, что нужно заниматься физкультурой, ограничивать себя в еде и выделять время для сна. Понимает, что может заболеть или уже болеет. И все-таки не может себя заставить. Уж очень хочется вкусно поесть, очень неприятно напрягаться, а времени для сна всегда не хватает.

Сохранить здоровье — цель. Вкусно поесть — цель, сделать дело — цель. Каждый по себе знает, сколько он мысленно переберет всяких целей, одни выполняются до конца, другие оставляются «с порога», действия, направленные к третьим, бросаются на полдороги, потому что подвернулось другое. Значит, конкуренция целей? Если очень упростить, то да.

Вопрос о целях. Они выбираются чувствами. Человек стремится достигать с помощью действий максимума приятного или, по крайней мере, уменьшения неприятного. То и другое зависят от потребностей: удовлетворил — приятно, не удовлетворил — неприятно. Физиологически чувства представляют собой возбуждение неких, отдельных для приятного и неприятного компонентов, центров в мозге.

Потребностей и соответственно чувств, а значит, и нервных центров много. Одни центры возбуждаются прямыми физическими воздействиями, например, голод, жажда, боль. Другие, такие, как любознательность или страх, возбуждаются через кору от внешнего мира. Органы чувств воспринимают картины мира, в коре

создается образ, он оценивается по некоторым критериям, и результаты этой оценки возбуждают центр чувств. Например, бежит навстречу большая собака. Глаза воспринимают, кора оценивает по тем моделям, которые есть в памяти. Выделено качество в собаке — «опасность», оно и возбуждает центр страха, отражающий потребность в самосохранении. Чувство направляет последующие действия: убежать от собаки или подавить страх и не показать вида, потому что люди смотрят и стыдно.

Целей много, а время и силы ограничены. Приходится выбирать. Вступает в действие конкуренция целей, которая сводится к конкуренции потребностей, на удовлетворение которых направлены сами цели. Что важнее: не умереть от рака легких или пофорсить сигаретой перед барышней? Нет вопроса, конечно, не умереть. А студенты-медики, даже девушки, курят почти все, хотя знают и о раке, и о курении. Почему?

Потому что имеют значение не только величина потребности и сила отражающего ее чувства, но еще реальность цели. Само это понятие сложное. Степень реальности (ее количественное выражение) определяется вероятностью достижения цели и временем, нужным для этого. Студент слышал, что к шестидесяти годам раком легких заболевает каждый десятый курильщик. Реальность опасности для него явно мала: во-первых, не каждый заболеет, может, меня минует; во-вторых, до этого еще сорок лет! Все еще может измениться. А удовольствие от сигареты хотя и несравнимо с жизнью, но абсолютно реально. И оно оказывается сильнее страха смерти.

Есть еще одно свойство мышления: адаптация. Острота любого самого сильного чувства со временем притупляется, особенно если реальность угрозы не очевидная, а это бывает, когда опасность отдалена во времени хотя бы немного. Человек свыкается с ней. Наверное, это очень хорошо, иначе жизнь любого больного-хроника была бы невыносимой.

Величина чувства зависит от значимости потребности (один любит больше всего командовать, другой — вкусно поесть, а третий — получать информацию). От степени ее удовлетворения сейчас и в будущем с учетом реальности и адаптации. Поступки определяются соотношением чувств, существующим в данный момент. Поэтому желание сейчас съесть пирожное оказывается «на минуточку» сильнее страха склероза и инфаркта.

Так умный человек, спланировавший свое поведение на основании достоверных сведений, давший себе слово, не удерживается. А другой сказал — и все! «Железно». У него «характер». Если сравнить слабый и сильный психологические типы, то у сильного относительно высокая значимость будущего, а слабый живет данной минутой. Характер — врожденное свойство высшей нервной деятельности. Правда, в некоторой степени его можно усилить воспитанием и тренировкой.

Есть еще важное понятие психологии — авторитет. Среди врожденных потребностей человека есть две взаимно противоположные: лидерство и подчиненность. Первая выражается в стремлении навязывать свою волю окружающим. Часто лидерство сочетается с сильным характером, то есть способностью к напряжениям, хотя далеко не всегда с настойчивостью. Подчиненность выражается готовностью следовать за авторитетом, за более сильным или более умным, для кого что более значимо.

У человека, страдающего физически или душевно, повышается потребность «прислониться» к более сильному, как бы ища у него защиты от несчастий. На этом основан авторитет врача. Для человека слабого типа не нужно никаких доказательств, он просто верит врачу. Для сильного этого мало, его нужно убедить объективными данными. Оценка объективности зависит от уровня его знаний. Знания, в конце концов, тоже сводятся к авторитетам, то есть к степени знаменитости авторов ученых книжек, потому что человек лишь малую часть научных сведений может проверить своим опытом. Так возникает проблема соревнования авторитетов.

Свойства нервной системы, доставшиеся нам от животных предков, определили душевные конфликты, касающиеся здоровья: человек не может ни сдержать себя в еде, ни заставить делать физкультуру, даже если он верит в полез-

ность такого режима. Если он сейчас здоров, то будущие болезни представляют для него малореальную угрозу, и хотя жизнь бесценна, но посибаритствовать сейчас приятнее. Другое дело, когда только что заболел: реальность угрозы сразу резко возросла, и тут не до шуток. Если авторитетный врач скажет, то можно и пострадать: поститься и потеть от гимнастики. Правда, слабого и это не пробирает, он адаптируется к мысли об опасности, скоро бросает всякие режимы и плывет по течению: ест вдоволь и просиживает все вечера перед телевизором.

Однако кроме чувств, отражающих биологические потребности, есть еще убеждения, привитые обществом. Они выражаются словесными формулами («что такое хорошо и что такое плохо»), имеющими иногда такое большое значение, что могут толкнуть на смерть, то есть оказаться сильнее инстинкта самосохранения. Убеждения создаются по принципам условных рефлексов и формируются в результате воспитания и, немножко, собственного творчества. Применительно к здоровью они выражаются в отношении к пище (вкусно-невкусно) и правилами поведения (как нужно жить: ограничивать себя или расслабляться, лечиться или преодолевать боль). К сожалению, эмоциональное значение убеждений обычно слабее биологических потребностей. Но наше общество еще далеко не исчерпало возможности воспитания, в том числе и правильных убеждений в здоровом образе жизни.

Человек счастлив или несчастлив своими чувствами: одни бывают приятными, другие — неприятными, в зависимости от степени удовлетворения соответствующей потребности. Ощущение острого счастья кратковременно. Адаптация не позволяет «остановить мгновение». Большую часть времени наше самочувствие довольно «серое»: ни хорошо, ни плохо. С целью моделирования психики мы используем термин «уровень душевного комфорта» — УДК, поскольку в моделях нужно выразить душевное состояние неким числом. Обычно цифры колеблются около нуля, но неудачи жизни и болезни могут надолго сместить их в зону отрицательных величин.

Какое отношение к здоровью и болезням имеют все эти сведения из психологии?

Самое прямое. От далеких предков нам досталось не только тело, требующее тренировки, но и психика, точнее, биологические чувства, способные превращаться в пороки или, поделикатнее, в **недостатки**.

Первый из них — это **лень**. Человек, как и животные, напрягается, только если есть мотивы, и чем они сильнее, тем больше напряжение. Расслабление всегда приятно. После тяжелой работы особенно. Но если натренировать это чувство, то неплохо расслабиться и после легкой нагрузки. Можно и вообще не напрягаться.

Исключение составляют только детеныши: они готовы играть и бегать без всякой нужды, это их первая потребность. Мудрая природа запрограммировала их так для тренировки развивающихся органов, в условиях, пока родители еще доставляют пищу и защищают от врагов. Лень не угрожает здоровью диких животных; питание нерегулярно, запасов, как правило, нет, голод, враги или холод не позволяют надолго расслабляться. В то же время бегать без всякой нужды неэкономично: нельзя расходовать калории, которых с трудом хватает даже для полезных движений. В этом биологический смысл лени.

Второй недостаток: **жадность**. Назовем осторожнее — жадность на еду. Всем животным задан повышенный аппетит, способный покрыть не только энергетические затраты сегодняшнего дня, но и отложить жир про запас: снабжение в дикой природе очень нерегулярно. Нежадные биологические виды давно вымерли от голода, не умея запасать жир под кожей. Удовольствие от еды — одно из самых больших. Как все чувства, оно тренируется, если питаться вкусной пищей. Вот человек и тренирует свой пищевой центр и очень давно, с тех пор, как научился жарить мясо и употреблять специи.

Третий порок: **страх**. У человека он еще усиливается в сравнении с животными, потому что он хорошо запоминает, предвидит более далекое будущее и способен к перевоплощению. Поэтому его страшат не только собственные болезни, но и те, что он видит у других, о которых читает или слышит. И страх тоже тренируем, он питается информацией о болезнях.

Человек умен, но ленив и жаден. Он не предназначен природой для сытой и легкой жизни. За удовольствие обильно и вкусно поесть и отдыхать в тепле он должен платить болезнями. Если перегнуть палку в первом, то есть в удовольствиях, то плата может оказаться чересчур большой. Телесные страдания могут поглотить все удовольствия от благ цивилизации. Нельзя рассчитывать на то, чтобы все соблюдали строгий режим здоровья, отказывая себе во всем, но можно попытаться убедить людей соблюсти некоторую меру: ограничивать себя ровно на столько, чтобы не переходить грани больших болезней.

Сделать это может только наука, апеллирующая к здравому смыслу.

НАУКА О МЕХАНИЗМАХ БОЛЕЗНЕЙ И ЗДОРОВЬЯ

Зачем говорить о болезнях? Но если бы не было болезней, кто бы вообще думал о здоровье? Поэтому приходится идти от противного: показывать, отчего болезни, чтобы наметить пути, как от них спастись. Нет, не лекарствами — активностью.

Понятия болезни и здоровья тесно связаны друг с другом. Казалось бы, они противоположны: крепкое здоровье — мало болезней, и наоборот. Однако все гораздо сложнее. Измерить здоровье и болезнь трудно, границу между ними провести практически невозможно.

Во-первых, болезнь с субъективной и объективной точек зрения не одно и то же. Во-вторых, можно трактовать болезнь в понятиях биохимии, физиологии, психологии, социологии. Все трактовки важны.

Начнем с психологии, с субъективного. **Болезнь — это понижение уровня «приятного», УДК, связанное с тягостными физическими ощущениями или со страхом перед болями и смертью.** Ощущения здорового сильного тела («мышечная радость», как говорил И. Павлов) у всегда здорового человека редки. Он давно адаптировался и просто не замечает тела. *Здоровье само по себе вспоминается как счастье, только когда его уже нет.*

Но существует и адаптация к неприятным чувствам, особенно если человек занят увлекательным делом. И наоборот, у мнительного субъекта может быть масса тягостных ощущений, которые принимают форму болезней. Поэтому психологические, субъективные критерии болезни ненадежны. Интенсивность жалоб не соответствует тяжести заболевания, это знают все врачи. Особенно теперь, когда болезни просто культивируются из-за обилия медиков и их неправильной установки считать всех людей потенциально больными.

Ощущения с тела направляются в кору мозга. Если возбудимость ее клеток повышена и они натренированы постоянным вниманием, то и нормальные импульсы, идущие с тела, воспринимаются как чрезмерные.

Сколько видишь людей, ушедших в болезнь! Они носят ее как драгоценность, как оправдание всех своих неудач в жизни, как основание требовать у окружающих жалости и снисхождения. Очень неприятные типы! Врачу нельзя пренебрегать жалобами пациента, но не следует только по ним строить гипотезу о болезни. Однако не следует и забывать, что в конечном итоге врачи должны освободить человека именно от психологии болезни. Если нельзя избавить его от телесных страданий, врач обязан пытаться лечить их душевные последствия.

Вопросы болезней и здоровья приходится разбирать на разных уровнях: биохимии в клетках, физиологии в органах и целом организме.

Вот простенькая схема:

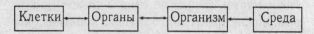

Начнем с клеток, с молекулярного уровня. На молекулярную биологию с надеждой смотрит вся медицина.

Еще совсем недавно, лет 50 назад, клетку представляли очень примитивно: ядро, протоплазма, оболочка. Теперь не так: клетка — это сложнейшая организация с полужестким скелетом из структурных белков, с множеством «каналов», по которым циркулируют токи жидкостей, содержащие различные простые и сложные молекулы. По ним осуществляются как вещественно-энергетические, так и информационные связи. Оболочка — это совсем не пассивная полунепроницаемая мембрана, а сложная структура с управляемыми «из центра» порами, избирательно пропускающими и даже активно захватывающими вещества извне.

Рассмотрим до предела упрощенную схему *клетки* (рис. 1).

Вверху изображены «органы управления» — ДНК, состоящая из генов, и рибосомы; ниже — «рабочие элементы», тоже условно поделенные на «специфические» и «обеспечивающие» структуры, которые выполняют соответствующие функции. Толстыми стрелками с надписями обозначены внешние «входы» и «выходы», тонкими — прямые и обратные связи между элементами.

Деятельность клетки сводится к многочисленным химическим реакциям, каждая из которых протекает под действием своего белка-фермента. Белки синтезируются, «печатаются» в рибосомах по матрицам-образцам РНК, которые получаются путем копирования одного гена с ДНК. Говорят: один ген — один белок. Таким образом, в генах содержится набор «моделей» для всех видов белков-ферментов клетки, а кроме того, масса специальных генов — «инструкций», призванных управлять, то есть включать и останавливать синтез тех или иных белков в зависимости от деятельности клетки в данный период. Например, для деления клетки нужны одни белки, для захвата пищи или переваривания ее — другие. «Неработающие» гены заблокированы. Они включаются в действие по сигналам, идущим от «рабочих» элементов (смотри стрелку «запрос на синтез»), а также от регулирующих систем организма, действующих через специфические гормоны.

В каждой клетке организма есть полный набор генов для всех видов его клеток, который сформировался еще в яйцеклетке при ее оплодотворении. В нем закодированы все белки-ферменты и все «инструкции»: как развиваться плоду, как вырасти взрослому, как должен действовать каждый вид клеток в процессе жизни

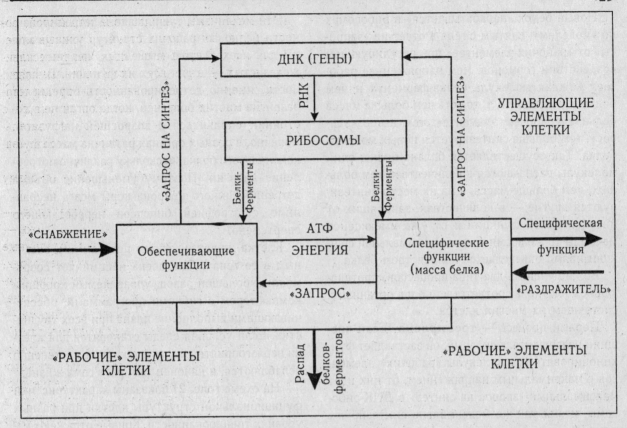

Рис. 1. Схема клетки

человека. С развитием генетики дело с генами усложнилось: оказалось, что кроме генов «нужных» — для белков-ферментов, белков структурных, генов-регуляторов — в геноме содержится масса генов неизвестного назначения. По крайней мере — пока неизвестных. Таких насчитывают 50—80%! Впечатление, что геном «засорен». Источниками «лишних» генов считают вирусы. Возможно, что часть из них служит резервом, который включается при больших нагрузках. Возможно, что за их счет осуществляются процессы приспособления и механизмы эволюции.

«Главная» деятельность клетки, служащая нуждам целого организма, осуществляется ее «специфическими» рабочими элементами. Объем, или количество, функции, например, сила сокращения мышечного волокна, определяется тремя факторами: интенсивностью внешнего раздражителя, массой «наработанных» ранее белков и

наличием энергии, поставляемой «обеспечивающими» структурами. Для всех них на схеме показаны стрелки и надписи. «Обеспечивающие» элементы работают под воздействием «специфических» стимулов, производят по их запросам энергию в виде активных фосфорсодержащих молекул АТФ из глюкозы, аминокислот и жирных кислот, получаемых из крови.

Биохимики установили интересный факт: все живые белки закономерно распадаются на простые молекулы с постоянной скоростью. Величина ее определяется как «период полураспада». Для белков сердечной мышцы он равен примерно 30 дням. Это значит, что из 200 граммов белка через 30 дней останется только 100, еще через 30 дней 100 : 2 = 50 и так далее, если за это время не синтезируются новые молекулы. Есть долгоживущие белки с периодом полураспада в 100 и более дней. Из них составлены стойкие структуры соединительной ткани — связки, хрящи, даже кость.

Новый белок «нарабатывается» в рибосомах по «моделям», снятым с гена в ответ на «запросы» от «рабочих элементов» при регулирующем воздействии гормонов. Чем напряженнее работает каждая молекула белка-фермента и чем больше этих молекул, то есть чем больше масса белка в «рабочем элементе», тем выше «запрос», тем больше синтезируется новых молекул белка. Так осуществляется баланс белка: одни молекулы распадаются в количествах тем больших, чем больше масса, а на их место синтезируются другие — в количествах, зависящих от интенсивности функции и от уже имеющейся массы. В то же время предел максимальной функции прямо определяется количеством белка.

Важно уяснить два типа процессов, протекающих в клетке, а соответственно и в организме, состоящем из многих клеток.

Первый процесс — **тренировка**. Если внешний раздражитель сильный, он заставляет функционировать все молекулы «рабочих» элементов с максимальным напряжением, от них идет максимальный «запрос на синтез» в ДНК-рибосомы, и они так же максимально синтезируют новый белок. «Старый» белок при этом продолжает распадаться с постоянной скоростью. В результате при большой нагрузке синтез обгоняет распад, и общая масса белка возрастает. Соответственно возрастает и мощность функции. Самый простой пример — тренировка спортсмена: чем больше нагрузка, тем больше мышечная масса и соответственно увеличивается поднимаемый тяжелоатлетом вес.

Второй процесс — **детренированность**. Предположим, что внешний раздражитель резко ослабляется, соответственно падает функция и уменьшается «запрос на синтез» новых молекул. В то же время наработанная ранее при большой функции масса белка продолжает распадаться с прежней скоростью, пропорционально массе на данный момент. В результате распад обгоняет синтез, суммарная масса белка уменьшается (атрофия), и соответственно уменьшается сила сокращения мышцы, возможность функции. Спортсмен бросил тренироваться, мышцы у него «растаяли», и он уже не может поднять даже половину того веса, который поднимал ранее.

Эти механизмы тренировки и детренированности белковых рабочих структур универсальны для всех клеток: мышечных, нервных или железистых — и для всех их функций. В частности, именно детренированность определяет развитие многих болезней, когда орган не в состоянии справиться с возросшей нагрузкой. Конечно, в разных органах различна масса функционального белка, поскольку различно потребление энергии. Поэтому уменьшение объема детренированного нейрона коры мозга несравнимо с атрофией бицепсов неработающего спортсмена.

Клетка живет по своим программам, заданным в ее генах. Она очень напоминает современный большой завод, управляемый хорошим компьютером с гибкими программами, обеспечивающими выполнение плана при всех трудностях. Если условия среды становятся для клетки неблагоприятными, то функции ее постепенно ослабляются, и наконец замирает сама жизнь.

На схеме (рис. 2) показаны характеристики функциональной структуры клетки при разных уровнях тренированности. Кривые отражают изменение «специфической» («главной» для целого организма) функции клетки в зависимости от силы внешнего раздражителя.

Над верхней кривой для самой тренированной клетки обозначены три режима: нормальный, форсированный и патологический. Что это такое? Названия говорят сами за себя. Нормальный режим обеспечивает среднюю интенсивность деятельности клетки, он устойчив и не ограничен во времени. Все химические реакции хорошо сбалансированы и не напряжены. На кривых мы видим линейную зависимость между силой раздражителя и возрастанием функций.

Форсированный режим временно обеспечивает повышенную функцию ценой снижения КПД и расходования запасов энергии. В сложном организме он вызывается действием особых веществ — активаторов, чаще всего гормонов. Деятельность его ограничена резервами энергии.

Патологический режим — это уже болезнь, и об этом особый разговор.

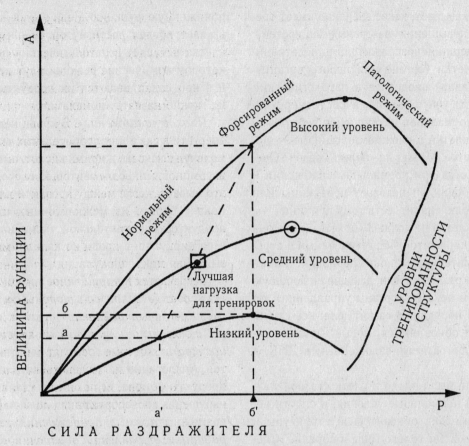

Рис. 2. Характеристики функциональной структуры клетки при разных уровнях тренированности

В чем выражается здоровье клетки? Это выполнение программ жизни: питание, рост, специфические функции, размножение. «Уровень здоровья» — это интенсивность проявления жизни в нормальных условиях среды, которая определяется тренированностью структур клетки.

Есть и другое определение: «*Количество здоровья — это пределы изменений внешних условий, в которых еще продолжается жизнь*».

«Количество здоровья» можно выразить в понятии «резервные мощности». Оно хотя и не биологического происхождения, но всем понятно: например, при движении по ровной дороге с нормальной скоростью от мотора автомобиля требуется 15 лошадиных сил, а максимальная его мощность 75 сил. Следовательно, есть пятикратный резерв мощности, который можно использовать для движения в гору или по плохой дороге. То же самое в клетке или органе. Нижняя точка на оси ординат — это величина функции, которую организм в состоянии покоя требует от клетки. Для детренированной клетки — это почти предел нормального режима, чтобы получать больше, нужна форсировка. Для среднетренированной клетки есть трехкратный резерв, а при высокой тренированности — шестикратный. На оси абсцисс треугольником отмечена точка. Для детренированной клетки — это предельная величина силы раздражителя, при усилении раздражений наступает патологический режим. При высокой тренированности раздражитель такой силы является нормальным.

Тренировка наиболее эффективна, когда величина функции приближается к границе форсированного режима. Эта точка отмечена на средней кривой.

Схема показывает, какое значение имеет тренировка для повышения «резервных мощностей». Сильный внешний раздражитель для детренированной клетки (органа или целого организма — все равно) вводит ее в патологический режим, то есть уже в болезнь, а для тренированной — это нормальная интенсивная работа.

Болезнь клетки в сложном организме — понятие непростое. Может ли «болеть» завод? Очевидно, да. Когда при нормальном снабжении и хороших рабочих он недодает продукцию или выпускает брак, значит, есть тому причины.

По идее клетка не должна «болеть», пока она нормально снабжается энергетическими и строительными материалами, пока периодически получает извне раздражители, дающие ей хорошую тренировку и пока ее «органы управления», то есть ДНК, в порядке. В самом деле: все структуры клетки обновляются, новые «детали» делаются по программам, заложенным в ДНК, в генах.

Даже если было плохо и клетка «заболела», то создай ей нормальные условия, и спустя некоторое время она обновит свои структуры и выздоровеет. Если только гены в порядке. Специалисты по молекулярной генетике говорят, что гены повреждаются редко. Подумайте, как это хорошо!

И тем не менее болезней полно, и все они первично проявляются в клетках.

Какую клетку сложного организма мы считаем больной?

Если она не выдает достаточной функции в ответ на «нормальное» раздражение, поступающее от системы организма, не выполняет свои программы деления, ее химия нарушена, и она выдает вовне продукты неполного обмена, вредные для других клеток. В общем, с позиций целого организма клетка больна, если она не справляется с требуемыми от нее функциями — осуществлять движение, выделять гормоны, продуцировать нервные импульсы. Перечислю возможные **причины патологии клетки**.

Детренированность. Если клетка периодически не получала больших нагрузок, она детренируется и на нормальный раздражитель дает

пониженную функцию. Если раздражитель превышает предел достигнутой тренированности, клетка вступает в патологический режим, при котором химические реакции идут не до конца, и в ней накапливаются их продукты. Условно их можно назвать «помехами».

Плохое «снабжение». В крови недостаточно энергетических или строительных материалов: молекул глюкозы, жирных кислот, аминокислот, витаминов, микроэлементов, кислорода. Иногда это бывает, когда между кровью и клеткой возникает барьер из межклеточных структур — продуктов соединительной ткани или нарушается циркуляция крови по капиллярам (так называемая микроциркуляция).

Встречается и *нарушенное гормональное регулирование генов со стороны эндокринной системы, и «отравление» клеток микробными токсинами или другими ядовитыми веществами,* которые тормозят действие ферментов. Аналогично могут действовать нормальные продукты обмена, если они не удаляются из-за нарушения кровообращения («шлаки»). Наконец, возможны *прямые повреждения генов из-за радиации, отравлений, внедрения новых участков ДНК, привнесенных вирусами или в результате мутаций.* Это самая тяжелая патология, так как нарушаются «чертежи», по которым изготовляются ферменты. Правда, клетка имеет возможность сама «ремонтировать» двойную спираль ДНК, если поражена одна ее нить, но только при делении. Но не все клетки делятся. Например, нейроны коры мозга рассчитаны на «всю оставшуюся жизнь»: когда они повреждаются, то заменяются рубцом из соединительной ткани.

Клетки могут «болеть» в результате любой из перечисленных причин, и для разных болезней человека разные причины становятся важнейшими.

Чтобы перейти к уровню органов и их систем, необходимо несколько пояснений.

Очень трудно представить себе картину эволюции как развития все более сложных организмов из простых. Несомненно, участвовали три компонента, показанные на схеме:

ОРГАНИЗМ

СРЕДА — «ТЕЛО» — ГЕНЫ

В процессе эволюции сначала изменение среды меняло «рабочие» функции «тела» при неизменных генах. При этом нужно учесть гибкость программ управления со стороны генов, обеспечивающую приспособление к среде, когда в некоторых пределах ее изменений удается осуществить рост и размножение. Можно говорить о «напряжении приспособительных механизмов», когда жизнь идет на границе возможностей приспособления.

В генах закономерно происходят мутации. Или в них попадают новые гены от вирусов и микробов: геном изменяется. Чем энергичнее размножение, тем больше возможностей для проявления изменений, которые приводят программы управления организмом от генов в большее соответствие с требованиями среды. Эффективность изменчивости отрабатывается в ходе естественного отбора. Это обычная схема эволюции. По-ученому это звучит так: организация управления клетки меняется в ходе самоорганизации генома.

В самом начале эволюции меняющиеся физико-химические условия среды могли привести к тому, что поделившиеся клетки первых одноклеточных не разошлись, как им полагалось изначально, а остались связанными. Так возникли «колонии». Это механическое изменение привело к изменению тел связанных друг с другом клеток — к асимметрии строения. В дальнейшем это закрепилось в генах, появилась новая строка «инструкции», меняющая структуру клеток.

Дальше — больше. Образовались колонии с замкнутой внутренней средой, через которую клетки могли влиять друг на друга. Некоторые клетки потеряли связь с внешней средой и стали целиком зависимы от внутренней среды. Одновременно шла так называемая дифференци-

ровка, специализация клеток, разделение функций между ними.

МОДЕЛЬ НОРМЫ И ПАТОЛОГИЯ

Основные рабочие функции живого присущи всем одноклеточным. Это прежде всего энергетика обмена веществ — свои «электростанции», вырабатывающие энергию из глюкозы, жирных кислот и аминокислот. Второе — пищеварение, захват частичек пищи и переваривание внутри клетки в специальных пузырьках — лизосомах. Третье — движение, есть и у одноклеточных — сократительные элементы. Четвертое — защита внутренней среды от внешней и связь с ней за счет действия специфических каналов, избирательно пропускающих различные вещества внутрь или наружу. Кроме того, на поверхности клетки существуют разнообразные рецепторы, способные захватывать и препровождать внутрь избранные сложные молекулы. Через каналы и рецепторы осуществляется «снабжение» части «рабочих» функций клетки, передаются управляющие сигналы.

Клетки многоклеточного организма усовершенствовали и развивали отдельные функции одиночной клетки и таким образом сформировали органы: пищеварения, размножения, движения, восприятия раздражения, регулирования.

Особенное развитие в процессе эволюции получили **органы управления**. Они сформировались в несколько **регулирующих систем**, выполняющих различные функции. Мы выделяем четыре системы (рис. 3).

Первая регулирующая система (I РС) условно определена как «химическая неспецифическая» и представляет жидкую замкнутую среду организма — кровь и лимфу. Кровеносная система объединяет все органы через посредство относительно простых химических веществ, например, таких, как кислород, углекислота, глюкоза. Каждый орган получает и отдает в кровь то, что предназначено его «специализацией».

Вторая регулирующая система (II РС) представлена эндокринными железами. Они регули-

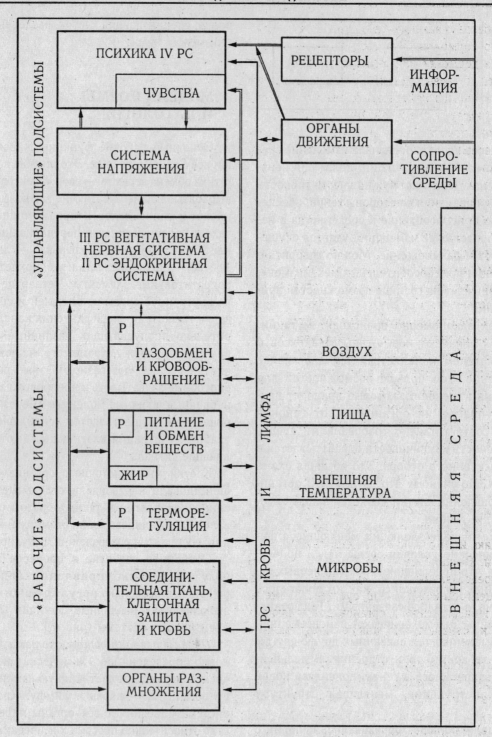

Рис. 3. Схема организма

руют «обеспечивающие» функции организма с помощью гормонов. Эти химически активные вещества тормозят или активируют клеточные ферменты, а через них и большинство функций клеток. Гормоны действуют через I РС, через кровь и лимфу, а специализация регулируемых процессов определяется клетками-«мишенями», обладающими особой чувствительностью к тем или иным гормонам.

Третьей регулирующей системой (III РС) является вегетативная нервная система, которая контролирует внутренние органы и главным образом уровень их специфической активности. Ее принцип действия отличается от предыдущей тем, что активирующие (или тормозящие) вещества (подобные гормонам) доставляются непосредственно к «адресату», выделяясь в окончаниях нервных волокон непосредственно в органах-«мишенях». То есть действует «адресная» система регулирования. Вегетативная нервная система состоит из двух отделов-антагонистов: симпатической и парасимпатической. Они управляют главным образом внутренними органами («симпатикус» выделяет адреналин, «парасимпатикус» — ацетилхолин).

Наконец, *четвертая регулирующая система* (IV РС) носит название анимальной нервной системы и отвечает главным образом за связи организма с внешней средой. Ее клетки и структуры воспринимают и передают внешнюю информацию и управляют произвольными движениями. Высший ее «этаж» — кора мозга. В IV РС представлены также «датчики» — глаза, уши, рецепторы кожи, мышц, суставов и, в меньшей степени, внутренних органов, доставляющих к коре (к сознанию) избранную информацию о теле.

Регулирующие системы (РС) имеют «этажную» структуру. Например, в IV РС описывают кору мозга, подкорку, спинной мозг. В III РС можно выделить высшие вегетативные центры, ведающие обобщенными функциями, например, питанием; «главные» центры, ведающие органами (кровообращение, дыхание), и местные нервные сплетения самих органов, регулирующие отдельные клетки. Эндокринная система (II РС) имеет несколько «этажей»: гипоталамус и гипофиз в подкорке головного мозга, большие эндокринные железы — надпочечник, щитовидная, половые, специфические клетки в «рабочих» органах. Даже I РС и ту можно поделить на две: кровеносная и лимфатическая системы.

В функциональном отношении все регулирующие системы связаны между собой прямыми и обратными связями: «высшие» управляют «низшими», но, в свою очередь, находятся под их обратными воздействиями. То есть типичная кибернетическая система управления.

Регулирующие клетки способны к тренировке при повышении функции, как и всякие другие. Для клетки это вполне физиологично, но в целом организме их повышенная тренированность может вызвать патологию, так как изменится характеристика регулятора, а, следовательно, он будет «неправильно» управлять органом или функцией. Например — кровяным давлением.

Всякая схема живых организмов условна. Клетки регулирующих систем проникают в «рабочие» органы, отдельные уровни самих регулирующих систем перекрываются, функции разных регулирующих систем наслаиваются и дублируются. Анатомически органы четко отделены, физиологически же они участвуют в совершенно разных функциональных системах. Поэтому я сделал совсем условную и простую функциональную схему, выделив важнейшие функции целостного организма, не вдаваясь в разделение по их анатомическим деталям.

В самом верху помещена «психика», представленная корой и подкоркой. Отдельно выделен квадратик «чувства», а ниже показан четырехугольник с надписью II и III РС, то есть эндокринная и нервно-вегетативная системы.

Посредине помещен прямоугольник с надписью «Система напряжения». Анатомически она не выделяется четко, но функционально весьма важна. Массивным «входом» к ней показана стрелка от чувств, а «выходы» направлены как вверх — к «психике», так и вниз — к регуляторам II и III РС. Единственный выход от психики ведет к мышцам, к органам движения. Они направлены на внешнюю среду, и им противостоит ее «сопротивление».

Выделение других функциональных подсистем зачастую весьма спорно, но начнем по порядку.

Прямоугольник «Газообмен и кровообращение» означает функцию обеспечения всего организма кислородом и удаления углекислоты, для чего существуют дыхательная и сердечно-сосудистая системы. Система кровообращения выполняет и другие функции: перенос питательных и пластических веществ, а также гормонов, от специальных органов ко всем клеткам, продуктов обмена — к органам выделения. Она же переносит тепло и при случае охлаждает части тела. Буквой Р в левом верхнем углу выделены собственные нервные регуляторы сердца и сосудов. Стрелка к высшим регуляторам мощная, чем подчеркивается большая зависимость этой подсистемы от них.

Ниже расположена подсистема «Питание и обмен». Я пытался объединить в ней все функции снабжения организма энергетическим и строительным материалами, понимая под этим не только специфические органы как желудочно-кишечный тракт, но внутриклеточные энергетические и пластические («строительные») функции. Обмен углеводов, жиров, белков, витаминов, а также солей и воды — все объединено в одну функциональную подсистему. В низу прямоугольника выделен участок с обозначением «жир». Этим подчеркнута единственная в своем роде функция создания запасного энергетического материала в специальных клетках, и она тоже относится к питанию.

Следующий прямоугольник поскромнее, он означает одну маленькую функцию — «терморегуляция». Она осуществляется кожными сосудами, но замкнута и на клеточный обмен, на кровообращение, на сокращение мышцы достаточно представлена в кое мозга, в сознании.

Расположенная ниже подсистема названа сложно: «Соединительная ткань и система иммунитета». Соединительную ткань всегда отличали от других тканей по разнообразию видов клеток и их функций. Диапазон их действительно велик — от кости до эритроцитов. Но в системе есть одно общее качество: большая автономия клеток и их высокая способность к перестройке структуры. В ней всегда есть незрелые, почти эмбриональные клетки, способные к делению. Простым примером является кроветворная ткань: из очень молодых, так называемых «стволовых» клеток выходят и эритроциты, и различные формы белых кровяных телец — лейкоцитов. Главная функция иммунной подсистемы — защищать организм от чужих белков, а также своих, если они изменились в результате генных мутаций. Конечно, деятельность этой системы зависит от «снабжения», особенно доставки таких активных биологических веществ, как витамины и микроэлементы. Связь этой системы с регуляторами самая слабая среди всех других клеток. Однако гормоны коры надпочечников могут активировать или тормозить реакции соединительной ткани на микробы из внешней среды или на умирающие собственные клетки.

В самом низу помещена еще одна специфическая подсистема — органы размножения. Не буду на ней останавливаться, поскольку ее влияние на организм ограничено.

Все прямоугольники схемы объединены одной связью с надписью: «I РС — кровь и лимфа».

Описание всех подсистем, показанных на схеме, можно для простоты вести по единому плану.

Прежде всего необходимо остановиться на «выходах», то есть как деятельность каждой подсистемы отражается на других. Их много, и выделить можно два: субъективный — это чувства при разных уровнях активности, и объективный — уровень или количество специфической функции, для которой нужна мера измерения.

«Входов» на подсистему тоже всегда несколько. Нужно выделить «главный», определяющий воздействия извне или от другой подсистемы, и дополнительные, меняющие главную функцию. Примеры описаний подсистем пояснят все это.

Зависимость «выходов» и «входов» представляет собой «характеристику» подсистемы, примерно такого вида, как показана на схеме.

Важным является описание тренировки: как постепенно возрастают «выходы» после больших нагрузок. Примером может служить опять-таки эта схема.

Как подсистема влияет на другие и что происходит в организме, когда функция подсистемы серьезно нарушена? Ограничусь лишь простеньким схематическим описанием, показывающим связи некоторых распространенных болезней с нарушениями функции подсистем, вызванными поведением человека, а не внешними причинами.

Возьмем мышцы. «Входом» для них является сопротивление внешней среды движению, например, тяжесть гантелей, объективным «выходом» — развиваемая при движении мощность. Субъективным — чувство утомления, для преодоления которого нужно психическое напряжение. Важнейшим дополнительным «входом» служит доставка кислорода, которую обеспечивает подсистема «газообмена». Тренировка характеризуется тем, как постепенно возрастает поднимаемый груз или увеличивается скорость бега по мере упражнения. Характерно, что при этом возрастает и КПД — то есть, сколько процентов химической энергии пищи превращается в механическую энергию работы. Соответственно уменьшается потребность в кислороде, а, следовательно,— в притоке артериальной крови.

Обратимся к подсистеме «газообмен». Она состоит из сердца, сосудов и легких. Любой из этих компонентов может ограничить максимальную функцию доставки кислорода тканям и удаления углекислоты. Однако у молодых и здоровых главная причина снижения резервных мощностей — это детренированность сердца. «Период полураспада белков» очень хорошо демонстрируется на нем. За месяц строгого постельного режима «коэффициент резерва» (то есть отношение максимума производительности сердца к состоянию покоя) даже у тренированного человека снижается с 5 до 1,3.

Субъективно мы это чувствуем по нехватке воздуха при возрастающей мышечной работе. Если замерять в таком случае потребление кислорода в минуту или частоту пульса, то получим кривые, представляющие объективную характеристику. Для этого производят исследования на специальном велосипеде — велоэргометре.

Значение легких в обмене газов меньшее, чем сердца, если нет болезни. Объем легких, количество действующих легочных альвеол, проходимость бронхов — все тренируется вместе с сердцем при нагрузках. Большая роль отводится бронхам: курение и простуды ведут к развитию бронхитов и затрудняют движение воздуха к альвеолам, так же как спазм мелких бронхов при бронхиальной астме.

Вредные влияния на газообмен со стороны других подсистем разнообразны. «Система напряжения» нарушает регулирование, возникают спазмы коронарных артерий, изменяется ритм сердца. Изменения соединительной ткани в сердце и в сосудистой стенке из-за неправильного питания и инфекции затрудняют проникновение кислорода к клеткам. Эндокринная система изменяет регулирование. Если в аорту поступает кровь с недостатком кислорода, органы оказываются в трудном положении. Так, когда напряжение электростанции понижается, все лампочки тускнеют и моторы не дают мощности. Аналогичное случается с кровью при дыхательной недостаточности, когда диффузия кислорода затруднена из-за утолщения стенок альвеол или выпотевания в них жидкости из кровеносных капилляров. Первое зависит от легких, второе бывает, когда «не тянет» левый желудочек сердца, и легкие переполняются кровью. Больше всего страдает мозг, так как он эволюционно не рассчитан на плохое «снабжение».

Несколько легче обстоит дело, когда легкие в порядке и артериальная кровь хорошо насыщается кислородом, но ее недостаточно поступает в аорту из-за плохой работы правого желудочка сердца. Равенства в снабжении органов нет, и привилегированные — мозг и сердце — получают свою долю, даже если все другие посажены на голодный паек. Управление организмом со стороны мозга идет правильно, но так долго жить нельзя, и в клетках накапливаются продукты неполного окисления. В конце концов они отравляют кровь, и хорошая работа легких не спасает дело. Развивается все та же гипоксия (кислородное голодание) при сдвигах в кислотно-щелочном равновесии (pH), и это ведет к многочисленным неприятным последствиям. В общем, хороший газообмен, или, точнее, «газоснабжение»,— необходимое условие здоровья.

Подсистему «питание» труднее охватить, поскольку ее функции многообразны и в разных клетках и органах очень различны. В принципе это система снабжения энергетическим и пластическим «строительными» материалами. Она призвана обеспечить непосредственные затраты энергии, создание некоторых энергетических запасов и представить материалы для построения структур организма во всем их многообразии. При этом следует учесть, что организм получает извне очень разную пищу, ее нужно сначала разложить до простых кирпичиков, которыми восполняется энергия и из которых строятся собственные структуры. Кирпичиками белков служат аминокислоты, углеводов — глюкоза и жиров — жирные кислоты. Их разнообразие сравнительно невелико, и наука их давно определила.

Субъективная характеристика — количество пищи, ощущение голода или сытости — зависит не только от соотношения «приход—расход» энергии, но также от вкуса, объема блюд и от «тренированности» пищевого центра: есть люди с хорошим и плохим аппетитом, «жадные» и «нежадные». У «жадных» субъективная потребность в пище, то есть чувство голода, будет превышать расходы, и человек станет полнеть. Это означает, что в клетках накапливается не только жир, но, возможно, и другие «помехи», которые клетка «не желает» использовать из-за обилия «хорошей» пищи. Разумеется, у клетки нет психики, но есть саморегулирующаяся и тренируемая система изменения активности ферментов. При голоде КПД возрастает — это тоже следствие тренировки.

Мне представляется, что **чем меньше организм получает пищи, тем совершеннее его обмен веществ.** В этом отношении дикая природа не является образцом. Эволюция шла на компромисс, она отработала повышенный аппетит, ставящий организм в невыгодное положение при избытке пищи, но тем самым обезопасила биологический вид от вымирания в связи с крайней нерегулярностью снабжения. Только периодические вынужденные голодовки исправ-

ляли этот дефект регулирования, так как разгружали клетки от всех балластных веществ, накопившихся в период благоденствия.

Для подсистемы «питание», как и для любой другой, можно предложить много объективных характеристик. Самой простой и обобщенной является показатель веса, пожалуй, даже не сам вес, а складка жира на животе.

Нужна ли человеку вообще жировая подкожная клетчатка? Наверное, нет, не нужна. Никаких полезных функций она не выполняет, кроме сохранения энергетических запасов на случай голода. Но это не нужно современному человеку, кроме самого минимума на случай болезни.

Качество пищи более важно, чем ее количество, потому что природа не выработала специальных потребностей в полноценных аминокислотах, витаминах и микроэлементах, а требует только калорий. Поэтому ассортимент блюд человек выбирает по вкусу, а не по полезности. Отсюда масса возможностей для неполноценного питания, не обеспечивающего клетки всем необходимым. В этом источник многих болезней.

Регулирование подсистемы «питание» очень сложно. Гормоны действуют на клеточный обмен, на превращение питательных веществ в «энергетические» молекулы АТФ (аденозинтрифосфат). Пример нарушений — диабет.

Органы пищеварения регулируются в основном вегетативной нервной системой (III РС), но прием пищи и опорожнение кишечника — произвольные акты, управляемые сознанием. Чрезмерная активность подсистемы «напряжения» может значительно извращать деятельность желудка и кишечника: отсюда распространенные болезни — язва желудка и колит.

Мы говорили о пище, о питании. Но есть еще вода и соли — целая система водно-солевого обмена, которая обеспечивает клеточную химию и связана с кровообращением. На «входе» у нее пищеварительный тракт с психическим регулятором жажды, на «выходе» образование в почках мочи разного состава. Сама жажда зависит от соли в пище, но также и от индивидуальных привычек — одни пьют много, другие — мало.

Снова тренировка центров. «Выход» мочи зависит от «входа» жидкости, но регулируется гормонами, а у больных обусловлен еще и работой сердца. Система напряжения меняет настройку, установку эндокринных регуляторов, и в организме задерживается вода.

Резервы здоровья в подсистеме «питание» определяются различными функциональными пробами. Например, для усвоения сахара исследуется «сахарная кривая»: дают 100 граммов сахара и определяют его содержание в крови в течение 2—3 часов. Есть отличные пробы для изучения функции кишечника, печени, почек. К сожалению, пользуются ими редко, только у больных. Никто не пытается исследовать «резервные мощности» здорового человека для того, чтобы тренировать их при опасном снижении.

Болезни органов пищеварения имеют все те же источники, что и в других системах: переедание, неправильная пища, физическая детренированность и психическое напряжение. Инфекция — тоже частая причина болезней, но само ее проявление связано с теми же первопричинами. Здоровый организм хорошо защищен от микробов и не боится их, за исключением очень опасных.

Подсистема «терморегуляции» едва ли требует много пояснений. Постоянство температуры тела в эволюции отработано давно, но и эта функция понята не до конца. Почему так легко температурный центр реагирует на инфекцию? Повышение температуры является чуть ли не первым ее проявлением. Видимо, есть древний защитный механизм, действующий на клеточном уровне: повышение температуры активизирует защитные силы. Для здорового человека это так и есть, для старого и больного опасно само по себе, так как лихорадка перегружает сердце. Но природа и не рассчитывала на старость и хронические болезни — ей дай Бог молодому спастись от острой опасности.

Функция терморегуляции, то есть поддержания постоянства температуры при разной погоде, тренируема, как и всякая другая. Схемы закаливания известны. Механизм — ограничение теплоотдачи за счет сокращения сосудов кожи.

Соединительная ткань и система иммунитета. Существуют два параллельных и взаимодействующих механизма: клеточная защита через фагоцитоз и гуморальная через антитела — активные белковые комплексы, связывающие токсины и умертвляющие микробов. Функции иммунитета осуществляются особыми лейкоцитами — лимфоцитами. Одни образуют антитела, другие убивают микробов при прямом контакте с ними. Выяснена сложная система образования иммунных лимфоцитов: она включает костный мозг, вилочковую железу, лимфатические узлы, селезенку. В этих органах лимфоциты нарождаются и «проходят обучение», то есть приобретают специфичность в уничтожении данного вида микроба или собственного «некондиционного» белка, образующегося в результате изменений ДНК,

В механизмах иммунитета много неясностей. Как объяснить их довольно строгую специфичность? Для каждого чужого белка вырабатывается свой белок — антитело. И это без всяких анализов, в одной клетке. Поскольку структуры белков запрограммированы в генах («один ген — один белок»), то сколько же нужно иметь запасных генов на все возможные чужие белки?

Как и для всякой функции, существуют количественные характеристики для иммунной системы. Они основаны на определении активности иммунитета к известным или новым микробам. Однако для здоровых людей достаточно иметь хороший анализ крови, так как он, в общем, характеризует состояние кроветворных органов, которые неразделимы с иммунной системой.

Кроветворение находится под воздействием эндокринной системы, особенно коры надпочечников. Его гормоны тормозят иммунитет, поэтому любые стрессы ослабляют защиту организма от инфекции и заживление ран: снова все та же «система напряжения».

Воздействие «снизу» — это влияние питания. **Неполноценная пища при недостатке витаминов и микроэлементов всегда плохо отзывается на картине крови и снижает общую сопротивляемость организма.**

Влияние недостаточности иммунитета на организм очень велико. Прежде всего инфекция. Микробов много, и ничем от них не защититься. Мыть руки перед едой — это азбука гигиены — может быть, и не так важно для здорового человека. Ставку нужно делать на сопротивление микроорганизмам, а не на закрытие им доступа в организм: это все равно не удается.

К сожалению, проблему защиты от инфекции нельзя решить «в лоб» — рациональным питанием, физкультурой и даже закаливанием. Появится новый тип гриппозного вируса, и масса людей заболевает. Болезнь не щадит не только слабых и старых, но и сильных, закаленных людей. Одни тяжело болеют, к счастью, как правило, не умирают. Но заболевает все-таки меньшинство. А другие? Что, у них была уже защита от нового микроба? Откуда? Все это вопросы, на которые нет пока ответа. Факторы, определяющие тяжесть инфекционного заболевания, тоже неясны.

Самые верхние прямоугольники схемы организма — психика, «система напряжения» и высшие регулирующие механизмы эндокринной и нервно-вегетативной систем.

Рассмотрим влияние психики на здоровье и болезни. Стрессы и эмоции! Любимые объяснения всех бед с нашим телом в последние десятилетия.

Зная нашу жизнь, я долго сомневался: значит ли что-нибудь психика в росте болезней. Однако простые врачебные наблюдения убедили меня, что это так. Даже поджарые и спортивные люди заболевают разными болезнями после несчастий, потрясений, периода напряженной работы или безработицы. Гораздо реже, чем толстые и детренированные, но заболевают. Особенно если работа сопровождается тревогой и страхом. Ученица И. Павлова М. Петрова, удерживая собак в постоянной тревоге, получила экспериментальные неврозы, проявлявшиеся не только изменением условных рефлексов и поведения, но и рядом телесных болезней: язвами желудка, даже инфарктами.

Почему значение нервного фактора в болезнях возросло, хотя неприятности были у людей всегда? Уверен, что первобытные предки так же ссорились в своих пещерах и жизнь у них была трудная.

Не тот был разум. И не те условия.

Развитие образования и массовой культуры привело к возрастанию интеллекта. Это выражается в усилении памяти, способности к дальнему предвидению. Увеличились длительность планов, разнообразие их целей и особенно удельный вес «мыслительной части» деятельности в ущерб двигательной. Человек стал гораздо больше думать и меньше двигаться. Взрослые животные бегают или спят, думать они не умеют. У них тоже полно неприятных эмоций, но они разрешаются тут же, в физическом напряжении. У человека — нет. Он думает о них. Именно в последние 30—40 лет произошли в этом сдвиги.

Но не следует и переоценивать возрастание культуры, интеллекта и способности к самонаблюдению. Беда в том, что связанное с этим повышение уровня тревоги совпало с неблагоприятными изменениями в поведении людей: с физической детренированностью и перееданием. Последствия прогресса!

Поэтому именно теперь есть основания рассматривать «систему напряжения» как важнейшую по своему влиянию на здоровье и болезни. Она является генератором активности для мозга. Кора, подкорка, ствол мозга связаны через гипоталамус с гипофизом и дальше с надпочечниками. Форсированные режимы деятельности и мышления реализуются через симпатическую нервную систему и через эндокринные железы, воздействуя «сверху» на все функциональные системы, изменяя «установку» уровня их регулирования. Особенно наглядно это проявляется в кровяном давлении: система напряжения устанавливает для сосудодвигательного центра повышенный уровень регулирования давления в момент психического напряжения.

У животных неприятные эмоции ликвидируются относительно быстро и всегда через действие. Страх и бегство. Гнев — драка. У человека интеллект, предвидение, воспоминания вызывают состояние тревоги, раздумья без движений, иногда и ночью, без сна. «Установки» меняются на много часов. При этом регуляторы нижних этажей, например, желудка или сердца, возбуждаемых «сверху», от системы напряжения, длительное время находятся в состоянии повышенной активности. И тут вступает в действие тренировка. В данном случае вредная. Перетренированный регулятор меняет свою характеристику «вход»—«выход», и его регулирующий эффект может оказаться неоптимальным для «рабочих» клеток. Например, для желудка это выразится в спазматическом сокращении стенок, в повышении кислотности желудочного сока. В результате — возможность самопереваривания слизистой и язва желудка. Для сосудистой системы это выразится в гипертонии.

Подобное же предположение можно сделать и о влиянии психики на инфекцию: гормоны стресса — кортикостероиды, выделяемые корой надпочечников, угнетают любой иммунитет.

Как сохранить систему напряжения от перегрузки? Исходя из общей гипотезы о тренировке, можно предположить, что эта система может «перетренироваться». Это значит, повысится собственная активность нервных клеток, и они будут выдавать больше импульсов даже при прекращении эмоций. Мера здоровья для «системы напряжения» — защита от перетренировки, особенно для людей, имеющих напряженную и нервную работу. Расслабление можно тренировать через создание активных конкурирующих моделей в коре, связанных с подкорковыми механизмами.

Картина болезни целого организма представляется очень многообразной. Это естественно, ведь масса функций завязана в единую сеть отношений — прямых и обратных связей. Можно сказать так: **болезнь организма — это взаимодействие функций органов, которые сами меняются во времени, так как болезни свойственна динамика, нестабильность.**

Первая фаза болезни характеризуется углублением изменений в клетках и органах, снижением характеристик, так что обычные нагрузки (физические и психические действия) становятся слишком большими и ведут к нарастанию болезни. В это время **организм нужно щадить: снижать нагрузки соответственно степени болезни**, чтобы уменьшить сдвиги функций, оставив неизбежное, связанное с самой жизнью. **Физический и психический покой и минимальное питание в пределах сниженного аппетита. Нужна психотерапия: жалеть и успокаивать, чтобы уменьшить страх и вселить надежду.**

Организм располагает средствами защиты: мобилизация иммунитета, ослабление перетренированных структур покоем («полураспад белков»!), тренировка специальных защитных механизмов. Все эти процессы требуют времени, две-три недели, поскольку все упирается в «наработку» новых белков. В это время защитные функции усиливаются, а рабочие в результате вынужденного покоя детренируются. Поэтому, когда функции восстановятся качественно, то есть болезнь как таковая пройдет, начинается второй период — восстановление детренированных «резервных мощностей», и нужна тренировка функций, реабилитация. При этом психотерапия меняет фронт: уже не жалеть, а побуждать к работе, «только собственными усилиями можно вернуть здоровье, медицина сделала свое дело». Правило любой тренировки — постепенное наращивание нагрузок.

Люди идут к здоровью от болезней. Агитируя за режим ограничений и нагрузок, приведу еще одну схему и дам к ней немного пояснений (рис. 4). В верхнем ряду прямоугольников приведены основные подсистемы, о которых только что была речь, а в нижнем — перечень наиболее распространенных заболеваний. Названия болезней даны в самой обобщенной форме, так как уточнять совершенно невозможно из-за их количества.

Подсистемы (или для простоты — «системы») не просто перечислены, а названы те изменения в них, которые и служат непосредственной причиной болезней. Как правило, эти изменения являются следствием неправильного поведения людей, а не результатом вредных внешних воздействий. Однако с боку схемы поименованы два главных отрицательных фактора: инфекция и погода. Погода приведена условно: она действует только на незакаленных людей. Социальные воздействия замыкаются на психику, ко-

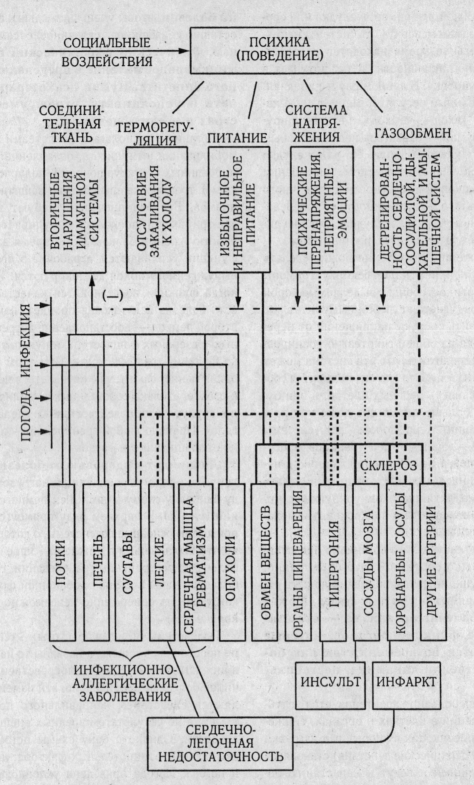

Рис. 4. Связи психики, физиологических систем, нарушений режима
здоровья, поражений органов и некоторых заболеваний

торая обозначена в прямоугольнике в самом верху схемы.

В болезнях виновата не сама по себе «система напряжения», а только ее «перетренировка» в результате интенсивной и чаще неприятной деятельности без должного отдыха. Мышцы и система газообмена объединены, так что они детренируются вместе из-за отсутствия достаточных нагрузок. В системе «питание» вредно действуют два фактора: переедание и недостаток сырой пищи. В терморегуляции — отсутствие закаливания. Система соединительной ткани и иммунитета не имеет прямой связи с психикой и поражается вторично: стрелки со знаком (−) идут к ней от всех других четырех систем. Ее нарушения могут иметь противоположный характер: функции заторможены или извращены. В первом случае клеточная защита будет недостаточна, во втором — может иметь место избыточная активность, выражающаяся в явлениях аллергии или в чрезмерном развитии соединительной ткани в пораженных инфекцией органах.

Толщина стрелок от систем приблизительно отражает значимость их участия в развитии заболевания.

В ряду болезней с левой стороны перечислены поражения почти всех внутренних органов, которые названы инфекционно-аллергическими. Это означает, что в основе их лежит не только внешняя инфекция, но главным образом не соответствующая ей реакция иммунной системы и соединительной ткани. В начале заболевания эта реакция ослаблена и позволяет развиться воспалению, а потом усилена так, что иммунные тела в крови в некоторой степени поражают и сами клетки органов. И «местная» соединительная ткань иногда так разрастается, что нарушает микроциркуляцию крови, создает барьер между капиллярами кровеносной системы и «рабочими» клетками органа. Это явление обозначают как местный склероз органа. Есть такие названия: нефросклероз — соединительнотканные изменения почки, сильно нарушающие ее функцию; пневмосклероз — такое же поражение легких; деформирующий артроз — поражение суставов; цирроз печени; кар-

диосклероз — поражение мышцы сердца. К этой же группе заболеваний примыкает ревматизм сердца, который дает впоследствии пороки его клапанов.

В качестве «дополнительного входа» для органов, зависящих от физической работы, служит детренированность (это касается сердца, легких и суставов), а для других (печени и в меньшей степени почек) — неправильное питание. Инфекция присутствует во всех этих болезнях, но не в виде каких-то специальных и особо «злых» микробов, а таких, которые встречаются повседневно, и если у большинства людей эти болезни не развиваются, то лишь благодаря правильному функционированию защитной системы.

На правом фланге «парада болезней» показаны те, что объединены общим понятием «склероз сосудов». Прежде всего это касается сосудов мозга. Думаю, что от него страдает больше людей, чем от склероза коронарных или периферических артерий, которые тоже представлены в списке. Сейчас ученые с помощью статистики изучают так называемые **факторы риска склероза** и в качестве главных выделяют три: повышение холестерина, связанное с избыточным и неправильным питанием, гипертонию, которая, видимо, вызывается «перетренировкой системы напряжения», и курение. Полагаю, что применительно к сосудам сердца и ног следует добавить физическую детренированность, которая играет роль и в развитии самой гипертонии. Соответствующие линии проведены на схеме.

Остались три квадрата: болезни обмена, пищеварительного тракта и опухоли. В диабете и ожирении (это обмен) больше всего виноваты неправильное питание и детренированность, в язве желудка и колитах — перегрузка «системы напряжения» и неправильное питание. Причину опухолей я не рискую назвать, сейчас все больше ученых склоняется в пользу вирусов и генов и увеличивающейся с возрастом слабости иммунной системы.

В самом нижнем ряду выделены три финальных осложнения, венчающих различные заболевания: инфаркт, инсульт и самое последнее — сердечно-легочная недостаточность, от которой все люди умирают.

Моя схема не претендует ни на полноту, ни на бесспорность и дана исключительно для общей ориентировки уже болеющим людям. **Люди должны знать, что переедание, физическая детренированность, психические перенапряжения и отсутствие закаливания служат главными причинами их болезней. Что во всем этом виноваты они сами, а вовсе не внешняя среда, не общество, не слабость человеческой природы. Для лечения болезней нужно прежде всего ликвидировать эти факторы, то есть тренироваться, жить впроголодь и есть сырые овощи, не кутаться и спать сколько хочется и уж, разумеется,— не курить. Лекарства, к которым эти люди так привязаны, будут при этом действовать гораздо эффективнее.**

КОЛИЧЕСТВО ЗДОРОВЬЯ

Во все исторические этапы развития медицины в ней можно найти две линии: первая — это восстановление нарушенного здоровья с помощью лекарств и вторая — достижение той же цели путем мобилизации «естественных защитных сил организма». Разумеется, всегда были умные врачи, использовавшие оба подхода, но, как правило, на практике превалировал какой-нибудь один. Это к вопросу о болезнях. Но есть еще здоровье как самостоятельное понятие. Во всяком случае, должно быть, но, кажется, в медицине, как науке, его нет.

В самом деле, **что это такое — здоровье?** Состояние организма, когда нет болезни? Интервал времени между болезнями? Наша медицинская практика, пожалуй, его так и рассматривает. «Если нет болезни, значит, здоров». О болезнях мы уже говорили: разные они, большие и маленькие, легкие и тяжелые. Медицинская наука их хорошо измерила: создала номенклатуру, насчитывающую несколько тысяч названий. Каждую описала: механизмы развития, симптомы, течение, прогноз, лечение. Процент смертности и тяжести страданий. (Теперь для каждой даже гены находят!)

А вот здоровью не повезло. Вроде бы каждому понятно: здоровье — противоположность болезни. Нужно его измерять. Много здоровья — меньше шансов на развитие болезни. Мало здоровья — болезнь. Так люди и думают. Говорят: «плохое здоровье», «слабое здоровье». Но в историях болезни такое не пишут.

Медики со мной не согласятся. Есть гигиена как область медицины, занимающаяся профилактикой болезней. Она описывает, что нужно для здоровья: какую пищу, какой воздух, какую одежду, как уберечься от микробов. Все это действительно есть. Но выглядит как еще одна глава науки о болезнях: как уменьшить вредные воздействия, чтобы не заболеть.

Когда я пытался собрать подобные рекомендации, поразился их разнообразию. Обоснования найти не удалось. Гигиенические нормы чаще всего являются результатом статистических исследований здоровых, то есть небольных, людей или итогом экспериментов на животных. Например, нужно столько-то калорий в сутки. А опыты Д. Мак-Кэя говорят, что, если животных с рождения держали на скудной по калорийности диете, они жили в полтора раза дольше, чем контрольные, которых кормили досыта. Так, может быть, нужно недокармливать людей? Может быть, эти сотни испытуемых, у которых Ф. Бенедикт определял основной обмен в покое, чтобы вывести «должные» калории, переедали?

Все упирается в понятие здоровья. Пока это чисто качественное понятие границ «нормы». Нормальная температура. Нормальное содержание сахара в крови. Нормальное число эритроцитов, нормальное кровяное давление, нормальная кислотность желудочного сока, нормальная электрокардиограмма. Чем больше накапливается методик измерений и определений разных показателей, тем больше этих статистических норм, описывающих «здоровье». Правомочно? Да, вполне. Самым лучшим будет «нормальная биохимия клетки»: описание концентраций разных веществ в клетке и даже в ее отдельных частях. Будет ли это вершиной науки о здоровье? Ни в коем случае! Представьте, что все показатели «нормальные» при неких «очень нормальных» внешних условиях. Человек, несомненно, здоров. Но что будет с ним, если эти нормальные условия немножко сдвинуть? Может статься, все нормальные показатели «поплывут», и начнется болезнь.

Нет, определение здоровья только как комплекса нормальных показателей явно недостаточно. Научный подход к понятию здоровья должен быть количественным. «Количество здоровья» — вот что нужно.

Количество здоровья можно определить как сумму «резервных мощностей» основных функциональных систем. В свою очередь, эти резервные мощности следует выразить через «коэффициент резерва», как максимальное количество функции, соотнесенное к ее нормальному уровню покоя. Выглядит такое определение заумно, но примеры все разъясняют.

Возьмем сердце. Это мышечный орган, выполняющий механическую работу, и его мощность можно подсчитать в общепринятых единицах (килограммометрах в секунду, ваттах, лошадиных силах, в любых единицах, приведенных в учебнике физики). Мы поступим проще. Есть минутные объемы сердца: количество крови в литрах, выбрасываемое в одну минуту. Предположим, что в покое оно дает 4 литра в минуту. При самой энергичной физической работе 20 литров. Значит, «коэффициент резерва» равен 20 : 4 = 5.

Сердце дает 4 литра в минуту, и этого вполне достаточно, чтобы обеспечить кислородом организм в покое, то есть создать нормальное насыщение кислородом артериальной и венозной крови. Но более того: оно может дать 20 литров в минуту и способно обеспечить доставку кислорода мышцам, выполняющим тяжелую физическую работу, следовательно, и в этих условиях сохранится качественное условие здоровья — нормальные показатели насыщения крови кислородом.

Для доказательства важности количественного определения здоровья представим себе детренированное сердце. В покое оно тоже дает 4 литра в минуту. Но его максимальная мощность всего 6 литров. И если человек с таким сердцем будет вынужден обстоятельствами выполнять тяжелую нагрузку, требующую, допустим, 20 литров, то уже через несколько минут ткани окажутся в условиях тяжелого кислородного голодания, так как мышцы заберут из крови почти весь кислород. Все показатели укажут на «патологический режим». Это еще не болезнь, но уже достаточно, чтобы вызвать приступ стенокардии, головокружение и всякие другие симптомы. Условия «статического здоровья» (нормальные показатели кислорода крови в покое) были соблюдены, но субъект явно неполноценный.

«Суммарные резервные мощности» являются не только важнейшей характеристикой состояния здоровья как такового, они не менее важны для определения отношения организма к болезни. Представьте себе первого человека с 20 литрами в минуту максимальной мощности сердца. Представьте, что он заболел сыпным тифом, температура 40 градусов, потребление кислорода тканями от этого возросло вдвое. Но организму это нипочем, сердце может выдержать и четырехкратную нагрузку. А что будет с детренированным, у которого максимум только 6 литров? Его ткани начнут задыхаться: сердце не в состоянии доставить удвоенный объем крови. Болезнь будет протекать гораздо тяжелее, появятся осложнения со стороны других органов, поскольку обеспечение энергетики — непременное условие их нормальной функции.

Когда болезнь уменьшает максимальную мощность органа, то при хороших резервах еще остается достаточно, чтобы обеспечить состояние покоя. Например, у нашего атлета тифозные токсины наводнили организм и ослабили деятельность всех клеток, допустим — наполовину. У него осталось еще 10 литров максимальной мощности сердца. Этого с избытком хватит, чтобы обеспечить организм даже при удвоенном потреблении кислорода в связи с высокой температурой. А что делать в этих условиях детренированному человеку? Вот он и умирает от «осложнения со стороны сердца».

Или еще один пример: старость. С возрастом закономерно уменьшаются функции клеток, предположим пока — в результате «накопления помех». Все функции слабеют. Резервы мощности уменьшаются. Хорошо, когда эти резервы есть, а если их нет?

Я уже много раз упоминал об основном законе тренировки любой функции: белки распадаются закономерно со скоростью периода полураспада, в соотношении с исходной массой, а скорость наработки нового белка пропорциональна «запросу» на него со стороны функции, которую он обеспечивает. В то же время сама максимальная функция, то есть «резерв мощности» клетки, определяется массой «функционального белка». «Запрос» на новый белок пропорционален «напряженности» функции. Как видите, сплошные кавычки — это все неузаконенные термины, но без них не обойтись.

Динамика детренированности (скорости ослабления функции) зависит от времени полураспада белков-ферментов, которые представляют структуру этой функции, а степень нетренированности — от величины конечной функции, которая минимально необходима для поддержания жизни в условиях покоя. Например, перед нами работник умственного труда, он не делает никакой физической работы, но он живет: обслуживает себя, сидит на работе и дома, передвигается до автобуса. Мышцы у него детренируются, конечно, но не развивается такая атрофия, которую можно видеть у больного, закованного в гипс на целые месяцы. Сердце детренируется тоже, но не до конца: и при постельном режиме, при полном покое клетки нуждаются в энергии, следовательно, в крови.

Для каждого вида клеток существуют некие количественные характеристики тренировок. Тренеры и спортивные медики знают всю эту науку тренировок.

Есть несколько простых истин. Первая — **постепенность**. Каждый день или каждую неделю прибавлять на определенный процент уже достигнутой функции. Вторая — **«субмаксимальные» нагрузки**. Периодически пробовать максимум и использовать для тренировок нагрузки несколько меньше максимальных. Третья — **«многократность повторения»**. Она, однако, не заменяет наращивания нагрузок. Четвертая — **есть тренировки на длительность и есть на максимум**. Для одних обязательна многократность, для других важнее наращивание максимальных нагрузок. Примеры из спорта известны: бегуны на короткие и длинные дистанции, спринтеры и стайеры. Пятая — **перетренировки опасны**.

На типичной характеристике «раздражитель — функция» уже были показаны три режима: нормальный, форсированный и патологический (см. схему на стр. 25).

Тренировка функции выражается в повышении кривой над осью абсцисс. Наиболее эффективный режим тренировки на форсированном режиме, но он опасен, так как легко переступить границу патологии. Безопасная тренировка — верхний предел «рабочего» режима, или так называемая субмаксимальная нагрузка.

Способность клетки к тренировке не беспредельна. Можно представить себе характеристику «тренируемости»: она выражает зависимость достигнутого максимума функции от тренировочных усилий, то есть от числа повторений различной силы и нагрузок. Чем ближе тренировочные нагрузки будут к патологической границе, тем большего максимума можно добиться. Чем ниже тренировочные нагрузки, тем ниже максимум.

Низкими нагрузками нельзя достигнуть удовлетворительной тренированности, сколько бы их ни повторять. Поэтому, когда пенсионер часами ходит по бульвару со скоростью два километра в час, толку от этого немного. Правда, все-таки лучше, чем сидеть перед телевизором.

Оптимальная жизнь — чтобы прожить долго и с высоким уровнем душевного комфорта — УДК. Он складывается из приятных и неприятных компонентов всех чувств — как биологических, так и социальных. Для мотива нужно получить максимум приятного при минимуме неприятного. К сожалению, есть еще адаптация. Приятное быстро превращается в безразличное. Чтобы сохранить высокий уровень, нужно разнообразие. Адаптация к неприятному выражена гораздо слабее. К небольшому неприятному можно привыкнуть, а к большому — нет, нельзя. Счастье — разное для каждого человека в зависимости от разной «значимости» его потребностей — чувств. Для одного — власть, для другого — вещи, для третьего — информация, для четвертого — доброта, общение. Чаще всего — комбинация всех этих и еще других компонентов, но в разном соотношении при разных типах личности.

Здоровый человек бывает несчастным, но больной не может быть счастливым. Здоровье приятно, но если оно постоянно, то действует закон адаптации: его перестают замечать, оно не дает компонента счастья. При полном здоровье плохая работа и плохая семья вполне достаточны для несчастья. Привыкнуть к ним трудно. Обратное положение: болезни при хорошей семье и интересной работе. Во-первых, нелегко сохранить хорошее отношение к больному члену семьи. Не так уж много героически добрых людей, способных на постоянное самопожертвование. Во-вторых, больной человек редко способен хорошо работать и удерживать уважение коллег, начальников и подчиненных. Без такого уважения работа не может быть приятной. Если сюда добавить телесные страдания, не поддающиеся адаптации, то где уж тут мечтать о счастье? Так и получается, что как бы мы ни возвышали роль «духа» над «грешным телом», спастись от него некуда. Но убавить страдания силой духа можно.

Как уже говорилось, **здоровье** — это «резервные мощности» клеток, органов, целого организма. Резервы запрограммированы в генах, но очень хитро: они существуют, пока упражняются, и тают без упражнения. В этом принцип экономичности природы: зачем «кормить» ненужные структуры? Пищи всегда не хватало.

Итак, резервы. Но какие? Сколько их нужно современному человеку? Есть ли возможность определения их оптимального уровня? Все это важные вопросы, потому что человек нацелен на высокий УДК, который он в принципе обеспечивает не здоровьем, а деятельностью в сферах семьи, общества, природы, вещей и информации. Отсутствие здоровья снижает УДК, но и наличие не повышает само по себе его уровень. Следовательно, большое «количество здоровья» не может стать целью специальной деятельности. Здоровье ради здоровья не нужно, оно ценно

тем, что составляет непременное условие эффективной деятельности, через которую достигается счастье.

Древнему человеку был нужен высокий уровень тренированности и выносливости, потому что без этого невозможно было прожить; добыть зверя, вскопать поле, не умереть от холода. Нам это не нужно. Жизнь не требует от нас таких жертв. Скоро совсем исчезнет физический труд, тогда зачем сила? Резервы сердечно-сосудистой и дыхательной систем предназначены главным образом для обеспечения механической мощности. Но для чего? Сколько же?

Видимо, это нужно для того, чтобы не болеть, заболев — не умереть, чтобы дольше пожить и сохранить возможность получать от жизни удовольствие: работать в полную меру, заслужить уважение окружающих. К сожалению (а может быть, к счастью?), «не болеть» и «не стареть» осознается только в зрелом возрасте, потому что у молодого достаточно здоровья.

А может быть, биологическая природа человека такова, что ему нужно «все здоровье», которое он имел в первобытном состоянии, когда грелся собственным теплом, охотился и воевал и часто спал голодный. Такое мнение тоже существует. («Назад к природе!») Мне оно не кажется обоснованным, но и полностью пренебрегать биологией нельзя.

В связи с этим встает важный вопрос: насколько генетически изменился человек за время цивилизации? Пожалуй, новый этап биологической истории человека нужно отсчитывать от момента овладения огнем, что примерно составляет миллион лет. Сколько поколений сменилось с той поры? 30—50 тысяч? Много или мало?

Если взять за основу практику селекционеров, которые выводят новые породы коров и собак, то это много, а если темпы естественной эволюции, то немного. Эволюция идет медленно, потому что большинство мутаций выбраковываются. Имеют шансы закрепиться только те признаки, появление которых совпало с изменениями среды. Впрочем, «среда» — понятие широкое, она включает и общество себе подобных. Может быть, эволюция человека шла так быстро потому, что скоро проявился именно социальный отбор: по уму, лидерству и агрессивности. Не думаю, что по силе сопереживания, но потребность в общении, возможно, рано стала фактором отбора. Следует ли полагать, что ум развивался в ущерб здоровью?

Думаю, что нет. Условия первобытного общества оставались почти столь же суровыми, как и для животных. По крайней мере это касается физической нагрузки и голода. С холодом люди научились бороться раньше всего, потому что волосяной покров исчез давно. Если бы человек растерял свою выносливость, он бы не выжил. Хотя центр отбора переместился в сторону интеллекта и характера, но физические данные оставались весьма значимыми. Да они и до сих пор такие для большинства людей в бедных странах.

Общеизвестно, что эволюция в разной степени коснулась всех систем организма. Некоторые остались на уровне далеких предков, и для поддержания их хорошего функционального уровня нужны соответствующие примитивные раздражители. Примером может служить система иммунитета. Другие далеко ушли вперед и наложили свой отпечаток на организм. Например, психика с ее воздействиями на регуляторы жизненных функций. Древние условия для нее могут оказаться непереносимыми.

Чтобы выяснить, **какое количество здоровья необходимо современному человеку,** нужно рассмотреть важнейшие системы организма. При этом следует принимать во внимание их эволюцию, следовательно, условия до цивилизации, а также потребности в резервах для современных условий жизни и возможности их достижения.

Главное назначение резервов газообмена и кровообращения — снабжение кислородом мышц при большой физической работе. Потребность в энергии может возрасти в десятки раз, и соответственно повышается нужда в кислороде. Все другие поводы для увеличения обмена, например, холод или эмоции, требуют кислорода значительно меньше — в 2—3 раза в сравнении с покоем.

Не очень просто обосновать, какие минимальные мощности необходимы современному человеку, неспортсмену, только для здоровья, когда они не нужны ни для заработка, ни для красоты, ни для престижа. Особенно если человек и так чувствует себя здоровым. Такие резервы нужны, чтобы спастись от будущих болезней и уменьшить тяготы старости. Реальность этих неприятностей растет прямо пропорционально возрасту и подступающим мелким болезням.

Думаю, что **для профилактики будущих немощей** отличный уровень тренированности системы газообмена необязателен, но хороший необходим. Удовлетворительного — мало.

Тут возникает одна трудность: что считать хорошим и для какого возраста. Во всех научных публикациях проводится идея, что с возрастом нормативы «резервных мощностей» должны значительно снижаться. Мне кажется, что под этим нет никаких оснований. Исследование основного обмена, то есть потребление кислорода в покое, у людей разных возрастов показало странные вещи: обмен практически не понижается вплоть до 70 лет. Спрашивается: почему же пожилым людям нужны меньше «резервные мощности»? Только потому, что их труднее достигнуть?

Да, возможно, труднее, но из этого не следует, что человеку старше 50 лет нужно считать хорошим то, что для тридцатилетнего только удовлетворительно. Для 60—70-летних специалисты уже вообще не дают никаких норм, полагая, видимо, что им уже не нужны резервы. Понятно, что старику трудно, а может, и невозможно достигнуть отличных показателей, ну так и рекомендуйте ему довольствоваться хорошими или даже удовлетворительными. Не нужно изначально принижать его идеалы! Тем более что они вполне достижимы.

Спортивный врач К. Купер тоже предлагает резкое снижение норм резервов с возрастом, но мы не будем на это обращать внимание. Возьмем его нормы максимального потребления кислорода для молодых (до 30 лет). По этим цифрам я подсчитал минутный выброс сердца, предположив, что мышцы при такой максимальной нагрузке забирают из артериальной крови до 80 процентов ее кислорода, а вес человека 60 килограммов.

Степень тренированности	Максимальное потребление O_2 (миллилитров на килограмм веса тела в минуту)	Максимальный сердечный выброс (литров в минуту)	Коэффициент резерва: отношение к состоянию покоя
Очень плохо	Менее 25	Меньше 9	Меньше 2
Плохо	25–34	9,4–12,7	2–3
Удовлетворительно	35–42	13–15,7	3–4
Хорошо	43–52	16–19,5	4–5
Отлично	Более 52	Более 20	Более 5

Тут мы подходим к главному вопросу: какой ценой можно добыть резервы? Каждый бы не прочь их иметь, но если бы они сами... Сами не приходят!

Единственным способом тренировать сердце и легкие является **физическая нагрузка.**

При работе регуляторы увеличивают интенсивность дыхания и сердечной деятельности. Сначала они усиливаются от «мыслей» о нагрузке, потом, в первые секунды работы, от нервных импульсов, идущих от мышц, и, наконец, газообмен и кровообращение определяются содержанием газов в артериальной крови на пике нагрузки. Зависят они главным образом от повышения углекислоты, меньше — от понижения кислорода. Дыхание регулируется просто: усиливаются сокращения дыхательных мышц — межреберных и диафрагмы, от этого возрастают глубина и частота дыхания, в результате растет вентиляция легких. Разумеется, важно, чтобы дыхательные мышцы были тренированы, именно этим определяется глубина вдохов, следовательно, можно обойтись меньшей одышкой, что очень выгодно: меньше утомление.

Регулирование сердечно-сосудистой системы сложное. Сердце само себя регулирует: сила его сокращения — систола — тем больше, чем больше крови притекло в его камеры во время паузы — диастолы. Кровь притекает к сердцу за счет энергии растяжения аорты и крупных ее ветвей во время систолы.

Чтобы включился механизм тренировки, сердце нужно нагружать. Одним из проявлений его нагруженности является частота сердечных сокращений: частота пульса. Это важнейший показатель нагруженности, но не величины минутного выброса. Если сила детренированного сердца мала, то за счет одной частоты нельзя получить большего сердечного выброса. У такого человека — малый «ударный объем». Величина выброса за одно сокращение у тренированного достигает 150–200 миллилитров, а у детренированного 40–60. Именно поэтому у таких субъектов пульс в покое относительно частый: 70–80, даже 90 в минуту. Тренированное сердце и в покое дает большой ударный объем, поэтому ему достаточно редких сокращений, чтобы обеспечить небольшие потребности в кислороде. Частота пульса в покое у бегунов на длинные дистанции иногда снижается до 40, а при нагрузке повышается до 200. Из всего этого следует важный для практики признак: **уровень тренированности сердца** грубо ориентировочно можно оценить по частоте пульса в состоянии полного физического покоя.

Сердце тренируется как силой сокращений, так и частотой. Оба фактора важны в увеличении сердечного выброса в момент нагрузки.

Сосуды тренируются вместе с сердцем. Отдельно скажу о тренировке дыхания.

Современный человек дышит слишком глубоко, поэтому из его крови вымывается углекислота, которая является важнейшим регулятором функции внутренних органов. Из-за недостатка углекислоты возникают спазмы бронхов, сосудов, кишечника, что может приводить к стенокардии, гипертонии, бронхиальной астме, язве желудка, колиту.

Известный исследователь К. П. Бутейко в качестве системы оздоровления предлагает тренировку дыхания.

Насколько успешно дыхательный центр справляется с регуляцией содержания углекислоты в крови, можно судить по дыхательной паузе. Методика определения максимальной паузы такова. Нужно сесть, выпрямив спину, расслабиться и ровно дышать 10–20 секунд. В начале очередного спокойного выдоха зажать пальцами нос, закрыть рот и заметить время по секундной стрелке. Максимальная пауза — это то время, на которое вы сможете задержать дыхание. Ни в коем случае нельзя измерять паузу после глубокого вдоха.

По Бутейко, норма максимальной паузы — 60 секунд. Паузу 50 секунд и менее он считает патологией: 1-й степени — 50 секунд; 2-й степени — 40 секунд; 3-й степени — 30 секунд; 4-й степени — 20 секунд; 5-й степени — 10 секунд. Ниже 5 секунд — «граница жизни». Пауза длиннее 60 секунд оценивается как сверхвыносливость, у которой тоже есть свои градации, высшая ее степень — 180 секунд.

Моя пауза долго колебалась между 40 и 50 секундами, и лишь в последнее время достигла 60. Правда, я никогда серьезно не тренировал дыхание.

Самая простая тренировка по Бутейко состоит в постоянном «недодыхивании», то есть в таком поверхностном дыхании, при котором постоянно сохраняется желание вдохнуть поглубже. Более сложная тренировка заключается в больших задержках дыхания — многократных повторениях дыхательных пауз. Проще говоря, нужно постоянно дышать поверхностно, не позволяя себе делать глубокие вдохи.

Я много раз на себе убеждался в действенности задержки дыхания при болях в животе, от которых часто страдал в периоды напряженной хирургической работы. Для этого я ложился на диван, расслаблялся и старался сдерживать дыхание. Минут через двадцать боли ослабевали, а потом и совсем проходили. Однако иногда это не помогало — в основном тогда, когда я прибегал к этому методу не сразу. Не действовали задержки дыхания и на головную боль. Правда, и болеутоляющие лекарства мне тоже не помогали — наверное, потому что я в них не верил.

Овладение правильной техникой дыхания — надежный способ оздоровления. Не зря во всех восточных упражнениях этому придается особое внимание.

В наше время стали доступными хорошие методы оценки дееспособности сердца с помощью аппаратов УЗИ — ультразвукового исследования. Оно дает важные показатели.

1. Конечно-Диастолический Объем (КДО) — объем заполнения левого желудочка в конце фазы расслабления — диастолы. Цифры здорового сердца — от 120 до 200 мл — зависят от массы тела и нормальной частоты сокращений (ЧСС) в минуту.

2. Конечно-Систолический Объем (КСО) — разные, не самые важные цифры, зависят от КДО и другого важного показателя функции сокращения — «Фракция выброса» (или изгнания) — ФИ. Чтобы ее сосчитать, нужно из КДО вычесть КСО, получить таким образом Ударный Объем (УД) и поделить УД на КДО. Получим процент, показывающий, какая часть крови, наполнившей сердце в диастоле (КДО), выбрасывается во время систолы. Иначе говоря — насколько мощно сокращается сердце. Хорошие цифры ФИ — 60 % и более, удовлетворительные — 40–60%. От 40% до 30% — это уже плохо, меньше 30% — очень плохо. Бывают цифры и ниже 20%.

Сосуды тренируются вместе с сердцем. Прежде всего это касается эластических артерий: чем больше они растягиваются во время сокращений (систолы) левого желудочка и сужаются во время его расслаблений, тем энергичнее происходит обмен веществ в их стенках и тем меньше условий для отложения в них холестерина и солей. Просвет артерий органов, а именно они закупориваются при склерозе, прямо зависит от объема кроветока через них. Больше всего это касается коронарных артерий сердца: тренировка мышцы сердца, хорошо тренированный миокард сопровождается увеличением калибра сосудов. Отсюда прямая **профилактика инфарктов.**

Подсистема питания

Назначение пищи в организме предельно просто — снабдить клетки энергетическим и строительным материалами, чтобы организм мог выполнять свои программы.

Потребности и запасы неопределенны. Установлены некоторые крайние границы по калориям, по белкам, по витаминам, но больше для животных, чем для людей, если говорить о научной строгости рекомендаций.

Основным неизвестным остается коэффициент полезного действия (КПД) для энергетики и возможности «повторного использования строительных кирпичей», продуктов распада белков, который так закономерно происходит все время. Разумеется, потребности в «стройматериалах» особенно велики в детстве, когда растут новые клетки, и несколько уменьшаются с возрастом, когда размножается лишь небольшая часть клето. Тем не менее, поскольку распад белков и построение новых клеток идут постоянно, все время нужны аминокислоты и вспомогательные вещества. Чем выше физическая активность, тем больше масса белков, тем большее их количество распадается и синтезируется заново. Следовательно, потребность в любой пище — как в энергетической, так и в строительной — прямо зависит от уровня активности. Это знают спортсмены. Когда тренируется тяжелоатлет, ему нужно много белков.

Звучит странно, но кажется, что можно подготовиться благодаря тренировке к голоданию и таким путем снизить основной обмен. Вопрос очень важен и интересен. Меняется ли КПД самих клеток на голодном пайке? Или сказываются регулирующие воздействия со стороны эндокринной системы? Неизвестно.

К. Купер приводит данные о том, что люди, существенно ограничивающие себя в пище, привыкают обходиться сниженным количеством калорий. В последующем, когда они переходят на пищу с нормальным калоражем, то быстро поправляются. И еще — некоторые сторонники вегетарианства и сыроедения утверждают, что при резком снижении потребления белков выигрывает здоровье. Серьезной проверке эти идеи не подвергались, но, может быть, в этом есть рациональное зерно, поскольку соответствует гипотезе о всеобщем законе тренировки.

Подсистему «питание» можно поделить на две: переваривание и всасывание пищи в желудочно-кишечном тракте и усвоение питательных веществ клетками.

Потребление пищи и пищеварение регулируются условиями питания и аппетитом. Клеточный обмен в значительной степени автономен, но зависит от нагрузок целого организма и воздействий регулирующих систем. Аппетит — вот наше удовольствие и наш крест.

Удовольствие от еды — проявление потребности в пище. Потребность в пище физиологична. Считается, что чувство голода появляется, когда в крови недостает питательных веществ, или пуст желудок, или то и другое. Все это так, но весь вопрос в количественной зависимости между чувством и потребностью. Странно, но толстый человек хочет есть, то есть хочет получить энергию извне, когда под кожей у него достаточно этой энергии. Природа установила такую преувеличенную зависимость между чувством голода и потребностью в пище, чтобы обезопасить организм от голодной смерти. Этим она повысила выживаемость биологического вида. Все «нежадные» виды вымерли.

Чувство удовольствия от еды тренируемо, то есть значимость его среди других чувств возрастает, если от него есть значительный прирост уровня душевного комфорта — УДК. При постоянном удовлетворении этого чувства наступает адаптация и возрастают притязания, желание получить пищу еще вкуснее. Если среда предоставляет изобилие пищи, то тренировка аппетита и повышение прихода над расходом неизбежны. Остановить этот процесс может только сильное конкурирующее чувство — например, любовь или убеждение «толстеть — некрасиво и вредно».

Чтобы попытаться определить, в чем состоит оптимальное питание, нужно представить себе, на какой пище и на каком режиме формировалась вся наша система «питание». По всем данным, это древняя система, она далеко не ровесница нашей интеллектуальной коре, а досталась от очень далекого предка. Несомненно, что он не был прирожденным хищником. Наши дальние родственники — обезьяны — достаточно доказательны. Невероятно, чтобы они из хищников эволюционировали в травоядных. Наоборот, пример обезьян показывает, что, родившись вегетарианцами, они обучаются лакомиться мясом. Наблюдения над шимпанзе не очень убедительны. Они ловят мелких животных, убивают и поедают их с большим удовольствием. Низшие обезьяны до этого не доходят.

Существует стойкое мнение, к сожалению, среди врачей тоже, что пищеварительный тракт человека — нежная конструкция. Он приспособлен только для рафинированной пищи, и дай ему чуть что погрубее, так немедленно гастрит—энтерит, колит, чуть ли не заворот кишок.

Это миф! Наш желудок и кишечник способны переваривать любую грубую пищу, разве что не хвою. Думаю, они сохраняют эту способность до старости по той простой причине, что генетическая природа клеток, их составляющих, не меняется. В них даже не накапливаются «помехи» с возрастом, так как слизистая желудка и кишечника состоит из железистого эпителия, постоянно обновляющего свои клетки. Старые отмирают, новые нарождаются. Поэтому они не могут выдавать другой желудочный сок, если только не нарушается их регулирование «сверху». Точно так же и мышечная оболочка кишок или желудка: мышцы состоят из наиболее «машинных» клеток, и, если только они живы, они способны к тренировке или детренированности. Управляет их движением местное нервное сплетение в стенке кишки с довольно большой автономией от воздействия «сверху».

У пищеварительного тракта два главных врага: чересчур обработанная пища и «система напряжения». Мягкая, измельченная пищевая кашица ослабляет мышцы кишечной стенки и, возможно, выделение ферментов. Длительное психическое напряжение с неприятными эмоциями способно извратить нервное регулирование желудка и толстого кишечника, двух отделов, более всего связанных с центральной нервной системой. Этот фактор особенно сильно проявляется при избыточном питании сильно обработанной пищей.

Возможно, что так называемая атония кишечника, ослабление его движений в связи с атрофичностью мышц, ведет к развитию неблагоприятной и неестественной микробной флоры,

способной отравлять организм токсинами. Но это только возможность. Кишечник генетически приспособлен к тому, чтобы обработку растительной клетчатки вели специальные микробы. Предполагается, что эти микробы не только разлагают клетчатку, но и вырабатывают биологически активные вещества — витамины и даже фитонциды. Однако это еще гипотеза. Зато несомненный факт, что органы пищеварения вполне способны обойтись одними животными продуктами — мясом и рыбой — и что такое питание может быть вполне полноценным.

Вопрос о **вареной и сырой пище**. Много копий сломано ортодоксальными учеными и разного рода увлеченными протестантами, что изверились в рациональной медицине. Нелегко разобраться в этом вопросе, тем более что научных данных явно не хватает.

Несомненно одно: первобытный предок ел пищу в сыром виде. Это вовсе не довод, что только так и надо. Мало ли чего природа не умела, не стоит ее переоценивать. Вопрос можно поставить проще: что прибавляет кухня к естественной пище и что убавляет? Насколько это важно? Если важно, то продумать компромисс.

Вареная пища вкуснее. Едва ли стоит сомневаться в этом, хотя приверженцы сыроедения говорят, что мы просто к ней привыкли, что есть, мол, народы... и так далее. Народы есть, но они отсталые. Как только попробуют, сразу переходят на вареное. Не надо нам себя обманывать, что мы едим для пользы, потому что «клетки требуют калорий». Это мы теперь узнали, что они требуют, на уровне цивилизации, а животные, те и до сих пор не знают. Я попытался прикинуть баланс удовольствия диких зверей — с учетом нехватки пищи, силы и времени, других удовольствий — получилось, что больше половины всех приятных ощущений они получают от еды. Примерьте каждый на себя, тоже получится изрядный куш. А если еще взять в возрастном разрезе? Бог с ними и с клетками, если даже вареное им вредно. Да и вредно ли? Нет, процесс еды определенно приятен, и чем пища вкуснее, тем лучше. Поэтому хорошо не только жарить, варить, но еще и солить и прибавлять всякие специи и соусы.

Больше никаких доводов за вареную пищу нет. Для пищеварения это не нужно, гораздо важнее жевать. Хорошо жевать. Любая растительная пища: корнеплоды, листья, плоды, даже молодые ветки,— если ее как следует пережевать (измельчить и смочить слюной), да если еще не торопиться, переварится точно так же, как и вареная. Значит, преимущества во вкусовых качествах. Но они важны, только когда сыт. Пресыщен.

Что убавляется в пище, если ее варить и жарить? Известно точно: температура разрушает витамины и все биологически активные вещества. Чем она выше, чем дольше действует, тем меньше этих веществ. Вплоть до полного уничтожения. Никакого другого вреда не найдено. Белки, жиры и углеводы и их калории остаются в полном объеме. Микроэлементы? Здесь нет ясности. Конечно, атомы какого-нибудь кобальта или молибдена не испарятся из кастрюли на плите, но возможно, что их связи с органическими веществами нарушаются и использование в клетках будет хуже. Возможно, но не очень вероятно.

Фанатики от сыроедения рассматривают жареную котлету как настоящий яд. Есть ли у них резон? Я прочел много трудов всяких «натуропатов», так называют себя протестанты против официальной медицины. Все они очень похожи: много эмоций и очень мало науки. У них тоже есть разные направления и «школы». Одни строгие вегетарианцы, но разрешают варить, другие чистые сыроеды, третьи считают сырое мясо панацеей от всех бед. Одни требуют пить только сырую воду, другие — только дистиллированную. Первые говорят об ионах, а вторые боятся привнесенной химии. Некоторые рекомендуют молоко, другие полностью отвергают. Не буду приводить мнения и ссылки, это забавно, но долго.

Важнейший вопрос — **о голоде**. И очень модный. Все натуропаты говорят о полезности голода. Несомненно, есть метод лечения голоданием. И все-таки научной теории о действии полного голода нет. Обращение к «дальним предкам и родственникам» неубедительно. Скорее

наоборот: животные предпочитают переедать, если они дорвутся до пищи. Посты у них, как правило, вынужденные. Но одно достоверно: когда они болеют, от пищи отказываются. Аппетит исчезает. Больному человеку тоже есть не хочется, но он боится: «Как же без пищи, где же калории для клеток?» Врачи и родственники придумывают всякие разносолы, только бы страдалец поел.

Снова миф. Все почему-то считают, что если человек испытывает чувство голода, значит, организм не в порядке, значит, клетки терпят какой-то ущерб. Аппетит у людей, как и у всех живых существ, отличный, но из страха перед ущербом они готовы есть даже профилактически, чтобы, не дай Бог, не почувствовать голод.

Главный вклад защитников полезности голода в том, что они развеяли (или почти развеяли) миф о чувстве голода как сигнале бедствия. «Муки голода» — это неприятно, что и говорить, но вредны они только, когда голод длится долго. Сколько? Что-то между 20 и 40 днями, видимо, для разных людей индивидуально, в зависимости от исходного состояния, возраста, активности. Кстати, вся литература по голоду и рассказы самих голодавших свидетельствуют, что чувство голода как таковое исчезает в первые 2—4 дня и снова появляется к 30—40-му, как крик организма о помощи!

Не пробовал, не знаю, но двое моих сотрудников-кибернетиков голодали из спортивного интереса: один 20, другой 15 дней. Болезнями они не страдали и до того, но кибернетических открытий в результате голодания тоже не сделали, хотя рассказывают, что была какая-то легкость в мыслях. (Есть такое мнение, что голод обостряет творческие способности.)

Нельзя не верить профессору Ю. Николаеву, который лечил голоданием тысячи людей с психическими заболеваниями. Не думаю, чтобы он полностью заблуждался. Какое-то полезное действие на организм существует несомненно, если даже в таком сложном деле, как психиатрия, помогает.

Все выступают против неполного голода: говорят, мучительно и неэффективно. Что мучительно, я допускаю, потому что только при полном голоде может ослабнуть сам пищевой центр. Что неэффективно, сомневаюсь, нет убедительных материалов. Особенно если считать неполный голод по недостатку калорий, но при получении нормальной дозы белков и витаминов. Во всяком случае система Брэгга — один день в неделю, одна неделя в квартал — имеет много сторонников.

Обоснование для лечебного действия голода довольно бледно: будто бы организм получает «разгрузку», «отдых» и освобождается от «шлаков». Они, эти шлаки, яды, выделяются будто бы через кишечник, почему и полагается ежедневно делать очистительную клизму. Говорят также, что сначала идет какая-то странная мутная моча, а потом она очищается. Что это за шлаки и яды? Никто в объяснения не вдается: шлаки — и все. В то же время физиология свидетельствует, что никаких особенно ядовитых веществ у нормально питающегося человека не образуется, что яды, если и попадают, то извне, и тогда действительно могут выделяться с мочой в чистом или инактивированном виде. Но голодать для этого совсем не нужно: печень их обезвреживает, а почки выводят.

Потребность в «отдыхе» для органов пищеварения тоже малопонятна. Ее можно допустить после большого переедания, но если постоянно питаться с ограничениями, то едва ли нужно от этого отдыхать. Вред переедания можно себе представить: всякая функция с перегрузкой становится неэффективной и истощает некоторые резервы. Для их восстановления нужен отдых. Поэтому поголодать денек после праздников польза несомненная. Но это еще не основание для требования полного голодания на недели.

Мой опыт лечения болезней голодом ограничен (один пациент). Еще одного больного видел в терапевтической клинике в Ужгородском университете в 1974 году. Шел 42-й день, и больному уже стали давать соки. Впечатление было очень хорошее. Профессор О. Ганич вела нужную документацию, поэтому можно было видеть, как у больного уменьшались и исчезали многочисленные недуги. Был диабет — сахар в крови нормализовался дней через пятнадцать, и отпала нужда в инсулине. Была коронарная недостаточность на электрокардиограмме — явления ее исчезли. Даже ранка на культе пальца на стопе после его гангрены зажила.

Потерял 15 килограммов, сначала терял быстро, потом — очень медленно. Говорят, что режим дня с небольшими прогулками по двору оставался без изменения с начала и до конца голодания. Убедительный пример, ничего не скажешь. Однако я не уверен, что нельзя достигнуть того же самого, просто похудев на 15 килограммов.

Один наш больной с тяжелым поражением артерий ног и гангреной пальцев голодал почти сорок дней. Операция на сосудах не привела к заживлению язвы на стопе, и он попросил провести курс лечения голодом. Провели. Язва не зажила, но мы имели возможность тщательно изучить реакцию организма на голодание. Оказалось, что обмен веществ не менялся, энергетические траты составляли около 1800 ккал в день и покрывались за счет запасов — сначала углеводов, а потом жиров. Этому соответствовали потери веса — в первые дни 600—400 г (углеводы), в последующие — 200—250 г (жиры). Распад белков тоже оставался постоянным и составлял 40—50 г. Основные физиологические функции и состав крови не менялись за весь период. Общая потеря веса — 14 кг. Вывод: голод можно перенести. Но нужно ли? У меня есть знакомый учитель колледжа, он голодает регулярно три раза в год по сорок и больше дней, при этом продолжает работать с полной нагрузкой и занимается физкультурой. Отлично выглядит.

Большинство людей после голода быстро набирают исходный вес и, надо думать, возвращаются к прежним болезням. Не сомневаюсь, что голод как лечебный метод имеет смысл, только если последующее питание человека останется сдержанным. Даже вопрос о «шлаках», возможно, имеет резон. В организме, особенно при излишней полноте, когда уменьшается вес при голодании, в первую очередь разрушаются балластные, «лишние» вещества, очищение от них, наверное, полезно.

Еще один важный вопрос — **о потреблении соли**. Тоже миф, что соль необходима организму, что человек таким образом исправил крупный дефект природы, не обеспечившей его солью в продуктах. Доказывается, что, мол, и животные с удовольствием едят соленое.

А в дикой природе животные употребляют соль? А наш далекий предок употреблял ее? Нет и нет. Хорошо, если предок жил недалеко от источника соли, а если далеко? О зверях и говорить нечего, они ее и теперь не едят. Что животные с удовольствием лижут соль, ничего не доказывает. Вкусное любят все. И оно совсем не обязательно полезное. Природа не могла запрограммировать абсолютно строго, чтобы приятно было только то, что полезно. Программа довольно грубая: пища вообще приятна и полезна, но прямой зависимости между пользой и приятностью нет.

Разумеется, соль может оказаться полезной и даже необходимой при однообразном питании рафинированными продуктами, к примеру, сахаром и очищенными злаками. Но если есть разнообразную растительную пищу, тем более сырую, чтобы соли не растворялись при варке, их будет вполне достаточно для организма. Невкусно? Да, конечно. Но в этом тоже есть свой резон — меньше съешь.

Самый простой способ похудеть — готовить плохо. От невкусной пищи не потолстеешь, но если проработаешься, то необходимое количество все-таки съешь. Сейчас самая главная хитрость кулинарии: чтобы вкусно, полезно и некалорийно. К сожалению, соль — один из способов сделать плохую пищу вкусной. Даже сырые овощи, если посолить, можно есть и без масла. Но можно и без соли тоже.

Вредность **избытка соли** доказана. Соль способствует развитию гипертонии, а гипертония —один из главных факторов риска развития склероза. Всегда приводят в пример японцев: они едят много соли, у них распространена гипертония и часты кровоизлияния в мозг. Нет, от избытка соли надо отвыкать, обходиться минимумом. Механизмы вредного действия соли еще не объяснены со всей достоверностью. Говорят, она задерживает жидкость в сосудистом русле и увеличивает, таким образом, объем циркулирующей крови, излишне нагружает сердце,

но все это неубедительно. Ясно одно: организм генетически рассчитан на одну концентрацию соли в крови, а при избыточном ее приходе эта концентрация выше, как бы хорошо ни работали почки. Суточная потребность в соли 2—4 г, а люди едят 10—20 г.

Рядом с «солевым» вопросом **проблема воды**. Тоже много всяких спорных мнений. Говорят, например, что от избытка воды толстеют. Что если много пить, это вредно влияет на сердце и даже на почки. И еще многое. Вопрос совсем не простой. Животное пьет сколько захочет, но аппетит на воду разный у разных биологических видов. Всем известны верблюды: они напиваются «на запас». Но от человека они уж очень далеки. Люди тоже пьют по-разному: одни любят чай и пьют его много, другие всю жизнь пьют по одной чашке. Не думаю, что запрограммирована такая разница. Следовательно, имеет значение привычка: кто как натренировал свой «водный центр» (есть такой в стволе мозга). Тогда встает вопрос, а как его нужно тренировать, сколько воды пить? И снова нет убедительных фактов. Можно привести только логические соображения.

Для здорового сердца большое количество выпиваемой воды не представляет вреда. Действительно, увеличивается объем крови и нагрузка на сердце, но в малой степени и при хороших резервах это дает только полезные тренировки. При больном сердце — дело другое, осторожность нужна. Для здоровых почек вода тоже не вредна: она тоже тренирует их выделительную функцию. Впрочем, так же нужно тренировать и способность концентрировать мочу, выделяя азотистые продукты с минимумом воды, если человеку почему-либо придется мало пить.

С другой стороны, польза большого количества воды кажется очевидной. Во-первых, сильно облегчается выделение избытка соли, которую мы не перестаем употреблять, потому что пища с солью вкуснее. Во-вторых, когда мы много пьем, то выделяем мочу с низкой концентрацией всех веществ, которые полагается выделить. Отсюда меньшая опасность образования камней в почечных лоханках. Наконец, с мочой выделяются всевозможные токсические продукты, как введенные извне с пищей или воздухом, так и образующиеся внутри организма. Многие из них почка не может концентрировать, а выводит в той же пропорции, что и в крови. Тогда уже чем больше объем мочи, тем скорее очищается организм.

Здоровому пить нужно больше: 2 и даже 2,5 литра всякой жидкости, с учетом объема фруктов и овощей. Ну а что касается некоторых натуропатов, которые ратуют за дистиллированную воду, то это ерунда. Пить нужно чай, самое милое дело. Конечно, загрязненная всякой химией вода — вредна, поэтому разумные меры по ее очистке оправданы, но не следует впадать в крайности.

По системе «питание» есть еще несколько спорных вопросов. Например, периодически дискриминируются разные продукты, к которым, кажется, испокон веков привыкли люди. Все помнят историю с яйцами: холестерин — склероз, нельзя! Потом отбой, ничего, оказывается, не тот холестерин, да и своего вполне достаточно. Или сахар. Тоже нельзя много, тоже, дескать, какое-то специфически вредное действие и опять — к склерозу. Далее — жиры, особенно животные, масло, сало: есть можно только растительные. И много еще всяких табу: печенка, язык, копчености — это тоже по холестерину. Последнее время сало реабилитировали, а сливочное масло еще под подозрением. По молоку тоже много сомнений. Одни говорят о молочно-овощных диетах, другие — что молоко для взрослых противоестественно. Есть даже исследования, утверждающие, что у некоторых людей с возрастом исчезают из пищеварительных соков ферменты, разлагающие молочный сахар.

Много есть всевозможных запретов, много обоснований к ним, чаще подкрепленных логическими рассуждениями, реже экспериментальных. В последних обычно проблему доводят до абсурда: кормят чем-нибудь одним в совершенно неестественных пропорциях, а потом говорят, что это вредно.

Мне кажется, что **ни один естественный продукт не вреден, если его употреблять в меру**, при общем правильном и разнообразном питании, уже по той причине, что организм к этому приспособлен эволюцией. Вот соль —

искусственно, жарить — искусственно. Самое главное: постоянно переедать и жиреть неестественно!

Можно спорить и о необходимости **регулярного питания**, строгого соблюдения времени завтрака, обеда, ужина. Тут все единодушны: «Какие споры! Конечно, нужно питаться регулярно!» Далее будут приводить данные о «запальном» соке, о стереотипе и другое. Только вот опять остается вопрос: естественна ли регулярность?

Ответ из наблюдений дикой природы прост: нет! Это не довод, конечно. Мало ли что в диком состоянии было вынужденно, но не значит, что хорошо.

Не собираюсь ратовать за полный беспорядок в еде, высказываю только сомнение в догматической требовательности расписания и профилактического приема пищи, даже когда не хочется, если время обеденного перерыва подошло. Разумеется, если есть все время с избытком, то нужна регулярность: просто не справится желудок, когда будешь съедать весь рацион за один раз. Ну а если есть ограниченно, то нечего беспокоиться об условных рефлексах выделения желудочного сока во время обеда. Когда хороший голод, сока всегда будет достаточно. Это у пресыщенного его мало, и нужна стимуляция.

Строгий режим и регулярность нужны для больных и стариков, а здоровому нерегулярность полезна. Чем же тогда тренировать регуляторы? Только нерегулярностью! Применительно к питанию это выглядит так: если постоянно ограничивать себя и не наедаться досыта, то не имеет значения ни сколько раз ешь, ни строгое время приема пищи. Это все придумано для переедающих. И вполне можно ходить на работу без завтрака, пропускать обеды, и чем больше будет пропущено, тем лучше. Это и есть **самая главная заповедь: поменьше!**

Соотношение полезных нагрузок, количества пищи и активности регуляторов, управляющих уровнем обмена веществ, определяется весом тела. Можно сделать довольно простую и демонстративную модель этого баланса и факторов, его регулирующих.

Понятие «резервы», «резервные мощности» применительно к системе «питание» несколько необычно. Кажется, чего проще: чем больше жира запасено, тем лучше. Безопаснее на случай болезни, если уж не говорить о социальных бедствиях. «Пока толстый похудеет, тощий сдохнет» — гласит народная мудрость. К сожалению, запасается только энергетический материал. Белки про запас не откладываются. Правда, для обеспечения жизни важнейших органов, которые должны обменивать свои белки, можно получить аминокислоты путем разложения белков второстепенных органов, например, мышц конечностей. Но это возможно только при бездеятельности. В общем, природа в этом плане явно недоработала. Например, толстый человек может умереть с голоду еще задолго до полного исчерпания своих жировых запасов от нехватки в организме ценных белков.

Полезны ли накопления жира в запас? Если исходить из принципа, что все естественное полезно, то да. Уж, по крайней мере, не вредно. Но пользы преувеличивать не стоит. Может быть, накопление жира — это компромисс? Лучше немного вреда, но сохранить жизнь, чем идеальная фигура и гибель от голода при первых природных неурядицах или болезни? Вся эволюция — это сплошные компромиссы между программами «для себя», «для рода», «для вида».

Однако обратимся снова к природе. Бывают ли толстые обезьяны? Бывают ли толстые хищники? Нет, не бывают. Если целый день мотаться по деревьям, чтобы с трудом наесться плодов и трав, то при этом не потолстеешь. Не разжиреешь также, если жить охотой. Трофеи сами в рот не падают, их нужно догонять. Поэтому наши дальние предки на всех стадиях их эволюции от того времени, когда они прыгали по деревьям, и до того, как стали охотиться, едва ли были толстыми. В генах этого не предусматривается и для человека. Но все-таки немножко жира наверняка невредно. Однако нет доказательств, что полезно. Терпимо. Запасов белков, которые по всем данным важнее, к сожалению, не существует. Возможно, потому, что они нестабильны, требуют постоянного обмена?

Значит, количеством килограммов резервы подсистемы «питание» оценить нельзя? Так чем же?

Разделим функции питания: внешняя — пищеварение и внутренняя — обмен веществ, «клеточная химия».

Здоровый желудочно-кишечный тракт — такой, который способен «переваривать гвозди». Это значит — хорошее выделение пищеварительных соков и развитая мускулатура желудочной и кишечной стенки, обеспечивающая правильное продвижение пищевого комка, с должными перемешиванием и темпом. Достигнуть этого можно только постоянным употреблением большой массы грубой пищи в сыром виде при ограничении жирных и острых блюд. Правда, большие психические нагрузки с неприятными эмоциями даже при условиях правильного питания не могут обезопасить человека от болей, спазмов, даже язвы желудка или спастического колита. Но риск их будет много меньше.

Тренировать кишечник нужно, как и всякий орган, постепенными нагрузками. В данном случае постепенно приучать кишечник к грубой сырой растительной пище, все увеличивая ее объем и расширяя состав. Когда посмотришь на больных, которым прописывают нежнейшие диеты: паровые, протертые, чуть ли не процеженные и пережеванные — невольно возникает сомнение, что подобная тренировка возможна. И тем не менее это так. Условием является душевный покой, отказ от жиров, избытка мучного и сладкого, «полуголод». Я поставил это название в кавычки потому, что это действительно не голод и не сытость. Есть 3—4 раза в день и всегда вставать из-за стола с ощущением — еще бы немножко.

Тренировка обмена: возможна ли? Несомненно, как и всякой функции. Смысл ее в нормализации. Первое условие — снижение веса тела. У нас почти все в возрасте за сорок имеют лишний вес. Сугубо научные руководства оправдывают его неизвестно на каком основании. Пример — Большая Медицинская Энциклопедия. Как и во многих нормах, средний вес просто вычислен по статистике измерения у населения.

Поэтому диетологи доказывают, что с возрастом люди склонны полнеть. А в действительности?

«Приход» управляет весом тела, и ничего более. Сбалансированное питание, о котором справедливо пишут,— это подогнать приход под расход под контролем должного веса. Он меняется только в зависимости от развития мускулатуры. Пишут еще, что у стариков вес снова падает — происходит атрофия мышц и облегчаются кости. Видимо, это так и есть: наблюдал за собой, когда состарился. Судя по ремню и по складке кожи — вес должен сохраняться, а он понизился на 3—4 килограмма, при сохранении и даже возрастании физической нагрузки. Но в молодости мускулатуру можно регулировать физическими упражнениями, и большие объемы ее нам не нужны. «Культуризм» нужен юношам для фасона, а не для здоровья. Но сейчас не об этом.

Толщина кожной складки — вот показатель, по которому нужно устанавливать свой вес. Поддерживать его приходится по весам, потому что щипок кожи как метод измерения уж очень неточен. Инструкция Всемирной организации здравоохранения (ВОЗ) рекомендует проверять толщину складки на задней поверхности плеча, отступая кверху от локтевого сустава на 10—15 сантиметров. В норме должен быть сантиметр. Проверьте!

Не нужно большого педантизма в поддержании минимального веса. На худой конец формула: вес = рост—100 (килограммов) тоже вполне не подходит. Хотя рост минус 105 лучше. А для людей с плохо развитой мускулатурой и высоких — даже рост минус 110. И ни в коем случае не прибавлять на возраст! Вот это действительно опасно, хотя бы потому, что людям за пятьдесят угрожают гипертония, склероз, а они очень связаны с лишним жиром. Природа не рассчитывала на стариков. Для нее «пределом забот» был возраст половой зрелости. Но природа заложила в нас такие возможности и резервы, что, если их использовать разумно, можно прожить очень долго. Поскольку нам не угрожает голод, то с килограммами нужно обходиться очень осторожно.

За рубежом имеют хождение формулы идеального веса. Одну из них дает К. Купер.

Для мужчин:

$$\text{рост (в см)} \times 4/2{,}54 - 128 \times 0{,}453.$$

Для женщин:

$$\text{рост (в см)} \times 3{,}5/2{,}54 - 108 \times 0{,}453.$$

Мое мнение: идеальный вес не имеет ценности. Разное телосложение, разная мускулатура. Ориентация на толщину.

Тренировка обмена — это тренировка клеток на экономию энергии. Метод один — посадить их на голодный паек. Чтобы они вынуждены были «съедать» все, даже плохо съедобное.

Не знаю, что лучше: все время строго себя держать в форме, то есть жить впроголодь, или позволять себе расслабиться, набрать за неделю пару килограммов, а потом устраивать полную голодовку на два дня. Это каждый для себя должен решить. Одно ясно: распускаться сильно нельзя, лишние 5 килограммов уже опасны, потому что сбрасывать их ох как трудно. Могут понадобиться героические меры, где на них возьмешь характер? Поэтому нужно быть осторожным. Не педантом от диеты, который взвешивает каждую морковку и портит жизнь своим близким, а осторожным. Взвешиваться через день. Сходил в гости, прибавил, сразу и придержись, не откладывай на завтра.

Проблема: что есть? Сначала в принципе: пищу, богатую белками? Жирами? Углеводами? Разброс в рекомендациях колоссальный, я уже говорил. Не буду даже пытаться критиковать. Но есть соображения, которые кажутся мне обоснованными.

Первое: **важно не что есть, а сколько есть.** Вредность любого продукта невелика, если суммарная энергетика держится на пределе и вес удерживается на минимальных цифрах. Если при этом еще физическая нагрузка, совсем хорошо: все сгорит.

Второе: исключительная роль **витаминов**, микроэлементов и других биологически активных веществ. Получить их можно только из свежих фруктов и овощей. Их ничем заменить нельзя, разве что сырым мясом диких животных и рыбой. Сколько? Если сделать расчеты по потребности в витаминах и по содержанию их в овощах и фруктах, получается, что самая минимальная доза 300 граммов в день. Думаю, что нужно пятьсот. Древние предки наверняка ели два. Какие плоды? Разные: чем разнообразнее, тем лучше. Натуропаты дают разумный совет: корнеплоды, листья и плоды. Замена сырых овощей вареными неполноценна. Если уж кипятить, то самое короткое время — 5—10 минут. Некуда деться: нужно привыкать к квашеной и свежей капусте, моркови, луку, салату. Фруктами и ягодами тоже можно обойтись, и тоже важно разнообразие. Но лучше комбинировать с овощами.

Третье: **жиры**. Вредны они или не вредны? Для худого, при соблюдении первых двух условий, не могут быть вредны. Мне они представляются не столько вредными, сколько коварными: уж очень много калорий содержат — девять на грамм. Чтобы обрести чувство сытости, сколько нужно съесть? Пятьдесят граммов? Это целый завтрак.

Утверждение, что жиры необходимы в чистом виде,— миф. Можно спокойно не потреблять ни масло, ни сало, все равно в организм попадет минимально необходимое «для смазки» количество жиров. Они обязательно есть в молоке, мясе, даже в хлебе. И этого достаточно. Организм может синтезировать их из углеводов и белков.

Людям, которым перевалило за сорок, с жирами нужно обращаться осторожно. Наука получила убедительные данные, что использование в пищу жиров животного происхождения (сало, жирное мясо и рыба, масло, сметана и т. п.) способствует развитию склероза. Растительные жиры как будто таким действием не обладают. Но и ими нельзя увлекаться: например, 1 г подсолнечного масла дает те же 9 кал.

Четвертое: **белки**. Тоже создан миф о том, что нужны полноценные белки, содержащие аминокислоты, которые содержатся только в животных, а не в растительных продуктах. Не буду спорить: действительно, есть важные аминокислоты, и не во всяких растениях их можно найти. Поэтому гораздо проще получать их из мяса,

молока, яиц, чем выискивать замысловатые наборы растительных продуктов, с орехами, абрикосовыми косточками, цветочной пыльцой и прочим. Не нужно вегетарианского педантизма. Животные белки доступны. Вопрос — в количествах.

Конечно, организм может переводить на энергию все излишние белки, но при этом искусственно повышается обмен веществ, что едва ли полезно. А вдруг такое ускорение жизни — это приближение к старости? Люди в высокоразвитых странах едят слишком много животных белков. Это понятно, когда тренируется штангист: у него массивные мышцы и большая потребность в восполнении «полураспада» их белков. Но зачем много мяса, сыра, рыбы пожилому и малоподвижному человеку? Молоко и немного мяса (граммов 50?) вполне дадут ему те незаменимые аминокислоты, о которых так пекутся диетологи. Нет, не нужно увлекаться белками!

Остались еще **углеводы**. «Сахар нужен для мозга», «Нет, сахар способствует склерозу» — и так далее. Едва ли стоит об этом задумываться, если выдержаны главные условия: вес, необходимое количество «растительного сырья», немножко животных белков. Расчет простой: будешь есть много сладкого, вес не выдержать. Так что поневоле придется придержаться. Тоже нужно помнить: 1 грамм сахара — 4 калории.

Еще раз о воде: пить нужно много. Лучше всего чай вприкуску, если привыкнуть, то довольно вкусно. Наши отцы и деды только так и пили. Я впервые попробовал сладкий чай в 12 лет — был в гостях у дяди, который жил побогаче нашего. До чего же было вкусно: сладкий чай с ситным хлебом! Вот теперь, после семидесяти, снова пришлось вернуться к картошке в мундире, квашеной капусте и к чаю вприкуску... А что поделаешь? Есть, чтобы жить, а не жить, чтобы есть!

Очень полезны фруктовые и овощные соки, особенно не подслащенные. Можно пить их в неограниченном количестве, обязательно разные. С супами, наоборот, требуется сдержанность — в них много соли.

Борьба с собственным аппетитом — это главная проблема питания для здорового человека, ведущего активную жизнь. Большинство диет как раз на нее и нацелены. Как бы досыта есть вкусную пищу и не полнеть. Увы! Это невозможно. Вообще-то можно, но потом надо полностью голодать. Мне, например, это не нравится — полный голод. Мешает думать. Поэтому я пытаюсь найти свой компромисс: чтобы складка на животе была меньше сантиметра и чтобы голод не мешал жить...

Вот кратко мои правила питания. Прежде всего, не ем профилактически. Никогда не брал завтрака в клинику. Только если очень устану после операции, кружка чаю и два яблока, даже и до восьми вечера. Напряженная жизнь начиналась с утра, и завтрак был большой, грубый и некалорийный: 300—500 граммов свежих овощей или капусты, два яйца или две картофелины и чашка кофе с молоком. Обед нерегулярно: приходил в разное время, в разном состоянии. Первое, второе — без хлеба, без жиров, с минимумом мяса, с кефиром, чаем или соком на третье. Ужин — чай с медом или с сахаром вприкуску, немного хлеба — он мне кажется вкусным, как пирожное, творог, немного колбасы, сыра и вообще — что жена даст. Еще фрукты по сезону. В общем, вечером я сыт. За день по объему набирается много, а по калориям — как раз в меру расхода, при постоянном весе 56—57 килограммов рост у меня 168 сантиметров.

Так было «в молодости». Теперь — старик, пенсионер, работаю дома, часов 6—8 за компьютером, но физическая нагрузка не уменьшилась (об этом напишу специально) и диета осталась такой же, и складка жира, но вес уменьшился до 52 кг, а рост «осел» до 165 см.

Не надо считать калории и граммы. Разный образ жизни, разный обмен — нельзя определить, сколько вам нужно калорий, и трудно спроектировать соответствующую диету. Таблицы калорийности продуктов следует читать только для ориентировки: какой пищи нужно избегать, а что безопасно. Единственный измерительный инструмент, которым нужно руководствоваться,— это весы. Но тоже знайте, что вес возрастает в периоды больших нервных напряжений, поскольку вода задерживается в организме в результате психических стрессов. (У меня, бы-

вало, набирались лишние 1—1,5 кг, когда много операций, а за выходные все выходило мочой.) Впрочем, таблицу калорийности продуктов и содержания в них различных питательных веществ полезно иметь. Многие любят хотя бы планировать, если не делать.

Подсистема «питание» — важнейшая для здоровья. Некоторые натуропаты выдают ее за единственную, определяющую здоровье. Ешь сырую пищу, еще лучше, если к этому голодать день в неделю, по два-три — раз в месяц и еще две голодовки в год по две недели — и будешь здоров. Приводят в пример самих себя, знаменитостей, своих последователей. Однако в описаниях вдруг вырисовывается, что эти герои диеты, кроме того, еще много ходят, купаются, соблюдают режим сна.

Правильное питание — необходимое, но недостаточное условие здоровья. Пренебрегать им нельзя ни в коем случае. Чем хуже представлены другие компоненты режима, тем строже должна быть диета. Наоборот: имея высокую физическую тренированность, закалку и спокойную психику, можно больше позволить себе в питании. Видимо, есть зависимость и от возраста: старым нужны строгости, молодым и сильным допустимы поблажки.

Жаль, что научные основы питания еще недостаточно разработаны. Рекомендации, в сущности, построены больше на опыте, чем на строгом расчете. Куда ни взгляни, одни вопросы. Особенно поражают опыты Д. Мак-Кэя, о которых я уже говорил: если животных с младенчества держать на полуголодном пайке, правда, при наличии минимума белков и витаминов, они вырастают мелкими, но живут на 40 процентов дольше упитанных и крупных. Однако если начинать ограничивать взрослую крысу, то эффект уже не тот. А жаль!

Когда я готовил к переизданию раздел о питании, то решил почти ничего из написанного десять лет назад не убирать. Но одно дополнение все-таки следует сделать. Летом 1985 г. в Москве состоялась Международная конференция по профилактической кардиологии. На ней среди прочего были представлены данные, что в США за последние десять лет на одну четверть снизилась смертность в результате сердечно-сосудистых заболеваний. Аналогичные факты сообщены и по странам Западной Европы. Ученые относят это главным образом за счет изменения режима жизни: сократилось курение, прибавилось физкультуры, а больше всего изменилось питание. Меньше калорий, отказ от животных жиров, сокращение мяса в пользу рыбы, больше овощей и фруктов. В частности, потребление молочных продуктов в США сократилось (даже не верится!) на 40%. Можно сказать, проведен эксперимент в масштабах большой страны, и средняя продолжительность жизни ее населения за этот срок возросла на один год. Впрочем, в это же время сократилась детская смертность, а ее доля в подобных расчетах очень велика.

Подсистема терморегуляции

О ней я мало что могу сказать. Слово «простуда» — одно из самых популярных, следовательно, к здоровью имеет прямое отношение, но ясности нет. Непонятно, почему при охлаждении, при сырости возникают катаральные воспаления носа, глотки, бронхов, легких. Сомнительна сама связь между охлаждением и болезнью. Хотя нет настоящей статистики и отрицать нельзя, но исключений тоже очень много.

Поддерживать постоянно температуру — это поддерживать баланс между теплопродукцией и теплоотдачей. Прямой «отопительной системой» организм не располагает. Продукция тепла — побочный эффект любого превращения энергии. Когда нужно получить тепло даже для спасения жизни, приходится прибегать к работе мышц, хотя бы в виде дрожи, если не хождения или бега. Другое дело — теплоотдача, она регулируется очень активно. При холоде ее можно затормозить, если сузить сосуды кожи до такой степени, чтобы поверхность стала холодной и разница температуры тела и воздуха или воды сократилась. Однако не совсем холодной, иначе ткани замерзнут, будет обморожение. Впрочем, для того чтобы этого не произошло, автоматики мало, нужны активные действия по защите: одежда или трение. И тут тренировка.

Лицо, которое всегда открыто, не дает таких неприятных ощущений, как другие части тела, не привыкшие к обнажению. Но и их можно приучить. Даже теперь встречаются люди, которые и зимой ходят босиком. Следовательно, можно снизить порог восприятия кожных датчиков температуры и одновременно отработать спазм сосудов до нужного безопасного уровня, чтобы подзадержать тепло. Разумеется, нужны движения: теплоотдача с голой кожи на морозе большая, ее нужно покрыть мышечным теплом. Замерзают обычно физически обессилевшие или психологически сломленные люди, уставшие бороться со стихией. Умеренный холод очень хорошо стимулирует активность. Говорят: «Бодрит!» Впрочем, холодная квартира не способствует продуктивному думанью. Но тоже можно привыкнуть, хотя и не совсем.

Приспособление к жаре совсем другого свойства. Нужно максимально затормозить теплопродукцию, то есть любую мышечную активность, и максимально увеличить теплоотдачу. Сначала для этого достаточно повысить температуру кожи хорошей циркуляцией крови по кожным сосудам, но, когда жара превысит 30 градусов и одежки сняты все, какие можно, вступает в действие пот. Испарением его можно охладить тело ниже внешней температуры. Для увеличения циркуляции крови в коже нужны дополнительные мощности сердца, при этом венозная кровь возвращается к нему, не израсходовав своего кислорода, но это не страшно. Дыхание делается поверхностным, и необходимый уровень углекислоты удается удержать, тормозится всякая активность. Нет, людям тропиков жить явно труднее, чем северянам.

Польза тренировки к воздействию холода всем известна. Не зря же «моржи» лазают в проруби. Даже общество создали, конференции проводят, труды пишут. Я знаком с несколькими такими энтузиастами. Один очень заслуженный профессор купался чуть ли не до восьмидесяти, но склероз его все-таки свалил. Был чуточку толстоват, вот где жир под кожей находит себе оправдание! Они, «моржи», в большинстве своем выглядят полными, если выражаться деликатно. **Тренировка холодом — вещь хоро-**

шая. Первое — это физиологические стрессы, следовательно, устойчивость «системы напряжения». Второе — тренировка обменных процессов в клетках кожных покровов приучает их к поддержанию «правильной химии» при необычных внешних условиях и активирует «электростанции» клеток — митохондрии, производящие энергию. Третье — усиливает сердечно-сосудистую систему, как и физическая работа. А вот жара сама по себе едва ли обладает таким полезным действием, как холод.

Еще несколько слов о простуде. Закаливание повышает сопротивление простудным заболеваниям. Это известно испокон веков. Есть несколько объяснений: слизистые оболочки носоглотки научаются поддерживать постоянный температурный режим и при холоде. У незакаленных возможно местное охлаждение и торможение защитных клеток слизистой оболочки против микробов. Другое объяснение: охлаждение у нетренированных — сильный стресс, он ведет к торможению общей иммунной системы. В том и в другом случаях инфекция может развиваться от нарушения баланса между агрессивностью своих микробов и защитой организма. К сожалению, все это лишь предположения.

Исходя из общих принципов тренировки функций, за лето должна ослабляться терморегуляция. Поэтому для тренировки нужно время. Так оно и бывает: осенью болеют чаще.

Методы закаливания просты: не кутайся и терпи холод. Быстро бегай. Зачихал — не бойся. Пройдет, а полезный след останется, нужно продолжать, как начал. Если сдаваться после первого насморка, не стоит и начинать. Мне кажется, что самая разумная закалка — это легко одеваться. Конечно, можно принимать холодный душ или ванну, растираться холодной водой — это приемы давно известные. Врачи рекомендуют их для «укрепления нервной системы». Все правильно, тренируют «систему напряжения».

Особенно важно закаливать маленьких детей. Система для них разработана давно: есть таблицы, каким темпом понижать температуру воды при купании. Но самое главное — не кутать! Вы только посмотрите на наших дош-

кольников, как их одевают?! Это... просто нет подходящего приличного слова. На дворе — 1—5 градусов, а он уже в шубе, воротник поднят, поверх шеи повязан шарф, шапка теплая, уши опущены, и еще платок выглядывает. Оно, бедное дитя, едва дышит. Где уж тут бегать! Так и гасят порывы к движению, столь естественные для всех детенышей.

Нет, холода не нужно бояться. Против него всегда есть защита — движение. Люди слишком медленно ходят, потому и зябнут.

Пожалуй, я не буду больше распространяться на этот предмет, тем более что у меня нет стопроцентной уверенности, будто закаливание гарантирует от простудных болезней. Может статься, что главная линия обороны против них находится в другом месте, а закаливание только помогает в борьбе. Мой личный опыт закаливания неудачный: сорок лет ежедневно принимаю ванну, но только теплую. Несколько раз пробовал холодную воду и — не выдерживал. Неприятных эмоций и так много, а тут еще дрожать! Но я всегда одевался очень легко, зимнего пальто никогда не покупал, свитеров под пиджак не надевал. Простудами болел — но редко и накоротке.

Не буду останавливаться на системе соединительной ткани и клеточной защиты. Наука о здоровье применительно к ней предлагает только правильное питание, чтобы был «строительный материал». Можно еще давать безответственные советы воздерживаться от стрессов, поскольку гормоны надпочечников тормозят функцию иммунитета. Вопрос о влиянии на эту систему режима ограничения и нагрузок мало исследован. Только Дильман как-то написал в «Науке и жизни», что есть положительная связь: режим усиливает иммунитет.

Уровень здоровья иммунной системы практически легко проверить по сопротивляемости инфекциям. Мелкие ранки не должны нагнаиваться. Не должно быть гнойничковых заболеваний кожи. Насморки, ангины, бронхиты — все эти «катары верхних дыхательных путей» должны протекать нормально, длиться столько времени, сколько нужно для развития иммунитета на новый микроб — примерно одну-две недели. Совсем избежать невозможно, но их должно быть не более двух в году при нетяжелом течении. Простым показателем здоровья иммунной системы является нормальный анализ крови.

Система напряжения и здоровье

Система эта как акселератор в автомобиле: сколько нажмешь, столько мощности выдаст мотор. На холостом ходу мотор крутится еле-еле, совсем бесшумно. Однако остановка — только при полном прекращении подачи горючего. Так же и у нас: какая-то степень усиления, форсировки есть всегда, даже во сне, даже в наркозе. Полный покой только мертвым.

Большие форсировки эволюция придумала для спасения жизни в крайних обстоятельствах. Говорят: «экстремальные условия». Пусковая кнопка — на разуме. Он оценивает угрозу и включает эмоции страха, гнева, горя и радости. Цепочку «системы напряжения» я уже описывал: кора — подкорка — гипоталамус — гипофиз — надпочечники — кровь — клетки.

Противоположность напряжению — расслабление. Это не торможение, это снять ногу с акселератора, убавить газ. Для животных и человека сильное расслабление — это сон, причем тоже разной глубины. Есть два источника физиологических импульсов, активно способствующих расслаблению: с утомленных мышц и с полного желудка. О первом мы почти забыли, а второй в большом фаворе.

Психологически, в плане чувств, расслабление приятно, оно уменьшает тревоги.

У животных весь механизм форсированных режимов работает правильно. Внешние воздействия вызывают неприятные эмоции, за которыми следует напряжение. Если оно даже не сопровождается мышечными действиями, то обстановка все равно быстро меняется и раздражитель отключается. Далее следует сон. Все животные много спят, поэтому «система» отдыхает. Отдых означает, что функция не стимулирует образования новых белков, а распад закономерно продолжается. Так сохраняется нормальный уровень тренированности нервной клетки.

Для регуляторов повышенная тренированность опасна. Регулирование может стать неадекватным. Нервная клетка будет выдавать больше импульсов на «рабочий» орган при том же уровне внешнего раздражения. В результате орган будет выдавать ответ, не соответствующий потребности организма.

Память — вот беда для «системы напряжения». Животное быстро забывает, человек помнит и много думает, повторяет неприятные воспоминания и все планирует. «Система напряжения» длительно активируется «сверху» и перетренировывается. В то же время «снизу» (от утомленных мышц) она не расслабляется, механизм разложения «гормонов напряжения» ослаблен. Отсюда источник «болезней регулирования», к которым можно отнести гипертонию, язву желудка, всевозможные спазмы: бронхов — при астме, коронаров — при стенокардии, кишечника — при колите. Конечно, главное проявление «перегрева» — плохой сон. Человек не спит, «система напряжения» не отдыхает, продолжает «тренироваться».

Бессонница сама по себе неприятна. Но она еще усугубляется страхом. Очень распространено мнение, что если человек не спит, то организм в это время терпит большой ущерб, ему угрожают разные болезни. Доля правды в этом есть, как видно из предыдущих рассуждений об отдыхе, но не следует преувеличивать. Страх перед бессонницей вреднее, чем она сама, потому что он «пугает» сон. Нормальный человек переживает одну бессонную ночь, а на вторую засыпает, если обеспечивает себе покой.

В чем гигиена «системы напряжения»? Иначе говоря, как сохранить ее нормальную активность, уберечь от перетренировки?

Ответ простой, о нем знает не только врач, а чуть не каждый гражданин: давай успокаивающие средства, так называемые «транквилизаторы». Сначала появился элениум, потом седуксен и одновременно масса снотворных. Сейчас не много людей, ведущих напряженную жизнь, с интеллектом и эмоциями, спят без пилюль. Иные еще и днем принимают седуксен или помягче, например, триоксазин. На ночь еще таблетку снотворного. Потребление успокаивающих средств за рубежом достигло колоссальных размеров, чуть ли не пятая часть всей фармакологической промышленности на них получает прибыли. Мы тоже успешно двигаемся по этому пути. Средства эти важные, они изменили лицо психиатрии, позволили отказаться от варварских способов лечения некоторых болезней электрическим или инсулиновым шоком. Бесполезно сейчас агитировать за полный отказ от снотворных и успокаивающих таблеток. Но ограничить их распространение необходимо. Они не так безобидны: и не столько из-за прямого вреда, сколько потому, что перестают действовать и лишают человека воли.

Здоровье нельзя удержать лекарствами, таблетками, они предназначаются для лечения болезней. Это относится и к нашему предмету — «системе напряжения». Держать ее в руках, пожалуй, труднее, чем не переедать или делать физкультуру. Не могу сказать про себя, что я овладел своей «системой напряжения», но достиг некоторого компромисса с собой и спасаюсь от «перегревов». Не буду даже пытаться научить читателей аутотренингу и тем более излагать ступени йоги, а ограничусь несколькими советами, **как держать под контролем «систему напряжения».**

Одно предварительное условие: самонаблюдение. Следите за собственными действиями — это второй уровень сознания. Слежение за мыслями — третий. Слежение — условие для любого управления. Надо наблюдать за собой, запоминать и пытаться оценивать. По крайней мере, пытаться. Большинство людей даже и не задумывается над тем, что течение мыслей — не бесконтрольный процесс. Нет, я не собираюсь глубоко вдаваться в этот предмет, но как держать себя в руках, если не видишь, как выходишь за рамки?

(Наверное, мои знакомые и особенно помощники позлорадствуют: «А сам-то?» Сам-то в порядке. Просто совсем не ругаться на операциях гораздо труднее для психики. Высказаться — значит ослабить напряжение, поймать спокойствие, столь необходимое в трудных ситуациях хирургии. Понимаю, что такая позиция весьма уязвима и уж никак не полезна для

«объектов» высказывания. А что сделаешь? Когда позади почти полвека напряжений. Приходится потом извиняться. К вопросу о слежении: ни один хирург, что ругается на операциях, не теряет контроля над собой. Он сознательно ругается. Уж можете мне поверить.)

Главная проблема — сон. Если человеку удается сохранить без снотворного хороший сон по глубине и по длительности, его нервы в порядке.

Первый совет: *не экономить время на сне.* Потребности в отдыхе индивидуальны, но в среднем — восемь часов нужно. Есть такие жадные на работу, что пытаются научиться спать поменьше. Это самая вредная затея. Даром она не проходит. «Нервные клетки не восстанавливаются». Думаньем можно тренировать кору, возможно, что станешь умнее, но глубокую подкорку, которая управляет отдыхом, оставьте в покое.

Второй совет: *не бояться бессонницы.* Не суетиться, когда сон не идет и мысли одолели. Лежите спокойно и ждите, уснете с запозданием. Если с утра голова будет тяжелая, ничего, потерпите. Сказать, что от этого большой вред, нельзя. К вечеру утомление накопится за два дня, и сон придет. Однако после бессонной ночи перенапрягаться нельзя и вечер надо освободить для отдыха.

Если жизнь не дает передышки и плохие ночи следуют одна за другой, примите снотворное. Не надо их бояться. Просто следует их строго ограничить, чтобы не образовалась привычка. Сон нужно регулировать деятельностью, а к лекарствам прибегать, когда угрожает срыв. Но если уж не удается их избежать и день, и два, и три, это серьезный сигнал к изменению режима жизни. Нужно отключиться совсем на несколько дней, чтобы прекратить снотворные, а потом ограничить нагрузки. Это значит: поменьше эмоций и побольше времени на отдых. Особенно вредно отражаются на сне вечерние напряжения. *Вечера нужно оставлять для прогулок! И воскресенья тоже не занимать делами.*

Я понимаю: мои советы ничего не стоят, все об этом и так знают. Обычно говорят: «Не удается». Не скажите. Есть разные условия жизни людей. Одни поставлены на такое место, что не могут распорядиться своим временем и своими нагрузками. Таким ничего не остается, как тянуть до инфаркта, если работа им дорога за то, что она дает удовольствие деятельности, власть, деньги — кому что дороже. Но таких немного из числа сильно занятых и напряженных. Большинство имеют возможность регулировать свою деятельность и сами виноваты в своих бедах, нечего спихивать на обстоятельства. Для таких нужен элементарный расчет: не отрегулируешь жизнь — все потеряешь. Один из контрольных пунктов здоровья — это сон. Хочешь не хочешь, жаль времени или нет, работать нужно столько, чтобы сон был и, как правило, без лекарств. Снотворные допустимы один-два раза в неделю в среднем.

Прибегать к успокаивающим средствам в течение дня («от нервов»— элениум, седуксен) нет смысла. Они только для слабых, потерявших всякий контроль над собой. Оставьте их психиатрам.

Один технический прием для засыпания: выберите удобную позу, лучше на боку, и лежите совершенно неподвижно. Постепенно расслабьте мышцы. Начинать нужно с лица — именно мимические мышцы отражают наши эмоции. Это запрограммировано в генах, от самых древних предков. Тут и нужно научиться следить: уметь прослушать каждую часть тела, определить, насколько напряжены мышцы. Если определить, то можно и расслабить усилием воли, произвольно. Некоторые рекомендуют повторять слова, например, «расслабься» или просто: «спокойно». Попробуйте, может быть, это поможет.

Расслабление мышц лица действует по типу прерывания обратной связи и на причину напряжения: на эмоции, на думание. После лица другие мышцы расслабить проще. Исследуйте одну часть тела за другой и расслабляйте мышцы — руки, ноги, спину, пока все тело не ляжет совсем пассивно, как чужое. Иногда перед расслаблением нужно легонько сократить мышцу, например, подвигать рукой или челюстью.

Спрашивается, на что же переключить мысли? Совсем не мыслить невозможно. Думать о своих заботах — тогда не расслабиться, не ус-

нуть, произвольно переключиться на безразличный предмет можно, но нельзя удержаться на нем: опять мысли соскальзывают в старое тревожное русло.

Лучше всего подключиться мыслью к собственному дыханию.

Я пользуюсь рекомендацией К. П. Бутейко, автора оригинальной методики дыхательных упражнений,— стараюсь дышать поверхностно, чтобы в крови прибавилась CO_2— окись углерода способствует расслаблению.

Поскольку дыхание не останавливается, то оно дает импульсы привлекать к себе сознание. После этого придет сон. Иногда удается странное состояние полусна, когда следишь за своими сонными мыслями, даже сновидениями, и знаешь, что еще не спишь.

Я бы не давал советов, если бы не научился и не испытал сам. К сожалению, этот прием удается далеко не всегда. «Система напряжения» может настолько активироваться за день, что расслабление мышц лица не удерживается, мысли уходят от слежения за дыханием и незаметно возвращаются к заботам. Мимика лица снова начинает работать. Но ничего, для этого и нужно научиться следить за мыслями. Заметил и опять пытайся расслабить лицо, приключиться к дыханию. И так повторять и повторять попытки.

В большинстве случаев через полчаса, через час сон приходит. Если все-таки нет, тогда нужно бросить усилия и лежать совершенно неподвижно, уже не пытаясь управлять лицом и мыслями. Примириться с бессонной ночью — это уже успокаивает и иногда дает успех. Лучше после часа попыток принять легкое снотворное.

«Перегрев» «системы напряжения» в течение дня сказывается плохим сном, но, если он продолжается неделями и месяцами, могут появиться другие симптомы. Они всем известны, но их не туда адресуют. Болит голова — говорят о голове, живот — о желудке, запоры и поносы — о кишечнике, сердце — о сердце. Я уже не упоминаю о повышении кровяного давления, говорят — гипертония. В действительности же, по крайней мере вначале, это все перетренировка «системы напряжения». Это сигнал для отключения, и одним вечером и выходным днем уже не отделаться.

Сколько? По-разному. У меня, например, начинает болеть живот (желудок) сначала только после тяжелой операции, затем после любой, потом и по ночам. Это продолжается уже сорок лет, и все изучено. Раньше боялся рака, просвечивали рентгеном, а теперь знаю: нужно расслабиться, и все пройдет. Если вовремя, то и двух дней хватит, если запустил, нужна неделя. Каждый должен за собой наблюдать, и он обнаружит что-то полезное.

Это еще ничего, когда напряжение — от дел у деятельных людей, когда дела можно остановить, сделать перерыв. Гораздо хуже, когда тяжелые мысли и грустные эмоции, от которых нельзя никуда уйти,— от жизни. Чаще всего — это семья. Нелады между супругами, со взрослыми детьми, болезни близких, которые не удается вылечить, реже свои болезни или страх перед ними (рак!). От всего этого отпуск не возьмешь. Любой врач знает, когда история болезни пациента начинается с подобных обстоятельств. И все это она, «система напряжения»!

Что же можно посоветовать в таких ситуациях? Аутотренинг? Слежение и управление мыслями? Медитация? Да когда дома горе и жить не хочется, буду я забивать себе голову этим управлением?! Оно само по себе требует стимулов, желания. Они есть у творческого человека, который переработался. Но не у несчастного. Несчастный обычно плывет по течению. И даже сначала рад, когда заметит у себя признаки болезни: можно пожалеть себя и переключиться. Но инстинкт самосохранения — вещь великая. Сначала облегчение, потом испугается. Тогда он созрел, чтобы немножко заняться собой. Первое дело: нужно укрепить другие системы, побольше двигаться, сократить еду.

Представляю улыбки читателей: «Ничего себе посоветовал!» Да, а что? Многие люди от несчастий распускаются и, в частности, начинают много есть, ленятся ходить. Все только думают свои горькие думы. Однако логика простая: если жизнь несчастливая, то это плохо, но еще хуже, если при несчастьях будут еще и болезни. К сожалению, большинство людей в таких случаях поступают просто: идут к врачу со своими болезнями в надежде, что он возьмет на себя часть тяжести. Необоснованная надежда, доктор вникать не будет, а начнет лечить голову, желудок, сердце — что там еще болит? Но обратиться к врачу проще и не требует собственных усилий.

ФИЗКУЛЬТУРА

Физические упражнения пришлось выделить из всех других рекомендаций и посвятить им целую главу. Причина этого не только в том, что много материала, но и особая важность физкультуры в поддержании здоровья. Богатую историю этого вопроса я опущу, во-первых, потому, что литература слишком обширна и обзор потребует много места, во-вторых, я не собираюсь ни с кем спорить и использовать ссылки на великие имена в защиту своих рекомендаций.

Пожалуй, только один пункт требует уточнения: большие или малые нагрузки. Когда 40 лет назад я опубликовал свой комплекс гимнастики и идею о необходимости больших нагрузок, многие врачи были недовольны, а выражение «бег к инфаркту» применялось и ко мне, хотя я тогда о беге не говорил и сам не бегал. Специалисты по лечебной физкультуре тоже считали, что большие нагрузки не нужны и даже опасны. Комплексы занятий, которые печатаются постоянно и теперь в разных журналах, как правило, очень легки. Да что далеко ходить: включите телевизор и посмотрите урок гимнастики для взрослых или для детей. Вы услышите: «Упражнение такое-то повторить 5—10 раз». Разных типов упражнений показывают или перечисляют десяток-полтора. Подсчитайте, получится что-нибудь около 100—200 движений. Они еще разделены интервалами для глубоких вдохов, им предварена легкая разминка. А в моем комплексе каждое из десяти упражнений по сто раз. Тысяча движений! Конечно, возмутились. «Чрезмерная нагрузка на сердце». Правильно, нагрузка на сердце, для этого и упражнения.

С течением времени взгляды стали меняться. Уже разрешают бегать после инфаркта, говорят, что пульс после нагрузки должен достигать 120 и даже 150 ударов в минуту. В свое время перевели и напечатали книжку К. Купера «Новая аэробика», в которой все поставлено на свои места и даются хорошие нагрузки, темп и скорость. И в самом деле: если вспомнить, сколько килограммометров выдавал пахарь за плугом, или землекоп, или пильщик, или охотник, то что стоят наши 20—30 минут упражнений? Или даже бега? Нет, **для здоровья необходимы достаточные нагрузки. Иначе они не нужны совсем.**

Думаю, что после всего сказанного о тренировке излишне защищать необходимость физкультуры вообще. Могу повторить лишь трафаретные обоснования. Укрепляет мускулатуру и тренирует сердце. Сохраняет подвижность суставов и прочность связок. Улучшает фигуру. Повышает минутный выброс крови и увеличивает дыхательный объем легких. Стимулирует обмен веществ. Уменьшает вес. Благотворно действует на органы пищеварения. Успокаивает нервную систему. Повышает сопротивляемость простудным заболеваниям.

После такого убедительного списка, который все знают, чего бы людям не заниматься?

А они не занимаются. Требуют более веских доказательств. Тут еще порой врачи портят дело своими догмами, щажением, формулой: «Не навреди». Врачи боятся физкультуры. Да и то: умрет больной со стенокардией дома, в постели — все нормально, получил нитроглицерин, курантил, папаверин, еще что там по справочнику полагается? Не помогло — «организм не справился», все делалось как нужно. Представьте, прописал бы ему врач бег трусцой, а больной возьми и помри на дорожке? Что бы сказали родственники да и коллеги-врачи? «Навредил». Однако кто может утверждать, что лекарства никогда не вредят?

Вот что теперь нужно для физкультуры: узаконить правомочность ее как метода профилактики и лечения, уточнить показания при различных болезнях и состояниях, определить «дозировку» и правила безопасности применения. Сделать это непросто, но возможно, если обеспечить научный подход к определению уровня

тренированности больного или здорового, которому даются рекомендации по физкультуре.

Эта книга и эта глава не предназначены специально для врачей, поэтому не претендуют на роль руководства. Все рекомендации рассчитаны на потребителя: любого гражданина, если ему захотелось попробовать свои силы, потеряв надежду на помощь врачей или убоявшись будущих болезней.

Начнем с некоторых общих идей. (Хотя их уже высказано слишком много!)

Тренировочный эффект любого упражнения, любой функции пропорционален продолжительности и степени тяжести упражнения. Превышение нагрузок, приближение их к предельным сопряжено с опасностями, так как перетренировка — это уже болезнь. Мощность и длительность тренировки действуют по-разному и должны учитываться отдельно: тренировка на силу и на длительность функции. Важнейшее правило тренировки — постепенность наращивания того и другого, то есть тяжести и длительности нагрузок. Применительно к физкультуре нужно помнить, что физическая нагрузка оказывает воздействие на все органы и системы, причем тренировочный эффект развивается с разными скоростями.

Для некоторых органов его трудно учесть. Поэтому темп наращивания тяжести и продолжительности упражнений должен выбираться с большим запасом, «с перестраховкой», чтобы ориентироваться на самые «медленные» органы. Кривая наращивания нагрузок приближается к S-образной. При низкой исходной тренированности добавления должны составлять 3—5 процентов в день к достигнутому уровню, потом, после достижения высоких показателей, наращивание снова идет по затухающей. Верхних пределов возможностей достигать не нужно, уверен, что они вредны для здоровья.

Из всех органов и систем при физической тренировке наиболее уязвимым является сердце. Именно на его функции и нужно ориентироваться при наращивании нагрузок у практически здоровых людей. Если есть какой-нибудь больной орган, то его реакция на нагрузку должна учитываться наравне с сердцем, а иногда и в первую очередь. Однако чаще всего это касается выбора типа упражнений, а не интенсивности общей нагрузки, которая раньше всего бьет по сердцу. Любая тренировка должна проходить под постоянным контролем измерения тренируемых функций.

Тренировка может преследовать различные частные цели, и в зависимости от них меняется методика. Это касается не только спортсменов, но и больных. Для одного в центре внимания разработка сустава после операции или тренировка мышц после паралича, для другого — лечение астмы задержкой дыхания, третьему нужно согнать лишний жир. Большинству, однако, необходимо тренировать сердечно-сосудистую систему, чтобы противостоять болезням цивилизации — общей детренированности. Во всяком случае, сердце тренируется при любой физкультуре, и об этом никогда нельзя забывать.

Хочу дать **практические советы и важнейшие сведения** для человека, который собирается заняться физкультурой и прикидывает, как бы выгадать побольше и в то же время затратить меньше времени, испытать меньше неприятных ощущений.

Первый пункт: **нужен ли врач?**

Большинство популярных брошюр о физкультуре говорит, что нужен. Проще всего это сказать и мне, перестраховаться на случай, вдруг кто-нибудь начнет бегать и помрет: «сам виноват, не спросил врача». Но я такого совета давать не буду. И причина самая простая: нет практической возможности попасть к врачу, понимающему физкультуру. Физкультурных диспансеров пока мало. Все врачи — специалисты по болезням, а не по здоровью. Если человек здоров, такой врач ему не нужен.

Единственный орган, который действительно подвергается опасности при физических нагрузках у детренированного человека,— сердце. Однако при соблюдении самых элементарных правил и эта опасность минимальна, если человек еще не страдает заболеваниями сердечно-сосудистой системы. Вот когда он уже «подмочен» в этом плане, никуда не денешься, нужно идти к врачу-кардиологу: пусть он посмотрит и даст «добро».

Но, бывает, врач скажет: «Все-таки это вам небезопасно. Лучше воздержитесь от нагрузок и ограничьтесь прогулками». Поэтому даже для людей, уже лечивших сердце, я рискую сделать оговорки в отношении врача.

Обязательно нужна медицинская консультация для людей с пороками сердца. Для перенесших инфаркты. Для тяжелых гипертоников со стойко высоким давлением (выше 180 по максимальному и 100 по минимальному). Для людей с тяжелой стенокардией, требующей постоянного лечения. И, пожалуй, все.

Для людей, просто перенесших в детстве ревматизм и не лечившихся от пороков сердца; для подозрительных на стенокардию, тех, у кого боли в сердце, с которыми они уже были у доктора; для легких гипертоников, не принимающих постоянно лекарств, не надо ходить к врачу за разрешением на физкультуру. Есть еще группа пожилых и стариков — людей после шестидесяти. Как правило, у них уже имеется набор болезней и «все может случиться». Им тоже не надо ходить в поликлинику наравне с более молодыми. Разумеется, на все случаи совета не дашь. Если есть сомнения, неуверенность и страх за последствия занятий физкультурой, нужно посоветоваться. Доктор скажет: «Будьте осторожны». Против этого возразить нельзя: осторожность не помешает.

Главное выражение осторожности — *в постепенности наращивания нагрузок.* Ни в коем случае не спешите скорее стать здоровым! Это нетерпение просто бедствие! Годами человек сидел, износился, потолстел, а теперь решил нагнать упущенное в кратчайший срок. Так дело не пойдет. «Бег к инфаркту» — вещь реальная. Если вы до сих пор не умерли со своими болезнями и со своим брюшком, то можете подождать с восстановлением спортивной формы: постепенность, постепенность и постепенность!

Второй пункт: **проверка исходной тренированности.**

Она определяется по уровню работоспособности сердечно-сосудистой и дыхательной систем, то есть по состоянию «подсистемы газообмена», если вы прочитали теоретические рассуждения. Если не читали, то и не обязательно, вполне можно обойтись без этого. Самая грубая предварительная оценка — по одышке при подъеме на лестницу. Если вы избалованы лифтами, все же поднимитесь на 4—5 этаж нормальным темпом, без остановок на площадках и понаблюдайте за собой: как дышите, тяжело ли? Если совсем легко и чувствуете, что есть резерв, хорошо, можно исследоваться дальше. Если задохнулись, тогда повторите через несколько часов эту пробу, но обязательно сосчитайте пульс. Вообще эту процедуру — счет собственного пульса — нужно освоить.

Любая тренировка без контроля пульса небезопасна. Вначале лучше считать полминуты, потом, когда наловчитесь, можно определить его и за 15 секунд. Короткие интервалы выгоднее, когда считаете сразу после нагрузки. При хорошей тренированности сердцебиение быстро проходит, гораздо меньше чем за минуту... Но до хорошей — ох как далеко!

Прежде всего нужно знать свой пульс в покое: утром, лежа в постели, вы получите самые низкие цифры. Сидя — больше, стоя — еще больше. По пульсу в положении сидя уже можно приблизительно оценить сердце. Если у мужчины он реже 55 — отлично, реже 65 — хорошо, 65—75 — посредственно, выше 75 — плохо. У женщин и у юношей примерно на 5 ударов чаще.

Итак, небыстро поднялись на четвертый этаж и сосчитали пульс. Если он ускорился на 10 процентов— отлично, на 30 — хорошо, на 50 процентов — посредственно. Выше 50 — плохо. Если плохо, то никаких дальнейших испытаний проводить нельзя и нужно начинать тренировку практически с нуля. Об этом еще будет речь.

Следующей ступенью испытания себя является подъем на 6-й этаж, но уже по времени. Сначала за 2 минуты — это как раз нормальный шаг. И снова — счет пульса. Тем, у кого пульс ускорился вдвое, больше пробовать нельзя: нужно тренироваться. Для других надо еще раз сосчитать пульс спустя две минуты. Он должен приблизительно вернуться к состоянию покоя.

Настоящие тесты предусматривают расчет потребления кислорода в кубических сантиметрах за 1 минуту на 1 килограмм веса тела или работу в килограммометрах в минуту на кило-

грамм веса тела за 4 минуты максимальной нагрузки. Соотношение между кубическими сантиметрами потребляемого кислорода и килограммометрами такое: 1 кгм — 2,33 $см^3O_2$, или 1 $см^3O_2$ соответствует 0,43 кгм. Эти эквиваленты вычислены исходя из принятого КПД мышечной работы, приблизительно 0,23.

Приступать к настоящему исследованию на максимальную нагрузку можно только при полной уверенности, что вы хорошо подготовлены для этого. Поэтому никак нельзя сразу размахиваться на максимум, надо ограничиться скромными первыми прикидками. Каждому, естественно, не терпится определить свой максимум, но помните, что это опасно.

Строго научное определение максимальной работы или потребления кислорода проводится в лабораториях газообмена на аппарате велоэргометр, который представляет собой специальный велосипед, закрепленный на станине, с тормозом, позволяющим создавать сопротивление. Еще лучше так называемый тредбан, когда человек идет или бежит по движущейся ленте — горизонтальной или с наклоном. Он удобнее для неумеющих ездить на велосипеде, вроде меня. Испытуемый подключен к электрокардиографу, который постоянно регистрирует ЭКГ. Есть указатель частоты пульса. Можно прямо определять потребление кислорода, если дышать в специальный газоанализатор, но это довольно тяжело, нужно привыкнуть. Поэтому чаще всего потребление кислорода высчитывается по эквивалентам работы.

Более скромные лаборатории не имеют велоэргометров и газоанализаторов, а ограничиваются стандартными ступеньками, на которые поднимается и опускается испытуемый. Пульс ему считают «вручную», по часам, а ЭКГ записывают после нагрузки. Но и таких лабораторий очень мало, попасть в них на исследование непросто. Поэтому люди, которым нет необходимости обращаться за разрешением к врачу, могут самостоятельно определить свои «резервные мощности». Впрочем, если пунктуально выполнить подготовительный курс упражнений и дальше следовать рекомендациям наращивания нагрузок и считать пульс, то вообще нет нужды в определении уровня тренированности.

Мне кажется, что самым простым и безопасным способом является использование лестницы. Спуск учитывается за 30 процентов подъема, так что три этажа со спуском нужно считать за четыре. Суть исследования состоит в том, чтобы «работать» 4 минуты, поднимаясь на 1—2 этажа и снова спускаясь, потом спустя 4 минуты остановиться и сосчитать пульс. Разница в том, сколько этажей вы прошли за эти 4 минуты: 5 или, например, 20. Высота этажей, считая от площадки до площадки, в современных наших домах колеблется от 3 до 4, можно принять ее в среднем за 3,5 метра. Расчет килограммометров в минуту после этого не представляет труда. Спуски учитываются умножением на 4/3.

$$\frac{(\text{Число этажей за 4 мин}) \times 3,5}{4\,\text{мин}} \times$$

$$\times \frac{4}{3}\,\text{кг}\cdot\text{мин на 1 кг веса.}$$

Начинать нужно с медленного темпа: приблизительно 60 ступенек за минуту. За 4 минуты поднимитесь и спуститесь приблизительно на 9 этажей. Если пульс достигнет 150 в минуту, то это и есть ваш предел: 10,7 кгм/мин, или 25 см³/мин/кг.

Если окажется, что пульс не достиг максимального, то после 5 минут отдыха можно повторить подъемы и спуски в более высоком темпе, однако в продолжение тех же 4 минут. Потом снова высчитываете этажи и кгм/мин и соответственно — см³/мин/кг. Если человек живет в одноэтажном доме и не привык ходить по лестницам, то проба будет неверна. Мышцы тренируются отдельно для каждого вида нагрузок. Кто натренирован на велосипеде, но не ходил по лестнице, получит показатели хуже, чем на велоэргометре.

Существует масса всевозможных *проб для определения тренированности сердца*. Они отличаются не только величиной нагрузки, но и длительностью, поэтому трудно сравнимы. Вот две короткие пробы, приведенные в брошюре Е. Янкелевича «Берегите сердце», которую выпустило издательство «Физкультура и спорт».

Проба с приседаниями. Встаньте в основную стойку, поставив ноги вместе (сомкнув пятки и разведя носки), сосчитайте пульс. В медленном темпе сделайте 20 приседаний, поднимая руки вперед, сохраняя корпус прямым и широко разводя колени в стороны. Пожилым и слабым людям, приседая, можно держаться руками за спинку стула или край стола. После приседаний снова сосчитайте пульс. Превышение числа ударов пульса после нагрузки на 25% и менее считается отличным. От 25 до 50 — хорошим, 50—75 — удовлетворительным и свыше 75 процентов — плохим. Увеличение количества ударов пульса вдвое и выше указывает на чрезмерную детренированность сердца, его очень высокую возбудимость или заболевание.

Проба с подскоками. Предварительно сосчитав пульс, станьте в основную стойку, поставив руки на пояс. Мягко на носках в течение 30 секунд сделайте 60 небольших подскоков, подпрыгивая над полом на 5—6 сантиметров. Затем снова сосчитайте пульс. Оценка пробы такая же, как и с приседаниями. Проба с подскоками рекомендуется для молодых людей, работников физического труда и спортсменов.

Осторожный автор, который, правда, имеет дело с сердечными больными, предупреждает, что, перед тем как пробовать, нужно сходить к врачу. Я думаю, что он перестраховался: для этих проб никаких врачей не нужно. Правда, я бы сделал одно примечание: людям с явно «подмоченным» сердцем нужно сначала попробовать половинную нагрузку — 10 приседаний или 30 подскоков и, если пульс участился не более чем на 50 процентов против покоя, пробовать полный тест.

Американец К. Купер создал очень хорошую очковую систему физической тренировки. Я уже упоминал об этом и приведу его таблицы в приложении в конце главы. Для предварительного и последующего контроля тренированности К. Купер разработал и обосновал научными исследованиями два теста: 12-минутный и полуторамильный.

Вот как выглядит 12-минутный тест: «Пробежите или пройдите как можно дальше в течение 12 минут. Если задыхаетесь, замедлите ненадолго бег, пока дыхание не восстановится». Далее он приводит таблицы, по которым можно определить степень подготовленности.

12-минутный тест для мужчин в километрах

Степень подготовленности	Возраст в годах			
	До 30	30—39	40—49	Старше 50
1. Очень плохо	Меньше 1,6	Меньше 1,5	Меньше 1,3	Меньше 1,2
2. Плохо	1,6—1,9	1,5—1,84	1,3—1,6	1,2—1,5
3. Удовлетворительно	2,0—2,4	1,85—2,24	1,7—2,1	1,6—1,9
4. Хорошо	2,5—2,7	2,25—2,64	2,2—2,4	2,0—2,4
5. Отлично	2,8 и больше	2,65 и больше	2,5 и больше	2,5 и больше

К сожалению, проведение исследования сопряжено с измерениями расстояний — практически это можно только на стадионе, где намечена дорожка. Грубо измерить пройденное расстояние можно и шагами, но все равно для этого сначала нужно отмерить 100 или 200 метров и сосчитать, сколько в них будет шагов. Опять-таки нужна дорожка. Купер советует расстояния промерять по спидометру на машине.

Чтобы мерить только один раз, можно воспользоваться полуторамильным тестом. Это составит 2400 метров. Задача испытуемого: возможно быстрее пройти эту дистанцию и засечь время. Потом для определения степени подготовленности или тренированности посмотреть на представленную дальше таблицу.

Эти хорошие тесты требуют примечаний.

Прежде всего, предупреждения самого автора. *Нельзя начинать с теста, если вам более 30 лет. Сначала нужно пройти 6-недельную вводную тренировку.* Это очень важное предупреждение потому, что при проведении испытания человек старается вовсю и может легко переборщить. Если он шесть недель потрениру-

Полуторамильный тест (в минутах) для мужчин

Степень подготовленности	Возраст в годах			
	До 30	30—39	40—49	Старше 50
1. Очень плохо	16.30 и хуже	17.30 и хуже	18.30 и хуже	19.00 и хуже
2. Плохо	16.30—14.31	17.30—15.31	18.30—16.31	19.00—17.01
3. Удовлетворительно	14.30—12.01	15.30—13.01	16.30—14.01	17.00—14.31
4. Хорошо	12.00—10.16	13.00—11.01	14.00—11.31	14.30—12.01
5. Отлично	10.15 и быстрее	11.00 и быстрее	11.30 и быстрее	12.00 и быстрее

ется, то как раз обретет необходимую форму. Будет что проверять. Вероятнее всего, что он за это время бросит занятия, тогда и проверка не понадобится.

Другое предупреждение Купера касается обращения к врачу перед тестом. Я уже говорил об этом. Для сердечного больного — да, необходимо, для всякого другого — необязательно. Гораздо важнее предыдущее пожелание: потренироваться. Если во время проведения теста почувствуете сильную усталость, большую одышку или тошноту, нужно сразу остановиться, а лучше сесть. Следовало бы добавить к этому еще боли в области сердца — это сигнал спазма коронарных артерий.

Мне кажется, что *прежде чем определять уровень своей тренированности по тестам Купера, человек должен хотя бы научиться пробегать трусцой 0,5 км.* Тесты Купера мне представляются хорошими, но тяжеловатыми. Так же как и сами программы тренировок, они рассчитаны на людей молодых. Не зря у него все, кто старше 50, объединены в одну группу, хотя предыдущие интервалы между возрастными группами — 10 лет. Как раз для старшего поколения тесты особенно трудны уже потому, что эти люди бегать разучились. Для них подниматься по лестнице — самое подходящее. (Приседать тоже не могут.) Однако если кто решится и осилит подготовительный шестинедельный тренировочный курс, то все будет в порядке, можно испытывать себя.

Группы тренированности не должны меняться с возрастом — это мое глубокое убеждение. Так же как не должен меняться вес тела. «Резервные мощности» для сопротивления старости и болезням пожилому нужны не менее, чем молодому, если учесть, что и молодые теперь на три четверти не работают физически. Другое дело, что пожилой не может достигнуть уровня «отлично», доступного молодому. Да и не нужно столько, пусть ограничит свои притязания на здоровье оценкой «хорошо» или даже «удовлетворительно». Этим самым снимаются возрастные особенности проведения теста, кроме требований более строгого контроля и предварительной подготовки к трудным тестам, так как для пожилых больше опасность резкого возрастания нагрузки при тестировании.

Понимаю, что никто из специалистов по физкультуре не согласится с моей позицией по поводу возрастных особенностей методик и расчетов. В защиту могу сказать только одно: возрастные изменения основного обмена невелики вплоть до 70 лет. Следовательно, все изменения физиологических показателей, по крайней мере до 60 лет,— следствие не возраста как такового, а изменения образа жизни, которое привело к детренированности и ожирению.

Нормы здоровья 30-летнего вполне годятся и для 60. Только не те нормы, по которым ставятся спортивные рекорды, а те, что определяют уровень «резервных мощностей», нужных для здоровой жизни. Практически это означает уровень тренированности не выше оценки «хорошо». Разумеется, темпы тренировки для молодых могут быть быстрее, потому что с возрастом, видимо, замедляются процессы синтеза белков. Кроме того, у молодых меньше шансов на скрытые очаги патологии, которые могут проявиться при быстрой тренировке.

Разница в требованиях между мужчинами и женщинами тоже вызывает у меня некоторые сомнения, но я не решаюсь посягать и на эту догму. Одно замечание: у диких животных разница в силе определяется не полом, а размерами. Самцы крупнее самок, но выносливости у

них не больше. Однако они более способны к высоким пиковым напряжениям. В общем, хватит про тесты.

Каждому любопытно измерить свои мощности, но практическое значение тестов невелико. Если человек не занимался физкультурой и нетренирован, их можно заменить самой простой пробой — подъемом на 4-й этаж. Тогда уже нет смысла уточнять степень. Может быть, тесты нужны для определения начальной нагрузки и темпов ее увеличения, но все равно из соображений безопасности приходится перестраховываться. Таблицы и подробности тестирования приведены главным образом для тех, кто уже хорошо втянулся и жаждет получить подтверждение эффективности своих усилий. Известно, что жадничают и считают только богатые. Если нет здоровья, то чего его измерять?

В заключение привожу *таблицу физиологических показателей при различной тренированности при нагрузках до частоты пульса 150* в продолжение 4-минутного исследования. Таблица составлена по данным Купера для возраста до 30 лет.

Тренированность	Кгм(мин)кг	Максимальное потребление кислорода, см^3/мин/кг
Очень плохая	Меньше 10	Меньше 25
Плохая	10—14	25—33
Удовлетворительная	14—18	33—42
Хорошая	18—21	42—50
Отличная	Свыше 21	Свыше 50

Для людей до 50 лет приемлемы показатели «хорошо» и «отлично», между 50 и 70 — «хорошо» и «удовлетворительно», однако и «отлично» вполне достижимо. Для людей старше 70 лет достаточно удовлетворительных показателей.

Выбор цели и принятие решения. Физкультура имеет свою специфику в зависимости от задачи, которую решает. Не буду разбирать все ее виды. Одно только описание лечебной гимнастики для восстановления функций после операций может составить предмет книги. Нас интересует здоровье. Оно имеет взаимосвязь с фигурой, но не прямо, с подвижностью суставов уже ближе, развитие мускулатуры для здоровья не имеет значения, зато воздействие на обмен и через это на вес очень важно. Пищеварение и расслабление тоже отбрасывать нельзя — это факторы здоровья. Но самое главное — тренировка сердечно-сосудистой и дыхательной систем. Вот примерный круг задач. Возрастной интервал физкультуры — от младенцев до стариков.

Границы здоровья беспредельны. Хотя наука в этом вопросе еще далеко не довела все до полной ясности, но уже сейчас можно назвать черты здорового человека применительно к жизни в новую технологическую и социальную эпоху. Теперь можно обеспечить правильное питание, совершенное лечение в случае болезней, отдых. Исчезли требования большой мышечной силы. Глобальная цель — добиться, чтобы здоровье не только не снижало уровень душевного комфорта, как сейчас, а повышало его.

Режим Ограничений и Нагрузок — так я называю образ жизни, обеспечивающий здоровье.

Скажут: смешно! Какое уж тут прибавление душевного комфорта, если все ограничивать и постоянно напрягаться. Ограничение касается еды и одежды, нагрузки — физических упражнений. Значит, уменьшится удовольствие от вкусной и обильной пищи, от беззаботного расслабления. Но я не согласен, что режим понижает УДК. Разумная сдержанность в еде не уменьшает, а увеличивает удовольствие от пищи. Напряжения подчеркивают приятность расслабления. При этом есть еще прямой выигрыш: уменьшаются неприятности от болезней и страх перед ними. И еще одно дополнительное удовольствие: почувствовать уважение к самому себе: «Я смог!»

Ах, если бы не эта адаптация! К здоровью так легко привыкнуть, что оно уже не прибавляет удовольствия. Но так же легко привыкнуть и к расслаблению. Без утомления оно тоже теряет остроту удовольствия. Получить удовольствие от пресыщения пищей также становится все труднее и труднее.

Нужно быть элементарно разумным, помнить об адаптации и уметь хотя бы примерно рассчитывать свой душевный комфорт.

Попытаемся представить себе баланс Приятного и Неприятного для современного человека и найти в нем место для забот о здоровье.

Самые большие компоненты удовольствия лежат в сфере работы и семьи. Кажется, что здоровье не имеет к ним отношения. Но это не так. Овладение собой, сила воли, способность физически напрягаться — все это усиливается от упражнений и, несомненно, способствует успехам в работе. Само здоровье не делает семейного счастья, но зато болезни точно его уменьшают. Даже свои болезни надоедают, а уж болезни жен, мужей, если они идут одна за другой, то как осточертевают! Нет, не способствуют удержанию любви, а она так хрупка — любовь. Детей это касается в меньшей степени: мы не можем их разлюбить даже больных, но зато какое мучение, когда они страдают.

Вот видите: быть здоровым выгодно во всех отношениях.

Но это не все. Расчет состоит в том, какая степень здоровья минимально необходима для получения выгод от него, которые я только что нахваливал. И главное, какой ценой? И еще: как этот баланс меняется с возрастом?

Разумеется, на эти вопросы нельзя ответить однозначно: для каждого человека счастье различно. Оно зависит от его личности: как у человека распределяется значимость биологических чувств и убеждений, какой у него интеллект и физические данные от природы.

Для одного максимум УДК лежит в сфере спорта, и ему нужна высокая тренированность, а для интеллектуала достаточно некоторого минимума. А поэту, например, здоровье совсем не нужно. Поэт должен страдать, тогда он напишет что-то стоящее, а если будет этакий здоровяк-оптимист, то чего от него ждать?

Все дело в том, что цена за разное здоровье разная. Она все повышается по мере роста соблазнов, которые нам поставляет технический, экономический и интеллектуальный прогресс.

Таков должен быть общий подход. Разбирать все случаи не будем — это скучно. Ограничимся средним человеком, но прикинем на разные возрасты.

Обратимся снова к физкультуре как важнейшему компоненту здоровья. Подход мне представляется таким.

Два главных направления физических упражнений.

Первый и важнейший: повышение резервов сердечно-сосудистой и дыхательной систем («подсистемы газообмена»).

Второй: поддержать на некотором уровне функцию мышц и суставов.

Значимость обоих различна при разных условиях жизни, работы и возрасте, устремлениях человека.

Если нет резервов, а нужда заставляет их добывать, то прежде всего не следует замахиваться на несбыточное: на те высокие ступени, что «хорошо» и «отлично». Для начала нужно ставить себе самые скромные задачи.

Помните, что главный наш враг — наша психика. Она очень капризна и чувствительна к неудачам. Стоит провалиться на пустяке, и отпадает желание добиваться чего бы то ни было. Именно поэтому в конце концов все примиряются с уменьшением силы и с неизбежными болезнями, что за этим следуют.

Скромная цель и доступные средства — вот что нужно для начала. Однако уж не чересчур легкие. Не слушайте рекомендации, в которых пишут, что здоровье можно обрести, сделав 5—10 упражнений по 5—6 движений руками или ногами, что достаточно пройти в день километр за 20 минут. Это практически бесполезно. Есть некоторый минимум нагрузок, ниже которого спускаться нельзя. Если уж и их не осилите, то больше и не пробуйте.

Поэтому первое, что я рекомендую начинающему тренировку, это взять таблицы аэробики К. Купера и для начала выбрать себе по вкусу шестинедельный подготовительный курс с такими видами упражнений, которые требуют меньше всего времени и хлопот. Или начать с моего комплекса гимнастики, или с любого другого, но дать больше движений. Для сердца не имеет значения, какие мышцы работают, для него важна потребность в кислороде, которую предъявляет

организм во время нагрузки, и продолжительность упражнений.

Нельзя требовать большой мощности у ослабленного субъекта даже на короткое время. Также нельзя сразу давать длительную, хотя бы и небольшую, нагрузку. В этом случае сердце не страдает, но мышцы не выдерживают, болят.

Насколько соответствует интенсивность нагрузки возможностям газообмена, показывают частота пульса или одышка, или то и другое одновременно. Я считаю, что пульс — самый важный показатель, которым нужно руководствоваться при тренировке. Купер дал интересную таблицу: сколько минут нужно тренироваться ежедневно в зависимости от частоты пульса. Я немножко изменил ее, так как некоторые цифры мне представляются недостаточно обоснованными. Получилось примерно следующее.

Время ежедневных занятий в минутах	10	20	40	90
Примерная нагрузка, в процентах от максимума	70	50	40	30
Частота пульса в минуту	140	120	110	90

К таблице одно замечание для тех, кто захочет за десять минут приобрести все блага здоровья: эти десять минут должны быть без перерыва, не дважды по пять и не трижды по три. Смею вас заверить, что не просто — выдержать их, а самое главное: допустимо только для хорошо тренированных людей. Не случайно на велоэргометре дают только четыре минуты, и пульс не сразу учащается до 150. Поэтому пробовать не советую. Точно так же длительные, но легкие упражнения, не учащающие пульс, не дают эффекта. Их нужно обязательно дополнить хотя бы короткой интенсивной нагрузкой.

При подготовительном шестинедельном курсе не следует допускать, чтобы пульс учащался более чем до 130 ударов, во всяком случае, людям, которым уже за сорок. Но не следует и лениться. 100—110 необходимы.

Если для сердца, как органа, вид нагрузки неважен, то для психики субъекта важен весь ма. По разным причинам. Первая — психологическая. Мы живем в обществе и очень чувствительны к взглядам со стороны. Я бы бегал на работу и с работы, но стесняюсь. Утром еще куда ни шло: вроде бы положено, и костюм соответствующий, а днем нет такой моды. Приходится вместо бега очень быстро ходить — это тяжелее, менее производительно и менее приятно. Многие даже дома боятся показаться смешными.

Еще причина из области психики — скука. Заниматься физкультурой не только лень, но еще и скучно — одни и те же движения, повторяй и повторяй. Особенно скучают дети. Вот поэтому и придумывают спортивные игры: они разнообразны, дают удовольствие общения и соревнования. Но игры как система для взрослых и особенно пожилых нереальны, рассчитывать на них нельзя. Есть теннис, у него все качества для разносторонней тренировки, но он доступен только немногим. Бадминтон, конечно, проще, однако тоже требует площадки и партнера. В общем, условия ограничивают: бассейнов для плавания не хватает, на велосипеде ездить — машины мешают. Чтобы просто бегать, и то желательны парки или хотя бы дорожки. По тротуару в большом городе бегать плохо: нужно слишком рано вставать, пока людей мало и автомобили воздух не испортили.

Кроме людей и машин, есть еще погода — дождь, и снег, и темнота, и собаки. Да, собаки. Мой друг академик АМН Б. Королев жаловался, что в Горьком собаки не дают бегать по улицам, что его не раз пытались кусать. Правда, все кончалось благополучно. Думаю, что он зря боялся: у него нет своей собаки, поэтому он их плохо знает. Хотя и меня однажды укусила...

Так и получается, что внешние условия ставят довольно жесткие рамки для энтузиастов физкультуры. Не многие способны преодолеть препятствия: насмешки окружающих, шум и чад машин, жесткость тротуаров, дождь и холод. Для всего этого требуются повышенные мотивы, а их-то как раз и мало. В силу этих обстоятельств планомерная тренировка на улице не прививается у нас. Что бы там ни говорили и ни писали, будто много людей бегают,— это не так. Я

пытался грубо прикинуть по Киеву, получилось не более чем 1 на 2 тысячи. Цифра ничтожная.

Есть еще условие для общеукрепляющих упражнений: желательно, чтобы они были равномерными, состояли из однотипных повторяющихся движений, которым можно задавать темп и получать равномерную нагрузку. Пример: бег и ходьба. Гимнастика уже другое — упражнения неравнозначны по нагрузке. То же касается спортивных игр. Они, кроме того, увлекают, а это хорошо для молодых и ленивых. Пожилому, со «скомпрометированным» сердцем, увлекаться и волноваться за победу ни к чему, можно переборщить.

Теперь давайте прикинем, каким выбором нагрузок мы располагаем, и попытаемся сравнить их между собой по пятибалльной системе. Чем лучше, тем больше балл. Потом можно дать рекомендации: кому, что и сколько.

Рассмотрим таблицу (стр. 70). Прежде всего, показатели для сравнения, что они означают и как трактуются.

1. Тренировочный эффект на сердце и легкие. Самый хороший при беге, но и все другие тоже неплохи, если задать такой темп, который участит пульс на 50% от уровня покоя.

2. Эффект на суставы — наибольший при гимнастике и играх. Игры еще совершенствуют нервные механизмы управления движениями — координацию, реакцию. Это немаловажно для некоторых профессий или, например, автолюбителей.

3. Степень безопасности упражнений определяется равномерностью нагрузки, возможностью точно дозировать ее, отсутствием чрезмерных эмоций и соревнования и возможностью в любой момент остановиться и даже сесть. Бег на месте стоит выше всех других видов, потом гимнастика — дома, разумеется, потом ходьба. Игры на последнем.

4. Основное время — средняя продолжительность самих упражнений, так как некоторые виды упражнений заведомо нерегулярны. Ходьба, конечно, самая длительная, а бег самый короткий.

Однако если ходить на работу пешком, тогда балл за основное время возрастает до 2 и даже 3.

Баллы

Место по значимости		Виды нагрузки	Эффект для сердца	Эффект для суставов и мышц	Безопасность. Удобство контроля. Точность дозировки	Основное время	Дополнительное время на подготовку	Требование внешних условий	Интерес. Скука	Сумма баллов
Моло-дые	Пожи-лые									
6	3	Ходьба	3	1	4	1	4	3	2	18
2	4	Бег по дорожке	5	3	2	5	2	2	1	20
5	2	Бег на месте	4	2	5	3	5	5	1	25
3	1	Гимнастика	3	5	4	2	5	5	2	26
4	5	Плавание, велосипед	4	2	2	3	1	1	3	16
1	6	Спортивные игры	3	5	1	2	1	1	5	18

5. Дополнительное время на сборы и одевание, пока дойдешь до места, приготовишься. Для домашних упражнений сборы минимальны. На ходьбу дан хороший балл, потому что ее можно совмещать с дорогой на работу, а собираться все равно нужно. Экономия. Больше всего теряется время при спортивных играх и плавании. Объяснений это не требует. Трудно организовать.

6. О внешних условиях уже много говорилось. Самые «нетребовательные» виды — домашние: гимнастика, бег на месте или по комнате, если площадь позволяет. Ходьба тоже имеет приличный балл, потому что все равно нужно ходить по улице.

7. Интерес и скука не требуют пояснений, за исключением одного замечания: бег на месте тоже очень скучен, но его можно совместить с телевизором или радио. Бегать по кругу в сквере очень скучно. Ходить чуточку веселее, потому что можно цель иметь — на работу, домой, по сторонам можно смотреть, запнуться не боишься. Игры — самые веселые.

Если подсчитать баллы, то на первые места выходят домашние упражнения — гимнастика и бег на месте. Этого и следовало ожидать — меньше всего времени, никаких условий, никаких посторонних взглядов, включи телевизор и работай. Лишь бы жильцы этажом ниже не протестовали.

Однако расхождение в баллах получилось не такое уж большое. Это значит, что все виды упражнений вполне полноценны, на выбор влияют дополнительные факторы. Оценка их очень индивидуальна. Впрочем, у каждого человека свои собственные оценки показателей. Представленные в таблице баллы — некое среднее, больше соответствует человеку средних лет в большом городе.

Теперь по каждому виду упражнений. Не столько писать методику, сколько высказать соображения. Лучшее руководство — это книга Купера, о которой я уже упоминал. Повторять ее не буду, а упрощенные таблицы в приложении даны.

Ходьба. Самая что ни на есть естественная нагрузка. Правда, я не уверен, что человек в доисторические времена больше ходил шагом, чем бегал, потому что для тренированного очень быстро ходить труднее, чем медленно бегать. Бежать со скоростью 6 километров в час — одно удовольствие и при небольшой тренировке можно почти бесконечно. Идти с такой скоростью — нужно большое напряжение. Уверен, что, если бы люди не стеснялись, многие бы бегали утром на работу или до автобуса. Стоит только посмотреть, как они спешат быстро шагать. Но моды нет — и ходят.

Тренировочный эффект ходьбы прямо определяется учащением пульса. Когда человек, пролежавший два месяца в постели после инфаркта, поднимается и начинает ходить по комнате, пульс у него достигает 120. Следовательно, он тренируется даже такими легкими шагами. После 2—3 недель домашнего хождения пульс уже будет 90, а тренированность больше не прибавляется. Нужно выходить на улицу и двигаться побыстрее и подольше. И снова чтобы пульс был 120. И так все быстрее и дольше.

Чтобы иметь удовлетворительную тренированность, если верить Куперу, нужно ходить не меньше часа и покрывать расстояние почти 6,5 километра. Надо очень быстро и напряженно идти. Стоит замедлить шаг до 5 километров в час, и нужно уже проходить десять километров каждый день. Такие расстояния нереальны. Времени нет, разве что у пенсионера. Поэтому ходьба как метод тренировки хороша в качестве вводного курса или как дополнение к другим видам нагрузки. Она незаменима для восстановления сил после болезней, вполне пригодна для пенсионеров, у которых много времени, будь то пожилые люди или сердечные больные.

В таблице баллов опущен важный фактор — свежий воздух. Оценить его довольно трудно, и механизмы неясны, потому что кислорода и углекислоты в комнатном воздухе ровно столько же, сколько на улице, но само действие отрицать нельзя. Может быть, ионы? Был такой профессор А. Чижевский, который придавал им огромное значение, но весомых доказательств привести не удается. Все равно: занятия на воздухе более эффективны. Тогда на ходьбу нужно прибавить парочку баллов. Если бы не автомобили. Они «съедают» пользу от ионов.

Вот и получается: чтобы специально тренироваться ходьбой, нужно идти в парк или вставать в шесть утра. А это пригодно только для свободных людей.

Но все несвободные тоже должны помнить: не ждать автобус, чтобы выиграть 10 минут времени, а идти пешком.

Ходить нужно только быстро, всегда быстро, чтобы пульс учащался хотя бы до 90. Если за день проходить скорым шагом 4—5 километров, уже лучше, чем ничего; правда, это не даст 30 очков, как рекомендует Купер, но и половина тоже кое-что прибавляет.

«Бег по дорожке». Так официально называется этот вид тренировки, хотя бегают горожане, где нет дорожек, а в деревне, где их сколько хочешь, никто не бегает, считают — «блажь». Неважно где, важно — бегать. В последние годы больше всего написано именно о беге, с легкой руки новозеландца Г. Гилмора.

Медики восприняли бег весьма критически. Опасения и сейчас еще не рассеялись, хотя уже пробиваются разрешения на бег даже перенесшим инфаркты, не сразу, конечно, через полгода — год. Если сравнить, сколько напечатано о пользе бега, особенно о беге трусцой, и сколько людей бегает, то КПД получается очень низкий. На одну книжку по одному бегуну не придется. Почему бы?

Да все по тем же «тормозящим факторам»: нужно одеваться, дождь, стесняются, негде. Самого главного фактора в таблице нет, потому что он работает на всех видах,— лень. Почему-то на беге она отражается сильнее, чем на других.

Несомненно, бег — «король тренировки». Работает много мышц, дыхание не стеснено, нагрузка ровная, дозировка ее удобная — от самой медленной трусцы (5 километров в час) до любой скорости, пожалуйста. Правда, азарт немножко подводит; некое легкомыслие появляется, и скорость можно нарастить больше, чем следует. Для молодых только хорошо, а пожилым и больным можно и переборщить. Еще суставы, стопы болят часто: пока втянешься, скорее бросишь... Но и это от несоблюдения главного правила любой тренировки — постепенности. Беда, что именно в беге это правило легче всего нарушается. Скука приходит позднее, когда привыкнешь.

Много всяких советов дано, как бегать. Боюсь, что я и не помню все. Придется положиться на свой опыт. Все-таки я бегаю уже 30 лет, с трехлетним перерывом — пока оперировался.

О постепенности уже сказано. Она отражена в таблицах — сколько, в какую неделю. Ни в коем случае не спешить! Особенно людям в возрасте. (*Правда, я почти не вижу, чтобы бегали после шестидесяти. Зато те шестидесятилетние, которых я знаю или от которых получаю письма,— в восторге.*) Не нужно скорости — важен сам бег. «Джоггингом» называют медленный бег по-английски, от глагола «трястись».

Это совсем не значит, что трусца всегда лучше настоящего бега. Кто уже научился на медленном темпе, кто достаточно здоров, пусть бегает быстро. Чем быстрее, тем больше уровень тренированности, поскольку он достигается мощностью. Есть нормальный бег, не быстрый и не медленный, со скоростью 9—10 километров в час. Пробегать 2 километра ежедневно за 12 минут — этого для минимума достаточно. Совсем дешевая цена за здоровье. Правда, к этим минутам нужно еще одеваться и раздеваться столько же, если не больше, так что выигрыша во времени не будет. Но приятно. Все-таки Гилмор рекомендует бегающим трусцой пробегать последнюю сотню метров во всю мочь. Именно это дает учащение пульса до 150, которое так важно для тренировки.

Ведутся всякие разговоры о разминке, можно ли есть и пить до и после или нельзя, и даже что именно есть, наступать ли на носки или на пятки. Я считаю: надо просто бегать. Никаких разминок не требуется: пока вы не натренированы, то бегаете так медленно, что не перед чем разминаться, а когда натренируетесь, то к нормальной скорости она уже не нужна. Не кидайтесь же вы прямо из постели в полный бег. Есть перед бегом или не есть — тоже ерунда. Всегда и во всех случаях, с бегом или без бега, лучше не есть. Есть впрок не нужно никогда. Но если уж голод невтерпеж, можно перекусить.

Другое дело — *питание* при тренировках: *никаких дополнительных, плановых калорий для занимающегося физкультурой не нужно.* Это же не спорт, где накачивают белки и калории, чтобы мышцы быстрее нарастали. Вообще в советах для гигиенических упражнений часто подходят с позиций именно спорта, забывая, что

это «типичное не то», что 20 и даже 40 минут ежедневных занятий — это очень далеко от тренировок спортсменов. Тут как бы сбросить килограммы, а не то что бояться их потерять от четверти часа бега. Еще раз — никаких добавок пищи на физкультуру! Все советы — как питаться, о сырых овощах, о сдержанности — остаются в силе, как и без бега.

Дыхание имеет значение, но не очень большое. Я уже высказывался против специальных дыхательных упражнений, рекомендуемых для профилактики кислородного голодания. Не нужно его бояться. Запыхались — придержите темп и восстановите дыхание. Кончилось время или дистанция — пройдитесь немного шагом и дышите как дышится, лучше меньше, чем больше. Излишек углекислоты в крови как раз способствует расширению сосудов, и кислородный долг скорее исчезнет.

Хорошо приучить себя дышать носом во время бега. Но это совсем непросто и придет только со временем. Дыхание носом хотя и труднее, кажется менее эффективным, но зато тренирует диафрагму, приучает дыхательный центр к излишкам углекислоты. Зимой защищает трахею и бронхи от прямого попадания холодного воздуха. Вообще полезно. Но при быстром беге — недостаточно.

Гораздо важнее следить за пульсом. Сразу после остановки нужно подсчитать пульс, 10 или 15 секунд. Не каждый раз, разумеется, а для пробы, как реагирует сердце на заданный темп бега. Не следует допускать частоту пульса более 150, по крайней мере у людей после сорока и при «неполноценном» сердце. Лучше всего придерживаться правила: допускать учащение пульса у молодых и здоровых вдвое, у пожилых — на 50—60 процентов.

Очень важна постепенность наращивания скорости и расстояний, она отражена в таблицах, но ее нужно дополнить правилами контроля пульса. Если человек не занимался физкультурой и сразу решил бегать, если он перед тем не работал до одышки и до пота, можно полагать, что сердце сильно ослаблено и не приспособлено к большой частоте. Это же касается всех перенесших болезни и теперь восстанавливающих свое здоровье. Всем им лучше начинать с курса ходьбы, или гимнастики, или бега на месте. То есть в безопасных условиях.

Но некоторым молодым не терпится. Тогда, по крайней мере, в первые две-три недели не следует нагружаться до пульса более 130. «Бег к инфаркту» — это реальность, избежать опасности можно только постепенностью, и по длительности, и по мощности.

Обувь — важное дело. Можно бегать в кедах, но лучше в кроссовках. Важно хорошо подобрать по ноге. Впрочем, 2—3 километра можно пробежать в любой разношенной обуви. Броские кроссовки нужны больше для моды. Боли в мышцах бывают, если сразу перегрузиться, а боли в суставах, к сожалению, могут появиться и позднее и держаться долго. Ничего, нужно осторожно продолжать. В конце концов ноги «приработаются».

Одежда менее важна. Не нужно одеваться тепло, наоборот, как можно легче: быстрее будете бегать, если холод подгоняет. Бегать можно в любую погоду, если надевать подходящую одежду. Особенно противны ветер и дождь, но если промокнете, то за 10—20 минут на бегу не простудишься. Но незакаленному лучше оберегаться. К сожалению, именно от пропусков по погоде чаще всего и кончается увлечение бегом.

Сколько раз в неделю бегать? Я это делаю каждый день, но сначала у меня двадцать лет была причина — собака, а потом уже привык. У Купера — разные режимы, от трех до пяти раз в неделю, но не реже. Важно, чтобы набрать заданное число очков. Ничего не могу сказать: кто как на себя надеется. Излишний педантизм ни к чему, но только при одном условии, когда бег по дорожке, неприятный из-за погоды, заменяется другой полноценной нагрузкой дома. Если начать просто откладывать: «завтра сделаю больше» — дело безнадежное. Впрочем, что мне говорить об этом? Никакие убеждения не помогут, если нет стимулов и нет воли. Но все-таки, если на себя не очень надеетесь, не начинайте бегать. Выберите что-нибудь попроще, меньше шансов на еще одно разочарование в себе.

Все это — о беге — я подробно расписал, а потом подумал — зачем? Все годы я бегаю пре-

имущественно в одном скверике. Столько же лет я агитирую за физкультуру. Так вот, в первые годы бегали компанией человек пять, а теперь и три редко собираются. Чуть побольше — в парке Шевченко, куда забегаю для разнообразия, с тех пор как умерла последняя — вторая— собака. Бегал я в парках Парижа, Лондона и Нью-Йорка и нигде не видел массы бегунов. Одни разговоры! Впечатление, что бег не привился. Печально.

Бег на месте или в кружок по комнате. Вот он и является этим «попроще». Хороший способ общей тренировки, хотя на суставы и мышцы тела действует недостаточно. Но это важно только для тех, у кого уже появились неприятности с суставами, «отложение солей», как все называют. О них еще поговорим. У Купера даны таблицы для бега на месте, и они приведены в конце главы. Его же правило: считать «шаги» по одной ноге, поднимать стопы высоко — носок на 20 сантиметров от пола. Мне кажется, что его расчет нагрузок несколько преуменьшен. Самое коварное в том, что легко сделать подскоки облегченными: достаточно поднять стопу на 15 сантиметров вместо 20, и треть нагрузки пропала. Поэтому при овладении методом нужно хорошо за собой проследить. «Трусца на месте» — плохой заменитель настоящей трусцы. Но не нужно преувеличивать трудности, есть хороший метод контроля — частота пульса.

Самое простое правило для здоровых и молодых: *пульс должен удваиваться по частоте в сравнении с покоем*. Однако лучше не идти выше 150, да этого и нелегко достигнуть. Во всяком случае, пульс менее 120 в минуту говорит, что бег на месте неполноценный и нужно прибавить темп. Не следует обращать большое внимание на цифры частоты шагов в таблицах, пульс гораздо важнее. Если что недоберете по высоте подъема, компенсируйте частотой, опять-таки до нужных пределов пульса. В общем, важно выработать свой собственный темп, обеспечивающий необходимую мощность, и постепенно доводить время до заданного таблицей предела. Правила дыхания остаются в силе, но дышать носом здесь менее важно, потому что дома не угрожает опасность простудить горло, если дышать ртом.

Кстати, нужно научиться примерно определять частоту пульса по степени ощущения одышки. Это особенно легко при упражнениях дома или летом на улице, когда тепло. При холоде носовое дыхание затрудняется отеком слизистой оболочки носовых ходов. Каждый должен знать, при какой частоте пульса ему уже не хватает носового дыхания. Мне, например, при 120. Так было в 60 лет, теперь — пульс задает кардиостимулятор. Увы!

Требования к условиям для бега на месте скромны. Первое — чтобы пол не дрожал. Второе — это свежий воздух и надлежащая температура. Открытые окна или форточка — это для ионов. В жару приходится включать вентилятор. Если при температуре в комнате +20 градусов бегать не жарко, значит, не та нагрузка. Одежда — по теплу. Обувь — по удобству. Очень желателен мягкий коврик или даже тонкий поролоновый. Вот примерно и все.

Гимнастика. Я понимаю под ней, конечно, не снаряды, а только вольные движения, однако, если есть где повесить перекладину, это совсем неплохо. Гантели тоже хорошо, они позволяют легко повысить мощность упражнений. Тем более что именно мощности как раз и недостает в гимнастике для общей тренировки. Зато она имеет другое преимущество: разрабатывает суставы, укрепляет связки и мышцы. Если правильно выбрать комплекс движений, то можно поддерживать подвижность суставов до любого возраста. Особенно если сочетать гимнастику с правильным питанием и водным режимом. Правда, остается главное условие, чтобы суставы двигались: общее здоровье, достаточные «резервные мощности» внутренних органов.

Никакие движения, к сожалению, не в состоянии полностью предотвратить изменения в соединительнотканных волокнах, прогрессирующие с возрастом. Они идут закономерно, наверное, так же, как распад изотопов. Но если эти волокна периодически и достаточно часто «работают», то есть растягиваются, это спасает связки и сухожилия от отложения в них кальция. То, что уже отложилось, рассосать невозможно, но ос-

тановить процесс в нашей власти. Это главное назначение гимнастики, если оглядываться на возраст.

Молодым на соли наплевать, но зато есть возможность исправить и сохранить фигуру. От голодной диеты можно приобрести худобу, но не стройность и изящество.

Поэтому будем говорить о гимнастике для здоровья, для того, чтобы суставы не «заржавели», мышцы не ослабли.

Комплексов упражнений предложено миллион. Если обратиться к физкультурной литературе, то можно найти сложнейшие комплексы по 40—50 видов упражнений. Для первой недели — одни, для второй — другие и так без конца. Доказывают, что каждой мышце нужно свое движение. Не будем придираться, на то и специалисты, чтобы придумывать и усложнять. По радио и по телевизору тоже часто меняют виды упражнений.

Не надо сложных комплексов для гигиенической гимнастики неспортсменов. Нечего голову забивать. Пусть человек нагибается или приседает, и дайте ему в это время думать о другом или слушать последние известия, а не вспоминать, чем после чего двигать. Все равно каждую мышцу не натренируешь — их, говорят, 200 пар, а другие ученые насчитывают все 600. Суставов, на счастье, гораздо меньше, и меньше соответственно упражнений для них.

Но зато нужно другое, чего нет в этих комплексах: много раз повторять движения максимального объема.

По поводу необходимого количества движений в каждом упражнении есть такие соображения. Подход должен быть разный, в зависимости от состояния суставов и возраста.

Можно выделить три состояния сустава. Первое, когда он в полном порядке и гимнастика нужна для чистой профилактики. Это обычно у молодых. Движения в суставе полные. К примеру, человек может подтянуть колени к животу, пятки прижать к ягодицам, позвоночник согнуть так, что голова окажется между коленями, руками сделать полный круг. Молодым суставам легко придать такую гибкость. В этом одна из задач школьной физкультуры, тут под руководством учителя можно давать любые комплексы.

Второе состояние, при отсутствии упражнений, наступает годам к сорока, немного раньше или немного позже. В суставах уже есть отложения, и они дают о себе знать: периодически «вступает», появляются боли, объем движений ограничен. Спустя недолгое время, с лечением или без него, боли проходят, и человек может забыть о суставе даже на несколько лет. Особенно это касается позвоночника: так называемые радикулиты, «дискозы», ишиалгии и много других названий. Не в названиях дело: болит спина, мешает согнуться, повернуться — в разной степени, вплоть до полной неподвижности. Иногда вступает в шею, иногда дышать больно. Все это — позвоночник на разных уровнях. Чаще поясничный отдел. То же самое может быть с любым суставом — большим, как плечевой, или малым, как на кисти или на стопе. Медицина предложила несчетное число методов лечения. Уже это говорит, что нет ни одного настоящего. Но не будем критиковать медицину. Можно полечиться или подождать, и пройдет само, но рецидив, повторение, весьма вероятен, и, чтобы его избежать, нужна физкультура.

Третье состояние — совсем плохое. Когда сустав болит часто, почти постоянно и определенно мешает жить и даже работать. При рентгеновском исследовании в нем находят изменения. Врачи говорят об артрите, артрозе или ставят еще какой-нибудь диагноз. В частности, речь идет о начинающихся сращениях позвонков, между ними появляются костные «усы».

От точно поставленного диагноза не легче. Все ортопеды говорят, что болезнь прогрессирует, что нужны грязи, физиотерапия и пр. Мало приятного тому, кто это заполучил. О физкультуре тоже говорят, но успеха не обещают. Обратного хода болезни нет. Только вперед. Другие суставы поражаются в меньшей степени, чем позвоночник, дело редко доходит до заращения суставной щели, но ограничения подвижности и боли достаточно часто встречаются у пожилых людей.

Причины отложения солей не выяснены. Для позвоночника, видимо, имеет значение продоль-

ная статическая нагрузка при отсутствии упражнений в сгибании. Хирурги страдают спондилезом очень часто, потому что им часами приходится стоять у стола, когда все сигналы от тела отключены и усталости не замечаешь.

По собственному опыту знаю, что единственным надежным средством профилактики возрастных поражений суставов является их упражнение. Сдержанное отношение врачей к этому методу объясняется, на мой взгляд, просто: обычная лечебная гимнастика не дает необходимых нагрузок и поэтому недейственна. 5—10 движений — это ничтожно мало, а в большинстве комплексов приводятся именно такие цифры.

Гимнастика — не лучшее средство общей тренировки организма и его сердечно-сосудистой системы, поэтому ее нужно применять в том количестве, которое нужно для суставов и мышц. Мышечная масса интересует культуристов, а мышечная сила — спортсменов. Бокс, борьба, штанга — для любителей. Многие юноши этим увлекаются главным образом из соображений престижа, но далеко не у всех это остается надолго. По мне, так легкая атлетика гораздо привлекательнее и полезнее. Но о вкусах не спорят.

Гимнастика для здоровья — это тренировка суставов и в меньшей степени мышц. Тем не менее, можно усилить ее общеукрепляющее действие, и тогда она окажется достаточной нагрузкой для поддержания здоровья.

Интенсивность упражнений для суставов должна определяться их состоянием. Мне кажется, что для чистой профилактики будущих поражений, то есть пока суставы «вне подозрений» и возраст что-то до 30 лет, достаточно делать по 20 движений в каждом упражнении. При втором состоянии, когда уже появляются боли, а также в возрасте за 40, нужно гораздо больше движений: мне представляется — от 50 до 100. Наконец, при явных поражениях суставов (а если болит один, то можно ждать и других) нужно много движений: по 200—300 на тот сустав, который уже болит, и по 100 на те, что ждут своей очереди.

Знаю, что врачи скажут: «Слишком много». Но разрешите спросить, сколько раз в день обезьяна двигает своими суставами? Или мы сами — в тазобедренном и коленном суставах, когда достаточно ходим. Или — рабочий-пильщик или штукатур? Думаю, что тысячи раз. Сколько раз сгибает позвоночник человек сидячего труда? Когда шнурки завязывает? Прикиньте: раз 10—20 в день сгибает спину, не больше. Поэтому не нужно бояться этих сотен движений, они далеко не компенсируют ущерб природе суставов, нанесенный цивилизацией.

О темпе движений. Официальная гимнастика по телевизору или радио проходит замедленно, как в передаче при повторном показе забивания голов. «При счете «раз» — делай так, на счет «два» — этак...» Если делать пять движений, это можно. Хотя ни о какой общей нагрузке уже говорить не приходится, пульс не участится. Если нужно делать сто движений и притом еще желательно нагружать сердце, нужна быстрота. Бояться ее ни в какой степени не следует, опять же оглядываясь на естественную жизнь и на труд. Говорят, что быстрые движения не достигают полного объема, что нужно «тянуть» мышцы. Это неверно. Работайте во всю мочь, тогда достигнут. Однако при последних десяти движениях полезно замедлить темп и растягивать связки максимально.

Для развития мышц нужны не только движения, но и сила. От быстрых движений с небольшой нагрузкой мышцы тренируются на выносливость, но их объем возрастает незначительно. Посмотрите на бегунов на длинные дистанции — они все тощие-претощие. Для усиления действия гимнастики на мышцы нужно брать гантели или эспандер. Тогда все станет на свое место: будут и сила мышц, и масса, а также и хорошая общая нагрузка.

Таким путем можно несколько сократить количество движений в каждом упражнении, скажем, на треть. Но для разработки суставов сила не заменяет полностью числа и амплитуды движений.

Нет нужды придумывать сложные упражнения и менять их часто. Для упрощения дела важно, чтобы они запомнились до автоматизма, чтобы делать быстро и не думать. Свой комплекс я

сформировал в средине 50-х годов, и он почти не изменился.

Чисто профилактическая гимнастика может быть однотипной, пригодной для всех. Но если какой-нибудь сустав уже дал о себе знать, для него нужно выделить больше движений, даже за счет других суставов, если нет времени на удлинение занятий.

Не хочется, чтобы читатели подумали, что я занимаюсь рекламой своего комплекса гимнастики. Когда я смотрю на упражнения других комплексов, то ничего не могу возразить, кроме того, что уже говорил: слишком малое число движений.

Мой комплекс рассчитан в основном на «неполноценный» позвоночник и необходимость поддерживать в хорошей форме суставы рук и в особенности кисти. О кисти говорить не буду, нагрузки эти упражнения не дают и в счет не входят.

Вот основной комплекс в нынешнем виде, при условии, что есть еще другие нагрузки — бег.

1. В постели, держась за спинку кровати, забрасывать ноги кверху, чтобы колени доставали до лба.

2. Стоя, сгибаться вперед, чтобы коснуться пола пальцами, а если удается, то и всей ладонью. Голова наклоняется вперед-назад в такт с наклонами туловища.

3. Вращательные движения руками в плечевом суставе с максимальным объемом спереди — вверх-назад. Голова поворачивается в такт справа налево.

4. Сгибания позвоночника в стороны. Ладони скользят по туловищу и ногам, одна — вниз до колена и ниже, другая — вверх до подмышки. Голова поворачивается справа налево.

5. Поднимание рук с забрасыванием ладоней за спину, чтобы коснуться противоположной лопатки. Кивки головой вперед.

6. Вращение туловища справа налево с максимальным объемом движения. Пальцы сцеплены на высоте груди, и руки двигаются в такт с туловищем, усиливая вращения. Голова тоже поворачивается в стороны в такт общему движению.

7. Поочередное максимальное подтягивание ног, согнутых в колене,— к животу в положении стоя.

8. Отжимание от пола или дивана.

9. Перегибание через табурет максимально назад-вперед с упором носков стоп за какой-нибудь предмет — шкаф или кровать. Кивательные движения головой.

10. Приседание, держась руками за спинку стула.

По сравнению с опубликованным много лет назад комплекс несколько изменился, поскольку я стал бегать и, кроме того, пришлось еще увеличить нагрузку на шейную часть позвоночника и плечевые суставы. Поэтому я перестал стоять на плечах вверх ногами — это называлось «березка». В моем возрасте и при сомнительном шейном отделе позвоночника я побоялся возможных неприятностей. (Один мой знакомый пожилой академик умер от кровоизлияния в мозг после такой процедуры.)

Каждое упражнение делаю в максимально быстром темпе и по сто раз. Весь комплекс занимает 25 минут. Пульс учащается недостаточно: при разных упражнениях он меняется в пределах от 90 до 110. Сидя, в покое, раньше у меня было — 50.

Для своей профессии я делаю еще 300 движений пальцами и кистью, описывать их не стоит, в счет времени они не входят и нагрузки не дают.

Повторяю, что я отнюдь не выдаю свой комплекс за идеальный и достойный широкого распространения, описал его только для примера. Он приспособлен для моего позвоночника. Чтобы закончить, скажу, что если я не дома и, следовательно, не бегаю, то к гимнастике добавляю еще бег на месте 10 минут. Темп регулируется пульсом, я довожу его до 130.

Из перечня видов упражнений есть еще плавание, велосипед и спортивные игры. Поскольку я не умею ни плавать, ни ездить на велосипеде, ни играть в теннис, то тут я судья плохой и никаких комментариев к таблице оценок давать не буду.

Чтобы закончить с физкультурой, осталось дать рекомендации. Врачи очень любят говорить:

каждому больному строго индивидуальное лечение. Дескать, мы лечим не болезнь, а больного со всей его гаммой функциональных особенностей. В действительности все равно существуют типовые схемы, по ним и лечат большинство больных.

Спортивные специалисты, будь то врачи или тренеры, ратуют за индивидуализацию упражнений. Спорить с этим не приходится, только где найдешь специалистов и время, чтобы хорошо обследовать и очень обоснованно выбрать методы?

Поэтому я привожу упрощенные таблицы Купера. Главное упрощение: в них целиком отброшены возрастные особенности. Для всех здоровых, кто моложе пятидесяти, годятся эти таблицы. Подготовительный курс обязателен для всех новичков, которые по роду своей деятельности не имеют дела с физической работой.

Для молодых, моложе тридцати, подготовку можно сократить вдвое — по неделям, а не по нагрузкам. Кто себя считает сильным и молодым, кому скучно возиться с такими пустяками, пусть проверит себя на лестнице или даже сделает пробную пробежку и подсчитает пульс. Но не советую. Подготовительный курс — это подготовка не только сердца, но и суставов и мышц. Если быстро начинать, можно получить растяжение, боли, и упражнения отложатся на недели или насовсем.

30 очков Купера — это минимальная нагрузка. Если добывать их ходьбой, то требуется до 1—1,5 часа времени в день, а если бегать на улице и быстро, то всего минут 15, дома — бег на месте — 20, зависит от темпа. Повторяю: пульс должен учащаться при быстром беге до 120—130, не меньше. Быстрый бег пожилым людям тяжеловат и небезопасен даже из-за возможности падений. Для них лучше не спешить, бегать трусцой со скоростью 6—7 километров в час, минут 25—30 с пульсом 100—110. Дома, на месте, и пожилым людям можно бегать в хорошем темпе.

Все это для тех, кто не беспокоится о суставах. Если поводы к этому уже есть, то без гимнастики не обойтись. Даже хороший бег не может спасти позвоночник и плечевые суставы от болей и тугоподвижности. Таким людям нужна гимнастика. Можно взять любой комплекс с расчетом на свои проблемы, но количество движений на каждый сустав рекомендую выбирать в зависимости от его состояния.

Гимнастика, которую делаю я, если заниматься ежедневно в высоком темпе, да еще с гантельками в 2 кг, за 25 минут тоже дает приблизительно 30 очков. Расчет очков сделан по сравнению частот пульса со стандартными нагрузками. Не всем нужно столько движений, тогда можно сокращать их число, но меньше чем по 20 делать бесполезно — не будет эффекта. Уменьшая гимнастику наполовину, нужно добавлять бег на месте на 10 минут, но даже и при полной норме — 1000 движений — желательно добавлять по крайней мере 5 минут бега на месте в максимальном темпе для гарантии достаточности общетренировочного эффекта.

Втягиваться в гимнастику нужно так же постепенно, как и в любые другие виды нагрузок. Начинать с 10 движений и потом прибавлять по 10 каждую неделю. Можно установить и другой порядок: сначала прибавлять по 5 в неделю, а с 4-й — по 10, пока не будет нужного числа, которое вы себе наметили при постановке цели. Если бег на месте рассматривается как дополнительная нагрузка, то начинать нужно с 1 минуты и прибавлять по минуте в неделю — до 5 или 10 минут, как решите.

Вообще эта возня с минутами и расстояниями в метрах кажется чересчур скрупулезной и педантичной. Думаю, что практически никто не будет строго придерживаться приведенных цифр, но они нужны для ориентировки, чтобы подчеркнуть постепенность и наметить рубеж необходимой нагрузки.

Людям пожилым и не очень тренированным я рекомендую заниматься на полную сумму очков, но дополнительно ходить пешком со скоростью, на которую способны. Для воздуха, для ионов нужно открывать окно (форточку) или заниматься на балконе.

Как уже говорилось, *ни одна хроническая болезнь, кроме заболеваний сердца, не служит запретом для физкультуры, только нужно соблюдать осторожность и постепенность.* Для большинства сердечных больных физкультура тоже совершенно необходима, однако нужно разрешение врача. Самое безопасное для них из упражнений аэробики — это ходьба. Купер дает специальное расписание тренировки на 32 недели.

Мы для своих оперированных больных тоже применяем этот цикл. Из осторожности мы не рекомендуем бег, но, надо думать, перестраховываемся. Дело в том, что ходить со скоростью 6 километров в час тяжелее и напряженнее, чем бежать с такой же скоростью. Для перенесших болезни сначала нужно ходить, потом перемежать шаг легкими пробежками, потом удлинять их и сокращать ходьбу. Нужно очень следить за частотой пульса: начинать со 100 и не допускать выше 120 ударов в минуту — в зависимости от частоты пульса в покое. Бег на месте тоже вполне подходит и тоже по тем же принципам — смотреть за пульсом, по тем же принципам параллельно увеличивая продолжительность — приблизительно по минуте в неделю.

Первое время, пока счет идет до 10 минут и пульс до 110, можно бегать два раза в день — утром и вечером, иначе нагрузка чересчур мала и тренировочный эффект незначительный. Потом надо постепенно переходить на одноразовые занятия. Для больных не нужно делать пропусков на воскресенья и субботы, для них физкультура — главное лечение.

Мы проводили наблюдения над пациентами со стенокардией: когда они выходили на 30 очков в неделю, лечебный эффект был почти у всех — приступы болей практически прекращались. Больным после инфарктов особенно важны нагрузки, но без разрешения врача рисковать нельзя.

Проверку уровня тренированности нужно проводить не раньше, чем после окончания предварительного шестинедельного курса. Если тренируетесь после болезни, то лучше вообще не делать этого. Можете понаблюдать за собой, как взбираетесь на лестницу. Купер пишет, что на лестнице можно набрать сколько угодно очков, если будете мотаться взад-вперед. Но нагрузки, которые он дает в таблице,— солидные. Чтобы набрать дневное количество в 4,7 очка, нужно отсчитать за 6 минут 600 ступенек! Да еще ступеньки какие — по 20 сантиметров. В наших домах только по 16—17 см. В общем, если минут десять в день ходить по этажам через две ступеньки, то это даст вполне достаточную тренировку, после которой можно и альпинизмом заниматься. Человеку, который печется о своей тренированности, лифтом вообще пользоваться не следует, так же как и другим транспортом, если дорога требует не более 15 минут ходу. Для таких отрезков ожидание транспорта и трата нервов стоят больше, чем выигрыш в несколько минут времени.

Скажу о моих личных отношениях с проблемой здоровья. Во время публичных лекций слушатели всегда спрашивают:

— А сами вы делаете то, что советуете?

Как укоренилось недоверие! Знаю, что и читатели не доверяют. Мало ли что пишут профессора...

Отвечаю:

— Да, все делаю, как советую. Все перепробовал сам. Но не думайте, что я всегда был такой ортодоксальный. Ничего подобного.

Физкультуру я терпеть не мог с первых классов школы: был неловок и очень боялся показаться смешным. Поэтому с уроков сбегал. Но жизнь держала в тонусе: летом хотя и маленькое, но хозяйство, зимой жил на квартире у учительницы, и на мне лежали обязанности носить воду, колоть дрова, чистить тротуар. Городского транспорта в Череповце не было, до школы далеко. Рос тощий и сильный, хотя и неспортивный. Ни в какие игры не играл.

Болезнями не болел, но каждую весну начинался легкий авитаминоз, как я теперь себе представляю: кровоточили десны, болели глаза. Летом поправлялся на овощах и ягодах.

После техникума попал я в Архангельск. Работал механиком на заводе. Шла первая пятилетка, с едой было плохо.

Потом, с 1935 по 1939 год, учился в медицинском институте в Архангельске и одновременно заочно в политехническом в Москве. Не голодали, но уж и не переедали точно. С уроков физкультуры сбегал.

После окончания обоих институтов я еще год пробыл в аспирантуре, потом уехал в Череповец и работал в больнице. Никаких болезней. Так же прошла и война, которую я отслужил ведущим хирургом полевого госпиталя.

Сразу после тридцати начала болеть спина: полагали, радикулит. Не помню, чтобы не оперировал из-за этого, но иногда отойдешь от стола — ни сесть, ни нагнуться. После демобилизации в 46-м году был короткий голодный период жизни в Москве.

С весны 1947 и до осени 1952 работал в Брянске, в областной больнице. Тут был рынок, и мы с женой, наконец, отъелись. Даже животик начал отрастать. Вес возрос до 66 килограммов, а во время студенчества доходил до 55. Рост был 169 сантиметров. Радикулит прогрессировал, и началась аритмия, перебои в сердце. Делали электрокардиограмму — ничего особенного. Потом прибавились боли в желудке, просвечивали — тоже ничего.

Работы в Брянске было много, масса операций, тяжелейших, разъезды, экстренные вызовы. Диссертации — кандидатская, докторская.

В общем, когда переехали в Киев, я по-прежнему оставался здоровым, но, как «положено» к сорока годам, уже появились «слабые места»: сердечная аритмия, радикулит и жестокие спазмы желудка. Сделали рентгеновский снимок позвоночника и обнаружили большие поражения. Ортопед старик-профессор Елецкий посмотрел на снимки и сказал: «Пропадешь, будешь мучиться всю жизнь, и будет все хуже». Посоветовал ехать в Теберду.

Так к сорока годам я подошел к проблеме здоровья. Нужно было или что-то придумывать, или идти проторенной дорожкой болезней. В Теберду я не поехал (и вообще в санаториях бывал лишь дважды, в 1948 и 1967 годах), а составил себе тренировочный курс на позвоночник. Начал со 100 движений, но это не помогло, рецидивы продолжались. Потом прибавились другие движения, бросил ездить на машине, стал всюду пешком ходить.

Сначала исчезли перебои в сердце, а когда дошел до тысячи движений, перестала болеть спина. Костные «усы» между позвонками, правда, не рассосались. Изредка поболит, но нет сравнений с прошлыми болями. Спазмы желудка тоже стали редко беспокоить, только после большой перегрузки (хирургическими и другими неприятностями). Вес понизил до 56 килограммов. Кровяное давление раньше не измерял, но последние годы 120 на 75. Пульс 50. «Все при всем», как говорили в тридцатые годы. Полное владение собой.

Очень я расхвастался, но еще один штрих: о беге. Тысячи движений в хорошем темпе мне хватало для здоровья, и бегать по улице я не собирался: хлопотно, да и люди будут смеяться: «бег ради жизни» еще не подошел в обществе.

Но вот подросла дочь, и жена заскучала по общению. Говорит: «Я возьму собаку». Мы с Катей отказались от участия в уходе за ней, но жена все равно взяла 5-месячного доберман-пинчера. Каждый день прогуливала часа по три. Собачка оказалась такая ласковая, что я и не представлял раньше, сколько удовольствия она может дать.

Скоро все утренние гуляния перешли ко мне, да и вечерние в выходные дни тоже. Чтобы зря утром время не терять, стали мы с Чари бегать. Насмешками пренебрегли, пусть люди списывают за счет традиционных профессорских странностей. Бегаем по 20 минут, и там же, в сквере, я делаю гимнастику. Одеваюсь совсем легко. Убедился: бег — отличная вещь. Не было бы собаки, так бы и не попробовал. Для Чари нагрузка тоже необходима — посмотрите на этих бедных городских породистых собак: они, как их хозяева, зажиревшие и ленивые.

Мы с Чари уже много лет бегаем без пропусков и форму держим.

(Увы, собаки уже в прошлом: были две Чари, жили 18 лет и умерли. 10 лет бегаю один.)

О еде я уже говорил. Никакого специального режима питания нет. На работе не ем, прихожу домой в разное время. Вес поддерживать трудно. Не голоден, но всегда не отказался бы еще. Каждый день взвешиваюсь. Дома смеются: «чокнутый», помощники, наверное, то же говорят между собой. А что поделаешь? Не так уж я жаден до жизни, она не очень сладкая с моей хирургией, но болеть категорически не хочу. Втянулся

в этот «режим ограничений и нагрузок», вроде так и надо.

Вот такие у меня отношения со здоровьем.

...Все это было написано в 1976 году, когда издательство «Молодая гвардия» предложило написать о моей системе здоровья.

Мне было 63, я имел отличное здоровье, собирался оперировать до 90 и жить до 100. В 1983 году мне пришлось возглавить Институт сердечной хирургии, созданный на базе нашей клиники. К хирургии добавилось администрирование, которого я избегал всю жизнь. В декабре 1983 года мне исполнилось 70 лет, в день своего рождения я сделал три сложные операции вшивания протезов клапанов с искусственным кровообращением — оперировал семь часов, работоспособность была высокой. Казалось, все идет хорошо: идеи активной профилактики болезней и старости торжествуют.

Но природа коварна, и несчастья нас стерегут... Уже через полгода у меня возобновилась аритмия, которая появилась еще в 1947 году и исчезла в 1971-м, когда я начал бегать. Теперь на ЭКГ нашли нарушения со стороны главного регулятора сердца, так называемого синусового узла, который задает частоту сокращений. Оказалось, что мой редкий пульс связан со слабостью этого узла, а не только с хорошей тренированностью сердца, как я думал.

Еще через полгода появилась одышка при беге, пришлось уменьшить интенсивность всех упражнений. Оперировать это не мешало, значит, жить можно. Но в сентябре 1985 синусовый узел отказал совсем. Пульс снизился до 36—40, и сердце потеряло способность учащать ритм при нагрузках. Формально я стал инвалидом. Спасла только хорошая тренированность сердечной мышцы. При столь редком пульсе я нормально работал и оперировал. Гимнастика продолжалась: 1000 движений разделены на две порции, уменьшен темп, бег заменен ходьбой с пробежками под горку.

Но комплекс неполноценности был налицо. Казалось, что система потерпела крушение.

При подобной блокаде сердца полагается вшивать электростимулятор, который вызывает сердечные сокращения, непосредственно возбуждая сердечную мышцу электрическими импульсами заданной частоты. Но я не слушал советов коллег, поскольку сохранял работоспособность и хорошее самочувствие.

«Что же,— думал я,— уже не молодость, будем доживать век «на малых оборотах», но без «машинки»... Конечно, уже не до 100 или 90, но сколько удастся...»

К сожалению (а может — к счастью?), несчастья продолжались. В декабре 1985 года была очень напряженная работа, и у меня стало периодически повышаться кровяное давление — сначала до 200, а потом и до 220. С января я пошел в отпуск, рассчитывая на улучшение. Это не помогло. Деваться было некуда...

В середине января Юргис Юозович Бредикис в Каунасе вшил мне электростимулятор. Аппарат хитрый: в нем есть микропроцессор, позволяющий менять программу — частоту и силу импульсов. Но самое главное — он способен учащать ритм при движениях. Это достигается за счет колебания маятника от сотрясения тела. Мне задали программу: 60 ударов в покое, учащение до 100 при движениях. Размер стимулятора 7×5×0,8 см, он был вшит под кожу груди, а электрод проведен через вены внутрь сердца, прямо к мышце правого желудочка. Естественное регулирование исключено, сердце управляется мини-компьютером.

Сразу же после операции у меня исчезло чувство стеснения при подъеме по лестнице. На три недели было предписано избегать резких движений, пока электрод не укрепится в сердце. В феврале я уже начал бегать и усилил гимнастику, а еще через месяц полностью восстановил прежнюю программу нагрузок, включая бег на 2,5 км. Гимнастику из 1 000 движений делаю даже дважды в день. Трачу на физкультуру немного больше часа. Теперь уже времени на это жалеть не приходится!

Предложение издательства «ФиС» в 1986 г. о переиздании книги «Раздумья о здоровье» как раз совпало с моими осложнениями. Я долго тянул с ответом, сомневался — вправе ли агитировать, если сам не выдержал? Здоровье восстановилось, и я снова обрел уверенность в будущем. Батареи стимулятора рассчитаны на

5—7 лет, потом его нужно менять. Это несложно. Конечно, старение идет по своим законам, и кто знает, какой орган откажет следующим? И можно ли будет исправить поломку хирургией, техникой или тренировкой? Одно знаю твердо: старости и болезням нужно сопротивляться активно. Поэтому не собирался прекращать оперировать, директорствовать, писать книги и бегать до тех пор, пока все это получается. Надеюсь, что режим позволит «не потерять лицо» и в самом конце.

У читателей, наверное, возникнет вопрос: не режим ли был причиной моей болезни? Не думаю. Почитав специальную литературу, вспомнив свой редкий пульс и прежние аритмии, пришел к заключению, что у меня была так называемая врожденная слабость синусового узла, которая, естественно, увеличилась с возрастом.

Тогда я полностью восстановил форму. Все, как прежде — вес 55—57 кг при росте 168 см, кровяное давление 120/70, тренированность между «удовлетворительно» и «хорошо» (считаю по нормам Купера для тридцатилетних). И снова нервотрепка при 5—6-часовых операциях, ощущение полноты жизни и бесконечного будущего впереди. Прошу учесть, что стимулятор задает мне только частоту импульсов, а сила сокращений сердца и нормальное функционирование всего организма созданы, заработаны режимом ограничений и нагрузок. Нет, я в своем режиме не разочаровался и с полной уверенностью могу рекомендовать его всем. Добавлю, что мой личный опыт подкрепляется тысячами писем, которые я получил за годы, прошедшие после публикации «Раздумий о здоровье». (Попутно приношу извинения тем, кому не ответил — свободного времени очень мало...)

Казалось — как в песне: «Все хорошо»... Жизнь шла своим чередом. Однако продолжение своих отношений со здоровьем я опишу ниже.

АЛКОГОЛИЗМ — ВРАГ ЗДОРОВЬЯ

В начале 1980 г. при одной из наших встреч академик АМН Ф. Г. Углов сказал мне примерно следующее:

— Ты стреляешь не в ту сторону. Не гиподинамия и переедание, против которых ты выступаешь, а алкоголизм является главной причиной возрастания мужской и, возможно, детской смертности.

Спустя некоторое время Федор Григорьевич прислал мне результаты своих антиалкогольных статистических изысканий. Часть из них я проверил по справочникам ЦСУ, где до 1981 года печатались данные о производстве и продаже алкогольных напитков в стране.

Похоже, что академик Углов был прав. Ухудшение демографических показателей действительно совпало с резким возрастанием алкоголизма.

Я задумался... Да, действительно, рекомендовать пьющим людям режим, требующий самоограничений и нагрузок, бесполезно. Во-первых, они сами ухудшают свое здоровье алкоголем. Во-вторых, их воля в таком состоянии, что они не способны ни в чем себя сдерживать. Получается, что мои рассуждения о здоровье представляют интерес только для непьющих или выпивающих мало и редко. Таких людей — большинство, но и они должны знать, что алкоголь причиняет вред, которого не перечеркнуть занятиями бегом и капустной диетой. Это надо знать, потому что каждый малопьющий есть потенциальный пьяница, если он вовремя не мобилизует свою волю для воздержания от употребления спиртного. (Режим, кроме прямых благ для здоровья, призван усилить также и волю).

Проблема алкоголизма столь важна, что уже нельзя обойти ее молчанием, если пишешь о здоровье... Поэтому я выскажу некоторые свои соображения.

Я помню висевшие в сельском клубе плакаты времени моих первых школьных лет. На одном — огромная серая вошь и надпись: «Вошь может погубить революцию». Знал от мамы: белые почти все разбиты, но сыпняк гуляет по стране и уносит миллионы жизней.

Не время ли сказать: алкоголь может погубить социализм?

Ф. Г. Углов нарисовал кривую роста алкоголизма — она резко взметнулась вверх с шестидесятого года.

Основная мысль: алкоголизм приобретает характер эпидемии. Такое должно быть к нему и отношение. Это я говорю как врач.

Все грозные признаки бедствия были налицо.

1. Алкоголь-наркотик — вызывает опьянение, т. е. патологическое состояние.

2. Болезнь уже получила массовое распространение.

3. Эпидемия — это пожар, чем больше захватил огонь, тем быстрее распространяется. Кривая роста потребления алкоголя это доказывает. Увеличивалось число пьющих не только среди мужчин, но и среди женщин и подростков. Этому способствовал переход с водки на плодово-ягодные и виноградные вина.

4. Алкоголь не только ослабляет тело, но и разрушает личность, а это уже угроза обществу.

Кратко перечислю **последствия алкоголизма**:

Биологические. Большие дозы спиртного непосредственно отравляют человека, умеренные — усиливают болезнь всех органов: сердца, легких, печени. Больше всего поражается нервная система: нарушаются рефлексы и психическая деятельность. У пьющих ослабляется воля и развивается так называемая алкогольная зависимость, когда алкоголь вплетается в ферментные системы клеток и его отсутствие вызывает желание выпить.

По данным ВОЗ, алкоголизм укорачивает жизнь на 17 лет. Очевидно, именно с этим связана высокая смертность мужчин трудоспособного возраста. В частности, много смертей от пьяного травматизма. В последнее десятилетие возросла смертность грудных детей (до года). Это тоже следствие пьянства родителей.

Однако куда серьезнее, чем вред для здоровья, последствия *социальные*: преступность, разрушение семьи, страдают дети, растущие без отца или матери. Это опасно для будущего. Труд. Нет вопроса: пьющие работают хуже. Не потому ли в последние годы у нас замедлился рост производительности труда? Экономические потери от алкоголизма не всегда можно подсчитать, но они — огромны.

Наконец — самое серьезное: *угроза биологического вырождения народа.* Существует даже понятие: «коэффициент популяционной деградации». Он подсчитывается по проценту умственно отсталых детей, неспособных заниматься в обычных школах. В последнее десятилетие этот процент стал угрожающе расти — как раз с отставанием на 8—10 лет от подъема кривой пьянства — пока дети алкоголиков доросли до школы. По данным Ф. Г. Углова, сейчас рождается до 3% умственно неполноценных детей! Представляете, каким бременем для общества и семей станут эти дети? И кто может поручиться, что генетические дефекты не распространятся на будущие поколения? Можно привести исторические примеры вырождения целых народов. В резервациях США сохраняются жалкие остатки индейских племен. Они были уничтожены не оружием, а «огненной водой».

Каждому человеку нужно знать: будешь пить — имеешь шанс родить идиота.

Почему же люди пьют? Пьют потому, что есть физиологическая основа: наркотик (алкоголь) возбуждает центр приятного в подкорке и избирательно повышает потребность в общении. Большинство людей, попробовавших спиртное, скажут, что при умеренной дозе было очень хорошо. Более того, казалось: добавь — и будет еще лучше. И человек добавляет и переходит грань, после которой ему уже плохо. Но воспоминание о приятном остается, и его хочется повторить. Если у человека нет внутренних и внешних «тормозов», то он повторяет до тех пор, пока не возникает эта самая наркотическая зависимость. Обратимо ли это состояние? Несомненно! Отвыкнуть от алкоголя можно.

И все-таки основные источники пьянства — социальные. Каждый помнит первый опыт: пить спиртное противно и потом — тошно. Но действуют окружение, мода, и отрицательный рефлекс угнетается. Этим и объясняется эпидемичность наркомании: человек — общественное существо, поэтому чем больше пьющих, тем легче вовлекаются в пьянство все новые люди.

Процесс идет с положительными обратными связями, так скажет кибернетик. Остановить его можно или через убеждение каждого индивида — действуя на его внутренние тормоза, или перекрыв источник наркотика. Беда в том, что

когда процент пьющих достигает некоей критической точки, то первый путь становится невозможным. Люди, как правило, «моде» противиться не могут: рост «обращенных в пьянство» обгоняет число выздоравливающих. В этом специфика эпидемий. Известно, что для прекращения холеры мало лечить холерных, нужно отделить здоровых от заболевших и от источника заражения.

Похоже, что мы уже перешли критическую точку и убеждениями общество от алкоголя не вылечить — нужно поступать как при холере, то есть вводить запретительные меры.

Попытаемся разобраться, что же можно сделать в этом положении.

Первое — признать, что эпидемия налицо, и определить ее тяжесть по регионам.

Если так, то не обойтись без избыточных, запретительных мер. Опыт полумер у нас уже есть. Об алкоголизме начали открыто говорить в середине семидесятых годов: «пережитки, от бескультурья, отдельные лица». Стали воспитывать народ по телевидению: научитесь пить культурно, только вино и пиво, в семейном кругу. Ограничили: до 11 утра не продавать, около заводов закрыть ларьки. Создали наркологическую службу. Эффект? Потребление за десять лет выросло примерно в полтора раза.

Нужно твердо знать: противоэпидемические меры непопулярны, поскольку они избыточны. Запретами будут недовольны и малопьющие, и многопьющие, и даже непьющие, потому что на них лягут дополнительные тяготы. Дело в том, что эти меры стоят государству больших денег. Продажа спиртного дает в госбюджет несколько десятков миллиардов рублей. Это легко подсчитать: известно, сколько производят продукта, сколько стоит сырье. Антиалкогольная пропаганда доказывает, что на каждый рубль, полученный государством за водку, оно теряет четыре в виде потерь из-за снижения, в частности, производительности труда. Получается, что сухой закон выгоден даже экономически. Однако все не так просто. От момента потери рубля при прекращении продажи спиртного до получения четырех в результате повышения производительности труда пройдет несколько долгих лет, а рубль уже заложен в планы и его нужно компенсировать сейчас. Если продажа спиртного будет только ограничена, а не прекращена вовсе, то цены на него можно повысить в несколько раз. Пусть алкоголики сами оплачивают свою страсть. Мало денег — уменьшай дозу, что и требуется. Разумеется, нужно увеличивать производство безалкогольных напитков, но на это нужны годы и они не так прибыльны.

Немедленные ограничения производства и продажи спиртного необходимы — одной пропагандой эпидемию не ликвидировать и даже не уменьшить. Это должны понять все. Вопрос в степени ограничений: сухой закон или сокращение производства. Это требует обсуждения.

У нас есть опыт сухого закона: с 1914 по 1922 гг. Газеты писали, что он был неэффективен. Верно ли это? Уровень потребления спиртных напитков 1914 года был достигнут только в шестидесятые годы, через 40 лет после разрешения водки. Не нужно никаких других доказательств. Сухой закон, на мой взгляд, лучшая мера оздоровления народа. (Представьте на минуточку, что через несколько дней после введения закона исчезнет даже запах алкоголя.)

Есть два реальных возражения против этого: дорого для государства и жалко терять удовольствие (при этом еще и доплачивая компенсацию). Нельзя ли отделаться полегче, ограничениями?

Подходя к делу практически, следовало бы немедленно уменьшить производство спиртного в стране по крайней мере в два раза: в самых пораженных районах — в 4—5 раз, а в благополучных — на 30—50 процентов.

Пропаганда. Она должна быть жесткой и правдивой, тогда будет действенной. Рассуждения о вреде для здоровья, об экономических потерях государства почти никого не остановят. Тот, кто пьет мало, скажет, что и вред мал, а сильно пьющего собственное здоровье и благополучие государства уже не беспокоят. Но есть один факт, способный подействовать хотя бы на молодых: угроза родить ребенка-идиота. Не надо бояться об этом говорить и приводить цифры. И, конечно, для оправдания экономических мер следует

показать откровенно, что эпидемия алкоголизма уже зашла угрожающе далеко.

Укрепление трудовой дисциплины и порядка на производстве — это уже делается и приветствуется всеми честными гражданами. Одно пожелание — жестче и последовательней.

Необходимо исключить спиртное из общественного быта — это по части именин, юбилеев, встреч и проводов.

Ограничить (если не изъять) сцены выпивок из произведений искусства.

Наконец — медицина. Не следует возлагать на нее больших надежд. Лечение пресечением, изоляцией и трудом часто бывает куда действеннее таблеток, уколов и даже гипноза. Однако и медицина может помочь, совсем отвергать ее не стоит.

Для борьбы с алкоголизмом нужно поднять всю страну. Не верю, что наш народ, выдержавший такую войну, не в состоянии понять опасности положения и необходимости жертв. Партия сказала об этом со всей решительностью, без ложного страха «потерять лицо» перед мировой общественностью. Руководители любого района, области, республики должны знать, что реальные успехи в борьбе с пьянством определяются только уменьшением общего объема продажи алкоголя в регионе. Цифры эти нужно публиковать в местной печати, потому что без широкой гласности алкоголизм не победить.

Короткий период горбачевской активной борьбы с алкоголизмом в 1985—1987 гг. показал высокую эффективность запрета и ограничений: показатели заболеваемости и смертности пошли вниз. К сожалению, ни народ, ни правительство не выдержали, кампания бесславно закончилась. После 1989 года демографические статистики быстро пошли вниз и падение продолжается до сих пор

Написал я все это — против алкоголя, а потом подумал: зачем? Ведь все, что перечислил по поводу последствий, известно давным-давно — и никаких сдвигов. Вот что значит: «самоорганизация». Так много факторов замыкается в проблеме, что решение ее не удается... Приходится признать поражение.

ЗДОРОВЬЕ ДЛЯ СЕБЯ ЛИЧНО

Оставим общегосударственные масштабы. Очень непросто вмешаться в тенденции изменений состояния здоровья массы людей в результате технической и социальной революции и, пожалуй, так же сложно — в медицину и психологию.

Здоровье — прежде всего личное дело каждого. Именно в этом я хочу убедить читателей. Органы здравоохранения, вся медицина с ее лечебными и оздоровительными мероприятиями не могут повысить уровень здоровья взрослого человека, потому что для этого нужна его собственная воля. В современных условиях, чтобы быть здоровым, нужны нагрузки и ограничения, а также отказ от курения и алкоголя. Без них от природы крепким и спокойным хватает ресурсов лет до сорока, неспокойным и некрепким — меньше. Маленьким детям не хватает их с самого рождения, если родители ленятся или не знают, как воспитывать.

Повозрастная смертность высокая до 5 лет жизни, самая низкая — от 5 до 20. Удваивается против этого самого низкого предела к 30 годам, впятеро возрастает к 40, в девять раз — к 50 и в 13 раз к 60. Дальше уже и считать не стоит — много. Это на все население бывшего Союза. Если взять отдельно мужчин, то цифры повозрастной смертности в трудоспособный период жизни почти вдвое выше, чем у женщин. Потом они уравниваются: женщины в конце концов тоже умирают, но на 9 лет позднее мужчин. Кривая роста смертности с возрастом впечатляющая. В конце концов, это шансы на смерть.

Все это я веду к тому, чтобы спросить: «Стоит ли игра свеч?»

Вполне можно плыть по течению: здоров — наслаждайся жизнью в тех пределах, которые она дает; заболел — иди к врачу, некоторое время страдай, потом поправишься и продолжай в том же духе до следующей остановки. Помрешь — значит, так написано на роду, незачем раньше времени мельтешиться. Так живут животные и большинство людей. Если представлять себе болезни как божье наказание, или

судьбу, или действие внешних сил, управлять которыми не дано, значит, другого выхода нет.

Человек отличается от животных тем, что может предвидеть внешние события, рассчитывать их вероятность, может наблюдать за своими действиями и даже мыслями. Может при этом оценивать свои чувства. Он все время планирует будущие действия и рассчитывает, оправдает ли затраты усилий приятность будущей «платы», пока ее заслужишь. Каждый из нас ведет этот баланс непрерывно — в маленьких и больших делах. Об этом уже было сказано, но повторим еще раз, прямо к делу. Кроме размера «платы», которая определяет ее приятность, важна еще вероятность ее достижения и сколько ждать, пока получишь: сразу или в далеком будущем. Этот поправочный коэффициент на вероятность и время ожидания всегда присутствует в расчетах. К сожалению, оценки у нас очень изменчивы. Сейчас нам эта «плата» кажется всего важнее, а усилия — легкими, завтра, когда устал, напряжение непереносимо, так что и плата кажется не нужна. Да и сомнительно: удастся ли ее получить? Так и живем: планируем, оцениваем, решаем, потом переоцениваем, перепланируем, перерешаем. Одни — твердокаменные — доводят дело до конца, потому что очень себя уважают и сомнений допустить не могут. Другие настойчивы из обязательств перед окружающими, и если эти обязательства исчезают, то можно и бросить, когда засомневался или надоело...

Давайте каждый про себя подсчитайте свой «баланс счастья» и какое в нем место занимают здоровье и болезни — сейчас и в будущем. С их вероятностями и коэффициентом на время. Здоровье никак нельзя оторвать от всех других компонентов жизни.

Если жизнь такая плохая, что хоть в прорубь, то какой разговор о здоровье? Чтобы к прочим неприятностям еще и сидеть на капусте да бегать на холоде? Но если жизнь улыбается, то дело другое.

Когда УДК высок, мы даже малое его понижение воспринимаем тяжко. Нет, не нужно болезней, если они приближают смерть. Очень стоит подумать — если в балансе счастья безделье и котлеты занимают совсем малое место, то можно их и еще прижать, можно и на капусту, и даже побегать — лишь бы... ну что, например, может прельщать? Любовь? Творчество? Радость деятельности? Престиж? Конечно, когда ты сибарит и гурман, то едва ли стоит идти на такие жертвы, потому что зачем тогда и сама жизнь.

Это первый вопрос: «стоит или нет при данной ситуации» с балансом счастья.

Когда он решен или находится в процессе расчетов, идет торговля: чем пожертвовать, что приобрести взамен и когда. Юноша, от природы крепкий, готов заняться спортом, завоевать разряд и сейчас предстать перед своей избранницей или получить шанс быть выбранным самой красивой. Расчет прост: он хочет и может. Если он болезнен с пеленок, то шансов мало, и на этот путь нужно поставить крест. Тогда учись, интеллектуалы тоже ценятся. Он не будет ходить на физкультуру, хотя втайне завидует сильным. Мамы иногда жалуются мне на своих дочь или сына, что совсем перестали есть — и все ради фигуры. Просят повлиять. Цель девушки совершенно реальна и близка. Мотив — любовь. И мода.

О, мода — это великий двигатель! Она может заставить голодать, зябнуть, даже бегать. Что угодно.

Даже стареть.

Люди стареют из подражания моде. Конечно, не только поэтому, но в значительной степени. Очень быстро идти по улице пожилому и солидному неприлично. Одеваться легко, не по сезону, «как мальчишка»,— неприлично. Быть очень тощим — смешно. Но чтобы бегать!

Все смотрят: «старый дурак». Это если в парке утром, а если днем на работу, в трусиках... Мне один товарищ написал, что его за это администрация учреждения преследует. Честно скажу: я такого — бежать днем по городу в трусиках — перенести не могу, пытаюсь обойтись меньшими моральными потерями.

И вот человек после сорока приобретает округлость талии, солидность в походке, одевается красиво и тепло.

Холестерин при этом растет вместе с весом, кровяное давление — вместе с солидностью движений, одышка уже не позволяет пробежку сделать, да и нельзя — засмеют. Потом ученые подведут статистику и скажут: с возрастом закономерно должен прибавляться вес, повышаться содержание холестерина и сахара, а также кровяное давление. Все в порядке: человек прочитает и успокоится — я в пределах своих возрастных норм. Старею по науке. Ученые теорию придумают, что, например, эти показатели повышаются из-за изменения возбудимости нервных центров в гипоталамусе...

Вот если бы родилась мода — быть худым, спортивным, не курить и не пить. Или даже не стареть.

Моды бывают всякие, самые дикие, но они тоже имеют свои законы возникновения, распространения и умирания. Распространяются и удерживаются те, которые соответствуют биологическим чувствам и для которых имеются «контингенты». Спортивность среди молодежи может стать модной и удержаться, потому что она соответствует естественной потребности двигаться, выраженной в детском и молодом возрасте. Потом эта потребность слабеет, и мода на бег трусцой среди пожилых не удержится. Так же не может распространиться моржевание, оно очень далеко от приятных чувств. Минивбки имели биологические мотивы — сексуальность. Джинсы — удобство. Мода на альпинизм не найдет много сторонников среди пожилых, хотя людей среднего возраста еще может прельстить, но и то при условии высокой спортивности в молодости.

Мода на худобу женщин едва ли имеет шансы, потому что биология против нее. В мужчинах заложено отдавать предпочтение сильным женщинам, а это качество не ассоциируется с худобой.

Поэтому трудно рассчитывать на создание «моды на здоровье» с ограничениями и нагрузками, которая могла бы распространиться и удержаться среди людей среднего возраста и пожилых. Но тем не менее средства массовой информации могут повлиять на моду и сдвинуть привычки и поведение от биологического оптимума в желаемую сторону. К примеру, ту же спортивность можно «растянуть» на средний возраст, а склонность к полноте ограничить приемлемыми размерами.

Но возвратимся к балансу, к УДК. Следование моде в этом балансе выступает со знаком плюс, а противоречие общепринятому — с минусом. Чем больше отклонение, тем более отрицательная величина. Минусы от ограничений и нагрузок очевидны и реальны: именно сейчас лень напрягаться, именно сейчас хочется вкусно поесть, закурить и выпить. Плюсы в смысле не заболеть, к сожалению, не столь реальны, и чем человек моложе и лучше себя чувствует, тем меньшая их реальность. Они выражаются в цифрах, отражающих вероятность заболеть и умереть в некотором отдаленном будущем.

Сравнение величин плюсов и минусов — вот и весь баланс. Если человек уже стар и нездоров, плюсы реальны, умирать не хочется. Для этого можно и пострадать, но нужно знать вероятность: «поможет ли?» Когда одни говорят — «да», другие — «пустое», вероятность сомнительна, и плюсы уменьшаются. Особенно когда рядом простое и приятное лечение таблетками. За ними авторитеты медицинской науки. А что стоит за этими «сыроедами», бегунами трусцой или пропагандистами аутотренинга?

Нужно ли противопоставлять традиционную медицину и «естественные» способы лечения и профилактики? По сути, нет, потому что они не могут полностью заменить друг друга. У каждого направления свои сферы. Для лекарств — болезни, для физкультуры и ограничений в еде — здоровье. Когда заболел, нужно лечиться, поправился — тренироваться. Важно, чтобы это понимали врачи. За пациентов не стоит опасаться, что перегнут палку в пренебрежении медициной, самые завзятые «йоги» кинутся в поликлинику, когда повысится температура или заболит живот.

Все-таки человеку, жаждущему здоровья, важно знать для своих расчетов «баланса»: могут ли дать что-то реальное эти строгости режима? Эта книга как раз для того и предназначена. Я нарочно опустил примеры знаменитых и незнаменитых людей, которые «моржевали», или го-

лодали, или бегали, или расслаблялись и за счет этого будто бы выздоравливали от смертельных болезней и жили до ста лет. Вся пропаганда «естественных» методов основана на таких примерах. Не могу сказать, что они не заслуживают внимания, но они явно недостаточны для доказательств могущественности методов. Здесь нужна статистика. Убедительным является снижение сердечных заболеваний в США как результат изменения образа жизни американцев под влиянием санитарной пропаганды, породившей моду на образ жизни.

Что если бы защитников традиционной медицины попросили привести примеры чудесных выздоровлений от лекарств? Миллионы! Нет таких порошков в руках увлеченного врача, которые бы не поднимали мертвых. Нет, чудеса не доказательство. К примеру, мне за шестьдесят лет врачевания пришлось видеть до десятка чудесных средств против рака, предлагавшихся людьми разных профессий, в том числе и врачами. Каждый приводил примеры, стучался в высшие инстанции. Назначались комиссии, проводились клинические испытания. Результат был один...

Поэтому я так много страниц исписал по теории, пытался найти обоснования к методу ограничений и нагрузок. Себя я убедил, читателя — не знаю. Разумеется, нужна хорошая статистика, чтобы квалифицированные врачи без предвзятого мнения понаблюдали за большой группой людей, приверженных этим методам. Пока надежд на это мало — велика инерция традиций.

Остаются логика и примеры.

Вот самые краткие логические рассуждения. Человек прочен. Беды у него от детренированности «рабочих» функций и перетренировки «регуляторов» вследствие условий социальной жизни, вступивших в противоречие с биологией. Современная цивилизация предлагает человеку для здоровой и долгой жизни гораздо больше возможностей, чем ограничений. Нужно уметь ими пользоваться: отвергать излишки пищи и тепла, восполнять недостатки физических нагрузок и гасить чрезмерные психические раздражители. В этом и есть суть метода ограничений и нагрузок. Детали не важны.

Что можно получить взамен? Спасение от болезней? Да, и это. Продление жизни? Проблематично, но возможно.

Но главное — это здоровье, возможность полноценно жить и трудиться. Разве этого мало?

ЛЮБОВЬ, СЕКС И ОБЩЕСТВО

Трудно писать о любви. Ни одно чувство так не изъезжено словами, как это. Не случайно: большая значимость.

Любовь идет от биологии: в генах заложена главная программа природы — размножение. Чтобы ее реализовать, нужны общение, выбор партнера, соответствующие действия. Для действий — стимулы. Стимулы — от потребностей. Потребности — в половых железах и подкорковых центрах мозга, наконец — в его коре. Они выражаются чувствами. Воспитание тренирует или подавляет их. Еще больше — успех или неудачи в реализации. Такова простая арифметика людского поведения.

Вот цепочка: Восхищение, Идеал, Красота. Хочется смотреть и смотреть. Но надоедает: адаптация. Нужно знакомиться ближе. Разговаривать. Требуются обратные связи. Отвергнут — повздыхал, успокоился. Поддержали, поощрили, заметили — уже счастье. Сначала кажется — больше ничего не нужно. Но... опять адаптация. Нужны прикосновения. Потом ласки. Потом... все остальное. На каждой ступени возможны остановки. Короткие или длинные — от характера (общительный, храбрый, трусливый), от воспитания. И от обратных связей. Если все правильно, то счастье все растет и растет, прелести каждой ступени остаются и живут с тобой. Любимая все время в тебе — «эффект присутствия». На все, что бы ни делал, прикидываешь — как оценит она? Все принадлежит ей, «предмету».

Во всем субъективность оценок. Боже мой, какая пристрастность! Где твои глаза? Уши? Ум? Она — красивая? Несомненно. Если не античная красавица, то симпатичная. Природный ум. Не развита? Ничего, выучится! Добра? Конечно, добра! Если не все качества, какие ожидались от идеала, то просто жизнь у нее была тяжелая — «среда». Теперь все изменится.

И так далее.

Степень и темп смены этапов: смотреть, разговаривать, касаться, ласкать, спать... И — не смотреть, не разговаривать, не ласкать, не касаться, только секс. Все — от типа и воспитания обоих, от обстоятельств.

Какая грубая картина! И ложная. Автор — злой старик, все забыл или не чувствовал.

Нет, любовь прекрасна. Даже ее грубые и животные ступени, против которых восстает наша идеальная романтика, обожествляющая человека. Но особенно хороша, когда все гармонично сочетается в обоих: красота, чувства, страсть, ум... Характер... Тогда любовь устоит против адаптации, которая безжалостно расправляется с преувеличениями.

Если идти от кибернетики, то любовь развивается по закону положительных обратных связей: сначала эффект усиливает первоначальное внешнее воздействие, но когда уже достигнут предел, то даже маленькое уменьшение эффекта рушит любовь. Поток начинает иссякать. Прозрение. Нет, хуже — переоценка с обратным знаком. Часто — несправедливая.

После этого начинается новый виток: поиск объекта, воздыхания, разговоры и так далее. Чтобы все закончить так же. Разве что с каждым разом ускоряется темп прохождения этапов. В пределе остается голый секс. Как голод: нашел пищу, поел, забыл. Пока снова проголодаешься. К счастью — такой вариант — у меньшинства. Чаще вступают в действие тормоза и все выливается... в верную супружескую жизнь. С минимумом эмоций от секса и массой побочных неприятностей в сфере несовпадения интересов. Разных. Но и с преимуществами тоже: общение, дети.

Я привел отрывок из моей книги воспоминаний «Голоса времен». Не хотелось так прямо назвать «секс», «сексуальность». В прежнем тексте «Раздумий о здоровье» эта тема вообще не затрагивалась. Не знаю — почему. Время было не то? Или — по недосмотру?

Тема любви и секса стоит на перекрестке физиологии, психологии и социологии. И даже замыкается на феномен «созревания» общества.

Мучительная тема. По крайней мере — для многих.

Сложное дело — сравнивать чувства: голод, страх, секс, дети, тщеславие, любопытство, творчество. Истоки — потребности. Чистая физиология — от тела, плюс самоанализ — от высших уровней сознания. Источник — общество. Деятельность — как самоцель.

«Силу» потребности я обозначаю словом «значимость», понимая под этим несколько «точек приложения»(?). Первое: приоритеты в *действиях* — что делать в первую, во вторую. И так далее очередь. Диктуют в этом выборе не столько желания со знаком плюс (прибавить счастья), сколько необходимость — избежать минусов, если отказаться от действий. Здесь выступает материальная жизнь: обстоятельства, иерархия подчиненности в обществе и в семье. Жесткие ограничители: что можно, что — нельзя. Что вероятно, что — сомнительно, какие нужны действия, есть ли силы для них, сколько ждать результата.

Вторая, и совсем другая сфера — приоритеты в мыслях, особенно, когда практическое дело не требует пристального слежения за объектом. Содержание сторонних мыслей: Неисполнимые желания. Воспоминания. Нереальные планы. Приближение их к исполнению. Проблемы для поиска решений. Или — просто мечты с их эфемерной сладостью.

Счастливы люди, у которых реальные дела со знаком плюс сочетаются со столь же реальными мечтами. Редки — такие? Не знаю. Не попадались исследования от психологов.

При чем здесь любовь и секс?

Очень даже — при том. Потому, что женщина почти постоянно присутствует в этом «втором плане» сознания мужчины. И очень часто выходит на первый, становясь мотивом поведения. У женщин, наверное, это слабее, но тоже присутствует у многих. (Мне не удавалось это выяснить при расспросах: тайну таких мыслей они блюдут строго.)

У обезьян, собак или птиц все просто — физиология. Самец — «всегда хочет» (значит — и думает), самка — только в период течки. Тогда она дает сигнал специфическим запахом; но также и поведением: «брачными действиями». Лоренц пишет, что любовь у животных есть. И — ревность. Ему можно верить. Но «социум» при этом у них тоже присутствует: конкуренция. Вон какие турниры затевают самцы — от слонов до маленьких птичек. И самки — тоже умеют кокетничать. Но только когда полагается: пришло время зачать.

У людей все смешалось. Я не про мужчин — они такие же. Но женщины!

Как у них изменилась природа! Чтобы сделать влечение и секс постоянным мотивом поведения и источником удовольствия — что-то должно было произойти в генах женщины. Не знаю — что. (Гены теперь находят под каждую физиологическую малость, но под это — не слыхал.)

Половое влечение — как мотив любого поведения — несомненный факт. Степень его «присутствия» очень различна, от затаенных мыслей, не влияющих на дела рабочие и социальные, до доминанты, радикально меняющей эти самые «рабочие и социальные».

Как к этому относиться? Два аспекта: личный и общественный.

Личный: пресекать мысли или активировать — тренировать?

Христианская религия говорит: пресекать! «Не возжелай жены ближнего твоего». Все заповеди — от Моисея и Христа — необходимы для морали, без которой не было благополучного общества, ни раньше, ни теперь. А вот именно эта — «не возжелай» — подверглась пересмотру. Хотя и неофициальному, насколько я понимаю. Не могли священники победить природу, сдались — приняли изменение заповеди, и даже законов. И все — в сторону ослабления этой самой — «не возжелай». Дошло до того, что закон о многоженстве ставился в российском парламенте. Правда — не согласились, мужчины все-таки уважают женщин. (Строгостей в заповеди удержали только католики, и то лишь в отношении ксендзов и монахов: «не возлюби» никакую женщину! Православие либеральнее: «Только одну — и до гроба». За исключением монахов, тем — строго).

Раз шлюзы открыты — (показывать голых женщин не запрещают после перестройки даже коммунисты) — то как уберечь мужские умы от мыслей о женщинах, о сексе? И — нужно ли? Есть «принцип удовольствия», он породил «общество потребителей» — (в странах, где есть деньги). Потребительство, в свою очередь, сняло запреты на секс. Результат: на Западе произошла сексуальная революция. Я помню, как в 60-х годах дуновение «оттуда» шокировало наше общественное мнение. Прошу заметить — только «общественное». Личное — мужской половины — нет, не шокировало. Жадно смотрели картинки в заграничных журналах. Впрочем, порнография — подспудно — существовала всегда, у всех народов. И в царской России — тоже. Я помню, как «испорченные подростки» показывали фотографии еще в двадцатых годах. Но коммунисты разговоры о сексе извели почти начисто, даже больше, чем церковь.

К вопросу о сексуальной революции на Западе. Не привела она к всеобщему разврату, чем пугали наши коммунисты. Пошумели — и все утряслось, мораль не рухнула. Преступность не возросла. Правда, много детей рожают без отцов, но воспитывают — как надо. Вопрос о качестве неполной семьи не снят, ничего не поделаешь, она — издержки созревания цивилизации. Но воспитание удается только при богатой экономике страны, обеспечивающей хорошими пособиями на детей матерей-одиночек.

Другой вопрос — бедные страны. Если в них падает авторитет религии и рушатся традиции, регулирующие отношения полов,— дело кончается катастрофическим падением морали и несчастьями для массы детей. За этим следует отставание в экономике и, конечно, в культуре.

Так все-таки — что делать с сексом?

Ничего радикального сделать нельзя. История вспять не идет. Но это не значит, что не нужно пытаться уменьшить вредные последствия сексуальной революции

Прежде всего — осознать, что проблема есть.

Дело в том, что потребности, любые, с одной стороны — от генов, врожденные, но реализуются они — в конкретном обществе. Оно их может притормозить, но может и усилить, натренировать. Мера сексуальных отношений важна для благополучия общества, потому что от них зависят другие отношения — сопереживание, общение, благородство народа, если хотите. И даже — труд и деньги.

А самое главное — зависит воспитание детей. Все замыкается на них! Ребенку нужны оба родителя, больше — мать, но и отец — тоже, скажем так — желателен. В полной семье у ребенка больше шансов стать счастливым, а попутно — и хорошим гражданином. Ласку самым маленьким дают больше матери, но идеи должен дать отец. Впрочем, движение к интеллектуальному равенству полов изменило и это положение.

С этими сентенциями все согласны, вот только природа (обезьянья?) возражает. Развитие культуры усложняет задачу: разнообразие людей увеличивается, и условия психологической совместимости усложняются. Причем материальное благополучие как будто не влияет: мужья и жены изменяют одинаково, и семьи распадаются, что в богатых, что в бедных странах. Условие: как только ослабляется религия и традиции. А это закономерно происходит с НТП и ростом экономики. Теперь — еще и с глобализацией.

Государство, общество должны пытаться регулировать семейные отношения. Если уже нельзя вернуться к запретам, то остается только воспитание. Как это ни печально — без ограничений тоже не обойтись. Как всякую потребность, общество должно регулировать сексуальность своих членов. Особенно важно — молодежи. Именно на нее в первую очередь должно быть направлено регулирование. Ранний секс — это источник психических травм на всю жизнь. Не фатально, но вероятно. Фрейдисты в этом правы.

Два способа регулирования поведения: пропаганда и запреты. Тренировка воли и детренирование самих функций. Точки приложения — вся биологическая цепочка функциональной системы размножения. В мозге — от центров сознания, управляющих мыслями,— до подкорковых (структур) центров, ведающих регулированием половых функций (гормонов). В самих половых железах продукция гормонов тормозится воздержанием и возрастает от сексуальной тренировки.

Реализация регулирования: «не видеть, не думать, не делать».

«Не видеть» — с первобытных времен придумано — одежда, закрывать опасные места. Новое, современное — не показывать эротические фильмы. В меньшей степени действует запрет на такую же литературу. До сексуальной революции эти меры работали на нравственность. Теперь, к сожалению,— не действуют. С трудом удается ограничить информацию для детей. И то только в культурных семьях.

А может быть, это не столь важно? Дети привыкают к картинкам и не обращают внимания? Не знаю. Даже самые примитивные народы почему-то носили «набедренные повязки». Значит — это важно?

«Не думать» — еще труднее. Даже если не видеть — гормоны подогревают модели-образы в коре мозга, а это, по обратной связи, снова активирует продукцию гормонов. Воображение работает даже при минимуме внешней информации. Но все же — не столь активно работает, как при эротических картинках.

«Не делать». Нужны строгости в отношениях. Ограничение прямых контактов.

Все, что сказал,— только теория. Возродить патриархальные времена немыслимо. Но ограничить и задержать до какого-то возраста — нужно пытаться. Это долг родителей. У школы таких возможностей меньше. Общественных воспитателей теперь нет. К сожалению.

Написал все это — и сам не верю. Наше общество не может проконтролировать даже телевидение. Все понимают, но... то ли сами начальники не хотят отказываться от «клубнички», то ли рекламный бизнес оказывается сильнее всех.

Проблема секса стала любимой темой публики и СМИ. Почему бы? Ведь не о потомстве

люди думают — об удовольствиях. Несмотря на множество ухабов на этой дорожке.

Поэтому все же сформулируем «оптимизацию функций»: удовольствия от секса.

Много? Как можно больше, чаще? И да, и нет. Каждый должен знать свою меру. Неудачи уж очень огорчительны.

Разнообразие партнеров? О да, конечно! (Мы же по природе — обезьяны!) Но ведь цена какая... Нет у нас такой организации этого дела... «чтобы без мук целовать, целовать», как писал Маяковский. За удовольствия нужно платить. Главная плата — не деньги — ложь. Это противно и нужно трижды подумать — стоит ли игра свеч. Даже если не думать о заповедях... Поверьте, очень нелегко «минимизировать» потери по части стыда, совести и чести. Может быть, проще утолять голод черствым хлебом?

В резерве есть еще искусство секса. Очень стоящее дело, и помогает обойтись без моральных потерь, ожидающих нас «на стороне». Жаль, что руководства недоступны.

Пожалуй, на этой игривой ноте можно закончить. Радикального решения проблемы все равно нет. Разве что виртуальный секс через Интернет? Уж точно — «без мук».

Фу! Написал — и самому противно.

Нет, еще немножко на эту тему — о сексе: однополая любовь. Гомосексуалисты, лесбиянки. О первых, в матерных выражениях, я слыхал еще в селе, о вторых узнал много позже. Живого педераста встретил уже после Отечественной войны: редкое было явление на Руси.

Суть физиологии: от генов нам заданы гормоны обоих полов. Но — в разных пропорциях. В процессе созревания, начиная с утробы матери, преимущества главного усиливаются — (мальчик, девочка). Затем на это наслаиваются воспитание и мнение общества: «слабые» гормоны совсем вянут, продуцирующие их структуры теряют активность. Но чтобы полностью затормозиться — не всегда и не у всех. В проблему включаются условия общественной жизни. Мужские сообщества — закрытые коллективы — армия, тюрьмы, колонии, зоны. Традиции, обычаи, ограничивающие доступ к женщинам. Слабость религии. Что она говорила? Слыхали вы про «Содомский грех»? Наверное — нет. А ведь бог Яхве за него снес два города. Христианский бог по этой части был не менее строг.

Но природа сильна. Ее усиливает информация: «знающие люди» говорят, что, оказывается, можно получить удовольствие и без женщины. (Нечто подобное, в части имитации самого акта, есть даже у животных.) Дальше все развивается как всякая мода — с участием положительных обратных связей. Особенно — при демократии. Результат: общества гомосексуалистов.

Затрудняюсь дать категорическую оценку: «Осудить, запретить». В принципе: неестественно — значит плохо. Но так ли уж вредно для самих «страдающих»? Преувеличивать не стоит. Да и для общества в целом: не полезно, но и не столь опасно, как какие-нибудь жестокие секты террористов или фанатиков.

Какой вывод из всех этих рассуждений о сексе? Каждый скажет: нужно правильное половое воспитание молодежи. Вот только нет методики. И у меня нет. Кроме банальной истины: осторожно и дозированно рассказывать детям суть дела.

ЧТО ТАКОЕ БОЛЕЗНЬ

Давайте попробуем представить болезни в их отношении к здоровью. Поискать, какие серьезные нарушения в поведении человека могли привести к снижению защитных сил организма — ведь природа сильна. Кроме того, пользуясь своим опытом, я хотел бы подсказать, как себя вести, если случилась беда и человек заболел. То есть речь здесь пойдет все о тех же правилах питания, физкультуры, управления психикой. Конечно, наряду с лечением.

Для этого придется кое-что рассказать и об основных механизмах патологии, об этапах развития болезни, ее проявлениях, о принципах диагностики и лечения.

Боюсь, если эти главы прочтет терапевт, он обязательно скривится: «Знаем мы хирургов! Все они зазнайки и хвастуны». И будет отчасти прав. Действительно, вся моя медицина была хи-

рургической. Моя профессия — болезни, а не гигиена здоровья. Много я перевидал за 60 лет, если считать с третьего курса института, когда впервые прикоснулся к медицине.

Медицинский институт закончил в 1939 году. Затем год аспирантуры в клинике Архангельска, ординатура в Череповце.

От начала и до конца войны (с Германией, потом с Японией) я был ведущим хирургом полевого госпиталя на 200 коек. Страшно сказать: 40 000 раненых через наш госпиталь прошло. Война сделала меня универсалом — пули ведь не выбирают «типичных локализаций», прошивают тело, где попало. Все оперировал — от черепов до пальцев.

В 1946 году три месяца заведовал операционной в институте им. Склифосовского, знаменитом институте С. С. Юдина. Правда, там я не оперировал — не давали, поручили администрирование. Поэтому и сбежал в Брянск — стал главным хирургом области. Опять много оперировал в областной больнице — на всех органах, кроме сердца.

Стал кандидатом, потом доктором и в 1952 году переехал в Киев — заведовать кафедрой и клиникой грудной хирургии. Круг моих интересов сужался, и с 1965 года я стал чистым сердечным хирургом. Сделал более пяти тысяч операций на сердце, если брать только самые сложные — с искусственным кровообращением. Да еще более тысячи удалений легкого, опухолей пищевода... А всего в клинике и институте прооперировано 70 тысяч сердечных больных, и большинство из них я хотя бы раз осмотрел на ежедневных обходах.

Этот свой «хирургический героизм» я описываю не столько из хвастовства (хоть и это, наверное, простительно для отставного хирурга), сколько для того, чтобы сказать: видел очень много очень разных болезней, располагаю большой информацией, пригодной для человека, занятого восстановлением собственного здоровья. К тому же у меня есть некоторый опыт применения этих знаний: уже 40 лет исповедую «режим ограничений и нагрузок» (РОН).

Люди очень хотят получить простые и точные сведения о болезнях. Их интересует это гораздо больше, чем здоровье. Потому что к здоровью привыкаешь, а болезнь враждебна и таинственна. Спросить бы у врача, но разве можно заполучить его для разговора? Докторам всегда недосуг! Да и не любят они разглагольствовать с пациентами, раздражаются. Иные пациенты роются в специальных книгах, добираются до медицинской энциклопедии. Удовлетворения, как правило, не получают, потому что писано не для них.

Любая болезнь локализуется в клетках. Нарушена химическая фабрика: чего-то клетка недодает своим соседям, чего-то производит больше, чем требуется. Правда, совсем ядовитых продуктов клетки не вырабатывают, в них нет для этого ферментов. Чаще всего дело ограничивается веществами неполной переработки (какие-нибудь «недоокисленные продукты») из-за плохого снабжения от важных органов и регулирующих систем. Разумеется, избыток этих продуктов тоже отравляет организм, но все же не так, как чужеродные токсины. Настоящие яды попадают в организм извне, и, к сожалению, это происходит нередко (химия, алкоголь, наркотики).

Современная диагностика основана на специальных инструментальных исследованиях. Они столь многочисленны, что все не перечислишь. Назову лишь главные: рентген (самые разные методы), УЗИ (ультразвуковое исследование), ЭКГ, эндоскопии желудка, кишечника, бронхов, пищевода, мочевого пузыря и т. д. Куда только теперь ни проникает трубочка с оптикой! Даже в сердце. Есть еще компьютерная томография и ядерно-магнитный резонанс, но это пока — лишь для богатых клиник.

Хороший доктор до 90% амбулаторных больных мог бы лечить без всяких исследований, для остальных ему потребовалось бы 2—3 анализа. Про больницу этого не скажу, там чаще ощущается недостаток медицинской техники, чем избыток ее. В нашем институте на 3 тысячи операций на сердце делают до 200 тысяч анализов и исследований. При этом нельзя сказать, что переусердствуют, просто культурно работают.

Надо признать, что без исследований теперь нет медицины. А ведь как-то обходились и без них 60 лет назад, когда я приступал к работе. Доктор знал много всяких редких симптомов, основанных на расспросе, осмотре и ощупывании,— из их комбинации и складывался диагноз. Теперь их никто не знает. И я — тоже.

А что действительно хорошо бы каждому знать о себе — это состав крови.

Химические анализы крови, к сожалению, достаточно сложны, поэтому биохимики выбирают из 30—40 веществ, постоянно присутствующих в крови, всего несколько. Вот важные цифры из биохимических анализов крови для здорового человека: сахар — до 5, креатинин — до 0,11, билирубин — до 20 (все в миллимолях на литр). Норма содержания в крови гемоглобина — 120—140, эритроцитов — 3,5—5 миллионов, лейкоцитов — 4—6 тысяч, СОЭ (скорость оседания эритроцитов) — 10—15 мм/ч. Отклонения от этих цифр на 20% не представляют опасности.

Всю лейкоцитарную формулу я пока приводить не буду, укажу только, что превышение в ней палочкоядерных на 25% и уменьшение лимфоцитов ниже 15% — опасные признаки инфекции.

Теперь перейдем к **причинам заболеваний**. Их можно разделить на *внутренние* и *внешние*. К первым относятся врожденные дефекты разных органов — пороки и уродства, которые возникают из-за нарушений в генах. К счастью, пока они не часты — 1—2%, если считать явные пороки.

В связи с успехами генетики расширились возможности распознавания врожденных болезней и уродств в те ранние недели беременности, когда еще можно сделать аборт. Но методика «чтения генов» сложна и доступна очень редким больницам. Это скорее теория, чем практика. Обычно же дефекты внутренних органов обнаруживаются после рождения. Особенно драматична болезнь Дауна — врожденное слабоумие. Трепещите, пьющие граждане, зависимость этой болезни от алкоголизма доказана.

К счастью, если мозг цел, то с большинством других врожденных пороков хирурги справляются.

Кроме явных дефектов бывают еще наследственные предрасположенности к разным болезням. Преувеличивать их не стоит, при правильном образе жизни они обычно не проявляются.

Есть много заболеваний, непосредственную причину которых установить не удается. Их связывают с «поломкой» в регулировании на клеточном и даже на генетическом уровне. Пример — рак.

К внутренним причинам относится и целая гамма вредных привычек. Причем не только курение, алкоголизм, наркомания, но еще и переедание и лень.

Из внешних причин болезней, пожалуй, самая распространенная — проникновение в организм извне разного рода инфекций. Для современного человека *инфекционные заболевания* не часто представляют смертельную угрозу. Открытие антибиотиков помогло. Если бы люди соблюдали разумный режим гигиены, эти болезни и вовсе были бы не страшны: иммунная система защищает человека надежно. Но в том случае, если о ней заботиться: правильно питаться, дышать чистым воздухом, не перегружать организм лекарствами, не подвергать его постоянным стрессам... К сожалению, это уже невозможно. Поэтому сейчас появилось много так называемых аутоиммунных заболеваний. Это результат излишней активности иммунитета. Самое простое выражение такой активности — аллергия. Ученые все чаще находят следы чрезмерных иммунных реакций при самых разных болезнях — печени, сердца, почек. Может быть, они правы, а может, увлекаются. Во всяком случае, гормоны, которыми теперь приглушают иммунитет, помогают во многих случаях.

Тут уместен вопрос: нужно ли стремиться к идеальной чистоте для защиты от болезнетворных микроорганизмов? Убежден, что нет. Для здорового человека микробы в умеренном количестве — это тренировка иммунитета. Животные, воспитанные в искусственной стерильной среде, погибают, как только их выпускают на волю. От вредной химии, безусловно, нужно защищаться, против нее иммунитета нет.

Следующую группу заболеваний, связанных с внешними причинами, составляют *травмы* и *отравления*. Усложнение техники и интенсив-

ности жизни закономерно приводит к травматизму. Это очевидно. А что касается отравлений, то не совсем ясно, что включать в это понятие. Большие споры идут, что считать отравлением. Загрязнение окружающей среды? Сомневаюсь, что наш городской воздух так уж опасен. Если бы дело обстояло так, то в Токио или Лос-Анджелесе уже умерла бы половина населения. Смог там стоял по крайней мере сорок лет. А демографические показатели хорошие. Японцы, например, живут дольше всех. Значит, неправомочно списывать на химию все наши болезни. Бороться за экологию, разумеется, нужно, и в будущем угроза химического загрязнения возрастает, но не только в этом состоит борьба за здоровье человека.

Самый большой вред нашему обществу наносит алкоголизм. Именно массовое хроническое отравление алкоголем (наряду с наркотиками) угрожает будущему народа — его здоровью, умственному потенциалу, энергии. Проблема эта сложна, решать ее я не берусь.

Приведу лишь такие интересные сведения: демографы подсчитали, что ограничение продажи спиртного в 1986 году спасло полмиллиона жизней. Царская, а потом и Советская Россия держала сухой закон с 1914 до 1922 года. Самогонку гнали, но все же пили меньше. Мировой опыт свидетельствует: малые дозы алкоголя прибавляют счастья гражданам, но стоит перейти некоторую грань — и над обществом нависает угроза деградации. У нас эта грань перейдена.

После беглого перечисления причин болезней могу засвидетельствовать только одно: ни химия, ни микробы, ни гены, ни бедность — ни одна из этих причин в отдельности не приводят к тому, что люди часто болеют. И даже к тому, что умирают раньше, чем следовало бы. Представьте на минуту, как живут дикие звери. Никто их не защищает от микробов, вредностей окружающей среды. Сколько холода, голода, опасностей они терпят — и ничего, справляются. Впрочем, умирают рано, до старости не доживают.

Думаю, что **главная причина болезней — неправильный образ жизни**: неполноценное питание, отсутствие закаливания, физическая детренированность, психические перегрузки, не отработанные физкультурой стрессы. Разумеется, имеет значение врожденная недостаточность некоторых функций, но это касается лишь небольшого процента населения (может быть, 10—15%). Все внешние вредности на фоне этих поведенческих факторов действуют с утроенной силой, создавая впечатление, что именно от них развиваются болезни и умирают люди.

Но первобытную жизнь и первозданное здоровье не вернуть. Надо искать другие способы приспособления к той среде, которая нас окружает.

Есть у врачей такой термин — *патогенез*: механизм развития болезни. Патология начинается с количественных нарушений скорости некоторых химических реакций в клетках. За этим следуют изменения химического состава жидкостей — клеточной протоплазмы, лимфы, плазмы крови. Потом первичные нарушения распространяюся по цепи органов, связанных общностью функций, идет расширение патологического процесса.

При этом включаются два вида обратных связей между органами и их системами. Первый — положительные обратные связи патологии: болезнь одного органа вызывает патологию второго, что, в свою очередь, приводит к ухудшению работы первого. Пример: ослабление сокращений левого желудочка ведет к застою крови в легких, что нарушает насыщение ее кислородом, а это вторично ухудшает функцию сердечной мышцы. Так возникает порочный круг. Если бы не существовало параллельно действующих механизмов приспособления, то за счет таких порочных кругов любая внутренняя патология приводила бы к смерти.

Но этого чаще всего не происходит. Потому что включается второй вид обратных связей — отрицательных, которые частично компенсируют первичные нарушения. Можно их назвать приспособительными механизмами. Прежде всего уменьшается внешняя функция организма — движение. Следовательно, снижаются запросы на снабжение энергией. Самый простой и яркий пример применительно к описанной патологии — кратковременная потеря сознания — обморок: уменьшается потребность мышц в крови, сердце ослабляет свои сокращения, снижается давление в легочных венах, работа легких облегчается. Газообмен в них восстанавливается, сердцу становится легче, артериальное давление повышается, и обморок проходит — сознание быстро возвращается.

Поскольку в организме все органы и функции взаимосвязаны, то существует огромное количество прямых и обратных связей, которые определяют течение патологии. Они действуют с разными скоростями и включаются в разное время, а в результате мы получаем ту или иную картину болезни.

Они очень разнообразны. В одних случаях — это полный хаос, когда периоды улучшения внезапно сменяются катастрофическими осложнениями. В других, наоборот, болезнь развивается как по нотам. Очень характерно это для некоторых инфекционных заболеваний. После заражения идет скрытый период болезни, потом поднимается температура, ухудшается состояние, а через несколько дней начинается последовательное ослабление симптомов и происходит выздоровление. При этом лечение выступает в роли отрицательной обратной связи, облегчая состояние, а погрешности режима — положительной.

Любая болезнь выражается в нарушениях внешних и внутренних функций организма. О сумме внутренних функций медики говорят: «нарушается гомеостаз». На обычном языке это означает, что нарушается постоянство внутренней среды — прежде всего состава и давления крови, обеспечивающей полноценное снабжение и очистку всех клеток. Если строго подходить, то следовало бы говорить не о постоянстве, а о запрограммированном изменении состояния внутренней среды, поскольку при интенсивных движениях или сильных эмоциях регулирующие системы меняют все показатели, чтобы обеспечить максимальными возможностями самые важные для этой нагрузки органы. К примеру, при бегстве или драке повышается кровяное давление (иногда даже вдвое!), содержание сахара в плазме и многое другое, не говоря уже о гормонах. И все для того, чтобы мышцы могли сокращаться с максимальной мощностью. Это пример нормального регулирования.

Патологическое регулирование отличается от нормального своей хаотичностью: смешением целесообразного для одних органов и вредного — для других. Пример — хотя бы высокая температура тела: повышается защитная функция иммунной системы, но непомерно возрастает нагрузка на сердце.

Самая простая схема отношений «среда — человек — болезнь» состоит из нескольких крупных блоков:

внешние вредности — химия (нарушение экологии, избыток лекарств), инфекции;

стрессорность социальной и семейной среды;

неполноценное питание — избыточное, недостаточное, недоброкачественное;

низкая физическая нагрузка.

Количество энергии в живом организме регулируется биологическими потребностями. Запас ее «выдается» от рождения и закономерно уменьшается по мере сокращения потребностей с возрастом, а также в результате отсутствия тренировки. К 60 годам «энергетический потенциал» уменьшается вдвое, к 80 — вчетверо. Впрочем, это утверждение не очень обосновано наукой.

Известно, что люди могут значительно различаться по силе характера, то есть энергетический потенциал у одного человека может быть чуть ли не в три раза больше, чем у другого. В этом отражается способность к напряжениям и тренировке как факторам, способным управлять поведением и противодействовать болезням.

Есть и другие **психологические черты и особенности поведения, способствующие развитию патологии**. Например, такие:

лень к движениям и как следствие — детренированность, уменьшение резервов мышц, сердца и легких;

повышенный аппетит, склонность к перееданию и как следствие — избыточный вес, высокий холестерин;

безволие, неспособность противостоять вредным привычкам;

склонность к депрессии, способствующая избыточному выделению адреналина, или, наоборот, повышенная эмоциональность, взрывной характер с резкими перепадами психического состояния.

Все эти проявления психики, усугубляемые возрастом, сказываются на системе иммунитета и составе крови — таких ее показателях, как число эритроцитов, лейкоцитов, тромбоцитов, свертываемость.

Попытаюсь сделать краткий обзор болезней, чтобы помочь людям без медицинского образования, во-первых, трезво оценивать опасность, во-вторых, уделять должное внимание профилактике и, в-третьих, не пренебрегать медициной.

БОЛЕЗНИ СЕРДЦА И СОСУДОВ

Сначала немного *анатомии и физиологии*.

Врачи называют сердце полым мышечным органом, а иногда и мышечным мешком, предназначенным для перекачивания крови, чтобы снабдить организм кислородом и питательными веществами. Кровообращение (рис. 5) происходит по большому и малому кругам: малый охватывает легкие, обеспечивая обмен углекислоты на кислород, большой прогоняет кровь по всему телу. Сердце разделено на две не сообщающиеся половины — правую и левую, и каждая еще на предсердие и желудочек, между которыми «вмонтированы» предсердно-желудочковые клапаны — трехстворчатый (справа) и духстворчатый (слева).

Правое предсердие принимает кровь по полым венам от тела и направляет ее в правый желудочек. Оттуда по легочной артерии кровь перекачивается через легкие, собирается в легочные вены, идет в левое предсердие, а затем — в левый желудочек. От него отходит аорта, она делится на артерии, потом на капилляры. В них кровь обменивает кислород на углекислоту. Венозная кровь собирается в вены и направляется к правому предсердию. Здесь заканчивается большой круг кровообращения.

Циркуляция крови обеспечивается энергией сокращения сердечной мышцы — миокарда.

Цикл сокращений сердца состоит из систолы — сжатия предсердий и желудочков и диастолы — периода их расслабления, в течение которого полости сердца наполняются кровью из вен.

В основе большинства болезней сердца лежат два патологических процесса — атеросклероз и ревматизм.

Атеросклероз

Это заболевание выражается в изменении крупных и средних артерий — в утолщении их стенок, развитии соединительной ткани, отложении холестерина и кальция. Внутренняя оболочка артерии (интима) изменяется, на ней формируются сгустки крови (тромбы) с последующей закупоркой просвета. Кровоток по артерии уменьшается, а потом может вовсе прекратиться. Если в процессе суживания просвета не успевают развиться окольные пути кровоснабжения (коллатерали), то это может грозить отмиранием тканей. Для сердечной мышцы (миокарда) это инфаркт, для мозговой ткани — так называемый ишемический инсульт, для конечности — гангрена.

Механизмы развития атеросклероза не до конца выяснены. Но практическая медицина уверенно называет факторы риска: курение, повышение содержания холестерина до 250 единиц и более (обычно при избыточном весе), низкая физическая активность, а также гипертония. Имеют значение повышение свертываемости крови и, конечно, возраст (после пятидесяти). Но это заболевание встречается и у молодых.

Наиболее опасным проявлением атеросклероза является поражение коронарных артерий сердца и сосудов мозга.

Согласно статистике, примерно половина всех смертей приходится на болезни сердца и сосудов. Думаю, эта цифра преувеличена. Ведь статистический материал — справки врачей. А поскольку смерть диагностируется по остановке сердца, в графе «причина смерти» врач, выписывающий справку на умершего дома старика, чаще всего, не раздумывая о первопричинах, пишет: «сердце». Этот диагноз и идет в статистику. Однако на такие — неразобранные — слу-

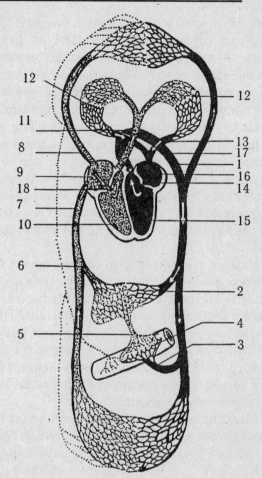

Рис. 5. Схема кровообращения человека

1 — аорта; 2 — печеночная артерия; 3 — одна из артерий кишечника; 4 — сеть капилляров большого круга; 5 — воротная вена печени; 6 — печеночная вена; 7 и 8 — нижняя и верхняя полые вены; 9 — правое предсердие; 10 — правый желудочек; 11 — легочная артерия; 12 — сеть капилляров малого круга; 13 — одна из четырех легочных вен; 14 — митральный клапан; 15 — левый желудочек; 16 — левое предсердие; 17 — аортальный клапан; 18 — трехстворчатый клапан

чаи приходится, может быть, процентов десять от общего количества. Есть еще умершие от сердечно-сосудистой недостаточности, быстро развивающейся в исходе острого поражения других органов (например, из-за инфекции или отравления). Строго говоря, эти смерти тоже нельзя считать исходом сердечного заболевания. Чаще всего в таких случаях виноваты регуляторы сосудистого тонуса. Тем не менее сердце — очень уязвимый орган. Любая тяжелая инфекция или отравление поражают сердце «за компанию» с другими органами. Но нарушение его работы оказывается самым важным. В таких случаях говорят о токсическом или инфекционном поражении миокарда — так называемой острой миокардиодистрофии, или миокардите. Если бы сердце в такой ситуации поддержать несколько дней вспомогательным искусственным кровообращением, то оно справилось бы. Но пока об этом можно только мечтать.

Начну с того общего, что объединяет все болезни сердца,— последствий нарушения функции. Это выражается в острой или хронической недостаточности кровообращения (ОНК и ХНК). Разумеется, в кровообращении играют значительную роль и сосуды: сердце не накачает кровь в аорту, если кровь не поступит в него по полым венам. Случается это при ослаблении или параличе тонуса сосудов.

Максимальный объем сосудистого русла (то есть артерий, вен, селезенки) значительно больше объема крови, которая в них циркулирует. При этом условии поддерживать давление и распределять кровь по органам можно, только если сосуды постоянно в тонусе. Тонус — это некое изначальное сокращение (упругость любой мышцы), зависящее от возбуждения ее нервными импульсами, а также от присутствия адреналина в крови. То есть — от регуляторов.

Как правило, тонус сосудов устойчив, и именно за счет его повышения регуляторы поджимают кровь к больному сердцу, чтобы заставить его, ослабевшее, выдать в аорту необходимый объем крови. Это определяется по повышению венозного давления, которое нужно измерять, наряду с артериальным, всем тяжелым больным. В зависимости от него дозируются переливания крови и жидкостей, чтобы, с одной стороны, не перегружать больное сердце, а с другой — при снижении тонуса прибавить объем циркулирующей крови.

Регулирование венозного давления и объема крови — одно из важнейших реанимационных мероприятий наряду с усилением сокращений сердца и регуляцией дыхания.

Бывают критические ситуации, когда тонус ослабляется, венозное и артериальное давление падают. Если этот процесс развивается остро и поддается лечению, то говорят о коллапсе. Если регуляторы пострадали от какой-то патологии, плохо работают и не слушаются лекарств, то это уже шок. В обоих случаях мозг все-таки получает некоторое количество крови, поэтому сознание сохраняется. Этим коллапс и шок отличаются от комы.

Острая и хроническая недостаточность кровообращения

Острая недостаточность кровообращения (ОНК) является следствием уменьшения производительности сердца. Она проявляется в понижении артериального давления (ниже 80 мм рт. ст.). Если при этом и венозное давление понижено, значит, ослаблен тонус сосудов или общий объем крови недостаточен. Тогда положение еще не так плохо — нужно срочно добавить крови или кровезаменителей через капельницу. Такое же состояние больного может свидетельствовать о коллапсе. А самое опасное — если ОНК вызвана внутренним кровотечением.

Лечение ОНК должно проводиться в реанимации. Но иногда, если беда случилась дома, нужно сразу оказать больному медицинскую помощь, вызвать «скорую» и только когда минует опасность остановки сердца, везти в больницу. А в самых тяжелых случаях прибегают к транспортировке в реанимационной машине, снабженной капельницей, аппаратом искусственного дыхания, дефибриллятором, мочевым катетером. Все это входит в минимальный реанимационный набор. Кстати, отхождение мочи при ОНК — очень важный признак. Количество мочи нужно измерять и стимулировать почки лазексом.

При артериальном давлении порядка 90 мм рт.ст. необходима капельница. Если венозное давление ниже 100 мм рт. ст.— вводить кровезаменители: физиологический раствор, белки, плазму, а при низком гемоглобине — и кровь. К аппарату искусственного дыхания прибегают, если АД ниже 80 и не поднимается от адреналина или родственных ему лекарств, повышающих тонус сосудов и стимулирующих сердце.

В хорошо оснащенных больницах к аппарату ЭКГ подключен монитор, показывающий кардиограмму на экране. Если врач видит на экране прямую линию, значит — смерть, произошла полная остановка сердца. В этом случае требуется немедленно начинать реанимацию — закрытый массаж сердца и искусственное дыхание. Тут же сразу нужно сделать прокол грудной стенки и ввести прямо в сердце 1 мл раствора адреналина. Если вместо нормальной кривой на мониторе видны беспорядочные волны, это указывает на фибрилляцию — подергивания сердечной мышцы, при которой сердце не дает выброса крови в аорту. Фибрилляция появляется в остановившемся сердце после введения адреналина. Правильные сокращения восстанавливаются разрядом тока аппарата дефибриллятора.

В домашних условиях остановку сердца, то есть смерть, определяют по потере сознания, остановке дыхания, отсутствию пульсации артерий на шее, расширению зрачков. При этом не следует обязательно ожидать всех признаков смерти: нет пульса, нет дыхания, нет сознания — нужно начинать реанимацию. Даже если остановка сердца еще не полная, вреда не будет, а промедление дольше пяти минут смертельно опасно. Человека еще можно спасти, если немедленно начинать наружный массаж сердца. Очень желательно всех граждан научить, как это делать.

Методика массажа такая. Больного нужно стянуть на пол (чтобы был упор), положить на спину, встать рядом на колени, поместить на область грудины (над сердцем) обе ладони друг на друга и делать очень сильные ритмичные толчки к позвоночнику, с частотой 60—70 раз в минуту. При правильном массаже сердце сжимается между грудиной и позвоночником, из желудочков выталкивается кровь в артерии, и можно даже пульс прощупать на артерии в паху.

Одновременно с массажем сердца другой человек обязательно производит искусственное дыхание «рот-в-рот». Делать это несложно: плотно охватить своим открытым ртом рот больного и каждые две секунды максимально вдувать воздух в его легкие, так чтобы были заметны дыхательные движения грудной клетки. Если «спасатель» один, то несколько таких дыханий перемежаются 5—6 толчками массажа сердца.

Массаж сердца и искусственное дыхание — обязательные приемы оживления, его методике нужно обучить (друг на друге, надавливая на сердце чуть-чуть) всех, кого только можно: ребят в школах, не говоря уже о спасателях, милиционерах и медиках. Минимально достаточное кровообращение и газообмен можно поддерживать массажем в течение часа-двух, пока приедет «скорая» и квалифицированно проведет реанимацию. Иногда для восстановления сокращений сердца реанимационные процедуры приходится повторять десятки раз, прежде чем удается «запустить» сердце. К сожалению, слишком часто это не удается. Еще чаще оно останавливается повторно.

Шок отличается от ОНК только продолжительностью такого состояния больного, когда повысить артериальное давление не удается. Если через несколько часов после начала осложнения АД не поднялось выше 60 мм рт. ст., а пульс на руке еле-еле прощупывается или его нет совсем, это уже тяжелый шок, и вывести из него очень трудно. Во время войны было совсем невозможно, теперь помогают аппарат искусственного дыхания и сильные лекарства. Иногда это удается и через сутки.

Очень много таких больных с ОНК и даже с остановками сердца после операции прошло через нашу реанимацию. К великому сожалению, и смертей — тоже сотни. Убийственная статистика, если бы не 65 тысяч выписанных живыми.

У терапевтических больных ОНК встречается при инфаркте, при коме от разных причин. Лечение — такое же, как в хирургии, включая реанимацию. Ни в коем случае нельзя пренебрегать искусственным дыханием в тяжелых случаях. О капельницах можно и не упоминать — теперь врачи готовы применять их где надо и не надо. Только вот венозное давление, к сожалению, по-прежнему редко измеряют.

Конечно, ОНК при разных заболеваниях имеет свою специфику. В хирургии нужно беспокоиться о кровотечении и задержке экссудата в полости плевры, при инфаркте — думать о лекарствах, рассасывающих тромбы в коронарной артерии. Если возникает блокада сердца и частота сердечных сокращений снижается до 40 ударов в минуту, необходимо проводить через вену электрод в сердце и подключать временный электрокардиостимулятор.

Хроническая недостаточность кровообращения (ХНК)

Хроническая недостаточность кровообращения (ХНК) — осложнение, которое встречается у сердечных больных еще чаще, чем ОНК.

Механизм развития ХНК таков: сердце не дает нужной производительности, и это вызывает целый ряд последствий. Клеткам не хватает кислорода (развивается гипоксия), они сигнализируют об этом регуляторам, те поджимают венозную систему, чтобы помочь сердцу — создать ему «подпор». В нормальном сердце таким путем усиливаются сокращения, увеличивается сердечный выброс (так называется производительность одного сокращения). Но больному сердцу это не помогает, оно исчерпало свой ресурс. Эти усилия организма приводят только к тому, что давление повышается на путях притока, то есть в венах, капиллярах, вообще в тканях. Недостаток кислорода и избыток углекислоты сохраняются, и это нарушает функции всех органов, хотя и в разной степени. Прежде всего увеличивается печень, затем отекает подкожная жировая ткань в нижележащих частях тела. Днем это ноги, ночью — поясница, лицо. При дальнейшем ухудшении накапливается жидкость в брюшной полости (асцит), иногда много литров.

Состояние ХНК иначе называется «декомпенсация сердечной деятельности». Если декомпенсация касается в большей степени левого желудочка, чем правого (когда повышается венозное давление), то в картине болезни преобладают патологические явления в легких, так как они расположены на путях притока левого желудочка. Тогда на первый план выступает одышка, которая может появиться раньше отеков.

Следующей степенью такой декомпенсации является кровохарканье, а еще позднее — отек легких, когда из-за высокого давления в легочных венах и капиллярах жидкость проникает в легочные пузырьки (альвеолы) и уменьшает возможности газообмена между воздухом и кровью. Кроме сильной одышки (больной сидит, не может лежать) и учащенного сердцебиения, отек легких проявляется хрипами, кашлем с пенистой мокротой с прожилками крови. От неминуемого в таких случаях сильного психического возбуждения давление крови может повыситься как в артериях, так и в венах.

Такие больные требуют немедленной помощи. Она выражается в инъекциях сердечных средств, обеспечении больного кислородом, отсасывании пенистой мокроты. Для снижения венозного «подпора» применяется кровопускание из локтевой вены объемом до полулитра. В тяжелых случаях применяются интубация (введение трубки) трахеи и искусственное дыхание аппаратом. Только после этого можно применять наркотические средства для успокоения психики. Разумеется, дома все эти меры может обеспечить лишь «скорая помощь» — лучше всего, если приедет реанимационная бригада и после оказания экстренной помощи увезет больного в больницу.

Ревматизм

Непосвященные считают, что это — болезнь суставов. Однако суть этой патологии — в иммунном ответе организма на инфекцию. Кто-то из старых патологов сказал: «Ревматизм лижет суставы, но кусает сердце».

Первая ревмоатака наблюдается обычно у подростков и начинается с обычной ангины. Многие больные ревматизмом (а мы прооперировали тысяч двадцать человек с ревматическими пороками сердца) даже не могут вспомнить начало своей болезни. Ну, была ангина, кто ею не болел? Да и сам возбудитель болезни — стрептококк — никогда не высевается у ревматиков из крови. Большинству людей везет: ангина была, и стрептококк во рту находили, а ревматизм, по счастью, не состоялся. Ну а кому не повезло (в таких случаях говорят общие слова об ослаблении организма, наследственной предрасположенности и т. п.),— те становятся ревматиками.

Болезнь проявляется периодическими ревматическими атаками — неясными повышениями температуры, плохим самочувствием в течение нескольких недель, у некоторых опухают суставы, бывают нервные подергивания (хорея). Изменяется картина крови в анализах — ускоряется СОЭ — выше 20 мм/час. Лечат такие заболевания обычно аспирином, антибиотиками. Потом воспалительный процесс затухает, и вдруг врачи обнаруживают шум в сердце, указывающий на порок. Диагноз проясняется, но лечение усложняется. Юноша или девушка обрекаются на многие годы наблюдения и лечения, сначала непрерывного, а потом периодического. Иногда и хирургического.

Ревматизм — это чрезмерная иммунная реакция на микроб (хотя его самого уже нет в организме), поражающая соединительную ткань ряда органов. Острое воспаление проходит свои стадии: отек клеток, экссудация в межклеточные пространства (и даже в полости суставов, плевры), потом происходит затихание процесса и рубцевание очага воспаления.

Поражены бывают все слои сердца: внутренняя оболочка, или эндокард (заболевание называется эндокардит); средняя мышечная, или миокард (миокардит); внешняя, или перикард (перикардит). Миокардит и перикардит, к счастью, у большинства обходятся без тяжелых последствий. А вот эндокард, особенно там, где он покрывает створки сердечных клапанов, принимает основной удар на себя — развивается порок сердца. При рубцевании измененных воспалением клеток створки сморщиваются, и клапан, как ссохшаяся дверь, не закрывает полностью отверстия — это так называемая недостаточность клапана. Кровь ходит туда-сюда, как в плохом насосе. При следующей атаке измененный клапан снова поражается, но при рубцевании происходит уже частичное сращение створок, отверстие для прохода крови суживается —

образуется стеноз, постепенно приводящий к застою крови в сосудах легких.

Вот такой он коварный — ревматизм.

К счастью, суставы, нервная система, сосуды страдают несильно.

Пороки сердца

Пороки сердца разделяют на приобретенные (они почти все — от ревматизма) и врожденные. А кроме того, их обозначают по клапану (митральный, трехстворчатый, аортальный), по виду (недостаточность, стеноз), по степени ХНК (компенсированные, декомпенсированные, легкие, средней тяжести, тяжелые).

У здорового человека при прослушивании груди фонендоскопом слева от грудины около соска можно слышать мягкие сердечные тоны. Впрочем, я не стану описывать эту процедуру, так как, чтобы услышать их, нужно учиться и практиковаться. Шумы, как и тоны сердца, можно записать на ленту фонокардиограммы, рядом с кривой ЭКГ. По расположению и амплитуде звуковых зубцов уточняют диагнозы пороков сердца.

Тот или иной вид порока характеризуется определенными шумами, а для их «привязки» к конкретным клапанам используются точки наибольшей слышимости на грудной стенке — особые для каждого клапана.

Как уже говорилось, ревматическая атака вызывает острое воспаление внутренней оболочки сердца — эндокарда, преимущественно на клапанах. Сначала появляется небольшая недостаточность клапана. В дальнейшем, может быть, через годы, при следующей атаке ревматизма развивается стеноз (сужение) клапана.

Сердце перестраивает свою работу под запросы организма с поправкой на порок. Это значит, что при недостаточности клапана желудочек должен соответственно увеличить свой систолический объем (выброс). При стенозе клапана возрастает сопротивление для прохождения крови из предсердия в желудочек и соответственно должно повышаться давление выше клапана. Для этого опять-таки требуется дополнительная работа сердечной мышцы, а значит, происходит гипертрофия миокарда (утолщение стенки) соответствующей камеры (полости) сердца.

До тех пор, пока перестройка сердца обеспечивает кровоснабжение организма, порок считается *компенсированным*. Если же производительность сердца оказывается недостаточной для нормальной жизни и для создания «подпора» повышается венозное давление — тогда начинается *декомпенсация*. Соответственно развивается хроническая недостаточность кровообращения (ХНК).

Наиболее трудно компенсируются пороки клапанов между предсердиями и желудочками: митрального клапана слева и трехстворчатого — справа. При декомпенсации митрального клапана повышается давление в легочных венах и капиллярах — появляется одышка, а может развиться и отек легких. Еще позднее возникает ХНК. При пороках трехстворчатого клапана повышается венозный «подпор» в большом круге кровообращения — значит, увеличивается печень, появляются отеки, а в тяжелых случаях — асцит (скопление жидкости в животе), то есть сразу развивается ХНК.

Лучше компенсируются пороки аортального клапана (между левым желудочком и аортой) и клапана, разделяющего правый желудочек и легочную артерию. Давление в желудочках при этом повышается аж в два раза, но сначала это не вызывает патологии в органах, только очень ограничивает физические нагрузки, поскольку желудочки выбрасывают мало крови и слабо обеспечивают кровью мышцы. Декомпенсация проявляется ХНК с одышкой.

Приспособление сердца к пороку выражается в расширении полостей сердца и в утолщении их мышечных стенок. Это проявляется в увеличении общего объема сердца и смещении его границ при проекции на переднюю грудную стенку. Раньше такая патология определялась по изменению звука, возникающего при постукивании пальцем по пальцу, прижатому к груди пациента.

Этот прием диагностики называется перкуссия. Над легкими звук громкий, над сердцем — глухой. Теперь этим приемом пользуются только при посещении больного на дому. В больнице применяются инструментальные методы диагностики всех болезней сердца. Кроме давно привычных рентгеноскопии и снимков, во многих случаях делают ультразвуковое исследование — УЗИ. Оно показывает не только размеры камер, но и сами створки клапанов, размеры отверстий и даже ненормальное направление кровотока. Специальные приемы измерений позволяют высчитать производительность сердца — объем одного сокращения — ударный объем и, перемножив его на частоту сокращений,— минутный объем. Важным показателем эффективности работы является «фракция выброса» — соотношение ударного объема к объему наполнения полости желудочка в диастолу. Хорошие цифры — более 60%. Очень плохие — ниже 20%.

Рентгеновские исследования, однако, тоже необходимы — для более сложных исследований: зондирования и ангиокардиографии. Для этого в сердце через вены или аорту проводят тонкую трубочку — зонд, через которую можно измерить давление в камерах, взять кровь для анализа на кислород и ввести рентгеноконтрастное вещество. Тут же делается серия снимков, они показывают движение крови по сердцу, задержки при стенозах и обратный ток при недостаточности клапанов.

С помощью большого комплекса исследований можно получить полную картину сердца — его анатомии и физиологии. Это большое достижение медицины. Подумать только, когда я начинал свое врачевание, у меня был один инструмент — стетоскоп. Правда, рентгенаппараты уже появились — огромные, громоздкие. Но не было даже ЭКГ. Когда наш госпиталь «на конной тяге» в январе 1945 года вступил в Германию, я хорошо оснастился разной аппаратурой. Это называлось «войсковые трофеи». Но война скоро кончилась, и попользоваться ими мы не успели.

Течение пороков сердца — хроническое. Некоторые медики утверждают, что ревматизм неизлечим. Не стану спорить, но сомневаюсь. К нам приходили на проверку сотни больных, оперированных 20 и даже 30 лет назад. Впрочем, сотни — это не так много, поскольку прооперированы десятки тысяч. Поздние обострения ревматизма встречаются часто. Считалось, что больной с митральным стенозом живет в среднем пять лет с момента декомпенсации. Но это при терапевтическом лечении. Оперированные больные живут дольше — в среднем 10–12 лет после операции. Аортальные пороки протекают более благоприятно. Активные молодые ребята даже спортом занимаются. Но обманываться не стоит, момент расплаты может наступить внезапно.

Лекарственное лечение пороков сердца ведется в двух направлениях: отдельно лечат ревматизм и хроническую недостаточность кровообращения. В первом случае применяются аспирин, гормоны и даже антибиотики. А что касается ХНК, то назначения врача зависят от тяжести заболевания. Во-первых, режим — от ограничения в работе до постельного. Во-вторых, уменьшение потребления жидкости (до 0,75 л) и соли. При отеках назначают мочегонные, например, лазекс 1–2 раза в неделю. Полагается измерять количество мочи и регулярно (даже ежедневно) взвешиваться. Из многочисленных лекарств самым надежным является дигоксин — половинка или целая таблетка в день (для контроля измеряют частоту пульса: при его урежении ниже 65 нужно уменьшить дозу или даже сделать перерыв на 1–2 дня). Не так давно кардиологи запрещали физкультуру больным с ХНК, но теперь взгляды изменились: оказывается, физкультура необходима. Тренировка мышц уменьшает потребление кислорода и облегчает работу сердца. Важна только дозировка движений, проще всего — ходьбой.

Вообще, сердечному больному требуются собственные знания и воля. Знать, что и когда измерять, не толстеть, постоянно контролировать количество жидкости и вес, чтобы по ним дозировать нагрузки. Не пропускать прием лекарств. У меня были пациенты, прожившие с умеренной декомпенсацией десятки лет. Спасало их то, что все они — педанты! Впрочем, зачем пациенты — я сам имел порок сердца, перенес протезирование аортального клапана три года назад, живу по такому режиму, включая большую физкультуру.

Врожденные пороки сердца встречаются нечасто: из 300 новорожденных один — с пороком. С некоторыми врожденными пороками можно и до старости дожить. Но примерно треть таких детей спасти нельзя. Вторую треть можно, но только ранними операциями, даже в первые дни, недели и месяцы. Это требует высокой организации и материальных затрат. Всего этого не было в СССР, для большинства — нет и теперь. Только последнюю треть спасали кардиохирурги с большим трудом. Как это ни странно в условиях экономического кризиса, но теперь, после независимости, в нашем институте стали оперировать самых маленьких, даже новорожденных. Успех пришел благодаря широким контактам с Западом. Разумеется, оперируется пока лишь малая часть, потому что не налажена еще организация ранней диагностики и диспансерного наблюдения. Но надежды появились.

Причина пороков неизвестна. Ясно только, что произошли изменения в геноме. А почему? Много предположений и мало достоверных сведений. Нужно принимать как факт.

Нарушения анатомии сердца выражаются в незаращении отверстий между левым и правым предсердиями и желудочками, которые имеются у плода, в неправильном отхождении аорты и легочной артерии или впадении вен, в сужении сосудов и камер сердца. Возможны разнообразные комбинации этих нарушений. Их насчитывается до нескольких сотен.

Два типа пороков четко различаются: «синие» — когда венозная темная кровь подмешивается к артериальной и меняет цвет кожи, и «белые» — когда этого не происходит.

Самые тяжелые пороки несовместимы с жизнью, в других случаях наступает некоторая компенсация, позволяющая дожить иногда до 17–20 лет. И лишь процентов десять живут дольше.

Операции меняют положение. Некоторым больным их делают в два этапа: сначала «облегчающую», как мы говорим родственникам, то есть паллиативную, потом — радикальную, с восстановлением анатомии.

Диагностируют врожденные пороки теми же методами, что приняты во всей кардиологии:

УЗИ, зондирование, ангиокардиография. Разумеется, используют и ЭКГ, фонографию, постоянно измеряют артериальное и венозное давление.

Перечислю самые частые пороки. «Белые»: незаращение межпредсердной или межжелудочковой перегородки, Боталлова протока (соустье между аортой и легочной артерией), стеноз легочной артерии, аорты, сужение грудной аорты. Из «синих» упомяну самый частый — тетрада Фалло. Это сложная комбинация из четырех пороков.

Лекарства при врожденных пороках не помогают. Лечат только осложнения — ХНК, по общим правилам. Оперировать стремятся как можно раньше, пока в организме не накопились изменения функций.

Хирургия в лечении всех пороков сердца занимает монопольное положение: нужно исправлять анатомию, нарушенную от рождения или ревматизмом. Операции делаются двух видов: «закрытые» — без аппарата искусственного кровообращения (АИК) и на открытом сердце — с АИК.

Не могу удержаться от субъективных ремарок, ведь в этих операциях половина моей жизни и, наверное, три четверти затраченной нервной энергии. Нет ничего страшнее, когда операция завершена, АИК остановлен, а сердце «не идет». Приходится часами повторять один и тот же цикл. «Пустить машину!» Пошло. Замирает. Фибрилляция. «Дефибриллятор!» Опять пошло. Работает параллельно с АИК. «Остановить машину!». Нет, не идет. И цикл повторяется снова. До тех пор, пока сердце перестает отвечать на разряды тока, на пуск АИКа. Тогда уже — конец. Мы побеждены. Мне эти сцены снятся постоянно, хотя уже 9 лет прошло, как не оперирую. Просыпаюсь с дрожью.

АИК по-другому называется аппаратом «сердце — легкие». Сердце представлено специальным роликовым насосом, а легкие — баллоном, в котором через кровь пропускается кислород. Образуются пузырьки, и на их поверхности, как на легочных альвеолах, углекислота обменивается на кислород. Венозная кровь, забираемая в аппарат из полых вен, превращается в артериальную и через трубку насосом накачивается в аорту. Сердце отключено и даже остановлено специальным раствором. Внутри его можно работать и час, и два, и три. Когда все сделано, открываются вены и аорта, сердце начинает сокращаться само или его «запускают» разрядом тока от дефибриллятора. Некоторое время оно работает параллельно с машиной. Потом ее останавливают. Если все было сделано правильно, то сердце должно быть работоспособно, потому что операция облегчает его сокращения, восстанавливая нормальную анатомию. Осложнения, к сожалению, бывают часто. Спокойными эти операции не назовешь. Впрочем, очень многое зависит от слаженности команды, в которую входят, кроме хирургов, анестезиолог, «машинист», сестры, лаборанты, от продуманности их действий («что после чего и как»). Я создал оригинальный АИК в 1958 году, а первую удачную операцию выполнил в 1960.

С АИК на открытом сердце делают любые операции. При недостаточности клапана вшивают искусственный («протезирование»), при стенозах рассекают спайки и восстанавливают подвижность створок («пластика клапанов»). Врожденные дефекты перегородок сердца закрывают заплатами из искусственной ткани. Даже меняют места отхождения аорты и легочной артерии, если природа их перепутала. Или заменяют неполноценные артерии синтетическими ткаными трубками — сосудистыми протезами.

Пересадка сердца в смысле техники не является самой сложной операцией. Трудности там другие. Этическая проблема: нужно взять у донора хорошо работающее сердце, иначе оно «не пойдет» в чужой груди. Это значит, что нужно отказаться от общепринятого определения смерти как остановки сердца и заменить его другим, истинным: смерть наступила, когда погиб мозг. Констатировать это состояние должны невропатологи и нейрохирурги, вооруженные аппаратурой. Обычно мозг погибает в результате тяжелой травмы. Но разрешение на взятие бьющегося, жизнеспособного сердца могут дать только родственники, которым трудно это сделать: ведь сердце еще работает! Да и не доверяют они непривычному определению смерти. Нужно не только принять соответствующие законы, но еще и изменить общественное мнение по поводу регистрации смерти. Во многих странах такие законы приняты, и публика к этому психологически подготовлена.

Кроме того, нужна налаженная система подбора доноров и реципиентов. На Западе такая система создана: существует компьютерная информация, налажены связи между реанимациями разных городов, куда могут поступить люди со смертельной травмой мозга, обеспечивается доставка самолетами забранного и охлажденного сердца к месту пересадки, если по показателям крови обнаружилась совместимость донора и реципиента. Подбор реципиентов — тоже не простое дело: не каждому может помочь чужое сердце. В общем, система сложная. Даже в Москве она еще не оформилась в должной мере.

Операции без АИК («закрытые») применяются все реже, хотя с них начиналась кардиохирургия. При приобретенных пороках так оперируют стеноз митрального клапана, если створки только сращены, но не резко изменены. Для этого в левое предсердие в центре кисетного шва на его ушке вводится палец и нажатием на сращенные створки они отрываются друг от друга. То же можно сделать специальным расширителем, проведенным через прокол желудочка навстречу пальцу в предсердии. Операция почти безопасная и эффективная.

По закрытой методике перевязывают Боталлов проток и расширяют суженную аорту — тоже, как правило, успешно.

В высокоразвитых странах главным объектом кардиохирургии являются коронарные артерии при их сужении в результате ишемической болезни сердца, от атеросклероза (ИБС). Операция называется «коронарное шунтирование». В США на них падает 80% всех хирургических вмешательств на сердце. Суть операции состоит в том, что в обход суженного места на коронарной артерии вшивают кусок вены, взятой с голени, восстанавливая таким образом ток крови из аорты. Обычно таких шунтов вшивают 3–5, «ремонтируя» все главные артерии сердца.

Другой частой сердечной операцией является вшивание электрокардиостимулятора при блокадах сердца, когда нарушается внутрисердечное регулирование ритма и частота пульса урежается до 40 в минуту. Об этой патологии я еще скажу.

Для этого в правый желудочек сердца через вену шеи проводится электрод (провод), его оголенный конец втыкается изнутри в миокард. Ко второму концу присоединяется сам стимулятор — круглая коробочка диаметром 5 см и толщиной 5 мм, в которой смонтирован микропроцессор с батарейкой, посылающий электрические импульсы и задающий заданную частоту сердечных сокращений — 70–80 в минуту. Сама коробочка помещается под кожей спереди, ниже ключицы. Стимуляторы теперь такие совершенные, что учащают ритм при движениях до 120, обеспечивая увеличение производительности сердца на нагрузку. Продолжительность работы ЭКСа (как их называют специалисты) 7–8 лет, после чего нужно вшивать новый. Я дважды перенес такую операцию, ожидаю третью.

Правда, кардиохирурги даже не считают их серьезным вмешательством.

Из числа других операций на сердце — вмешательство при перикардите: воспалении внешней оболочки сердца (перикарда). При экссудативном перикардите ревматической или туберкулезной природы в полости сердечной сорочки накапливается жидкость. В процессе воспаления она всасывается, и сердце покрывается плотной коркой. Естественно, что работа сердца от этого сильно затрудняется. Развивается хроническая недостаточность кровообращения. Операция состоит в удалении корки через разрез грудины и дает хорошие результаты. Первую такую операцию я сделал в 1956 году. Юноша вырос и даже стал хирургом.

Ишемическая болезнь сердца (ИБС)

ИБС проявляется в сужении коронарных артерий вплоть до полной их закупорки. По этой причине сердечная мышца не получает с кровью достаточного количества кислорода. Сердце реагирует на это специфическими болями за грудиной — стенокардией. Сначала боли появляются только при нагрузках, физических или психических,— это «стенокардия напряжения», а потом и в покое — «стенокардия покоя».

Инструментальная диагностика ИБС производится с помощью электрокардиограммы, на которой особенно четко видны изменения, если снимать ее под нагрузкой (для этого используется велоэргометр).

Какая коронарная артерия поражена, в каком месте и насколько она сужена, определяется с помощью коронарографии — рентгеновского исследования коронарных артерий путем введения специального вещества через тоненькую трубочку (зонд), проведенную из бедренной артерии через аорту непосредственно в коронарную артерию. Это исследование совершенно необходимо, когда решается вопрос о коронарном шунтировании.

Другой, более простой, но менее радикальный способ операции представляет собой растяжение суженного места артерии специальным баллончиком, проведенным через сужение в ненаполненном состоянии. Затем баллончик раздувается под напором жидкости. Это так называемая коронаропластика, или баллонирование. Зонд вводится, как при зондировании,— через прокол бедренной артерии. В последнее время на место бывшего сужения вставляют специальную пружинку («стент») для профилактики возобновления сужения.

Во всех высокоразвитых странах подобные операции производятся очень широко. В США, например, по 1000 в год на каждый миллион жителей — 250 тысяч операций в год!

Разумеется, это не значит, что подряд оперируют всех больных с ИБС. В легких случаях удается успешно бороться со стенокардией различными лекарствами, которые известны всем. Приступ болей прекращается через несколько минут от таблетки нитроглицерина, взятой под язык. Более надежно лечение с помощью систематического приема так называемых бетаблокаторов (например, обзидан), блокаторов кальция (феноптин) или нитратов длительного действия. Таких лекарственных препаратов очень

много, в каждом конкретном случае подбирается наиболее подходящий. Это — дело лечащего врача-терапевта. Моя же задача — дать читателям представление о механизмах болезней и принципах лечения. Если я и могу что-то рекомендовать, то только по части профилактики.

К сожалению, ИБС не ограничивается болями. Увы, она часто заканчивается **инфарктом миокарда**.

Суть этого осложнения состоит в полной закупорке одной или нескольких коронарных артерий с прекращением кровоснабжения питаемого ими участка сердечной мышцы. В зависимости от его величины уменьшается суммарный выброс крови сердцем и развивается острая недостаточность кровообращения (ОНК) с падением кровяного давления и иногда даже шоком.

Это очень тяжелое состояние, в 15% случаев приводящее к смерти. В остальных случаях мышечная ткань на месте пораженного участка со временем заменяется рубцом, и через некоторое время человек возвращается к обычной жизни, правда, теперь ему придется остерегаться излишних нагрузок.

Инфаркты лечат в отделениях интенсивной терапии (реанимации) при кардиологических отделениях. Там же лежат самые тяжелые больные с ОНК и ХНК. Как во всякой реанимации, здесь применяется весь комплекс наблюдения за больными и лечения: ЭКГ с монитором, капельницы, контроль мочи, артериального и венозного давления. В тяжелых случаях (кардиогенный шок) используются интубация трахеи и искусственное дыхание.

Из специальных мероприятий при инфаркте применяется тромболизис — растворение тромбов в коронарных сосудах с помощью введения внутривенно или прямо в аорту, или в устье коронарной артерии специальных растворяющих веществ. В последние годы инфаркты пытаются лечить хирургически: делают коронарное шунтирование в остром периоде, выполнив коронарографию при поступлении в клинику. Опыт пока не очень большой, но результаты обнадеживают. Однако гораздо чаще коронары шунтируют спустя месяцы после выздоровления от инфаркта — в «холодном периоде», поскольку рецидивы инфаркта встречаются часто.

К сожалению, все эти меры не гарантируют успеха. Поэтому лучшее, что можно посоветовать всем,— не доводить дело до серьезного атеросклероза, постоянно помнить о факторах риска ИБС, зависящих почти целиком от нас самих: о курении, ожирении, детренированности, бесконтрольности эмоций. Лечебная медицина многого достигла, но вылечить атеросклероз не может. Она помогает только при его осложнениях и то лишь на время.

Известно, что некоторые бедные народы Азии почти не подвержены атеросклерозу. Значит, он возникает не из-за нарушений в генах, а из-за неправильного образа жизни. И профилактику его нужно начинать с детства. Однако, если одуматься, то и в более позднем возрасте можно, по крайней мере, замедлить процесс. А может, и остановить. Пока не поздно, советую решительно переходить на режим ограничений и нагрузок: ограничений — в еде, нагрузок — в физкультуре.

Я уже упоминал об ЭКСах, теперь расскажу подробнее о самих *блокадах сердца*. При этой болезни сердце вдруг начинает биться очень медленно, и каждый удар отдается в груди, как колокол. А иногда сердце вообще останавливается на несколько секунд. Тогда мир плывет перед глазами, и становится очень страшно. Чувствуешь, как умираешь. (Сам испытал.)

Частота сокращений сердца важна для его производительности. Очень частый пульс (более 100) принято считать *тахикардией*, редкий (менее 60) — *брадикардией*. Внеочередные сокращения называются *экстрасистолами*, а нерегулярный ритм — *аритмией*. Существует несколько видов аритмий, в том числе беспорядочная — мерцательная. На физическую нагрузку и психическое возбуждение сердце реагирует тахикардией.

Ритм сердца обеспечивается его проводящей системой — своеобразными нервами сердца. Синусовый узел в предсердиях задает импульсы нормальной частоты. Они распространяются на все сердце. В желудочках имеются свои центры возбуждения с малой частотой импульсов (около 40).

Нарушения ритма объясняются поражениями проводящей системы, возникающими при склерозе, пороках сердца, в результате инфаркта миокарда или операции. Лекарства позволяют учащать ритм лишь на короткое время.

Отдельные экстрасистолы замечаются по ощущениям «выпадения» сердечных ударов. Они подтверждаются при прощупывании пульса, причем важно подсчитать, на сколько нормальных ударов приходится одна экстрасистола или группа экстрасистол. Если отношение меньше чем 1:10, то опасности нет.

Одним из поводов для вшивания электрокардиостимулятора (ЭКС) является слабость синусового узла, выражающаяся в урежении выдаваемых им импульсов, а следовательно, и в редком пульсе. Но чаще всего стимулятор вшивают при блокадах — неполной или полной. При них прекращается проведение импульсов от синусового узла на желудочки, и они сокращаются от своего «водителя ритма» — с частотой 30—40, теряя при этом способность к учащению при нагрузках.

Нормальное сердце учащает сокращения до 150 и выше в момент больших нагрузок, тогда как при слабости синусового узла при нагрузке к обычному количеству ударов добавляется всего 20—30. Разумеется, стойкая тахикардия выше 100 сердечных сокращений в покое тоже требует обращения к врачу.

Жалобы такого рода врач обязан проверить: послушать сердце, сосчитать пульс в покое и после 10 приседаний, отмечая его ритмичность, измерить кровяное давление, прощупать печень и осмотреть ноги пациента на предмет отеков. Если при таком осмотре подтвердятся какие-либо симптомы, то понадобятся специальные исследования. Первое — электрокардиография (ЭКГ). Она отлично показывает все расстройства ритма, гипертрофию правого или левого желудочков, несколько хуже — ИБС (при расшифровке ЭКГ обычно пишут в таких случаях: недостаточность коронарного кровообращения). Полезно повторить ЭКГ после 10 приседаний.

Электрокардиостимуляция (ЭКС) — это важнейшее средство лечения болезней сердца, осложненных нарушениями ритма.

Болезни сосудов

При всей общности патологии сосудов и сердца есть несколько специфических сосудистых болезней: тромбоз и эмболия, артериосклероз, спазмы.

Тромбоз — это закупорка сосуда сгустком крови. Она может быть полной и неполной, сгустки (тромбы) могут привноситься из сердца (тромбоэмболии) или образовываться на месте, в артерии или в вене (что бывает особенно часто). Это случается при нарушении целости внутренней оболочки (интимы) сосуда в сочетании с повышенной свертываемостью крови. Свежий рыхлый сгусток быстро уплотняется и прирастает к стенке сосуда, суживая его, а потом и закупоривая. Однако при некотором усилии его можно отделить. Что и делают хирурги, удаляя тромбы.

Артериосклероз — сужение просвета сосуда в результате утолщения его стенки. К этой патологии может привести гипертония, вызывающая спазмы сосудов, и иммунная реакция на какие-то неизвестные воздействия. Бывает трудно отличить этот процесс от обычного атеросклероза, да это и не имеет значения для лечения.

Течение болезни происходит следующим образом. На пораженной стенке образуются тромбы, они нарастают по длине артерии. Сужение просвета артерии ведет к уменьшению кровоснабжения тканей, лежащих ниже. Они недополучают кислород, «жалуются» — возникают боли. И просят помощи у «соседей». Помощь выражается в том, что артериальные веточки от соседнего, целого сосуда расширяются и до некоторой степени компенсируют уменьшение кровоснабжения от суженной артерии. Этот процесс называется «компенсаторное развитие коллатералей».

Но, к сожалению, далеко не в каждом участке тела есть эти сторонние веточки. Если их нет, то дело плохо, может произойти омертвение тканей. Для конечности это гангрена, для сердца — инфаркт, для мозга — инсульт.

Нарушения кровотока по артерии можно определить по пульсации сосудов ниже поражения. Но этот способ применим только для конечностей, да и в этом случае он ненадежен, поскольку по пульсу не выявляются коллатерали. Точно определяют остаточное кровоснабжение с помощью специальных аппаратов или с помощью рентгена, наполняя артерии контрастным веществом. Такое исследование обязательно проводится перед операцией: оно позволяет хирургу увидеть и оценить коллатерали.

При закупорке артерий ноги картина болезни выглядит так. Стопа холодная, бледная. Возникают боли при ходьбе — приходится останавливаться, ждать, пока отпустит («перемежающаяся хромота»). Иногда нога болит и ночью, человек опускает ее с постели. Пульс на тыльной стороне стопы не прощупывается. Пульс в паху можно обнаружить, только если место закупорки артерии расположено невысоко. Поражение чаще одностороннее или, во всяком случае, неравноценное: одна нога затронута болезнью больше, чем другая.

Если заболевание не запущено, можно попытаться рассосать эмбол (тромб) лекарствами (особенно — в коронарных артериях). Но это нечасто удается. При тромбозах артерий ног (на руках его почти не бывает) обычно необходима операция.

Их несколько видов. Казалось бы, самый простой путь — обнажить артерию, нащупать тромб, разрезать стенку сосуда, удалить тромб, зашить артерию. Но на практике бывает по-другому. Диаметр артерии сужен, ее стенка изменена. Чтобы сохранить просвет, приходится вшивать продольную заплату из стенки вены или даже заменять артерию кусочком вены (ее берут с голени больного). Часто создают новый путь кровотока в обход измененного участка, особенно если поражение распространяется на большую длину.

Одно время довольно широко применялись обходные шунты из тканых синтетических трубочек — сосудистых протезов. Делали длинные шунты — от брюшной аорты до бедренной артерии, а иногда и ниже колена. Однако убедились, что синтетический материал ненадежен — новый сосуд часто тромбируется. Поэтому стали использовать для операций вены. Чтобы избежать образования тромбов после операции (а это все-таки случается), рекомендуется принимать лекарства, снижающие свертываемость крови,— финилин, синкумар и др. Причем к ним придется прибегать всю жизнь. Кстати, эти же лекарства и для тех же целей (чтобы избежать тромбоза) принимают после протезирования клапанов сердца.

Тем не менее операции на артериях достаточно эффективны. То же можно сказать и про операции на венах. Их делают при всем известных варикозных расширениях вен и при их осложнениях воспалением — тромбофлебитах. Эта болезнь легко распознается: видны расширенные вены с узлами и уплотнениями на голенях и бедрах. Клапаны вен рассчитаны на то, чтобы пропускать кровь только по направлению к сердцу, чему должно способствовать сокращение мышц. Если клапаны работают плохо, кровь застаивается, стенки вен изменяются, просвет расширяется, образуются тромбы. Если на это накладывается инфекция, заболевание носит характер воспаления — поднимается температура, иногда происходит даже нагноение подкожных тканей — абсцесс. Такое состояние снимается антибиотиками, а расширение вен лечится оперативно.

Это кропотливые операции, длящиеся по несколько часов. Нужно иссечь все расширенные вены, не только поверхностные, но и глубокие. К сожалению, рецидивы возможны, тогда приходится прибегать к повторным операциям.

Тромбы в венах имеют свойство отрываться и путешествовать вверх — аж до правой половины сердца и дальше — в легочные артерии. Возникает грозное осложнение — тромбоэмболия легочных артерий. Если она массивная, то спасти больного может только экстренная и очень сложная операция. Симптомы легочной эмболии — одышка, падение артериального давления, шок. Опасность такого осложнения при варикозном расширении вен резко возрастает после любых оперативных вмешательств — даже удаления аппендикса. Свертываемость крови меняется, больной лежит, тромбы быстро нарастают. Встал — оторвались — и беда. Учитывая это, после операций, если есть подозрение на расширение вен, пациенту дают лекарства для

уменьшения свертываемости крови, о которых я упоминал.

Во избежание осложнений лучше всего избавиться от этого заболевания с помощью операции.

Гипертония

Есть несколько распространенных болезней, в которых процесс развивается по одинаковой схеме. Отрицательные эмоции и недостаток физической нагрузки ведут к нарушению нервного регулирования функции, из-за чего развивается своеобразный невроз. Включается эндокринное звено регулирования, что приводит к стойкому нарушению функции. Происходят вторичные изменения со стороны сосудов и клеток рабочих органов, осуществляющих саму функцию.

Типичный пример такого заболевания — гипертония. Она может поразить человека в любом возрасте, но чаще — в среднем и пожилом. Обычно к ней приводят напряженная, нервная работа, плохие отношения в семье, недостаток отдыха и движений, переедание, курение, алкоголь. Характерные симптомы — плохой сон, головные боли. При измерении кровяного давления врач обнаружит, что оно повышено. Небольшой отдых — и давление приходит в норму. Но если не изменить образ жизни, так же легко поднимается вновь. Дальше идет как по писаному: давление все выше, снизить его все труднее. Уже наблюдаются изменения в анализах мочи (затронуты почки!), уже находят патологию глазного дна (сосуды!), уже появляется одышка и увеличена печень (сердце!). Периоды относительного благополучия перемежаются гипертоническими кризами с давлением выше 200 мм рт. ст., с мозговыми симптомами.

Потом — «удар», кровоизлияние в мозг со всем известным названием «инсульт». 10% всех смертей приходится на гипертонию. Причем к печальному концу гипертоника может привести не только инсульт, но и почечная или сердечная недостаточность, развивающиеся в результате миокардио- или нефросклероза.

Так от неправильного образа жизни (в сочетании с неблагоприятными факторами среды) погибает человек.

Артериальное давление считается нормальным, если оно не поднимается выше 140/80. От 140/90 до 160/95 — «опасная зона».

Если давление постоянно выше — это уже гипертония. В таком случае надо приобрести аппарат для измерения давления (тонометр) и, пользуясь им достаточно часто, отмечать субъективные признаки, связанные с повышением давления, чтобы научиться по ним распознавать те моменты, когда надо принять лекарство.

Врачи не любят, чтобы пациенты сами себя лечили, и у них есть для этого основания: не понимая сути болезни, можно навредить. Но есть исключения из правил, когда болезнь уже стала привычной, а больной — культурен. Гипертония как раз такой случай. Гипертоник не может каждый день бегать к врачу. Он должен сам держать свое состояние под контролем. При сильных колебаниях давления, если постоянно не контролировать свое состояние, можно просмотреть начинающийся гипертонический криз, который бывает очень опасен.

Первая стадия гипертонии — периодические подъемы давления. Вообще подъем давления — нормальная реакция на эмоции: сердце увеличивает выброс крови. Нашим далеким предкам он требовался для драки или бегства. Но современные люди не используют эти выбросы по назначению, и если это часто повторяется, то регуляторы, ведающие давлением, излишне тренируются — развивается невроз с чрезмерной чувствительностью и повышением уровня регулирования.

Это уже *вторая стадия гипертонии*. Включаются эндокринные органы, и начинаются изменения в сосудах глазного дна, даже гипертрофируется сердце. Давление стойко повышено, и лекарства требуются регулярно. Периодически возникают кризы, когда верхнее давление переваливает за 200, что сопровождается сильными головными болями и даже мозговыми симптомами — нарушением речи, чувствительности, движений ног или рук. Они быстро проходят, но это грозное предупреждение: нужно серьезно

браться за здоровье. Болезнь уже входит в свои права, но еще возможны разные варианты ее развития — от быстрого прогрессирования до почти полной стабилизации состояния.

Третья стадия гипертонии характеризуется серьезными нарушениями во внутренних органах и мозговыми расстройствами. Соединительная ткань в артериях разрастается, нарушается питание «благородных» клеток — почек, сердца, развиваются нефро- или кардиосклероз или и то и другое.

У многих пациентов на первый план выходят последствия мозговых кровоизлияний и тромбозов. Им становится трудно работать, и наступает инвалидность.

Больной с выраженной гипертонией нуждается уже в постоянном врачебном наблюдении, а часто и в стационарном лечении. Нужно контролировать почки по количеству и анализам мочи, нужно наблюдать за сердцем, дозируя физическую нагрузку и применяя сердечные и мочегонные средства. Обязателен контроль глазного врача.

Чем в более раннем возрасте началась гипертония и чем выше цифра нижнего давления (выше 110), чем больше поражено глазное дно, тем хуже прогноз.

Конечно, есть много лекарств, снижающих артериальное давление, и, казалось бы, положение не безнадежное. Ну, испортился свой регулятор, но если таблетки помогают и есть хороший наблюдающий врач, то жить можно. Отчасти это так. Теперь многие гипертоники приспосабливаются к своей болезни и живут дольше, чем раньше. Но ведь и больных стало намного больше. Особенно страшно, если болеют дети.

Когда я вижу молодых людей с гипертонией, во мне все восстает. Ведь эта болезнь — от неправильного образа жизни, от собственной глупости и неосведомленности.

Для того чтобы не болеть гипертонией, нужно очень немногое: молодому человеку для профилактики — полчаса в день хорошей нагрузки. Ну а если тратится очень много нервов, то и нагрузка должна быть соответственно больше — час или два. Особенно после всплесков эмоций. Курить, разумеется, не следует, вес набирать — тоже.

Впрочем, я знаю, сколь бесполезно взывать к благоразумию людей, даже немолодых и вроде бы разумных. Пока болезни еще нет, в нее и не верят. Что бы там ни писали в книжках, думают: «Это не про меня!»

Я просмотрел официально утвержденные комплексы лечебной физкультуры для гипертоников: 10 упражнений руками, 10 — ногами, сидя на стуле и стоя. Не спорю, это лучше, чем ничего. Но ведь мала нагрузка! Особенно если болезнь началась и требуется уже не профилактика, а лечение.

Когда 10 лет назад во время блокады сердца я полгода сопротивлялся вшиванию стимулятора, тоже пережил гипертонию. Давление повышалось до 200 и выше. Я тогда принимал клофелин. (Рекомендую — принять 0,5 таблетки и проверить эффект. Если мало — принять еще 0,5. Так можно отработать свою дозу). Есть еще адельфан, апрессин и много других. Первые лекарства и дозы нужно подбирать с врачом, а потом уже уточнять их эффект, руководствуясь своими наблюдениями за изменениями давления. При предвестниках криза, когда давление сильно повысилось, нужно принять две свои обычные дозы, лечь и повторять измерения лежа. Если возникают сомнения в эффективности лекарства и голова «разрывается» от боли — вызвать врача.

БОЛЕЗНИ, КОТОРЫЕ НАС ВЫБИРАЮТ

ДИАБЕТ

Вот болезнь, которая становится просто бедствием. И я почти уверен, что основные ее причины — переедание, отсутствие физических нагрузок, неприятности дома и на работе. Не могут так просто ломаться генетически заложенные регуляторы обмена веществ и, в частности, обмена углеводов, потом жиров, а в конце концов и белков. Именно в этом состоит суть сахарного диабета (встречается и другой диабет, но редко, не буду на нем останавливаться).

Диабет был описан еще в Древней Греции — как болезнь, при которой «вода проходит насквозь». Обильное выделение мочи и соответственно — жажда. Потом уже ученые уточнили: с мочой выделяется сахар (глюкоза), потому что количество его повышено в крови. А причина — в резком ослаблении действия гормона поджелудочной железы — инсулина, ответственного за «сжигание» глюкозы в каждой клетке.

Строго говоря, продукция инсулина запрограммирована генетически. Почему же ломается программа? Как мне представляется, причина та же, что и при гипертонии,— сильные стрессы, не отработанные физической нагрузкой. (Понимаю, что врачи скажут: «Амосов в своем репертуаре!») Мышцам наших предков требовалось куда больше энергии, поэтому многие клетки должны были придерживать глюкозу, чтобы она осталась для мышц. Значит, нужно было притормозить выделение инсулина поджелудочной железой.

При том, что современные люди гораздо менее активны физически, они способны значительно дольше испытывать агрессивные и горестные эмоции — развитый разум с большой памятью удерживает их. И регуляторы — сначала нервных центров, потом и эндокринных желез — не справляются со своими функциями. Многие болезни начинаются с этого.

Который раз я возвращаюсь к своей главной идее: нужна интенсивная физкультура. Но мешает другая особенность психики, доставшаяся человеку от животного,— то, что мы называем ленью. Природа экономит энергию и без необходимости напрягать мышцы не требует. Правда, человек может противостоять лени, но это удается не всем.

Итак, островки Лангерганса в поджелудочной железе вырабатывают недостаточно гормона инсулина. От этого глюкоза плохо используется в клетках, уровень ее в крови повышается (гипергликемия), она начинает выделяться с мочой (глюкозурия), увлекая за собой воду,— объем мочи увеличивается до двух и более литров (полиурия).

Весь организм приходит в расстройство. У большинства больных развивается ожирение, но некоторые худеют. Часто поражаются артерии — вплоть до тромбозов и гангрены, изменяется кожа — плохо заживают раны, ухудшается зрение — иногда до слепоты...

Различают **три степени тяжести диабета**. При первой (легкой) сахар в крови не превышает 140 мг/%. Трудоспособность можно сохранять при помощи одной диеты, без лекарств.

При второй (средней тяжести) сахар в крови не превышает 220 мг/%. Компенсация достигается диетой и малыми дозами лекарств.

При третьей степени тяжести уровень сахара в крови превышает 220 мг/%. Тяжелый диабет часто сопровождается осложнениями со стороны почек, глаз, артерий и требует больших доз инсулина.

Самый злой диабет — юношеский.

Несоблюдение режима питания и лечения, особенно если процесс изначально тяжелый, может привести к предкоматозному состоянию: резкая слабость, сильнейшая жажда, запах ацетона изо рта, мочеизнурение. В таком случае нужно срочно исследовать кровь на сахар и принимать экстренные меры. Иначе наступит кома.

Слово **«кома»** стоит в ряду страшных медицинских терминов: коллапс, шок, терминальное состояние, агония, клиническая смерть. За каждым из них — свой набор угроз для жизни со своими акцентами. При коме главное — глубокая потеря сознания. При коллапсе — резкое (однако обратимое) снижение кровяного давления из-за ослабления тонуса артерий. При шоке главный симптом — тоже падение давления, но в сочетании с сердечной слабостью и нарушениями газообмена, что очень затрудняет возврат к нормальному состоянию. Терминальное состояние и агония — крайние степени комбинации шока и комы, не совместимые с жизнью.

Клиническая смерть — это остановка сердца. Если она произошла внезапно и рядом оказались хорошие врачи, то в течение 5—10 минут возможны реанимационные процедуры, способные вернуть к жизни: массаж сердца путем сильных толчков двумя ладонями (друг на друге) на грудину лежащего на спине больного (за границей этому обучают даже школьников!), дефибрилляция, внутрисердечные и внутривенные вливания различных лекарств. Искусственное дыхание теперь делают «рот-в-рот»: своим открытым ртом нужно плотно охватить рот больного и с частотой 30—40 раз в минуту сильно вдувать воздух в его легкие.

Если сердце еще сохранило резервы и реагируют регуляторы кровяного давления, эти меры обычно приносят эффект, но, к сожалению, не всегда длительный. «Запустить» сердце после клинической смерти надолго, для жизни, удается в 20—30% случаев. По крайней мере, таков опыт нашего института — а это более тысячи реанимаций (в основном у оперированных больных).

Различных коматозных состояний медики знают много. Главные из них такие: мозговая кома — при инсультах и травмах мозга, разнообразные токсические комы, вызываемые отравлениями, и, наконец, две, связанные с диабетом,— гипергликемическая (или диабетическая) и гипогликемическая — от передозировки инсулина. Диабетическая — когда уровень сахара в крови резко повысился, а гипогликемическая — когда содержание глюкозы в крови катастрофически упало.

Главный признак любой комы — помрачение сознания: от оглушения до полного отключения всех реакций. Диабетическая кома развивается относительно постепенно, с периодом предкоматозного состояния, признаками которого являются обильное мочевыделение, слабость, обмороки при быстром вставании, глубокое дыхание, запах ацетона изо рта. Сознание постепенно угасает. Пульс прощупывается, давление снижено. Диагноз подтверждается исследованием капли крови из пальца — сахар в таких случаях повышается до 300 мг/%. Полезно расспросить близких больного. Обычно оказывается, что он злоупотреблял углеводами, не вводил инсулин. Лечение — быстрое введение дозы инсулина подкожно до 50 единиц с повторными определениями сахара в крови.

«Противоположная», гипогликемическая кома, при которой от передозировки инсулина сахар в крови падает ниже 80 мг/%, развивается остро: потеря сознания, кожа бледная, судороги, но пульс прощупывается. Расспросы и здесь помогают — можно установить связь между состоянием больного и введением инсулина. Лечение — быстрое введение внутривенно 40—80 мл 40%-ного раствора глюкозы. Чтобы не ошибиться в дозе, необходимы анализ крови и контроль врача. Самый легкий, доврачебный метод выведения из этой комы — пососать кусок сахара.

Что касается лечения самого диабета, то все знают, что нужны диета, проверка крови на сахар и лекарства. Схема простая, но конкретное наполнение ее требует внимания врача, дисциплины и культуры больного. Дело в том, что нужно стремиться нормализовать сахар крови за счет диеты и сахаропонижающих таблеток (например, препараты сульфанил-мочевины, бугуаниды). Помогают они только при нетяжелом диабете и обязательных ограничениях в еде.

Диета диабетику необходима. Принцип ясен — минимум углеводов, раз они «плохо горят». Поскольку большинство диабетиков склонны к ожирению, нужно придерживаться минимума калорий. И заниматься физкультурой, причем необходимы довольно большие нагрузки. Обычно специалисты по ЛФК рекомендуют диабетикам 20—30 минут гимнастики без переутомления. Примерно то же, что и гипертоникам. Такая гимнастика может «сжечь» всего 50 граммов углеводов (на что уходит 200 килокалорий — ничтожно мало в сравнении с общим их количеством — около 2200). Уверен, что нагрузки следует увеличить в 2—3 раза, тогда можно ожидать эффекта.

Впрочем, едва ли я смогу убедить врачей. Они возразят: «Разве можно больному человеку бегать по часу, да еще таскать гантели?» Отвечаю: «Можно, если наращивать нагрузку постепенно».

Обычно диабетикам рекомендуют есть больше овощей (до килограмма в день), но без картошки и гороха. А из фруктов избегать сладких, то есть винограда и бананов. Сахара — ни грамма, только заменители. Хлеба — всего 100 г, да и то в четыре приема.

Добавлю: необходимо ежедневно взвешиваться и спустить вес, по крайней мере, до формулы «рост минус 100».

К сожалению, мои воззрения на физкультуру при диабете никто не проверял. Возможно, теоретически исходные позиции, в которых я уверен, не совпадут с многоликой практической патологией. Особенно важно было бы попробовать лечить физкультурой юношеский диабет.

ИНФЕКЦИОННЫЕ БОЛЕЗНИ

Со времен Пастера и Коха все знают о бактериях, вызывающих заразные болезни и банальные нагноения ран. После бактериологии появилась наука о вирусах — вирусология, границы которой пока еще не ясны. Науки о чужеродных возбудителях болезней слились с науками о защите от них со стороны иммунной системы организма, которая, в свою очередь, является предметом изучения генетики. В результате все расширяется понятие воспаления как реакции тканей и всего организма на внешние раздражители разного происхождения. Бывает, что острое местное воспаление инфекционного характера перерастает в хроническую фазу. Она проявляется развитием рубцовой соединительной ткани между «благородными» клетками, которая буквально душит их специфическую функцию. Так проявляются миокардиосклероз, нефросклероз — тяжелые поражения сердечной мышцы или ткани почек.

А такая болезнь, как аллергия, к которой мы, кажется, совсем привыкли, может быть объяснена только как «болезнь защиты». Крайним проявлением такого рода является СПИД, ставший истинным бедствием для стран центральной Африки. Вакцины против СПИДа пока нет.

Невозможно в сжатом изложении замахиваться на теоретические объяснения инфекции, иммунитета, воспаления, аллергии, реакции на них соединительной ткани. Придется ограничиться практическими сведениями, которые должен знать обо всем этом каждый человек.

Патогенный микроб (или вирус) — всегда агрессор, он внедряется через так называемые «ворота инфекции» — раны или другие пути взаимодействия внешней и внутренней среды организма. Чаще всего это рот, желудочно-кишечный тракт и органы дыхания, но может быть и укус тифозной вши или малярийного комара.

В теле человека микроб-возбудитель размножается и выделяет яды — токсины, которые отравляют ферменты. Пока микробов мало, явления отравления незаметны — это скрытый (инкубационный) период. Когда концентрация токсинов достигнет критической величины, проявляется реакция организма.

Она выражается в нарушении функций некоторых органов и в мобилизации защиты. Болезнь чаще всего проявляется в повышении температуры (лихорадке), учащении пульса и в общем ухудшении самочувствия, выражающемся в разнообразных симптомах. Врачи называют это «интоксикацией». В тяжелых случаях она сваливает с ног даже сильных мужчин.

Иммунная система времени зря не теряет — она мобилизует специфическое оружие против возбудителей инфекции: белые кровяные тельца — лейкоциты и продуцируемые ими активные химические комплексы — антитела, соединяющиеся с микробом и убивающие его. В типичных случаях побеждает иммунитет. Но возможны и осложнения — особенно в тех органах, которые уже имели функциональные нарушения. Чаще всего это выражается в так называемой «вторичной инфекции», когда паразитирующие микробы рта становятся болезнетворными. Однако могут проснуться и любые скрытые до того поражения органов. Со стороны легких это бронхит и пневмония, сердца — миокардит и стенокардия, а также повышение кровяного давления, головокружения и многое другое. Именно осложнения чаще всего являются причиной задержки выздоровления.

Генетически организм приспособлен справляться с инфекциями своими средствами. Если у него есть запас сил, то для выздоровления достаточно только покоя. Но если сил мало, а микроб злой, то помощь медицины необходима.

Сильнейшим средством против микробной инфекции являются антибиотики. К сожалению, против вирусов они в большинстве случаев бессильны. Пример — эпидемии гриппа. Но даже при вирусной инфекции антибиотики оказывают пользу в профилактике и лечении осложнений, вызываемых другими микробами, до того мирно спавшими в зеве или бронхах.

Современная медицина успешно справляется с самыми тяжелыми инфекционными болезнями (такими, как, например, холера), обеспечивая регулирование жизненных функций организма, пока микроб не будет побежден. В связи с этим хочу сказать, что профилактические прививки необходимы! Риск получить от них осложнения ничтожен в сравнении с риском заболеть и получить куда более тяжелые осложнения. Новое распространение дифтерии в последние годы объясняется именно пренебрежением прививками из-за ложных страхов.

Иммунная система выполняет защитные функции. Но иногда она проявляет явно избыточное усердие, выделяя массу антител в ответ на безобидные естественные вещества. Антитела вступают с мнимыми врагами в реакцию и при этом образуются токсичные комплексы, вызывающие отек тканей и даже лихорадку. Аллергический отек гортани требует немедленного введения трубки в трахею, промедление может привести к смерти от удушья. Повышенная активность иммунной системы проявляется также в общей реакции организма — зуде, сыпях, отеках, поражении печени и других внутренних органов. Если вас беспокоит уже знакомая аллергия, можно принять таблетку димедрола, диазолина, тавегила или супрастина. Это не опасно. В более тяжелых случаях приходится искусственно «приглушать» иммунную систему гормонами. К сожалению, это сопровождается ослаблением защиты от микробов, поэтому нужно искать компромисс в дозировках так называемых «иммунодепрессантов».

Раздраженная иммунная система может обрушиться даже на свои нормальные клетки: в таких случаях медики говорят об «аутоиммунных» компонентах заболеваний, первоначально вызванных инфекцией. Это характерно для таких распространенных болезней, как полиартрит и ревматизм. В их лечении тоже приходится прибегать к приглушению иммунной системы гормонами, чтобы снимать обострения.

Однако к лекарствам надо прибегать не всегда. Организм человека обладает мощными возможностями саморегулирования. Обычно вслед за любыми обострениями какой-нибудь хронической болезни наступает успокоение — болезненный процесс затухает, излечение может произойти само по себе. Об этом следует помнить и проявлять разумное терпение.

Когда дело ограничивается элементарной простудой, то требуется полежать, переждать, пока снизится температура и вернутся силы. Но если выздоровление затягивается, во избежание осложнений нужно обратиться к врачу.

ОНКОЛОГИЧЕСКИЕ ЗАБОЛЕВАНИЯ

Суть этих заболеваний состоит в бесконтрольном размножении клеток. Блокирование избыточного деления клеток после периода роста и развития организма заложено в генах, однако по каким-то причинам в отдельной клетке эта блокировка снимается, клетка «бунтует» и начинает жить по своим законам. Это проявляется во все ускоряющемся делении и росте опухоли. В дальнейшем отдельные опухолевые клетки прорываются в лимфатические или кровеносные сосуды и «засевают» другие части тела, давая начало новым опухолям — метастазам.

Первичная опухоль и метастазы нарушают функции органов, а со временем изменяют и жизнедеятельность всего организма. Развивается раковое истощение — кахексия, приводящая к смерти в течение нескольких месяцев.

Существует несколько гипотез возникновения рака, в том числе предположение об онковирусах, взаимодействующих со специфическими онкогенами, обычно тоже заблокированными. По всей вероятности, опухоли периодически возникают с момента рождения, но иммунная система изначально уничтожает «бунтовщиков» с изменившимися генами. По мере старения, а также и от других причин эта стража слабеет, некоторые раковые клетки успевают набрать силу и уже полностью выходят из-под иммунного контроля.

Подозрение на рак возникает при появлении жалоб на нарушение функции органа. К сожалению, «сигнальные боли» при раке чаще всего отсутствуют, другие признаки неспецифичны, поэтому запоздалые диагнозы встречаются часто. Людям среднего и пожилого возраста необходимо наблюдать за собой и не стесняться обращаться к врачу, когда возникают «раковые страхи». Правда, у некоторых они перерастают в настоящие психозы, но это уже неизбежные издержки просвещения.

Диагнозы опухолей ставятся с помощью специальных методов исследований подозрительных органов и областей тела. Теперь чаще всего применяется УЗИ — ультразвуковое исследование, позволяющее легко обнаружить «плюс-ткань». Врачи широко пользуются и так называемыми эндоскопиями — осмотром внутренних полостных органов через тонкие оптические системы. При этом часто берут кусочки ткани для микроскопического исследования. Такая биопсия дает наиболее достоверные результаты.

Прорыва в лечении рака пока не произошло. Однако медицина методично штурмует проблему: ранняя диагностика, радикальные (иногда и повторные) операции, рентген- и химиотерапия — все эти меры постепенно повышают процент выздоравливающих.

Профилактика опухолей основана на тщательном лечении так называемых предраковых заболеваний наиболее уязвимых органов (желудок, грудь, легкие, матка) и на поддержании высокой активности иммунной системы. Дело это трудное, но небезнадежное.

БОЛЕЗНИ ОРГАНОВ ПИЩЕВАРЕНИЯ

Каждый имеет какое-то представление об органах пищеварения. Справа под ребрами — печень. Прямо под ложечкой — желудок. Пища в него попадает по пищеводу, который расположен в грудной полости, рядом с позвоночником. От желудка идет двенадцатиперстная кишка, потом тонкий кишечник (тощая и подвздошная кишки), потом толстый. Толстый кишечник состоит из слепой (с аппендиксом), восходящей, поперечно-ободочной, нисходящей, сигмовидной и прямой кишок. Внутренняя поверхность желудка и кишечника покрыта слизистой оболочкой. Она выделяет соки для переваривания пищи и всасывания в кровь веществ, полученных из сахаров, жиров, белков. Вещества эти по сосудам (воротной вене) направляются в печень, где проходят сложную химическую обработку, и идут в общее кровеносное русло для питания всех клеток организма.

Печень, кроме того, производит желчь, нужную для переваривания жиров. Она идет по желчным ходам, включающим и желчный пузырь, в двенадцатиперстную кишку. В нее же впадает и проток поджелудочной железы. По нему тоже выделяются пищеварительные соки. Эта железа лежит горизонтально позади желудка, ее важная роль состоит еще и в том, чтобы производить гормон инсулин, необходимый для усвоения углеводов (глюкозы).

Перечислю самые распространенные болезни органов пищеварения. Болезни желудка — язва, гастрит, рак; тонкого кишечника — энтерит; толстого — колит, рак (разных отделов); печени — гепатит; желчного пузыря — холецистит, камни; поджелудочной железы — панкреатит.

В практической медицине существует определение *острый живот*: тошнота, сильные боли, рвота, часто в сочетании с задержкой газов и болезненностью живота при прощупывании. С такими признаками человека везут в больницу. Возможна экстренная операция, поскольку перечисленные симптомы характерны для разных, но во всех случаях опасных болезней: острого аппендицита, перфорации язвы, кровотечения, заворота кишок, острого холецистита, острого панкреатита, печеночной или почечной колики. (У женщин еще добавляются воспаление придатков матки, разрыв трубы при внематочной беременности.)

С «острым животом» шутки плохи. Нужно срочно вызвать врача, а лучше — «скорую помощь». Каждый час промедления не только тягостен, но и очень опасен.

Разумеется, я не смогу описать все болезни органов пищеварения. Ограничусь несколькими, самыми важными.

Рак желудка

Коварная болезнь! Подкрадывается незаметно, и даже нет яркого признака, чтобы зафиксировать ее начало или хотя бы не пропустить момента, когда еще возможна радикальная операция. Понятно, что какие-то симптомы появляются, но если голова занята делами, то как их заметить? Это не язва с ее сильными болями. В Японии людей «на возрасте» ежегодно обследуют с помощью гастроскопии, чтобы не пропустить начало ракового заболевания, но нам до этого далеко.

У нас применяют гастроскопию, когда уже обнаружился «синдром малых признаков»: потеря аппетита, снижение веса, чувство тяжести под ложечкой, тошнота, падение гемоглобина крови, общее ухудшение самочувствия.

Гастроскопия — теперь основной метод диагностики. Она сменила рентген, который менее точен при маленьких опухолях. Конечно, когда опухоль уже прощупывается, то все ясно. УЗИ тоже дает неплохие результаты, но менее точные, чем гастроскопия.

В Брянской областной больнице после войны я прооперировал несколько сот больных раком желудка. В трети случаев опухоль была уже неудалима, еще у стольких же желудок вырезать удавалось, но заведомо нерадикально, поскольку было много пораженных лимфоузлов. Выздоравливали не более чем один из пяти.

Химио- и рентгенотерапию применяют после операции, но что-то не слышно о надежных результатах.

Такая же картина у многих онкологических больных с другими локализациями опухолей.

Выскажу свое мнение по поводу нетрадиционных методов лечения рака. Теперь многие целители, экстрасенсы, даже колдуны берутся лечить эту болезнь. Встречаются и врачи, иногда очень увлеченные (но часто малообразованные), которым кажется, что они нашли верное средство от рака — гриб, траву, кору, части тела животных. Уверовали сами и лечат. И ведь помогает! Несчастный, которому хирург уже отказал в операции, принимает снадобье и чувствует облегчение. Аппетит появляется, и даже вес прибывает. Великая вещь — психика! Но... этого хватает на три месяца, максимум — на полгода. Потом болезнь резко прогрессирует.

Я не могу осудить пациентов за легковерие. Но самым категорическим образом советую: **обращаться к целителям можно, только** когда уже отказано в операции. **Ни в коем случае не раньше! Не выздоровеете, а время упустите.**

За сорок лет профессорства я перевидал десятки первооткрывателей новых средств от рака. Особенно когда был депутатом. Все они требуют проверки своего препарата в клиниках, и невозможно доказать, что такая проверка требует месяцев и даже лет, стоит денег, занятых коек. А самое главное — ни разу клинически не подтвердилась эффективность какого-нибудь из таких средств.

К сожалению, применительно к онкологии я не могу произнести свои заклинания: «Голод, физкультура, холод, расслабление — и не будет опухолей».

Казалось бы, если развитие опухолей зависит от состояния иммунной системы, то должна быть какая-то связь между онкологией и образом жизни человека. Однако, во-первых, нет прямого соответствия состояния иммунной системы и отсутствия опухолей, а во-вторых, сама иммунология не очень подчиняется заклинаниям. Доказательств маловато, хотя очень хотелось бы их найти. В прессе частенько печатают нечто подобное, но в солидных научных журналах не встречал.

Язвенная болезнь

Язва желудка и двенадцатиперстной кишки относится к числу заболеваний, вызванных расстройством регулирования из-за стрессов. Неприятности переживают многие, но не всегда это приводит к язве, поскольку свою роль играют некоторые дополнительные факторы, например, курение или наследственная предрасположенность. Моя любимая физкультура, вернее, ее отсутствие, здесь, кажется, ни при чем.

Суть болезни заключается в самопереваривании кислым желудочным соком маленького (около 1 см) участка внутренней поверхности желудка, когда нарушается его защита слизью. Возможно, это происходит в результате местного спазма сосудов. Ученые до сих пор не пришли к единому мнению о механизмах язвенной болезни. **Несомненно только одно — зави-** симость язвы от стрессов. Значит, виноваты регуляторы — чересчур чувствительные. Сам внешний вид типичного язвенника подтверждает это: худой мужчина средних лет, очень нервный. Страдает от болей в верхней части живота, разборчив в еде: того нельзя, другого не может. Впрочем, такая картина имеет много исключений, особенно при язве двенадцатиперстной кишки: страдают люди с цветущим внешним видом.

Диагностика язвенной болезни теперь не представляет трудностей. Раньше был только рентген, теперь его вытеснила гастроскопия — прямой осмотр изнутри желудка и двенадцатиперстной кишки с помощью оптики.

Десятки, если не сотни средств применяются для лечения язвы, и все помогают, когда больного кладут в больницу и обеспечивают душевный покой. Но стоит ему вернуться «в жизнь» — и болезнь возобновляется. Нужны строгая диета и спокойная жизнь. А где ее взять?

С 1947 по 1953 год в Брянске я сделал язвенникам 550 резекций (иссечение двух третей желудка). Операция радикальная, но и после нее не все выздоравливают. Впрочем, в последние годы появились хорошие лекарства — циметизин и гастроцепин, благодаря которым можно обойтись и без ножа. Все больные язвой знают свою диету и даже сами подбирают себе блюда. Принцип довольно странный: вид и вкус пищи не должны вызывать аппетита. Потому что аппетитность приводит к выделению кислого желудочного сока. Основные блюда язвенников — протертые, приготовленные на пару, пресные.

Язва — это не только боли, но еще и опасные осложнения. Проест желудочный сок стенку желудка насквозь — перфорация, перитонит (воспаление брюшины), придется срочно оперировать. Еще хуже желудочное кровотечение, причем какое! Кровопотеря литрами измеряется. Операция не всегда спасает обескровленного больного.

Если язва в желудке, а не в двенадцатиперстной кишке, то бывает и перерождение в рак. Но не часто.

Как спастись? Профилактика язвенной болезни — спокойная жизнь, размеренное питание. Это всем полезно, но не всем доступно.

Холецистит

Воспаление желчного пузыря, или холецистит, чаще всего **возникает при наличии камней в желчном пузыре**. Проявляется болями в правом подреберье, часто с повышением температуры. Дело может дойти до закупорки общего желчного протока камнем или прорыва в полость брюшины нагноившегося желчного пузыря. То и другое опасно для жизни, требует срочного хирургического вмешательства. Основной метод диагностики камней — УЗИ.

В этой болезни зависимость от образа жизни несомненна. Во-первых, воспаление желчного пузыря может появиться из-за регулярного переедания, жирной пищи, ожирения. Во время и после войны, когда все были тощие, одно удаление желчного пузыря приходилось на 20—25 резекций желудка, а перед так называемой «перестройкой» они сравнялись по частоте.

Во-вторых, камни (как в желчном пузыре, так и в почках) образуются, когда человек пренебрегает физкультурой. Достаточно делать перегибания через стул и наклоны до пола 200—500 раз в день в два-три приема — и не будет камней, а заодно и запоров. Потому что для движения жидкостей по трубкам нужен массаж. Его обеспечивает физкультура.

Грозные симптомы любого заболевания печени — желтуха и кал как глина, лишенный своего характерного цвета. Если нет камней в желчном пузыре, это указывает на процесс в самой печеночной ткани — гепатит и цирроз. Гепатиты последнее время сильно участились за счет вирусной инфекции. Гепатит «Б» — очень коварное заболевание!

Применительно к желчному пузырю скажу о новых типах операций на органах живота, да впрочем, и других полостей. Разговор идет о так называемых эндоскопических операциях. Суть в том, что вмешательство на больном органе осуществляется без вскрытия полости, миниатюрными манипуляторами, проведенными в полость через разрез в несколько сантиметров с контролем движений через эндоскоп. Его вводят через дополнительный разрез. Полость освещается (в нее предварительно подкачивают воздух), изображение органов и манипуляции на них воспринимаются оптикой эндоскопа, и картина выдается на телевизор. Преимущества — в малой травматичности: больные уходят домой через 2—3 дня. Осложнения редки. Разумеется, операции от хирурга требуют больше мастерства, чем обычные, в открытую. Тем не менее, они распространяются все шире и шире, значит — эффективны. Удаляют даже крупные органы — селезенку, долю легкого, предварительно разрезая их на мелкие кусочки. Так двигается техника!

ЗАБОЛЕВАНИЯ ЛЕГКИХ

Бронхиальная астма

Обычно ее называют просто астмой, потому что сердечная астма неспециалистам менее известна.

Астма — это приступы удушья: человек вдыхает, а выдохнуть не может. Мучительное состояние. В данном случае оно связано со спазмами мелких бронхов, нарушающими акт дыхания. В основе бронхиальной астмы лежит аллергия, то есть поражение иммунной системы, когда на некоторые воздействия она реагирует выделением активных химических веществ — в частности, гистамина. Они-то и вызывают сначала спазмы, а затем отек слизистой и выделение слизи. Иммунные антитела, фиксированные в клетках, рассеянных в ткани легких, приобретают повышенную чувствительность к некоторым веществам извне — аллергенам или к веществам собственного организма (аутоиммунизация). Отчего происходит иммунизация (специфическое повышение чувствительности), не совсем ясно.

По происхождению и по механизму развития выделяют два типа бронхиальной астмы. Одну из них вызывают внешние аллергены, другую — внутренние, которые связаны с инфекцией легких и бронхов (так называемая инфекционно-аллергическая астма).

Все аллергики знают о внешних аллергенах, правда, редко у кого удается их выявить. Это — бытовая пыль, пыльца растений, некоторые ягоды, домашние животные, продукты химии и лекарства. Существуют почти детективные методы обнаружения аллергенов. Бывает, что люди меняют квартиру, отдают любимую собаку и даже переезжают в другой город. И иногда этим спасаются. Но далеко не всегда.

«Внутренняя» бронхиальная астма развивается или как продолжение запущенной «внешней», или после длительного бронхита, хронической пневмонии, когда они осложняются трудно объяснимыми приступами удушья. Есть даже диагноз «астматический бронхит». Виноваты в повышении чувствительности, видимо, микробы, поддерживающие хроническое воспаление бронхов и легких.

Как уже говорилось, бронхиальная астма проявляется приступами одышки с затрудненным выдохом. Чаще всего они возникают не на пустом месте — им предшествуют хронический насморк, бронхит с кашлем, воспаление легких, гайморит. Однако «внешние» аллергены могут вызвать приступы внезапно, без предвестников. Так же быстро они могут и проходить. (В медицине всегда так: правил меньше, чем исключений!)

Бронхиальная астма — болезнь хроническая, протекает волнами, с улучшениями и обострениями. Они бывают связаны с погодой и со многими другими обстоятельствами. Тяжесть состояния — разная. В легких случаях (чаще от внешних аллергенов) — просто небольшая одышка, с затрудненным выдохом. Врач услышит сухие хрипы в легких. Если не пугаться, то экстренной помощи не требуется.

При астме средней тяжести отмечаются приступы выраженного удушья. Лицо бледное, даже с синюшным оттенком. Дыхание шумное, слышно на расстоянии. В этом случае медицинская помощь необходима. Вызывают «скорую помощь», если родственники еще не научились справляться с приступом самостоятельно. Тяжелые приступы пугают даже врачей. Больной сидит, упершись руками, подняв плечи. Грудь как бы застряла в положении вдоха. Холодный пот. Хрипы слышны и без трубки. Снять такой приступ не всегда легко.

Наконец, в самых тяжелых случаях дело доходит до так называемого «астматического статуса», когда приступ длится долго: его не удается остановить иногда в течение суток. Больной изнемогает, не может есть, даже отказывается от питья. Нарушение вентиляции легких приводит к кислородному голоданию (гипоксии), учащению пульса. Если сердце не в порядке, то есть прямая опасность для жизни.

В легких случаях приступ снимается эуфиллином, или эфедрином, или каким-нибудь другим препаратом, производным от адреналина, стимулирующего симпатический нерв. Приступы средней тяжести требуют подкожных инъекций адреналина с эфедрином. Культурный больной с опытом сам овладевает всей этой техникой.

Тяжелые приступы не обходятся без помощи врача. Приходится прибегать к внутривенным вливаниям этих же и других лекарств.

Больного с астматическим статусом «скорая помощь» забирает в больницу, даже в реанимацию. Дело очень серьезное, особенно если у больного уже полный набор осложнений: эмфизема легких, пневмосклероз или «легочное сердце» с декомпенсацией (так врачи называют осложнение, при котором в результате болезни легких страдают легочные сосуды и вторично поражается правый желудочек). При лечении астматического статуса к обычным препаратам добавляют гормон надпочечника — преднизолон. Теперь им пользуются довольно широко, хотя он небезвреден. Очень хорошее (дополнительное) лекарство, от разных затянувшихся болезней, от кашля до болей в спине, сам испытал многократно. Короткий курс: 1 день — 4 таблетки (по 5 мг), 2-й — 3 таблетки, 3-й — 2, 4-й и 5-й — по одной таблетке, 6—7 — по 0,5 таблетки.

Тяжелый астматик не может работать, он живет в ожидании приступа, не расстается с лекарствами.

Поэтому очень важно не допускать развития заболевания, бороться с ним с самого начала. А ведь при бронхиальной астме тоже происходит нарушение регуляторов. В данном случае это касается повышенной активности дыхательного центра. Именно он задает глубину и частоту дыхания, чтобы поддерживать в крови нормальное содержание как кислорода, так и углекислоты. Именно углекислота — важнейший регулятор всякого рода «затворов» в организме —

просвета артерий, бронхов, кишечника. Недостаток углекислоты ведет к их спазмам. В свою очередь, углекислота вымывается при избыточном дыхании. И опять цепочка приводит к «неотработанным эмоциям». Человек волнуется, дышит глубоко, чтобы выгнать углекислоту и набрать кислорода — для мышц. А драки, как у животных,— нет, а спасаться бегством не нужно. Если это повторяется достаточно часто, то дыхательный центр переходит на такой режим управления дыханием, при котором постоянно поддерживается низкое содержание углекислоты. В этом — причина множества разных болезней, связанных со спазмами.

Астма хорошо лечится дыханием по К. П. Бутейко. Он рекомендует научиться дышать поверхностно («малое дыхание»), чтобы дыхательный центр восстановил свою природную малую чувствительность к углекислоте. К сожалению, методика эта непростая, требует настойчивости и далеко не всем дается.

Туберкулез

Название «чахотка» уже забыто, встретишь разве что в старом романе. Хотелось бы и слово «туберкулез» забыть, но он опять пошел в наступление. Даже в благополучных странах, а для наших — бедных — угрожает стать бедствием. Думалось, антибиотики его победили, ан — нет. Считается, что причина — в изменении самой туберкулезной палочки: обновилась, обнахалилась, сопротивляется.

После войны и до 70-х годов я много занимался туберкулезом. Смею думать, что даже внес вклад в применение операций по удалению долей, сегментов и целого легкого при тяжелых кавернозных формах болезней. На эту тему защитил первую в стране докторскую диссертацию, еще в Брянске. Потом, уже в Киеве, мы выполнили около 2500 таких операций, причем первая тысяча — еще под местной анестезией. Операции проходили успешно.

Теперь положение во фтизиатрии изменилось — раннее лечение антибиотиками позволяет вылечивать каверны без ножа.

Туберкулез сначала похож на затянувшуюся пневмонию: температура, кашель, сдвиги в анализах крови, плохое самочувствие. Рентген обнаруживает характерное затемнение — инфильтрат. Потом в центре просветляется полость — это уже каверна. В мокроте находят туберкулезную палочку.

Заживить каверну трудно, но можно, если вовремя и энергично лечить. Если же время упущено, то процесс распространяется сначала в пределах всего легкого на одной стороне, а потом переходит на вторую. Это еще не безнадежно, но плохо. Лечение затягивается на много месяцев, но в конце концов почти всегда бывает успешным — если позволяют условия. В самых запущенных случаях приходится удалять пораженную часть легкого.

Туберкулез всегда считался болезнью социальной, заболеванием бедняков, он расцветает пышным цветом в тюрьмах, лагерях, в среде бомжей, наркоманов, алкоголиков.

При туберкулезе (а также пневмонии, сердечной недостаточности) может развиться плеврит — накопление жидкости в полости между легким и грудной стенкой. Диагностика нетрудная — по рентгену. Жидкость отсасывается через прокол иглой. Разумеется, лечат основное заболевание. Положение осложняется при попадании инфекции и нагноении жидкости — гнойном плеврите. В таких случаях прибегают к операции.

Рак легкого

Эта болезнь легких участилась за последние 20 лет, но все так же поздно распознается и плохо лечится. Нельзя сказать, что нет надежных методов диагностики, просто из-за отсутствия ранних симптомов у больных не возникает подозрения. У курильщиков все начинается с хронического, нетяжелого бронхита, с «кашля курильщика» — сначала по утрам, а потом и весь день. Это серьезное предупреждение: нужно бросать курить. Кроме того, необходимо проверить легкие рентгеном. Ну а если при кашле в скудной мокроте появились прожилки крови — это грозный признак — бегом бежать к онкологу. В онкодиспансере сделают все, что нужно: простой рентгеновский снимок, томограмму, УЗИ, при подозрении на рак — и бронхоскопию. Кусочек подозрительной слизистой оболочки с внутренней стенки бронха возьмут на исследование — на раковые клетки — биопсию.

Если подозрение подтвердится, применят установившуюся схему лечения: облучение, удаление легкого или его доли (если опухоль расположена периферично). После операции — снова курс облучения, иногда в комбинации с химиотерапией.

Поэтому — нельзя курить! Не зря американцы ведут такую яростную борьбу с курением, чуть ли со службы не выгоняют курящих, потому что это вредно и для окружающих.

Профилактика всех легочных заболеваний все та же: правильный образ жизни и неглубокое дыхание.

Рак молочной железы

Это очень распространенное женское заболевание. Возникновение его связывают с недостаточным использованием груди по прямому назначению — для кормления новорожденных.

Когда речь заходит о раке груди, мне вспоминается картинка из далекого деревенского детства: бабы сидят на бревнах перед нашей избой, судачат. Дети тут же крутятся. Подбегает малыш лет двух, становится сбоку, теребит: «Мама, дай тити!» Женщина выпрастывает грудь, малыш, стоя на земле, сосет. Моя мама, сельская акушерка, лечила все болезни женщин и детей, поскольку ближайший врач был в Череповце, за 25 километров. Что-то я не слышал от нее о раке груди. Женщины кормили долго, чтобы не забеременеть. Пять-шесть детей родит — вот грудь и работает непрерывно, до самого климакса.

Поскольку возврата в прошлое не будет, женщины должны следить за состоянием груди и при появлении уплотнения обращаться в поликлинику. Исследуют, успокоят. При необходимости вырежут опухоль без дальнейших осложнений (по статистике, это 95% случаев). В остальных 5% сделают своевременную ампутацию груди и получат 80—90% выздоровлений. Помогают рентгенотерапия и химия.

Чем я не занимался, так это *гинекологией*. Поэтому о женских болезнях писать не буду. Сфера эта требует внимания самих женщин и обращения к врачу без промедления, если что-то беспокоит.

ЗАБОЛЕВАНИЯ ПОЧЕК И МОЧЕВЫВОДЯЩИХ ПУТЕЙ

Так называемая первичная моча отфильтровывается из крови в почечных клубочках, где задерживаются белки, но проходят вода и «шлаки». Протекая потом по почечным канальцам, первичная моча отдает большую часть воды обратно в кровь — и получается уже вторичная моча, которая выделяется из организма — 1—2 литра в сутки, в зависимости от режима питания.

Почки очищают организм от вредных продуктов распада белков, от токсинов, избытка солей и воды — поддерживают водно-солевой, а вместе с легкими — и кислотно-щелочной балансы. Обеспечивают для всех клеток строго стандартные условия.

Воспаление почек (для клубочков это нефрит, для канальцев — нефроз) имеет инфекционно-аллергический характер. Болезнь выражается в нарушении одной или нескольких функций почек. Например, задерживается вода — появляются отеки. Плохо выводятся мочевина (остающаяся от обмена белков) и другие токсические вещества. Организм отравляется ими — развивается уремия, которая представляет наибольшую опасность.

Острые воспаления почек проходят, но не всегда и не совсем. Самое страшное — это нефросклероз: замещение «благородных» клубочков и канальцев рубцовой соединительной тканью. Функция почек страдает и иногда невосстановима, спасение — только в пересадке почки. А до этого, в острый период почечной недостаточности, применяется диализ — 1—2 раза в неделю подключается искусственная почка.

Она так сконструирована, что полностью заменяет настоящую. В развитых странах существуют специальные центры диализа, в которых одновременно обслуживаются до двадцати больных. Обычно они живут дома и на диализ приходят амбулаторно. Там, где дело поставлено хорошо, таким больным удается годами поддерживать жизнь и даже некоторую трудоспособность. (Кстати, впервые на Украине искусственную почку поставили в нашей клинике.)

Подозрение на заболевание почек возникает, когда при общем плохом самочувствии появляются такие характерные симптомы: скудное мочевыделение, мутная моча, головные боли, отеки на лице (при больном сердце тоже бывают отеки, но они начинаются с ног). Тут уж нужно идти к врачу. Диагноз решается анализами мочи и крови. Если не удается вылечить заболевание почек в остром периоде, то предстоит жизнь хронического больного со многими ограничениями в пище, воде, соли. Диализ и трансплантация почки у нас пока малодоступны.

БОЛЕЗНИ КРОВИ

Чтобы правильно судить о своем анализе крови, нужно знать несколько цифр, характеризующих норму. Вот они. Содержание гемоглобина — 120–140 единиц (у женщин ближе к нижней границе). Эритроциты — 3,5–5 млн, лейкоциты — 4–6 тыс. Лейкоцитарная формула: эозинофилы — 0,5–5%, нейтрофилы палочкоядерные — 1–6%, нейтрофилы сегментоядерные — 47–72%, базофилы — 0–1%, моноциты — 3–11%, лимфоциты — 19–72% (у взрослых эта цифра ближе к 25, у маленьких детей — к 50; соответственно у детей меньше нейтрофилов). Норма тромбоцитов (тельца, определяющие способность свертывания крови) — 200 тыс. Наконец, важным показателем является СОЭ — скорость оседания эритроцитов. В норме — 5–15 мм/ч. Ускорение СОЭ до 20 мм/ч не страшно.

Гематология (раздел медицины, изучающий болезни крови) — специальность тонкая. Диагноз определяется по анализам крови и по исследованию костного мозга, для чего делают прокол кости. Именно в костном мозге и созревает большая часть эритроцитов, лейкоцитов, тромбоцитов. Селезенка и лимфоузлы тоже участвуют в кроветворении.

Такое заболевание, как **анемия**, характеризуется снижением уровня гемоглобина и эритроцитов. Опасный предел — половина нормы. Анемия может развиться по разным причинам. Например, из-за кровотечений — острых и больших, скрытых, малых, но повторяющихся (кровотечения в кишечнике или даже обильные менструации). Лечат анемии в первую очередь питанием (яблоки, гречка) и препаратами, содержащими железо. При кровопотерях переливают кровь, эритроциты, плазму.

Уменьшение числа лейкоцитов (**лейкопения**) теперь встречается довольно часто. Опасный предел — 3000 единиц. Предполагается, что к лейкопении приводит «химия» — самая разная, включая и лекарства. Тяжелая патология, когда количество лимфоцитов уменьшается до 1000, встречается при очень энергичной радио- и химиотерапии рака.

Увеличение числа лейкоцитов до 10 000 единиц и более — **лейкоцитоз**. Чаще всего это показатель инфекции (в таких случаях обычно повышается и СОЭ — она может достигать 50 мм/ч). Лечение направлено на первичную инфекцию.

Самая опасная болезнь крови — **лейкоз**, или рак крови, белокровие. Опухоль здесь появляется в необычном виде, но ведет себя так же, как и в других тканях организма: незрелые формы лейкоцитов злокачественно размножаются в костном мозге, дают метастазы, приводят к сопутствующим поражениям других органов и истощению (кахексии). Самое заметное изменение — увеличение селезенки, по этому симптому возникает подозрение на лейкоз. Оно проверяется анализами крови.

Существует много форм лейкозов, различаемых только специалистами-гематологами. Соответственно и течение болезней разнообразное — от медленного (годами) прогрессирования до молниеносного. В лечении некоторых видов лейкозов в последнее время наметились сдвиги. Применяется химиотерапия, избирательно подавляющая размножение незрелых кровяных клеток в костном мозге. Редко кого удается вылечить совсем, но в так называемой «ремиссии», то есть при затихшем процессе организм иногда удерживается годами. В тяжелых случаях (и при хорошей медицине) применяют пересадку костного мозга — очень серьезное вмешательство!

БОЛЕЗНИ СУСТАВОВ

Сколько людей мучаются болями в суставах! В США, где чуть ли не каждый четвертый после пятидесяти лечится от заболеваний суставов, широко используется протезирование — замена сустава металлическим. Наши больные чаще обходятся физиотерапией и массажем — с очень малым эффектом. Ортопеды различают два вида патологии суставов: **артриты** и **артрозы**. В основе артритов лежит воспалительный процесс, начинающийся в мягкой внутренней оболочке сустава — ее называют синовиальной. Она окружает суставные концы сочленяющихся костей, покрытых хрящом, и смачивает сустав жидкостью. Именно благодаря ей здоровые суставы так изумительно подвижны (особенно если они тренированные, как у акробатов или гимнастов).

Воспаление синовиальной оболочки может иметь разное происхождение. Чуть ли не все виды микробов и вирусов способны вызвать его, попав в сустав из первичного очага воспаления с кровью и по лимфатическим путям. Обычно это происходит при ослаблении иммунитета.

Во время войны я часто имел дело с артритами, когда мы лечили огнестрельные переломы костей и суставов. Инфекция всегда была тяжелой, требовались операции, и дело заканчивалось неподвижностью — анкилозом, а иногда и ампутацией. Но тогда не было антибиотиков. Теперь положение намного легче.

Как и всякое воспаление, артриты проявляются температурой, болями, отеком в области суставов. Нередко поражаются несколько суставов сразу, подвижность их резко ограничивается.

Антибиотики и гормоны позволяют ликвидировать инфекцию. Но потеря подвижности наблюдается все равно, потому что воспаление разрушает суставные хрящи и синовиальную оболочку. Полость сустава, как говорят врачи, «запустевает», и на хорошую подвижность рассчитывать не приходится. Восстановление функции зависит от настойчивости самого больного, потому что разрабатывать сустав можно только через боль.

Наиболее тяжелые — **туберкулезные артриты**. Их лечат антибиотиками в сочетании с гипсовыми повязками.

Самыми опасными считаются **ревматоидные артриты**. В них проявляется коварство ревматизма, поражающего соединительную ткань, в данном случае — суставы. Начинается процесс с симметричного поражения мелких суставов кистей рук и стоп: первые признаки — припухлость, сильные боли, потом тугоподвижность, деформации. Течение болезни хроническое, временное облегчение сменяется рецидивами. Ревматоидные артриты лечат солями золота, но главное — гормонами. Вылечить это заболевание так же трудно, как и ревматизм сердца.

Артрозы тоже поражают суставы, но протекают гораздо легче. Болезнь имеет характер не воспалительный, а дистрофический, то есть клетки поражаются без воспаления, без выпотевания жидкости. Процесс сразу начинается в суставных хрящах, потом поражает костные поверхности, но на мягкие ткани сустава не переходит.

Специалисты выявляют разные поражения суставов, но конечные результаты их очень похожи: тугоподвижность, деформации, боли. Чтобы суставы совсем не утратили свою функцию, нужна гимнастика (сотни и тысячи движений в день) — но только после того, как полностью снято острое воспаление, о чем свидетельствует прежде всего анализ крови (СОЭ — скорость оседания эритроцитов).

Редкий человек старше пятидесяти не переносил приступов боли в области поясницы, не ходил по этому поводу к массажистам или мануальным терапевтам. Самая распространенная патология позвоночника — спондилез, или спондилоартроз, а также выпадение межпозвоночных дисков. Они проявляются болями при движении, а при сильном обострении — и в состоянии покоя («ни сесть, ни встать»). Поражаются позвонки или межпозвонковые диски, или и то и другое. Позднее на позвонках вырастают «шипы». Межпозвонковые щели, в которых находятся хрящевые диски, постепенно суживаются в размере. При крайних проявлениях болезни часть позвонков срастается (такие участки позвоночника напоминают бамбуковую палку), что лишает позвоночник подвижности. Диагноз ставится по рентгенограмме. Если спондилез распространяется на шейные позвонки, могут сдавливаться позвоночные артерии, питающие мозг.

Я сам страдаю болями в позвоночнике с тридцати лет. Скорее всего, заработал их многочасовыми операциями. И придумал свой метод лечения — физкультурой, очень настойчивой. Именно упражнения позволяют мне «держать под контролем» свой позвоночник: «усы» появились в сорок лет, но не увеличиваются.

ТРАВМЫ

Травмотология мне хорошо знакома, поскольку первые 13 лет моей врачебной практики именно она занимала половину рабочего времени. Даже больше половины, если считать четыре года войны, которую не зря называют «травматической эпидемией».

По локализации травмы распределяет анатомия: конечности (то есть ноги и руки), голова, шея, грудь, живот, таз. И закрытые, и открытые повреждения могут быть тяжелыми и легкими. Например, закрытая травма живота может оказаться очень коварной: раны как таковой нет, а внутренние органы от удара повреждены: кишка разорвана (перитонит!), или селезенка кровоточит. Суммарная тяжесть определяется тем, сколько тканей и органов пострадало. От этого зависят и ближайшие осложнения (шок, кровопотеря), и более поздние (инфицирование, несращение переломов, тугоподвижность суставов).

В полевом госпитале при диагностике ранения обходились без рентгена, вместо него были глаза, пальцы и разум. Конечно, при современном больничном вооружении диагностика травм упростилась. Используют все виды рентгеновских и ультразвуковых исследований, эндоскопии, при необходимости (например, при травмах мозга) подключают и компьютерную томогра-

фию. Правда, в селе этого нет, да и всего не предусмотришь. Поэтому травматолог должен обладать обширными знаниями и опытом — как на войне.

Некоторые сведения из диагностики травматических повреждений полезно знать каждому. Расскажу о них предельно кратко.

Симптомы ранения сердца: тяжелое общее состояние, шок, пульс еле прощупывается или совсем не обнаруживается. Тоны сердца не слышны.

При повреждениях легких — кашель с кровью, одышка. Воздух заполняет плевральную полость и поджимает легкое. Это называется пневмоторакс. Бывает и шок.

Повреждения печени и селезенки опасны внутренними кровотечениями. Они проявляются бледностью, падением пульса и давления. Больной лежит, боясь шелохнуться. Ощупывание живота болезненно.

При повреждениях желудка и кишечника картина почти такая же, главная опасность — перитонит (воспаление брюшины). Часто бывает рвота.

При повреждениях почек и мочевого пузыря моча окрашивается кровью.

Самая частая *травма головы* — сотрясение мозга. Признак — потеря сознания, даже кратковременная. Надо определить, цел ли череп. Если кости повреждены, прощупываются неровности и даже подвижные сегменты костей. В этих случаях есть опасность кровоизлияния и сдавления мозга. Нужна немедленная госпитализация.

Признаки перелома костей рук и ног: сильная боль в месте перелома при надавливании пальцем, резкое нарушение функции конечности, даже ненормальное ее положение и форма, когда перелом полный. Спустя полчаса и более на месте перелома появляется отек.

Наиболее опасны переломы шейки бедра, которые чаще случаются у пожилых людей. Переломы костей таза опасны повреждениями органов. *Перелом ребер* можно заподозрить, если ощущается сильная боль при дыхании и кашле, а также при сжатии груди ладонями с боков и при надавливании на ребро.

При травмах груди и живота нужна немедленная помощь хирурга.

С ранами сердца хирурги теперь справляются успешно. Главное — без промедления попасть на операционный стол в приличной больнице. Ранения легких оперировать не спешат. Воздух выходит в плевральную полость, поджимает легкое, и рана в последующем заживает сама, без зашивания. Диагностика — по рентгену груди. Но если в полости плевры быстро накапливается много крови — больше литра — делают прокол и кровь отсасывают. Лишь редко приходится вскрывать грудь и накладывать швы на легкое.

Все проникающие ранения живота оперируют обязательно и срочно (из-за опасности перитонита от проникновения инфекции из кишечника). На войне раненые выживали, если их доставляли в медсанбат в течение шести часов. Поврежденную селезенку обычно удаляют.

Переломы костей ног и рук раньше лечили только гипсовыми повязками и длительным вытяжением после сопоставления отломков. Для бедра требовалось 2–3 месяца, для плеча — 1–2. Плюс к этому разработка суставов занимала 2 месяца. Теперь все шире применяются операции — свинчивание отломков кости металлическими пластинками. Времени на лечение требуется меньше, суставы не теряют подвижности, функция восстанавливается чуть ли не в первые дни. При переломах шейки бедра даже девяностолетним старикам удаляют верхний отломок с головкой бедра и ставят искусственный сустав из металла. Ходить полагается уже через неделю. Такие же протезы вшивают и при тяжелых артрозах тазобедренного сустава.

Эффективность лечения травм в последние десятилетия сильно возросла. Но важно помнить: процесс реабилитации после травмы больше всего зависит от самого больного. Резервы организма по восстановлению функций велики, но требуется сила воли: никакой специальный массаж не может заменить активных движений через боль.

ПРИЛОЖЕНИЕ

Некоторые таблицы из книги К. Купера «Новая аэробика» (М., 1976)

ПРОГРАММА ХОДЬБЫ

Таблица 1

Неподготовленные начинающие

Неделя	Дистанция в километрах	Время в минутах	Частота в неделю	Очки за неделю
1	1,6	17.30	5	5
2	1,6	15.30	5	5
3	1,6	14.15	5	10
4	1,6	14.00	5	10
5	2,4	21.40	5	15
6	2,4	21.15	5	15

После завершения этой программы занимайтесь по программе, предназначенной для 1-й степени подготовленности.

Таблица 2

**Степень подготовленности 1
(меньше 1,5 километра в 12-минутном тесте)**

Неделя	Дистанция в километрах	Время в минутах	Частота в неделю	Очки за неделю
7	2,4	21.00	5	15
8	3,2	28.45	5	20
9	3,2	28.30	5	20
10	3,2	28.00	5	20
11	3,2 и	28.00	3	22
	4,0	35.30	2	
12	4,0 и	35.00	3	27
	4,8	43.15	2	
13	4,0 и	34.45	3	27
	4,8	43.00	2	
14	4,0 и	34.30	3	27
	4,8	42.30	2	
15	4,8	42.30	5	30
16	6,4	56.30	3	33

Завершив программу ходьбы, выберите в таблице 7 одну из программ, рассчитанных на 30 очков в неделю, или согласуйте свою собственную программу с таблицей 10.

ПРОГРАММА БЕГА

Таблица 3

Неподготовленные начинающие

Неделя	Дистанция в километрах	Время в минутах	Частота в неделю	Очки за неделю
1	1,6	17.30	5	5
2	1,6	15.30	5	5
3	1,6	14.15	5	10
4	1,6	13.30	5	10
5	1,6	11.45	5	15
6	1,6	11.15	5	15

Начинайте программу с ходьбы. Затем следуют ходьба и бег. И только потом чистый бег. В случае необходимости можете вносить изменения в таблицу и бежать медленнее, чем предусмотрено.

После завершения программы для неподготовленных начинающих продолжайте занятия по программе, предусмотренной для 1-й степени подготовленности.

Таблица 4

**Степень подготовленности
(меньше 1,5 километра в 12-минутном тесте)**

Неделя	Дистанция в километрах	Время в минутах	Частота в неделю	Очки за неделю
7	2,4	19.30	5	15
8	2,4	18.30	5	15
9	2,4	17.30	4	18
10	1,6 и	10.00	2	19,5
	2,4	16.30	3	
11	1,6 и	9.30	3	21
	2,4	15.30	2	
12	1,6 и	9.00	3	24
	2,4	14.30	2	
13	1,6 и	8.30	3	24
	2,4	14.00	2	
14	1,6 и	8.15	3	30
	3,2	19.30	2	
15	1,6 и	8.0	2	
	2,4 и	12.55	2	31,5
	4,0	22.30	1	
16	1,6 и	8.00	1	
	2,4 и	12.25	2	34
	3,2	18.30	2	

После завершения программы бега для степеней подготовленности 1, 2 и 3 подберите одну из программ, рассчитанных на 30 очков в неделю (табл. 7), или согласуйте свою собственную программу с табл. 10.

ПРОГРАММА БЕГА НА МЕСТЕ

Таблица 5

Неподготовленные начинающие

Неделя	Продолжительность в минутах	Количество шагов в минуту	Частота в неделю	Очки за неделю
1	2.30	70—80	5	4
2	2.30	70—80	5	4
3	5.00	70—80	5	7,5
4	5.00	70—80	5	7,5
5	7.30	70—80	5	11,25
6	7.30	70—80	5	11,25

После завершения программы для неподготовленных начинающих продолжайте занятия по программе, предусмотренной для 1-й степени подготовленности.

Таблица 6

**Степень подготовленности 1
(меньше 1,5 километра
в 12-минутном тесте)**

Неделя	Продолжительность в минутах	Количество шагов в минуту	Частота в неделю	Очки за неделю
7	10.00	70—80	5	15
8	10.00	70—80	5	15
9	12.30	70—80	5	18,75
10	12.30	70—80	5	18,75
11	15.00	70—80	5	22,5
12	10.00	80—90	1	24,25
	17.30	70—80	3	
13	10.00	80—90	1	24,25
	17.30	70—80	3	
14	12.30	80—90	2	28
	15.00	80—90	3	
15	15.00	80—90	5	30
16	15.00	90—100	4	30

После завершения программы бега на месте найдите по табл. 7 подходящую для вас программу, рассчитанную на 30 очков в неделю, или согласуйте собственную программу с табл.10.

Таблица 7

Вид упражнений	Дистанция в километрах	Время в минутах	Частота в неделю	Очки за неделю
Ходьба	3,2	24.00—29.00	8	32
	или			
	4,8	36.00—43.30	5	30
	или			
	6,4	58.00—79.59	5	35
	или			
	6,4	48.00—58.00	3	33
Бег	1,6	6.30—7.59	6	30
	или			
	2,4	12.00—14.59	5	30
	или			
	2,4	9.45—11.59	4	30
	или			
	3,2	16.00—19.59	4	36
	или			
	3,2	13.00—15.95	3	33

Вид упражнений	Продолжительность в минутах	Количество шагов в минуту	Частота в неделю	Очки за неделю
Бег на месте	10.00 утром	70—80	5	30
	10.00 вечером	70—80		
	или			
	15.00	70—80	7	30
	или			
	15.00	80—90	5	30
	или			
	20.00	70—80	4	32

Таблица 8

Программа ходьбы «Б», рекомендованная пациентам врачей-кардиологов (степень заболевания — умеренная)

Неделя	Дистанция в километрах	Время в минутах	Частота в неделю	Очки за неделю
1—2	1,6	24.00	5	—
3—4	1,6	20.00	5	—
5—6	1,6	18.00	5	5
7—8	1,6	16.00	5	5
9—10	2,4	25.00	5	7,5
11—12	2,4	24.00	5	7,5
13—14	3,2	33.00	5	10
15—16	3,2	32.00	5	10
17—18	2,4	23.00	2	10,5
	4,0	40.00	3	
19—20	2,4	22.30	2	12
	4,8	47.00	3	
21—22	4,0	38.00	2	15,5
	5,6	54.00	3	
23—24	4,0	36.00	3	21
	4,8	44.00	2	
25—26	4,8	43.15	3	26
	6,4	61.00	2	
27—28	4,8	43.15	3	26
	6,4	60.00	2	
29—30	4,8	43.00	5	30
31—32	6,4	57.45	3	33

После завершения программы ходьбы «Б» продолжайте занятия по табл.9. Минимальная задача — поддержать уровень подготовленности.

Таблица 9

Дистанция в километрах	Время в минутах	Частота в неделю	Очки за неделю
2,4 (дважды в день)	18.00—28.29	5	30
или 3,2	24.00—28.29	8	32
или 4,8	36.00—43.29	5	30
или 6,4	48.00—57.59	3	33
или 6,4	58.00—79.59	4	28
или 8,0	72.00—99.59	3	27

Таблица 10

Таблица «стоимости» очков

Ходьба или бег, км	Время, мин	Очки
1,6	19.59—14.30	1
	14.29—12.00	2
	11.59—10.00	3
	9.59—8.00	4
	7.59—6.31	5

Ходьба или бег, км	Время, мин	Очки
	6.30–5.45	6
	Быстрее 5.45	7
2	23.59–17.24	1,25
	17.23–14.24	2,5
	14.23–12.00	3,5
	11.59–9.36	5
	9.35–7.48	6
	7.47–6.55	7,25
	Быстрее 6.55	8,5
3	37.59–27.33	2
	27.32–22.48	3,75
	22.47–19.00	5,5
	18.59–15.12	7,5
	15.11–12.21	9,5
	12.20–11.00	11,5
	Быстрее 11.00	13,5
4	Медленнее 50.00	1
	49.59–36.15	2,5
	36.14–30.00	5
	29.59–25.00	9
	24.59–20.00	11,5
	19.59–16.15	14
5	Медленнее 1:02.00	1,5
	1:01.59–44.57	3
	44.56–37.12	6,25
	37.11–31.00	11,5
	30.59–24.48	14,5
	24.47–20.10	17,75
	20.09–17.50	20,75
	Быстрее 17.50	24
6	Медленнее 1:14.00	1,5
	1:13.59–53.39	3,75
	53.38–44.24	7,5
	44.23–37.00	14
	36.59–29.36	17,5
	29.35–24.03	21
	24.02–21.15	25
	Быстрее 21.15	28,5
7	Медленнее 1:28.00	4
	1:27.59–1:03.48	7,75
	1:03.47–52.48	12
	52.47–44.00	16,5
	43.59–35.12	21

Ходьба или бег, км	Время, мин	Очки
	35.11–28.36	26,25
	28.35–25.10	29,5
	Быстрее 25.20	34
8	Медленнее 1:40.00	5
	1:39.59–1:12.30	9
	1:12.29–1:00.00	14
	59.59–50.00	19
	49.59–40.00	24
	39.59–32.30	29
	32.29–28.45	34
	Быстрее 28.45	39
10	2 часа или дольше	6
	1:59–1:27.00	11
	1:26.59–1:12.00	17
	1:11.59–1:00.00	23
	59.59–48.00	29
	47.59–39.00	35
	38.59–34.30	41
	Быстрее 34.30	47

Бег на месте, мин	Число шагов	Очки
2.30	175–200	0,75
	200–225	1
5.00	300–350	1,75
	350–400	1,5
	400–450	2
7.30	525–600	2,25
	600–675	3
10.00	600–700	2,5
	700–800	3
	800–900	4
12.30	785–1000	3,75
	1000–1125	5
15.00	900–1050	3,75
	1050–1200	4,5
	1200–1350	6
17.30	1225–1400	6,75
	1400–1575	8,5
20.00	1200–1400	7
	1400–1600	8
	1600–1800	10

ЗДОРОВЬЕ И СЧАСТЬЕ РЕБЕНКА

Есть ли что-нибудь более важное, чем дети? Думаю, что все, кто имеет дело с маленькими, скажут «Нет!».

Нет другой такой проблемы. Материальный базис необходим, но во всяком случае богатство не облегчает задачу воспитателей. Многие граждане ставят здоровье на первое место в общественных приоритетах. Дескать, болезни всех касаются: маленьких, больших и старых, всем причиняют неприятности и иногда даже угрожают жизни. Как врач могу подтвердить — многие люди страдают физически. Кто сам болеет, кто сопереживает близким. И все же значимость медицины для общества неизмеримо меньше, чем системы образования — воспитания. Болезни — даже смертельные — это заботы сегодняшнего дня. Их влияние на будущее общество невелико. Даже в частном плане возвращение к здоровью для человека почти всегда возможно: так уж благоприятно он устроен.

Совсем другое дело — воспитание. Оно все нацелено в будущее для одного человека и для целого общества. В детские годы закладывается счастье всей жизни. Счастье — это несколько преувеличено, оно коротко и преходяще: скажем осторожнее — Уровень Душевного Комфорта (УДК). Именно об этом должны думать мамы и папы и воспитатели всех рангов.

Впрочем, зачем говорить о том, с чем и так все согласны? Воспитание — важнейшая проблема. Нужно? — Да. А вот как?

История столь же долгая, как и само человечество. Даже еще длиннее: высшие млекопитающие тоже воспитывают своих детенышей. Тем не менее, в проблеме полно неясного и спорного.

А сколько книг написано! Невольно сомневаешься — стоит ли писать еще одну?

Мне не хочется, чтобы читатели подумали: «Взялся не за свое дело. Занимался бы хирургией».

Защищаюсь: во-первых, не претендую научить, как воспитывать. Задача попроще: дать «материал для размышлений». Во-вторых, есть основания. Почти двадцать лет в отделе биокибернетики мы занимались механизмами мышления, более десяти лет — психологией,— моделированием личности и, наконец, несколько лет специально изучали детскую психику.

В 1974 г. была создана исследовательская группа под руководством кандидата медицинских наук В.М. Белова, состоявшая из детского психолога, врача, математика, инженера и техника. В задачу группе было поставлено провести длительное наблюдение за детишками с целью создать модели их личности. Нужно было установить и количественно зафиксировать врожденные особенности, изменение их с возрастом под воздействием среды и воспитания. Нам хотелось выяснить степень воспитуемости человека, значение возраста и необходимые усилия для разных типов людей. Конечной целью работы являлось повышение эффективности воспитания. Под наблюдение группы было взято 27 детей в возрасте 11 месяцев в двух яслях г. Киева. Использовались разные методы изучения: скрытое наблюдение с хронометражем свободного поведения и в специально созданных ситуациях, «развивающие игры», тесты для оценки умственного развития, количественные оценки среды в яслях и в семье, определение физических данных здоровья. Все сведения фиксировались в специальных картах, а также на фотографиях и в фильмах. Закончен первый этап работы, составлен подробный отчет, его материалы я использовал в своей книге.

В 1990 году мой сотрудник и друг В. Кольченко, врач по профессии и педагог по убеждениям, опубликовал в «Учительской газете» большую анкету для учителей, чтобы получить статистику распределения школьников всех классов по многочисленным параметрам: как учатся, что думают, распределение по типам, сведения о семьях и многое другое. Учителя присылали списки своих учеников с заполненными графами на каждого. Были получены сведения примерно на 10 тысяч школьников. Сделана статистика.

Хотелось бы побудить родителей более внимательно наблюдать своих детей (а попутно присмотреться и к себе), чтобы сознательно воспитывать, а не просто плыть по течению.

НЕКОТОРЫЕ НАУЧНЫЕ ИДЕИ

В чем основная идея? Она больше научная, чем практическая, не рецепты, а скорее вопросы. О том, как усовершенствовать воспитание, какие возможности и ограничения ставит нам в этом природа.

Начать придется с чистой науки, с естественнонаучного обоснования воспитания. К сожалению, трудно совсем избежать сложностей. Понимаю, специфика книги такова, что мало найдется читателей, желающих вникать в научную скуку. Так уж устроены люди: одни — немногие — ищут доказательств, чтобы поверить идеям, другим достаточно уверений авторитетов, а третьи не верят ни тому, ни другому и хотят во всем убедиться своими глазами. Боюсь, что я не удовлетворю никого: для первых будет недостаточно научно, потому что коротко и популярно, для вторых маловат мой авторитет, а третьим... что им покажешь? Это всего лишь книжица. Мой близкий опыт очень мал: одна дочь и одна внучка. Но есть принципиальные вопросы, которые не обойти.

Первый из них — **о значении тренировки.** Известно, что вся жизнь построена на обмене веществ: старые белки распадаются, новые синтезируются. Функция и работоспособность органа определяются «массой белка», которая в свою очередь является результатом соотношения скорости синтеза и распада. Если орган напряженно работает, синтез обгоняет распад, масса белка возрастает и соответственно растут функциональные мощности органа. В этом и есть закон тренировки. Он относится ко всем клеткам: мышечным, нервным, железистым. Например, память — это тренировка нервных клеток коры мозга и связей между ними. Результат: больше импульсов, сложнее архитектура «моделей» — ансамблей из нейронов, отражающих мир и идеи.

Высокая возбудимость самих клеток, обеспечивающая психическое напряжение, тоже следствие их тренировки.

Закон тренировки демонстрируется такой формулой:

Раздражитель → Функция → Тренировка

Второй теоретический вопрос: **соотношение врожденного и приобретенного.**

Тренировки не беспредельны. Ограничения запрограммированы в генах, они различны для разных типов клеток, для разных их функций. Видимо, различия объясняются «узкими местами» в сложных цепях химических превращений — от пищи до функций, обеспечивающих любую деятельность.

Рост и развитие сложного организма выражаются в делении клеток и увеличении их массы. Зародышевая клетка не только умножается в числе, но у ее потомков появляются новые качества, которые дадут новые функции. Это называется дифференцировка: одни клетки станут мышцами, другие — железами, третьи — кожей. Часть пути от зародыша к взрослому падает на внутриутробный период, но большая — на рост и развитие после рождения, когда организм не только растет, но и функционирует, действует. Очень интересна связь размножения клетки и тренировки. Представим себе условную клетку: у нее есть органы управления — «мозг», это гены в их ДНК, и «тело» — те «рабочие» структуры, которые осуществляют функции. Сами гены при тренировке не меняются, они лишь последовательно включаются в работу. Растет только «тело» одновременно с возрастанием мощи его функций. Если материнская тренированная клетка поделится на две, то обе «дочери» получат более мощное «тело», следовательно, уже в самом начале будут способны выдавать более сильную функцию, чем дочери детренированных «мамаш». Отсюда следствие: упражнение функций в период роста и развития организмов наиболее эффективно. Поскольку в сложном организме все связано, то целенаправленными упражнениями в детстве можно значительно изменить будущий организм взрослого. Эта истина постоянно доказывается практикой: музыка, балет, цирк — все построено на ранних упражнениях. Однако даже тренировки в младенчестве не беспредельны. Природа их ограничивает. И не безопасны. Избыточным упражнением одной функции можно повредить другим, так как все они замыкаются на некоторые общие «обеспечивающие» источники, которых окажется недостаточно на все. «Сильные» захватят максимум, а «слабым» не хватит, и они хиреют. Поэтому-то и требуется гармония в воспитании: физическое развитие в сочетании с образованием.

Пределы тренировок различных функций, а также оптимальные сроки и необходимые усилия, к сожалению, еще неясны. Поэтому очень важна осторожность.

ПСИХИКА. МЕХАНИЗМЫ МЫШЛЕНИЯ

Счастье человека, счастье ребенка — это состояние психики.

В чем содержание психики? В первом приближении — это поступки, мысли и чувства. Как было бы хорошо, если бы физиологи могли объяснить эти сугубо психологические термины — мысли, чувства, сознание. К сожалению, они еще многое не могут объяснить. В коре мозга, по современным данным, 100 миллиардов клеток-нейронов, каждый имеет связи с сотнями и даже тысячами других, каждый обладает собственной активностью — выдает нервные импульсы. А мысль в сознании в каждый момент — одна, действие — одно.

Поступок — это функция целого организма, нервные импульсы — функция его нервных клеток. Как перекинуть мостики между ними?

Пока нет надежды сделать это прямым исследованием, можно лишь предложить гипотезу. Попытаюсь кратко изложить свою точку зрения на разум, поведение, психику.

Модели — с них нужно начинать. Это слово стало привычным в последние годы. Модель — это некая конструкция, система, образ, отражающая объект. Игрушечный автомобиль — модель настоящей машины. Рисунок — модель, фотография человека — модель. Словесное описание предмета — модель. И так далее. Разными средствами, разным кодом отражена в модели система — оригинал. Если он сложен, к примеру, клетка, организм, то модель обязательно упрощает его и искажает, потому что невозможно отразить все детали, которые зачастую даже неизвестны. И еще больше: модель несет печать субъективности ее создателя. В самом деле, когда необходимо упрощать, то приходится жертвовать подробностями, и у каждого свои оценки и представления, чем можно пренебречь. Итак, упрощение, искажение и субъективность — вот качества моделей очень сложных объектов, таких, как организм, или мозг, или общество.

Все наше мышление — это действия с моделями. Модели в мозге — образы мира, его картины, структуры. Модели действия: последовательность движений рук, пальцев, инструментов. Несомненно, что все они представлены в мозге конструкциями из нервных клеток — нейронами. Не следует думать, что эти модели вроде фотографий, пространственные отношения наверняка другие, но главное, что они структурны. Из 100 миллиардов нейронов можно составить необозримое количество картин. Есть два важных свойства у нейронов: образовывать связи друг с другом и переходить из состояния покоя в состояние деятельности, возбуждаться. На первом построена постоянная память: структуры из нейронов, соединенных хорошо проторенными связями, образуют прочно запомненные модели — образы. Другое дело — кратковременная память: если мы рассматриваем предмет глазом, то его чувствительные клетки приходят в состояние возбуждения и возбуждают соответствующие им клетки в коре мозга: картина в мозге как бы светится, будто на экране телевизора. Переведите взор на другой предмет, и первая картина быстро погаснет, образ забудется. Если рассматривать много раз, то связи между возбужденными клетками укрепятся («проторятся») и временная память перейдет в постоянную. В дальнейшем стоит возбудиться нескольким клеткам модели, как она засветится вся. Так, увидев хорошо знакомое ухо, легко вспоминаешь все лицо.

Самый простой механизм деятельности мозга выражается в безусловном рефлексе: «раздражитель — действие». Так мы отдергиваем руку от огня или удерживаем равновесие. В поступках, в «актах поведения» — все сложнее. Кроме модели образа и модели действия, присутствует еще одно звено — чувство. Простой пример: человеку попадает под ноги корка хлеба, сытый отпихнет ее, голодный поднимет и съест. От одной модели образа могут включаться две разные модели действий. Выбор определяется состоянием третьей модели — чувства голода. Такой трехзвенный механизм — основной в психике, в поступках на уровне коры.

Без участия чувства поступки совершаются только в том случае, если связи между моделями образа и действия настолько сильны, что возбуждение переходит мгновенно, как при безусловном рефлексе. Увидев объект, возникает непреодолимое желание совершить действие, остановить его можно только напряжением воли, т. е. возбуждением противоположных чувств. Воспитание человека в значительной мере направлено на создание таких прочных связей, например, в сфере морали.

Рефлекторные движения коротки и просты. Поступки — это уже действия сложные, целая цепь движений, иногда растянутая на длинные отрезки времени. Поступки вызываются сложными образами, например, пространственной ситуацией или речью собеседника.

Сам процесс мышления представляет собой движение возбуждения — активности по моделям коры мозга. Главное направление: от образов — на чувства и на действия. Чем большее сопротивление действиям ожидается, тем выше должна быть активность моделей движения, чтобы придать силу мышцам. Откуда черпается энергия для активирования, возбуждения нейронов, составляющих модели? Первым источником являются внешние воздействия — энергия света и звука, падающая на глаз и ухо. Вторым — генераторы нервной энергии, какими являются центры чувств и характера.

Модели тех образов и действий, которые часто используются и таким образом тренируются, требуют меньше энергии для возбуждения. Таковы, например, заученные движения и даже сложные поступки.

Количество энергии, выделяемой центрами разных чувств, неодинаково у разных людей — они закодированы в генах. В этом проявляется индивидуальность личности. Так же различна способность к тренировке моделей образов и действий и так же можно трактовать различие в способностях.

ФОРМИРОВАНИЕ ЛИЧНОСТИ

Что такое личность? Самое простое определение: сочетание разума (знаний), чувств врожденных, чувств приобретенных — убеждений и характера — источника энергии для любых действий.

Для целей воспитания крайне важно знать, как у ребенка формируется личность и как можно воздействовать на нее, чтобы получить желаемый результат.

Процесс развития довольно жестко закодирован в генах. В частности, известно, что все нервные и мышечные клетки уже существуют к шести месяцам внутриутробной жизни, и дальнейшее увеличение массы тела происходит только за счет роста объема клеток, а не числа. Жировые и соединительнотканные клетки, видимо, не столь строго лимитированы, и их закладка продолжается дольше. Развитие мозга опережает рост тела. Вес новорожденного составляет 5% взрослого, а мозг уже достигает 25%. К 6 месяцам — 50%, в 2,5 года — 75, в 5 лет — 90, в 10 лет — 95%.

Питание и упражнение — вот два фактора, влияющих на вес и рост ребенка. Правда, значение их не столь уж демонстративно. Несомненно, что при плохом питании наблюдается отставание в росте и весе. Если его улучшить, ребенок начинает быстро расти и может догнать свой «запрограммированный» рост. Наоборот, избыточное питание не только не дает выигрыша, но может принести вред. Положение с упражнениями сложнее. Дело в том, что хотя все нервные клетки уже есть к рождению, но лишь немногие уже соединены нервными отростками и могут взаимодействовать друг с другом, обеспечивая примитивные функции. Большинство связей между нейронами образуется уже после рождения ребенка, и рост этот зависит от внешних раздражителей и собственных ответных действий. Таким образом, опережающим стимулированием можно ускорить образование новых связей и добиться более раннего и более эффективного развития ребенка. Это совсем немало, если дело касается интеллекта и психики.

Ведущим звеном развития являются потребности и их производные — чувства и желания. Потребность в получении впечатлений, развивающаяся параллельно с потребностями в пище и безопасности, включает ФА (функциональные акты) хватательных движений. Удачные двига-

тельные акты формируются путем проб и ошибок из беспорядочных движений. Здесь выступает роль среды — насколько она богата объектами, способными удовлетворить потребности ребенка и тренировать его нервные центры. Если среда бедна, то неудачные попытки в конце концов могут ослабить потребности. В будущем это может оказаться дефектом личности человека. В свою очередь, чрезмерная тренировка одной какой-нибудь потребности благоприятными условиями может привести к повышению ее значения, и это тоже плохо, так как возможны противоречия с требованиями общества. Иногда это выливается в пороки. В генах у разных людей заложена разная активность чувств, поэтому для их правильной тренировки требуются различные условия. **Задача воспитания состоит в том, чтобы как можно раньше разгадать наклонности и попытаться регулировать их развитие так, чтобы приспособить ребенка к будущим условиям жизни в обществе.** Нужно примирить его врожденные потребности с возможностями, обеспечить необходимый УДК (уровень душевного комфорта).

Созревание мозга ребенка является биологическим процессом: структура их клеток запрограммирована в генах, но не жестко. Рост связей и их проторенность, степень активности нейронов — все эти качества, играющие важную роль в Разуме, видимо, существенно зависят от упражнений в детском возрасте. Впрочем, это не значит, что из любого ребенка можно сделать гения. Можно только прибавить способностей.

Попытаемся представить себе **динамику развития Разума и факторы, которые на него влияют.**

Разум, интеллект — это функциональные акты (ФА): их разнообразие, их сложность и продолжительность во времени, доведение их до цели и совершенства. Другое дело, чему служат ФА — реализации ли биологических потребностей, требований ли общества или же целям, появившимся в самом Разуме в результате творчества.

ФА обеспечиваются чувствами, моделями среды от «входов» и моделями действий. Усложнение ФА возможно только при усложнении моделей всех трех компонентов. Самым «биологическим», то есть от генов, является созревание центров чувств — биологических потребностей. Что же касается восприятия внешнего мира и собственных действий, то закономерно созревают лишь структуры, обеспечивающие простые рефлекторные движения. Всякая сложная разумная деятельность, отличающая человека, является следствием обучения и воспитания. Это, правда, не значит, что ребенок — обучаемый автомат с заранее предопределенным результатом. Всегда присутствует элемент самоорганизации. Обучение — не простое наполнение памяти, в нем участвуют чувства ребенка и его деятельность. Запомнить с одного взгляда можно, только если потом много раз вспоминать в уме. Это бывает, когда затронуты сильные чувства.

Ребенок сам участвует в своем становлении, поэтому воспитание и образование должны строиться на его активности. Главный вопрос — когда, как и сколько тренировать. Психолог Л. С. Выготский еще в 1934 г. выдвинул идею о тренировке, опережающей созревание на один шаг. Это очень важно: большое опережение не даст эффекта и вызовет отрицательную реакцию, запоздалые упражнения упустят возможность повлиять на рост нервных отростков, т. е. на анатомическую структуру интеллекта, это ограничит возможности обучения только проторением уже имеющихся анатомических связей. При этом человек будет больше знать, но способности его не возрастут.

Огромная роль в развитии ребенка принадлежит овладению речью. Через нее взрослые получают «канал связи» для введения в мозг новых моделей и тренировки чувств. Значимость словесных воспитательных и образовательных воздействий определяется авторитетом воспитателя. Этот чисто психологический термин имеет биологические корни в качествах лидерства и подчиненности в личности ребенка.

Самая простая форма авторитета, доставшаяся нам от животных, основана на превосходстве силы и страхе перед ней. Отказываться совсем от силы в отношениях с ребенком, видимо, нельзя — важно строго ограничивать. Авторитет любви, дружбы и симпатии построен на отношениях к нему взрослых. Для всех приятно то, что связано с удовольствием. Для маленького удовольствие дают взрослые — играми, рассказами или подарками. Ребенок довольно рано начинает сопереживать близким, замечая их чувства по мимике и стараясь не огорчать любимых. Но одна только любовь мало что дает. Необходимо уважение. Оно основано на превосходстве из того же чувства подчиненности.

Авторитет силы развит среди мальчишек, для которых значимость физических данных весьма велика. Авторитет ума оценивается позднее, когда повысится собственный интеллект ребенка. Самый поздний — это авторитет морали. В детском обществе такие понятия, как «справедливый», «добрый», могут действовать только в сочетании с другими — с умом или силой. Чтобы их оценить отдельно, надо проникнуть в моральные проблемы, понять их значимость. Детям это долго остается недоступным. Зато они очень рано научаются делить авторитеты по сферам деятельности или по чувствам, на которых они построены. «Ты в этом ничего не понимаешь»,— можно услышать от школьника применительно к высокому авторитету, но в другой области.

Разумеется, в наивысшем ранге пребывают те чудесные взрослые, которые поражают превосходством во всех сферах интересов ребенка. Важно также, чтобы это признавали все окружающие. Такие лавры иногда выпадают отцу, а чаще — учителю.

Главное назначение авторитета — прививать убеждения. Для ребенка — это значимость словесных формул: «как надо». Он еще не в состоянии разобраться и найти доказательства. «Иван Петрович сказал» — и этого достаточно.

Эволюция сознания идет довольно медленно. Примерно до двух лет идет только слежение за внешним миром и — немного — за своими действиями. Себя ребенок часто называет в третьем лице. Понимания собственных чувств еще нет, кроме самых простых — «больно», «хочу есть» и пр. По мере развития речи и удлинения ФА сознание совершенствуется. Появляются понятия времени, выделяется «я» и «не я», «реальное» отделяется от «мнимого», расширяется гамма обозначенных словами чувств вместе с простейшими моральными принципами: «должен», «нужно», «совесть», даже «честь», «вина». Воля проявляется в умении заставить себя действовать по убеждениям, вопреки первичным желаниям. Позднее всего проявляется сопереживание другим людям.

Половое созревание существенно меняет личность подростка. Новые чувства не только акцентируют предметы, поступки и людей, но резко усиливается потребность самоутверждения. Более того, появляется антагонизм к взрослым. Авторитеты бледнеют, появляются новые кумиры из числа сверстников. При надлежащем интеллектуальном развитии начинается переход к высшему уровню сознания. Это выражается в слежении за своими мыслями, в возвышении собственного «я», в перевоплощении в личность другого. Пересматриваются убеждения, некритично воспринятые от авторитетов. Возрастание объема памяти позволяет шире сопоставлять слова и факты. Создается собственная концепция мира и морали. Она кажется особенно важной, и весь мир переосмысливается под новым углом зрения, нередко неправильным. Но — своим! В этом выражается становление личности. Высокий интеллект для самоутверждения необязателен, гораздо важнее лидерство — главное оружие против авторитетов. Если собственные данные в привычной среде маловаты, лидер выбирает себе новое окружение. Важным сдерживающим началом в этом процессе являются жесткие обстоятельства жизни, не оставляющие выбора новой сферы приложения протеста и сил. Необходимость, а не свобода, должна удерживать подростка-юношу от дурных поступков.

Воображение, мечты и творчество становятся доступными интеллекту ребенка приблизительно в 4–5 лет. Лучшим способом тренировки их являются игры с имитацией деятельности взрослых.

Упрощенные теоретические рассуждения, что я привел, должны иметь практическое приложение, иначе они интересны только для специалистов. К сожалению, наши сведения по теории мышления и поведения не на том уровне досто-

верности, чтобы давать точные рекомендации. И все-таки можно сделать выводы для практики. Одни — обнадеживающие, другие — пессимистические.

Самый главный вопрос: насколько можно изменить личность человека целенаправленными воздействиями со стороны общества? По существу, от этого зависит «быть или не быть», какое общество можно построить, если даже говорить теоретически.

Достоверного ответа нет. Несомненны обучаемость и воспитуемость и столь же несомненна их ограниченность. Вот только границы неизвестны, и психологи разных направлений суживают или раздвигают их в зависимости от степени своего оптимизма.

Интеллект определяется деятельностью «новой коры», ее возможности образования новых связей исключительно велики, но зависят от возраста. Поэтому пределы интеллекта можно значительно раздвинуть ранним началом обучения и его дальнейшей правильной дозировкой. Б. П. Никитин даже выдвинул гипотезу, что если начинать рано, то всех людей можно сделать очень умными и даже талантливыми. Стоит запоздать с тренировкой способностей — и достижимая вершина интеллекта будет гораздо ниже. Другие менее оптимистичны, я тоже в их числе. **Ранним и умелым обучением можно ускорить развитие ума, возрастут пределы достижимого максимума,** но не у всех в равной степени. Обязательно вступят в действие генетические ограничители. Трудно сказать, в чем они выразятся. Границы памяти, недостаток стимулов из-за пониженных потребностей или же слабость характера ограничат «накопление интеллекта», особенно в высшем его проявлении — в творчестве.

Сложнее обстоит дело с изменением чувственной сферы — потребностей, чувств, эмоций, и еще труднее — изменение темперамента. Соответствующие первичные нервные структуры заложены в подкорке или «старой» коре. Связи между нейронами здесь закладываются рано, до рождения, поэтому нельзя рассчитывать на значительные изменения структуры в результате внешних воздействий. Но можно изменить уровень активности их центров путем тренировки, можно частично рассчитывать на тормозящие воздействия со стороны «новой» коры. Однако все это в сравнительно небольшой степени. Трудно представить себе, что пассивного от рождения можно переделать в яркого лидера, замкнутого — в общительного. Еще труднее изменить свойства нервной системы: они заложены в химических свойствах нейронов — в их разной способности к высокой и стойкой активности в ответ на раздражение.

Итак, **выводы** из теории.

Главное направление в изменении личности — через *образование*. Оно важно само по себе, так как развивает интеллект и повышает уровень компстентности в любой области деятельности. Тренировка коры в ранние сроки позволяет усилить структурные основы интеллекта, т. е. несколько изменить его способности, а не только пополнить память знаниями.

Воспитание — это формирование чувств и привитие убеждений. То и другое возможно только через образование. Так как подкорковые структуры изменить нельзя, то единственная возможность — сформировать сильные корковые модели — убеждения, которые активизируют или тормозят подкорковые центры потребностей.

Главное средство раннего образования — *речь*. Ее действие можно значительно усилить показом — через картинки, телевидение. Однако наиболее сильным средством развития являются собственные действия — высказывания, игры, рисунки, конструкции, в которых активно используются полученные извне сведения.

Убеждения маленького ребенка формируются через *авторитеты*, через *личность воспитателя*. Ни книга, ни телефильмы не могут его заменить. Очень важно сочетать все виды авторитета: симпатию, уважение к морали, уму и силе. Плюс к этому — и немного страха.

В образовании и воспитании важно *опережать созревание анатомии на один шаг* — не больше и не меньше, тогда максимально включается изменение структуры — создание новых нервных связей.

В течение всего времени развития нужно *ставить задачи решаемые, но требующие*

умеренного напряжения. Нерешаемые отвращают, вызывая неприятные эмоции поражения, легкие — детренируют.

Люди по рождению разные. Для них нужно разное образование и воспитание. Это касается как целей, так и методов.

Как далеко от этих истин до практики!

ЧЕРТЫ И ТИПЫ. ПСИХОЛОГИЧЕСКИЙ ПОРТРЕТ РЕБЕНКА

Большие врожденные различия ребятишек требуют особого подхода к каждому. Однако знать, что они разные, недостаточно. Требуется определить и выразить различия, если уж не числом, то хотя бы качественно, словом. С тех пор как люди научились наблюдать и записывать, существуют попытки выделять «черты и типы» людей. Человек столь сложен и многолик, а взгляды ученых столь различны, что общепринятой классификации так и не получилось. Невозможно втиснуть в схему все разнообразие проявлений личности, а что считать важным, что второстепенным, об этом у каждого ученого и наблюдателя свое мнение. Раз так, имеют ли смысл попытки классифицировать психику детей? Пока они совсем малы, трудно рассмотреть «тип» или «черты», с возрастом они могут измениться по мере созревания потребностей и их реализации. Может быть, будущие изменения более значительны, чем исходные черты, из которых можно предвидеть? Не явится ли тормозом в воспитании «ярлык» типа, который приклеит воспитатель ребенку и под который будет подгонять свои новые наблюдения, рискуя просмотреть проявление черт, не укладывающихся в схему? Все эти опасности, несомненно, существуют, но они не столь велики, если не возводить в абсолют психологические схемы.

Все-таки больше пользы искать и находить в психике ребенка характерные черты, чем отрицать эти попытки. Полезно уже знание перечня этих черт, оно настраивает на изучение «объекта», без которого нет управления. Воспитание — это и есть управление развитием ребенка, чтобы переводить его из исходного состояния в желаемое... Очень интересно проследить «траекторию» формирования личности, наблюдения такие имеются, но, к сожалению, они охватывают лишь детский возраст — до 7—12 лет.

Ученые-психологи не расходятся в одном: существуют врожденные черты личности, которые мало меняются с возрастом. (А некоторые утверждают, что совсем не меняются!) Сколько таких черт — вопрос другой, одни говорят — много, другие — мало, что почти все прививается и изменяется. Наши детские психологи (например, А. А. Люблинская) ограничиваются выделением типов темперамента и делят их по старым гиппократовским канонам, подтвержденным И. П. Павловым. Вот эти типы.

Холерики — тип сильный, возбудимый, безудержный — способны на высокое напряжение, однако не длительное, оно сопровождается отдыхом и упадком духа. Оптимизм и УДК (уровень душевного комфорта) — невысоки.

Сангвиники — сильный уравновешенный тип — характеризуются умеренным напряжением, но с быстрым переключением деятельности. Оптимисты, общительны.

Флегматики — сильный тормозной тип — способны на длительное устойчивое средней силы напряжение, не требующее большого отдыха.

Меланхолики — слабый тормозной тип — не способны ни на сильное, ни на длительное напряжение, пессимисты. Замкнутые.

Ярко выраженных типов мало, обычно природа ограничивает чертами характера — сила и длительность напряжений, оптимизм-пессимизм, общительность-замкнутость, а, следовательно, и преимущественные эмоции. Все это представлено в разных пропорциях.

На Западе большое распространение получила так называемая психосоматика, предполагающая, что имеется значительное соответствие между строением тела и психическими свойствами личности и что то и другое — стойкое. Больше всех популярна классификация Шелдона. Он выделял три типа телосложения и три

типа психики, между которыми находили соответствие до 80%. Ради общего развития приведу краткое описание этих типов.

Так называемый *эндоморфный* («преобладание внутренностей») тип характеризуется шарообразными формами: круглая голова, большой живот, ноги и руки тонкие в запястьях и лодыжках, но с жирными плечами и бедрами. Этому соответствуют признаки темперамента: любовь к комфорту, жажда похвалы и одобрения, общительность, хороший семьянин, тяга к людям в тяжелую минуту.

Второй тип — *мезоморфный* — это классический Геркулес с преобладанием мышц и костей, с квадратной головой, с малым количеством жира. По темпераменту он лидер. Уверенность в себе, любовь к приключениям, эмоциональная черствость, при случае — агрессивность. Деятельный в трудную минуту.

Третий тип — *эктоморфный* — это долговязый человек с узкой грудной клеткой, тонкими и длинными руками и ногами, вытянутым лицом. Жир почти отсутствует, мускулатура слабая, зато хорошо развита нервная система. По темпераменту необщительный, скрытный и эмоционально сдержанный, склонный к одиночеству.

Разумеется, эта типология во многом наивна, но все же значительное число людей можно разделить по этой классификации. Тип начинает вырисовываться примерно с пяти лет, но условия питания и физкультура могут значительно задержать появление врожденных анатомических особенностей.

В нашей лаборатории В. М. Белов с сотрудниками, длительно наблюдая ребятишек ясельного возраста, выделил три типа, взяв за основу главную черту поведения.

1. *Исследователи*: проявляют очень активный интерес к предметам среды, способны к длительному концентрированию внимания и к значительным напряжениям.

2. *Лидеры*: очень активные «вожаки», общительные, но не склонные к концентрации внимания.

3. *Наблюдатели*: неудачное, на мой взгляд, определение, касающееся пассивных ребят, ви-

димо, слабого типа характера. Таких середняков оказалось большинство.

Мы также составили свой список черт, по которым можно описать психику. Исходили из силы характера, основных потребностей и оптимизма. Для некоторых черт находили два противоположных качества и оценивали их баллами (+)2 — (+)1 — 0 — (–)— (–)2. Для других приходилось ограничиваться одним качеством. Цифра 2 ставится при ярко выраженной черте личности, 1 — когда она заметна, 0 — когда есть сомнения между полярными качествами.

Сила характера: «Сильные, средние, слабые»

Способность к напряжениям (усилиям) 2–1–0.

Длительность напряжений 2–1–0.

Инстинкты:

А. Самосохранения

Храбрость — 2–1–0–1–2 трусость

Агрессивность 2–1–0–1–2 миролюбие, доброта

Жадность 2–1–0–1–2 щедрость

Б. Продолжение рода

Нежность 2–1–0–1–2 холодность (к взрослым или детям)

В. Стадный

Общительность 2–1–0–1–2 замкнутость («Экстраверт») < > («Интраверт»)

Лидерство (властность) 2–1–0–1–2 (подчиненность)

Эгоизм 2–1–0–1–2 доброта (сопереживание)

Г. «Сложные рефлексы» по Павлову

Любознательность 2–1–0–1–2 безразличие

Игра, деятельность, работоспособность 2–1–0–1–2 пассивность, лень.

Пессимизм — оптимизм: веселость, жизнерадостность 2–1–0–1–2 грусть, печальность, слезливость.

Я отлично понимаю, что определение этих качеств в своем ребенке — совсем не простая вещь. Нужно видеть много детей и иметь возможность сравнивать их, тогда с некоторой натяжкой можно поставить предположительный

балл. Разумеется, помочь может педагог из детского сада или яслей. Тем не менее, нужно стараться: будете хотя бы больше наблюдать ребят.

Многие исследователи отмечали неизменность в течение многих лет основных черт личности, выделенных у маленьких. Тщательное количественное определение черт, проводимое В. М. Беловым в течение трех лет — от одного года до четырех, подтвердило эти наблюдения.

К сожалению, срок слишком короток, чтобы делать далеко идущие выводы и давать рекомендации. Можно предполагать, что в «переломный» возраст отрочества личность значительно меняется.

Наблюдения желательно проводить систематически и не менее двух раз в год заполнять соответствующую карту, чтобы иметь возможность видеть динамику. Понимаю, что такое тестирование пригодно только для ученых-педагогов, наблюдающих много детей, но и родители должны хотя бы пытаться выделить крайние качества, записывать, чтобы наблюдать динамику с возрастом.

Карту черт характера можно дополнить определением авторитетов. По нашим исследованиям (В. М. Белов с сотрудниками), она выглядит так.

Авторитеты: мать (авторитет любви 0, 1, 2, страха — 0, 1, 2, уважения — 0, 1, 2). Таким же образом оцениваются другие члены семьи, а также воспитатели и учителя. Получается количественная оценка отношения и авторитета — от любви до ненависти. Для ребенка значение авторитета чрезвычайно велико, поскольку он является источником «убеждений».

Собственные взгляды вырабатываются значительно позднее.

Убеждения ребенка выражаются в моральных понятиях: вины, совести, долга, справедливости и чести. Было бы интересно не только обнаружить их, но и «измерить» силу, значимость в сравнении с биологическими потребностями. Что ребенок может сделать из убеждения против очевидного чувства? К сожалению, это трудно реализовать практически.

Развитие интеллекта является главным условием формирования личности ребенка. Здесь как нигде сказывается значение опережающей тренировки, стимулирующей созревание нервных структур коры мозга. В то же время здесь проявляется строгая последовательность наращивания знаний и опыта. Бессмысленно и вредно излишне форсировать обучение.

В психологическом портрете очень важно определение уровня интеллекта. За рубежом широко пользуются тестами для измерения IQ, «количества интеллекта», чуть ли не возводят его в универсальный показатель для оценки человека. Советские психологи, начиная с А. Н. Леонтьева, С. Л. Рубинштейна, всегда относились к IQ с осторожностью, справедливо считая, что его нужно дополнять другими чертами личности, например, социальными и трудовыми навыками. Группа В. М. Белова определяла меру умственного развития у своих детей, пользуясь методом Н. М. Аксариной,— по объему и глубине знаний, предложенным ею для детей дошкольного возраста. Не буду его описывать, для родителей это сложно, а воспитатели при желании найдут литературу. Лучше я приведу основные вехи, характеризующие развитие ребенка до семи лет, в разных аспектах его личности.

16 недель: улыбается взрослым в ответ на приветствия. Громко смеется. По приготовлениям предвидит питание. Может сидеть 10—15 минут в подушках.

28 недель: садится быстро, тянется на руки, стоит с помощью взрослых. Схватывает вещи, перекладывает из одной руки в другую. Произносит много гласных звуков.

9 месяцев: ползает на руках и коленях. Стоит и ходит, держась за предметы или за руку взрослого. Играет с предметами. Может произносить несколько слов: «мама», «баба» или другие.

1 год. Начинает ходить самостоятельно. Взбирается на ступеньки ползком. Самостоятельно ест густую кашу. Немного помогает в процессе одевания. Пассивно знает довольно много слов и выполняет простейшие инструкции: на вопрос «где?» отыскивает знакомые предметы, делает «ладушки». Произносит до 10 слов.

Пользуется игрушками в соответствии с их назначениями: катает мяч, укладывает в коробку мелкие вещи, нанизывает кольца на стержень. Способен смотреть простенькие рисунки и узнавать.

1,5 года. Хорошо ходит, хотя часто падает. Поднимается по лестнице, держась за руку. Карабкается на стул. Сидит на стуле. Частично одевается. Самостоятельно ест. Рассматривает картинки и слушает чтение. Понимает несложные сюжеты. Знает два цвета, различает большой и маленький, шар и кубик. Расширяется речь: понимает много слов, произносит 30—40 слов и больше, составляет двухсловные предложения. Начинает подражать отдельным действиям взрослых и детей. Просится на горшок в дневное время.

2 года. Ходит вверх и вниз по лестнице с помощью, свободно влезает на стул. Хорошо ест ложкой. Переворачивает страницы. Различает три цвета, размеры: большой, малый, средний. Пассивный запас слов большой — несколько сот. Понимает рассказ без показа рисунков или предметов. Активный запас слов — до 300. Активно обращается к взрослым, задает простые вопросы. Легко повторяет фразы, начинает употреблять прилагательные и местоимения. Воспроизводит сюжетные постройки из кубиков или конструкторов.

2,5 года. Свободно ходит по лестнице, без помощи. Может ездить на трехколесном велосипеде, употребляя педали. Ест самостоятельно. Может надевать обувь, не умея завязывать шнурки и застегивать пуговицы, сам одевается. По образцам подбирает основные геометрические формы и предметы четырех цветов. Речь может быть очень богатой: говорит многословные предложения, задает вопросы нескольких типов (где? куда? что это?). Знает несколько стихов и песен. С удовольствием слушает чтение (знает любимые книги). Игры приобретают сюжетный характер, состоят из нескольких последовательных действий, которые могут заранее планироваться.

3 года. Бег, подвижные игры, «танцы». Тонкие движения: одевается, застегивается, завязывает шнурки, держит карандаш. Свободно пользуется речью. Понимает будущее и прошедшее время, довольно сложные рассказы. Произносит все звуки, кроме, возможно, «р», «л» и шипящих. Задает вопросы типа «зачем?», «когда?». Появляются обобщенные понятия типа «одежда», «посуда», «мебель». Начинает рисовать палочки, кружочки, лепить. Появляются элементы прогнозирования и воображения. Игры становятся более сложными. Устанавливаются взаимоотношения с детьми и проявляются потребности в лидерстве, в самоутверждении. Закладываются простейшие убеждения, оценки «хорошо — плохо».

4 года. Развитие двигательной сферы, навыки — умываться и вытираться, чистить зубы, полностью одеваться и раздеваться, прыгать на одной ноге, играть в подвижные игры, делать упражнения. Совершенствование в рисовании человечков, зверей из кружочков и линий. Дальнейшее усложнение речи: свободная ориентировка во времени и пространстве, в цветах и формах предметов. Знает свое имя, фамилию, адрес, возраст. Расширяются коллективные игры с подражанием взрослым, с выполнением ролей. Выявляются любимые занятия. Становится доступен социальным навыкам: здороваться, благодарить, быть вежливым с взрослыми. Появляются словесные обозначения чувств, а следовательно, и осознание их. Совершенствуются «убеждения» — понятия «надо», «стыдно» расширяются на более сложные ситуации, чем элементарные поступки. Способен сосредоточиться на определенном занятии 10—15 минут.

5 лет. Двигательная сфера совершенствуется в сторону тонких движений. Способен к многим домашним трудовым операциям. Усложняются рисунки, правда, в разной степени. У мальчиков появляется интерес к простейшим конструкторам, девочки начинают шить. Строят по собственному замыслу сооружения из песка и кубиков. Речь достигает грамматической правильности, хотя у некоторых детей возможны отставания. Доступны произношению все звуки и сочетания. Строятся сложные распространенные предложения во всех временах, но только автоматически, не по заданию. Проявляется интерес к незнакомым словам. Усложняются

представления о причинах и следствиях. Способен к восприятию знаний, чтению, счету, к сосредоточению внимания до 20 минут. Расширяется социализация: научается подчинять свои желания требованиям окружающих. Появляются желание помогать взрослым и чувство ответственности. Наблюдаются зачатки эстетического чувства, любви к природе и юмора. Усложняются чувства и убеждения. Формируются притязания и устанавливается понятие о своем положении в иерархии детей.

Если ребенок развивается в детском коллективе, то он уже достаточно «социализирован»: знает, как нужно себя вести, свою роль и возможности. Характерны игры по правилам, со строгим соблюдением справедливости. В целом личность ребенка уже выявилась.

6 лет. Объем двигательных навыков зависит от обучения. Рисунки, лепка, конструкции, сооружения могут быть довольно сложными. Речь тесно связана с объемом знаний и информативностью семьи. Способен к обучению в школе.

Отставания психического развития ребенка могут проявиться в различных сферах личности: в овладении движениями, простыми и сложными навыками, в понимании речи и в активном пользовании ею, в развитии чувств, в социализации и в убеждениях. Не следует пугаться, когда отстает какая-нибудь одна функция, например, ребенок плохо говорит, но хорошо понимает речь. Если запаздывают сразу несколько функций, причем заметно, на 1—2 года, это уже тревожно и нужно обращаться к врачу. Чаще всего это является результатом недостаточного внимания и индивидуальных занятий, например, когда ребенок длительно содержится в круглосуточных яслях. Любое общее отставание требует своевременной коррекции специальными занятиями. Консультировать в этом должен бы специалист по детской психологии, но, к сожалению, у нас их очень мало. Во всяком случае, родители не должны проявлять беспечность по части отставания в развитии своего ребенка: без внимания и без занятий он не «перерастет», будет плохо учиться и его шансы на счастье значительно уменьшатся.

Специалисты по детской психологии из института Гезела в США отметили целый ряд интересных особенностей динамики развития детей. Самая важная из них — это волнообразная цикличность настроения и поведения. Они приводят таблицу проявлений ведущих качеств в разном возрасте.

Возраст			Качество
2 года	5 лет	10 лет	Спокойный, дружелюбный
2,5	5,5–6	11	Ломающийся, очень беспокойный
3	6,5	12	Ровный, уравновешенный
3,5	7	13	Беспокойный, раздражительный
4	8	14	Энергичный, «завоевательный»
4,5	9	15	Замкнутый, невротичный
5 лет	10	16	Спокойный, ровный, контактный

Авторы предупреждают, что не следует преувеличивать значение их схемы. Не все дети проходят перечисленные стадии в равной степени. В зависимости от характера те или иные черты могут быть выражены больше или меньше.

Детские психологи (А. А. Люблинская) также отмечают цикличность в развитии детей, хотя приводят несколько иные возрасты плохих «пиков» в поведении.

Все эти сведения необходимы для воспитателей, чтобы они не впадали в панику, когда их 3–5-летний ребенок показывает признаки строптивости или лени. Пройдет плохой период, и его поведение улучшится.

Второй совет американских психологов состоит в том, чтобы не пытаться во что бы то ни стало переделывать тип психики, присущей ребенку от рождения. Они говорят, что нужно его «распознать, понять и принять», с тем чтобы разумными воспитательными воздействиями сгладить те черты, которые могут помешать будущему счастью. Разумеется, они несколько преувеличивают «психосоматику» Шелдона, но их призыв к умеренности в требованиях полезен для чересчур честолюбивых родителей, некри-

тично воспринявших идею о том, что из любого ребенка можно вылепить личность по любому образцу, который понравится. Человек воспитуем, но в границах, и если за них переходить, то это уменьшит его количество счастья.

СТРАТЕГИЯ И ТАКТИКА ВОСПИТАНИЯ

Воспитание — это управление развитием ребенка. Его цель — создать личность, способную обеспечить максимум УДК себе и удовлетворить запросы общества. Не так просто совместить обе цели: общественную и эгоистическую. Компромиссы неизбежны. Но противоречия не должны быть заметны. Искусство состоит в том, чтобы требования общества стали органическим содержанием личности и не уменьшали, а увеличивали УДК. Служение людям, родине и семье не должно восприниматься как жертва, как ущерб для себя, наоборот, оно должно возвышать человека в своих глазах.

Воспитание — вполне кибернетическая задача: управление объектом — ребенком, чтобы в итоге привести его к определенному состоянию. Если угодно, это Функциональный Акт для воспитателя длиной в 18–20 лет.

Не следует думать, что я собираюсь проповедовать этакую кибернетическую систему, вроде того, что делает американский психолог Скиннер своей «Технологией воспитания». Хотя в физиологическом плане задача формирования личности сводится к наполнению памяти человека нужными моделями и связями, этого нельзя сделать простым пассивным повторением их «на входе». В отличие от ЭВМ ребенок — объект активный, и обучение происходит через собственные его действия.

Запоминание чего бы то ни было представляет собой проторение связей между возбужденными нейронами и их ансамблями — моделями. Высокая активность бывает только у моделей, возбуждающих чувства (поражающих). В этом и состоит фокус участия самого ребенка в его воспитании и обучении. Индифферентный предмет должен сочетаться с одновременным возбуждением чувств или сильных словесных моделей — убеждений. Более или менее легко при обучении организовать повторение, но ох как трудно запрограммировать положительные чувства к предмету, который нужно запомнить. Хуже работают на запоминание отрицательные чувства, совсем не действуют — при равнодушии.

Маленький ребенок воспитывается и обучается в процессе жизни — во время игр, еды, прогулок, разговоров, своих собственных действий.

Особенно важен их результат: положительный при достижении цели и отрицательный — при неудаче. На эти чувства замыкается связь с моделями образов и действий, т. е. формируется отношение к ним.

Целенаправленные воспитательные воздействия составляют только часть (небольшую?) среды, которая формирует личность, закладывая в память преподанные новые образы, словесные формулы, модели действий и связи с чувствами. Как было бы хорошо, если бы можно было просто вводить в память ребенка нужную информацию, как в компьютер!

Жизнь ребенка складывается из различных поступков, вызываемых внешней средой, собственными поисковыми действиями и внутренними побуждениями — потребностями. Среда дает малышу «расписание» — следование во времени — раздражителей, которые определяются принятым режимом. Время вставать, спать, есть, гулять, идти в детский сад и пр. С каждым таким этапом связаны предметы-раздражители — лица, предметы, слова, несущие информацию, и слова-приказы или просьбы. Все это вызывает целую гамму чувств, действуя на различные потребности, стимулирует различную деятельность, направленную на повышение удовольствия или хотя бы уменьшение неприятности. Самый маленький ребенок выполняет короткие действия, непосредственно вызываемые раздражителями или внутренними чувствами, так как у него еще нет длительных «планов». Его действия просты и состоят из отдельных предметов. Однако очень быстро модели начинают усложняться, прежде всего в виде запоминания последовательности повторяющихся событий. Точно так же усложняются и сами ответные действия; это проявляется в виде навыков и «умений». Ребенок все более проявляет самостоятельность в выборе деятельности, показывая настойчивость или даже упрямство. Это называют непослушанием. Когда управление словами становится недостаточным, прибегают к физическим действиям — несут, ведут, одевают силой или даже шлепают.

Идеалом организации жизни ребенка является такое положение, когда он выполняет все «расписание» своего режима с удовольствием. Тогда все раздражители и все действия будут связаны с чувством «приятно». К сожалению, достигнуть этого трудно. Но нужно стремиться продумывать каждую процедуру. Стоит только раз-другой допустить неприятные чувства, как они тут же закрепляются и создается «установка»: все окрашивается через призму неприятного. Более того, уменьшаются симпатии к человеку, выполняющему эти процедуры, падает его авторитет уважения.

Вот и весь фокус воспитания: за всеми желательными действиями закрепить приятные ассоциации. По мере того как удлиняются ФА, можно допускать неприятные этапы при обязательном «хорошем конце», ради которого стоит потерпеть. Дозировка количества неприятного ради будущего блага зависит прежде всего от возраста. Значимость «будущего» в сравнении с «настоящим» для малышей очень мала и возрастает сравнительно медленно. Кроме того, она очень индивидуальна: есть настойчивые и нетерпеливые. Разумеется, важна величина будущей «платы» за временные неприятности. И вероятность ее получения. Оценка вероятности на основании опыта происходит автоматически. Вот почему никогда нельзя давать обещания и не выполнять их.

Каждый человек напрягается только за «плату», которую он получает сейчас или в будущем. Плата разная — лаской, едой, информацией, она оценивается по чувствам с поправкой на реальность ее получения и количества времени — сколько ждать. Этот очень нехитрый общий закон поведения целиком относится к детям. Просто у них свои оценки платы, свои представления о вероятности и мало терпения ожидать — маленький «коэффициент будущего». Кроме того, они плохо переносят любое напряжение и неприятные чувства и очень хорошо их помнят. Оценки плюсов и минусов зависят от их настроения. Воспитатель должен проникнуть в эти оценки, для того чтобы управлять по-хорошему, и притом еще добывать себе авторитет уважения.

Мне кажется, будет полезным сформулировать некоторые принципы воспитания детей. Я ничуть не заблуждаюсь в отношении их пользы, но какая же книга без «принципов»? Выглядит это примерно так.

1. Все время *нужно изучать личность ребенка*. Только тогда воспитание будет осознанным, а не хаотичным. Хорошо завести тетрадку и вести записи хотя бы раз в полгода. Целесообразно отмечать такие пункты:

а) степень выраженности основных чувств — лучше по той схеме, которой мы пользуемся в научных исследованиях (см. стр. 138);

б) характер: сила и устойчивость;

в) знания — соответственно схеме их накопления в разные периоды возраста;

г) настроения и УДК: пики, средние значения, устойчивость. Важно для определения «степени оптимизма» и оценки среды;

д) навыки и умения — в соответствии с «возрастным расписанием»;

е) здоровье и физическое развитие — рост, вес, соответствие средним значениям;

ж) другие отметки и примечания — для себя.

Наблюдая, изучая и регистрируя, разумеется, появляется искушение оценивать: какой тип, отстает или уже вундеркинд, эгоист, лидер или исследователь. Но не нужно торопиться с выводами! Дети меняются по мере взросления в силу естественных законов созревания их потребностей, не говоря уж о результатах воспитания.

2. Вторым номером я бы поставил *наблюдение за средой* и за собой: как воспитываем — оценка своих действий и авторитета. Это важно: хотя бы раз в полгода попытаться трезво посмотреть на себя со стороны и сравнить с развитием ребенка — что получается. Я отнес все это к принципам, потому что без информа-

ции нет управления. Теперь перейдем к самому воспитанию.

3. Пожалуй, *до самого подросткового возраста ребенка формируют взрослые*. Рычаг для этого один — авторитет. Все взрослые в семье должны помнить, что в присутствии ребенка они постоянно играют роль для одного или нескольких зрителей — детей. Разумеется, это трудно, почти невозможно, но само присутствие этой мысли заставляет сдерживаться хотя бы периодически, если не всегда. Тем самым дети воспитывают взрослых. Авторитет — это значит стоять гораздо выше ребенка по самым разным качествам. Важнейший — авторитет любви; заменить его нельзя ничем. Выражение любви — ласка. Нужна мера, чтобы ни в коем случае она не надоедала ребенку. За этим нужно строго следить. Ласки родителей должны лишь чуточку опережать самостоятельные ласки детей как выражение их любви. Ребенок растет, и ласки нужно уменьшать, внимательно наблюдая реакцию — обратную связь. Авторитет уважения — по мере взросления ребенка передвигается на первое место. Здесь несколько пунктов, на которые я уже указывал: мораль, знания и ум, умение, сила и храбрость. Чем шире сфера вашего превосходства и больше его степень, тем больше уважение. Но авторитет не должен всегда подавлять ребенка. Его нужно «подавать» очень дозировано, чтобы повышать самосознание питомца, однако и здесь должна быть доза. Впрочем, эта доза зависит от лидерства: зазнайку полезно ставить на место, а робкого пессимиста — повышать. Авторитет страха очень спорный, поскольку связан с наказаниями — унижением, а часто и физической болью. При всем желании не могу отказаться, как советуют почти все педагоги, от использования наказаний. Но наказание должно быть исключительной мерой и применяться лишь к злостному капризнику и упрямцу. Его справедливость не должна вызывать сомнения у ребенка. Нужно использовать все слова, объяснения и доказательства, прежде чем наказать. Думаю, что при таких условиях не стоит бояться изредка, раз в год-два, нашлепать ребенка в его первые 2–4 года жизни. Позднее — уже сомнительно. Но, повто-

ряю, некоторым детям необходимо знать, что крайняя мера существует. Мелкие шлепки «часто и походя» нужно осудить.

Еще замечание по поводу авторитета: все воспитатели должны поддерживать друг друга.

4. *Образование — так бы я назвал всю систему насыщения мозга ребенка сведениями*. Уверен, что это самый мощный инструмент для воспитания — формирования личности и важнейшее условие будущего счастья ребенка. Речь — главный канал связи в этом инструменте. Поэтому научить ребенка понимать слова и фразы, а потом и самого говорить — на это не следует жалеть времени и сил. Разумеется, нужно считаться с созреванием мозга, и никаких чудес ожидать не приходится. Разговоры, картинки, чтение, детские передачи с объяснениями, рисование, конструкторы, куклы, игрушки — все вместе это называется «информативность среды». Не обучение с нажимом, не форсировка, а именно среда и игры должны без потерь сделать ребенка информированным и умелым. Я не говорю — всех сделать умными, нет такой уверенности, но почти всех — да. Нет другого способа «опережать созревание на один шаг», чтобы заложить новые связи в растущий мозг. Ни в коем случае нельзя упустить время — дошкольный возраст решает судьбу ребенка. Однако не следует поддаваться искушению делать из ребенка гения, даже если вам кажется, что у него феноменальные способности. Это очень опасно! В таком случае лучше расширять интеллект вширь, а не вглубь.

5. Ощущения счастья или несчастья — это функция чувств. *Воспитание — это формирование чувств и потребностей, а также привитие убеждений*. В комплекс убеждений входят принципы морали, отношения к разным людям и притязания. Притязания — это очень важно, потому что они определяют уровень приятного или неприятного от «платы», получаемой в ответ на поступки. Нет полной ясности в том, возможно ли стойко изменить активность подкорковых центров биологических потребностей. Но убеждения могут более или менее значительно их регулировать. Поэтому все внимание созданию убеждений. Хотя они форму-

лируются словами, но их значимость выражается в связях с чувствами. Отсюда метод: воспитывают слова плюс ситуации, возбуждающие приятные или неприятные чувства. Конечно, для этого недостаточно показывать картинки. Самые сильные и запоминающиеся чувства те, которые испытываются в процессе собственной деятельности. Грубо это называют поощрения и наказания, кнут и пряник, но это неверно. Если просто наказывать или платить, то это говорит разуму, а не чувству: «Я хочу сделать так, но за это попадет, и я воздержусь». А нужно, чтобы: «Я хотел бы, но это плохо, и я не могу...»

Дети должны воспитываться на приятных чувствах, особенно маленькие, дошкольники. Хотя и не очень достоверно, но предполагается (Фрейд и др.), что несчастья в раннем детстве оставляют тяжелую печать на всю жизнь. Поэтому отношения с ребенком нужно строить так, чтобы у него был плюсовый уровень комфорта. Разумеется, это не просто: слово «нет» всегда неприятно, а если все время «да» и «да», то это уже баловство. Вот в этом и есть искусство воспитания: поменьше прямых запретов и ограничений, побольше убеждений, доказательств, отключений и переключающих ситуаций. Не следует быть педантом в воспитании, придираться к мелочам, особенно в части одежды, режима, еды, порядка — наиболее частыми поводами для ссор детей с мамами и бабушками. «Педагогика зиждется на компромиссах»,— эту отличную фразу я прочел недавно в газете, ее сказал учитель (к сожалению, я не запомнил фамилию). Но это не означает, что все позволено. «Нет» по принципиальным вопросам должно быть твердо и нерушимо. Просто твердость не нужно разменивать на мелочи, а всякие запреты объяснять.

6. Следующий пункт выглядит как противоречие. *Нужно исподволь приучать ребенка к напряжениям и выполнению неприятных дел*. Это воспитание воли. В жизни взрослых неприятных обязанностей и напряжений гораздо больше, чем приятных. К словам «нужно», «должен» приходится приучать с раннего детства. За неприятные напряжения нужно платить. Но не материальными подарками, что очень распространено, а приятными чувствами: одоб-

рением авторитетов, удовольствиями от прогулок и информации. Задачи на напряжение воли должны заканчиваться конкретной целью, так, чтобы достижение ее принесло удовольствие. Чем ребенок меньше, тем короче во времени должны быть задачи.

7. *Необходимо детское общество.* Общеизвестно, как плохо, когда в семье один ребенок. Поэтому для него посещение детского сада абсолютно обязательно. Там ребенок проходит школу отношений, самоутверждения и соревнования. До двух лет другие дети не воспринимаются, ребенок нуждается только во взрослых. После трех детский сад необходим, хотя бы на несколько часов в день. Полный день не обязателен. Продленный — бесполезен, если не вреден. В то же время очень важно научить самостоятельным творческим занятиям в одиночестве, без участия взрослых, но чтобы они были в пределах досягаемости, могли оценивать и давать советы. Особенно — оценивать! Такая обратная связь очень важна. Только для самого себя даже взрослый человек не любит что-либо делать, ему нужна публика.

8. *Дети должны играть.* Это их основное занятие в интервалах между сном, едой, горшком. Прогулки тоже нужно использовать для игры. Если дома один ребенок, должны научиться играть взрослые. Игры — один из главных полигонов воспитания и обучения.

9. *Труд для семьи, или для коллектива детей,* т. е. *для общества*, должен довольно рано стать элементом жизни ребенка. Сначала подражание взрослым и игра, потом помощь им, совместный труд и, наконец, собственные обязанности. Ни в коем случае нельзя освобождать от домашних работ по причине занятости в школе или в кружках или подготовки к урокам. Нужно дозировать процедуры (операции) и наращивать как их разнообразие, так и суммарное время. Важно создавать впечатление, что результат его труда нужен и ценен, а не просто работа задается «для воспитания».

10. *Забота об идеалах и убеждениях* появляется и растет у воспитателя, как только ребенок начинает понимать речь. «Хорошо» и «плохо» — это первые ключевые понятия, за ними следуют общечеловеческие идеалы морали и только позднее — идеология. Не наоборот. Шкалу ценностей нужно постепенно прививать, хотя для этого ее нужно иметь самим воспитателям.

11. Важный вопрос *о формировании притязаний*: ребенок должен знать, на что он может рассчитывать во всех сферах своей деятельности, применительно ко всем потребностям. Знать, сколько он может получить игрушек, внимания и ласки родителей, продления вечернего бодрствования, игр на улице и др. Разумеется, он будет бороться за расширение своих прав, но степень твердости и последовательности родителей должны ограничить надежды, это и будет притязаниями. Роль ребенка в семье или в детском саду будет определена. Важно, чтобы она была такой, которая полезна для ребенка и соответствовала бы его личности и целям воспитания. Когда что-нибудь твердо невозможно, то человек примиряется с границами и строит свое счастье внутри них.

12. В заключение я хочу сказать об общей атмосфере отношений в семье. *Всеобщая благожелательность необходима.* Трудности, конфликты, раздражение, которые периодически возникают во всякой семье, должны скрываться от ребенка всеми силами и как можно дольше. Это ужасно, когда говорят: «Пусть знает!» Маленькие дети все понимают, но не очень наблюдательны и легко отвлекаются, поэтому от них можно скрыть подводные течения и рифы.

13. Чуть не забыл самое главное: *ребенку нужна любовь!* Она должна быть естественна, но если маловато — не грех немножко подыграть.

Не существует жестких принципов воспитания, одинаково пригодных для всех возрастов, для всех характеров. Нужна гибкость, нужны осторожные пробы и учет их результатов для коррекции своих воспитательных планов и собственных притязаний по части успехов воспитания.

Принципы гораздо проще сформулировать, чем выполнять.

Я очень хорошо понимаю, что для выполнения всего написанного нужно быть квалифицированным психологом и педагогом, да, кроме того, еще хорошим человеком. Где взять таких родителей? Где взять время, энергию?

ВОПРОС О РАННЕМ ОБУЧЕНИИ

«Судьбу нации и страны можно изменить, если наладить раннее обучение детей»,— так сказал один, к сожалению, не знаменитый энтузиаст. Кажется, все дети одинаково развиваются в ранние месяцы: улыбаются, держат головку, произносят первые звуки. Небольшие различия обычно относят за счет врожденных качеств. А оказывается, и для младенцев очень важна среда. Кажущаяся одинаковость первого года объясняется тем, что ребенку нужны небольшие воздействия, и они есть в любой семье. Никто не пробовал выключить или коренным образом изменить эти воздействия. Но жизнь в разные времена в разных местах провела такие эксперименты. Достоверно известно о десятке детишек, потерянных в лесу или похищенных и воспитанных животными, потом спасенных людьми («Маугли»).

Основная черта: они все оказывались страшно недоразвитыми, и последующие их воспитание и образование были неэффективными. Если дети возвращались в человеческое общество после 5—6 лет плена, то их с трудом удавалось выучить ходить вертикально и говорить несколько десятков слов.

Противоположные попытки — ускорить развитие — не были столь демонстративны, но и методология их не установилась. Видимо, все дело в дозировке воздействий: они, как мы уже не раз говорили, должны опережать созревание, но не слишком, и не перегружать мозг неприятными эмоциями.

Есть несколько крупных научных авторитетов, уже давно настаивавших на возможности развить интеллект путем ранних целенаправленных усилий. Прежде всего, советский психолог Лев Семенович Выготский, книга которого «Мышление и речь» вышла в 1934 г. через несколько месяцев после его смерти. В ней он доказывал, как важно рано учить детей понимать речь и говорить. «Когда ребенок не знает названий вещей, он как бы не видит их».

Крупнейший психолог Пиаже еще в 30-х годах описал стадии, которые проходят дети в познании окружающего мира. Он выдвинул своеобразный тезис: «Чем больше ребенок видит и слышит, тем больше он хочет увидеть и услышать». По-современному: информированность порождает жадность к информации. Есть оптимальное соотношение «порции нового» к уже накопленному. Если нового много, оно не воспринимается, так как внимание устает, человек теряет нить. Нового слишком мало — следить надоедает, скучно. Искусство или наука обучения заключается в том, чтобы выбрать дозу. Это касается и взрослых, но у детей — особенно важно, так как дозированное воздействие на малыша ведет не просто к накоплению сведений, а формирует его мозг, влияет на способности последующего восприятия.

Очень большие исследования по раннему обучению проведены в 60-х годах в Гарвардском университете в США. Ученые Бэртон Уайт, Дж. Брунер и другие разработали специальную методику, позволяющую количественно оценивать уровень интеллекта и социализации. Они начали с шестилетних и обнаружили очень большие различия в развитии. Анализ показал, что эти различия определяются условиями семьи, качеством материнского воспитания. Все зависит от того, сколько времени и умения у матери. Умение — это доза информации и форма ее преподнесения. После этого было взято под наблюдение несколько сот двух-трехлетних ребятишек, тщательно определены их семейные условия. Через 3—4 года были получены следующие результаты: все дети, которых рано и правильно учили, стали отличниками, а в контрольной группе отлично успевали только 10%.

Вот краткие выводы из их работ. Основы интеллекта закладываются в первые годы. *К четырем годам есть уже половина интеллекта 17-летнего, к шести годам — $\frac{2}{3}$.* Темпы дальнейшего нарастания интеллекта определяются его исходным уровнем перед школой. Если он низок, усилия учителей будут недостаточно эффективны. Впечатление, что школа не прибавляет некоторую сумму информации к дошкольному уровню, а умножает его на определенный коэффициент. Именно поэтому с возрастом разница в интеллекте увеличивается.

Исследование детей, воспитанных с рождения в круглосуточных яслях, дало самые низкие показатели. *Гигиена и правильное кормление питают тело, но не разум.* (То же показали наблюдения нашего В. М. Белова за маленькими питомцами детдомов: такое впечатление, что они отстали безнадежно.)

Следующим шагом был эксперимент. Энтузиасты-педагоги организовали систематические занятия с маленькими, индивидуально или в группах по 3—5 человек. Результаты подтвердили ожидания — возрастание интеллекта прямо зависело от возраста и затраченного времени.

Достаточно ли это серьезно? Похоже, что да. У истоков стоят солидные имена психологов. Теоретические посылки несомненны: функция формирует структуры растущего мозга. Но у скептиков, пожалуй, достаточно оснований сомневаться: мало ли было всяких увлечений!

У нас имеется уникальный опыт раннего воспитания: Никитины. Лена Алексеевна и Борис Павлович Никитины имели семерых детей. «Экспериментальных детей», можно сказать без преувеличения и в самом хорошем смысле. Родители проявили ум и смелость, которые сочетались с огромной любовью и осторожностью, поэтому эксперимент был абсолютно безопасным. «Метод Никитиных» и их имя в 60—70-х годах не сходили со страниц газет.

Меня они всегда интересовали. Сначала читал восторженные хвалебные статьи журналистов, потом ругательные — медиков и педагогов, потом некоторое время длилось молчание, затем — снова интерес. После моей статьи в «Неделе» «Умные дети» (январь 1972 г.) получил письмо от Никитиных и состоялось заочное знакомство. Потом я поехал к ним посмотреть сам. Провел там день, получил массу впечатлений и информации. Они жили в Болшево — пригороде Москвы, тогда многие знали их дачный домик.

Был поздний октябрь, снежок. Борис Павлович и трое средних ребят встретили меня на перроне. Одеты они были соответственно идеям — по-летнему. Потом я увидел все то, что Никитины пишут о себе, рассказывают на лекциях и показывают в фильмах. Пересказывать не буду. Вот сумма впечатлений, если предельно кратко.

Дети здоровы: тощие и спортивные. Критика в их адрес со стороны врачей не основательна. В этом-то уж я понимаю. Трюки, которые они выделывают на самодельных спортивных снарядах, просто потрясающие, хотя и не цирковые. Ничего лишнего нет. Кроме того, они не болеют: из всего семейства только один раз кто-то лежал в больнице с чем-то несложным. Сделано все для здоровья: физическая тренировка, закаливание — легкая одежда, вода и снег, простая и не обильная еда. (Где уж там обильная — семья жила просто бедно!) Воспитание: не заметно специальных мер. Есть пример родителей, их авторитет — любви, уважения. Страха, кажется, нет совсем. Есть труд, интерес, твердые общественные принципы. Атмосфера в семье самая дружественная и оптимистичная. Нет строгого расписания, регламентации системы поощрений и наказаний — ничего, что обычно связывают с воспитательной системой. Но зато есть очень важное и теперь редкое: большая семья, коллектив, живущий общими интересами, где царствует дружелюбие.

Интересовался моральными проблемами, ценностями ребят. Нет страсти к вещам, к одежде. Все возможные средства идут на «информацию», на то, что повышает интеллект,— инструменты, книги, приборы, материалы. Благожелательность, общительность, взаимопомощь, сопереживание. Однако заметно, что интересы детей направлены «внутрь», в семью, а не «вовне». Значительного интереса к школе не почувствовал. Пожалуй, даже некоторое пренебрежение.

Образование: ускоренное, но без всякого натаскивания и зубрежки, без обязательных занятий, часто коллективные игры, задачи. Главное направление — развитие смекалки — «решатели проблем», а не эрудиты. Борис Павлович разработал целую систему технических игрушек, «развивающих игр», совершенствующих пространственное представление, плюс математика. Все это создало базу для ускоренного прохождения школьных программ и перешагивания классов. В среднем ребята обогнали школьные программы примерно на два года. Нельзя сказать, что все они «круглые отличники». Я смотрел тетрадки и дневники. У девочек они выглядят лучше, у мальчиков — погрязнее. Но у них есть самое главное — они хорошо соображают. У мальчиков крен больше в точные и естественные науки — химия, биология, у девочек — в искусство, в спорт, в педагогику. Коэффициент интеллекта, проверенный по Айзенку, оказался высоким, больше, чем у взрослых. Однако у меня он вызвал сомнения — не односторонняя ли оценка? Ребята не вундеркинды, просто хорошие и смекалистые.

Труд детей естествен и необходим, как раньше было в большой крестьянской семье. Родители работают, дети помогают во всем — в хозяйстве, уходе за младшими. Кроме того, есть труд квалифицированный и обучающий: в подвальном помещении у Никитиных мастерская — слесарная, токарная, радиотехническая, вплоть до электросварки. Они делают сами все. Самое главное — они изобретают и воплощают.

Любая большая трудовая семья всегда благотворно действует на воспитание детей. Но в семье Никитиных была не стихия, у них система, все продумано, наблюдения записывались — видел целую стопку общих тетрадей. (Когда они еще успевают писать?) Идея системы: единство ранней физической тренировки, обучения и воспитания обещает максимальную мобилизацию врожденных возможностей ребенка. Они считают, что нет от природы глупых детей, и все будут способными и умными, если с ними рано и планомерно заниматься. Обязательно — рано. Обязателен коллектив, состоящий из разновозрастных ребят и взрослых воспитателей. Насколько запоздаешь с началом активного развития, настолько понизишь достижимый максимум интеллекта.

В 70-х годах Никитины выступали в Киеве с лекциями, имели бурный успех. Я получил тогда новую информацию: все идет хорошо. Старший уже в университете, уже женился. Другие дети подрастают. Забот у родителей не убывает. Популярность растет, пишутся, издаются и переводятся книги. Для посетителей пришлось выделить отдельный день и класс в школе, так как дома от них нет жизни. Активно поддерживал Никитиных профессор И. А. Аршавский — известный ученый, энтузиаст идеи раннего физического развития и его влияния на интеллектуальную сферу. В 80-х годах я потерял связь и лишь изредка имел сведения: дети выросли, поженились, даже защитили диссертации. Однако добились не слишком выдающихся успехов. Борис Павлович недавно умер. Недавно слышал о судьбах детей: высшее образование (некоторые даже МГУ). Кто-то из мальчиков защитил диссертацию. Но в целом предположение о том, что можно у всех получить качественный скачок в достижениях интеллекта — не оправдалось. Вышли нормальные советские средние интеллигенты. Но люди, похоже, хорошие.

Никитины — подвижники и герои. Может быть, я не такой большой оптимист в отношении раздвигания пределов человеческих возможностей, но ведь большинство людей далеко не достигают того, что отпущено им природой. К сожалению, не так просто перенять опыт Никитиных. Для этого как минимум нужно иметь таких самоотверженных воспитателей и много детей — если не семерых, то хотя бы трех-четырех. Тем не менее, основная идея системы Никитиных воспроизводима и в реальных условиях наших малодетных семей, если их дополнить хорошим детским садом.

После всех этих сводок и отступлений обсудим некоторые вопросы раннего образования. Что ясно и что сомнительно. После моей статьи в 1972 г. много было писем с вопросами и возражениями.

Думаю, что никто не сомневается в значении интеллекта в наш век. Уже сейчас трудно без образования, а скоро будет еще хуже. Ясно также и то, что сам по себе ум приходит далеко не к каждому ребенку. Школа его не всегда обеспечивает. Учителя говорят: если первый год плохо успевал, то таким и останется до конца школы.

Конечно, это несколько преувеличено, но исследования американцев в этом смысле категоричны: виноваты условия до школы. Здоровые не бывают глупыми от рождения. Особенно ясно проявляется отсталость детей из детских домов.

Итак, значение дошкольного периода очень велико. Нужны условия. Но нужны ли специальные усилия? Несомненно, плохо, когда в семье ребенку уделяют мало внимания, мало игрушек, мало разговоров — «низкая информативность». Ясли не обеспечивают развитие, потому что до двух лет ребенку нужно индивидуальное внимание взрослого. Круглосуточные ясли просто вредны. Даже в дневных, если они неизбежны, нужно ограничивать пребывание несколькими часами.

Может быть и так: нормальная российская семья. Родители со средним или восьмилетним образованием, есть любовь, внимание, игрушки, телевизор, но нет специальных занятий. Сначала — ясли, потом детский сад. Растет «как все». Результат — разный. Для способных и сильных информации достаточно, слабым — мало. Вырастают троечниками.

Или такой вариант: образованная семья и специальные занятия. Видимо, можно получить почти стопроцентный успех, по крайней мере, хорошую успеваемость в школе, если, разумеется, внимание не ослабляется до ее окончания.

Следовательно, нет доказательств, что умные дети получаются только при особых условиях. Могут и сами вырасти, если среда информативна. Но не все. И не того уровня, который для них возможен, даже если способный и сильный от природы. Поэтому в принципе специальные занятия с дошкольниками нужны.

Следующие вопросы. Когда начинать? Сколько? Ответ простой — с рождения. Помните, что сказал по такому поводу Макаренко? «Вы уже опоздали... на полгода». Возраст ребенка был шесть месяцев. Авторитеты считают, что первые три-четыре года особенно важны. Сказать трудно, поскольку нагрузка разная: время занятий должно возрастать от года к году. Впрочем, это не занятия в буквальном смысле слова, по крайней мере до пяти лет. Игры, рассказы, рас-

спросы с постоянным наблюдением за реакцией — чтобы не надоело. «Учить шутя». Но с пяти лет уже можно включать «уроки», начиная хотя бы с десяти минут. Коллективные занятия гораздо лучше воспринимаются ребятами, чем индивидуальные, потому что действуют стимулы лидерства. Занятия в старших группах детсадов себя вполне оправдали.

В письмах и в разговорах многие родители недовольны не только ранними занятиями, но и всякими попытками чему-то специально учить. Им кажется, что это «лишение детства», «муштра». Пусть-де ребята поживут на свободе хотя бы до школы. Эти разговоры несерьезны, основаны на недоразумениях. И еще — ими прикрывают собственную лень. Во-первых, все защитники раннего развития говорят: не уроки, а игра. Даже игра в школу. Уроки прибавляются после пяти лет и то сначала очень короткие. Конечно, любые целенаправленные игры с претензией передать информацию требуют от взрослых умения, а следовательно, напряжения. Но тут уж ничего нельзя поделать: хотите, чтобы ваши дети стали умными, для этого нужны усилия.

В каком возрасте и чему начинать учить? Помните? Принцип сформулирован Л. С. Выготским: на один шаг впереди. Для этого нужно знать состояние уже достигнутого развития. Именно для этого мы и рекомендуем пытаться определять этот уровень развития, отставание или опережение. Учить в зависимости от этого состояния. Пробовать новую ступень (например, слоги после букв) очень осторожно, чтобы не вызвать раздражения к материалу и процедуре учения. Закреплять то, чем уже овладели, но не до уровня скуки.

Реальные ориентиры возможного: самое главное — богатая устная речь, так как за фразами стоят образы. Для этого нужно много разговаривать — по нескольку часов (!). Когда темы исчерпаны, нужно читать книги и обсуждать. После разговоров — обучение чтению. Знать первые буквы — к двум годам. Все буквы — к трем. Читать слоги и простые слова — в четыре **года**. Читать хорошо (50–80 слов в минуту) — к пяти годам. Читать самостоятельно, для удовольствия — в шесть лет.

Последний рубеж особенно важен, хотя и трудно достижим. Если читать приятно — значит, определена любовь к книгам на всю жизнь, значит, обеспечено развитие интеллекта по крайней мере выше среднего.

Счет проще чтения. Счет предметов до 10 — к двум с половиной—трем годам. Счет до 100 — к трем с половиной, до 1000 — к четырем годам. К шести годам выучить четыре действия в пределах 100. Даже таблицу умножения. Впрочем, не следует нажимать — все зависит от способности концентрировать внимание.

Письмо менее важно, чем чтение и счет. Печатными буквами ребенок может овладеть к четырем годам, писать слова — к пяти. Я даже не уверен, стоит ли учить письменным буквам до школы — потому что тут нужна строгая методика, едва ли ее можно обеспечить дома. Как бы не пришлось в школе переучиваться.

Грамота — только один из показателей умственного развития, самый демонстративный. Не менее, если не более важным является «творческий потенциал» — умение, желание и настойчивость создавать что-нибудь: рисовать, строить, воспроизводить жизнь в предметных играх (куклы!), фантазировать, «сочинять истории» и пр. Все эти действия связаны с функцией воображения. Его можно тренировать в разговорах и в задачах — простых — на предположения и прогнозирование, более сложных — на сочинения рассказов, сказок, композиций в рисунках, «изобретений» из деталей конструкторов. Разумеется, никаких «уроков» в этом направлении не нужно. Только в играх и осторожно стимулируя похвалой.

Ум, развитие, высокий «коэффициент интеллекта» IQ — важно, но не все. Нельзя развивать его в ущерб другим сторонам личности.

Отдельно нужно сказать о ТВ. Уверен, что эта зараза является врагом воспитания и даже образования. Сначала детские передачи дают полезные зрительные образы, потом ТВ неизбежно выходит из-под контроля и польза сменяется вредом: информации мало, мораль вредная, потеря времени — большая. Бороться почти невозможно, поскольку ТВ смотрят взрослые. Однако бороться нужно: ограничивать время, контролировать сюжеты, даже жертвуя своим удовольствием.

Теперь к телевизору прибавился компьютер. На Западе — почти поголовно, у нас — пока в старшем возрасте. Но скоро будет у первоклашек. Наша внучка изучила компьютерную грамоту в 8 лет — легко, почти без потери времени — занималась с учителем два часа в неделю. Теперь (в 12 лет) играет в игры, делает рисунки, набирает тексты сочинений. Не могу сказать, насколько это прибавляет ума, но сама грамота для современного общества необходима. Поэтому — пусть будет раньше, чем поздно.

СЧАСТЬЕ. СТИМУЛЫ И ПЛАТЫ

Счастье человека, душевный комфорт определяются соотношением его притязаний и реальных плат со стороны общества, получаемых в ответ на деятельность. Или иначе: как оценивает общество деятельность и соотношение этих получаемых оценок с теми, на которые человек притязает, которые считает справедливыми? Как правило, платы всегда ниже притязаний, потому что, если они систематически удовлетворяются, наступает адаптация и притязания возрастают.

Счастье ребенка имеет такой же механизм. Оно определяется соотношением его притязаний и реальных плат, т. е. всего того, что он получает за свои поступки от взрослых: похвалу, ласку, наказания, игрушки, конфеты или приятные прогулки. Нужно организовать его быт, общение и воспитание так, чтобы поддерживать благоприятное соотношение плат и притязаний, тогда будет удовлетворительным УДК. Если платить очень много, можно получить период счастья, но быстро наступит адаптация, возрастут притязания, и платы за ними не успеют. Если платить очень мало, то притязания уменьшатся — привыкнет — но равновесие будет на низком УДК. В этом и есть секрет: поддерживать правильное соотношение плат и притязаний, такое, чтобы платы оставались стимулом деятельности, но чтобы притязания не росли чрезмерно. Периодически должна быть радость — пики вверх и некоторые неприятности — пики вниз, тогда адаптации не будет и ощущение удовольствия от жизни сохранится. Вот какая кибернетическая эквилибристика требуется от воспитателя!

Одной из главных целей воспитания является прививание (внушение) правильных притязаний. На что ребенок может реально надеяться из того, что он хочет. Нереальное он перестанет хотеть. В связи с этим рассмотрим вопрос о стимулах и платах за действия и их значимость в разном возрасте.

Потребность в деятельности оплачивается «успехом» — достижением цели. Это «рефлекс цели» И. П. Павлова.

Выбор действия или цели часто диктуется подражанием взрослым или другим детям, это тоже потребность, остающаяся в разной степени на всю жизнь. Чем выше подчиненность и меньше лидерство, тем больше подражательность. Однако платой является все-таки цель (как результат самого действия и как удовлетворение от удачного подражания). Очень важно тренировать потребность в действиях и «рефлекс цели». Для любого творческого человека — даже если он просто мастер — удовольствие от дела и хорошо сделанной работы составляет значительную часть счастья. Уже говорилось о важности авторитета взрослых: ребенок жаждет получить одобрение человека, которого он уважает, или, на худой конец, любого взрослого. Поэтому похвала за выполненную работу, за поступок, за любое действие является важнейшей платой за него. Чем выше авторитет и чем реже одобрение, тем больше оно ценится, тем более сильным стимулом является стремление его добиться. Значимость этого стимула с возрастом несколько уменьшается, но не исчезает никогда. Мы все в какой-то степени работаем на публику. В подростковом возрасте образцы для подражания смещаются с взрослых на товарищей. Впрочем, для каждой сферы деятельности выбирается свой авторитет.

Очень важен вопрос о дозировании похвал. С одной стороны, даже плохо сделанную пер-

вую работу нужно похвалить, чтобы вселить уверенность в своих силах. С другой — частые и незаслуженные похвалы становятся менее действенными, из-за адаптации понижают авторитет, повышают притязания на похвалу, требуют все более пышных и сильных выражений. Самое же главное, что излишние похвалы в семье смещают самооценку ребенка: он начинает оценивать себя выше того, что стоит. В конце концов, это и есть завышенные притязания: расчет на получение более высокой платы за действия, чем ее получают все другие. Это в равной степени касается и наказания, ограничений: высокая плата — безнаказанность шалостей и нарушения запретов.

Особенно опасно захваливать и баловать единственного ребенка, не посещающего детский сад. Такой ребенок не может проверить, чего он стоит, сравнивая себя с другими детьми. Поэтому должна быть строго определена его роль хотя бы среди взрослых членов семьи. И роль эта должна быть не главной. Конечно, любому единственному дитяти отдается все и позволяется многое, но показывать этого нельзя. «Это маме и папе, потому что они работают, бабушке — она старенькая, а ты самый младший — тебе только это...» — так нужно говорить, а не наоборот.

Материальный стимул (страсть к новым вещам — игрушкам и предметам одежды) появляется у детей довольно поздно — к пяти годам и скорее выражает престиж и лидерство, чем жадность к собственности. Девочка хочет одеться лучше других, мальчик — как другие ребята. Впрочем, «инстинкт собственности» демонстрируется на детях очень хорошо — все они хотят иметь новые игрушки и очень не любят их отдавать и дарить. Противодействует жадности только убеждение: «нужно быть добрым», и немного, и не у всех — сопереживание. Ни в коем случае нельзя давать вещи в качестве платы за действия. Игрушки можно дарить 2—3 раза в год по поводу торжеств при условии, что ребенок что-то сделанное им самим дарит родителям и все в семье получают подарки. Можно чаще покупать «информационные» или «функциональные» игрушки — как инструмент для творчества, игры или спорта. Нельзя допускать «престижного одевания» детей, чтобы родители хвастали перед другими. Девочка или мальчик не должны иметь возможность «возвышаться» над прочими детьми благодаря деньгам родителей — это их портит.

Лидерство, престиж, соревнование — один из самых сильных стимулов деятельности, который появляется уже в три года и в дальнейшем может непрерывно возрастать или остановиться и даже вовсе потерять значение. Здесь все та же игра притязаний, степени их удовлетворения, адаптации. Плата в коллективной работе — стать выше других. Как минимум важно знать это самому, но очень желательно, чтобы признавали другие, и чем больше, тем лучше. Ради этой платы прирожденные лидеры способны на большие напряжения, но есть и довольно равнодушные дети. Их притязания ограничиваются «не быть последним». Впрочем, можно адаптироваться и к этому — тогда стимул перестает действовать. Но ущерб душевному комфорту остается. «Последний в группе», будь то взрослый или школьник, не может быть счастлив, по крайней мере, пока он пребывает среди других членов группы. Им владеет чувство ущемленности, к которому нельзя полностью адаптироваться.

Полезно или вредно лидерство? Оно двулико, как и любая потребность, имеющая биологическое происхождение. Излишнее лидерство превращается в порок тщеславия, властолюбия. Если его недостаточно или нет совсем — выпадает один из важнейших стимулов деятельности. Больше того, личность терпит ущерб из-за недостатка самоутверждения, самолюбия, снижается ее социальная ценность, поскольку на самолюбии строится значительная часть отношений. Поэтому воспитатель должен внимательно присматриваться к этому сложному чувству — лидерству — и всячески пытаться правильно его отрегулировать: осаживать чрезмерность и поощрять недостаточность. Поощрять, пожалуй, особенно трудно, потому что это означает повышать уровень самооценки, стимулировать (тренировать) самолюбие. Для этого нужна база — достаточный уровень знаний, умения, сила или превосходство хотя бы в чем-нибудь, что це-

нится среди сверстников как предмет соревнования и сравнения. В семье нужно об этом очень заботиться, готовить слабого ребенка к жизни, к общению в детском саду или в школе, чтобы он не оказался хуже других.

Регулирование лидерства невозможно без так называемой социализации — обучения, как находить себе правильное место среди людей вообще и среди своей группы — особенно. В большой семье, как у Никитиных, дети «социализируются», так сказать, автоматически. Другое дело — единственный ребенок среди любящих и балующих его взрослых. Его притязания на место вполне могут оказаться не соответствующими объективным данным. Следствием являются конфликты и ущемленность в детском саду и в школе в результате нереализуемых притязаний.

Наказания не стимулируют положительную деятельность, но являются важным регулятором поведения людей вообще, и уж, конечно, детей. Этот вопрос я уже поднимал. Тормоза необходимы так же, как и стимулы. Наказания — тормоз, который должен включаться в крайнем случае. Действенность более мягких мер — различных запрещений — вытекает из отношений к авторитетам и подчиненности. Они должны быть логичны и понятны, но это не всегда обеспечивает их эффективность. В силу того же лидерства ребенок может периодически «пробовать силу» — пытаться навязывать свою волю взрослым, заведомо идя на нарушения запретов и риск быть наказанным. Вот тут и нужно ему доказать, кто «командует парадом». Пожалуй, это самый главный повод для наказания, потому что все другие поступки заслуживают снисхождения: что-то забыл, что-то разбил, не сделал, подрался и прочие мелочи.

Проблема дисциплины — центральная для воспитателей. Педагоги не разрешили ее однозначно. Например, в США до 50-х годов придерживались строгости и требований непременного подчинения. Потом пришла короткая эра вседозволенности. Теперь педагоги вспоминают о ней со смесью страха и стыда. Дети делали, что хотели, результаты часто были ужасны. Немного в этом винят Б. Спока, хотя он и не признается в слабости. Современное течение называют «информированная позволенность». Родители должны стараться понять, что в пределах разумности они могут ожидать от своих детей, учитывая основные черты личности и возраст ребенка. Требовать то, что можно выполнить, проявляя при случае должную строгость. Если во времена авторитарного воспитания в большинстве случаев говорили «нет», при «вседозволенности» — «да», то теперь «да» и «нет» употребляются «по показаниям». Разумеется, это гораздо труднее для родителей.

Педагоги выделяют три подхода к дисциплине, или три ее уровня. Самый простой они называют эмоциональным: это шлепки, крики и угрозы. Некоторые матери идут так далеко, что плачут, пытаясь разжалобить своих непослушных детей: «Ты не любишь свою мамочку, иначе бы ты так не делал». Когда это становится привычным, мало шансов получить дисциплинированного ребенка.

Второй уровень можно назвать рациональным, или методом убеждений. Он состоит из разговоров. Ребенку объясняют его поведение, доказывают, почему плохие поступки приводят к плохим результатам, побуждают его стать лучше. На некоторых детей этот метод действует хорошо. У других масса слов пропадает зря.

Третий уровень наиболее эффективный, но и наиболее трудный, потому что основан на знаниях. Если сказать предельно просто, он означает выбор приемов «техники дисциплины» применительно к возможностям и способностям ребенка, его интересам и слабостям, соответствующим той стадии развития, которой он уже достиг; стимулирование ребенка в нужном направлении путем создания ситуаций, а не запретами.

Вот **несколько общих правил**, которые предлагают авторы. Они все известны, но часто забываются.

Будь постоянен: если что сказано — нужно поддерживать до конца. Частые изменения суждений и распоряжений не воспринимает ум ребенка, это его нервирует и снижает авторитет воспитателя. Если все-таки приходится менять распоряжения, нужно объяснить ребенку причины. В общем, жить ему будет гораздо проще,

если есть строгий порядок во времени, делах, отношениях.

Необходимо полное единство в семье по поводу правил регламентации поведения ребенка. Каких бы разных взглядов ни придерживались взрослые члены семьи, действовать должны заодно, не противоречить друг другу и не критиковать друг друга при ребенке. Без этого не может быть дисциплины.

Нужно ли требовать полного послушания? Следует давать меньше категорических распоряжений по пустякам, но если они сделаны по важному поводу, нужно добиваться выполнения. И, тем не менее, совсем без компромиссов обойтись нельзя, приходится иногда откладывать, изменять условия, но только по второстепенным поводам.

Шлепать или не шлепать? В практике семейного воспитания последние годы явная тенденция в сторону отказа от шлепания. Хотя многие люди сожалеют о правиле: «экономить розги — испортить ребенка». Наука доказывает, что вреда от телесных наказаний больше, чем пользы. Когда мать или отец потом анализируют поводы и развитие ссоры, то обычно жалеют: не использовали всех гуманных возможностей, погорячились. Ущерб для себя — бьющего, бывает больше, чем для ребенка. (Я помню, как моя мама плакала в таких ситуациях.) Наверное, самое главное для себя помнить, что ты всегда играешь роль того идеала, который хочешь внушить и привить. Таким образом, воспитатели воспитывают себя через любовь к ребенку.

ЗДОРОВЬЕ

Что важнее — здоровье или счастье? Пока дети маленькие, все родители скажут: «Только бы был здоровым!» Особенно если дети у них болеют. Когда сыновья и дочери вырастают, происходит явное смещение интересов в сторону счастья. А когда его мало, то нередко слышишь: «Лучше бы и не рожать!»

Скажут: «Нельзя сравнивать». Но почему? Уровень Душевного Комфорта, УДК, которым определяется наше количество счастья или несчастья, имеет телесные и душевные составляющие, и суммируются они на равных, потому что компоненты «приятного» и «неприятного» присутствуют в любой потребности, как в творчестве или лидерстве, так и в физическом движении или еде. Если возникает острый отрицательный «пик» в потребности — боль, голод, измена, то все другое отходит на задний план и жизнь измеряется по этому главному чувству. Болезнь маленького ребенка как раз относится к таким пикам, поскольку затрагивает самую главную биологическую потребность родителей — любить детей. Поэтому все родители мечтают о здоровых детях, не очень задумываясь об их будущем счастье, полагая, что или оно придет само, или ничего нельзя для этого сделать. Стихия, судьба.

Но счастье и здоровье тесно связаны. Без здоровья нет счастья, но не наоборот. К здоровью адаптируются и перестают ощущать его как благо.

В общем, зачем доказывать — здоровье необходимо. Это базис счастья. Без него не будет успеха в работе, в семье, даже в творчестве. Все будет плохо.

Добыть здоровье проще, чем счастье. Природа милостива: она запрограммировала организм с большим запасом прочности, и нужно много стараний, чтобы этот запас свести к нулю. Каждый человек может быть здоровым собственными усилиями. Ну, а счастье в одиночку построить нельзя — слишком большая зависимость от людей. Впрочем, едва ли кто согласится с этим заявлением: все ропщут на природу и медицину, полагают, что человек очень слаб и хрупок, поэтому здоровье — как божий дар: кому дано, а кому нет. Постараюсь убедить.

Набор болезней довольно характерен. Катары верхних дыхательных путей. Во время эпидемий — грипп. Часты необъяснимые подъемы температур, иногда неделями. Миндалины увеличены почти у всех, только и слышишь, что нужна операция. Болят уши, разрастаются аденоиды. Пневмонии, в том числе хронические. За ними следуют бронхиты и бронхиальная астма. Потом — ревматизм. Нередки болезни печени даже у маленьких, раньше их не встреча-

ли... Необъяснимые боли в животе с расстройствами и без... Колиты... Головные боли... Близорукость. Чего только нет, и все — достаточно часто. Можно было бы всем этим пренебречь, если бы не умирали... Нет, проблема ухудшения здоровья детей вполне серьезна и требует пристального внимания.

Что такое здоровье?

Снова не миновать теории. В физиологии есть такое понятие — гомеостаз. Оно обозначает поддержание постоянства различных показателей функций органов и целого организма. Их много, этих показателей: температура, кровяное давление, процент гемоглобина и число лейкоцитов, содержание сахара в крови и много-много других, нет смысла их перечислять. Принято связывать здоровье с нормальными цифрами показателей, болезни — с их отклонениями. Разумеется, кроме этих объективных измеримых проявлений здоровья или болезни, есть еще субъективное самочувствие — здоров или болен.

Нормальные цифры показателей и хорошее самочувствие — это только качество здоровья. Есть еще и количество. Оно измеряется предельными величинами функций органов, их «резервными мощностями». Для целого организма количество здоровья можно характеризовать степенью отклонения внешних условий, при которых еще поддерживается здоровье, или величиной предельных нагрузок, выполняемых человеком.

Как уже говорилось в самом начале, все функции в живом организме определяются генами и реализуются химическими процессами ферментивной природы. Количество функции связано с количеством белков ферментов, которое, в свою очередь, определяется тренировкой, напряжением в предшествовавшее время, когда наработка нового белка превышала его распад. Универсальный закон тренировки имеет прямое отношение к здоровью, к его количеству. Этот закон — для всех возрастов, а для детского — особенно важен. Дело в том, что у молодого организма наивысшая скорость процессов синтеза, и, следовательно, молодые наиболее способны к тренировке функций.

Много раз я уже писал о том, что здоровье людей в их руках и добывается только собственными усилиями — «режимом ограничений и нагрузок». Насколько это утверждение относится к детям? Несомненно, есть особенности, но большей частью — в их пользу. Если нельзя вырастить ребенка, чтобы он совсем не болел, то, во всяком случае, поддерживать у него высокий уровень здоровья вполне возможно. Болезни, связанные с инфекциями и мелкими травмами, действительно неизбежны, но они не ухудшают здоровья как некоего количества защитных сил, выраженных в «резервных мощностях».

Есть, однако, особенности детства, серьезно затрудняющие практическую реализацию режима здоровья. Прежде всего это выражается в пониженном иммунитете. Новорожденный ребенок детренирован по всем функциям, потому что в утробе матери у него были идеально постоянные условия и очень мало движений. Особенно если мать мало двигалась, не было механических сотрясений. Перемена жизни при рождении очень резка. Меняется все: температура, влажность, дыхание, питание. Все эти новые функции сразу должны взять на себя ранее не функционировавшие органы. Поэтому вначале их «резервные мощности» минимальны, и, следовательно, нарушения гомеостаза (равновесия) возникают даже при небольших отклонениях во внешних воздействиях от некоторых предусмотренных структурой клеток. Следовательно, нужно очень осторожно дозировать воздействия на любой орган, чтобы постепенно тренировать его функции, избегая перегрузок и связанной с этим патологии. У диких животных дозировка и тренировка запрограммированы в инстинктах матери, от этого инстинкта у человека осталась только любовь — и никаких навыков. Все поведение матери — культурного происхождения. Нельзя сказать, что наши правила ухода за маленькими детьми плохие. С их помощью детская смертность снижена до минимальных цифр. Едва ли этого можно было добиться, действуя инстинктивно. Есть предположения, что такое снижение детской заболеваемости достигнуто избыточно строгими правилами, а не элементарной гигиеной и вниманием. Похоже, что педиатры чересчур усложнили уход, подавив природу ребенка, которая раньше одна заботилась о выживаемости. Я не очень уверен в правоте этого предположения, но на него наводят опыт Никитиных, идеи И. А. Аршавского, рекомендации Бенджамина Спока и Гезела. Боюсь, что у нас в последние годы наблюдается излишнее «внешнее регулирование» ребенка и его окружения, которые приводят уже к отрицательным результатам — к учащению болезней. Потом требуется масса усилий родителей и врачей, чтобы не дать болезненному ребенку погибнуть.

Предположение, что человеческий детеныш родится исключительно слабым и уязвимым, возможно, преувеличено. Может быть, он становится таким в первые же месяцы в результате чрезмерного щажения, не позволяющего вовремя натренироваться защитным и приспособительным механизмам, призванным спасти его от болезней в последующие годы. Возможно, что положение с «телесными структурами» такое же, как и с мозгом, когда отсутствие должных ранних раздражителей оставляет неполноценным на всю жизнь. Не берусь утверждать это категорически, поскольку рассмотрение механизмов формирования и тренировки вселяет оптимизм; можно восстановить слабое здоровье изнеженного в раннем детстве ребенка более поздними упражнениями. Как уже говорилось, с мозгом это не получается — догнать упущенное нельзя.

Я бывал в разных странах и читал разные книги. Бросается в глаза разница в подходе к физическому воспитанию у нас и на Западе. Я помню апрель в Лейпциге — холодно, сыро. Старшую группу детского сада ведут в зоопарк. Ребята без шапок, в шортах, с голыми коленками, в очень легких курточках, замерзли до синевы. Таких картинок сколько угодно. У нас видел младших ребят Никитиных, которые танцевали босиком по октябрьскому снегу, когда провожали меня на вокзал.

У нас во многих семьях детей одевают очень тепло. Многие родители ограничивают детей в движениях. Они не могут бегать уже потому, что одеты слишком тепло. Не разрешают бегать, чтобы не падали и не ушибались, из каждой шишки и ссадины, принесенных из детского сада, делают драму и предмет для жалоб. Дома не дают бегать тоже, чтобы чего-либо не разбить, не испортить... До четырех лет детей возят в колясках и санках... В яслях и детских садах преобладают спокойные игры.

Питание детей в некоторых семьях однообразно, содержит мало овощей и фруктов, а больше сладостей.

И ко всему этому — масса лекарств, начиная с самого рождения.

Мне кажется, что во всем этом достаточно оснований для возрастания болезней. Круг замыкается: чрезмерное начальное щажение — ослабление защитных сил — болезни — страхи — еще большее щажение. И так далее.

Если к этому добавить все еще плохую постановку занятий физкультурой во многих школах, то хорошие прогнозы на здоровье достаточно сомнительны.

Мало упражнений в детстве не только вредит здоровью, но и тормозит психическое развитие. Движение — это первичный стимул для ума.

Элементы здоровья. Их немного: физические нагрузки, правильное питание, закаливание, сон. К этому нужно добавить психику: она все окрашивает, без приличного УДК недостижимо телесное здоровье. Остановлюсь коротко на каждом.

Тренировка органов движения: суставов, связок, нервного аппарата управления рефлексами. Все это достигается так называемым физическим воспитанием, упражнениями и играми. Отличную систему применяют Никитины: они используют врожденные рефлексы ребят и стараются их натренировать, не упуская времени, чтобы не угасли. Со второго—третьего месяца они поднимают ребенка в кроватке, давая ему палец, чтобы ухватиться. Рано держат вертикально, позволяя опираться на ножки. В дальнейшем широко используют различные самодельные спортивные снаряды — кольца, перекладину, лесенку. Основа их системы — смелость, доверие к силам и к врожденной осторожности ребенка, взаимодействие детей разных возрастов, игры, соревнования, ну и, конечно, мудрое руководство отца. Помогает закаленность детей к холоду, легкая одежда. И вот что они достигли: с трех месяцев ребенок стоит в кроватке, держась за перекладину, а потом и висит, ухватившись за пальцы взрослого. Ползают или, точнее, ходят на четвереньках с шести-семи месяцев. Ходить без посторонней помощи научились в 9 месяцев, быстро бегать — с двух лет. В четыре года они лазили по шесту на 3 м, а в три — крутились на кольцах. Поднимали фантастические тяжести — я видел у них набор мешочков с галькой от 1 до 18 кг. Они начинают упражняться ими с полутора лет, а к трем годам показывают становую силу на динамометре, равную их весу. Это все я видел сам. Спортивны, как обезьяны, ловки и гибки, выносливы. В двадцатикилометровые походы их берут с четырех лет. Таким детям можно только позавидовать. Некоторым ортодоксам от медицины и педагогики это не нравилось, говорили, что нагрузки чрезмерны, но я думаю, что они сами никогда не пробовали физкультуры и их идеал не простирается дальше упражнений, что показывают по телевизору.

Разумеется, не просто достигнуть таких успехов. Одному сыну или дочери в семье при неспортивных родителях просто немыслимо. Но в детском саду и в школе — возможно.

Не будем замахиваться на идеалы с тренерами и спортснарядами. Пусть дети не станут гимнастами, пусть они будут просто хорошо тренированными: умеют много ходить, бегать, играть в обычные быстрые игры. Для этого нужно немного. Прежде всего — не бояться перегрузок, если ребенок делает это сам, без малейшего давления. Физическое утомление не вредно, если сопровождается отдыхом. Надо дать детям возможность бегать, играть и упражняться коллективно: в детском возрасте достаточно внутренних стимулов, только не ограничивайте и не кутайте. Первое дело: как только ребенок научился ходить, надо перестать возить его на прогулку в коляске. Медленно и с остановками уже через полгода после первых самостоятельных шагов ребенок может пройти несколько километров. Не нужно таскать его на руках. Если не приучать, то и проситься не будет... В детском саду и в школе физкультура должна быть ежедневно и сильная, а не вольные движения.

До пота, до одышки, не менее часа в день. Лучше всего — игры с соревнованиями. И очень важно не забывать про самолюбивых, застенчивых и неумелых «рохлей», активно вовлекать их. Я сам когда-то был именно таким и всегда увиливал от уроков физкультуры. Хорошо, что было достаточно домашней работы с малых лет...

Очень желательна утренняя гимнастика — для осанки, для суставов. Однако не надейтесь, что она понравится и ребенок будет делать упражнения самостоятельно и в одиночестве: это однообразно, скучно. Но с отцом или мамой — дело другое. Даже если несколько детей — все равно пример взрослых необходим. Поэтому делайте зарядку — всем будет полезно. Родителям даже больше.

Физкультура — это не только мышцы и суставы, это прежде всего тренировка всего организма, самый важный метод повышения «резервных мощностей» всех «рабочих» и «управляющих» органов. Работа мышц требует повышения доставки кислорода и глюкозы с кровью. Это значит — тренировочная нагрузка на сердце, легкие, печень. В то же время это психическое напряжение, тот самый физиологический стресс, необходимый для придания устойчивости «регуляторам» нервной и эндокринной систем. Общий тренировочный эффект физкультуры пропорционален интенсивности и длительности нагрузок. Мера интенсивности — в учащении пульса и дыхания, в потоотделении, если тепло. Без этого упражнения почти бесполезны. Как минимум нужен один час хороших нагрузок с учащением пульса до 150—170 в минуту, когда требуется остановка, чтобы отдышаться.

Закаливание — важнейший компонент здоровья. Сомнений в пользе нет, все согласны. А дело не двигается. Главная причина — страх перед простудой. Стоит ребенку переболеть насморком — все, никакой доктор уже не решается советовать холодные купания, прогулки без шапки и шарфа. Вот этот страх надо преодолеть — заболевания неизбежны, потому что они вызываются микроорганизмами и в любом людном месте их достаточно. Иммунная система у детей еще слаба, и они заражаются легко, но при хорошем здоровье так же легко выздоравливают. Если начать кутать, этим открывается путь для новых простуд.

Принципы закаливания давно известны. Если соблюдать осторожность, т. е. постепенность и систематичность, то опасности нет никакой. В руководствах по уходу за детьми даны различные режимы для воздушных и водных процедур. К сожалению, мало кто способен выдержать систему — измерять температуру воды и воздуха, отмечать минуты.

Вот самые простые советы. В первые месяцы — воздушные ванны: ребенок остается голый или в распашонке несколько раз при перестилании, начиная с 5 минут. Каждую неделю прибавлять по 2—3 минуты, доводить до получаса, а в сумме до четырех часов в день. Если температура в комнате ниже 20°, уменьшать время или немного прибавлять одежды. Следить за поведением: если спокоен — значит, не холодно, проверять кожу — она должна быть прохладной, но не холодной. При купаниях начинать с 36° и понижать температуру на 1° в неделю, доводить до 25—23°. Нужно, чтобы ребенок чувствовал удовольствие при купании — это самый надежный критерий.

У Никитиных вопрос закаливания решается просто: для самых маленьких — воздушные ванны и прохладная вода; как начинают ходить — только босиком и в трусиках, дома и на улице, разумеется, если не очень холодно. При всех условиях — очень легкая одежда. Думается, что самое главное — не одевать детей «профилактически», не напяливать излишнюю одежду, но иметь возможность прибавить, если окажется, что холодно. Не жалуется — значит, достаточно тепло, значит, и вреда не будет. Даже если немного и замерзнет, то тоже не беда — пусть побегает и нагреется. Это самая естественная реакция на охлаждение, которую совсем забыли. Дети после трех лет, начиная играть со сверстниками, склонны сбрасывать лишние одежки — препятствовать им не нужно. Единственное, чего следует избегать, это мокрого холода, а сухой не страшен. Еще совет: после перенесенного заболевания начинать закаливание постепенно, отступив назад на половину достигнутого ранее, но вдвое ускорив темп в уменьшении одежды.

Много говорят и пишут, к сожалению, только в газетах, а не в научных журналах, о раннем обучении детей плаванию. Мне привелось познакомиться с энтузиастом этого дела. Он рассказывал просто чудеса. Детей можно научить плавать раньше, чем ходить, они могут оставаться в воде по многу часов, хорошо развиваться и даже становятся умнее «сухопутных». Судя по тому, как распространяется метод по миру, можно думать, что он хорош. Плавание — это закаливание, соединенное с физкультурой, способствует развитию движений, движения стимулируют разум.

Питание. Правильное питание исключительно важно. В то же время для мам и бабушек это очень трудная работа. Люди сами неимоверно все усложнили, а потом страдают.

Ребенок живет и растет за счет пищи. Общеизвестно: нужны белки, жиры, углеводы, витамины, минеральные соли. Вопрос в том — сколько? В каких продуктах? Как часто кормить?

Потребность в пище регулируется аппетитом. Есть нервные центры, которые получают информацию от состава крови и от наполнения желудка и выдают ее на кору в виде чувства голода или сытости. Чувство побуждает к приему пищи или прекращению еды. Более того, иногда недостаток некоторых веществ — главным образом солей — дает специфическое направление аппетиту: хочется того или другого. Правильно сбалансированный аппетит, как хороший регулятор, обеспечивает достаточное снабжение организма всем необходимым для роста и для деятельности. Установка регулятора не одинакова у разных людей: есть от природы склонные к перееданию, следовательно, к полноте, у других, наоборот, аппетит понижен, и они чаще всего худощавы. Не следует преувеличивать значение природы: она рассчитывала на дикого человека, жившего в условиях почти постоянного недостатка в пище. Повышенный аппетит был для него не только безопасен в смысле полноты, но и необходим: единственным запасом пищи на случай бескормицы являлся жир под кожей. Среда способна изменить врожденный уровень регулятора аппетита тренировкой или торможением центра голода и сытости. Можно воспитать повышенный аппетит и вырастить толстяка, можно вызвать отвращение к пище и нарушить правильное обеспечение организма питательными веществами, вплоть до болезней. То же касается и отдельных продуктов — приверженность или отвращение к ним создается в процессе воспитания. Разумеется, пределы изменения аппетита не одинаковы и тоже зависят от врожденных качеств: худощавому от рождения легче испортить аппетит, чем толстяку.

В нашем обществе сложилось представление, что детей нужно обязательно кормить с избытком, и чем больше, тем лучше. Так они будут здоровее, будут быстрее расти и развиваться. Но это заблуждение. Избыточно калорийная пища приносит больше вреда, чем пользы. Общеизвестны опыты Мак-Кея, доказавшего, что если крыс (или кроликов, или других животных) с рождения кормить недостаточно по количеству пищи, но обеспечивать белками и витаминами, то хотя они и останутся малорослыми, но будут здоровыми и проживут на 40% дольше полных и крупных, которые ели досыта. Естественно, на людях это не проверено, но у ученых нет сомнений, что должно получиться то же самое. Конечно, никто не станет рекомендовать нарочно недокармливать детей, но избыток пищи уж точно ни к чему. Все специалисты — врачи и воспитатели — в один голос говорят: «Пусть ребенок ест сколько он хочет, не нужно его заставлять». И тем не менее в большинстве семей — одно и то же: «за маму, за папу...» В умы внедрился ложный страх: если не заставлять — совсем не будет есть. Вот что пишет Б. Спок: «В шутку можно сказать, что для того, чтобы отбить у ребенка аппетит, нужны знания и много месяцев упорной работы».

Приведу еще «Правила, как помочь ребенку получать удовольствие от еды». Я их вычитал у ученых из Гезеловского института: «Сервируй пищу привлекательно, но без комментариев. Давай ее маленькими порциями. Не указывай количество пищи, которую нужно съесть,— у детей с плохим аппетитом это с ходу вызывает сопротивление. Показывай вид полного безразличия к еде ребенка, никакого беспокойства. Не требуй «манер» у маленького. Они придут позднее, когда аппетит установится. До этого позволяй есть руками, если он хочет. Не корми ребенка за общим столом, пока он не научится хорошо есть».

Не буду давать советов по части, чем кормить детей. В нашей стране педиатры выработали стройную систему прикормов, искусственного вскармливания грудных детей, диеты для детских яслей и садов — смешно мне полемизировать с ними. Надо думать, что эта система не хуже всех других. Все беды от количества и от процедуры питания, а не от состава пищи. Хочу обратить внимание только на овощи и фрукты, поскольку глубоко убежден в их незаменимости. Так как мой авторитет в детском питании очень мал, то опять сошлюсь на Спока. Он пишет, что вареные овощи в полном наборе нужно давать уже в первый год жизни, начиная от протертых до размятых вилкой и нарезанных мелкими кусочками. К сырым овощам надо приучать после года, давать очищенные от кожицы помидоры, салат, тертую морковь и постепенно расширять ассортимент — капусту, лук, огурцы. Такое же отношение к фруктам — нужно только, чтобы они были вполне спелые.

Ягоды рекомендуются после двух лет. Любую новую пищу надо начинать с очень малой порции в хорошо измельченном виде, вести наблюдение за стулом, и если все благополучно — постепенно увеличивать количество, но не более чем на 20% в день. Сырая растительная пища исключительно важна для ребенка, и ее долю в рационе надо расширять, доведя к трем-четырем годам до 0,4−0,5 кг в день. Обязательно нужно разнообразие, включающее «листья, корни и плоды», как советуют сыроеды. Думаю, что в этом они правы. О соках я не говорю, так как они уже вошли в рацион детей. Но соки полностью не заменяют самих овощей и фруктов, это следует помнить. Кроме обеспечения столь важными для человека витаминами, большая грубая масса овощей и фруктов спасает от запоров и колитов. Не надо забывать, что любое расширение диеты — это тренировка кишечника и как таковая требует соблюдения главного правила: постепенность, постепенность и постепенность.

Специалисты спорят: важен или нет строгий режим и, в частности, питание по часам. Еще недавно никто не покушался на расписание, но теперь распространяется либерализм. Никитины тоже не придерживаются строгостей. Я, пожалуй, более склонен к консерватизму: режим приучает человека к порядку. Психологический аспект гораздо важнее физиологического: пропущенные часы еды или вечерняя отсрочка укладывания спать едва ли имеют какое-нибудь значение для здорового организма, но портят дисциплину. Однако всему должна быть мера. Не нужно педантизма в режиме, не нужно устраивать драмы из-за минут, без компромиссов не обойтись. И, тем не менее, в основном режим нужен. Вседозволенность себя не оправдала.

Питание обеспечивает ребенку рост и вес. Следить за их динамикой необходимо: взвешивать и измерять. Не следует впадать в панику при каждой задержке в нарастании показателей — детский организм обладает удивительной способностью догонять временное отставание. И вообще нет полной равномерности в развитии. Поэтому едва ли стоит измерять рост чаще, чем два раза в год, чтобы не находить лишних поводов для беспокойства. Взвешивать, конечно, нужно чаще — например, раз в месяц. Рост важнее веса: худые здоровее полных.

Система напряжений. Я называю так не строго очерченную физиологическую систему, объединяющую подкорковые нервные центры — ретикулярную формацию и гипоталамус с гипофизом, центры симпатикуса и связанный с ними надпочечник. Все вместе они обеспечивают психическое напряжение, т. е. общий уровень активности мозга, соответствующий трудности решаемых разумом задач. Эта система включается от чувства и эмоций, но потом сама себя поддерживает за счет обратных связей через гормоны, циркулирующие в крови. Поэтому любое психическое напряжение понижается лишь постепенно. Приятные и неприятные чувства и эмоции накладывают отпечаток на субъективные ощущения, но любое сильное напряжение сопровождается сдвигом во многих физиологических телесных функциях, вплоть до патологического стресса. Конечно, неприятные напряжения более тяжелы, длительны, чем приятные. Чем выше интеллект, чем совершеннее память, тем продолжительнее эмоции, а следовательно, и напряжения. У людей с разными темпераментами различные характеристики системы напряжения. Есть люди с быстрой и медленной сменой эмоций и настроений, есть пессимисты и оптимисты, есть активные и сдержанные, у них разной длительности и силы напряжения, с разной чувственной окраской. Спокойная мышечная работа разряжает напряжение, поскольку быстрее разрушаются «стрессовые» гормоны и обрывается обратная связь на нервные центры. «Неотработанные» движениями эмоции, особенно неприятные, затягивают состояние напряжения... Оно может долго оставаться в подсознании, активизируя модели — слова и образы, связанные с причиной напряжения. Это проявляется, в частности, в сновидениях. Сон является лучшим гасителем напряжений, но его наступление сильно затруднено. Длительные и частые эмоции, главным образом неприятные, ведут к «перетренировке» системы напряжения. Это проявляется плохим сном и даже приводит к различным «телесным» заболеваниям. Не говоря уже о нарушениях психики.

Все, что сказано, в полной мере относится к детям. **Эмоции** у них существуют с самого рождения, чувства включаются по мере созревания центров потребностей. Память удлиняется с развитием интеллекта. В то же время есть специфика: процессы возбуждения превалируют над торможением. Поэтому психика детей неустойчива. Система напряжения тоже развивается постепенно: маленькие не способны долго концентрировать свое внимание на одном предмете, и степень напряжения невелика. Однако к трем годам, когда сформировалась речь, их психическая сфера качественно мало чем отличается от взрослых. Поэтому существуют все опасности, связанные с перетренировкой системы напряжения.

Психологи связывают с неприятными эмоциями целый ряд других дурных привычек и даже заболеваний. Особенно уязвимы дети в «трудные» периоды неуравновешенности, о которых я уже упоминал,— 2,5; 3,5; 5,5 лет. Вредные привычки они называют «отдушиной напряжению». Одни дети сосут палец, другие — язык, третьи грызут ногти, четвертые крутят головой. Есть такие, что бьются головой, выдирают волосы, едят землю... К сожалению, встречаются и менее безобидные привычки — тики и особенно заикание. С напряжениями же связывают целый ряд типичных детских заболеваний, чаще проявляющихся в определенном возрасте. Так, у детей от полутора до трех лет встречаются расстройства кишечника, обычно в виде хронических запоров, несколько позднее — насморки и простуды с осложнениями со стороны ушей. В четыре года особенно много простуд, затем появляются необъяснимые боли в животе, которым врачи не могут найти причину и которые бесследно проходят к 10—11 годам. Некоторые дети жалуются на утомляемость, другие — на боли в суставах, у третьих — периодические рвоты, у четвертых — головные боли, иногда неделями держится слегка повышенная температура. Я достаточно встречался с этими необъяснимыми болезнями, которые мы, врачи, относим за счет «истинных болезней», полагая, что они вызываются инфекцией или неправильной диетой. Напуганные родители ходят от одного врача к другому, те делают массу анализов, обследований, чаще ничего не находят, а болезнь тем временем проходит. Думаю, что независимо от лечения. Надо полагать, что просто наступает благоприятный возраст.

Так, на системе напряжения, на эмоциональной сфере «телесное» здоровье смыкается с психикой. Эта сторона жизни ребенка нуждается, пожалуй, в более строгом контроле, чем еда, потому что мозг ребенка не рассчитан на такие нагрузки, которые дает ему современная среда.

Главным источником **перенапряжения** являются неприятные события — от них надолго остается след. Однако и радостное возбуждение мешает спать, за ним тоже следует реакция, хотя и короткая. Нужно пытаться не причинять ребенку неприятностей без необходимости. Я говорю о принудительной еде, запрещении бегать и многих других частностях, отравляющих отношения со взрослыми... Оставьте неприятное для существенного: обязанностей, учебы, сна.

Еще несколько слов **о страхах**. Почти все дети испытывают страхи по различным поводам в определенном возрасте. Боятся темноты, собак, воды, машин, болезней, врачей, уколов. Часто боятся потерять мать или отца. Много объектов страхов. Если относиться к ним правильно, все исчезает бесследно, хотя иногда и затягивается чуть ли не до юности. Но могут развиться неврозы, требующие помощи врача. Вот советы, как себя вести в этих случаях. Прежде всего не бояться — страхи проходят с возрастом. Не суетиться, не подавать виду, что обеспокоены. Не стыдить ребенка перед другими. Не заставлять «преодолеть» страх, пока не пройдет его острота. Нужно уважать страхи ребенка, относиться к его жалобам серьезно. Позволить ему некоторое время избегать пугающих объектов и ситуаций, а потом помочь постепенно справиться с ними. Поискать, нет ли каких причин, лишающих ребенка душевного комфорта и повышающих нервозность, и устранить их. Изменить обстановку. Не торопиться применять психотропные лекарства. Очень важно наладить сон и уменьшить психологические нагрузки, например обязательные или престижные занятия.

Проблемы, связанные **со сном**, довольно сложны, особенно в семьях, где на ребенке сосредоточено внимание всех взрослых. Многие дети не хотят идти спать, плохо засыпают, просыпаются среди ночи, просят взять в кровать к взрослым, утром отказываются вставать. Некоторые вообще мало и плохо спят... Все это проходит. Но главное, нужно помнить: для мозга необходим отдых, и чем дольше, тем лучше. Поэтому нужно прилагать все усилия, чтобы ребенок спал положенное по возрасту число часов: от 14 часов в один год до 10–12 перед школой. Ни в коем случае нельзя идти на поводу капризов ребенка и сокращать сон — это важнейший компонент не только физического здоровья, но и психического равновесия. Так же важно стараться удержать дневной сон, хотя бы до пятилетнего возраста.

Физическая нагрузка в виде спокойных прогулок является дополнительным стабилизирующим фактором для психики, в то время как шумные, быстрые игры возбуждают ее.

Итак, здоровье ребенка складывается из четырех основных компонентов режима жизни: физических нагрузок, закаливания, питания и психологического комфорта включая сон. Каждый компонент «режима здоровья» воздействует самостоятельно и в то же время усиливает действия других. Так, например, физические нагрузки являются в то же время физиологическим стрессом, тренирующим систему напряжения без ее перегрузок. Пребывание на холоде действует в том же направлении и дополнительно упражняет сердечно-сосудистую систему.

Есть одна точка приложения, на которой сходятся все факторы: иммунная система, включающая лимфатические узлы, костный мозг, селезенку и вилочковую железу. Вместе они вырабатывают лимфоциты и антитела — активные иммунные белки — глобулины. В первую очередь она призвана защищать организм от микроорганизмов — от тех самых бактерий и вирусов, что вызывают различные болезни. Против них действует прежде всего так называемый неспецифический иммунитет, универсальное оружие против любых микробов. С ним ребенок рождается, и он не очень сильный. Позднее происходит своеобразная тренировка иммунной системы попадающими в организм бактериями и вирусами. Прививки против инфекционных болезней можно рассматривать как такую активную тренировку. Отказываться от прививок ни в коем случае нельзя. Опасные осложнения встречаются крайне редко, а риск болезни — к примеру, полиомиелита, или оспы, или скарлатины вполне реален. Условием хорошей функции иммунной системы является разнообразная растительная сырая пища и физическая тренированность и снова тот же душевный комфорт. Любые неприятные стрессы тормозят иммунную систему и способствуют инфекциям.

СООБРАЖЕНИЯ
ПО СИСТЕМЕ ВОСПИТАНИЯ

У общественных учреждений в воспитании подрастающего поколения в сравнении с семьей есть преимущества.

Первое преимущество общественных учреждений — это квалификация воспитателей и время, предназначенное для воспитания. Второе — есть коллектив ребят, без которого никакие слова не действуют. Общество взрослых не обеспечивает практического воплощения идей, а многодетные семьи сейчас редкость.

Многие скажут, а в чем, собственно, дело? Для общественного воспитания остается школа, десять лет — достаточный срок, чтобы сформировать убеждения.

Во-первых, недостаточный. Пропущенные три года до школы невосполнимы. Во-вторых, школа тоже еще не всегда оказывается в части воспитания на достойной высоте.

Только правильно использовав дошкольный период и усовершенствовав школу, можно рассчитывать на воспитание человека в духе совести и долга.

Наши сотрудники, В. М. Белов и другие, изучали состояние воспитания в семьях и в детских садах. Не могу привести всех данных и ограничусь лишь их выводом. Они обнаружили большой разнобой в условиях жизни детей, и не только дома, но и в яслях. О яслях я еще скажу, их отрегулировать проще, но как обеспечить правильные и одинаковые условия в семьях? Если подходить к делу реально, то очень трудно быстро сделать все семьи «информативными». Повысились материальное обеспечение, уровень образования родителей, внимание их к детям, но остались в большом проценте семей недостаток времени, неумение воспитывать и самое главное — элементарная лень. Гораздо проще растить ребенка бездумно, «пойдет в школу — там научат». Или отдать его в круглосуточные ясли на два года... Вот и получается, что некоторые семьи не могут пока еще решить даже самую простую задачу — «образование», т.е. необходимое развитие интеллекта — речи, навыков. О «воспитании» в собственном смысле слова как

изменении чувств и привитии «убеждений» уж и говорить нечего — для этого нужны пример и квалификация. Так же и с обеспечением здоровья.

Прочитав все это, многие читатели уже ждут, что я предложу «обобществлять» детишек прямо с рождения. К счастью, это не только совершенно нереально, но вредно.

Во-первых, доказано, что ребенку в первые два года необходим физический контакт с матерью. Во-вторых, несправедливо лишать родителей возможности общаться со своими детьми, даже если они плохо их воспитывают. Это величайшее удовольствие, хотя в основе его лежит чистая биология — инстинкт продолжения рода. Дети в семье — один из самых главных устоев общества. Поэтому в массе своей семейное воспитание останется.

Вторая причина — наше общественное дошкольное воспитание еще далеко от идеала и не в состоянии заменить семью. Дополнить уже может, заменить — нет. Для маленьких детей нужны «персональные» ласка и любовь. Никакой «информативностью» не компенсировать их отсутствие. Однако это не значит, что можно мириться с плохим воспитанием в семье. При самых лучших дошкольных учреждениях семья может оказаться тормозом для их работы. Поэтому нужны активные меры воздействия на семейный этап формирования личности ребенка.

Каждому понятно, как легко предлагать отличные с первого взгляда проекты и как трудно их выполнять. И все же кое-что можно было бы сделать без существенных затрат материальных средств и людских ресурсов.

Необходимо повышать качество семейного воспитания. Сделать это исключительно трудно, потому что помехой часто служат лень и страх родителей.

А иногда и любовь.

Нередко можно услышать жалобы, что все взрослые члены семьи перегружены: производство, домашняя работа. Это неверно. Не так уж много у нас работают двое родителей, а часто еще есть бабушки и дедушки, чтобы не найти пару часов для разговоров со своим единственным ребенком. Для телевизора находят! Специального времени больше не нужно, потому что воспитательное общение должно идти в течение всего «вспомогательного» времени — еды, прогулок, купания. К сожалению, большинство родителей даже не знают о необходимости специально заниматься с маленьким ребенком. Они считают, что для него достаточно есть, спать и быть сухим. И молчать, не плакать. И больше всего боятся, чтобы не заболел, чтобы не мало съел, чтобы не упал и не разбил нос. Поэтому оберегают решительно от всего, не допускают ни малейшего риска. А если чуть что — чихнул — лечить и лечить, как можно больше таблеток. Так создается идеал удобного ребенка.

Одна из главных причин плохого семейного воспитания — невежество в этих вопросах. Если сказать мягче, низкая информированность. Стоило бы всех женщин во время отпуска по беременности до родов пропускать через специальные «курсы техминимума» с преподаванием правил ухода и своеобразных инструкций по воспитанию. (Мне нравилась идея таких инструкций, высказанная моим покойным коллегой, детским хирургом Станиславом Яковлевичем Долецким. Действительно, есть требования, которые можно сформулировать коротко, тем более что длинное не все будут читать...) Неплохо было бы всем будущим матерям в обязательном порядке выдавать для сведения (и исполнения!) небольшую книжку с изложением важнейших правил обращения с детьми. Это вполне реально, так же как обеспечение школьников учебниками.

Не стоит преувеличивать значение этих мер (у меня не очень высокое мнение о способности людей последовательно выполнять какие-либо правила), но все же польза была бы. Конечно, врачи скажут, что в женских и детских консультациях все объясняют каждой женщине индивидуально. И все-таки физически невозможно каждой прочитать лекцию в несколько часов, а пятиминутные советы недостаточны. Нужно, чтобы необходимая информация сообщалась обязательно. Разумеется, я не предлагаю всех обучать «новаторским» методам воспитания, которые применяют Никитины. Никакой риск

в большом деле недопустим. Пусть будут устоявшиеся правила, выработанные педиатрами и педагогами. Они, несомненно, полезны, безопасны, хотя, на мой взгляд, и грешат некоторой перестраховкой.

Теперь мы перейдем к главному вопросу: наше дошкольное организованное воспитание и образование. Правда, значение его при новых порядках капитализма сильно уменьшилось. Говорят: «Нет денег». Это для детей-то нет!

В самом деле, если раннее детство так важно для последующего развития человека, если на семейное воспитание нельзя возлагать больших надежд, то единственным выходом из положения являются детские ясли и детский сад.

Действительно, наша страна справедливо гордилась широкой сетью дошкольных детских учреждений, которые стали создаваться сразу после Октябрьской революции, получили такое широкое развитие. Однако здесь есть еще большие резервы.

Вспомним, какую первоначальную цель преследовали ясли и детские сады — освободить мать для производственной и общественной деятельности. Обеспечить местопребывание детей, пока матери на работе. Это значит, чтобы ребенок был в тепле, накормлен и по возможности занят безвредными или даже полезными играми. Исходя из этого, планировали и персонал, и условия... Предполагалось, что ребенок еще ничего не понимает и надо просто помочь родителям дотянуть его до школы, когда и начинается процесс главного обучения и воспитания.

Конечно, наши педагоги, специалисты по раннему возрасту А. В. Запорожец и другие отлично понимали значение дошкольных учреждений. Они разработали стройную систему воспитания и развития ребенка в яслях и садах. Делалось в этой области очень многое.

И все-таки наша воспитательная система во многом опускает ранний и самый благоприятный для обучения период детства.

Для того чтобы уменьшить эти потери, нужно начинать обучение в школе с шести лет.

Вот краткая сводка сведений о возрасте первоклассников в разных странах.

С шести лет: Германия, Чехия, Венгрия, Бельгия, Франция, Италия, Австрия, Швейцария, Япония, США, Греция.

В семь лет начинают обучение в Болгарии, Польше, Югославии и в Скандинавских странах. При этом всюду имеются детские сады, охватывающие от 10 до 60% дошкольников, как правило, после трех лет. Таким образом, видно, что почти во всех высокоразвитых странах учить начинают с шести лет, а в Англии — даже с пяти. Во многих странах эта система действует уже по 40—50 лет. Понятно, что нужно создавать свои программы, планы, что нельзя непродуманно рисковать.

Преимущества более раннего начала обучения мне кажутся очевидными. Вместо необязательной и малоквалифицированной подготовки к школе в старшей группе детского сада и уж совсем случайного обучения дома будет единая школьная программа, учитывающая возраст. Существующее сейчас неравенство подготовки первоклассников значительно уменьшится, так как лишь сравнительно немногие научатся читать до шести лет, а все остальные придут с приблизительно равными возможностями. Одновременно облегчатся образовательные проблемы детского сада, где уже не нужно будет думать о грамоте.

ШКОЛЬНОЕ ВРЕМЯ

Какие же усилия нужны, чтобы закрепить и приумножить успехи, достигнутые до школы?

Счастливые школьные годы... Еще нет полной ответственности даже за самого себя, но уже открылось много радостей взрослого периода: общение, дружба, любовь, искусство, самоутверждение и достижение личных успехов.

Нужно учиться, готовиться к будущей трудовой жизни, которая вначале выглядит совсем нереально и кажется выдумками взрослых, но постепенно проступает в своих жестких чертах... К сожалению, порой слишком поздно. Как много юношей и девушек оказываются совершенно не готовыми к этой реальной жизни. Сколько

разбитых надежд и драм, особенно в наше время, когда стало трудно найти работу.

Вот две задачи воспитания на школьный период: первая — научить максимуму необходимого для будущей трудовой жизни и в то же время сформировать притязания, которые соответствовали бы возможностям юноши. Второе: обеспечить максимум счастья самого этого периода жизни.

Задачи противоречивые. Как их сравнить — настоящее и будущее? Так уж странно устроен человек, его счастье составляется из чувств данного момента и надежд на чувства от будущих благ, что он получит от общества за свою деятельность. Маленький ребенок живет только настоящим. По мере взросления проступает будущее: сначала очень короткое — через час, через день. То, что дальше этого, еще не действует. Длительность значимого будущего все удлиняется и удлиняется с возрастом, правда, не одинаково. Есть люди, от природы неспособные терпеть, есть настойчивые. Но возраст — определяющий фактор. Нельзя убедить первоклассника сидеть за уроками, которые не даются, даже суля ему в будущем лавры космонавта. Однако завтрашняя похвала любимого учителя действует. Девятиклассник может оценить блага разных профессий и социальных ролей, но уже поздно: большинство из них, даже самые лучшие,— совершенно нереальны. Он не подготовился к ним, мало учился, «прогулял». Он вступает в жизнь недовольным и ущемленным. И зачастую горько сетует на родителей: «не заставляли».

Родители живут счастьем своих детей. Не все в равной степени, но редко встречаются совсем безразличные. Они — взрослые, и у них должны быть взрослые оценки соотношения «настоящее — будущее», не соответствующие оценкам малолетних детей. Их воспитательные воздействия в настоящем времени должны обеспечить детям «будущее дальнее». Говоря проще, должны «наставлять», «убеждать», «направлять» напряжения в учении и работе, чтобы потом дети могли сказать «Спасибо!» Воспитание — это труд, и далеко не всегда приятный. Родители должны трудиться для будущего своих детей, если оно им дорого, пока сами дети не понимают его значения. Правда, кроме желания, для этого нужно еще и умение.

Именно поэтому я так много говорил о раннем детстве: минимум труда до школы дает максимум эффекта, освобождает родителей от многих забот в последующем. И требует, в общем, меньшей квалификации: чтение и сказки проще тригонометрии. Самое же главное то, что упущенное до школы далеко не всегда вообще можно нагнать в последующем. Но об этом уже говорилось.

Главные требования родителей к школьнику просты: должен хорошо учиться, быть дисциплинированным, т. е. послушным и трудолюбивым. Должен быть хорошим и добрым, расти гражданином, преданным своей родине.

Если бы можно было подойти к воспитанию по строгой науке, то пришлось бы производить расчет счастья или, поскромнее, УДК ребенка за каждый период времени и выбирать оптимум: насколько уменьшить его нагрузки ради будущего и как компенсировать эти потери удовольствиями настоящего. К сожалению, сделать такие расчеты практически невозможно. Но качественные представления о компонентах душевного комфорта своего ребенка иметь весьма желательно.

Вот как это примерно выглядит. Сначала надо оценить потребности и чувства, какие больше, какие меньше обещают счастье или несчастье. Я уже говорил о них, ограничусь перечислением.

Престиж — одобрение или порицание окружающих: учителей, родителей, товарищей, друзей, а потом и любимых.

Интерес — удовольствие от информации и деятельности.

Материальные блага — если ими родители «покупают» усердие или если в старшем возрасте ребята пытаются зарабатывать.

Удовольствие от поступков по убеждениям — благородство, долг, честь.

Чувство вины и угрызения совести, если поступки неблаговидные.

Универсальный «тормоз» — *утомление от напряжения и скука от однообразия.*

«Значимость будущего» представлена надеждой на лучшее и страхом потерять то, что имеешь. Каждое чувство может выступать с плюсом или минусом, как приятное и неприятное. Уважение — приятно, презрение, недоброжелательность — неприятны. И так — по любому чувству. Уровень душевного комфорта составлен из суммы приятных и неприятных компонентов по каждому из них. Значимость чувств различна, они — следствие врожденных черт и привитых убеждений. Родителям очень важно знать, насколько их сын самолюбив и лидер, сколь прочно ему привиты долг и честь. Сколько удовольствия ему дает высокий балл, общение с друзьями, физкультура, хорошая книга или новые джинсы, что стоит для него лишение этих благ.

Оценка чувств и расчеты УДК нужно проводить отдельно по каждому виду деятельности. Этих видов не много, если оценивать схематически: уроки в школе и выполнение домашних заданий, обязанности по дому и общественная работа, хобби и спорт, отдых за книгой и футбол во дворе. Для каждого будут приятные и неприятные чувства и свой вклад в УДК. Может не нравиться футбол, плохо, если нет удовольствия от книжки, еще хуже, когда возникает неприязнь к учебе, к школе. Тогда среди перечисленного может появиться и выпивка с бездельниками-приятелями. Родители должны знать приятные и неприятные чувства по каждому пункту времяпрепровождения своего сына или дочери. Искусство воспитания состоит в том, чтобы сделать нужное для будущего по возможности приятным, а ненужное — наоборот. К сожалению, это даже узнать нелегко, а управлять — и вовсе трудно. И чем больше упущено времени, тем труднее. А потом и вообще становится невозможным. Примеров плохих детей у хороших (кажется) родителей — сколько угодно. Известен и термин «запущенный ребенок».

Теперь, я думаю, самое время пройти по пунктам главы «Стратегия и тактика воспитания» и попытаться приложить ее принципы к школьникам.

Разумеется, условия воспитания совсем другие, чем у маленьких, и меняются по мере движения школьника по ступенькам классов. Прежде всего, дети становятся умнее: больше помнят, следовательно, предвидят, становятся способными к перевоплощению — узнают своих родителей и учителей, распознают их чувства и предвидят поступки. Становятся хитрее. Постепенно исчезает детская непосредственность, и все труднее проникать в их чувства.

Сложности усугубляются отчужденностью ко всем взрослым, особенно своего пола, закономерно наступающей приблизительно в 14—15 лет. В древнем племени девочки становились конкурентками женщинам, мальчики — мужчинам. Нечто подобное мы можем наблюдать и сегодня. Исчезает ласковость по отношению к родителям, и подростки уже тяготятся их обществом за пределами семьи. Раздражение прорывается даже дома и даже к любимым родителям. Им нужно менять форму отношений: больше товарищества и понимания и меньше ласковых прикосновений. Несомненно, существует биологическая потребность в товариществе, проявляющаяся в подростковом и раннем юношеском возрасте. Даже молодые самцы шимпанзе собираются в группы и коллективно делают разные каверзы взрослым обезьянам. Заметьте, примерно лет до десяти дружба со сверстниками не играет существенной роли, хотя даже дошкольникам необходимо детское общество.

Как раз в трудное время — 13—18 лет — часто проявляется интеллектуальная несостоятельность родителей, особенно если они не имеют должного образования или запустили свое развитие. Это тоже снижает их авторитет и затрудняет воспитание. Отсюда требование: надо тянуться — дети постоянно воспитывают взрослых.

С момента, когда ребенок пошел в школу, обязательства и ответственность родителей нисколько не уменьшились, а трудности даже увеличились. Не верен распространенный взгляд, что школа одна может выучить и воспитать. Это просто немыслимо. Подумайте, что может сделать один учитель с тридцатью ребятами за 4—5 часов в день? Не стоит также преувеличивать воспитательное значение класса: он хорош

только при отличном руководстве, а это встречается не часто. Разумеется, любой школьный коллектив лучше, чем когда нет никакого, но далеко не всякий класс способен привить высокую мораль. Поэтому все требования к родителям не только сохраняются, но и возрастают.

Первым среди принципов была названа необходимость тщательно изучать личность ребенка: его потребности, чувства, характер, убеждения, уровень интеллекта и, конечно, душевный комфорт. Все это остается в силе на школьный период. Нельзя отнимать руку от пульса. Если не анализировали свое дитя до школы, значит, нужно начинать в том возрасте, когда одумались или узнали об этом. По тем же пунктам список «координат личности» неизменен, меняются лишь их значения. Особенно изменчивы убеждения: у маленького только «хорошо и плохо», у взрослого — целая гамма оценок для людей, событий, поступков. В отличие от биологических потребностей и характера, убеждения меняются всю жизнь и особенно быстро в детском возрасте. Легко заметить: смена авторитетов, например, друзей, ведет к смене оценок. Так возникают «плохие влияния». Нужно их знать и вовремя реагировать, чтобы не запустить.

Изучать своих детей можно только при постоянном общении, от которого они довольно рано начинают увиливать, если контакты неинтересны. Надо найти интерес, жить их интересами, приглашать в дом их друзей, даже жертвуя своим покоем. Но боже упаси переборщить! Нельзя «влезать в душу», как они говорят, нельзя проявлять излишнее любопытство, неумело контролировать личные вещи, в общем — посягать на «независимость личности», т. е. посягать-то нужно обязательно, но чтобы ребенок этого не замечал. Потерять доверие, особенно в подростковом и юношеском возрасте, очень плохо для воспитания. Чтобы его вернуть, нужны годы труда, а потерять можно одним неумелым поступком...

Есть одно право родителей, которое признается детьми,— контроль за учебными занятиями. Жалко, что не все им пользуются,— «времени не хватает». Обязаны знать родители об оценках, о выполнении домашних уроков, обязаны проверять знания до тех пор, пока позволяет их эрудиция. А не позволяет — прочитайте их же учебник и поспрашивайте по нему. Конечно, есть отличные ученики, которых не нужно проверять в деталях. Но редко. Поэтому правило руководства: «доверяй, но проверяй» — подходит для нашего случая совершенно. Хотите сэкономить свое время на подготовку уроков и проверках сына — добейтесь, чтобы он отлично учился. Лучший способ для этого — дошкольное развитие. Если уже опоздали, то хотя бы начните с первого класса. Успехи можно иметь и при более позднем начале, но трудов нужно куда больше.

Принципы второй и третий: изучение среды «обитания» и авторитетов. Не буду говорить много: наблюдайте за собой, за близкими, товарищами и друзьями, знакомьтесь с учителями. Не всегда можно исключить нежелательные влияния, но хотя бы надо знать о них. И снова — не «шпионить», не показывать вида. Главная трудность: борьба с авторитетом плохих друзей. Лихие парни из своего двора стойко противостоят родителям и уж, конечно, выше «очкариков» из числа отличников класса. Надежным средством против плохих влияний служит высокий интеллект ребенка и постоянная занятость в кружках гимнастикой, танцами, рисованием, компьютером.

Воспитание в школьный период можно назвать «борьбой авторитетов» за влияние на ребенка, подростка, юношу. Это очень сложная борьба. Активность проявляют главным образом родители, все другие наживают авторитет без труда, без специальных усилий. Добавлю в скобках — часто «на развалинах родительского авторитета».

Я уже говорил, что есть авторитет любви, симпатии, страха, уважения к превосходству — в уме, силе, моральных качествах. Биологическая любовь детей к родителям, увы, катастрофически уменьшается с возрастом. Вместо нее остаются симпатия, дружба и привычка, если им не противодействует активная антипатия, к сожалению, не редкая в семьях. Значит, нужно добиваться дружбы и уважения. Нет другого выхода для отца и матери подрастающих детей, если они хотят сохранить на них свое влияние. Уважение возможно только при превосходстве над ребенком и над другими взрослыми, с которыми подросток сравнивает родителей (слово «ребенок» уже явно не подходит к школьникам, перешагнувшим за пятый класс). Даже более того: требования к родителям намного выше, чем к посторонним, возможно, в силу антагонизма, о котором упоминалось выше. Вот и попробуй, удержись «на уровне»! Несомненно, очень трудно, а для родителей с низкой культурой — вдвойне. Есть только одна сфера, в которой все равны, как образованные, так и малограмотные, эта сфера — мораль. Честность, справедливость, доброта, правдивость, трудолюбие — эти качества имеют абсолютную ценность. К сожалению, дети очень долго не научаются ставить это выше броских авторитетов силы, эрудиции или умения играть на гитаре... Чтобы созреть для этого, нужен опыт горьких разочарований, а он накапливается только с возрастом.

В общем, опять я повторю: нужно бороться за авторитет. Если чувствуешь, что не очень сам хорош и умен, то нужно хотя бы играть роль. Это помогает — можно стать и умнее, и лучше.

Хорошо, когда в семье отец пользуется уважением, за ним остается, по крайней мере, авторитет силы. Им можно воспользоваться в крайнем случае, а чаще даже и не требуется его доказывать: сила есть сила. Впрочем, в наш век ослабления мужчин мальчишка-спортсмен уже в 14 лет может стать сильнее отца. Но дело ведь не только в физической силе: сила характера стоит много больше. Но и характер — тоже товар дефицитный.

Практически все авторитеты замыкаются на дисциплину. Она не представляет все воспитание, но это важнейший его элемент. Я уже несколько раз упоминал об ограничениях и даже о наказаниях. Но то касалось маленьких, а как быть с большими детьми? Когда и сколько давать им свободы, и какими силами обеспечить ограничения? Я против мелочного педантизма в режиме, но за строгий порядок в главном. На первом месте — обязанности, и важнейшая из них — школа и уроки. Рядом с ними — домашняя работа. Никаких поблажек для удовольствий, пока не сделано дело. Конечно, без компромиссов не обойтись. Приходится выделять время для развлечений, даже если не выполнены задания, но только в качестве неохотной уступки, чтобы это не превратилось в «право на удовольствие» выше обязанностей. Нужны запреты: на табак, на выпивку, на гуляние после десяти вечера, возможно, и другие. В наше время должна быть особая бдительность по части наркотиков. Эта зараза просто захватывает молодежь! Следите (тайно!) за карманами и помните о следах уколов на руках! Нужны ограничения на карманные деньги, на вещи, на наряды — все не выше средних величин, доступных другим, даже если есть материальный достаток. Неукоснительно требовать вежливости в обращении и внешних проявлений уважения к старшим. Форма — она тоже воспитывает. Никаких пропусков уроков и общественных мероприятий. Да что перечислять? Я — за дисциплину! Только какими средствами ее добиться? Средства — они сами могут начать работать против цели. Озлобится сын или дочь на строгость — уменьшится родительский авторитет. Действительно, такое тоже возможно, но не от строгости требований, а от их несправедливости и еще — при отсутствии морального права у родителей, когда они сами не подают примера. Иначе сказать, для поддержания строгости и скромности нужен авторитет уважения. На худой конец годится и авторитет силы. Все равно порядок и дисциплина в детстве хотя и снижают уровень приятного, себя окупают в дальнейшем.

Четвертым принципом у меня стояло «образование». Если оно важно в яслях и детском саду, то что уж говорить о школьниках? Образование — это их профессиональная деятельность. Думаю, что на школу надо смотреть как на работу, да, на работу. Все слова для доказательства важности развития интеллекта уже были сказаны. Проблема — как добиться хороших успехов, когда дошкольный период уже пропущен и ребенок пришел в школу «стерильным» в отношении грамоты. Впрочем, не так страшно, если он не знает букв, плохо, когда нет запаса слов, понятий, навыков. Добиться у такого хороших знаний очень трудно, но возможно, если природа наделила характером, а родители и учителя приложат старание и умение. Но шансов на такое благоприятное стечение условий мало.

Первое дело родителей обеспечить ребенку помощь в учении с первого школьного дня. Держать постоянную связь с учителем и — помогать, помогать. Надо побыстрее догнать подготовленных ребят, добиться хороших оценок, чтобы вдохнуть уверенность в своих силах. Нельзя привить любовь к школе, если нет успехов, не будет любви — никакой дисциплиной не добиться успеваемости. Слово «любовь», может быть, не точно, почти все дети не прочь пропустить школу, но по крайней мере школа не должна вызывать неприятных эмоций. Если заниматься с ребенком с первого дня, то можно добиться успехов даже при плохой подготовке. Так нужно держать и все последующее время — до самого конца. Совершенно необходим контроль за домашними занятиями при постоянном контакте с учителями. Разумеется, не все могут стать отличниками, но хорошо учиться могут все, если им помогать с первого класса. Это требует труда и нервов, но другого выхода просто не существует. Хорошие успехи — это не только работа на будущее вашего сына, это главное условие его душевного комфорта в настоящем. Неуспевающий ученик всегда несчастен. Если он от природы лидер, то ищет самоутверждения в шалостях, если подчиненный, то страдает тихо и даже болеет. Родители должны это понимать и делать все, что возможно,— даже искать репетитора, если сами не в состоянии помочь.

Не думайте, что я так высоко ставлю школьную науку, что только ее стопроцентное усвоение придает человеку цену. Но я действительно считаю, что каждый способный и подготовленный ученик должен стремиться стать отличником. Дело не только в количестве знаний, которые будто бы приходят с пятерками, дело в воспитании воли. Чтобы учиться на «отлично», нужно иметь высокие притязания, ставить себе большую задачу. Умение работать на максимум — это очень пригодится в жизни. Разумеется, если учение идет тяжело и пятерки достаются отказом от чтения, спорта, кино, общения, когда каждый экзамен — нервотрепка, то нет смысла биться, надо снизить притязания до уровня «хорошиста» (есть такое неуклюжее слово в школьном лексиконе) и спокойно пользоваться другими радостями детства и юности.

Школьник, который знает только в пределах программы, не станет культурным человеком. Необходимо читать беллетристику, и много. Телевизор и компьютер и кино не заменяют книг и дают лишь поверхностное развитие. Разница в том, что прочитанное нужно вообразить, а увиденное на экране дано в готовой картинке. Бесспорно, лучше так, чем никак.

Следующий принцип касается воспитания как такового. Изменять врожденные биологические потребности и прививать убеждения. Первое, видимо, уже невозможно в школьный период, хотя достоверных доказательств этому наука пока не представила. Может быть, это и не так важно — доказательства на уровне физиологии нервных центров. Воспитуемость человека в любом возрасте не вызывает сомнения, хотя достижимые пределы изменения личности резко суживаются с возрастом.

Убеждения, доведенные до автоматизма,— вот идеал социального воспитания человека. Это означает, что человек буквально не может совершить поступков, осужденных обществом.

Есть несколько каналов для тренировки словесных формул, выражающих убеждения: личный пример авторитетного человека, такие же примеры любимых героев книг и фильмов и собственные действия человека, в которых он реализовал формулу убеждения,— удержался от плохого поступка или совершил хороший. Думаю, что самый действенный — третий, однако он лишь закрепляет то, что уже было воспринято и прочувствовано ранее. Личные примеры высокой морали и служения идее редко встречаются в жизни. Героические будни не действуют на воображение юношества. Родители, знакомые и учителя не воспринимаются как приме-

ры, поскольку мелкие дефекты поведения заслоняют их благородную сущность, даже если она есть. Вот почему так важно гуманитарное образование, почему совершенно необходимо приучить детей к чтению книг и выработать хороший вкус. К сожалению, телевизор оказывает свое действие: ученики читают мало, охотятся за низкопробной литературой детективного жанра и американскими сериалами с убийствами и сексом.

Еще одно важное обстоятельство: несчастья, тревоги и особенно ущемленность тормозят любое воспитание и, в основном, прививание высоких идеалов. Вы заметили, что все герои воспринимаются как счастливые люди? Даже если они страдают и умирают, все равно получается, что они должны быть счастливы своей героичностью, исключительностью. В жизни, разумеется, не так, поэтому-то мы и редко встречаем живых героев. Подросток, который плохо учится, которого ругают родители и учителя, которого в некоторой степени презирают товарищи, несчастен и озлоблен. Уже поэтому он отрицательно относится к официальным авторитетам, к их истинам, которые они проповедуют. Чаще всего у него низкая культура, поэтому из книжных героев он выбирает только тех, которые дерутся.

Все это еще один довод в пользу образования, чтобы не было отстающих, неуспевающих, ругаемых и несчастных учеников.

Как уже говорилось, воспитание — это не только заповеди и идеи, но и формирование правильных представлений о самом себе, как говорят психологи,— притязаний. Оно означает такое отношение к себе, какое школьник считает справедливым со стороны учителей, родителей и товарищей в ответ на его поведение, успехи и проступки. И вообще, на что он имеет право, что может получить от общества — по части благ, престижа, информации, развлечений. Преувеличенные притязания всегда делают человека несчастным, потому что он не получает от окружающих то, на что рассчитывает, и его потребности остаются неудовлетворенными. В частности, это касается школьных оценок. Обычно любой человек переоценивает себя, даже когда он говорит самокритичные слова. В этом выражается самоутверждение индивидуума, мощный стимул деятельности, борьбы. Общество, среда дают ему свои оценки: как завышенные против истины, так и заниженные. Сообразно этому нормальный человек меняет самооценку, т. е. вносит коррекцию в притязания.

Перехвалить опасно даже взрослого, а школьника — особенно. Между прочим, это частый грех родителей — им все кажется, что учителя несправедливы к их отпрыскам, занижают оценки, не уделяют должного внимания и пр. Неумные родители не стесняются говорить об этом вслух, не понимая, что приносят двойной вред: завышают притязания ребят и роняют авторитет учителя. Надо всегда помнить: некоторый избыток в строгости оценок — любых оценок — приносит только пользу, учитывая тенденцию к переоценке самого себя. Особенно это касается ребят, склонных к тщеславию и лидерству.

Правильно и вовремя определить притязания — на что может и на что не может рассчитывать подросток или юноша, исходя из его способностей, успехов, характера, склонностей — очень важно для ближних и дальних целей, которые ставит каждый, даже маленький человек. Однако не следует искусственно принижать скромного ребенка, это может его обессилить. Так и приходится лавировать — одного понизить, другого — возвысить, но и в том, и в другом нужна мера — для пользы, для прогресса личности. И чтобы выглядело убедительно.

Отдельный вопрос по части притязаний касается так называемой профориентации, а попросту — выбора профессии. На что нацеливать школьника. В младших классах можно говорить даже о космосе, но когда переваливает за шестой класс, нужно уже определять — вуз, техникум или техучилище. Потому что надо представлять будущую роль в определенном свете, чтобы она привлекала, а не разочаровывала. Это очень болезненная процедура — адаптация к сниженным притязаниям. Разумеется, нельзя так убеждать семиклассника, что вершина для него — работа на заводе. Вершина — весь мир,

институты, академии, но нужно внушать, что и следует иметь в запасе профессию, если постигнет неудача в учебе. Думаю, что пройдет еще несколько лет, и папы, мамы, юноши привыкнут к разным путям после средней школы и перестанут поголовно мечтать об институтах. Но если вдуматься в этот вопрос серьезнее, разве работа на заводе всегда менее интересна при современном уровне прогресса, разве она не требует особых знаний, мастерства? К каждой работе надо подходить творчески, тогда найдешь в ней и удовольствие, и удовлетворение. Впрочем, это пустые разговоры — никогда не исчезнет драма разбитых надежд. Я это видел на примере своих операционных сестер, которые по 4—5 раз держат экзамены в мединститут, пока смирятся со своей сестринской долей. А ведь сколько среди них есть блестящих сестер, которые стоят явно больше посредственного врача.

Последний пункт, который стоит обсудить,— это нагрузки и перегрузки школьников, о которых много говорят. Сколько часов в день может работать ученик в разном возрасте? Однозначного ответа нет. Смотря какая работа и с каким настроением, с какими перерывами, насколько разнообразна. Думаю, что планировать нагрузки нужно с конца — от физкультуры. Любому человеку нужны физические нагрузки, а растущему — просто необходимы. Есть две причины переутомления школьников: неприятные эмоции при занятиях и отсутствие физкультурных пауз. Обычно расписание уроков исключает однообразие и очень длительное напряжение внимания. Для хорошего ученика шесть уроков по разным предметам не составляют никакого труда, так же как и домашние задания к ним. Тяжело тем школьникам, которые не понимают предмета, напрягаются, боятся, что их спросят, т. е. средним и неуспевающим. Чем им поможешь? Сокращением программы? Тогда что будут делать на уроках способные и подготовленные? Недогрузка еще опаснее, чем перегрузки: она детренирует и уменьшает интеллектуальный потенциал юноши.

Конечно, просто было бы учить, если бы все ученики имели равные способности, но такое невозможно. Следовательно, вопрос о перегрузках нельзя решить простым сокращением программы, это очень опасно, так как понизит средний уровень образования. Так что же делать? Только одинаковая и хорошая дошкольная подготовка всех ребятишек в детских садах может сократить различия в возможностях школьников и уменьшит перегрузки отстающих. Проблема смягчится, если начинать обучение с шести лет. Впрочем — это запоздалая истина.

Что же делать с хорошими учениками, которые не могут развернуть своих способностей? Мне кажется, возможно только одно решение: выделение школ разного профиля с программой разной сложности. Фактически, к этому уже подходили при «Советах»: «сверху» выделили математические и другие спецшколы, а «снизу» — профтехучилища. Теперь все поломалось и когда восстановится — неизвестно.

Постоянно ведутся разговоры об индивидуальном обучении внутри класса: чтобы сильным ученикам давать особые задания. Задача оказалась нереальной. Во-первых, учитель слишком занят средними и слабыми, во-вторых, это посеет недопустимую рознь среди учеников. Нельзя также выделять сильные и слабые классы внутри школы — по той же психологической причине. Другое дело, когда ребята учатся по разным программам в разных зданиях, тогда это не вызывает антагонизма учителя. В свое время, в семидесятых годах, я беседовал на эти темы с педагогами в Японии: они категорически против выделения сильных учеников и активно выступают «за равенство». Это соответствует их коллективистской восточной идеологии, несмотря на капитализм. В Америке — все наоборот: существует целая система престижности школ, колледжей и университетов.

Не случайно я упомянул о физкультурных паузах как важном факторе борьбы с перегрузками. Движения — это здоровье. Это разрядка психологического напряжения. Во время перемены между уроками дети должны бегать, играть во дворе, и не нужно бояться, что они простудятся, не нужно выделять дежурных преподавателей, которые сейчас смотрят «за порядком», а в действительности не позволяют школьникам двигаться. Чтобы не возвращаться к вопросу о здоровье, скажу: нужно добиваться одного урока физкультуры каждый день и использовать его полноценно — до пота, до одышки. Так называемые вольные движения, возможно, выглядят красиво, но пользы от них мало. Спортивные секции, которые раньше существовали, сейчас, к сожалению, ликвидированы из-за отсутствия денег. Издержки независимости и капитализма.

Еще один фактор здоровья — физического и психического — это сон. Школьники в нашей стране спят мало. Всегда находятся причины — то уроки, то телевизор, а чаще — элементарный беспорядок с режимом. Младшим нужно десять, старшим — девять часов сна. Это должно стать законом. Разумеется, можно привыкнуть спать меньше — и 8 часов, но это вредно. Не нужно экономить время на сне.

Итак, главная статья на затрату времени — это учеба, все остальное — только по возможности. Если хорошо учиться, то свободного времени останется немного, особенно в старших классах. Впрочем, избыток его тоже вреден, особенно для детей, не приученных к чтению. Пустое шатание подростков во дворе следует решительно ограничивать. Именно для них нужны дополнительно занятия спортом, музыкой, компьютером.

Еще один важный пункт — труд. Сейчас во многих городских семьях воспитывают этаких барчуков: ничего не заставляют делать, дескать, пусть учится и отдыхает. «Еще наработается...» Матери белье стирают десятиклассницам... Это вредная тенденция. Дети с самого малого возраста должны иметь твердые обязанности и приучаться ко всякой домашней работе, не разделяя ее на «женскую» и «мужскую». Это входит в число воспитательных мер. Нужно планировать в бюджете времени полчаса—час в день на работу по дому, даже в условиях города, а в деревне и гораздо больше.

Примечание. Один из моих бывших сотрудников — тот самый Вася Кольченко, что печатал анкеты для учителей, работает сейчас учителем в США. Недавно приезжал и рассказал, что ⅔ школьников старших классов подрабатывают на разных работах, без претензий на престижность. Зарабатывают деньги на свои нужды — и приобретают уверенность в будущем.

А наша городская молодежь сидит на шее родителей даже и до окончания института, не говоря про школу. Правда, при капитализме есть надежды на сдвиги: нужда заставит.

Обобщаю: не нужно бояться перегрузки школьников суммой часов работы. Важно, чтобы режим был правильный: сон, труд, физкультура, чтобы было здоровье и эффективная учеба без отрицательных эмоций.

Педагогическая наука постепенно приходит к выводу об определяющем значении дошкольного периода жизни ребенка. Именно в это время нужно создать условия для его изменения в желаемом направлении, дать предварительную тренировку уму и привить элементарные убеждения морали. Если этот возраст пропущен для воспитания и образования, потери в значительной степени невосполнимы.

Нельзя откладывать воспитание на «сознательный» период жизни человека, рассчитывая на обычные каналы средств массовой информации. Такое же положение с образованием: научно-техническая революция требует от граждан интеллекта. Одна школа не может его обеспечить. Учителя говорят, что в основном хорошо учатся те дети, которые пришли в первый класс уже подготовленными: с большим запасом слов и элементами грамоты. Если за ними и дальше смотрят в семье, то они и остаются хорошими учениками.

Главный этап формирования личности — дошкольный возраст — дети проводят в семье. Действуют авторитет и пример взрослых. Положа руку на сердце, разве семейное воспитание всегда можно признать удовлетворительным? Во многих случаях вообще нет никакого целенаправленного воспитания. Чаще всего уповают на будущее: «Вот пойдем в школу, там научат». Но дети не ждут и воспринимают все плохое, что видят. Особенно это касается так

называемых «неблагополучных семей». Именно они поставляют большинство отстающих учеников, а в последующем и правонарушителей. Школа уже не может исправить положение: во-первых, поздно, во-вторых, отстающие в успехах ученики чувствуют себя ущемленными и несчастными и поэтому не воспринимают воспитательных воздействий педагогов и товарищей. Отстают же они в силу плохой дошкольной подготовки, отсутствия контроля в семье за домашними занятиями. К сожалению, дефекты дошкольного и школьного воспитания остаются с человеком на всю жизнь — он легко выпадает из общества.

Понятно, что критиковать легче, чем предлагать. Конечно, я не могу предложить вполне обоснованные решения. Но не следует ли нашей педагогической науке серьезно задуматься над некоторыми проблемами?

Я могу перечислить несколько спорных положений, требующих непредвзятого изучения.

1. Биология человека и диапазон различий людей имеют значение большее, чем мы считали до сих пор.

2. Дошкольный и ранний школьный периоды играют определяющую роль в формировании личности, коррекции биологических потребностей и создании убеждений. Если так, то на этот возраст нужно обратить гораздо большее внимание, чем имеет место сейчас.

3. Не следует ли взять под более строгий контроль условия воспитания маленьких детей? Прежде всего, нужно учить родителей воспитывать, наблюдать за развитием маленького. Для этого нельзя жалеть затрат — обязательные курсы и учебники, пресса и телевидение должны помочь родителям. Но как быть с неблагополучными семьями? Может быть, они требуют более энергичной помощи, чем советы? Ответственность педагогической службы надо распространить на дошкольный возраст.

4. Если дошкольный возраст так важен, то нужно значительно улучшить всю сеть дошкольных учреждений. Обеспечить профессиональный отбор и образование, чтобы повысить престиж

работников дошкольных учреждений. Именно они, дошкольные педагоги, должны взять на себя труд руководства семейным воспитанием дошкольников и их подготовкой к школе.

5. Нужно начинать обучение детей в школе с шести лет, как это делается во многих странах.

Никакое новое предложение нельзя вводить сразу повсеместно, потому что обычно все они спорны. Поэтому необходимы научные эксперименты в масштабах, возрастающих по мере получения подтверждающих результатов.

Примечание. Эта глава была написана в 1979 году. Сколько с тех пор утекло воды! Многие сентенции, которые рассыпаны по страницам, сейчас вызывают лишь горькую улыбку. Прежняя система ценностей рухнула, а новая не родилась. Хотя лидеры страны клянутся расширить образование, но пока это только декларации. Впрочем, отрадно хотя бы то, что старая система институтов пока действует и тяга к высшему образованию у молодежи не ослабла. Это отрадно — даже если студенты учатся с расчетом по окончании уехать на Запад. Не все уедут, многие вернутся, и знания не пропадут для своего народа. Что касается самих идей, то все они правильные и пригодны на все времена.

ПРЕОДОЛЕНИЕ СТАРОСТИ

АКАДЕМИК АМОСОВ И ЕГО «ПРЕОДОЛЕНИЕ СТАРОСТИ»

Мне повезло: много лет общаюсь с Николаем Михайловичем Амосовым. Общение это давно уже перешло рамки профессиональных контактов журналиста с известным ученым и общественным деятелем. Бывая в Киеве, я непременно захожу к нему домой, он, попадая в Москву, гостит у меня. Несмотря на большую разницу в возрасте, нас связывают совершенно доверительные дружеские отношения. Есть вещи, которые я могу сказать только ему, и он, кажется, склонен делиться кое-чем лишь со мной.

Мой интерес к Амосову сформировался после первых же его выступлений о здоровье человека. Расхожую трескотню официальной пропаганды с неизменной благодарностью партии за заботу о народе сменили ясные и честные амосовские слова о копейках, которые выделяются на медицину, о равнодушии администрации, о невысокой компетенции медиков, о нежелании людей заниматься собственным здоровьем.

Мне кажется, Амосов умеет все. Философия, социология, экология, политология — здесь он профессионал высшего класса, о чем свидетельствует хотя бы недавняя капитальная публикация в журнале «Вопросы философии». Его перу принадлежат несколько книг, в том числе художественных, и даже науч-

ная фантастика (над этим он сейчас посмеивается).

В годы перестройки втянулся в политическую орбиту — легко одолев опытных соперников, стал народным депутатом Союза. А до того своих диссидентских взглядов особо не прятал. Я был на выступлении Амосова в московском Доме ученых, где он сказал почти все, что думал о советской медицине и общественном устройстве. Было это в середине семидесятых, в самое глухое безвременье. На следующий вечер это выступление прозвучало по «Голосу Америки» (лихо работали ребята!). Конечно, был он головной болью для начальства — единственный в стране беспартийный директор института, человек независимых взглядов, но всемирно известен, Герой соцтруда, популярен невероятно.

В своем Институте сердечно-сосудистой хирургии он директорствовал бесплатно, а зарплату получал в Институте кибернетики, где продолжает работать и сейчас. Его тема — искусственный интеллект, построение социальных моделей. Возможно, еще какие-то достаточно сложные для меня материи. Извините, плохо разбираюсь.

У академика — золотые руки. Прекрасно плотничает, мастерит. В молодые годы сконструировал самолет. Тогда он еще не выбрал профессию.

В моем представлении главная заслуга Амосова в том, что он внес огромный вклад в популяризацию двигательной активности, физических упражнений, здорового образа жизни. Другие корифеи медицины либо царственно не замечали столь низменных понятий, либо отделывались банальностями, после которых о физкультуре и гигиене становилось противно даже думать. И еще. Своей беспредельной, беспощадной к себе искренностью и абсолютным нравственным здоровьем, не замутненным вседозволенностью застойных лет и беспределом перестройки, Амосов высоко поднял планку общественной морали, дал великолепный образец нравственности. Этот вклад невозможно измерить, но в масштабах огромной страны, думаю, ценность его безмерна, тем более что Амосов на виду.

Анна Ивановна, секретарь Амосова, рассказывала, как по распоряжению шефа моталась по окрестным санаториям, разыскивая человека, который после операции незаметно оставил в кабинете Николая Михайловича сумку с коньяком. Все подношения неизменно возвращались дарителям.

Сам Николай Михайлович главным делом считает, конечно, хирургию. Когда-то, особенно во фронтовом госпитале, он делал любые операции. В последние лет тридцать специализировался на сердечной хирургии, а в ней — на вшивании искусственных клапанов, помогая преодолевать последствия органического нарушения, которое принято называть пороком сердца. Он сделал более пяти тысяч таких операций — единственное, чем откровенно гордится.

Сколько светлых умов во все века бились над проблемой продления жизни, преодоления старческой немощи! Амосов нашел свою, никем еще не хоженную тропу. К мысли о преодолении старости с помощью больших физических нагрузок Николай Михайлович пришел с помощью своих моделей, теоретических выкладок. Возможно, другим специалистам тоже приходило в голову нечто подобное. Но это нечто представлялось им нереальным, поскольку у них не было собственного опыта таких нагрузок. У Амосова этот опыт, к счастью,

был. Ему осталось лишь вычислить физическую нагрузку, необходимую для преодоления старческих проявлений, и начать уверенно реализовывать эту программу.

Почти три года необыкновенного эксперимента позади. Результаты пока великолепные.

Журнал «Будь здоров!» с самого начала амосовского эксперимента подробно сообщал о нем. Когда пришла пора подводить первые итоги, мы попросили Николая Михайловича подготовить книгу о своих взглядах на здоровье, болезни и старение человека, а также о том, как можно преодолевать старение тела и души.

<...>

Как долго академик Амосов сможет противостоять старости? Ответ на этот вопрос будет иметь чрезвычайно большое значение едва ли не для каждого человека, независимо от его возраста.

Ведь то, что сегодня делает один, завтра окажется доступным многим, очень многим. Так хочется, чтобы старость отступила!

Стив Шенкман, главный редактор журнала «Будь здоров!», 1996 год

МЕДИЦИНА НА ПЕРЕПУТЬЕ

Человек живет одновременно в нескольких мирах. Условно можно назвать их так: «мир природы», «мир техники», «мир информации», «мир людей» (их даже несколько — семья, коллектив, страна), «мир идей» (религия, политика) и, наконец, «мир тела».

Как же они неодинаковы — эти миры и связанные с ними потребности! Все зависит от роли человека в обществе, от типа личности, ее «включенности» в мир и особенно от возраста. Для болеющего пенсионера состояние тела — «мир тела» часто неизмеримо важнее, чем все другие миры вместе взятые. А молодой и сильный человек занят, как правило, совсем иным. Он, конечно, тоже может сосредоточиться на потребностях своего организма, но лишь на короткое время острой болезни. А потом снова забудет о теле.

Однако «мир тела» может таить в себе угрозу удовольствиям, ожидаемым от других миров. Поэтому разумно было бы научиться оценивать «мир тела», чтобы, с одной стороны, не обрекать себя на вынужденное отлучение от всех других миров в будущем, а с другой — не портить себе излишней заботой настоящее. Иначе говоря, разумный человек должен уметь оценивать состояние своего тела и прилагать необходимый минимум усилий, чтобы если не улучшить, то хотя бы сохранить то здоровье, которое имеет.

По мере развития самосознания человека он стал наблюдать не только за окружающим миром и собственными чувствами, но и за собственным телом. Именно тогда и возникло представление о болезнях и лечении.

Например, тело подает разуму сигнал — боль. Для животного это только временный ограничитель действий (такой же, как утомление). Другое дело — человек разумный. Он запоминает и анализирует: что болит, когда, с чем это связано, от чего боль успокаивается. И комплекс этих сведений — уже не боль, а болезнь — становится самостоятельным объектом наблюдения, запоминания, анализа. Так на исторической сцене появляется медицина как практика и как собрание моделей, информации и действий, направленных если не на получение максимума удовольствия от здоровья, то хотя бы на уменьшение неприятностей от болезней. Критерий всегда один и тот же — уменьшение «неприятного» и повышение «приятного».

Можно сказать, что медицина основана на потребности человека в защите и на чувстве страха. Поскольку опасность исходит не извне, а изнутри, страх может приобретать таинственный характер.

Животные обладают инстинктивной способностью защищаться от болезни — они затаиваются. Полный покой и воздержание от еды приносят эффект, поскольку резко уменьшается потребность в энергии. Более того, животные «знают» целебные травы: информация о них, так же как о врагах и пище, заложена в генах. Кроме того, у стадных животных есть программа

помощи пострадавшему. Для примера обычно приводят дельфинов: они собираются около раненого собрата и поддерживают его на плаву.

Так что первобытным людям было откуда начинать медицину. Реакция «затаивания» породила тактику пациента, а заложенная в генах программа сопереживания — врачевание.

Все дальнейшее определил творческий разум человека и разграничение обязанностей в обществе по мере прогресса цивилизации. В частности, появились врачеватели — знахари и шаманы. Их наблюдения и гипотезы оформились в учения о болезнях. Профилактика возникла много позднее (хотя и на нее обратили внимание еще в глубокой древности) — на нее долго не было спроса у пациентов. Ведь страх рождается болезнью, его не испытывают заблаговременно.

Вот так психология расставила акценты между значимостью лечебной и профилактической медицины и определила чувства и мотивы «действующих лиц» — пациентов и врачей.

Увы! Они, по существу, не изменились и до сих пор.

ЗДОРОВЫЙ КОМПРОМИСС

Смешно спрашивать — что такое здоровье? Каждый знает: это когда нет болезни, хорошее самочувствие, могу работать. Есть, конечно, академические определения, но я не буду их приводить. Разве что одно — Всемирной организации здравоохранения: «Состояние полного физического, духовного, социального благополучия, а не только отсутствие болезни».

Важно ли здоровье? Все ответят: «Конечно!» Любят говорить даже так: «Главное — это здоровье!»

Однако такое ли уж «главное»? Несколько лет назад я проводил небольшие анкетные опросы через газеты — «Комсомольскую правду», «Неделю», «Литературную газету». Спрашивал: «Что вас больше всего беспокоит?» По ответам оказалось: на первом месте — экономика, на втором — преступность, на третьем — политика, на четвертом — семья и общество и только на пятом — здоровье. Но это, видимо, для тех, у кого здоровье есть. Само по себе оно не делает человека счастливым. Воспринимается привычным. Другие заботы кажутся более важными. Зато когда подступают болезни, то сразу все остальное отходит в сторону. А уж когда старый, и смерть маячит невдалеке...

В принципе, обеспечение здоровья можно считать либо обязанностью общества перед каждым, либо собственной заботой. Если заботится общество, то речь должна идти о службе медицины с врачами и больницами. Если сам — то необходимы воля и режим. И — знания. Волю не привьешь, но можно сообщить знания и научить правильному отношению к медицине. Сейчас людям свойственно думать так: «Медицина обязана поддерживать мое здоровье. За что налоги платим?» Но это безнадежное дело — обязывать. Если к каждому приставить по врачу, по нашему, отечественному, а не идеальному, то люди пропадут. Это я говорю уверенно.

Или представим себе другую ситуацию — все врачи ушли в торговлю. Наверняка народ возопит: «Катастрофа! Поумираем!» Не будет трагедии, поверьте. Потери будут, слабые не выдержат, но популяция (как теперь любят говорить) будет только крепче.

Оба варианта, конечно, не годятся для нормальной жизни. Выход — в компромиссе: умные медики должны научить граждан правильному поведению, а государство — обеспечить условия для поддержания слабых и немощных. Впрочем, это тоже декларация. Любые компромиссы легко сдвигаемы в ту или другую сторону. Поэтому важно правильно расставить акценты, чтобы не очень сильно отклоняться от оптимума. А в чем оптимум? Он — в минимуме несчастий от болезни и в наслаждении жизнью в условиях здоровья.

«Бойтесь попасть в плен к врачам!» — эту мысль я пытаюсь внушить своим читателям и слушателям вот уже сорок лет. Справедливости ради следовало бы уточнить: к плохим врачам. Но как отделить плохих врачей от хороших?

Попытаемся трезво оценить лечебную медицину. На первый взгляд, успехи медицины на-

лицо. Во многих странах уменьшилась смертность и возросла продолжительность жизни: в Японии — аж до 80 лет, в Западной Европе — приближается к этой цифре (до войны была около 60). В России, к сожалению, средняя продолжительность жизни у мужчин всего 56 лет, у женщин — 72 года. Правда, демографы-аналитики утверждают, что только 7—8% прироста, то есть каких-нибудь 2 года жизни, можно отнести за счет медицины, остальное зависит от экономики и техники. Всего 2 года?! Не слишком ли мало, чтобы хвалить лечебную медицину? Впрочем, я не совсем уверен в этих расчетах.

К достижениям медицины необходимо отнести множество спасенных жизней! В одном нашем институте их по меньшей мере 60 тысяч.

Однако одних медицина спасает, а другим (и большинству!) укорачивает жизнь. Звучит парадоксально, но это так. Научно-технический (и экономический) прогресс создал людям прекрасные условия существования, защитив их от голода, холода, физических перегрузок и многого другого, что укорачивало жизнь нашим далеким предкам. Если бы при этом человек придерживался верного образа жизни, то есть соблюдал необходимый режим, который я называю «Режимом ограничений и нагрузок» (он включает ежедневную гимнастику, бег трусцой и ограничения в питании), то смерть должна бы отступить гораздо дальше.

На мой взгляд, лечебная медицина спасает жизни единицам, а десятки других детренирует, делает бессильными перед болезнями.

Медики мои утверждения отвергнут. Скажут: «Несправедливо! Мы всегда были за профилактику!» В декларациях — да, но не на практике.

Многие врачи считают, что медицинская грамотность людям вредна, так как они начинают придумывать себе болезни и от этого страдают. И даже заболевают в самом деле — не той болезнью, что придумали, а другой — неврозом. Действительно, такое бывает, но лишь у немногих, которые и без просвещения мнительны. Для большинства же людей, обладающих здравым смыслом, знания полезны. Они спасают от ненужных страхов.

Проблемы здоровья лежат в сфере психологии. Биологической психологии. Человек ленив, и разум его ограничен ближайшим будущим. Человек заставляет себя напрягаться только под угрозой опасности, которая настигнет его скоро и неотвратимо. Поэтому «Режим ограничений и нагрузок» здоровых людей не привлекает. Вероятность болезни в будущем не 100%, а молодой и вообще не верит, что она возможна. Тем более что гарантии и при соблюдении Режима никто не дает.

А под боком — поликлиника, врачи. Реклама лекарств, рассказы о могуществе медицины, о том, как «подняли из мертвых». И ничего от тебя не требуют, никаких усилий! Глотай таблетки и лежи. Как тут устоишь? Выбор очевиден. Мотивы для каких-либо нагрузок и ограничений растаяли. Чтобы они появились, нужно созреть — пройти через опыт безуспешного лечения, почувствовать смерть затылком. Или, на худой конец, дать себя увлечь моде, которая действует как стихия.

Ну а что же говорят врачи? Врачи верят в свою профессию и в науку. Постоянно видят доказательства своей необходимости. Сами они физкультурой, как правило, не занимаются и едят, как все — что могут. В то же время пациенты их благодарят и тем самым повышают их авторитет. Разве можно отказаться от своей роли спасителя? Или хотя бы утешителя?

Главное доказательство могущества медицины для врачей в том, что лекарства помогают, болезнь отступает. Правда, не сразу отступает: «Пейте таблетки три недели». Никто ведь не делает сравнения: а если не пить? Врачи не любят списывать выздоровление на природу, они видят спасение в лекарствах, в своем искусстве.

Так возникает новый вопрос — о действительной эффективности лекарств. Даже шире — о научности лекарственной медицины.

Настоящая наука под лекарствами есть. Крупнейшие фармацевтические фирмы проводят дорогостоящие массовые исследования эффективности своих новых медикаментов. Причем не просто спрашивают врачей: помогает ли? Нет, работают методом «двойного слепого контроля». Это значит, что выпускают два вида таблеток, одинаковых по виду и вкусу,— настоящие и фальшивые. В документации указывается только номер таблетки. Ни больной, ни сестра, ни даже лечащий врач не знают, где настоящие. Контрольную карту с указанием номера таблетки и ее лечебного эффекта направляют в центр. Ответственный руководитель собирает статистику, сравнивает эффект фальшивых и настоящих таблеток и делает заключение о действенности медикамента. Все честно.

Спрашивается, зачем такие сложности? Опросить бы — и дело с концом.

Но психика человека коварна. Давно замечено, что фальшивые таблетки (они называются «плацебо») тоже помогают лечить больных. Конечно, они помогают меньше, но разница с настоящими для многих лекарств не слишком велика. Это значит, что доктор лечит больного больше через психику, чем через физиологию. Странно, но факт: процент эффективности плацебо колеблется от 50 до 80% по сравнению с настоящими лекарствами. Даже такими заслуженными, как анальгин.

В целом плацебо — блестящая иллюстрация к роли психики в возникновении и лечении болезни. А также и важности психотерапии: лечит не лекарство, а врач.

Выходит, что половина нетяжелых болезней идет «от головы» и проходит сама по себе, без химии. Может быть, их не надо лечить? Я-то считаю, что, действительно, хорошо бы обходиться без таблеток. Овладей своим телом — и управляй им. Но, может быть, я не прав: овладеть телом гораздо труднее, чем воздействовать плацебо. Лечение через психику имеет законное право на применение. Именно поэтому теперь так много экстрасенсов, разного рода целителей. Они используют нишу, которая образовалась из-за черствости многих врачей, не использующих психотерапию.

Я не хочу, чтобы создавалось впечатление о моем принципиальном пренебрежении медикаментами. Ни в коем случае! Наука создала много могущественных лекарственных средств. Но всему свое место: не нужно расслаблять волю человека заведомой ложью о всемогуществе лекарств.

Есть лекарства «причинные», помогающие устранять причины болезней или «поломок» в физиологии,— они вне сомнений. И есть так называемые «симптоматические», заведомо направленные только на смягчение проявлений болезни, ее симптомов. Они нацелены на психику. От них тоже не всегда следует отказываться, поскольку они облегчают состояние человека. Но не нужно переоценивать их и выдавать желаемое за действительное. Именно этим часто грешат врачи, которые и сами являются пленниками иллюзий.

Не надейтесь, что врачи сделают вас здоровым. Они могут спасти жизнь, даже вылечить болезнь, но лишь подведут к старту, а дальше, чтобы жить надежно, учитесь полагаться на себя. Я никак не могу преуменьшить могущество медицины, поскольку служу ей всю жизнь. Но я также знаю толк и в здоровье — теоретически и практически. После 40 лет меня стали донимать боли в позвоночнике, и, чтобы с ними бороться, в 1954 году я разработал свою собственную систему гимнастики, а в 1971 году добавил к ней бег трусцой. Операции и физкультура позволяли поддерживать отличную форму с урежением пульса — сначала до 60, а потом и до 50 ударов в минуту.

К сожалению, благополучие закончилось болезнью: развилась слабость синусового узла, а к осени 1985 года она перешла в блокаду сердца с частотой пульса 35—40. Физкультуру пришлось ограничить, хотя оперировать продолжал по-прежнему. Мне предложили вшить стимулятор, несколько месяцев я сопротивлялся, но потом пришлось сдаться: вшили однокамерный стимулятор «Медтроник». Облегчение почувствовал сразу же, а через две недели уже почти восстановил прежние нагрузки. Стимулятор исправно служил 7 лет, потом отказала программа ускорения пульса при беге. В октябре 1993 года В. П. Залесский вшил мне двухкамерный ЭКС «Интермедикс». Установили частоту пульса в покое 70 ударов в минуту с учащением при движениях до 130 ударов в минуту.

Новый стимулятор сразу прибавил сил. Однако скоро, вопреки моим надеждам на могу-

щество Режима, я почувствовал наступление старости. Хотя гимнастику и бег не оставлял, нарастала слабость, и я решил бороться. И тогда я начал эксперимент по омоложению, который продолжается и сейчас. Каждый день отдаю три часа физкультуре с гантелями и бегу. Когда в Бога и в загробную жизнь не веришь, то умирать страшно.

Врачи лечат болезни, а здоровье нужно добывать самому — тренировкой. Потому что здоровье — это резервные мощности органов, всей нашей физиологии. Они необходимы, чтобы поддерживать нормальные функциональные показатели в покое и при нагрузках — физических и психических. К примеру, чтобы кровяное давление и пульс не повышались больше чем в полтора раза при физических упражнениях или беге, а неизбежная одышка быстро успокаивалась, чтобы не бояться сквозняка, чтобы простуды быстро проходили без лекарств, сами собой, и вообще, чтобы хорошо работалось и жилось.

Так вот, повторю: эти мощности не лекарствами добываются, а тренировкой, упражнениями, нагрузками. И — работой, терпением к холоду, жаре, голоду, утомлению.

Природа человека прочна. По крайней мере, у большинства людей. Правда, мелкие болезни неизбежны, но серьезные возникают чаще всего от неразумного образа жизни, снижающего резервы организма в результате детренированности. Внешние условия, бедность, стрессы я бы поставил на второе место.

Тренировка резервов должна быть разумной, а значит, постепенной, но упорной. Например, в упражнениях, беге или даже ходьбе ежедневно можно прибавлять от 3 до 5% от достигнутого уровня — имеется в виду количество движений, скорость и расстояния. При этом надо учитывать возраст и надежность исходного здоровья. Это же касается закаливания, загорания, даже работы.

Если сказать о сути тренировки — то это, как я уже говорил, **Режим Ограничений и Нагрузок** (РОН). Это мой конек. Впрочем, ничего оригинального я не придумал.

Режим включает три главных пункта. Первый — еда с минимумом жиров. Не менее 300 г овощей и фруктов ежедневно. Следите за весом, он должен быть меньше цифры: «рост минус 100».

Второй — физкультура. Тут дело посложнее. Она всем нужна, а детям и старикам особенно. Поскольку теперь на работе почти никто физически не напрягается, то для того чтобы сохранить приличное здоровье, нужно бы заниматься физическими упражнениями по часу в день. Но не у каждого человека хватит на это характера. Поэтому возьмите себе за правило уделять гимнастике хотя бы 20—30 минут в день. Это примерно 1000 движений, лучше с гантелями по 2—5 кг. К физкультуре желательно добавить ходьбу, например, по пути на работу и обратно — километр туда, километр обратно.

Третий пункт — управление психикой. «Учитесь властвовать собой». Но, ох, как это трудно! Рецептов существует множество, вплоть до медитации, поэтому описывать их не буду.

Каждый человек должен примерно знать «крепость» своего здоровья: какие у него кровяное давление, частота пульса, содержание гемоглобина и сахара в крови, степень одышки при нагрузках, состояние желудка и кишечника, печени и почек, а также коронарных сосудов. То же можно сказать и о нервной системе: бывают ли головные боли, головокружения. Однако не преувеличивайте значение прошлых болезней: по прошествии 5—10 лет организм уже все скомпенсировал. Но знать о них нужно.

Если вы молоды — до 60! — и никаких болезненных симптомов от органов нет, то не следует при малейшем недомогании бежать в поликлинику.

Спокойно понаблюдайте за собой 5—7 дней. При простуде можно принять 1—2 таблетки аспирина, он еще никому не навредил. В организме есть мощные защитные силы — иммунная система, механизмы компенсации. Они сработают, нужно только дать им немного времени. Имейте в виду, что большинство легких болезней проходят сами, докторские снадобья только сопутствуют естественному выздоровлению. Вам

говорят: «Вылечили!», а вы и верите: «Хороший доктор!»

Еще одно хочу добавить: не надейтесь, что домашний доктор вам РОН назначит, он этому не обучен. Хотите стать здоровым — придется самому рисковать. С питанием более или менее ясно: голод всегда полезен. С физкультурой сложнее. Можно и перетренироваться. Но если соблюдать постепенность наращивания нагрузок, бояться особенно нечего. Плохо не то, что врач упражнения не назначает, плохо то, что он их запрещает.

Чтобы быть здоровым, нужна сила характера. Как слабому человеку найти оптимум поведения в треугольнике между болезнями, врачами и РОН? Мой совет — выбирать упражнения и ограничения. По крайней мере, напрягать свой организм и по возможности ограничить тягу к необязательному комфорту.

МОДЕЛЬ ИСТИНЫ

Странно устроен мир. Мы легко отринули марксизм и опять стали говорить о божественном происхождении человека: обезьяна создана «не по образу», а человек «по образу и подобию». Что 95% генов человека такие же, как у шимпанзе, в расчет не принимается. Да, человек сложен и разумен. И живет в нем потребность в любви к ближнему. Но ведь и жестокости у него больше, чем у любого хищника! А элементы этики — защита детенышей и слабых — есть и в стае волков.

Нам трудно понять, откуда произошла удивительная сложность живых существ. Математики пытались просчитать эволюцию: они сопоставляли частоту мутаций — сколько среди них полезных, чтобы представлять размеры популяции и разнообразие признаков. Не получалось — не хватало времени, чтобы достичь за прошедший исторический отрезок изумляющего нас сейчас разнообразия животных и растений. Требовался еще какой-то дополняющий Дарвина фактор, который направлял бы эволюцию. С одной стороны, все вроде бы материально, а с другой... не покидает ощущение, словно кто-то чуточку подталкивал природу к созданию того человека, который «по образу и подобию».

Новые возможности объяснения развития сложности и разнообразия в неживой природе, в биологии, в обществе дала созданная в последние десятилетия теория самоорганизации (И. Пригожин и др.). Ее суть в предельно упрощенном изложении такова. Есть молекулы А Б В Г Д... Каждая из них имеет избирательное сродство с другими: комплекс АБ соединяется только с Д, БВ — с Г, соответственно АБД имеет сродство только с М или Р. Так намечается не беспорядочный перебор вариантов, а такая линия усложнения, в которой предыдущие этапы избирают последующие. Нужную «букву» выбирает случай. Энергия для соединения черпается извне. В некоторых критических точках возможен выбор направления пути развития — «бифуркация». Одни структуры усложняются в одном направлении, другие — в другом. Таким образом, возрастает разнообразие последствий с сохранением предшествующих этапов.

Столбовая дорога эволюции усложнения, направленная к человеку, как мне представляется, была такой. Сначала появились органы управления и дублирования в виде нуклеиновых кислот (и генов), которые уже являются «разумом клетки». Потом следовали другие этапы усложнений: возникновение многоклеточных организмов, половое размножение, организация сообществ, законы популяций. Все этапы усложнений фиксировались в ДНК, в геноме. В нем же отражалось и совершенствование программы: избыточное размножение, самосохранение, приспособление к среде за счет адаптации и тренировки, стадное существование, переработка информации и, наконец, человек разумный!

На разуме и остановимся.

Итак, в чем суть предмета?

Истина — это модель, отраженная в словах, формулах, рисунках, любых других знаках. Увы! Любые модели-истины, состоящие из знаков, когда дело касается сложных объектов, неполны, искажены, ограничены, субъективны. В общем, ненадежны. Но наука борется с этим: создает процедуры, контроли, варианты, использует ста-

тистику, а теперь еще и количественные модели на компьютерах, то есть постепенно приближает модели к сложности объектов, даже когда дело касается живых систем — клетки, организма, общества. Но все же точность и полнота моделей-истин, связанных с организмом, по-прежнему очень невелика. Вследствие чего возникает множество самых невероятных трактовок даже таких простых понятий, как «здоровье» и «болезнь».

Знания выражаются в моделях: их количестве, степени подробности или обобщенности понятий.

Я определяю **разум** так: аппарат управления объектами по критериям оптимальности через действия с их моделями. Модели составлены из нейронов в коре головного мозга, действия с ними выражаются в избирательном возбуждении одних клеток и торможении других. Оптимальность управления заложена в наших чувствах, производных от биологических потребностей и убеждений, привитых обществом. Если сказать просто, то наш разум управляет внешним миром и нашим телом, а самим разумом управляют чувства, возникающие вследствие возбуждения нервных центров в мозге. Это и есть критерии для разума — как оценивать и управлять, что такое хорошо и что такое плохо. Но одно и то же сегодня при хорошем настроении хорошо, а завтра при плохом — плохо.

Получается, что разум совсем не так разумен, как мы привыкли думать. Он ограничен — моделей мало, и они неточны. Он субъективен и непостоянен — все зависит от смены чувств.

Теперь поговорим о том, что такое «вера». Но сначала разберемся, что есть «правда». Правда — это моя истина, когда слова соответствуют образу предмета, который я видел сам, иными словами, это — «верю своим глазам». Вера — это распространение правды на то, что сам не видел, но видел кто-то другой, кто является для меня авторитетом. Это может быть конкретный человек или обобщенный образ, например, «наука» или «религия». Более того, в человеке живет вера в чудо. Он ищет высший авторитет. По-видимому, в основе этого лежит биологическая потребность «прислониться к сильному», чтобы защититься от беды. Из этой потребности вырастает, вероятно, и религия.

Откуда это все взялось — чувства, вера? Все от нашей животной природы, от биологических потребностей. Они сконцентрированы в понятии «личность». Личность — это индивидуальный набор потребностей, убеждений и качеств, определяемых генами и привитых обществом в процессе воспитания.

Но не только: человеку дан дар — творческий разум, благодаря которому он способен создавать модели, а не только отражать в них внешний мир. И, кроме того, воспроизводить их в действиях. Есть это и у животных, но в очень малой степени. Они не придумали речи, и им очень трудно передать свои модели собратьям по стае.

Черты личности я только перечислю — в той мере, в какой нужно для предмета нашего разговора: здоровья и медицины.

Наверное, основа всего — сила характера. Я понимаю под силой характера способность к напряжениям — как психическим, так и физическим. Физическое напряжение можно выразить в конкретных цифрах — до какого уровня кровяного давления, частоты пульса, кислородного голодания и на сколько времени может человек себя нагружать в беге или в поднимании тяжестей (т. е. до какого уровня утомления). Испытание не безвредное, допустимо, на мой взгляд, только для молодых и здоровых. Проще говоря, характер определяет меру максимального напряжения, настойчивость и трудоспособность. Характер определяет и судьбу: чего сможет добиться человек даже при скромных способностях.

Воля — механизм доведения намеченного плана до конца, до исполнения.

Потребности и чувства являются производными от основных инстинктов и сложных рефлексов. Самосохранение дало нам страх, голод и жадность, эмоции гнева и ужаса. Стремление к продолжению рода породило нежность, сексуальные чувства, любовь к детям, а также горе от потери близких. Наиболее сложен самый молодой из инстинктов — стадный. Он дает целую гамму потребностей-чувств: сначала общение,

потом подражание и подчинение, дальше самовыражение, еще дальше лидерство и властолюбие. Все это в двух измерениях — эгоизма или альтруизма.

Человека отличает от животного способность к творчеству, которая позволяет создавать новые модели, а высокая тренируемость нейронов придает им такую активность, что они могут побороть биологические потребности. И вот миру являются идеи и их проповедники — будды, христосы, но также гитлеры и ленины. Биологическое лидерство вождей и подражание масс ведут к распространению идеи, и она может изменить поведение целых народов. Даже на века. Впрочем, это крайности. Простейшее приложение творчества — это речь и орудия, превратившие первобытную стаю в общество.

Словесные модели и составленные из слов формулы представляют убеждения, которые замкнуты на те же универсальные чувства «приятно-неприятно». Так появляются «добро» и «зло» и складываются правила общественного поведения. Интересно, что этологи и социобиологи, изучающие сообщества различных животных, обнаружили в этих сообществах зачатки самых разных людских идеологий — тирании, феодализма, аристократических и плебейских республик, плюралистических демократий. Поразительно сильна природа! Я всю жизнь исповедовал примат биологии в человеке и обществе и не скрою, мне было приятно узнать такое.

Хочу отметить еще одно качество — воспитуемость. Заложенные в генах или привитые обществом чувства можно изменить при тренировке, однако лишь в некоторых пределах.

Личность представляет собой мозаику из потребностей и убеждений, выраженных в различной степени. Разнообразие их бесконечно, однако психологи пытаются выделить основные типы, выбирая несколько главных черт, встречающихся в сочетаниях. Например, вождь — это лидер-властолюбец с сильным характером, делец — лидер, замкнутый на жадности, раб — человек, у которого главная черта — стремление к подчиненности. Очень редко встречаются лидеры-альтруисты. Несомненно, что типические черты закладываются в генах и проявляются в сфере бессознательного.

Любой функциональный акт разума происходит вследствие действия определенных «рабочих» механизмов мышления. Увидел, распознал — прогнозируй, оцени полезность или вредность по потребностям. После этого выдели желание, оцени свои возможности, сопоставь, и если баланс с плюсом — решай и действуй. При этом всегда учитывается оценка времени и реальности: когда будет результат и какова вероятность успеха. Если ждать долго и успех не гарантирован — делать дело не захочется.

Требуется остановиться еще и на *сознании* и *подсознании*. (Велика заслуга Фрейда, но механизм работает от любой потребности, не только от сексуальной.)

Так вот, «действия с моделями» как механизмы разума проявляются в движении возбуждения по моделям. Активизируются они от рецептора и друг от друга. Предполагается, что есть особый механизм, в каждый момент времени дополнительно усиливающий одну самую активную модель и притормаживающий все другие. В следующий момент активация переключится на другую модель, которая снова будет самой сильной. Вот этот выбор самой важной модели и ее «высвечивание» и есть механизм сознания. Да и внимания тоже. Усиленная модель — это мысль. Мелькнула и исчезла, но запомнилась. Цепочка этих моделей — поток сознания — и управляет поступками. Они в каждый момент определяют человека во времени, пространстве, обстоятельствах, планах, отношениях, чувствах — во всем внешнем и внутреннем мире.

До Фрейда считалось, что кроме сознания больше и нет ничего в психике. Остальные сведения (модели) просто «спят» и ждут своей очереди попасть в сознание. Но все оказалось сложнее. Модели, которые не стали мыслью, вовсе отключены от сознания, но они с малой активностью взаимодействуют друг с другом и с рецепторами и делают свое дело. В их сфере деятельности автоматические движения, восприятие, слежение, оценки по чувствам. Они всегда «на страже» и готовы выскочить в сознание, если обнаружится что-то очень важное. Вот это взаимодействие приторможенных моделей и есть работа подсознания. Она исключительно важна, и без нее мозг превратится в компьютер: все будет идти по одной программе. А тут, оказывается, масса параллельно идущих, взаимозависимых программ. Когда в пятидесятых годах я познакомился с кибернетикой и начал думать об искусственном интеллекте, казалось, что вот он, тут — составляй программу. Теперь мое уважение к нашему живому мозгу сильно возросло: до искусственного разума еще очень далеко. 14 миллиардов нейронов в коре мозга хлеб едят не зря... Искусственный интеллект будет, подходы к нему ясны, но техника его создания много сложнее, чем думалось раньше.

Да, подсознание — дело великое, но бал правит все-таки сознание. Каждая модель-мысль дает активность массе других и тем направляет подсознание. Скажу осторожно: в значительной степени, особенно когда психика напряжена. Во сне, наоборот, парадом командует подсознание. Сновидения это подтверждают: нереальная картина из кусочков правдивых образов, возникающая в результате заторможенности главного дирижера — механизма усиления-торможения.

Как это ни странно, но сознание произвольно управляемо. Разработано много методик из области психотехники, позволяющих концентрировать сознание, направлять движение активности по избранному перечню моделей, добиваясь их высокой активности и одновременно сильно затормаживая подсознание. Мысль при этом настолько усиливается, что становится способной управлять внутренними органами, обычно не подвластными волевым импульсам. В частности, этому учит йога.

К сожалению, высокая концентрация мыслей не увеличивает творческую силу разума. Возможно, что для поиска вариантов и комбинаций, в чем и состоит творчество, требуется именно раскрепощенное подсознание, когда увеличивается фронт поиска. Концентрация сознания на нескольких избранных мыслях затормаживает подсознание. Не случайно новые идеи часто приходят именно во сне.

Процесс мышления представляет собой иерархию Функциональных Актов разной протяженности во времени. Лишь малая часть их доводится до мышечных действий, большинство останавливаются из-за несоответствия возможностей и потребностей на мысленных этапах: распознавания, оценок, предположений, планирования. Тормозы от сопротивления объектов среды оказываются сильнее мотивов от потребностей.

РЕЗЕРВЫ ЗДОРОВЬЯ КЛЕТКИ

Понятия «болезнь» и «здоровье» тесно связаны друг с другом. Казалось бы, чего проще: крепкое здоровье — значит, мало болезней, и наоборот. Однако их взаимосвязь гораздо сложнее. Измерить здоровье и болезнь трудно, границу между ними провести практически невозможно.

Клетка живет по своим программам, заданным в ее генах. Она очень напоминает современный большой завод, управляемый хорошим компьютером с гибкими программами, обеспечивающими выполнение плана при всех трудностях. Если условия среды становятся для клетки неблагоприятными, то функции ее постепенно ослабляются, и, наконец, замирает сама ее жизнь.

Чем в конце концов определяется функция клеток, органов, организма? Генами и тренировкой. Наиболее устойчивые и значительные изменения характеристик происходят в период роста и формирования органов, преходящие — при изменении функции в зрелом возрасте.

Уровень тренированности определяет границы внешних воздействий и собственного напряжения, за которыми кончается норма и начинается патология. Наследственность тоже важна: для сильного типа нужны меньшие раздражители, чтобы натренироваться, для слабого — большие. Соответственно, при одинаковых раздражителях слабый менее натренирован и легче заболевает, чем сильный.

В организме взрослого человека «присутствует» вся история его тренировки в период роста. К сожалению, не все дефекты детства можно исправить в зрелом возрасте. Особенно это относится к тем частям организма, которые не только растут, но и формируются после рождения.

СИСТЕМА ПИТАНИЯ

Назначение пищи — снабдить клетки энергетическим и строительным материалами, чтобы организм мог выполнять свои программы.

Потребности в пище неопределенны. Установлены некоторые крайние границы по калориям, белкам, витаминам, но больше для животных, чем для людей, если говорить о научной строгости рекомендаций.

Основными неизвестными остаются коэффициент полезного действия (КПД) для энергетики и возможности «повторного использования строительных кирпичей» — продуктов распада белков, который закономерно происходит в организме. Разумеется, чем выше физическая активность, тем большее количество белков распадается и синтезируется заново. Следовательно, потребность в любой пище — как в энергетической, так и в строительной — прямо зависит от уровня активности. Это хорошо известно спортсменам. Тяжелоатлету, например, нужно много белков.

Систему питания можно поделить на две: переваривание и всасывание пищи в желудочно-кишечном тракте и усвоение питательных веществ клетками.

Потребление пищи и пищеварение регулируются условиями питания и аппетитом. Клеточный обмен в значительной степени автономен, но зависит от нагрузок целого организма и воздействия регулирующих систем.

Аппетит — вот наше удовольствие и наш крест.

Удовольствие от еды — проявление потребности в пище. Считается, что чувство голода появляется, когда в крови недостает питательных веществ или пуст желудок. Это верно, но весь вопрос в количественной зависимости между чувством и потребностью. Очень полные люди могут испытывать сильное чувство голода, то есть стремятся получить энергию извне, в то время как под кожей у них накоплен собственный запас энергии. Природа установила такую преувеличенную зависимость между чувством голода и потребностью в пище, чтобы защитить организм от голодной смерти. Этим она повысила выживаемость биологического вида. Все «нежадные» виды вымерли.

Чувство удовольствия от еды тренируемо, то есть значимость его среди других чувств возрастает, если оно обеспечивает значительный прирост уровня душевного комфорта (УДК). При постоянном удовлетворении этого чувства наступает адаптация и возрастают притязания — желание получить пищу еще вкуснее. Если среда предоставляет изобилие вкусной пищи, то тренировка аппетита и превышение ее прихода над расходом неизбежны. Остановить этот процесс может только сильное конкурирующее чувство — например, любовь или боязнь лишнего веса.

Чтобы выяснить, каким должно быть оптимальное питание, нужно проанализировать, как формировалась эта система у человека. По всем данным, система питания досталась нам от очень далекого предка. Несомненно, он не был прирожденным хищником. Наши дальние родственники обезьяны это достоверно подтверждают. Невероятно, чтобы они из хищников эволюционировали в травоядных. Наоборот, родившись вегетарианцами, они могут научиться лакомиться мясом. Наблюдения над шимпанзе в этом отношении очень убедительны. Они ловят мелких животных и поедают их с большим удовольствием. Низшие обезьяны этого не делают.

Ферменты пищеварительных соков большинства диких животных обладают широким спектром действия: способны расщеплять самые различные жиры, углеводы и белки. Вся загвоздка в клетчатке. Оболочки многих растительных клеток так прочны, что силы ферментов на них не хватает. Но это касается не листьев, а стеблей, веток и стволов. На помощь приходят микробы кишечника. Если ветки смолоть крепкими зубами и удлинить кишечник, чтобы перевариваемая масса не спеша проходила по длинному пути, то микроорганизмы, которые там живут,

способны разрушить целлюлозу клеточных оболочек.

У человека изрядный кишечник. Сорок лет назад, когда я занимался общей хирургией, мне пришлось удалить одному парню 5,5 метра кишок. У него осталось с метр тонкой кишки и примерно пятая часть толстого отдела кишечника. Он выжил и приспособился. Удаление 2–3 метров кишок совершенно безопасно, человек адаптируется к этой потере за два месяца.

Существует стойкое мнение (к сожалению, среди врачей тоже), что пищеварительный тракт человека — нежная конструкция, что он приспособлен только для рафинированной пищи и стоит дать ему чуть что погрубее, как немедленно возникнут гастрит, энтерит, колит, чуть ли не заворот кишок.

Это — миф. Наш желудок и кишечник способны переваривать любую грубую пищу, разве что не хвою.

У пищеварительного тракта два главных врага: чересчур обработанная пища и система напряжения. Мягкая, измельченная пищевая кашица детренирует мышцы кишечной стенки и, возможно, выделение ферментов. Длительное психическое напряжение с неприятными эмоциями способно извратить нервное регулирование желудка и толстого кишечника — двух отделов, более всего связанных с центральной нервной системой. Этот фактор особенно сильно проявляется при избыточном питании излишне обработанной пищей.

Несомненно, что наш первобытный предок ел пищу в сыром виде. Это вовсе не довод в пользу того, что только так и надо питаться. Мало ли чего природа не умела, не стоит ее переоценивать. Вопрос можно поставить проще: что прибавляет кулинарная обработка к естественной пище и что убавляет? Насколько это важно? Если важно, то продумать компромисс.

Вареная пища вкуснее. Больше никаких доводов в ее пользу нет. Для пищеварения этого не требуется, для него гораздо важнее жевать. Хорошо жевать.

Что убавляется в пище, если ее варить и жарить? Известно точно: высокая температура разрушает витамины и все биологически активные вещества. Чем она выше, чем дольше действует, тем меньше этих веществ. Вплоть до полного уничтожения. Никакого другого вреда не найдено. Белки, жиры, углеводы и их калории остаются в полном объеме. Микроэлементы? Здесь нет ясности. Конечно, атомы какого-нибудь кобальта или молибдена не испаряются на плите, но они могут перейти в воду, которую сольют в раковину. Использование печей СВЧ исправляет этот дефект.

Фанатики-сыроеды считают жареную котлету ядом. Есть ли у них резон? Я прочел много трудов разных натуропатов. Они далеко не во всем согласны друг с другом. Одни — строгие вегетарианцы, но разрешают варить пищу, другие — чистые сыроеды. Одни советуют пить только сырую воду, другие — только дистиллированную. Некоторые рекомендуют молоко, другие его полностью отвергают. Но все натуропаты совпадают в том, что считают полезным голод. По этому поводу существует солидная литература. Есть метод лечения голодом, даже открыты клиники голодания. И все-таки научной теории о действии полного голода нет.

Главный вклад натуропатов и защитников полезности *голода* — то, что развеяли (или почти развеяли) миф о чувстве голода как сигнале бедствия. «Муки голода» — это неприятно, что и говорить, но вредны они, только когда голод длится долго. Сколько? Это зависит от исходного состояния голодающего, его возраста, активности. Вся литература по голоданию и рассказы самих голодавших свидетельствуют, что чувство голода как таковое исчезает в первые 2—4 дня и снова появляется к 30—40-му как крик организма о помощи. Сам я голодать не пробовал, не знаю.

Обоснование для лечебного действия голода довольно туманно: будто бы организм «получает разгрузку, отдых» и «освобождается от шлаков». Они, эти шлаки, яды, выделяются будто бы через кишечник, почему и полагается ежедневно делать очистительную клизму. Что это за шлаки и яды? Никто в объяснения не вдается: шлаки — и все. В то же время физиология свидетельствует, что никаких особенно ядовитых веществ у нормально питающегося человека не

образуется, а если яды попадают извне, то они действительно могут выделяться с мочой в чистом или инактивированном виде. Но голодать для этого совсем не нужно: печень их обезвреживает, а почки выводят.

Потребность в отдыхе для органов пищеварения тоже малопонятна. Ее можно допустить после большого переедания, но если постоянно питаться с ограничениями, то едва ли нужно от этого отдыхать.

Однако нельзя не верить профессору Ю. Николаеву, который лечил голоданием тысячи людей с психическими заболеваниями. Не думаю, чтобы он заблуждался. Полезное действие голод оказывает на организм несомненно, если даже в таком сложном деле, как психиатрия, помогает. Не сомневаюсь, что голодание как лечебный метод имеет смысл, но только если последующее питание человека останется сдержанным.

Еще один важный вопрос — *о потреблении соли*. Тоже миф, что соль необходима организму, что человек таким образом исправил крупный дефект природы, не обеспечившей его солью в продуктах.

Разумеется, соль может оказаться полезной и даже необходимой при однообразном питании рафинированными продуктами, к примеру, сахаром и очищенными злаками. Но если есть разнообразную растительную пищу, тем более сырую, чтобы соли не растворялись при варке, их будет вполне достаточно для организма. Невкусно? Но в этом тоже есть свой резон — меньше съешь.

Вредность соли доказана. Правда, говорят только о вреде ее избытка. Соль способствует развитию гипертонии, а гипертония — один из главных факторов риска развития склероза. Всегда приводят в пример японцев: они едят много соли, у них распространена гипертония и часты кровоизлияния в мозг.

Много всяких спорных мнений и *о воде*. Говорят, например, что от избытка воды толстеют. Что если много пить, это вредно влияет на сердце и даже на почки. Потребление воды у всех разное: одни выпивают 6—8 стаканов чая в день, другие пьют по одному стакану. Не думаю, что такая разница запрограммирована. Следовательно, имеет значение привычка: кто как натренировал свой «водный центр» (есть такой в стволе мозга). Возникает вопрос: а как его тренировать, сколько воды пить? И снова нет убедительных факторов. Можно привести только логические соображения.

Для здорового сердца большое количество выпиваемой воды не представляет вреда. При больном сердце нужна осторожность.

Для здоровых почек вода тоже не вредна: она только тренирует их выделительную функцию. Впрочем, так же нужно тренировать и способность почек концентрировать мочу, выделяя азотистые продукты с минимумом воды, если человеку почему-либо придется мало пить.

С другой стороны, польза большого количества воды кажется очевидной. Во-первых, сильно облегчается выделение избытка соли, которую мы не перестаем употреблять, потому что пища с солью вкуснее. Во-вторых, когда мы много пьем, то выделяем мочу с низкой концентрацией всех веществ, которые полагается выделить. Отсюда меньшая опасность образования камней в почечных лоханках. Наконец, с мочой выделяются всевозможные токсические продукты, как введенные извне с пищей или воздухом, так и образующиеся внутри организма. Многие из них почка не может концентрировать, а выводит в той же пропорции, что и в крови. Тогда уже чем больше объем мочи, тем скорее очищается организм.

Пить нужно 2 и даже 3 литра всякой жидкости с учетом супов, фруктов и овощей. И, конечно, не дистиллированную воду. По мне, так лучше всего чай — самое милое дело.

По системе питания есть еще несколько спорных вопросов. Например, периодически дискриминируются разные продукты, к которым, кажется, испокон веков привыкли люди. Все помнят историю с яйцами: холестерин — склероз, нельзя! Потом оказалось, не тот холестерин, да и своего вполне достаточно. Или сахар — тоже, дескать, ведет к склерозу. Далее — жиры, особенно животные, и много еще всяких табу.

Мне кажется, ни один естественный продукт не вреден, если его употреблять в меру при общем правильном и разнообразном питании, уже по той причине, что организм к этому приспособлен эволюцией. Вот соль — искусственный продукт, жарить — искусственно. А самое главное — не переедать, ведь жиреть неестественно!

Можно спорить и о необходимости регулярного питания, строгого соблюдения времени завтрака, обеда, ужина. Многие считают, что нужно питаться регулярно, приводят данные о «запальном» соке, о стереотипе. Только остается вопрос: естественна ли регулярность? Если понаблюдать за дикой природой, то напрашивается отрицательный ответ. Но это не довод: то, что в диком состоянии происходит вынужденно, не всегда идет на пользу. Тем более что все дикие животные умирают молодыми (по человеческим стандартам). У людей же неприятности обычно начинаются после пятидесяти лет.

Не собираюсь ратовать за полный беспорядок в еде, высказываю только сомнение в догматической требовательности режима в еде и профилактического приема пищи, даже когда не хочется.

Строгий режим и регулярность нужны для больных и стариков, а здоровому нерегулярность полезна. Чем же еще тренировать регуляторы? Только нерегулярностью!

Соотношение полезных нагрузок, количества пищи и активности регуляторов, управляющих уровнем обмена веществ, определяется весом тела.

Полезны ли накопления жира в организме «про запас»? Может быть, накопление жира — это компромисс: немного вреда сейчас, но сохранение жизни при вынужденном голодании? Вся эволюция — это сплошные компромиссы между программами «для себя», «для рода», «для вида».

Однако обратимся к природе. Бывают ли толстыми обезьяны? Бывают ли толстыми хищники? Нет, не бывают. И наши дальние предки на всех стадиях их эволюции едва ли были толстыми. В генах этого не предусматривается и для человека. Запасов белков, которые по всем данным важнее, не существует. Возможно, потому, что они нестабильны, требуют постоянного обмена?

Значит, количеством килограммов резервы подсистемы «Питание» оценить нельзя. Так чем же ее оценивать?

Разделим функции питания: внешняя — пищеварение и внутренняя — обмен веществ, «клеточная химия».

Здоровый желудочно-кишечный тракт — такой, который способен «переваривать гвозди». Это значит: хорошее выделение пищеварительных соков и развитая мускулатура желудочной и кишечной стенки, обеспечивающая правильное продвижение пищевого комка — с должными перемешиваниями и темпом. Достигнуть этого можно только постоянным употреблением большой массы грубой пищи в сыром виде при ограничениях жирных и острых блюд. Правда, большие психические нагрузки с неприятными эмоциями даже при условиях правильного питания не могут обезопасить человека от болей, спазмов, даже язвы желудка или спастического колита. Но риск их будет намного меньше.

Тренировать кишечник нужно, как и всякий орган, постепенными нагрузками. В данном случае постепенно приучать кишечник к грубой сырой растительной пище, увеличивая ее объем и расширяя состав за счет ограничения других продуктов. Необходимыми условиями тренировки являются душевный покой, отказ от жиров, избытка мучного и сладкого, «полуголод» (не голод и не сытость). Есть 4—5 раз в день и всегда вставать из-за стола с желанием съесть еще немножко.

Возможна ли тренировка обмена? Несомненно, как и всякой функции. Смысл ее — в нормализации. Первое условие — снижение веса тела до нормы. Как определить свою норму веса? По толщине кожной складки. Инструкция Всемирной организации здравоохранения (ВОЗ) рекомендует проверять складку на задней поверхности плеча. Ее толщина должна быть не более 1 см. Поддерживать вес приходится по весам, потому что щипок кожи как метод измерения уж очень неточен. Не нужно большого педантизма в поддержании оптимального веса. На худой конец годится формула: «рост минус 100». Хотя «минус 105» и даже «минус 110» лучше — особенно для людей с плохо развитой мускулатурой и высоких. И ни в коем случае не прибавлять на возраст! Вот это действительно опасно, хотя бы потому, что людям за пятьдесят угрожают гипертония, склероз. Эти болезни связаны с лишним жиром.

Тренировка обмена — это тренировка клеток на экономию энергии. Метод один — посадить их на голодный паек. Чтобы они вынуждены были «съедать» все, даже плохо съедобное.

Не знаю, что лучше: все время строго держать себя в форме, то есть жить впроголодь, или позволять себе расслабиться, набрать за неделю килограммы, а потом устраивать полную голодовку на два дня.

Неплохо было бы разобраться и в том, **какую пищу предпочитать**. Богатую белками? Жирами? Углеводами? Разнобой в рекомендациях такой, что не буду даже пытаться анализировать. Однако есть соображения, которые кажутся мне обоснованными.

Первое: *важно не что есть, а сколько есть.* Вредность любого продукта невелика, если суммарная энергетика держится на пределе и вес удерживается на минимальных цифрах. Если к этому добавляется физическая нагрузка, совсем хорошо: все сгорит.

Второе: *исключительно важна роль витаминов, микроэлементов и других биологически активных веществ.* Получить их можно только из свежих фруктов и овощей. Сколько их должно быть? Если сделать расчеты по потребности в витаминах и по содержанию их в овощах и фруктах, получается, что самая минимальная доза — 300 граммов в день. А лучше 500. И чем они разнообразнее, тем лучше. Натуропаты дают разумный совет: есть надо сырые корнеплоды, листья и плоды. Замена сырых овощей вареными неполноценна. Витаминные таблетки полезны, но не могут заменить свежую зелень.

Третье: *осторожное отношение к жирам.* Для худощавого человека при соблюдении первых двух условий жиры не вредны. Мне они представляются не столько вредными, сколько коварными: уж очень много калорий содержат — девять на грамм.

Исследования атеросклероза доказали вредность животных жиров. Впрочем, я думаю, что при весе «рост минус 100» и низком холестерине крови (менее 200) эта вредность преувеличена.

Четвертое: *миф о белках*. Считается, что нужны полноценные белки, содержащиеся только в животных, а не в растительных продуктах. Не буду спорить: действительно, есть такие аминокислоты, которые не во всяких растениях можно найти. Поэтому гораздо проще получать их из мяса, молока, яиц, чем выискивать замысловатые наборы растительных продуктов с орехами, абрикосовыми косточками, цветочной пыльцой и прочим. Не нужно вегетарианского педантизма. Животные белки доступны. Вопрос — в количестве. Молоко и немного мяса вполне восполнят эти незаменимые аминокислоты. Но увлекаться животными белками не нужно!

Пятое: *споры об углеводах*. «Сахар нужен для мозга»,— говорят одни диетологи. «Сахар способствует склерозу»,— возражают другие. Едва ли стоит об этом задумываться, если выдержаны главные условия: вес, необходимое количество «растительного сырья», немножко животных белков.

Очень полезны фруктовые и овощные соки, особенно неподслащенные. Можно пить их в неограниченном количестве, обязательно разные. Супами, наоборот, не стоит увлекаться, поскольку обычно в них добавляют много соли.

Борьба с собственным аппетитом — главная проблема питания для здорового человека, ведущего активный образ жизни. Увы, невозможно досыта есть вкусную пищу и не полнеть.

Кратко расскажу о моих правилах питания. Прежде всего я не ем «профилактически». Никогда не брал с собой еду в клинику. Только если очень уставал после операции, позволял себе чашку чая и два яблока. Завтрак у меня большой, грубый и некалорийный: 300 граммов свежих овощей или капусты, две картофелины или хлеб и чашка кофе с молоком. Обедал я всегда нерегулярно: приходил домой в разное время и в разном состоянии. Чаще всего ел салат, как утром, первое, второе — без хлеба, без жиров, с минимумом мяса, на третье — чай или сок. Ужин — чай с сахаром вприкуску, хлеб (он мне кажется вкусным, как пирожное), творог, немного колбасы, сыра. Еще — фрукты по сезону. В общем, вечером я сыт. За день по объему набиралось много, а по калориям — как раз в меру расхода. При росте 168 сантиметров постоянный вес у меня — 52—55 килограммов.

Не надо считать калории и граммы. При разном образе жизни, разном обмене нельзя определить, сколько калорий требуется конкретному человеку, и трудно спроектировать соответствующую диету. Таблицы калорийности продуктов следует читать только для ориентировки: какой пищи нужно избегать, а что безопасно. Единственный измерительный инструмент, которым следует руководствоваться,— это весы.

Подсистема «Питание» — важнейшая для здоровья. Некоторые натуропаты считают ее единственной, определяющей здоровье: ешьте сырую пищу, голодайте день в неделю, по два-три дня — раз в месяц и еще две голодовки в год по две недели — и будете здоровы. Так рекомендовал Брэгг.

Мне кажется, правильное питание — необходимое, но не достаточное условие здоровья. Пренебрегать им нельзя ни в коем случае. Чем хуже представлены другие компоненты режима, тем строже должна быть диета. И наоборот, при хорошей физической тренированности, закаливании и спокойной психике можно больше позволять себе в питании. Видимо, существует и зависимость от возраста: старым и малым нужны строгости, для молодых и сильных допустимы поблажки.

СИСТЕМА ТЕРМОРЕГУЛЯЦИИ

Непонятно, почему при охлаждении, при сырости возникает катаральное воспаление носа, глотки, бронхов, легких. Сомнительна сама связь между охлаждением и болезнью. Хотя нет настоящей статистики и отрицать ее нельзя, но исключений тоже очень много.

Поддерживать постоянную температуру — это поддерживать баланс между теплопродукцией и теплоотдачей. Прямой «отопительной системой» организм не располагает. Продукция тепла — побочный эффект любого превращения энергии. Когда нужно получить тепло для спасения жизни, организму приходится прибегать к работе мышц — хотя бы в виде дрожи.

Другое дело — теплоотдача, она регулируется очень активно. При холоде ее можно затормозить, если сузить сосуды кожи до такой степени, чтобы поверхность стала холодной и разница температуры тела и воздуха сократилась. Однако не совсем холодной, иначе ткани замерзнут, будет обморожение. Впрочем, для того чтобы этого не произошло, автоматики мало, нужны активные действия по защите: одежда или трение. И тренировка.

Приспособление к жаре — совсем другого свойства. Нужно максимально затормозить теплопродукцию, то есть любую мышечную активность, и максимально увеличить теплоотдачу. Сначала для этого достаточно повысить температуру кожи хорошей циркуляцией крови по кожным сосудам, но, когда жара превысит 30 градусов, начинается потоотделение. Испарением пота можно охладить тело ниже внешней температуры — действует скрытая теплота кипения. Для увеличения циркуляции крови в коже нужны дополнительные мощности сердца, при этом венная кровь возвращается к нему, не израсходовав своего кислорода, но это не страшно. Дыхание делается поверхностным, и необходимый уровень углекислоты удается удержать. Тормозится всякая активность. Нет, людям тропиков жить явно труднее, чем северянам.

Тренировка холодом — вещь хорошая. Во-первых, это физиологические стрессы, следовательно, тренируется устойчивость системы напряжения. Во-вторых, тренировка обменных процессов в клетках кожных покровов приучает их к поддержанию «правильной химии» при необычных внешних условиях и активизирует митохондрии клеток, производящие энергию. В-третьих, укрепляется сердечно-сосудистая система, как при физических нагрузках. Жара едва ли обладает таким полезным действием, как холод.

Закаливание повышает сопротивление простудным заболеваниям. Это известно испокон веков. Тому есть несколько объяснений. Первое: слизистые оболочки носоглотки приучаются поддерживать постоянный температурный режим и при холоде (у незакаленных возможно местное охлаждение и торможение защитных клеток слизистой оболочки). Другое объяснение: охлаждение для нетренированных — сильный стресс, он ведет к торможению иммунной системы. В том и в другом случаях инфекция может развиваться от нарушения баланса между агрессивностью микробов и защитой организма. К сожалению, все это лишь гипотезы.

Исходя из общих принципов тренировки функций, можно предполагать, что за лето должна детренироваться система терморегуляции. Для тренировки нужно время. Так оно и бывает: осенью болеют чаще.

Методы закаливания просты: *не кутаться и терпеть холод*. А если зачихал — не бояться: легкий насморк пройдет, а полезный след останется, нужно продолжать закаливание. Если сдаваться после первого насморка, не стоит и начинать. Мне кажется, самая разумная закалка — легко одеваться. Можно принимать холодный душ или ванну, растираться губкой, смоченной холодной водой,— приемы известны. Врачи рекомендуют их «для укрепления нервной системы». Действительно, они тренируют систему напряжения.

Особенно важно закаливать маленьких детей. Разработаны таблицы, в которых указано, как постепенно понижать температуру воды при купании. Но самое главное — не кутать!

СИСТЕМА НАПРЯЖЕНИЯ

Система напряжения — как акселератор в автомобиле: чем сильнее нажмешь на газ, тем больше мощности выдаст мотор. На холостом ходу мотор крутится еле-еле, совсем бесшумно. Однако остановка происходит только при полном прекращении подачи горючего. Какое-то напряжение человек испытывает всегда, даже во сне, даже при глубоком наркозе.

Большое напряжение эволюция предусмотрела для спасения жизни в крайних обстоятельствах. Их обычно называют «экстремальными условиями». Разум оценивает угрозу и включает эмоции страха, гнева, горя или радости. Цепочка системы напряжения выглядит так: кора — подкорка — гипоталамус — гипофиз — надпочечники — кровь — клетки.

Противоположность напряжению — расслабление. Это не торможение. Если продолжить сравнение с акселератором, то расслабление происходит, если убавить газ. Для животных и человека сильное расслабление — это сон, причем он тоже бывает разной глубины. Есть два источника физиологических импульсов, активно способствующих расслаблению: утомленные мышцы и полный желудок. О первом мы почти забыли, а второй в большом фаворе.

Психически расслабление — приятное чувство, оно уменьшает тревогу.

Для регуляторов излишняя тренированность опасна. Регулирование может стать неадекватным. Нервная клетка будет выдавать больше импульсов на «рабочий» орган при незначительном внешнем раздражении. В результате орган будет выдавать ответ, не соответствующий потребности организма. Это называется невроз, он часто сопровождается болями — в голове, в животе, в сердце.

Память — вот беда для системы напряжения. Животное быстро забывает, человек же многое помнит, вызывает неприятные воспоминания и все планирует. Система напряжения длительно активизируется «сверху» и подвергается перетренировке. В то же время «снизу» (утомлением мышц) она не расслабляется, механизм разложения «гормонов напряжения» детренирован. Именно в этом источник «болезней регулирования», к которым можно отнести гипертонию, язву желудка, всевозможные спазмы: бронхов — при астме, коронарных сосудов — при стенокардии, кишечника — при колите. Главное проявление «перегрева» — плохой сон. Человек не спит, система напряжения не отдыхает, продолжает «тренироваться».

Бессонница сама по себе неприятна. Но она еще усугубляется страхом. Очень распространено мнение, что если человек не спит, то организм в это время терпит большой ущерб, ему угрожают разные болезни. Доля правды в этом есть, как видно из предыдущих рассуждений об отдыхе, но не следует преувеличивать. Страх перед бессонницей вреднее, чем она сама, потому что он «пугает» сон. Нормальный человек переживает одну бессонную ночь, а на вторую засыпает, если обеспечивает себе покой.

В чем гигиена системы напряжения? Иначе говоря, как сохранить ее нормальную активность, уберечь от перетренировки?

Многие спасаются так называемыми транквилизаторами. Сначала появился элениум, потом седуксен и одновременно масса снотворных. Но здоровье нельзя удержать лекарствами, они предназначены лишь для лечения болезней. Это относится и к системе напряжения. Управлять ею, пожалуй, труднее, чем не переедать или делать упражнения. Не могу сказать про себя, что я овладел своей системой напряжения, но мне удалось достичь некоторого компромисса с собой, чем я спасаюсь от «перегревов». Не буду даже пытаться научить читателей аутотренингу и тем более излагать ступени йоги, а ограничусь несколькими советами.

Прежде всего — самонаблюдение. Слежение — необходимое условие для любого управления. Надо наблюдать за собой, запоминать и пытаться оценивать свои действия и мысли. Большинство людей даже не задумываются над тем, что течение мыслей — не бесконтрольный процесс. Как же научиться держать себя в руках, если не видишь, что доводит систему напряжения до «перегрева»?

Главная проблема — сон. Если человеку удается сохранить без снотворного хороший сон по глубине и по длительности, его нервы в порядке.

Первый совет: *не экономить время на сне*. Потребности в отдыхе индивидуальны, но в среднем восемь часов сна человеку необходимы.

Второй совет: *не бояться бессонницы*. Не суетиться, если с утра голова тяжелая. Сказать, что этим организму наносится большой вред, нельзя.

Если жизнь не дает передышки и плохие ночи следуют одна за другой, примите снотворное. Но помните: следует строго ограничить прием снотворных, чтобы не выработалась привычка. Сон нужно регулировать деятельностью, а к лекарствам прибегать, только когда угрожает срыв. Если же не удается их избежать и день, и два, и три — это серьезный сигнал к изменению режима жизни. Нужно срочно дать себе отдых на несколько дней, чтобы прекратить прием снотворных, а потом, вернувшись к обычному режиму, ограничить нервные нагрузки.

Я понимаю: мои советы ничего не стоят, все об этом и так знают. Обычно говорят: «Не удается ничего изменить». Не думаю, что большинство людей совсем не могут распорядиться своим временем и своими нервными нагрузками. Таким действительно не остается ничего другого, как тянуть до инфаркта, если работа им дорога тем, что приносит удовольствие, власть, деньги — кому что важнее.

Технический прием для засыпания: выберите удобную позу, лучше на боку, и лежите совершенно неподвижно, постепенно расслабляя мышцы. Начинать нужно с лица — именно мимические мышцы отражают наши эмоции. Это запрограммировано в генах от самых древних предков. С этого и нужно учиться наблюдать за собой — исследовать каждую часть тела, чтобы определить, насколько напряжены мышцы. Если это удается, то удается и расслабить мышцы усилием воли, произвольно. Иногда рекомендуют повторять определенные слова, например, «расслабься», «спокойно». Попробуйте, может быть, это поможет.

Расслабление мышц лица по типу прерывания обратной связи действует и на причину напряжения — на эмоции, на мысли. После лица другие мышцы расслабить проще. Исследуйте одну часть тела за другой и расслабляйте мышцы — руки, ноги, спину, пока все тело не станет совсем пассивным, как чужое. Иногда перед расслаблением нужно легонько сократить мышцы, например, подвигать рукой или челюстью.

На что же переключить мысли? Совсем не думать невозможно. Лучше всего подключиться мыслью к собственному дыханию. Сначала перестать им управлять — пусть дышится автоматически. Обычно дыхание замедляется и становится более глубоким. Дальше требуется только следить за ним, будто смотришь со стороны: вот — вдох, вот — пауза, начался выдох.

В большинстве случаев через полчаса, через час сон приходит. Если его все-таки нет, нужно прекратить усилия и лежать совершенно неподвижно.

«Перегрев» системы напряжения в течение дня сказывается плохим сном, но если он продолжается неделями и месяцами, то могут появиться и другие симптомы. Они всем известны, но их не туда адресуют. Болит голова — говорят о голове, живот — о желудке, сердце — о сердце, мучают запоры или поносы — о кишечнике, повышается кровяное давление — о гипертонии. В действительности же, по крайней мере вначале, это все признаки перетренировки системы напряжения. Это сигнал о том, что необходим полноценный отдых.

В этой главе коснемся и иммунной системы. Гормоны надпочечников тормозят функцию иммунитета, поэтому для укрепления иммунной системы очень подошел бы совет избегать стрессов. Но я его давать не буду — вполне осознаю, что он невыполним. Для клеточной защиты необходим «строительный материал», поэтому важно правильное питание. Как на иммунную систему влияет режим ограничений и нагрузок, к сожалению, совсем не исследовано, поэтому конкретных рекомендаций по этому поводу дать не могу.

Состояние иммунной системы легко проверить по сопротивляемости инфекции. У людей с хорошим иммунитетом мелкие ранки не нагнаиваются. Нет гнойничковых заболеваний кожи. Насморки, ангины, бронхиты — все эти «катары верхних дыхательных путей» протекают нормально, длятся столько времени, сколько нужно для приобретения иммунитета на новый микроб — примерно одну-две недели. Совсем избежать их невозможно, но их должно быть не более двух-трех в год при нетяжелом течении. Объективным показателем здоровья соединительной ткани является нормальный анализ крови.

ФИЗИЧЕСКИЕ УПРАЖНЕНИЯ

Думаю, излишне доказывать необходимость физкультуры вообще. Могу повторить лишь общеизвестные вещи: укрепляет мускулатуру, сохраняет подвижность суставов и прочность связок, улучшает фигуру, повышает минутный выброс крови и увеличивает дыхательный объем легких, стимулирует обмен веществ, уменьшает вес, благотворно действует на органы пищеварения, успокаивает нервную систему, повышает сопротивляемость простудным заболеваниям.

После таких убедительных доводов, которые все знают, чего бы людям не заниматься?

А они не занимаются. Требуют более веских доказательств.

Когда тридцать лет назад я опубликовал свой комплекс гимнастики и обнародовал идею о необходимости больших нагрузок, многие врачи выразили по этому поводу свое неодобрение, а выражение «бег к инфаркту» применялось и ко мне, хотя я тогда о беге не говорил. Специалисты по лечебной физкультуре тоже считали, что большие нагрузки опасны.

С течением времени взгляды врачей стали меняться. Теперь уже разрешают бегать после инфаркта. Уже считается, что пульс после нагрузки должен достигать 120 ударов в минуту. И в самом деле, если представить себе, какую физическую нагрузку испытывал пахарь, идущий за плугом, или землекоп с лопатой, или пильщик, или охотник, то что такое наши 20—30 минут упражнений? Или даже бега? Нет, для здоровья необходимы большие нагрузки. Иначе они не принесут пользы.

Тренировочный эффект любого упражнения пропорционален продолжительности и степени тяжести упражнения. Превышение нагрузок, приближение их к предельным сопряжено с опасностями, так как перетренировка — это уже болезнь. Мощность и длительность тренировки действуют по-разному и должны учитываться отдельно. Важнейшее правило тренировки — постепенность наращивания интенсивности и длительности нагрузок. Поэтому темп наращивания того и другого должен выбираться с большим запасом, «с перестраховкой», чтобы ориен-

тироваться на самые «медленные» органы. При низкой исходной тренированности добавления нагрузок должны составлять 3—5 процентов в день к достигнутому, а после достижения высоких показателей темп наращивания снова снижается. Верхних пределов возможностей достигать не нужно — это вредно для здоровья.

Из всех органов и систем при физической тренировке наиболее уязвимым является сердце. Именно на его функции и нужно ориентироваться при увеличении нагрузок у практически здоровых людей.

Тренировка может преследовать разные частные цели, и в зависимости от них меняется методика. Для одного в центре внимания разработка сустава после операции или тренировка мышц после паралича, для другого — лечение астмы задержкой дыхания по К. П. Бутейко, третьему нужно согнать вес. И практически всем необходимо тренировать сердечно-сосудистую систему, чтобы противостоять «болезням цивилизации». Во всяком случае, сердце тренируется при любой физкультуре, и об этом никогда нельзя забывать.

Несколько практических советов.
Прежде всего — нужен ли врач?

Обычно авторы популярных брошюр о физкультуре говорят, что нужен. Я такого совета давать не буду. Потому что нет практической возможности попасть к врачу, понимающему физкультуру.

Единственный орган, который действительно подвергается опасности при физических нагрузках у детренированного человека,— сердце. Однако при соблюдении самых элементарных правил и эта опасность минимальна, если человек не страдает заболеваниями сердечно-сосудистой системы.

Обязательно нужна консультация врача людям с пороками сердца или перенесшим инфаркты. Гипертоникам со стойко высоким давлением (выше 180/100). Людям со стенокардией, требующей постоянного лечения. Вот, пожалуй, и все.

Главное выражение осторожности — в постепенности прибавления нагрузок. Ни в коем случае не спешите скорее стать здоровым!

Исходная тренированность определяется по уровню работоспособности сердечно-сосудистой и дыхательной систем.

Прежде всего нужно знать свой пульс в покое. По пульсу в положении сидя уже можно приблизительно оценить состояние сердца. Если у мужчины он реже 50 — отлично, реже 65 — хорошо, 65—75 — посредственно, выше 75 — плохо. У женщин и юношей примерно на 5 ударов чаще.

Но это еще не все. Надо оценить работу сердца при относительно небольшой нагрузке. Для этого можно небыстро подняться на четвертый этаж и сосчитать пульс. Если он ниже 100 — отлично, ниже 120 — хорошо, ниже 140 — посредственно. Выше 140 — плохо. Если плохо, то никаких дальнейших испытаний проводить нельзя и нужно начинать тренировку с нуля.

Следующая ступень испытания сердца — подъем на 6-й этаж, но уже за определенное время. Сначала за 2 минуты — это как раз нормальный шаг. И снова подсчитать пульс. Тем, у кого частота пульса выше 140, больше пробовать нельзя: нужно тренироваться.

Тесты, о которых пойдет речь далее, предусматривают расчет потребления кислорода в кубических сантиметрах за 1 минуту на 1 килограмм веса тела или работу в килограммометрах в минуту на килограмм веса тела за 4 минуты максимальной нагрузки. Соотношение между кубическими сантиметрами потребляемого кислорода и килограммометрами такое: 1 кгм — 2,33 см^{3}О$_2$.

Строго научное определение максимальной работы или потребления кислорода проводится в специальных лабораториях на велоэргометре, который представляет собой велосипед, закрепленный на станине, с тормозом, позволяющим создавать сопротивление. Одновременно электрокардиограф постоянно регистрирует ЭКГ испытуемого. Есть и указатель частоты пульса. Можно прямо определять потребление кислорода, если дышать в газоанализатор, но это довольно тяжело, нужно привыкнуть. Поэтому чаще всего потребление кислорода высчитывается по эквивалентам работы, а мощность выражается в ваттах.

Мне кажется, что самый простой и безопасный способ определения максимальной нагрузки — с использованием лестницы. Спуск учитывается за 30 процентов подъема, так что три этажа со спуском нужно считать за четыре. Суть исследования состоит в том, чтобы «работать» 4 минуты, поднимаясь и снова спускаясь, потом остановиться и сосчитать пульс. Разница в том, сколько этажей вы прошли за эти 4 минуты: 5 или, например, 20. Высоту этажа можно принять в среднем за 3,5 метра. Расчет килограммометров в минуту после этого не представляет труда.

Это примерно соответствует 100 ваттам мощности.

Начинать нужно с медленного темпа — приблизительно 60 ступенек за минуту. За 4 минуты поднимитесь и спуститесь приблизительно на 9 этажей. Если частота пульса достигнет 150 ударов в минуту, то это и есть ваш предел — 10,7 кгм/мин, или 25 см^3/мин/кг.

Существует много всевозможных проб для определения тренированности сердца. Они отличаются не только величиной нагрузки, но и длительностью, поэтому трудно сравнимы. Вот две простые пробы, приведенные в брошюре Е. Янкелевича «Берегите сердце».

Проба с приседаниями. Встаньте в основную стойку, поставив ноги вместе (сомкнув пятки и разведя носки), сосчитайте пульс. В медленном темпе сделайте 20 приседаний, поднимая руки вперед, сохраняя корпус прямым и широко разводя колени в стороны. Пожилым и слабым людям при приседании можно держаться руками за спинку стула или край стола. После приседаний снова сосчитайте пульс. Превышение числа ударов пульса после нагрузки на 25 процентов и менее считается отличным. От 25 до 50 — хорошим, 50—75 — удовлетворительным и более 75 процентов — плохим. Увеличение количества ударов пульса вдвое и выше указывает на чрезмерную детренированность сердца, его очень высокую возбудимость или заболевание.

Проба с подскоками. Предварительно сосчитав пульс, станьте в основную стойку, руки — на пояс. Мягко на носках в течение 30 секунд сделайте 60 небольших подскоков, подпрыгивая над полом на 5—6 сантиметров. Затем снова сосчитайте пульс. Оценка пробы такая же, как и с приседаниями. Проба с подскоками рекомендуется для молодых людей, работников физического труда и спортсменов.

Осторожный автор, который, правда, имеет дело с сердечными больными, предупреждает, что, перед тем как пробовать, нужно сходить к врачу. Я думаю, что он перестраховался. Правда, я бы сделал одно примечание: людям с больным сердцем нужно сначала попробовать половинную нагрузку — 10 приседаний или 30 подскоков и, если пульс участился не более чем на 50 процентов по сравнению с состоянием покоя, сделать полный тест.

Американец К. Купер, как было сказано выше, создал очень хорошую очковую систему физической тренировки (см. таблицы Купера на стр.125—128). Для контроля тренированности К. Купер разработал и научно обосновал два теста: 12-минутный и полуторамильный. Они не так просты в применении, поэтому предлагаю таблицу физиологических показателей при различной степени тренированности. Исследование проводится с помощью лестницы в течение 4 минут при нагрузках, доводящих частоту пульса до 150 ударов. Таблица составлена по данным Купера для возраста до 30 лет.

Людям до 50 лет нужно стремиться к показателям «хорошо» и «отлично», в возрасте от 50 до 70 — к показателям «хорошо» и «удовлетворительно», однако и «отлично» вполне достижимо. Тем, кто перешагнул 70-летний рубеж, достаточно удовлетворительных показателей, но не стоит отказываться и от оценки «хорошо».

Можно выделить два главных направления в занятиях физкультурой.

Первое и важнейшее — повышение резервов сердечно-сосудистой и дыхательной систем.

Второе — поддержание на определенном уровне функций мышц и суставов.

Значимость их зависит от условий жизни, работы, возраста, устремлений человека, а также от общей тренированности всех «обеспечивающих» органов.

Трениро-ванность	Кол-во этажей за 4 мин	Кгм/мин/кг	Ватт	Макси-мальное потребле-ние кисло-рода см^3/мин/кг
Очень плохая	Меньше 7	Меньше 10	Меньше 150	Меньше 25
Плохая	7	10—14	150	25—33
Удовле-твори-тельная	11	14—18	225	33—42
Хорошая	15	18—21	300	42—50
Отличная	Больше 15	Больше 21	Больше 300	Больше 50

Скромная цель и доступные средства — вот что нужно для начала. Однако и на этом этапе нагрузка не должна быть чересчур легкой. Не верьте, что здоровье можно обрести, сделав 5—10 упражнений по 5—6 движений руками или ногами, что достаточно пройти в день километр за 20 минут. Это практически бесполезно.

Есть некоторый минимум нагрузок. Поэтому первое, что я рекомендую начинающим,— взять таблицы К. Купера и для начала выбрать себе по вкусу шестинедельный подготовительный курс по ходьбе. В парке или в тихом квартале облюбуйте себе дорожку и приблизительно отмерьте на ней 1 или 2 километра, чтобы ориентироваться в определении дистанции для ходьбы или бега. Определите и примерную длину шага — например, по плитам тротуара. Потом это пригодится для изменения маршрутов.

Можно начать с моего комплекса гимнастики или с любого другого. Для сердца не имеет значения, какие именно мышцы работают, для него важна потребность в кислороде, которую предъявляет организм во время нагрузки, и продолжительность упражнений. Вводная тренировка приучает сердце и к тому, и к другому.

При подготовительном шестинедельном курсе не следует допускать, чтобы частота пульса превышала 130 ударов в минуту, особенно если вам уже за сорок. Но не следует и лениться: 100—110 ударов — вполне приемлемо для начала.

Теперь вам предстоит выбрать вид тренировки. Каждый из них имеет свои плюсы и минусы. Чтобы сделать разумный выбор, можно сравнить их между собой по пятибалльной системе (5 баллов — высшая оценка).

Проанализируем таблицу (см. стр. 70).

1. Тренировочный эффект для сердца и легких самый большой — при беге, но и все другие виды тренировки достаточно эффективны, если задать такой темп, который участит пульс до 110—120.

2. Эффект для суставов наибольший при занятиях гимнастикой и играх. Игры еще и совершенствуют нервные механизмы управления движениями — координацию, реакцию. Это немаловажно для некоторых профессий или, например, для автолюбителей.

3. Степень безопасности упражнений определяется равномерностью нагрузки, возможностью точно дозировать ее, отсутствием чрезмерных эмоций, соревновательности и возможностью в любой момент остановиться и даже сесть. Бег на месте в этом отношении предпочтительнее всех других видов тренировки, затем идет гимнастика, потом ходьба. Игры — на последнем месте.

4. Основное время — усредненная продолжительность самой тренировки. Ходьба, конечно, самое длительное занятие, а бег — самое короткое.

5. Дополнительное время — то, которое тратится на сборы, подготовку, на дорогу к месту тренировки. Для домашних упражнений сборы минимальны. Ходьбу можно совмещать с дорогой на работу. Больше всего времени тратится на организацию спортивных игр и на подготовку к плаванию.

6. Внешние условия часто мешают тренировке. Самые «нетребовательные» виды — домашние: гимнастика, бег на месте.

7. Степень интереса тоже влияет на регулярность занятий. Бегать по кругу в сквере очень скучно. Ходить чуточку веселее — можно по сторонам смотреть. Бег на месте тоже очень скучен, но его можно скрасить телевизором или радио. Игры — самая веселая тренировка.

Если подсчитать суммы баллов, то на первые места выходят домашние упражнения — гимнастика и бег на месте. Этого и следовало ожидать — меньше всего затрат времени, никакой зависимости от внешних условий. Включай телевизор — и работай.

Расхождение в сумме баллов не такое уж большое. Это значит, что все виды тренировки вполне полноценны.

Теперь попробую дать более развернутую оценку каждому виду тренировки.

Ходьба. Самая естественная нагрузка. Ее тренировочный эффект определяется расстоянием и учащением пульса.

Чтобы иметь удовлетворительную тренированность, если верить Куперу, нужно ходить не меньше часа и покрывать расстояние почти в 6,5 километра. Надо очень быстро и напряженно идти. Стоит замедлить шаг до 5 километров в час — расстояние увеличится до 10 километров в день. На такие расстояния времени обычно не хватает. Поэтому ходьба как единственный метод тренировки хороша лишь в качестве вводного курса, незаменима для восстановления сил после болезней, вполне пригодна для пенсионеров, у которых много времени.

Итак, получается, что использовать ходьбу для тренировки могут только свободные люди. А все занятые люди должна помнить: не ждать автобуса, чтобы выиграть 10 минут, а идти пешком. Причем ходить нужно всегда быстро, чтобы пульс учащался хотя бы до 100 ударов в минуту. Если за день проходить скорым шагом 4—5 километров, это не даст 30 очков, как рекомендует Купер, но все-таки лучше, чем ничего.

В таблице опущен важный фактор — свежий воздух. Оценить его довольно трудно, но пользу отрицать нельзя. Может быть, все дело в ионах. Профессор А. Чижевский придавал им огромное значение.

Бег по дорожке. Так официально называется этот вид тренировки, хотя горожане часто бегают там, где нет никаких дорожек. Неважно где, важно бегать.

Если сравнить, сколько напечатано о пользе бега, особенно джоггинга, с тем, сколько людей бегает, то КПД получается очень низкий. На одну книжку по одному бегуну не придется. Почему бы?

Да все из-за тех же «тормозящих факторов»: плохая погода, люди смотрят, нет подходящего места для бега, наконец, просто лень. Пожалуй, последнее препятствие — самое решающее. Этого фактора в таблице нет, потому что он влияет на все виды тренировки. Но почему-то на беге лень отражается сильнее, чем на других видах.

Несомненно, бег — «король тренировки». Работает много мышц, дыхание не стеснено, нагрузка ровная, дозировка ее удобная — от самого медленного (5 километров в час) до большого ускорения. Правда, азарт немножко подводит: некое легкомыслие появляется, и скорость можно нарастить больше, чем следует. Для молодых это только хорошо, а пожилые и больные могут и переборщить. Кроме того, суставы, стопы болят часто. Но и это от несоблюдения главного правила любой тренировки — постепенности. Беда в том, что именно при беге это правило легче всего нарушается.

Еще недавно существовала особая мода на медленный бег — джоггинг (от английского глагола «трястись»). Это совсем не значит, что джоггинг всегда лучше быстрого бега. Те, кто уже освоил бег в медленном темпе, кто достаточно здоров, пусть бегают быстро. Чем быстрее, тем выше уровень тренированности, поскольку он достигается мощностью. Есть нормальный бег — не быстрый и не медленный, со скоростью 9—10 километров в час.

Пробегать 2 километра ежедневно за 12 минут — этого для минимума достаточно.

Я считаю лишними всякие разговоры о разминке перед бегом, о специальном питании, о технике — наступать ли на носки или на пятки. Надо просто бегать. Никаких разминок не требуется, никаких дополнительных калорий для занимающегося физкультурой не нужно. Это же не спорт, где накачивают мышцы. Двадцать и даже сорок минут ежедневных занятий — это еще очень и очень далеко от тренировок спортсменов. Тут уместнее думать, как бы сбросить килограммы, а не бояться их потерять.

Дыхание при беге имеет значение, но не очень большое. Не нужно бояться кислородного голодания. Запыхались — придержите темп и восстановите дыхание. Кончилось время или дистанция — пройдитесь немного шагом и дышите как дышится, лучше меньше, чем больше. Излишек углекислоты в крови как раз способствует расширению сосудов, и кислородная задолженность скорее исчезнет.

Хорошо бы приучить себя дышать носом во время бега. Но это совсем непросто и придет только со временем. Дыхание носом хотя и труднее, тренирует диафрагму, приучает дыхательный центр к излишкам углекислоты, а зимой защищает трахею и бронхи от прямого попадания холодного воздуха. Но при быстром беге такого дыхания обычно не хватает.

Гораздо важнее следить за пульсом. Сразу после прекращения бега нужно подсчитать пульс. Не каждый раз, а для пробы, чтобы проверить, как реагирует ваше сердце на заданный темп бега. Не следует допускать, чтобы частота пульса превышала 140 ударов в минуту. По крайней мере людям, которым уже за сорок. При неполноценном сердце достаточно и 120—130 и даже 100 ударов.

Вопрос обуви потерял актуальность после распространения кроссовок. Одеваться лучше как можно легче: быстрее будете двигаться. Бегать можно в любую погоду. За 10—20 минут на бегу не простудишься. Но незакаленному лучше оберегаться.

Сколько раз в неделю бегать? Я бегаю каждый день, Купер рекомендует разные режимы — от трех до пяти раз в неделю, но не реже. Важно набрать заданное число очков.

Излишний педантизм, мне кажется, ни к чему, но только при одном условии: если бег по дорожке из-за плохой погоды не состоялся, его необходимо заменить другой полноценной нагрузкой дома.

Бег на месте. Это был бы вполне подходящий заменитель бега по дорожке, если бы нагрузка лучше дозировалась. Подскоки часто незаметно становятся облегченными: достаточно поднять стопу на 15 сантиметров вместо 20 — и треть нагрузки пропала.

Наилучший метод контроля — частота пульса. Самое простое правило: она должна удваиваться по сравнению с состоянием покоя. Нет необходимости, чтобы она превышала 140 ударов в минуту, да этого и нелегко достигнуть. Но пульс менее 120 ударов в минуту свидетельствует о том, что бег на месте неполноценный и нужно прибавить темп.

Можно научиться примерно определять частоту пульса по степени одышки.

Гимнастика. Я рекомендую вольные упражнения, однако если есть где повесить турник, это совсем неплохо. Гантели тоже хороши — они позволяют повысить мощность упражнений. А именно мощности как раз и недостает в гимнастике для общей тренировки. Зато она имеет другие преимущества: разрабатывает суставы, укрепляет связки и мышцы. Если правильно выбрать комплекс движений, то можно поддерживать подвижность суставов в любом возрасте.

Комплексов упражнений — миллион. Можно найти сложнейшие — по 40–50 видов упражнений. Для первой недели — одни, для второй — другие и так без конца. Специалисты доказывают, что каждой мышце нужно свое движение.

Но мне кажется, что не требуются сложные комплексы для гигиенической гимнастики. Нагибайтесь или приседайте и думайте в это время о чем-нибудь или слушайте последние известия. Гораздо важнее другое: многократные повторения движений максимального объема.

Подход к упражнениям должен быть разным — в зависимости от состояния суставов и возраста. Можно выделить три состояния суставов.

Первое: суставы в полном порядке, и гимнастика нужна для чистой профилактики.

Второе состояние наступает годам к сорока (иногда немного раньше или немного позже). В суставах уже есть отложения, и они дают о себе знать: периодически появляются боли, объем движений становится ограниченным. Спустя недолгое время, с лечением или без него, боли проходят, и человек может забыть о больном суставе даже на несколько лет. Особенно это характерно для позвоночника: так называемые радикулиты, «дискозы», ишиалгии. Не в названиях дело: болит спина, мешает согнуться, повернуться, вздохнуть — в разной степени, вплоть до полной неподвижности. Иногда «вступает» в шею, иногда дышать больно. Все это проявления болезни позвоночника на разных уровнях.

Третье состояние — совсем плохое. Суставы болят часто, почти постоянно, мешают жить и работать. При рентгеновском исследовании в них находят изменения.

По собственному опыту знаю, что единственное надежное средство профилактики возрастных поражений суставов — упражнения. Сдержанное отношение врачей к этому методу объясняется, на мой взгляд, просто: обычная лечебная гимнастика не дает необходимых нагрузок и поэтому недейственна. 10–20 движений — это ничтожно мало, а в большинстве комплексов приводятся именно такие цифры.

Гимнастика для здоровья — это тренировка суставов и в меньшей степени мышц. Тем не менее можно усилить ее общеукрепляющее действие с помощью гантелей, и тогда нагрузка окажется достаточной.

Интенсивность упражнений для суставов должна определяться их состоянием. Мне кажется, что для чистой профилактики, то есть пока суставы не болят (в возрасте до 30 лет), достаточно делать по 20 движений в каждом упражнении. При втором состоянии, когда уже появляются боли (в возрасте за 40), нужно гораздо больше движений — от 50 до 100. Наконец, при явных поражениях суставов (а если болит один, то на очереди другие) требуется много движений: по 200–300 на тот сустав, который уже болит, и по 100 — на все остальные.

Наверняка врачи скажут: слишком много. Но разрешите спросить, сколько движений в суставах совершает за день обезьяна? А сколько раз сгибает позвоночник человек? Прикиньте: раз 10–20 в день, не больше. Не нужно бояться этих сотен движений, они далеко не компенсируют ущерб природе суставов, нанесенный цивилизацией.

Для развития мышц нужны не только движения, но и сила. От быстрых движений с небольшой нагрузкой мышцы тренируются на выносливость, но их объем возрастает незначительно.

Нет нужды придумывать сложные упражнения и менять их часто. Для упрощения дела важно, чтобы они запомнились до автоматизма, чтобы можно было делать их быстро, не задумываясь. Свой комплекс я сформировал 40 лет назад, и он мало изменился.

Вот **мой комплекс упражнений**, к которому я ежедневно добавляю другие нагрузки (в основном бег).

1. Наклоны вперед, пальцы (а лучше — вся ладонь) касаются пола. Голова наклоняется вперед—назад вместе с туловищем.

2. Наклоны в стороны, ладони скользят вдоль туловища: одна — вниз до колена и ниже, другая — вверх до подмышки. Голова наклоняется влево—вправо вместе с туловищем.

3. Поднимание рук с забрасыванием их за спину. Ладони касаются противоположных лопаток. Наклоны головой вперед—назад.

4. Вращение туловищем с максимальным объемом движений. Пальцы сцеплены на высоте груди, руки двигаются вместе с туловищем, усиливая вращения. Голова тоже поворачивается в стороны в такт общему движению.

5. Поочередное максимальное подтягивание ног, согнутых в колене, к животу, в положении стоя.

6. Сидя на табурете, максимальные наклоны назад — вперед. Стопы закреплены. Наклоны головой вперед — назад.

7. Приседания, держась руками за спинку стула.

8. Отжимания от дивана.

9. Подскоки на одной ноге.

Каждое упражнение я делаю в максимально быстром темпе по сто раз. Весь комплекс занимает 25 минут.

На страницах 125—128 я привожу упрощенные таблицы Купера. Главное упрощение: в них начисто отброшены возрастные особенности. Для всех здоровых людей моложе пятидесяти эти таблицы годятся. Всем новичкам необходим подготовительный курс, во время которого тренируются не только сердце, но и суставы и

мышцы. Если им пренебречь, можно получить растяжения, боли, и упражнения отложатся надолго, если не насовсем.

30 очков Купера — это минимальная нагрузка. Если добывать их ходьбой, то требуется до часу времени в день, а если бегать по улице, и быстро, то всего минут 15. Бег на месте займет минут 20 (зависит от темпа). Пульс должен учащаться при быстром беге до 120—130 ударов в минуту, не меньше. Быстрый бег для пожилых людей тяжеловат и небезопасен хотя бы из-за возможности падений. Им лучше не спешить, бегать трусцой со скоростью 6—7 километров в час минут 25—30 (частота пульса — 110). Дома на месте и пожилые люди могут бегать в хорошем темпе.

Гимнастика, которую делаю я, за 25 минут тоже дает приблизительно 30 очков. Не всем требуется столько движений, можно сокращать их число, но меньше чем по 20 делать бесполезно — не будет эффекта. Сокращая комплекс гимнастики наполовину, нужно добавлять бег на месте в течение 10 минут. Если же выполнять его в полном объеме, то желательно добавлять по крайней мере 5 минут бега на месте в максимальном темпе — для гарантии общетренировочного эффекта. Или — бегать по дорожке.

Втягиваться в гимнастику нужно так же постепенно, как и в любые другие виды тренировок. Начинать с 10 движений и потом прибавлять по 10 каждую неделю.

Если бег на месте рассматривается как дополнительная нагрузка, то начинать нужно с 1 минуты и прибавлять по минуте в неделю — до 5 или 10 минут.

Вообще эта возня с минутами и расстояниями в метрах кажется мне чересчур скрупулезной и педантичной. Думаю, что практически никто не будет строго придерживаться приведенных цифр, они нужны лишь для ориентировки, чтобы ощутить постепенность наращивания нагрузки и наметить ее рубеж.

Как уже говорилось, ни одна хроническая болезнь, кроме серьезных заболеваний сердца, не служит запретом для физкультуры, нужно только соблюдать осторожность и постепенность. Для большинства сердечных больных физкультура тоже совершенно необходима — но, конечно, при консультациях с врачом. Самое безопасное для них из упражнений аэробики — это ходьба. Купер дает специальное расписание такой тренировки на 32 недели.

Мы для своих оперированных больных тоже применяем этот цикл. Перенесшим болезни сначала нужно ходить, потом перемежать шаг легкими пробежками, потом удлинять их и сокращать ходьбу. Нужно тщательно следить за частотой пульса: начинать со 100 и не допускать выше 120 ударов в минуту.

Проверку уровня тренированности целесообразно проводить только после окончания предварительного шестинедельного курса. Если тренируетесь после болезни, то лучше вообще не делать этого. Можете понаблюдать за собой, когда поднимаетесь по лестнице.

Купер пишет, что на лестнице можно набрать сколько угодно очков, совершая подъемы и спуски. Но нагрузки, которые он приводит в таблице, серьезные: чтобы набрать дневную норму в 4,7 очка, нужно отсчитать за 6 минут 600 ступенек! Если минут десять в день ходить по этажам, перешагивая через две ступеньки, то это принесет вполне достаточный тренировочный эффект — после этого можно и альпинизмом заниматься.

Человеку, который заботится о своей тренированности, лифтом вообще пользоваться не следует, так же как и транспортом, если дорога занимает не более 15 минут пешком.

ЧЕМ ЗАНИМАЕТСЯ ХИРУРГИЯ?

Существует немало предрассудков по поводу хирургического вмешательства в организм. А ведь иногда это бывает жизненно необходимо. Конечно, чтобы решиться на операцию, нужно верить хирургу. Не могу взять на себя ответственность за всех, но все-таки уверен: уважения к жизни у хирургов больше, чем у других смертных. Уж очень часто держат они эти жизни в руках — в буквальном смысле слова.

Операций производится множество, диапазон их сложности огромен: от аппендэктомии до пересадок целых комплексов органов. Например, описаны случаи, когда одновременно пересаживали сердце, легкие, печень. Такая операция может длиться до 18 часов.

Хотя методики типичных операций разработаны хорошо, все равно остается много места для мастерства хирурга, потому что нет двух одинаковых «анатомий» даже здоровых органов, не говоря уже о больных. Но успех операции зависит не только от искусства хирурга, но и от анестезиолога и от того, как проходит восстановительный период.

Не столь давно, еще лет тридцать назад, все обеспечение безопасности операции сводилось к местному обезболиванию. И обычно его делал сам оперирующий врач. Это был наш, советский, «вклад» в хирургию. От бедности — не было наркозных аппаратов.

Однажды, сорок пять лет назад, я удалял легкое под местной анестезией в присутствии гостя из Англии, профессора-анестезиолога Мэкинтоша. Он не верил, что это возможно. Молодая женщина не проронила ни слова, операция прошла успешно. Мэкинтош был поражен. Он сказал: «Ей нужно дать звезду героя». Четыре раза мне самому пришлось перенести небольшую операцию, масштаба аппендэктомии, и я выбрал местную анестезию. Ох, уж натерпелся!

Эфирный, а затем и хлороформенный наркоз был впервые применен в 40-х годах XIX века. Когда в 1955-м мы получили простенькие наркозные аппараты того самого Мэкинтоша, стали применять эфир. Только в 60-е годы перешли на наркоз с использованием современной техники.

Сейчас для больших операций применяют целую серию процедур, обеспечивающих их безопасность. Проводит их специалист-анестезиолог.

1. Дыхание осуществляется аппаратом через трубку, введенную в трахею,— интубационный наркоз. Собственное автоматическое дыхание прекращается лекарствами, полностью парализующими все мышцы тела. Для введения трубки (интубации трахеи) применяется

кратковременный вводный наркоз. Он продолжается в течение всей операции.

2. Искусственное регулирование жизненных функций: дыхания, сердца, сосудов, почек, не говоря уж о выключении сознания, в чем всегда и была суть наркоза. Для этого ставятся несколько капельниц, чтобы через них вводить в вену различные лекарства.

3. «Мониторинг», то есть постоянное наблюдение за всеми регулируемыми функциями. На экране высвечиваются цифры артериального и венозного давления, данные ЭКГ. Периодически берется кровь для анализов на содержание кислорода и углекислоты, гемоглобина и некоторых других веществ. В мочевой пузырь вводится катетер, чтобы измерять выделение мочи. Всю отсасываемую из раны кровь собирают, чтобы определить кровопотерю, а иногда и использовать для ее восполнения. Глубину наркоза оценивают по состоянию зрачков. Измеряют температуру. Все записывают по минутам.

4. В зависимости от этой информации дыхательным аппаратом устанавливается частота и глубина дыхания («искусственная вентиляция легких» — ИВЛ). Кровообращение регулируется через наполнение сосудистого русла (создается венозный «подпор») и усиление сердечных сокращений лекарствами.

Разумеется, объем исследований и регулирования меняется в зависимости от сложности операции и состояния больного. При коротких и несложных операциях отказываются от ИВЛ, больной спит от внутривенного наркоза, достаточно одной венозной капельницы, кислород подается через маску, давление измеряется обычным аппаратом.

Накануне операции делают клизму, а за час до ее начала больному вводят лекарства, угнетающие психику, чтобы подавить страх. Это очень важно, поскольку страх сопровождается выработкой адреналина, а он нарушает все регулирование.

Самые сложные операции делают с аппаратом искусственного кровообращения — АИКом. По-другому он называется «сердце—легкие».

Первый такой аппарат для нашего института я сконструировал в 1958 году, сделали его на заводе два инженера и врач всего за 10 тысяч «старых» рублей. (Сколько это по нынешним ценам, определить не могу, но думаю, немного. До перестройки это была всего тысяча рублей.) Потом выпустили еще два аппарата, усовершенствованных, пока не приобрели импортный — в 1976 году.

Термин «реанимация» появился лет двадцать назад, но теперь его знает даже школьник. Буквально он означает «оживление», а фактически так называют отделение для самых тяжелых больных, жизни которых угрожает опасность. В хирургии это, кроме того, палата для послеоперационных больных. Мероприятия по оживлению начали проводить тридцать лет назад, когда научились наружному массажу сердца и дефибрилляции.

Из операционной больного везут на искусственном дыхании, с переносным баллончиком кислорода и капельницами. В реанимации восстанавливают всю систему слежения, которая была в операционной: ИВЛ, монитор, капельницы, измерения, анализы, лекарства. Разве что показатели измеряют реже.

Больному дают проснуться, потом немного оглушают транквилизаторами, чтобы меньше беспокоила трубка в трахее. Впрочем, после не слишком сложных операций ее удаляют через несколько часов, когда совсем прояснится сознание. У сложных больных искусственная вентиляция легких продолжается часов 6—8, а иногда даже дни и недели. То же относится и к тяжелым терапевтическим больным с ОНК, комой, а также с тяжелыми травмами или с отравлениями.

Лечение в реанимации направлено на нормализацию важнейших жизненных функций: сознания, дыхания, кровообращения, мочевыделения. Здесь должны работать высококвалифицированные медсестры, от их умения, знаний и дисциплины очень многое зависит. В обычную палату из реанимации переводят, когда состояние больного стабилизируется и уже нет необходимости в интенсивном лечении и капельнице.

В заключение к этому разделу остановлюсь на так называемых «эндоскопических» операциях. Как говорят, «без ножа». Они все шире внедряются в различные области хирургии.

Суть в следующем. Дается наркоз. В полость живота или груди через прокол вводится воздух — чтобы создать объем, пространство. Затем через два маленьких разреза (2–3 см) проводятся два инструмента, две «трубы». В одной представлены осветитель и оптика для восприятия картины и передачи на телевизор. Во второй — манипулятор с набором массы очень миниатюрных инструментов — ножичков, ножниц, щипчиков для наложения скобочек-«клипсов» вместо швов и зажимов. Инструменты очень специализированные под разные операции. Хирург (или помощник) направляет эндоскоп и показывает картину на экране телевизора. Через другую трубку производятся сами хирургические манипуляции: разрезы, пережимание кровоточащих сосудов (или их электрокоагуляция), выделение и удаление органа, сшивание дефекта тканей. Разумеется, эти процедуры требуют большого искусства и очень разнообразны, в зависимости от специфики операции. Преимуществом является малая травматичность, поскольку отсутствует разрез стенки груди или живота. Поэтому многие больные выписываются домой уже через 2–3 дня.

Есть несколько догм, внушенных больным всей корпорацией медиков.

Первое: каждой боли или неприятному ощущению в любом месте тела обязательно соответствует болезнь. Одна клеточка, но поражена. Ее нужно найти и лечить. Иначе будет хуже. «Иначе — рак!»

Второе: медицина могущественна. У нее есть много специальных методов, позволяющих найти даже самые малые болезни, воздействовать на любую функцию, исправить ее с помощью лекарств.

Третье: пациенту ничего самому не надо делать. Только глотать таблетки.

И вообще, все люди больны. Если не сейчас, то завтра заболеют. Их нужно регулярно осматривать, проверять каждый орган — нет ли в нем болезни, и если есть хоть маленькая, немедленно лечить. Если еще нет, надо посмотреть через полгода. Где-нибудь что-нибудь появится.

Я преувеличил для остроты, но все примерно так и есть. Главная беда нашей медицины в том, что она нацелена на болезни, а не на здоровье, она переоценила саму себя и совершенно пренебрегла естественными силами сопротивления болезням, которые присущи организму. Если при такой неправильной установке да еще большая мощь пропаганды, то вот и последствия.

Разумеется, нельзя возрастание болезней отнести только за наш, медиков, счет. Вопрос гораздо сложнее. Заболевания связаны с уменьшением количества здоровья в результате сдвигов в материальных и социальных условиях жизни населения. Но и медицина виновата. В своей повседневной практике она исповедует ряд догм, выдавая их за истины.

Первая догма: *«Покой всегда полезен»*. Это медики внушили людям, что любая нагрузка, напряжение сопровождаются тратами основного капитала — здоровья, которое природа отпустила в ограниченном количестве каждому при рождении. Поэтому здоровье нужно беречь путём максимального ограничения нагрузок. Это пришлось очень кстати человеку, потому что одна из его врожденных потребностей — «расслабься, отдыхай!»

Конечно, покой физический и психологический необходим в острой стадии любой болезни, когда функциональные характеристики органов снижены в результате действия болезнетворной причины и даже нормальная нагрузка может вызвать усиление патологических сдвигов. Но как только эта стадия пройдет, защитные и приспособительные механизмы сработают, характеристики исправятся, необходимы нагрузки, потому что нужно восстановить уровень тренированности, уменьшившийся в период покоя.

В прежние времена, когда большинство людей были вынуждены тяжело работать физически, можно было безопасно проповедовать покой. Нужда заставляла вернуться к нагрузкам, как только немного позволит самочувствие. Теперь совсем не так. Поэтому больных психологически нужно настраивать на нагрузки, а не на покой, оставляя его исключение только на острый период болезни. Формулу нужно перевернуть: «Покой всегда вреден». Он назначается по строгим показаниям. Это же касается щажения отдельных органов и функций, поскольку закон тренировки — самый универсальный из всех биологических законов.

Не нужно смешивать физический покой и психологический отдых. Физическая нагрузка полезна всегда, без ограничения времени. Исключение составляют только чрезмерные тренировки спортсменов, добивающихся рекордов, они допустимы лишь на короткие периоды. Наоборот, психологический покой необходим, «систему напряжения» нужно беречь от перетренировки.

Вторая догма: *«Хорошее питание всегда полезно»*. Было полезно почти всегда, когда большинство людей недоедали. Теперь наоборот. «Голод всегда полезен». Миф о вреде чувства голода пущен медициной. Он хорошо привился, поскольку потребность в избыточном питании генетически запрограммирована во всех биологических видах.

Избыточность аппетита — один из приспособительных механизмов, защищающих вид от нерегулярности и недостатка пищи в природе. Чувство голода — больше психологическое, чем физиологическое, и ни о каком ущербе организму не сигнализирует. Худые люди с пониженным аппетитом обычно или нездоровы, или ведут неправильный образ жизни с низкими физическими или избыточными психическими нагрузками. Иногда аппетит испорчен неправильным питанием, как это можно видеть у маленьких детей.

Столь же неверным является требование регулярности питания. Это пошло от павловских пищевых рефлексов, от «запального сока», без которого, видите ли, не переварится пища. Разве в природе заложена строгая регулярность приемов пищи? Она и не нужна. «Испортил себе желудок»,— очень любят говорить люди. «Желудок» портится не тем, что пища принималась не по часам, а, как правило, психологическими напряжениями в сочетании с курением, алкоголем, неправильным выбором пищи и избыточной едой. Строгая регулярность приема пищи необходима только больным. Я совсем не призываю питаться как попало, но нет никакого вреда человеку, имеющему лишние килограммы, не поесть до обеда или даже до вечера. При условии, конечно, «не нажимать» чересчур, когда уже добрался до стола.

Третья догма, менее догматичная: *«Боль всегда указывает на болезнь»*. У животного всегда, у человека совсем не обязательно. Во-первых, бывают мнимые боли, прямое следствие напуганного воображения. Во-вторых, бывают проходящие боли, не имеющие никакого значения, и не следует людям их бояться. Больше всего это касается суставов у пожилых людей, в меньшей степени эпизодических болей в животе. Конечно, живот — это серьезно, и если боли регулярные, нужно идти к доктору. Не надо пугаться подобных случайных болей: организм слишком сложен, чтобы его регулирование осуществлялось совершенно безупречно, мелкие «сбои» неизбежны и исправляются самостоятельно, без вмешательства медицины.

Еще одна неправильная установка медицины касается *психотерапии*. «Всегда успокаивай больного. Вселяй ему надежды на исцеление. Внушай веру в могущество медицины». Так примерно это выглядит. Возражать, пожалуй, и не стоит: когда человек страдает, он прежде всего нуждается в утешении и надежде. У каждого есть потребность «прислониться» к сильному, поискать утешения в моменты горя и страданий. Это остается у нас всех со времени младенчества. На этом основана потребность верить в Бога, когда земные утешители не могут помочь.

Пока человек сильно болен, страдает — все так. Но вот болезнь отступила, пришло время выздоравливать и тренироваться, а он так разжалобил себя, что остановиться не может. Тут нужно перестать жалеть и формулу изменить: «Врачи вылечили болезнь, но здоровым вы можете стать только собственными усилиями. Перестаньте жаловаться, болезнь прошла, нужно напрягаться!»

Наконец, *отношение к лекарствам*. Врачи просто ослеплены верой в могущество таблеток. Они готовы назначать их по любому поводу. Если уж не к чему придраться, то пейте хотя бы витамины! Я уверен, что две трети лекарств назначаются больным без должных оснований. Они или не оказывают действия, или не нужны. Выздоровление идет своим чередом и только совпадает во времени с проводимым лечением. Но это мое частное мнение. Нет сомнений в том, что лекарства действуют при правильных показаниях в правильных дозах. Но и возможность вреда от них тоже несомненна, хотя бы аллергии. Поэтому нужно стремиться ограничивать прием таблеток и не настраивать на них людей.

Страшитесь попасть в плен к врачам! Я не боюсь это заявить, хотя знаю, что мои коллеги будут кипеть от негодования. Направленность на болезнь, а не на здоровье, догмы, что перечислены выше, полное неверие в защитные силы организма побуждают врача «лечить во что бы то ни стало». Всем своим поведением врач может внушить болезнь. Мнительный человек начинает «прослушивать» всего себя, как локатором, меняет образ жизни, и все это усугубляет вредное действие социальных условий, которые способствуют болезням. Он еще меньше двигается, лучше питается, кутается и в результате слабеет во всех смыслах. Современный человек и без того живет в узких рамках колебаний внешней среды — в смысле холода, питания и нагрузок, а после общения с врачами эти границы еще сужаются. В большинстве случаев медицина не дает ему умереть, но и здоровым не делает.

У нас еще будет разговор о влиянии условий современной жизни на здоровье. Сейчас говорим о медицине.

Выиграла ли медицина битву за здоровье и свободу от болезней? Или она ее проиграла? И есть ли вообще надежды?

Что нас ожидает в будущем?

Мы вступаем в химический и кибернетический век медицины. Что это значит?

Традиционная физиология в сочетании с новейшей электроникой дадут возможность получить массу информации о состоянии организма. Средства связи позволят ее передать. Компьютеры — обрабатывать и хранить. Скоро все мы начнем носить в карманах маленькие машинки, от которых провода пойдут к разным частям нашего тела и будут воспринимать всякие показатели — по дыханию, по кровообращению, по нервной активности и еще много других. Некоторые показатели будут тут же обрабатываться, другие передаваться в центры и там сверяться с прежними данными и подвергаться сложной обработке. Будем получать советы: «Успокойся», «Замедли шаг», «Прими таблетку № 32» или даже «Ложись!» И машинка сама «скорую помощь» вызовет. Это будет называться «профилактика».

Лечиться будем по таким же принципам, только в больнице. Датчиков будет больше и ассортимент таблеток шире. Еще будут подключены всякие аппараты, готовые заменить органы на время, а может, и навсегда, до смерти. Не думаю, чтобы смерти пришлось ожидать очень долго, но есть надежда, что она станет спокойнее.

Химия даст колоссальное число лекарств — регуляторов всех известных функций, самых разных клеток. Доктор их не запомнит — все равно безнадежно, это будет делать за него ЭВМ. И вообще, живой доктор станет придатком при компьютере: его голова явно не в состоянии совладать со сложностью человеческого организма. Конечно, и машина долго еще не совладает, но сведений может запомнить много и будет направлять доктора.

Это не фантазия, можете поверить моим сорокалетним связям с кибернетикой.

Стоить все это будет страшно дорого, так как потребует массу техники и химии. Так что безработица промышленности не угрожает: чтобы обслужить одну только будущую медицину, потребуется занять четверть всех заводов.

Таким путем медицина рассчитывает удержать человечество от вымирания. При этом ссылаются на «несовершенство человеческого организма».

В высокоразвитом технологическом обществе физическое «сопротивление труду» падает, а психологическое возрастает. Если человек сильного типа работает много и тяжело, то он тренирует свою волю, но, увы, не тренирует тело. Создается самое вредное положение: высокое психологическое напряжение без физической разрядки. Следствие — физическое ослабление при перетренировке «системы напряжения». У слабых при этом еще и низкий УДК из-за состояния тревоги и страха «не успеть» за сильными.

Высокая производительность труда и новые технологии сделали возможным обеспечить всех неограниченным количеством пищи. В этих условиях быстро тренируется аппетит, наступает адаптация к «обычной» пище и требуется все более вкусная. Естественно, что таковой является мясная, жирная и сладкая и обязательно в излишних количествах.

Имеем все, что нужно для болезней: переедание, физическое ослабление, чрезмерное напряжение психики и изоляцию от действия погоды.

Технический и социальный прогресс входят в противоречие с биологической природой человека. Даже если не учитывать нарушение экологии.

Что тут сделаешь в этих условиях? И при чем тут медицина?

Невозможно отменить технический прогресс, порожденное им изобилие продуктов питания и изменение характера труда.

Тем не менее, социальная система может значительно снизить психологические напряжения труда и образа жизни за счет уменьшения социального неравенства и гарантированных прав на труд, жилище, пенсию и охрану здоровья. Но одного этого недостаточно для того, чтобы сделать людей здоровыми. Природа человека остается: он будет много есть, станет избегать физических усилий, бояться боли и ссориться с женой — при любой социальной системе.

Никакое государство не будет настолько регламентировать поведение граждан в отношении своего здоровья, чтобы ограничить питание, заставить заниматься физкультурой или овладеть аутотренингом и методами медитации. Поэтому единственная надежда — убеждать людей в необходимости воздержания и нагрузок.

Я понимаю, что эти мои бодренькие фразы о прогрессе и изобилии у постсоветского человека вызовут раздражение: «Что он говорит! Где это изобилие! В супермаркетах?» Все знаю сам,

но надеюсь на улучшение, хотя и не скоро. «Средний класс» появляется и у нас, а именно он главный потребитель медицины при капитализме.

Каждому ясно, что шансов на успех призывов к рациональному поведению мало. Но кое-что можно сделать. Человек воспитуем, хотя и с большими сложностями.

Воспитывать у людей правильную позицию в отношении своего здоровья может только медицина. Природа ничего не подсказывает человеку, наоборот, она противоречит условиям современного общества. Поэтому обратимся снова к медицине: что она не может и что может, и каким образом. Успешное излечение болезней еще не доказывает могущества медицины, просто потому, что в большинстве случаев организм сам справляется с опасностью, а лечение лишь совпадает во времени с естественным процессом излечения. В других случаях лечебные факторы дают толчок в правильном направлении и действительно помогают выздоровлению, но только при условии, что собственные регуляторы продолжают успешно функционировать. Нужно ясно себе представлять, что лекарство регулирует лишь ничтожную долю всех химических реакций, протекающих одновременно в организме. Все другие управляются собственными регуляторами. Как только болезнь заходит слишком далеко и эти регуляторы сдают, медицина оказывается бессильной.

Основная беда нашей медицины — в переоценке своих возможностей и пренебрежении собственными защитными силами организма. При этих условиях, как бы ни возрастала мощь медицины, пока она не изменит своего подхода к здоровью, болезни будут обгонять рост числа врачей и больничных коек.

Беда в том, что врачи сами не знают, как научить людей быть здоровыми или помогать природе в ликвидации уже возникшего заболевания. Нет науки о здоровье.

Нужен количественный подход ко всем функциям клетки органа, организма. Нужны цифровые и графические «характеристики»: «входы»-«выходы», без которых нет настоящей оценки деятельности. (Лучше я остановлюсь — это мечты технократа. Будем реалистами: до этих характеристик — как до неба!)

Важнейшую роль, я уверен, играет тренировка функций на уровне клетки, органа, организма, отражение тренированности на «характеристике», условия нормального, форсированного и патологического режимов жизнедеятельности.

Вообще термин «патология клетки» очень неясен. Клетка представляется некой «химической фабрикой», в которой трудно представить себе качественные отклонения, если подходить не с философской, а с конкретно-химической позиции. Можно предположить большое значение лишь ослабления функций в развитии патологических процессов. Это почти не нашло отражения в науке.

Очень важно изучить в эксперименте влияние факторов внешней среды на жизнедеятельность целого организма: физических нагрузок, психических стрессов, ограничений питания в части калорий и белков, при разных порциях биологически активных веществ. А на современном уровне развития промышленности — еще и внешние вредности, экологию.

Следующий этап экспериментов — влияние сочетаний этих факторов. По существу, это экспериментальный подход к теории здоровья. Очень важно исследовать значение «перетренировки регуляторов» в развитии патологических процессов. В этих направлениях можно сделать много интересных исследований, но при обязательном количественном подходе к оценке функций и состояний и исключении субъективности в исследованиях.

Клиническая медицина «делает науку» на больных. Нет, больные не становятся «подопытными кроликами», чего страшно боятся пациенты, просто в процессе диагностики и лечения результаты необходимых для этого исследований документируются, потом изучаются методами статистики, исходя из поставленных задач и выдвинутых гипотез. Советская медицина никогда не допускала даже тени экспериментов на больных. Все исследования делались и делаются только для пользы больного, а использование их результатов для науки всегда рассматривалось как побочная задача.

Понятие «количества здоровья» необходимо внедрить в клинику. Оно имеет прямое отношение к болезням, потому что вероятность их возникновения и тяжесть течения обратно пропорциональны «количеству здоровья» или сумме «резервных мощностей» важнейших органов и систем. Медицина имеет на вооружении методы количественного исследования всех важнейших функций на уровне целого организма, органов и даже клеток. Используют их очень мало — главным образом хирурги, когда встает вопрос, сколько функции останется после удаления парного органа (почка) или уменьшения в результате операционной травмы.

Всем больным, которые обращаются за лечением, нужно проводить простейшие исследования по определению резервов, как теперь всем делают анализ мочи и крови. Это не значит, что всех должны гонять по лестнице или сажать на велосипед. Ориентировочные данные о тренированности сердца дает простое приседание со счетом пульса, а нужда в подробном изучении резервов возникает только при условии их значительного снижения. Исследование «резервных мощностей» позволит накапливать материалы для суждения о значении их в развитии разных заболеваний. Разумеется, методы количественного изучения функций нужно совершенствовать с привлечением современной измерительной техники.

Следует ли дожидаться получения каких-то сверхдостоверных результатов исследований полезности мобилизации собственных защитных сил организма в борьбе с болезнями, прежде чем применять естественные методы лечения? Мне кажется, не следует. За них говорит весь многовековой опыт медицины, забытый последние годы в связи с кажущимися успехами современной химиотерапии. Голод, сыроедение, физические нагрузки, аутотренинг и психорелаксацию (расслабление) следует осторожно применять для лечения некоторых хронических заболеваний и особенно для восстановления здоровья после излечения болезни. При этом желательно использовать весь комплекс мероприятий: физкультуру в сочетании со строгой диетой, закаливанием и тренировкой расслабления. Любое средство в отдельности не будет столь эффективным, как использованные совместно.

Разумеется, нужно тщательно изучать результаты естественной терапии и обязательно сравнивать с контрольными группами больных, леченных только лекарствами.

И, конечно, никаких крайностей! Человек слишком ценен и непонятен, чтобы допускать спешку в заключениях и рискованную увлеченность первыми впечатлениями. Поэтому я не призываю заменить всякие лекарства голодом и бегом. Вредных лекарств в нашу медицину не допускают. Бесполезных сколько угодно. Это значит, что, применяя естественные способы лечения, нет никаких оснований отказываться от лекарств, они не могут принести вреда.

Нельзя форсировать естественные методы, то есть, если голод, то на 40 дней, а физкультура — так до максимальных нагрузок, сыроедение — так до полного отказа от вареной пищи. Любая функция тренируется постепенно — это закон, и чем постепеннее, тем безопаснее. Важно не останавливать наращивания нагрузок, пока они не доведены до того уровня, который полагается действенным. Например, до уровня хорошей физической тренированности или снижения веса до рассчитанного по формуле «рост (в см) минус 100».

Не следует заблуждаться: методы естественного лечения не получат ни быстрого, ни широкого распространения. Они слишком тяжелы для больного и хлопотны для врача. Где найти силу воли у больных? На ограничения и нагрузки способны только люди с сильным характером, испытавшие горькие разочарования в традиционном лечении. Трудно побудить к лишениям слабого человека, который готов сомневаться во всем, что требует усилий, и приветствует все, что легко и приятно. Для этого нужны большая вера у больного и энергия у лечащего врача. Где их взять? Нет, не будут наши больные голодать и бегать, разве только под страхом смерти. К сожалению, есть болезни, внушающие такой страх. И справедливо. Например, инфаркт. Или удар, кровоизлияние в мозг. Об опухолях не говорю, для них естественные методы лечения еще неприменимы. Хотя повышение уровня естест-

венного иммунитета с помощью сыроедения и физкультуры вполне заслуживает внимания, например, после радикальной операции.

Тяжело для больного лечение естественными средствами, но что ему делать, когда уже все лекарства перепробованы, а толку нет? Нередко больной и врач приходят в отчаяние и готовы на героические меры. Вот тогда и придется вспомнить об этих методах. Но для того, чтобы они были реально применимы, клиническая медицина должна изучать их на больных, которые подходят по своему психическому складу для такого лечения. Уверен, что было бы полезно открыть специальные терапевтические клиники, в которых главным лечением были бы естественные методы, а лекарства рассматривались бы как вспомогательные. Именно такие лечебные учреждения с энтузиастами-врачами могли бы исследовать возможности «новых» методов. Кавычки поставлены потому, что эти методы самые старые.

Тренировки в большей степени — средство для повышения здоровья, чем для лечения болезней. Поэтому главная сфера их применения в лечебной медицине — это так называемая реабилитация.

Реабилитацией называют восстановление здоровья после болезни. Есть более точные определения, но эта книга — не учебник. Человек перенес тяжелую болезнь, угроза для жизни миновала, но он настолько ослаб физически и психически, что, кажется, уже ни на что не годится, кроме как сидеть в сквере. Многие так и остаются — сидеть и играть в домино. Но для большинства жизнь продолжается, и необходимо занять в ней свое место. И прежде всего работать. Человек в обществе должен работать — это не только экономическая необходимость, но и моральная; неработающий не может чувствовать себя полноценным. Если он вышел на пенсию по возрасту, то и в этом случае ущербность его не миновала, а когда еще годы не подошли, то и совсем. Особенно мужчины. У женщины есть домашние обязанности, способные ее занять и дать чувство полезности для окружающих, хотя бы это была только семья. Мужчина без занятий противоестествен, а значит, несчастен. Реабилитация призвана восстановить физические и психические силы перенесшего болезнь до контрольного уровня — способности к работе.

Вот здесь уже никак не обойдешься одними лекарствами. Для работы нужны «резервные мощности» в количествах, зависящих от характера труда. Теперь много легких работ, задача реабилитации как будто упростилась. Но нет, это не так. Повышение уровня социального обеспечения уменьшило необходимость в работе, а, следовательно, для людей со слабым характером создало психологическую лазейку оправдать безделье. «Я неполноценный, потому что я перенес тяжелую болезнь. Болезнь от меня не зависит. Следовательно, у меня есть моральное право перед людьми пользоваться благами, которые дает государство». И вот такой слабый человек продолжает болеть. Он не симулирует в буквальном смысле слова, он уверен, что болен и не может работать.

Не думайте, что он счастлив, но он потерял веру в то, что можно жить лучше. Реабилитация такого больного — средство спасения его от самого себя, от своей слабости. Для сильного человека — она программа, как справиться со своей телесной слабостью. Программа совсем не простая, потому что органы не слушаются благих желаний, и если они ослаблены, то от малейшей перегрузки впадают в патологический режим. Тут человек попадает к врачам, и все начинается сначала: щажение, лекарства, дальнейшее ослабление.

Трудно требовать от врача, чтобы он переубедил слабого человека, не хватает для этого сил, врач сдается и санкционирует инвалидность. Нельзя заставить человека тренироваться против его воли. Это плохо, но можно понять. Гораздо хуже, когда у врача нет умения помочь сильному, который хочет работать. Вот тут-то и нужна наука о здоровье и ее методы измерения и тренировки «резервных мощностей». Очень жаль, что такой науки у нас практически нет. Для этого достаточно посмотреть нагрузки, которые назначают людям, перенесшим болезни: они такие низкие, что могут научить лишь передвигаться на своих ногах, но не работать. Реабилитация у нас состоит больше из правил сдерживания, чем тренировки: «Как бы чего не вышло». Да, в этом деле, в тренировке (особенно когда болело сердце), риск неизбежен, и он оправдан. Нужны значительные конечные нагрузки. Подчеркиваю — конечные. Это совсем не означает, что они достигаются быстро. Наоборот, постепенность и постепенность. Она нужна для тренировки здорового, а для больного вдвойне. Это только удлиняет сроки, но не должно снижать конечный результат.

Не буду описывать методику реабилитации. Это все тот же «режим ограничений и нагрузок» с физкультурой, сокращением пищи и ее правильным выбором, закаливание и тренировка психики на снятие напряжения. Физкультура видоизменяется в зависимости от перенесенной болезни, питание — от деятельности желудка и кишечника, закаливание — от исходной склонности к простудам, психотерапия — от состояния и типа психики, от домашних условий. Лекарства не запрещаются, но нужно от них отучать. От врача требуется много хороших качеств, чтобы квалифицированно составить и, главное, реализовать программу реабилитации.

В нашей клинике проводилась работа по реабилитации больных после операций на сердце в научном и практическом планах. Практика — это пока курсы физкультуры и правила питания, а наука — изучение «резервов», а также какую группу инвалидности дают местные комиссии нашим бывшим пациентам. Обнаружилась грустная картина: половина имеющих вторую группу инвалидности по своим физическим данным могли бы работать даже без специальной тренировки. Явно неквалифицированный подход ВТЭК. Комиссии и не могут иначе, у них нет элементарных средств измерения «резервов», да они о них почти ничего и не знают. Страдает не только государство, выплачивающее лишнюю пенсию. Страдают люди, которых мы «не спасли от самих себя».

Все врачи ведут разговоры про медицину, про болезни и лечение. А *здоровье здоровых*? Когда говорят о профилактическом направлении нашей (да и всякой) медицины, то подразумевается именно это. Причем чувствуется количественный подход: «много здоровья у здоровых — будет мало болезней».

У нас любят слово «диспансеризация» как проявление профилактики. В последние годы Советской власти на этот счет были изданы не только приказы Минздрава, но специальные постановления правительства. Дескать, в плановом порядке трудящегося здорового человека посмотрят... Но его посмотрят тоже на предмет болезней. Быстренько перелистают весь организм по органам: «Здесь нет болезни, здесь нет, здесь нет... Придете через год!» Врач ищет у здорового болезнь, а не измеряет количество здоровья и не пытается это количество увеличить. Не отрицаю важности планового поиска возможных болезней: многие начинаются с малого, и их проще лечить, если вовремя заподозришь. Однако эффект диспансеризации будет много больше, если к традиционному осмотру «по болезням» добавить исследование, так сказать, количества здоровья. Для этого как минимум нужно соотнести имеющиеся важнейшие физиологические показатели с теми «должными», которые давно известны науке. Сюда входят показатели веса (с учетом толщины кожной складки), жизненная емкость легких, кровяное давление, частота пульса в покое и при стандартной нагрузке, анализ крови и мочи. Оценки этих показателей нужно вносить не только в диспансерную карту, но и в специальный бланк, выдаваемый на руки. В нем же записывать рекомендации: каких цифр необходимо достигнуть и каким путем. Каждого пациента желательно снабдить краткой инструкцией по занятиям физкультурой и диете с учетом его индивидуальных особенностей. При повторном осмотре в бланк заносятся новые данные, и таким образом можно проследить за их динамикой. В целом «диспансеризация здоровья» займет гораздо меньше врачебного времени, чем осмотр «по болезням», и в то же время она будет значительно эффективнее.

Можно перефразировать фразу о зависимости болезней от здоровья: «Чем больше болезней, тем меньше здоровья». Можно и продолжить: «Чем больше врачей, тем больше болезней». Это тоже отвечает действительности. «Ищи болез-

ни!» — вот девиз нашей медицины. У ненагруженного и немолодого человека всегда можно отыскать отклонения от нормы, и врач считает свою задачу выполненной: болезнь найдена. Теперь лечить питанием, покоем и, конечно, лекарствами. После этого можно ожидать настоящей болезни. Это преувеличение, но не очень большое.

Руководители учреждений здравоохранения нипочем не согласятся, что у них в поликлинике или больнице не проводится профилактика. (Еще бы они согласились! «За что тогда хлеб едите?») Будут говорить, что каждому выздоравливающему или тем, кто пришел на диспансеризацию, даются советы: как питаться, как отдыхать, как работать. Неспециалиста можно провести такими ответами, но не меня.

Врач не может давать таких советов просто потому, что, во-первых, он не исследует больного на предмет количества здоровья, во-вторых, не знает, что советовать. Например, он не знает ничего о физкультуре. Про питание он скажет: «Ешьте молочно-растительную пищу». Может добавить — «протертую». Где же ему посоветовать сырые овощи в большом количестве! Снова: «Не вреди». Это значит, щади любую функцию. Это значит, не нагружай. Следствие — ослабление функции, еще дальше — болезнь. И так во всем.

Чтобы проводить профилактику, нужно переориентировать медицину на здоровье. Нет, конечно, я не призываю забыть о болезнях и перестать их лечить. Но наряду с болезнями необходимо также хорошо знать о здоровье, уметь его проверить и дать квалифицированный совет. Нужна психологическая переориентация врача. Он сам должен поверить в силу защитных механизмов организма, если их надлежащим образом потренировать. «Тренировка функций» — вот лозунг. Если не вместо лекарств, то хотя бы в дополнение к ним.

Все это легко сказать и очень трудно реализовать. Врач загружен болезнями, у него нет времени думать о здоровье. Пусть о нем беспокоится сама природа. Медицина не успевает за ростом болезней. Для профилактической работы нужны средства, а они уходят на лечение.

Болезни растут потому, что нет настоящей заботы о здоровье.

Заколдованный круг. Сразу из него выйти нельзя. Не стоит выдвигать невыполнимые предложения. Но нельзя оставить положение без вмешательства. Самое простое, что может предложить каждый: пропаганда здоровья среди здоровых!

Кажется очень логичным. Никто и не собирается выступать против. Никто не выступит, а надежды на успех при существующем положении никакой. Не снизится заболеваемость и уж тем более смертность.

Почему? Есть два препятствия: психика и врачи.

Предположим на минуту, что медицинская наука уже все знает: сколько нужно движений, сколько и какой есть пищи, сколько напряжения и отдыха. Вред переедания, лишней одежды. Запущено все по телевидению и в газетах.

И ничего не произойдет. Здоровые и молодые вообще пропустят мимо ушей, для них болезни нереальны. Значит, не о чем хлопотать? Есть заботы поважнее. Люди постарше и нездоровые не пропустят такую информацию. Наоборот, тщательно изучат и многие даже попытаются попробовать. Но... большинство — ненадолго. Стойких радетелей здоровья останутся единицы.

Хотите доказательства?

Пропаганда против *курения*. Те же законы и та же причина поражения: опасность нереальна, а курить приятно. Приятно расслабиться и пофорсить. И еще одна фраза, которую можно часто слышать: «Врачи тоже курят». Представьте на минуту, что все медики перестали курить, как бы повысился эффект пропаганды. По крайней мере, среди немолодых и нездоровых, то есть тех, для кого опасность курения ощутима и кто сталкивается с врачами. Пример США показал, каких успехов можно достигнуть в борьбе с курением, если за это возьмется все общество. Впрочем, должен признать, что курящих врачей становится все меньше.

Что там курение — на первый план выходит *наркомания* среди молодежи. Именно она, в сочетании со СПИДом угрожает будущему

народа. Особенно сейчас, когда страны СНГ переживают тяжелый экономический и моральный кризис. Новые (демократические?) власти не могут обеспечить борьбы с наркодельцами полицейскими мерами. Ликвидация пионерии и комсомола с их идеологией коллективизма исключила общественное воспитание. Разрушению морали способствует проповедь приоритета личности над коллективом, над государством — основа «открытого общества» западного типа. Если народ не верит в Бога (а наш пока не верит, даже если крестится), то эта идеология прямо ведет к вседозволенности. К ликвидации всяких моральных тормозов. К преступности. Из четырех «сдержек»: власть, идеология (общество), школа и семья — остались только две последние. Это явно недостаточно, если учесть кризис школы и биологический негативизм подростков в отношении взрослых, включая и родителей. Медицина в этой связке играет второстепенную роль: «тушить социальный пожар» врачи не в состоянии.

Такой же проблемой является *алкоголизм* — только им поражены больше взрослые, чем молодежь. Тоже замкнут на психологию, экономику, идеологию, социологию, и так же «самоорганизуется», когда процесс, достигнув определенного уровня, дальше поддерживает себя сам. Медицинскими средствами его не погасить, хотя все заканчивается в нашей больничной сфере.

Пропаганда любых мероприятий, касающихся здоровья и болезней, действенна только при широкой поддержке врачей. К ним обращается за советом и примером напуганный болезнями человек. Поэтому профилактика сдвинется с мертвой точки только в том случае, если врачи всех специальностей будут давать людям правильные советы, как сохранить здоровье. Если люди даже не будут следовать советам, то, по крайней мере, они будут знать, что к ним можно прибегнуть.

Много надежд возлагается на развитие *спорта*. Спора нет — хорошо. Хотя увлекаются им только молодые, и не из соображений здоровья, а потому, что у молодых есть жажда деятельности, и еще престиж и лидерство. Но неважно почему, важен результат. По крайней мере, отдаляет ослабление и болезни. К сожалению, после сорока спортсмены превращаются в болельщиков перед телевизором.

Есть еще возможность повышения уровня здоровья — предписанная регламентированная физкультура. Общество может заставить заниматься упражнениями детей и молодежь, которые еще не вышли из повиновения. Пытаются делать это и на предприятиях. Физические упражнения для детей исключительно важны. Условия полезности — те же самые достаточные нагрузки и длительность. Условия приятности — игры, соревнования, живость. Но не следует пренебрегать и приказом. Контроль эффективности обязателен. К сожалению, он абсолютно отсутствует. Посещает школьник физкультуру, выполняет минимум упражнений — и достаточно. Никто не проверяет его уровень тренировки, даже учителя физкультуры ничего об этом не знают, а должны знать все педагоги.

Как ни смотри, медицине не избежать ответственности за состояние здоровья граждан. Не только лечить болезни, но и учить здоровому образу жизни, используя для этого свои возможности давления на психику. Нет, никто не требует придания врачам административных функций. Нужно переориентировать медицину, изучать здоровье здоровых и обеспечить это соответствующей реорганизацией.

Это совсем не просто. Как уже говорилось, главное препятствие распространению здорового образа жизни — это психика людей, которая сопротивляется ограничениям и нагрузкам, пока нет реальной необходимости.

Появление этой необходимости в руках врачей. Когда человек заболел, он уже созрел для неприятностей, связанных с ограничениями. Он напуган. «Что поделаешь, придется!» — так он рассуждает с сожалением. Поскольку практически все люди появляются к врачу со своими болезнями и довольно рано, врач, если бы он понимал и умел, имел бы возможности очень рано начинать пропаганду здоровья.

Пусть молодой человек, обратившийся с гайморитом или жалобами на сердцебиение, довольно скоро вылечится и пренебрежет советами доктора в части здоровья. Но он их не забудет.

Если спустя какое-то время он придет с другой болезнью к другому врачу и тот повторит то же самое — это будет действовать дольше. Если еще при этом проверят уровень тренированности и покажут неудовлетворительные результаты — это еще убедительнее. Так человек с неизбежностью пойдет к правильному образу жизни. Станет нарушать, отключаться, но прежде всего будет точно знать, что сам виноват в своих болезнях. Сам, а не природа, не снабжение, не бытовые условия и, уж во всяком случае, не врачи, которые обещали вылечить и обманули. Именно этими причинами люди объясняют свои болезни.

Советы врача в поликлинике после нетяжелых заболеваний, после амбулаторного исследования «резервов» — это должно быть самой распространенной формой профилактики, потому что может охватить всех граждан. Теперь лечатся все, от маленьких до стариков. Действенность этого метода зависит от авторитета врача, его усилий и постановки изучения резервов в поликлинике.

Главный путь — это правильно поставленная *реабилитация* после серьезных заболеваний. Тяжелее болезнь — сильнее страх — выше стимул для поддержания режима. Реабилитация обязана научить методам режима и убедить в их эффективности.

Нечего мечтать, что даже идеальное выполнение этой программы сделает всех людей потенциально здоровыми. Тормозы здоровья — лень, аппетит, мода и страх — остаются превыше всего. Даже сильные люди не могут против них устоять и удержаться на строгом режиме, как только уменьшится реальность угрозы болезни. Слабые сдадутся еще быстрее, они просто свыкаются с угрозой болезни и отключаются от нее. Так же, как все люди отключаются от мысли о смерти. Может, это и хорошо.

Для смерти — да, мы не в силах ее избежать, а для болезней — плохо, потому что их можно держать под контролем собственными усилиями. Общество уже обеспечило для этого объективные условия. В самом деле — какие нужны условия, чтобы меньше есть вообще, ограничивать потребление мяса, есть сырые овощи, черный хлеб и молоко? Чтобы делать гимнастику или бегать? Чтобы не курить и не пить?

Реализация перестройки медицины совсем не простое дело.

Главное препятствие — это психологический *консерватизм* всей огромной врачебной корпорации. Врачи тоже люди, и подсознательно они не верят в то, что человек сам виноват в своих болезнях. Они тоже предпочитают лечиться, а не напрягаться, хотя бы для того, чтобы иметь возможность пожаловаться. Кроме того, врачу приятнее выступать в роли спасителя, чем говорить «давай сам!».

Медицинская наука в теоретической и клинической ее частях не готова к принятию «доктрины здоровья». Еще нет убедительных доказательств прочности человека и уверенности, что он может стать здоровым через мобилизацию своих естественных сил. Сделать доказательства доказательными и даже провести исследования в этом направлении мешает все та же психологическая установка врачей — как ученых, так и практиков. Гораздо проще и приятнее традиционное понятие: болезнь — следствие неблагоприятных воздействий извне, лечение — управление функциями с помощью лекарств. Фармацевтика и реклама тоже вносят свою лепту.

Врачи и профессора, которые учат врачей, зачастую просто неквалифицированны в вопросах здоровья. Специалистов практически нет. Для того чтобы их подготовить, нужны время и опять-таки доверие к этому пути, убеждение в его необходимости.

В системе здравоохранения и медицинской науки нет форм организации изучения здоровья в научном и практическом планах. Этим должна заниматься гигиена, но она давно соскользнула на позицию защиты человека от внешних вредностей, а не от самого себя.

Самое главное, что практическая медицина не несет ответственности за уровень здоровья своих пациентов. Я понимаю резкость этого заявления и поэтому должен дать разъяснения. В больницах и поликлиниках лечат болезни честно и квалифицированно. Но именно лечат болезни,

вылечивают болезни. Поэтому в статистических формах фигурируют показатели смертности от болезней по видам лечения, есть даже данные о длительности пребывания в больнице.

Прочно укоренилось понятие: «Если не болен, значит, здоров». Поэтому считается, что все вылеченные от болезней, то есть выписанные из больницы, у которых лечение закончено,— здоровы. А вот насколько они здоровы, этот вопрос медицину официально не волнует. Не умер — и хорошо. Дальнейшее вроде бы частное дело бывшего пациента. Можешь идти работать — иди. Не можешь — продолжай жаловаться, и тебя обязаны обследовать и лечить. Не нашли болезни, а работать не можешь, пошлют на комиссию, действующую от Министерства социального обеспечения (а не от Министерства здравоохранения, заметьте!), врачи комиссии посмотрят и дадут группу инвалидности, если не признают симулянтом. Если признают, можешь жаловаться в большое число инстанций, и в конце концов почти всегда достигаешь желаемого.

В медицинской статистике лечебных учреждений нет сведений о восстановлении трудоспособности — этого самого приблизительного определения восстановления здоровья. Такие сведения, если кто ими заинтересуется, можно получить только в органах соцобеспечения. Обычно больницы ими не интересуются. Не дали человеку помереть, довели до кондиции, что он из больницы ушел, чего еще? Понимаю, что это грубо, не отражает человеческих качеств врачей, они, конечно, интересуются... но частным образом, если они — люди гуманные и неравнодушные. Официально — не обязаны интересоваться.

Элементарная логика народного здравоохранения подсказывает, что лечебное учреждение обязано интересоваться судьбой каждого своего бывшего пациента. Пусть не до смерти, то хотя бы до того, как эта судьба окончательно определится: станет ли человек настоящим инвалидом или вернется на работу. Отсутствие этого положения, на мой взгляд,— большой организационный просчет, практически освобождающий медицину от ответственности за восстановление здоровья. Это допустимо для врачей частной практики: заболел — заплатил — тебя вылечили от болезни, за которую заплачено, а дальше твое личное дело. Такая практика досталась нам от царской России, в первые годы Советской власти с ней приходилось мириться по бедности. А теперь, после перестройки — тем более: финансы больниц оскудели в 2—3 раза. Но не всегда же так будет? Я — надеюсь.

Мир не перевернется: люди останутся такими же любителями полежать и поесть, покурить. Но медицина будет выполнять свою миссию: вовремя предупреждать о реальных опасностях такого благодушия и учить, как их избежать по возможности «малой кровью», то есть сохранить здоровье с минимумом неприятных занятий и ограничений.

Не будучи специалистом-экономистом, трудно давать советы по финансированию, но все же я рискну. Есть возможность подкрепить гуманную ответственность медицины по восстановлению здоровья болевших экономическими подпорками. Сделать это может только страховая медицина.

Итак, реальный путь к повышению здоровья массы людей лежит через совершенствование здравоохранения, через усиление его профилактической роли.

Боюсь, что это мое заявление слишком категорично. А при существующем положении — даже безответственно. Увы!..

ПРЕОДОЛЕНИЕ СТАРОСТИ. ЭКСПЕРИМЕНТ

Осенью 1992 года я перестал оперировать. Не то чтобы возникли физические трудности, просто решил, что нужно кончать. Негоже старику под восемьдесят лет вшивать искусственные клапаны в сердце. Исходы таких операций зависят от коллектива в 10—15 человек, каждый может допустить ошибку, но отвечает всегда хирург. Именно ему вверяют жизнь больные и их родственники, и если мой пациент умрет, всегда могут сказать: «Хирург слишком стар». Я бы тоже так подумал.

Вот так однажды после смерти больного я сказал себе: «Хватит, 53 года оперировал». Еще раньше этого отказался от директорства. Теперь всех дел в институте хватало на один день в неделю.

Жизнь опустела. Прекратились хирургические страсти, переживания за больных, исчезли физические нагрузки четырехчасовых операций. Сильно уменьшилось общение.

Конечно, в резерве у меня остались наука и работа над книгами по информатике, философии, социологии, психологии, но это хорошо лишь в качестве дополнения к хирургии. Не зря мне чуть не каждую ночь снятся операции...

Я ничего не изменил в своем режиме: 30 минут гимнастики — 1000 движений, 2,5 км бега трусцой, ограничения в еде. Мне всегда казалось, что этого достаточно для поддержания здоровья на целую вечность.

И тем не менее... Спустя полгода, весной 1993-го, я почувствовал, что меня настигает старость. Убавились силы, «заржавели» суставы, отяжелело, как будто вдруг устало, тело, стало шатать при ходьбе. Я не испугался, но опечалился. И даже разозлился: нельзя сдаваться без боя!

Попробовал экспериментировать с гормонами — принимал 20 мг преднизолона в день. Как будто прибавилось жизни: тело снова стало легким, суставы подвижными. Но нельзя принимать гормоны долго, пришлось снизить дозу до 5 мг. Эффект исчез. В октябре 1993 года мне поменяли кардиостимулятор. Результат почувствовал сразу: бегать стало легче. Но и только. Старость не исчезла. Явственно обозначился конец жизни, и захотелось определить, сколько осталось и какой.

Прежде всего, я обратился к статистике. Средняя продолжительность предстоящей жизни у нас для 70-летнего составляет 10 лет, для 80-летнего — 6 и для 90-летнего — 2,5 года. Даже столетний может еще прожить около полугода.

Еще цифры: из 100 человек, переживших рубеж 80 лет (как я), до 90 доживают 10, а из сотни 90-летних до 100-летнего возраста добираются шестеро. По переписи 1970 года в СССР людей старше 90 лет насчитывалось 300 тысяч, а старше 100 лет — только 19 тысяч.

Было интересно посмотреть «свою компанию» — членов академий. Оказалось, что 86 человек живут 80 и более лет, 40 дожили до 85 лет и только 8 перешагнули 90-летний рубеж. Столетних не обнаружилось. Таким образом, продолжительность жизни академиков соответствует среднестатистическим пропорциям. Это значит, что в среднем, после 80, я могу прожить около семи лет.

Да и какая это жизнь... Насмотрелся я на академиков за свои 30 лет академического стажа. До 80 они доживают хорошо, теряя, правда, значительную долю физического здоровья, но сохраняя интеллект. В последующие пять лет здоровье сильно ухудшается, хотя инерция ума еще держится. Дальше следует откровенное одряхление.

Обратите внимание, как двигаются люди разного возраста. Маленькие дети летят вприпрыжку, как в невесомости, а старики едва отдирают подошвы от земли, будто несут большую тяжесть. Увы! «Утяжеление» я заметил по себе.

И вот когда пышно отпраздновали мой юбилей, картина предстоящего доживания возникла передо мной во всей красе. Жить осталось 5—7 лет, с болезнями, немощью, да, не дай Бог, еще и в оскудении умом. Нет! Не согласен!

Так начались размышления о старости и поиски подходов к ее преодолению.

СТАРЕНИЕ

По-настоящему механизмы старения не поняты до сих пор. Перечислю главные гипотезы без претензий на полноту и оценки. Тем более, что многие из них уже устарели.

1. Расход энергии: каждому отпущен запас энергии (или пищи), израсходуешь — умрешь. Хочешь долго жить — экономь! Гипотеза чисто умозрительная (но на крысах доказано — если держать впроголодь с рождения, то их жизнь удлиняется аж на 30—40 процентов).

2. Накопление «помех» — нестандартных химических веществ, попадающих извне или образующихся в результате ошибок синтеза. Помехи мешают полезным функциям. Действительно, различные микроскопические включения в клетках во множестве находят под микроскопом у пожилых.

3. Локализация «помех» на молекулярном уровне, в виде изменений в коллоидах, накопления неактивных «сцепленных» молекул, сильных окислителей — «гипероксидантов», «свободных радикалов».

4. Нарушения в иммунной системе: она теряет способность распознавать и уничтожать нестандартные белки, появляющиеся в результате сбоев в их самообновлении.

5. Старение заложено в «регуляторах», прежде всего в эндокринной системе.

6. Гипотеза В. В. Фролькиса: первично поражаются регуляторные гены генома, в результате чего страдает регуляция клеток, а значит, и функции органов. В ответ на это вступают в действие компенсаторные механизмы, направленные на уменьшение патологического эффекта первичных поражений (так называемый «витаукт»).

7. В геноме, регулирующем деятельность клеток, обнаружен «ген старения», действующий через белок-фермент «телемеразу», блокирующий деление клеток и синтез новых белков, необходимых для эффективной жизнедеятельности. С возрастом активность гена падает и обновление клеток и их структур замедляется — организм стареет. Многие клетки отмирают — так называемый «апоптоз».

При чтении литературы по физиологии старения бросается в глаза отсутствие однозначности и последовательности поражения органов. Единственное исключение — закономерное развитие климакса у женщин. Все другие функции в начале старения страдают «выборочно», с большим разбросом степени поражений. По крайней мере, до 70 лет отдельные функции могут сохраняться на уровне 30—40 лет. В то же время другие могут стареть катастрофически быстро. В этом плане меня особенно беспокоит поддержание равновесия при ходьбе: шатает!

Сведения о влиянии тренированности органов на их старение практически отсутствуют.

Тем не менее, совершенно очевидна общая тенденция: постепенное ослабление всех функций и ухудшение реакций на внешние раздражители и регуляторные воздействия.

В 1993 году меня в связи с проблемой старения поразило сообщение о парабиозе, сделанное академиком Г. М. Бутенко.

Суть парабиоза такова. Если у двух специально подобранных мышей сделать разрезы вдоль туловища, отделить лоскуты кожи, а потом сшить мышей за кожные края, то произойдет срастание и мы получим искусственных «сиамских близнецов». У них образуется общее кровообращение, то есть неограниченный обмен кровью с ее белками, гормонами, эритроцитами, лейкоцитами, иммунными телами, всей другой биохимией.

Для изучения механизмов старения молодых мышей сшивали со старыми, а через несколько месяцев вновь разъединяли.

Изучая последствия парабиоза в раздельной жизни, обнаружили поразительный факт: старые мыши не омолаживались, а молодые необратимо старели. Попытки обнаружить такими опытами «агент старения» пока ни к чему не привели.

Мои предположения о механизмах старения основаны на давно предложенной гипотезе генетической запрограммированности старости. Все живые существа функционируют по биологическим программам, которые обеспечиваются запасом некоей (проблематичной!) «энергии активности X», обладающей своим «потенциалом». Его изменения знаменуют этапы программ.

На первом этапе, который начинается сразу после оплодотворения яйцеклетки, в организме имеется избыток энергии: идут интенсивный обмен веществ, рост и специализация тканей. Внешне это выражается в высокой двигательной активности. На этом этапе идет подготовка к размножению. Второй этап — сам период размножения, продолжающийся или по «счетчику» расхода энергии X, или до определенного уровня падения ее потенциала. Третий этап — доживание, то есть расходование остатков энергии, пока потенциал ее не снизится до границы жизнеобеспечения, зависящей от условий существования.

Впрочем, вместо расхода энергии активности X, заложенной в каждой клетке, можно предположить накопление некоторого «тормозного вещества Y», возможно, представленного «геном старения». Правда, одинаково трудно предположить как передачу его от старых мышей молодым при парабиозе, так и необратимую фиксацию его в клетках молодых мышей.

В то же время запрограммированность этапов старения во времени не является жесткой. Похоже, что траты энергии X или накопление вещества Y находятся в зависимости от двух типов обратной связи: во-первых, от стимулирующих воздействий среды и, во-вторых, от связей мышц с регулирующими системами организма. И еще: возможно, что энергия X не только тратится, но и частично восстанавливается, замедляя темп реализации программы старения.

Разумеется, эти рассуждения о мифических «энергетических» агентах звучат не очень убедительно. Но, с другой стороны, наличие в генах самой программы этапов развития кажется вполне логичным. Уж очень закономерен процесс: рост, подготовка к размножению и реализация его. Темпы его в зависимости от внешних условий меняются в сравнительно небольших пределах. Весь процесс можно представить как переключение «по счетчику» регуляторных генов, включающих гены синтеза белков, с помощью которых осуществляется последовательность функций.

Может быть, соседствуют два фактора: первый — сама программа «что после чего» и второй — ее обеспечение этой самой энергией X?

Не ясно, существует ли специальная программа старческих изменений после завершения этапа размножения, или просто происходит деградация организма вследствие ослабления обратных связей. В последнем случае играют роль уже не только уменьшение энергии X или накопление фактора Y, но и внешняя среда и поведение индивида.

ОРГАНИЗМ КАК СИСТЕМА

При описании организма как системы применимо много разных определений. В частности, его можно описывать как иерархическую систему с ограниченной зависимостью «этажных» структур по вертикалям и горизонталям. Система действует отдельными Функциональными Актами (ФА). Они выполняются рабочими органами, управляемыми регуляторами через считывание сигналов с некоторых моделей, представленных в геноме или в структуре нервных сетей. При этом на регулятор действуют обратные связи нескольких видов: от рабочих органов, от объектов воздействия, от «считчика» самой программы.

Функции выражаются в преобразовании структур и сообщении их элементам разных видов энергии; сами структуры все время меняются, приспосабливая программу к внешней среде.

Все это объединяется понятиями «самоорганизация» и «адаптивность». (Впрочем, едва ли эти рассуждения что-нибудь проясняют, разве что подчеркивают участие обратных связей в реализации программы.)

Вершина приспособляемости человека демонстрируется деятельностью коры мозга, способного к творчеству: созданию новых моделей поведения, не заданных в генах.

Любые действия человека в конкретной среде можно представить в виде взаимодействия двух структур: организма (личности) и среды (рис. 6).

Организм тоже состоит из двух структур: *регуляторов* и *рабочих органов*. Регуляторы являются носителями программ — биологических и социальных.

В клетке они представлены генами, в организме — нервной и эндокринной регулирующими системами. Регуляторы превращают программы в потребности, потребности — в чувства, чувства — в желания. Желания формируют не только «мотив», но и «напряжение», выражающее собой силу воздействия на рабочий орган в зависимости от сопротивления среды.

Активность регуляторов закономерно снижается в процессе старения, что выражается в сокращении мотивов и уменьшении напряжений. Однако сами регуляторы, как и рабочие органы, тренируемы, то есть способны к увеличению активности при интенсивной деятельности.

Рабочие органы (вторая структура организма) призваны воплотить программы, то есть мотивы, в функции — внешние, выраженные сокращением мышцы, и внутренние, выраженные деятельностью органов, энергетически обес-

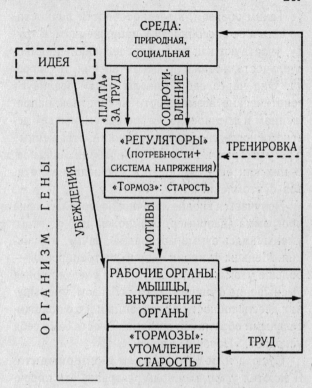

Рис. 6. Система: организм—среда

печивающих мышцы. Интенсивность их работы определяется мотивами, тренированностью и «тормозами». Тренированность является результатом предшествовавшего труда (положительная обратная связь!). Тормозов два — утомление и старение. Утомление возрастает от сопротивления среды и уменьшается от тренированности, а старение определяется генетической программой. Мотивы и тренированность увеличивают труд, тормозы — уменьшают.

Внешний компонент схемы — среда, природная и социальная. Среда задает на личность две «шкалы» — «платы» и «сопротивления».

Возможна целая гамма шкал «труд-плата» — от уравнительной до прогрессивной. Шкалы плат очень важны, поскольку они стимулируют или ослабляют личность, в силу присущего человеку качества напрягаться только за «плату». Этому же служит и второй выход от среды — ее сопротивление труду. Оно стимулирует напряжение, утомление и опять же тренировку.

Таким образом, в дееспособности личности, то есть в ее способности к напряжениям, к труду, участвуют как гены, определяющие индивидуальность, а также процесс старения, так и среда. Она через свои «шкалы плат» реализует генетические возможности личности к напряжениям и тренировке. Старение уменьшает дееспособность, снижает потребности, отраженные в регуляторах, и возможности рабочих органов. В них как бы суммируется уменьшение мотивов с утомлением.

Получается вполне логично: исчерпалась одна программа (например, размножения), от этого уменьшилась сумма мотивов, а значит, и функция. Меньше функция — меньше тренировки — больше утомления. В результате следует новое уменьшение функции. Таким образом, уменьшение дееспособности от старения идет с положительными обратными связями. То есть само себя ускоряет. «Порочный круг».

Отсюда и **родилась идея эксперимента**. Я захотел *усилиями воли* разорвать эти порочные связи: физическими нагрузками повысить тренированность, а падение мотивов от исчерпания потребностей компенсировать мотивами от убеждений, от идеи. Использовать уникальное качество человеческого разума: создать *идею* и так натренировать ее, чтобы она смогла частично заменить биологические потребности, угасающие при старении.

МЕХАНИЗМЫ ТРЕНИРОВКИ

Главным средством эксперимента является тренировка. Она выражается в накоплении «функционального белка», потому что именно в нем сосредоточены функции. Это и миозин в мышцах, и ферменты во всех химических превращениях, это и «кирпичики» в структурах.

Белок постоянно синтезируется и распадается в процессе обмена веществ. Синтез идет в количествах, пропорциональных напряжению функции, отнесенной к единице массы органа. К сожалению, у старых людей скорость синтеза падает. В частности, наблюдается сокращение массы мышц, даже при достаточной тренировке. С другой стороны, каждый вид белка имеет свой период полураспада — от часов до месяцев. Количество распадающихся молекул белка в единицу времени определяется этой величиной и массой белка в органе. Мощные бицепсы спортсмена при прекращении тренировок худеют очень быстро, и нужно много тренироваться, чтобы снова их восстановить. Особенно — у старика.

В то же время величина самой функции определяется не только силой раздражителя, но и количеством уже «наработанного» белка. Если синтез обгоняет распад, масса прибавляется и одновременно растет суммарная функция при одном и том же раздражителе. Разумеется, невозможно до бесконечности увеличивать функцию тренировкой и наращивать массу белка: тренируемость имеет свои пределы. Они различны для разных органов и наверняка уменьшаются с возрастом.

ВАРИАНТЫ СТАРЕНИЯ

Все живые существа живут по биологическим программам. У стадных животных они реализуются в условиях стаи, накладывающей свои ограничения на поведение.

У человека общественный компонент биологических программ, подправленный идеологией, приобрел большой вес, однако все же не такой, чтобы полностью изменить биологию.

Эффективность программ измеряется их результатом: «выжить» — сроком жизни, «размножиться» — потомством. У диких животных эффективность функции прямо зависит от физической дееспособности, то есть тренированности мышц, регуляторов и характера. Главной программой у них природа выбрала размножение, поскольку она определяет будущее вида. На эту программу и отпущена энергия X, которая расходуется в пределах некоторого интервала лет. Она питает потребности и мышцы с учетом условий среды. Конец программы размножения и воспитания детенышей, связанный с уменьшением энергии X, знаменует уменьше-

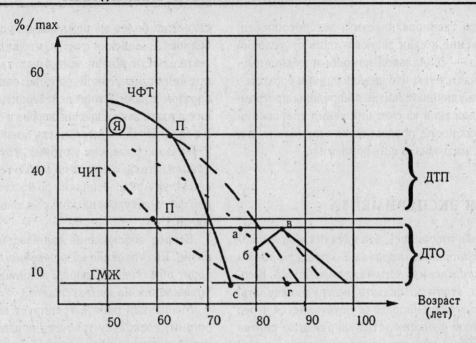

Рис. 7. Возрастная динамика дееспособности при разных вариантах старения

Диапазоны требований уровня дееспособности для выживания: ДТП— требования природы; ДТО — требования общества; ГМЖ — граница минимальной жизни.

ЧФТ — линия снижения дееспособности человека физического труда. Точки П — переход на пенсию. Участок П–с — детренированность и быстрое увядание. Пунктир — возможная динамика при сохранении физических нагрузок. ЧИТ — линия снижения дееспособности человека интеллигентного труда (служащего). Линия Я идет выше ЧИТ за счет нагрузок. Участок а–б — прекращение хирургической работы при ФК. Участок б–г — предполагаемая динамика без эксперимента. Участок б–в — повышение дееспособности в результате эксперимента. Пунктир от точки в — предполагаемая динамика в условиях эксперимента

ние мотивов, а значит, и дееспособности в борьбе за выживание. После этого, в зависимости от «жесткости» требований среды, через короткие сроки животное гибнет: оно выполнило свою задачу. Закономерности вариантов старения представлены на рис. 7.

Примерно до XIX века «животная» кривая старения годилась и для большинства людей, поскольку дееспособность выражалась мышечной работой и ее соответствием требованиям природной среды. Только к заботам, как родить и воспитывать детей, добавлялись престиж, собственность, интерес. В дальнейшем влияние общества изменило «кривую выживания», увеличив вовлеченность индивидов в систему за счет идеологий, создавших «искусственные» мотивы (убеждения), конкурирующие с биологическими потребностями. При этом, с одной стороны, общество освободило старика от тяжелой физической работы, а медицина помогла при болезнях, а с другой — раннее снижение нагрузок (пенсия) привело к ослаблению и быстрому уменьшению дееспособности.

Все эти явления зависят от места человека в обществе и богатства страны. Кривая снижения дееспособности человека физического труда (ЧФТ) в бедных странах приближается к животной с крутым падением, а кривая для граждан богатых стран идет полого, хотя расположена ниже.

На обеих кривых в точке П («пенсия») происходит драматический перелом в мотивах, нагрузках, тренированности и дееспособности. Продолжение жизни зависит лишь от условий общества — социальной помощи и медицины.

Получается так, что цивилизация и богатство общества удлиняют жизнь за пределы программы размножения за счет снижения требований к дееспособности, предоставляя старикам пищу, жилище, медпомощь и информацию.

ИДЕЯ ЭКСПЕРИМЕНТА

Как уже говорилось, эта идея *состоит в попытке разорвать порочный круг старости через упражнения, направляемые волей.* К сожалению, это легко сказать, но трудно сделать. Известно, что тренировка осуществляется через избыточную функцию, стимулирующую синтез белка. Беда в том, что скорость синтеза в старости уменьшается, а скорость распада остается неизменной. Следовательно, старому человеку тренироваться нужно больше, чем молодому, чтобы наработать нужную массу белка.

Другое препятствие состоит в многообразии стареющих функций. Есть функции организма как целого и есть частные функции его отдельных систем, органов, клеток, субклеточных органелл. Невозможно нацелить тренирующие усилия на каждую структуру организма. Выход только один — нужно выбрать и тренировать некую целостную функцию, определенную самой природой. От нее тренировка «спустится» по этажам структур и распределится на частные функции, хотя и в разной степени.

К таким обобщающим функциям относится физическая работа, поддержанная регулированием дыхания, ограничениями питания и закаливанием. Вершиной всего является тренировка психики: самоконтроля, воли, а может быть, и самой идеи.

Науке известны два теоретических обоснования продления жизни через физические нагрузки. Первое сформулировал крупный физиолог Илья Аркадьевич Аршавский. Это «правило скелетных мышц». Согласно ему мышечная работа активизирует все функции организма и

делает их более экономичными, ускоряя синтез белков. Аршавский считал, что видовая продолжительность жизни животных зависит от напряжения мышечной работы, связанной с их образом жизни. Чтобы подтвердить это, он сравнивал пары: заяц и кролик, корова и лошадь, крыса и белка. Продолжительность жизни у первых в 2—3 раза короче, чем у вторых, хотя те и другие приблизительно равны по массе тела. (К слову, сам Илья Аркадьевич жил до 95 лет, хотя активной физкультурой, насколько я знаю, он не занимался.)

Второе обоснование дал академик В. Н. Никитин. Его «правило возбужденного синтеза» говорит об активизирующем влиянии физических упражнений на синтез белков.

Мышечная работа тренирует все «рабочие» органы, поскольку требует производства и доставки энергии для мышц. Получение энергии осуществляется в процессе окисления питательных веществ: углеводов, жиров, белков. Не буду вдаваться в детали, изложу только суть. Энергетические продукты доставляются через кровь, а это означает, что при мышечной работе в несколько раз возрастают кровоток, производительность сердца, его мощность и тренированность. То же касается и сосудов — они тренируются от пульсовой волны, просвет мелких артерий возрастает.

Дыхательная система обеспечивает повышение газообмена, и соответственно упражняются дыхательные мышцы и воздухоносные пути.

Органы пищеварения также активизируются, производя первичную переработку пищи и получая импульсы для движения кишечника от напряжения брюшного пресса. Особенно если физкультура сочетается с правильной, то есть грубой, диетой.

Интенсивность водно-солевого обмена соответствует возрастанию энергообмена. Я уже не говорю о тренировке костно-суставной системы, непосредственно обслуживающей мышцы.

Неясно влияние физических нагрузок на иммунную систему. Во всяком случае, при физической работе быстрее разрушаются гормоны стресса и тем самым уменьшается торможение

Рис. 8. Тысяча движений

стресса на «иммунный ответ», как реакцию на инфекцию. Поэтому чем сильнее психологические стрессы, тем больше нужно физической работы для нейтрализации их вредного влияния на регуляцию внутренних органов.

Тренирующий эффект мышечной работы для нервной и эндокринной систем очевиден: работа побуждает их функционировать с повышенной мощностью. Следовательно, они тренируются.

Только в мышцах и сердце увеличение функции сопровождается заметным возрастанием объема мышечных волокон. В других органах и клетках (например, в нервной системе) макроструктура меняется мало, поскольку их специфическая функция выражается в сигналах, требующих мало энергии. Дело ограничивается возрастанием скорости микроциркуляции внутри и между клеток, а также возрастанием кровоснабжения (рис. 8).

МЕТОДИКА

Омоложение в моем понимании — это повышение дееспособности старика, позволяющее отодвинуть «назад» его биологический возраст.

Какую же физическую нагрузку следует назначать для борьбы со старением или тем более для омоложения?

Легкий физический труд требует расходовать в сутки около 2500 ккал, средний — 3000, очень тяжелый — до 5000 ккал. Энерготраты на так называемый «основной обмен» при полном покое в постели оценивается в зависимости от веса и роста. Для меня это 1500 ккал.

Если предположить, что первобытный человек в эпоху собирательства ходил и бегал по 10—12 часов в сутки, то расход энергии у него составлял примерно 3500 ккал. Наверное, это тот минимум, на который рассчитывала природа, чтобы поддерживать тренированность, достаточную для выполнения программы выживания и размножения. Возможно, почти столько же энергии расходует и абхазский долгожитель, по 2—4 часа работающий в поле и живущий в горах.

Служащий тратит около 2500 ккал, пенсионер, который целый день смотрит телевизор и читает газеты,— 2000 ккал. Следовательно, до необходимого уровня им нужно добавить, по крайней мере, 1000—1500 ккал. Это солидная нагрузка: 4 часа ходить или неторопливо копаться в саду или 2 часа пилить дрова с напарником. Причем ежедневно, зимой и летом. Достаточно полениться два-три месяца, как эффект тренировки исчезнет, наработанные белки распадутся.

Когда я подсчитал энергетическую цену моей физкультуры (она представлялась мне достаточно энергичной — 2,5 км бега и 1000 движений гимнастики), она оказалась равна всего 400 ккал. 30 очков по системе К. Купера «стоят» столько же. Получается, что мне нужно было добавить, по крайней мере, 600 ккал.

Одно важное замечание: для максимального приближения упражнений к естественной (дикой!) жизни важно не «размазывать» калории равномерно на много часов, а перемежать спокойные упражнения пиковыми нагрузками. Именно пики должны наращивать мышечный белок и тренировать регулирующие системы, в частности, выброс адреналина и кортизона надпочечниками.

Все эти соображения послужили мне основой для конструирования методики эксперимента в начальном варианте. Вот ее пункты. Я расположил их в порядке уменьшения значимости.

1. Физические упражнения.

Утренний бег — 4—6 км за 40—60 минут. Гимнастика с 5-килограммовыми гантелями в руках — 6 упражнений (наклоны назад, вбок, вперед, повороты корпуса, подъем рук вверх и вперед), всего 2500 движений. Плюс мои прежние 1000 движений без гантелей, но в быстром темпе. И еще 200 подскоков и 3—5 подтягиваний на перекладине. Гимнастику выполняю в 3—4 приема, обычно под телевизор, чтобы не терять времени. Она занимает 2 часа. Сверх того

хожу по делам 20—40 минут, довольно быстро. Итого на круг выходит 3— 3,5 часа хорошей нагрузки.

2. Диета с ограничением жиров и сахара. Это примерно 300 г сырых овощей и фруктов по принципу «листья, плоды, корни» (капуста, свекла, морковь, огурцы, помидоры, яблоки, другие фрукты). Хлеба не избегаю, съедаю примерно 300 г в день. Картофеля ем немного. Молока выпиваю пол-литра (на нем варится утренний кофе). Сахар добавляю по вкусу. Мясо, колбаса — 70—100 г. Жиры — ложка растительного масла в кашу или в салат, плюс ломтик сыра.

Строгого педантизма в диете нет, количество пищи регулируется по весу тела. Он уже давно у меня постоянный — 52—53 кг. Это на 5 кг меньше минимума и на 12 кг — максимума, рекомендованных американцами для моего роста в 167 см. Кожная складка на животе 1 см, а талия, судя по старому ремню, не меняется вот уже 40 лет.

3. Закаливание. Оно тренирует терморегуляцию. Это не только профилактика простуды, но и укрепление регуляторов «стрессорной системы».

К сожалению, в этой сфере я несостоятелен: ванна ежедневно, но вода теплая. Холод раздражает. Достаточно того, что легко одеваюсь.

НАДЕЖДЫ И ОПАСЕНИЯ

Конечно, смешно рассчитывать на истинное омоложение, если старение запрограммировано в генах.

Реальные возможности степени омоложения для каждого возраста определяются из соотношения факторов старения: сколько от «биологической программы», сколько от химических «помех» и сколько от ослабления, связанного с уменьшением потребностей и социальных мотивов активности. Соотношение этих компонентов неизвестно. Эксперимент может прямо повлиять только на третий пункт, добавив к потребностям волю и идею тренировки. Так или иначе, нужно попытаться разорвать порочный круг.

Следовательно, нет надежды, что я помолодею и проживу лишних 15—20 лет. Трудно сказать, осуществятся ли мои надежды на 10 лет, основанные на представлении об идеальной кривой старения (см. рис. 7). Уверен (почти!), что эффект должен быть если не во многих лишних годах жизни, то уж точно в ее качестве.

Никаких специфических опасностей, связанных с выполнением режима, я не ожидаю. Сроки самых ближайших осложнений от перегрузок уже прошли в первые месяцы. Меня спасли достаточная исходная тренированность и осторожность при увеличении нагрузок. Конечно, с одной стороны, у меня дефектное сердце со стимулятором и даже есть небольшая стенокардия и сужение аортального клапана. Сердце может подвести в любой момент, и лопнет вся затея. Но, с другой стороны, нагрузки тренируют сердечную мышцу и коронарные сосуды. Важно соблюсти меру и иметь строгий контроль.

Что касается рекомендаций для возможных последователей на ниве омоложения, то пока от них воздержусь. Дело темное: «изобретателей» было много, но никто пока не получил надежных результатов.

Похоже, что долгожители появляются стихийно. Даже важность наследственного фактора оспаривается. (К слову, все мои предки умирали между 50 и 60 годами).

Диеты, физкультура, закаливание, дыхание уже многократно рекомендованы для долгой и здоровой жизни, но их реальное влияние на продление жизни никем не доказано статистически. Возьмем для примера йогов. Кажется, уж как они владеют своим телом и волей, а что-то не слышно, чтобы среди них было много долгожителей. Спортсмены и рабочие, занимавшиеся тяжелым трудом, часто болеют и умирают раньше других смертных.

Антисклеротические диеты уменьшают вероятность инфарктов и инсультов и этим достоверно удлиняют жизнь, но в среднем лишь на 3—4 года. «Моржи» и специалисты по аутотренингу даже не сделали заявки на долгожительство. Получается, что биологические программы старения важнее всех факторов режима. Почему?

Либо не удавалось создать систему преодоления старости, либо психика не обеспечивала ее выполнение. А возможно и самое простое: неосуществимы не только ход назад, но даже остановка или замедление. Впрочем, нет. Опыты на животных по замедлению старения доказательны: я уже упоминал о 30—40-процентном удлинении жизни крыс, если их сильно недокармливать с рождения. Ограничения в старшем возрасте гораздо менее эффективны. Значит, тормозить старость можно.

Для себя же я знаю: никогда нельзя забывать о «фокусах психики». Можно задурить голову не только пациенту, но и самому себе — от самовнушения улучшатся самочувствие и даже объективные показатели. Наука в таких случаях говорит: «Нужны отдаленные результаты», то есть недели, месяцы и годы наблюдений и исследований. У меня отсчет времени начался с марта 1994 года, когда уже была запущена вся методика.

Поживем, посмотрим. Поэтому и называется: *эксперимент*. Без срока.

БЛИЖАЙШИЕ РЕЗУЛЬТАТЫ

Итак, с начала эксперимента на тот момент, когда заканчивалась работа над этой книгой, прошло два с половиной года. Не много в сравнении со старостью. Но уже можно говорить о предварительных результатах. Эйфория от идеи, влияющая на самочувствие через психику, не продолжается столь долго.

За все это время я лишь два дня из-за гриппа не делал гимнастику и раз десять из-за сильного мороза не выходил бегать. Но дистанцию бега часто уменьшал вдвое, и это повлияло на тренированность: понадобилось полгода (весна и лето 1996 года), чтобы вернуться к пятикилометровой пробежке, и то ценой ухудшения дыхания.

Зато количество упражнений с гантелями довел до 3500 при общем их числе 4500 (за те же два часа).

К сожалению, много раз были растяжения и боли в мышцах. И сейчас, дописывая этот раздел книги, из-за мышечных болей не могу подтягиваться на перекладине.

Могу на собственном опыте утверждать: омоложение возможно. Конечно, это не обратное откручивание программы, а всего лишь тренировка, но не только мышц, но и регуляторов. Она позволяет разорвать порочные обратные связи или хотя бы затормозить старение.

Перечислю предварительные результаты двухгодичных занятий.

1. Болезни отсутствовали, если не считать гриппа в январе 1996 года. Признаки стенокардии, появившиеся в последний год, исчезли. Было всего несколько легких приступов болей, остановленных задержкой дыхания. Конечно, это не исключает возвращения болезни сердца: стимулятор и стеноз сидят во мне, как бомбы. Даже моя давнишняя мина — позвоночник вел себя хорошо. В общем, я чувствую себя совсем здоровым, за исключением небольших признаков старости... и уменьшения смысла жизни.

2. Состояние органов:

а) сердце регулировалось стимулятором, частота пульса — от 70 до 130 уд/мин. Очень благодарен фирме «Интермедикс» за чудесный аппарат, без которого эксперимент не состоялся бы. Изредка прорывались экстрасистолы. Состояние сердца контролировалось ЭКГ, УЗИ, рентгеном один раз в полгода. Каждый раз во время таких обследований я испытывал страх, поскольку размеры сердца немного увеличились. В ходе интенсивных упражнений появляется физиологическая одышка, тогда я делаю паузу до успокоения дыхания;

б) артериальное давление 120/70, после упражнений повышается до 140—150, нормализуется через 1—2 минуты отдыха. Имеет тенденцию к снижению до 110/60;

в) все крупные артерии проверены — сужений нет. Особенно важны артерии шеи, питающие мозг. Не зря я 40 лет кручу головой. Больше всего боюсь склероза. Пока его, кажется, нет. Анализы крови на холестерин всегда были хорошие. И вообще все анализы нормальные;

г) объем легких как у 60-летнего мужчины, желудок, кишечник и печень действуют безотказно. Были опасения по поводу предстатель-

ной железы (уязвимый орган у мужчин), но и с ней, кажется, обходится.

3. Аппетит всегда был хороший, даже приходилось немного сдерживаться. Теперь, когда расход энергии возрос, могу об этом не беспокоиться. Но контроль за весом сохраняю: он остается неизменным. Жировая прокладка совсем ничтожная, поскольку мышцы все-таки прибавились, хотя и незаметно. Вот он — возраст: столько труда, а мышцы не растут, культуриста из меня не получится.

4. Психический тонус повысился. Но снижение памяти на ближайшие события — имеет место, пока — терпимо. То же и с ухудшением слуха на одно ухо.

5. Главный сдвиг: пришло ощущение физической крепости. Хожу и бегаю так же, как 10 лет назад, когда вшили первый стимулятор. Но все-таки хуже, чем до блокады сердца.

6. Не все, однако, выглядит блестяще. Именно в двигательной сфере остались трудности: ощущение скованности и инерционности при переходе от покоя к движениям, небольшие нарушения координации, нетвердая походка, особенно в темноте и по лестницам. Однако есть несомненный прогресс. В самом начале эксперимента я вообще не мог стоять на одной ноге, тем более прыгать. С закрытыми глазами и сейчас выдерживаю только 10 секунд. Это значит, что координирующие равновесие и память отделы нервной системы стареют по автономной программе и экспериментом это не остановить. Дай Бог — замедлить. Печально.

Если бы не эти нарушения, то вообще не чувствовал бы старости, как было в 65 лет. Совсем этого не изжить, но на улучшение еще надеюсь.

ПСИХОЛОГИЧЕСКИЕ ПРОБЛЕМЫ

Для меня они обострились, когда опасность одряхления отодвинулась. Стали одолевать сомнения: «Подумай, Амосов, а есть ли смысл выламываться по три часа?»

Слово «смысл» имеет два значения: смысл как «содержание» и смысл как цель действий, удовлетворяющая чувства. Меня интересует второе: оценить эксперимент по чувствам и разуму.

Решение «как действовать», во-первых, зависит от общества: чем оно отвечает, не обманет ли и сколько времени ждать, во-вторых, от субъекта, его потребностей, притязаний, его оценки своих сил и возможностей и готовности идти на риск. Эти показатели не одинаковы для молодого и старого. Общество к ним по-разному относится: старикам не доверяет и мало «платит». Совсем другие и личные факторы: в старости угасают потребности, мало сил и нет запаса времени. Любой риск — страшит. Тормозы превышают мотивы при выборе возможных поступков.

Для оценки смысла проведения эксперимента нужно сопоставить увеличение удовольствия от жизни после «омоложения» с его несомненным уменьшением от тяжелого режима.

Первое, что нужно определить: насколько неприятны упражнения. Ответить трудно. Все зависит от тренировки и масштабов нагрузок. Свою программу-максимум я описал: тяжеловато и требует 3 часа времени. Но я уже втянулся и время использую для информации (хожу и бегаю — думаю, упражняюсь — слушаю радио или смотрю телевизор).

Все многообразие нитей деятельности можно условно свести к *удовлетворению трех видов потребностей*, каждая из которых выступает с приятными или неприятными чувствами.

Первый вид — *«телесные» потребности*. Приятны: еда, покой и тепло. Неприятны болезни, напряжения, голод.

Второй вид — *общественные потребности*. Приятны — общение, уважение, любовь. Неприятны одиночество, пренебрежение, оскорбления.

Третий вид — *информация, дело, творчество*. Они приятны. Неприятны однообразие и вынужденное безделье. Но можно привыкнуть.

С возрастом меняются приоритеты и балансы чувств. Молодым — секс, общение, дело, творчество и совсем немного неприятностей от болезней. Старику остаются еда, покой и телевизор. Нет дела, нет внимания людей и взамен всего — болезни. Сумма чувств — с большим минусом. Превратить его в плюс очень трудно: общество

«платит» вниманием скупо, а сил для большой активности уже нет. Нет их и для режима нагрузок и ограничений. Остается плыть по течению: кому сколько повезет.

Встречаются от природы здоровые люди, которые без всяких мудрствований живут до 90 лет и дольше. Но редко. Цифры я уже приводил. Впрочем, они не живут, а болеют.

Так и получается: когда человек после 80 ослабел, выбыл из общества или личного труда, ему уже поздно омолаживаться через нагрузки. Выигрыш проблематичен, мотивов для занятий физкультурой не обеспечит.

Я понимаю, что говорить серьезно о результатах эксперимента слишком рано. Поэтому дальнейшие рассуждения нужно принимать как предположительные. Но сначала сформулирую результат.

Большие нагрузки увеличивают силу и выносливость мышц, улучшают функциональные показатели всех внутренних органов. Благодаря повышению резервов кровообращения, возможно, улучшается умственная деятельность. Полагаю также, что тренируется нервно-эндокринная регуляция, в частности, системы гипофиз — надпочечник, ведающие реакцией на стрессы. Все вместе это повышает дееспособность в широком смысле слова. Осознание этого факта должно изменить психику: человек должен поверить в себя и удлинить свое ожидаемое будущее. Может строить планы и смело начинать их осуществлять.

Теперь следует пофантазировать: кому и сколько нагружаться. Общее правило: чем старше, тем больше комплекс (по крайней мере, по продолжительности занятий).

Для работающего нужно сделать поправку на «полезный труд», подсчитав количество затрачиваемых калорий, а также «нервов» — стрессы тренируют регуляторы.

Разумеется, одного календарного возраста мало для дозировки нагрузок. Нужно присмотреться к себе — насколько продвинулась старость. И знести коэффициент в нагрузки: если молод, несмотря на годы, можно и полегче комплекс. И наоборот, рано одряхлел, но сохранил волю — трудись.

Попытаюсь детализировать рекомендации.

После 40 лет всем необходимы физкультура и ограничения в пище по весу (рост минус 100). 1000 движений за 20—30 минут. Однако, в свете нового опыта, добавлю: очень желательно утяжелить гимнастику гантелями, кто сколько потянет, соблюдая постепенность и контролируя нагрузку пульсом.

Нужно бегать или быстро ходить на работу — по выбору. Бегать лучше. До пенсионного возраста всего этого достаточно: можно оставаться здоровым и попутно вылечить болезни, если они уже появились. Хотя при этом трудно избежать конфликтов с врачами: будут пытаться ограничить активность.

Так можно продолжать и дальше до появления признаков старения, если человек имеет занятие — на службе или дома. Но прерывать нельзя ни в коем случае: перерыв на 3 месяца ослабляет мышцы и волю — можно и не подняться. И еще одно: символическая физкультура на 5—10 минут — без толку.

Если старость уже на пороге (свой опыт я описал), нужно «лечиться» — увеличивать количество физической работы. Культурно это делается с подсчетом калорий по таблицам — по часам труда и ощущениям утомления после нагрузок.

Конечно, самое лучшее, когда есть полезная работа — в саду, в домашней мастерской. Но недостающее до 2500—3000 калорий нужно добавлять физкультурой. Особенно вредят зимние перерывы.

Утверждать не могу, что мой опыт оптимальный для омоложения или хотя бы для замедления старения — сроки еще малы. Но нужно попробовать обойтись «подешевле».

Тем более что вопрос о смысле еще далеко не решен. Можно и «перебдить»... Хотя едва ли. Если ум состарится больше, чем тело, воля непременно ослабеет, и нагрузки «не потянуть» — смысл исчезнет. Когда я говорю «смысл», то понимаю его эгоистически: смысл для самого старика. Совсем другие смыслы для семьи и общества.

Впрочем, я лучше воздержусь от продолжения. У нас теперь свободное, гуманное общество. А что пенсии при этом малы, так для омо-

ложения это может быть и лучше... Выживание само является стимулом.

Мой личный смысл в эксперименте несомненен: это любопытно. На сколько лет хватит — не знаю.

В плане личного, «телесного» удовольствия от жизни, с поправкой на эксперимент, дело обстоит благополучно. Старость не исчезла, но скорых неприятностей от болезней не ожидаю. Если сердце не подведет. Размеры его увеличились...

К здоровью, однако, привыкаешь, и радость от него гаснет.

Правда, когда представляю себе смерть, то спохватываюсь: «Смотреть на мир прекрасно само по себе». В Бога не верю, поэтому смерть воспринимаю как конец всему. Пожить полноценно еще можно бы, если бы не нарушились отношения с обществом. Мои общественные потребности остались, силы теперь вернулись, но все равно: «поезд ушел».

Как писал вначале, я отказался от операций, от директорства в институте — и выбыл из профессии. Оказалось, что вполне обходятся без меня. Это хорошо — «дело его живет». По-честному, в современных условиях уже не гожусь для управления институтом, слишком много нужно хитрости. И не хочу делать опасные операции: не позволяет совесть.

Мои публичные лекции, статьи и книги тоже никому не нужны. Общественный климат изменился, и «мода на Амосова» прошла. В результате все правильно, а настроение плохое: «невостребованность омоложения».

Единственную радость доставляют информация и творчество. Хотя и здесь не без ущербности. Отлично знаю ограниченность своих возможностей, представляю и грядущее ухудшение памяти. Но ведь ничего другого нет. Поэтому и дальше буду искать, читать, думать, писать.

Хотя к книге это и не относится, но перечислю то, что меня интересует.

«Другая физика» — экстрасенсорные явления. Хотелось бы узнать: есть ли что-нибудь реальное за всем этим шумом? Не буду дальше уточнять, но пульсирует тайная надежда: а вдруг обнаружится Бог? Такова специфика разума — знаю, что нет, а все же думается.

Конечно же, интересны процессы регулирования в организме — они обязательно замкнутся на омоложении. Это единственная экспериментальная тема: есть кролик — Я, есть научный работник — Я, лаборатории найдутся в институтах.

Судьбы общества и человечества просто любопытны, хотя участвовать в этих делах не доведется. Хотя газеты и телевидение мной по-прежнему интересуются.

И, наконец, старые мои кибернетические пристрастия: Алгоритм Разума, возможности Искусственного Интеллекта. Но не дальше теоретических рассуждений.

Придумать бы себе Бога, поверить и сразу получить все недостающие смыслы. Но... остается только посмотреть на себя со стороны и посмеяться: «Самое время идти в скит!»

На этом я, пожалуй, закончу. Для меня смысл в эксперименте все-таки есть, хотя бы в том, что нахожусь «при деле». Советую каждому тоже поискать свой смысл...

Так, весной 1996 года, я закончил главу об эксперименте в книге «Преодоление старости». Закончил на ноте оптимизма и даже не думал, что будет плохо.

ТЯЖЕЛЫЕ ВРЕМЕНА

Они наступили неожиданно скоро.

Уже в том же 1996 году осенью, с наступлением холодов, заметил, что стало тяжело бегать. В ноябре прошел контрольную проверку: сердце снова увеличилось в размерах. На этот раз уже нельзя было списать на тренировку от эксперимента: ясно, что дает о себе знать порок аортального клапана.

Опечалился и вдвое сократил бег на улице, компенсируя бегом по кабинету, благо он большой. Гимнастику не тронул — упражнения труда не представляли.

К весне 1997 года появились трудности при ходьбе и легкие приступы стенокардии: попробовал нитроглицерин. Бег прекратил. Однажды летом, после стресса в связи с удалением зуба, наступил срыв: пришлось садиться на скамейку среди прогулки. Осенью по лестнице через две ступеньки подняться уже не мог. Сократил упражнения с гантелями, совсем отказался от 10-килограммовой.

Не могу сказать, что очень опечалился: «Что будет — то и будет, пожил достаточно».

В эксперименте не разочаровался: голова была в полном порядке.

Тут как раз подоспела работа: один киевский издатель предложил написать «Воспоминания». Задел к ним уже был: записки о войне, напечатанные к 30-летию Победы, в 1974 году, потом отдельные главы печатались в «Книге о счастье и несчастьях» в 1983−1992 годах. Кроме того, были дневниковые записи. Однако предстояло еще многое дописать и все собрать вместе. В общем — дела много.

Сидел за компьютером по 8−10 часов.

Эксперимент шел по суженной программе: полчаса ходьбы на улице — (с нитроглицерином!) и полчаса еще по квартире. Гимнастика 3000 движений, половина с одной 5-килограммовой гантелью. И — тоже с таблетками.

К маю книжка была написана, но перечитать не успел. Издатель придумал название: «Голоса времен». Не ахти что, но лучше не нашел.

По ночам мучили приступы одышки — не мог лежать, сидел. Называется: «сердечная астма».

В конце апреля снова был срыв, типичный для аортальных пороков сердца. Опаздывал на заседание в Доме ученых, спешил, быстро поднимался по лестнице — и упал без сознания. Быстро очнулся, но «скорая» все же приезжала.

Не помню, чтобы очень расстроился: дело сделал, книгу дописал, итоги подвел. Кокетничал перед собой: «Теперь можно и умирать». Нет, приближения смерти не чувствовал, просто — знал умом: близко.

И вдруг все изменилось.

В мае месяце вернулся из Германии, со стажировки, наш врач — Толя Руденко. Отличный хирург, уже доктор наук, ездил к профессору Керферу посмотреть постановку дела и коронарные операции.

Пришел Толя ко мне и рассказал о замечательных успехах клиники: 4000 операций с АИК в год, смертность — около 3%. До 140 пересадок сердца.

Самое главное — лично для меня: широко оперируют стариков после 80 лет и вполне приличные результаты. Вшивают клапаны, накладывают аорто-коронарные шунты. Как раз для меня. Разумеется, я знал все про операции из журналов, но в родном институте старше 60 лет не оперировали, о загранице я не думал, даже не знаю — почему. Стоит дорого, денег нет, сбережения от издания книг пропали. Разумеется, можно продать квартиру... но как это сложно и сколько хлопот для родных! В общем — не думал — и не думал. Казалось: нереально. Свыкся с обреченностью.

Толя сказал:

— Вот бы вам поехать к Керферу!

Сказал это не только мне, но и дочери Кате (профессор, кардиолог, зав. кафедрой). И директору нашего института — академику АМН Геннадию Васильевичу Кнышову.

Они все и сделали. Предложили мне. Я согласился, конечно,— терять нечего. Связались с Керфером, он сказал: «Приезжайте». Власти в Киеве дали деньги.

В конце мая с Катей и Толей отбыли в Германию. От волнений я совсем сдал: по аэродромам, с пересадками, меня уже возили на коляске.

Перипетии с операцией я описал подробно в дополнении к «Голосам времен»: когда вернулся из Германии, еще успел перед сдачей в печать.

Если совсем коротко, то это выглядело так. Обследовали: редчайший стеноз аортального клапана с обызвествлением и сужение двух коронарных артерий. Очень тяжелая патология, операция — на грани возможного. Керфер оперировал сам: вшил «биологический» клапан от свиньи. «Всем старикам вшиваем такой. Гарантия — пять лет, а дольше — как повезет». Я-то хотел — привычный — механический, но не будешь же спорить! Думалось: «Пять так пять. Все равно — подарок судьбы». Операция блестящая (29 мая), перенес легко, но после было глупейшее осложнение: рано удалили мочевой катетер, и развился паралич мочевого пузыря. Очень сильно страдал четыре дня, пока сам не догадался пощупать живот: пузырь — чуть не до пупка! Стыдно даже вспоминать: хирург, профессор и такой прокол.

Вернулись 17 июня — сразу в свою постель. Потом были осложнения — жидкость в полости плевры (дважды отсасывали), расширение сердца, кровоизлияние в области тазобедренного сустава. Но состояние было, скажем, приличное, все признаки сердечной недостаточности исчезли. Гимнастику делал со дня приезда: сначала в постели, потом сидя, потом встал и — в 3–4 приема — 1000 движений! Однако к гантелям не прикасался — думал: «Конец эксперименту!» Даже написал это в послесловии к «Голосам времен» — книгу нужно было сдавать.

Время летело стремительно. Через три месяца я уже час ходил по улице, делал 2000 движений гимнастики. Сердце работало хорошо, хотя общее самочувствие было довольно кислое. Пил лекарства — сердечные и немножко гормонов.

Исследование в ноябре показало значительное уменьшение размеров сердца, значит, можно увеличивать нагрузки... И снова думать об эксперименте. К февралю 1999 года созрел для гантелей, к марту дошел до 2500 движений, 1000 — с гантелями. Ходил пешком в институт — это пять километров, 15 минут бегал по квартире, по лестнице опять шагаю через две ступеньки. Снова почувствовал себя здоровым. В окончании для «Голосов», во второе издание книги, написал: «Так что, господа присяжные заседатели, эксперимент продолжается! Отыгрываем пессимизм обратно. Ограничения для стариков отменяются. Жизнь все-таки неплохая штука».

Только летом 1999 года старость отступила. Стало легче ходить. В течение следующей зимы расширил гимнастику до 3000 движений (1200 — с гантелями). Осторожно бегал — 1–2 км, старался под гору. Когда натренировался — бег удвоил и прибавил темп. Жил: писал книги, подключился к Интернету. Обследуюсь каждые полгода: пока все благополучно. Анализы отличные. Сердце уменьшилось в размерах до уровня начала эксперимента. Нет, старость не исчезла: движения все же скованны, особенно по лестницам. Но в городе хожу быстро, когда разойдусь, и в транспорте езжу свободно. Вес: 51—53 кг, рост — 166 см.

Довольно о себе, порассуждаем о деле. О «режиме здоровья», о медицине, об эксперименте, как жить.

Сначала — о «режиме». Нет нужды говорить много, мои рекомендации (для нормальных, не «экспериментальных» граждан) остаются прежними.

Повторю их: *норма нагрузки*, при здоровом сердце: 30—45 минут гимнастики на все суставы, в сумме 1000—1500 движений, из них 500 желательно с гантелями 5 кг. (Советую: упражняйтесь перед телевизором, чтобы время экономить!) Плюс к этому — час быстрой ходьбы. Или еще лучше — бег 2—3 км, хотя бы «трусцой». Активному человеку желательно эти нагрузки удвоить. Особенно старому... Смешно? Да-да, именно так: в старости тренировка идет туго.

Подтверждаю значение *постепенности в наращивании упражнений и бега*: начинать с четверти от нормы, прибавлять 3% в день. Контролировать пульс: учащение сразу после упражнений или бега допускать не больше 50% от частоты покоя. Предел увеличения частоты — для молодых — 150—170 , для пожилых — 120 ударов в минуту.

Питание: овощи сырые и фрукты, 300—500 г. Молоко, творог. Мяса — 50—100 г. Животные жиры избегать, растительные — немного. Соль и сахар ограничивать. Хлеб — лучше ржаной, плюс каши — все это в зависимости от веса, по формуле: «Вес равен росту минус 105—110» (зависит от мышц). Голода не бойтесь — он полезен. Старикам скидки нет: вес должен снижаться, а не возрастать, потому что при старении идет уменьшение массы мышечных белков, а накопление жира ни к чему.

Очень важно *управлять психикой*: от стрессов болезней больше, чем от всех других причин. (Предложение это столь же важно, сколь и бесполезно: выполнить совет почти невозможно. Но хотя бы следить за собой, не заводиться по пустякам).

Профилактическая проверка здоровья: полагается знать кровяное давление (110—140 на 60—80), пульс — 60—70. Раз в год нелишне сделать анализ крови на сахар, на гемоглобин (120 и выше).

Не нужно мельтешиться и при первых неполадках со здоровьем бежать к доктору (кроме острых болей в животе). Мелкие симптомы, не мешающие работать, нужно перетерпеть — и неделю, и месяц — природа сама справляется. Понимаю, что это легко говорить мне: я знаю, где опасно, где — нет. Неграмотному в медицине без доктора не обойтись и в плен к нему (с расходами!) попасть легко. Но если уж он скажет: «не опасно» — верьте и не лечитесь: доктор скорее перестрахуется, чем зря успокоит.

Мое отношение к медицине не изменилось. Хирургия — могущественна, бояться ее не нужно. Терапию тоже испытал на себе: есть действенные лекарства, но примерно две трети — только психотерапия. Как различать одни от других, рассказать не могу, для этого нужно писать книгу. Без специальных исследований — УЗИ, ЭКГ, рентген, анализы и пр., хорошо лечить невозможно. Но и делать все это по пустякам — не стоит денег. Самолечением не злоупотребляйте. И вообще: меньше лекарств.

Совет опытного пациента: «расслабься и терпи». Для стариков вообще нет проблем — испытал на себе то, что знал раньше по больным в реанимации: «умирать не страшно». Природа защищает психику умирающего от излишних страданий.

Болезней не бойтесь: человек крепок, его только не нужно портить. Медицина — если некуда деться — тоже достаточно сильна, поможет. И даже спасет.

В части эксперимента: уверен, что при здоровом сердце большие нагрузки обеспечат активную жизнь до 90 лет. А счастливым (или несчастным?) — и до ста.

ДОПИСКА ОТ МАЯ 2001 года

...Так много писал о здоровье, а потом об эксперименте, что совесть толкает написать пару страниц, чтобы отчитаться перед читателями и прокомментировать. Тем более что эксперименту уже семь лет, и прошел он совсем не гладко.

Изменились ли мои убеждения?

Отвечаю сразу: не изменились. Даже еще укрепились. Обогатились опытом собственной болезни. Историю своей болезни и «эксперимента» я только что описал.

Напомню, что в мае 1998 года перенес операцию: протез аортального клапана и коронарное шунтирование. Были осложнения, но не тяжелые. Вернулся к «эксперименту» осенью 1999 г. и с тех пор — продолжаю: гимнастику — в полном объеме, бег — половину.

Восстановился интерес к науке и появилось желание жить.

Упражнения делал с момента операции. Через три месяца к гимнастике добавил гантели, увеличил ходьбу. Когда силы прибавились и сердце уменьшилось в размерах, решил возобновить эксперимент.

Только летом 1999 года старость отступила. Стало легче ходить. В течение последующей зимы расширил гимнастику до 3000 движений (1500 — с гантелями). Осторожно бегал — 1—2 км, старался под гору. Когда натренировался — бег удвоил и прибавил темп. Упражнения, бег и ходьба занимают 3 часа, из них два — параллельно с ТВ и радио, чтобы не терять время. Вес 51—53 кг, рост — 166 см.

Живу активной жизнью: пишу статьи и книги, имею свою страничку в Интернете. Обследуюсь каждые полгода: пока все благополучно. Анализы отличные. Сердце уменьшилось в размерах до уровня начала эксперимента. Нет, старость не исчезла: движения все же скованны, на лестницах — шатает. Но по улицам хожу довольно быстро, особенно, когда разойдусь, и в городском транспорте езжу. К сожалению, периодически возникают кратковременные неполадки: то двоение в глазах, то головокружение, то тахикардия. Такого гарантированного здоровья, как в молодости, конечно, нет. Ухудшилась память на ближние события, правда, пока в допустимых пределах: главное помнится, детали — теряются. Приходится записывать. Но логика мышления как будто сохранилась.

Очень важно, опять-таки, управлять психикой: от стрессов болезней возникает больше, чем от всех других причин.

В этом плане очень полезно научиться медитации. Упрощенная методика несложна: 15 минут сидеть в удобной позе с закрытыми глазами, полностью расслабив все мышцы. Задача: отгонять все мысли. Для этого нужно следить за актом вдоха и выдоха, повторяя какую-нибудь простенькую фразу или слово. Таким путем отгоняются все мысли. Мой опыт небольшой — всего полгода, но понравилось.

Профилактическая проверка здоровья необходима: полагается знать кровяное давление (110—140 на 60—80), пульс — 60—70. Раз в год нелишне сделать анализ крови на сахар, на гемоглобин (120 и выше.) Нужно иметь весы и взвешиваться раз в неделю, а то и каждый день. Это важно: вес прибавляется незаметно, а худеть ох как трудно!

Мнение об эксперименте по истечении семи лет: по-прежнему уверен, что при здоровом сердце большие нагрузки обеспечат активную жизнь до 90 лет и даже до ста. Но советовать — остерегусь. Опыт — мал.

ПОСЛЕДНЕЕ ДОПОЛНЕНИЕ К «ЭКСПЕРИМЕНТУ» ОТ 25-го ИЮЛЯ 2001 года

Всему бывает конец. Как и предполагалось, заряд энергии в моем электростимуляторе закончился в самом конце апреля 2001 года. Однако ЭКС — машина умная, она не просто отключила импульсы, а перевела регулирование на аварийный режим — на частоту 60 импульсов в минуту, уже без ускорения на нагрузки до 100, как было все восемь лет. Это мало для обеспечения больших физических нагрузок, но достаточно, чтобы жить без заметных ограничений движений. Таким образом был дан сигнал: «Нужно менять»! На этом режиме ЭКС мог работать даже месяц и два. Но он значительно ограничил мою экспериментальную жизнь: гимнастику делал в полном объеме — с двумя гантелями по 5 кг — 1000 движений, плюс еще 1000 без гантелей, но бегать уже не мог — не хватало дыхания. Да. и побаивался перенапрягаться — вдруг совсем остановится?

Новый ЭКС подобрали быстро, благо теперь не было трудностей с оплатой: правительство выделяет деньги специально для покупки стимуляторов и протезов клапанов всем пациентам.

Валерий Залевский вшил новый ЭКС 6-го июня. Дело не обошлось без маленького осложнения — все же третья операция на одном месте! Около аппарата собралась кровь — «гематома». Через 10 дней ее пришлось выпускать через небольшой разрез. При этом хирурги всегда боятся рецидива кровотечения и инфекции, но все обошлось. Сердце заработало хорошо, и с конца июня я восстановил бег в парке. Оказалось, что за два месяца перерыва в беге мышцы уже детренировались, и на достижение прежних дистанций понадобилось три недели.

Ну а что касается старения — то оно — увы! — идет. Это выражается в неверности движений при ходьбе, особенно — по лестницам и с препятствиями: за каждым шагом нужно следить. Странно, но бегать трусцой это не мешает: повторяются стереотипные подскоки, по прямой и ровной дороге, да еще с небольшим наклоном... Движения руками совершенно свободны и уверенны. Так что на компьютере печатаю хорошо. Память страдает: забываются главным образом имена. Приспосабливаюсь.

Следующую плановую остановку ожидаю через несколько лет, когда откажет протез клапана.

Это — все. Живу: думаю, читаю и еще планы строю — писать книги.

Эксперимент продолжается...

БОЙТЕСЬ ПОПАСТЬ В ПЛЕН К ВРАЧАМ

РАССУЖДЕНИЯ О МЕДИЦИНЕ, ВРАЧАХ И ЗДОРОВЬЕ

Горе от потери здоровья может сравниться только с нищетой.

Кажется, совсем недавно были радужные надежды на подъем страны в условиях независимости, свободы и демократии. И вот — все изменилось: нищета и болезни. Больное общество, несчастный народ. Мы, врачи, это чувствуем больше других.

Положение со здравоохранением изменилось драматически. Ограничусь лишь кратким перечислением наших несчастий.

Все больницы бедствуют от нехватки денег.

Зарплата у медиков нищенская, да и ее задерживают месяцами.

Три четверти народа жестоко обеднели, зато 1/10 бессовестно разбогатела. К ним же можно присоединить и новое — демократическое — начальство.

Упала мораль. Рухнули идеи социализма, а с ними и дух коллектива. Проповедь «раскрепощения личности», «каждый за себя» без идеи Бога привела лишь к потере совести. К сожалению, это коснулось и нашего медицинского сословия. «Берут», скажем, осторожно почти все, кому дают. А многие и сами просят. Но притом возмущаются коррупцией государственных служащих.

Целители, знахари, натуропаты и даже колдуны теснят научную медицину, порочат ее в глазах публики, получая одобрение от начальства, в газетах и по телевизору.

В связи с машинами резко облегчился труд, а физкультура в привычку не вошла. Результат — детренированность.

Всеобщая химизация добавила вредностей.

Алкоголизм и наркомания захватывают общество, а СПИД уже на пороге.

От всего этого здоровье народа ухудшилось, особенно — детей. Отсюда обострение «медицинских проблем».

Множество народа ездит на Запад по всяким поводам и возвращается зараженным завистью к сытой жизни. От бедности и бессилия растет раздражение против демократии, а у многих и откровенная ностальгия по социализму и Союзу. Рассуждают: «Было не очень хорошо, но по крайней мере — спокойно».

Самая главная беда: люди не хотят напрягаться. Потеряли веру в себя и в общество. Живут в состоянии ожидания, как в поезде: «Вот приедем в капитализм, тогда начнем работать». Или: «Вернемся в социализм и восстановим, что потеряли».

Так и хочется воскликнуть:

«Нет, дорогие сограждане и коллеги, обратного пути нет!» Кондуктор не объявит: «Приехали!» Нужно браться за дело сейчас, немедленно. Искать точки приложения сил.

Идеи социализма (не коммунизма!) грели и мое сердце. Нужно было много передумать, пока убедился, что это — утопия. Удержать социализм можно только лишением свободы, инициативы и перспективы. Не будем лукавить: наши медицина и наука в сравнении с западными всегда были второсортными. Соответственно — и уровень жизни.

Не хотелось бы касаться проблем государственных, но немножко сказать все же придется: медицина неотделима от экономики и политики.

Поскольку по своей второй (кибернетической) специальности я занимаюсь оптимизацией сложных систем — от клетки до общества, то приведу несколько тезисов.

1. Хорошее здравоохранение возможно только в богатом обществе. Затраты на него составляют около 5–8 % от валового внутреннего продукта (ВВП). Каков этот продукт — такая и медицина. Нельзя вырабатывать товаров на душу в 4 раза меньше, чем американцы, да еще одну треть из этого тратить на оружие, а лечиться по их стандартам. Так что не будем злопыхать на советское прошлое — по деньгам, что выделяли власти, у нас была относительно хорошая медицина. И уж тем более не надо замахиваться на их стандарты теперь, когда производство на душу упало еще в два раза и составляет, может быть, одну десятую от Штатов.

2. Оптимальность государственного строя определяется его экономической эффективностью. Эффективная экономика зиждется на частной собственности на средства производства. Только 30% остается за государством, но и те подчиняются рынку...

3. Материальные блага распределяются от политики. Демократия, как говорил Аристотель, лучшая из худших систем власти. Другие формы теперь уже не котируются — история ушла вперед. Для наших первых шагов к свободе, в условиях кризисной экономики, президентская республика лучше парламентской. Придет стабилизация, и они поменяются местами.

4. Демократия и права человека предусматривают социальную защиту детей, пенсионеров, больных и самых бедных. На них (а также на бесплатное обучение) нужно тратить 25–35% ВВП. Если давать сверх того — наступит застой в экономике и люди обленятся, давать меньше — будет много очень несчастных. У нас сейчас хватает и тех, и других.

Теперь самое время перейти к медицинским проблемам.

Первая среди них: где взять деньги? Их катастрофически мало у правительства, и это нужно понять: производство уменьшилось вдвое, а расходы возросли — шахтеры, оборона, Чернобыль, обустройство независимости. На этом фоне здоровье может и подождать, государство не развалится. Поэтому правители ищут: как бы с медициной обойтись подешевле. Варианты известны: медицина государственная, страховая, частная. Первая явно не годна — слишком напоминает социализм. Однако она есть в Англии, Швеции и кое-где еще. Вторая повсеместно распространена на Западе. Третья без первых двух уже просто неприлична, не та эпоха.

Мое мнение: нужны все три. Конечно, беспокоиться необходимо о народе, богатые пусть сами думают. Но условия нужны и для них, чтобы не обременяли бедных.

Утверждаю: советская система бесплатного здравоохранения для нас пока — самая лучшая. Она должна обеспечить 80% населения, и нечего мудрить. Нужно только «подвинтить» порядок. (Впрочем, когда все воруют — это самое трудное.)

Многие медики рассчитывали на страховую медицину: прольется денежный дождь! Как на Западе: 3% фонда зарплаты должны отчислить работодатели, столько же — сами работники, еще толику, на самых бедных,— государство, и будет все в порядке. Напрасные мечты! Наша промышленность наполовину стоит, еще на четверть — неплатежи — денег у дирекций заводов нет. Бюджетные учреждения обрезаны финансами до крайности, чтобы дать на страховку еще 3% — нужно прибавить фонды. Нет смысла давать и отбирать. И уж конечно сами трудящиеся не могут отделить свои 3%, когда и так получают мало и нерегулярно. В общем, страховых денег не собрать. Из воздуха они не появятся, а если все-таки брать, то лягут бременем на экономику как 6% дополнительного налога.

Но и закрывать источник не следует: есть богатые организации, пусть создают свои страховые фонды и тратят их в своих хороших больницах. Только уж пусть справляются и со своими стариками, инвалидами и детьми, на которых идет львиная доля больничных государственных расходов. Организации такие существуют, только боюсь, что они прихватывают у казны, потому что пасутся около начальства. Что-то не слышал, чтобы их работники свои 3% платили. Тем не менее, будущее — за страховой медициной: в ней меньше бюрократов и лучше считают деньги.

Частная медицина необходима, если уж взялись строить капитализм. Она нужна и для богатых пациентов, и для врачей. Самое простое — это узаконить частную практику, чтобы снова, как, помню, при НЭПе, появились дощечки на дверях: «Врач-терапевт, прием тогда-то». Но для этого нужно уменьшить налоги. Квартиру с кабинетом для приема доктор может теперь купить, сестру — нанять. Вот только трудно осмелиться на такой шаг при нашем бандитизме — ограбят и убьют. Понадобится рэкетирская «крыша».

Впрочем, частные кабинеты — не выход из положения. Слишком много инструментальных исследований. Нужны врачебные корпорации, акционерные общества, с поликлиниками и стационарами. В принципе, это тоже возможно. За последние десятилетия в больших городах построено много помещений для медицины, иные теперь пустуют. Наверное, это все будет, но еще не сейчас. Пока самое реальное — это открывать платные приемы и отделения при государственных больницах. Забота о богачах — дело десятое, но таким путем можно пополнить бюджет. И заодно дать приработок лучшим специалистам. Притом — честный. Все-таки это не дело — конверты «из-под стола» или в карман докторского халата. Практика эта — увы! — стала повсеместной. Она унизительна для человеческого достоинства. Хотя... ко всему можно привыкнуть...

На Западе существует красивый гибрид платной и бесплатной медицины: налоговая декларация показывает твой доход, в зависимости от него — «плати» — от 10 до 100% стоимости лечения. К сожалению, у нас надежных деклараций нет даже для более важного — для самих налогов. Не говоря уже о поголовном плутовстве граждан. Поэтому проблему «привлечения средств пациентов» каждая больница решает по-своему. Вопрос этот стоит очень остро при манипуляциях, требующих дорогостоящих импортных приспособлений: искусственных суставов

или клапанов сердца, стимуляторов и даже дорогих лекарств. Несчастные больные судорожно ищут спонсоров, если не имеют что продать. В связи с этим давно пора создавать при больницах благотворительные фонды с попечительскими советами от жертвователей, чтобы пресекали злоупотребления. Почему-то о них не слышно.

Еще одна проблема в связи с деньгами: экономная работа. Как будто при Советах медицину средствами не баловали, но тратили мы бесшабашно. Хотя бы на бесполезные койко-дни. Рассказывают, что в Англии или Швеции организация куда лучше. Следовало бы поучиться.

Закрывая материальный вопрос, скажу: наша страна обеднела, но не настолько, чтобы не обеспечить приличной помощью. Просто следует лучше работать и строже спрашивать. Для этого нужно немного: квалифицированные и честные управляющие (нет, теперь — менеджеры!). Они должны научиться считать деньги, зарабатывать, знать толк в технике, уметь отсеивать плохих и лишних работников, ладить с хорошими, с начальством и с капиталистами.

К сожалению, таких-то и мало.

Так мы подошли к следующей проблеме: квалификация. У нас любили хвастать: «Советское — значит отличное». Убедили сами себя. Я, поездив по конгрессам, знал, что к чему. И испытывал комплекс неполноценности.

Не могу огульно заявить: «Наши врачи плохие». Много хороших, но и плохих — тоже. Доказательства? Спросите, что они читают и что умеют. Читают — из практиков — единицы. Умеют — более или менее — врачи хирургического профиля. Потому что им без рукоделья просто нельзя врачевать. Терапевты искренне считают, что им ничего не нужно уметь — ни анализ сделать, ни на рентгене посмотреть, ни плевру пунктировать. Есть, мол, для этого узкие специалисты. Есть, но кроме своей «дырки», они-то уж точно ничего не знают. А ведь когда-то в России была земская медицина. Я имел возможность посмотреть их отчеты. Очень разнообразная работа — всего помалу, с посредственными исходами, но ведь лучше и доступнее для народа не было нигде в мире! К сожалению, многие наши специалисты по квалификации так и остались на земском уровне, только без их самоотверженности и трудолюбия.

Не следует думать, что у нас одни только врачи плохие. Я много сталкивался с инженерами, математиками, физиками: все одинаковы. Не было соревнования для достижения вершин.

Зато врачей у нас «на душу» в 2—3 раза больше, чем в передовых странах. И соответственное число коек. А что исходы многих болезней хуже — так потому, что «нет оборудования». Теперь оно — импортное — появилось, хотя и не самое передовое, а исходы почти не улучшились. Опять скажут: «лекарства дороги». Оправдание почти всегда можно найти — и для плохих автомобилей, и для операционной смертности.

Пора перестать втирать очки самим себе. Иначе и в медицине останемся на уровне Нигерии. К слову: ООН ведет статистику «КЧР» (коэффициент человеческого развития), куда входят доход на душу, детская смертность, продолжительность жизни, образование. Так вот: Россия занимает место в пятом десятке, а Украина — в шестом. Между южноамериканцами и африканцами. Царский режим выглядел несравненно пристойнее.

Да, приходится признать — чтобы выйти в люди — капитализм необходим. Лучше бы «социально ориентированный». Нужны напряженная работа и конкуренция: для рабочего класса, а больше — для интеллигенции. «Оплата по труду» и соцсоревнование оказались недостаточными. Воспитали людей «ленивых и нелюбопытных».

Давать советы по части квалификации врачей еще труднее, чем по экономике. Самое простое — сократить половину ставок, но ведь это столь же жестоко, сколь и нереально. Тем не менее, нужно постепенно уменьшать врачебный персонал, одновременно рационализируя работу, добиваясь повышения квалификации и увеличивая зарплату. Пора вводить европейские стандарты для получения дипломов.

На Западе успешно функционируют общества врачей-специалистов, с большими правами. Они проводят экзамены, блюдут этику, выдают сертификаты квалификации, регулируют число врачей своего профиля и вообще представляют мощное лобби по вопросам здравоохранения. Этот опыт годился бы и нам. Кстати, при нашем блате и взятках, любые экзамены допустимы только на компьютерах. Такой опыт уже есть. Сокращение штатов и частная практика должны создать конкуренцию. Без нее нельзя повысить качество в любом деле.

Борьбу за обновление врачебного персонала нужно начинать с мединститутов. Прежде всего в течение 5—10 лет вдвое сократить приемы. Произвести полную реорганизацию проверки успеваемости, чтобы исключить злоупотребления. А то ведь у нас студенты учатся безобразно, бездельничают, не чувствуют никакой ответственности: государство обязано всех выпустить и трудоустроить. При наличии такого избытка специалистов порядок этот можно и нужно поломать. Существует несколько полезных правил, приемлемых и для нас. Такие, например: государственная ссуда на обучение неимущим с рассрочкой выплаты вместо поголовных стипендий. Безвозмездно их получают лишь полные отличники. Экзамены только на компьютерах с подсчетом суммарного балла. Большой — 20—30% — отсев по тем же баллам. И — соответственное назначение стипендий. Обязательная интернатура с переходными (компьютерными!) экзаменами и отсевом неуспевающих.

Все, что я перечислил,— достаточно известно. Только удивительно, что у нас ничего не прививается. Оплата по квалификации? Пожалуйста — есть: категории с аттестациями. Но по блату или за взятку может пройти и неуч, и плут. Сокращать приемы и институты? Да, в министерстве согласны, но местный князек — раньше секретарь, теперь губернатор — может «пробить» открытие нового института, чтобы пристроить свою неспособную дочку. Сокращение штатов? Да ни в коем случае! А вдруг на следующий год срежут финансы... или того хуже — будет «социальный взрыв» медиков! Упростить истории болезни через формализацию? Зачем? Пусть пишут, будут при деле. И каждый горздрав ежегодно просит новые «единицы» и койки.

Смотришь — врачей опять не хватает. «Могут пойти жалобы». И опять: «Давай числом поболее, ценою подешевле».

К примеру, в нашем — хорошем! — институте более 300 коек, 110 врачей, делают в год 1500 операций с искусственным кровообращением, оперируют около 30 хирургов. В Америке для этого обходятся в пять раз меньшими «мощностями» и имеют лучшие результаты. Обидно. Впрочем, спасибо коллективу и директору Г. В. Кнышову, что при нашей разрухе все же обеспечивают операциями при пороках сердца больных Украины. И без очередей.

Неужели этот «вал» от социализма так и останется? Тогда нам не построить капитализм. Так и будет: больные лежат на койках, около них ходят врачи, а количество операций при коронарной болезни на миллион жителей в десять раз меньше, чем в Штатах. Но тут уж виноваты не только хирурги, но и терапевты, и вся служба здравоохранения: нужны финансы, и большие.

К сожалению, наши страны, формально сменив государственный строй, оставили прежнюю организацию и прежних начальников. Это консервирует прежнюю (рабскую, иждивенческую) психологию граждан. Поэтому и не можем выбраться из кризиса.

Почему у нас так много врачей и, как они говорят,— «все задыхаются от работы»? При этом имеем плохие демографические показатели, хотя среднее потребление мяса и молока, а также и квадратные метры на душу, что нужны для здоровья,— вполне приличные. Правда, это было при Советах. Теперь много людей живут в такой нищете, что им не до мяса, был бы хлеб. Неравенство по соотношению 10% самых богатых к 10% самых бедных опустилось до цифры 12—20 (по разным источникам). А в странах Европы только 6—10.

Спрос рождает предложение и наоборот. Много врачей — неправильная тактика, много больных — нужно еще больше врачей и больниц.

Помню, в 1951 г. в типичном сельском районе Брянской области на 50 тыс. населения было 5—6 врачей и 40—60 коек. Теперь, слышу, в районной больнице уже 150 коек, а врачей — 30.

Смертность осталась такой же. Конечно, тогда было маловато, но теперь-то уж точно — слишком! И так — везде.

Осмелюсь высказать несколько соображений по части организации. Нужна регламентация. Это значит: типы больниц в зависимости от населения (районные, городские, областные, республиканские). Требования: чтобы была загрузка коек и врачей — условие экономии и высокого мастерства. Узкие специалисты нужны в больших городах — они будут квалифицированны, пока нагружены. Для малых населенных пунктов нужно расширение профиля специальностей, при сужении разрешенных видов помощи. К примеру, для районной больницы достаточен такой перечень: хирург, он же уролог, он же травматолог. Все оперирует в пределах разрешенного перечня вмешательств и диагнозов. Также — акушер, он же гинеколог. Терапевт и инфекционист. Педиатр. Анестезиолог-реаниматор. Еще окулист, отоларинголог. По рентгену, УЗИ, ЭКГ достаточно одного врача и хорошего техника. То же и в лаборатории. Не будут знать тонкостей, но главное — обеспечат. Врачи-специалисты должны сами уметь смотреть и понимать, тогда они будут квалифицированны и завоюют уважение. Можно сказать: это земский принцип в условиях современной медицины. Разумеется, врачу придется много работать и учиться, поскольку возрос объем информации. Больных за пределами его «регламента» пусть направляет в специализированные отделения крупных городов.

Нужно пересмотреть идеологию нашей медицины. Ее кредо: «Человек слаб», «Нет здоровых, все больные», «Лечить, и как можно больше лекарств». В результате в каждой истории болезни видишь десятки медикаментов, вместо двух-трех, но точно нацеленных. Это показатель не высокого ума, а низкой квалификации. Наши врачи не верят в природу и не знают профилактики. И уж, конечно, не владеют психотерапией. Впрочем, для казенного служаки это и не нужно. «Солдат спит, а служба идет».

К сожалению, привычные стереотипы устойчивы. Изменить философию трудно. Это возможно только тогда, когда врач будет заинтересован в том, чтобы не только лечить, а и вылечивать. То есть, работа для семейного доктора, который встретит своего пациента и завтра, и через год, и ему он нужен здоровый, чтобы не стыдно глядеть в глаза. По той же причине плата за лечение объективно полезна, хотя и унижает честного (социалистического!) доктора.

Более сорока лет я проповедую режим здоровья, устно и письменно. Признаюсь: результат нулевой, даже среди близких знакомых. В сквере, где бегаю, как начинали 25 лет назад три человека, так столько же и осталось. То есть приходили многие, но не удерживались. Не хочет наш народ напрягаться. Таблетки проще. Социализм здоровье не стимулировал, не знаю, поможет ли капитализм. Особых надежд не питаю. (Может, у нас гены такие? Или история виновата?)

Каждый врач должен знать о могуществе режима и уметь о нем рассказать больному, хотя бы в дополнение к лекарствам. Для многих это жизненно необходимо, и угроза смерти подействует — займется пациент собой. Хоть на некоторое время.

Печально, но этому не учат в институтах. Может быть, когда мы разбогатеем до настоящей страховой медицины, которая не только лечит, но и платит пенсию по инвалидности после лечения, тогда экономика страхкасс заставит врачей доводить пациентов до труда. Понадобится настоящая реабилитация, а не такая, как у нас теперь: гуляние в санаториях с лекарствами в кармане. К этому нужно готовиться, начинать с создания кафедр и курсов усовершенствования для врачей. Следовало бы провести эксперимент в каком-нибудь районе с объединением лечения и экспертизы трудоспособности под одной крышей. А может быть, и с общим бюджетом — на лечение, на больничный и на пенсии инвалидам после лечения. Впрочем — все это лишь сотрясание воздуха. Не до того начальству.

Однако есть одна категория населения, с которой нельзя ждать. Это — дети. Здоровье их катастрофически ухудшается. Необходимый минимум для оздоровления прост: еда плюс один час физкультуры ежедневно, с хорошей нагрузкой. Когда меня выбрали в народные депутаты бывшего Союза, я пытался внедрить это в киевских школах. Ничего не получилось: стена бюрократизма и лени непробиваема. Полагаю, нужно не меньше чем вмешательство самых-самых высших сил.

Я слишком стар, чтобы поддаваться оптимизму по части быстрой эволюции медицины. Но сами граждане должны знать: спокойная жизнь кончилась с началом перестройки. При капитализме какая-нибудь угроза благополучию дышит в затылок каждому. И заставляет шевелиться. В этом объективное условие прогресса общества.

Пройдет порядочно лет, пока наша страна войдет в фазу устойчивости. А пока медики еще в лучшем положении, чем весь народ. Человеческие болезни столь серьезны, что нашему брату всегда что-нибудь перепадает от пациентов, даже от их последнего куска. Только работай!

Но нам нужно иметь совесть. Врачу она необходима больше, чем простому смертному.

Это главное мое пожелание коллегам.

...Все, что изложено выше, предназначалось для врачей. Однако так получилось, что текст заинтересовал журналистов, пишущих на публику. В связи с этим я просто обязан просветить людей — «потребителей» медицины, как им сосуществовать с нашей корпорацией, чтобы подольше пожить и меньше терпеть несчастий от болезней.

Я дам хотя бы несколько **советов**, чтобы немного компенсировать время, затраченное на наши врачебные проблемы.

Перечислю прямо по пунктам.

1. Не надейтесь, что врачи сделают вас здоровым. Они могут спасти жизнь, даже вылечить болезнь, но лишь подведут к старту, а дальше — чтобы жить надежно — полагайтесь на себя. Я никак не преуменьшаю могущество медицины, поскольку служу ей всю жизнь. Но также знаю толк в здоровье — теоретически и практически. По этому поводу похвастаю: уже полтора года провожу эксперимент на себе — три часа физкультуры с гантелями и бег.

Врачи лечат болезни, а здоровье нужно добывать самому тренировкой. Потому что здоровье — это «резервные мощности» органов, всей нашей физиологии. Они необходимы, чтобы поддерживать нормальные функциональные показатели — в покое и при нагрузках — физических и психических, а также чтобы не заболеть, а заболев, по возможности — не умереть. К примеру, чтобы кровяное давление и пульс не повышались больше чем в полтора раза при упражнениях или беге, а неизбежная одышка быстро успокаивалась. Чтобы не бояться сквозняка, а простуды быстро проходили без лекарств, сами собой. И вообще, чтобы хорошо работалось, спалось, «елось и пилось».

Так вот: эти «мощности» лекарствами не добываются, только тренировкой, упражнениями, нагрузками. И — работой, терпением к холоду, жаре, голоду, утомлению.

2. Что такое болезни, чувствует каждый: досадное расстройство различных функций, мешающее ощущать счастье и даже жить. Причины тоже известны: внешние «вредности» (инфекция, экология, общественные потрясения), собственное неразумное поведение. Иногда — врожденные дефекты.

Утверждаю: природа человека прочна. По крайней мере, у большинства людей. Правда, мелкие болезни неизбежны, но серьезные чаще всего — от неразумности образа жизни: снижение резервов в результате детренированности. Внешние условия, бедность, стрессы — на втором месте.

Не стану описывать болезни — их слишком много. Перечислю лишь некоторые, распространенные, при которых человек чувствует себя прилично, а опасность уже на пороге и нужно-таки лечиться, и постоянно. И только у врачей, а не у целителей и экстрасенсов.

Вот они: гипертония с давлением выше 200. Инсульт вполне реален. Наблюдать за собой, самому измерять давление и пить таблетки, когда зашкаливает за 190.

Сердце. Коронарная болезнь. Если приступы болей — стенокардия — ежедневные и требуют лекарств — ожидай инфаркта. Нужно делать специальное рентгеновское исследование коронаров, а может, и операцию. Постоянная мерцательная аритмия — как минимум нужно ежедневно принимать таблетку аспирина для замедления свертываемости крови. Другие аритмии не опасны, не бойтесь.

Диабет нужно лечить тщательно — как назначит врач.

При камнях желчного пузыря, тем более с желтухами и воспалениями — операция безотлагательна. То же и при камнях почек.

О раке любой локализации даже и не говорю. При малейшем подозрении — обследоваться у онколога, и никаких знахарей!

Стоп!.. Нельзя объять необъятное.

3. Тренировка резервов должна быть разумной. Это значит постепенная, но упорная. Например, в упражнениях, беге или даже ходьбе ежедневно можно прибавлять от 3 до 5% от достигнутого уровня, в смысле числа движений, скорости и расстояний, причем в зависимости от возраста и надежности исходного здоровья. Это же касается закаливания, загорания, даже и работы.

Если сказать о сути тренировки — то это режим ограничений и нагрузок (РОН, как теперь любят сокращать). Это мой конек. Впрочем, ничего оригинального я не придумал.

Три главных пункта. Первый — *еда с минимумом жиров*, 300 г овощей и фруктов ежедневно, и чтобы вес равнялся цифре: рост минус 100.

Второй — *физкультура*. Тут дело посложнее. Она всем нужна, а детям и старикам — особенно. Поскольку теперь на работе почти никто физически не напрягается, то, по идее, для приличного здоровья нужно бы заниматься по часу в день каждому. Но нет для этого характера у нормального советского и постсоветского человека. Поэтому — хотя бы 20–30 минут гимнастики, это примерно 1000 движений, лучше с гантелями по 2–5 кг. Советую упражняться перед телевизором, когда «Новости» показывают, чтобы время экономить. В качестве добавления к физкультуре желательно выделять участок для ходьбы, по пути на работу и обратно, по одному километру. Полезно, и нервы сохраняет, учитывая плохой транспорт. О беге трусцой я уже не говорю — нереально. Но — полезно.

Третий пункт, пожалуй, самый трудный: *управление психикой*. «Учитесь властвовать собой». Но ох как это трудно! Рецептов много, вплоть до медитации, описывать не буду. Сам пользуюсь простым приемом: когда большой накал и выделилось много адреналина, фиксирую внимание на ритмичном редком дыхании и пытаюсь расслабить мышцы. Самое бы хорошее в такие моменты — сделать энергичную гимнастику, но ведь обстановка обычно не позволяет. Но все равно, как только позволит — работайте. Избыток адреналина сжигается при физкультуре, и таким путем сосуды и органы спасаются от спазмов. У животных стрессы разрешаются бегством или дракой, а человеку это не позволено.

4. Каждый должен примерно знать «крепость» своего здоровья. Это — кровяное давление, частота пульса, гемоглобин, сахар крови, одышка при нагрузках, действия желудка и кишечника, отсутствие симптомов со стороны коронаров, печени, почек. То же и о нервной системе: головные боли, головокружения. О мелочах не говорю — спина, суставы. Прошлые болезни преувеличивать не стоит: когда прошло 5—10 лет, то организм уже все скомпенсировал. Но знать о них нужно.

5. Если ты молод — до 60! — и симптомов от органов нет, то не следует при малейшем недомогании бежать в поликлинику. Как уже говорил, наши врачи не доверяют природе, нацелены на лекарства и покой. Бойтесь попасть к ним в плен! Найдут болезни и убедят: «Отдыхать и лечиться!»

Конечно, «перемогаться» нужно в меру. То есть наблюдать за собой, жить спокойно и ждать 5—7 дней. Можно принять 1—2 таблетки аспирина, они еще никому не повредили.

В организме есть мощные защитные силы — иммунная система, механизмы компенсации. Они сработают, нужно дать немного времени. Имейте в виду, что большинство легких болезней проходят сами, докторские снадобья только сопутствуют естественному выздоровлению. Вам говорят: «Вылечили!», а вы и верите: «Хороший доктор!»

Однако я не считаю, как некоторые, что все химические лекарства — яды, а полезны только травки. Вредных лекарств не бывает, за этим смотрят медицинские власти. Но все же лучше их избегать. Хотя бы из опасения аллергий.

6. Выбор врача — неразрешенная проблема для нашего человека. То есть самого выбора просто нет — есть участковый доктор, вот с ним и находи общий язык. Хорошо, если повезет, а если нет — то будет у вас врач для больничного листка и направлений к консультантам. Такую систему можно поломать уже сейчас, при бесплатной помощи: нужно предоставить гражданам выбор — к кому прикрепиться в поликлинике. Я это видел в ЧССР еще в конце 60-х. Врач, к которому много желающих, получал больше денег, а у кого остается мало пациентов — соответственно — меньше. Непросто это организовать, но можно. Наши администраторы не хотят пошевелиться: назначен врач, молчи и не рыпайся. «Он имеет диплом».

Зато если уж посчастливилось попасть к хорошему доктору, берегите его, зря не беспокойте. Советский термин «обязан» для домашнего врача не подходит. Кофеем его поите и подарки делайте в скромных пределах. А если возможностей нет — то хотя бы будьте человеком. Помните, что врач — это больше, чем просто специалист. Это не сантехник. Указания доктора выполняйте... в меру вашего разумения. И не требуйте от него лишних лекарств, о которых от соседок узнали. Повторюсь: лекарств нужно пить меньше. Например, теперь в моду вошли капельницы, уже не только в больнице, но и на дому. Так вот: глупости это, мода. Одно дело — в реанимации нужна «тяжелая артиллерия», другое — дома. Разные показания.

Впрочем, лучше я здесь остановлюсь: отношения пациентов и врачей — тонкая материя. Часто, к сожалению, те и другие недовольны. В этом издержки человеческой — эгоистической — психики. Когда разбогатеем, деньги облегчат положение. Ждать вот только долго.

Еще одно: не надейтесь, что домашний доктор вам РОН (!) назначит, он этому не обучен. Хотите стать здоровым — придется самому рисковать. То есть, с питанием вопросов нет — голод всегда полезен, как табак — вреден. С физкультурой — хуже. Можно и перебрать. Но тоже не надо бояться, если соблюдать постепенность наращивания нагрузок. Плохо не то, что врач упражнения не назначил,— плохо, когда он их запрещает. Тут уж ничего не посоветую: он боится. «Не навреди» — священная заповедь врача, еще от Гиппократа.

Что сказать в заключение? Чтобы быть здоровым, нужна сила характера.

Как слабому человеку найти оптимум поведения в треугольнике между болезнями, врачами и упражнениями? Мой совет: выбирать последнее — упражнения и ограничения. По крайней мере, стараться. Поверьте — окупится!

Впрочем — каждый хозяин своей судьбы. И здоровья.

АЛГОРИТМ ЗДОРОВЬЯ

ЧТО ТАКОЕ ЗДОРОВЬЕ?

Что это такое — здоровье? Состояние организма, когда нет болезни? Интервал времени между болезнями? Чисто качественное понятие границ «нормы»: нормальная температура, нормальное число эритроцитов, нормальное кровяное давление, нормальная кислотность желудочного сока, нормальная электрокардиограмма?

Нет, определение здоровья только как комплекса нормальных показателей явно недостаточно. Научный подход к понятию здоровья должен быть количественным. «Количество здоровья» — вот что нужно.

Количество здоровья можно определить как систему «резервных мощностей» основных функциональных систем. В свою очередь, эти резервные мощности следует выразить через «коэффициент резерва», как максимальное количество функции, соотнесенное к ее нормальному уровню покоя (см. с. 39).

Само по себе здоровье не делает человека счастливым. Воспринимается привычным. Зато когда подступают болезни, то все остальное сразу отходит в сторону.

Но не надейтесь, что врачи сделают вас здоровыми. Они могут спасти вам жизнь, вылечить болезнь, но лишь подведут к старту, а дальше, чтобы жить надежно, учитесь полагаться на себя. Одна медицина не может сделать человека здоровым.

К сожалению, здоровье, как важная цель, встает перед человеком, когда смерть становится близкой реальностью.

Величина любых усилий определяется мотивами, мотивы — значимостью цели, временем и вероятностью ее достижения.

Пример. *После 40 лет меня стали донимать боли в позвоночнике. Чтобы с ними бороться, я разработал свою систему гимнастики, потом добавил к ней бег трусцой. Операции и физкультура позволяли поддерживать отличную форму с урежением пульса — сначала до 60, а потом и до 50 ударов в минуту.*

Развилась слабость синусового узла, затем перешла в блокаду сердца с частотой пульса 35—40. Вшили стимулятор. Облегчение почувствовал сразу, а через две недели полностью восстановил тренировки. Через восемь лет вшил двухкамерный стимулятор, который сразу прибавил сил. Однако скоро я почувствовал наступление старости. Хотя гимнастику и бег не оставлял, нарастала слабость, и я решил бороться. Этот эксперимент продолжается и сейчас. Каждый день отдаю три часа физкультуре с гантелями и бегу...

Врачи лечат болезни, а **здоровье нужно добывать самому** — тренировкой. Потому что здоровье — это резервные мощности органов, всей нашей физиологии. Эти мощности не лекарствами добываются, а упражнениями, нагрузками. И — работой, терпением к холоду, жаре, голоду, утомлению. Внешние условия, бедность, стрессы я бы поставил на второе место.

Тренировка резервов должна быть разумной, постепенной, упорной.

Прибавлять ежедневно 3–5% от достигнутого в беге, ходьбе, загорании и т. д.

Самый простой и обобщенный показатель здоровья — это показатель веса, пожалуй, даже не сам вес, а толщина складки жира на задней поверхности плеча, отступая кверху от локтевого сустава на 10–15 см. В норме должен быть сантиметр.

Соблюдение режима ограничений и нагрузок:

1. Еда с минимумом жиров. Не менее 300 г овощей и фруктов ежедневно. Следите за весом (рост минус 100).

2. Физкультура. Уделяйте гимнастике хотя бы 20–30 минут в день (это примерно 1000 движений, лучше с гантелями по 2–5 кг). Ходьба (хотя бы на работу — километр туда и километр обратно).

3. Управление психикой: «учитесь властвовать собой».

• Каждый человек должен примерно знать «крепость» своего здоровья: кровяное давление, частоту пульса, содержание гемоглобина, сахара и холестерина в крови, степень одышки при нагрузках, состояние желудка и кишечника, печени и почек, а также коронарных сосудов. Следует знать и состояние нервной системы: бывают ли головные боли, головокружения.

• Не преувеличивайте значение прошлых болезней: по прошествии лет организм уже все скомпенсировал. Но знать о них нужно.

• При малейшем недомогании не стоит бежать в поликлинику. Понаблюдайте за собой 5–7 дней.

• Если вы простыли, можно принять 1–2 таблетки аспирина, он еще никому не навредил. Иммунная система, механизмы компенсации обязательно сработают. Нужно им дать немного времени.

Имейте в виду, что большинство легких болезней проходят сами, докторские средства лишь сопутствуют естественному выздоровлению.

Если заболели, полезны:

— голод;

— физкультура, но соблюдать постепенность, не перетренироваться.

Помните! Чтобы быть здоровым, нужна сила характера!

ПОЧЕМУ МЫ БОЛЕЕМ?

Зачем говорить о болезнях? Но если бы не было болезней, кто бы вообще думал о здоровье? Понятия болезни и здоровья тесно связаны друг с другом. Кажется, что они противоположны: крепче здоровье — мало болезни, и наоборот.

Человек обречен болеть, вопрос лишь в том — сколько, и можно ли облегчить болезнь.

Условием хорошего здоровья являются «резервы мощности» сердца, легких, печени, всех органов и систем. Но человека всегда интересует, почему же он заболел? Что послужило тому причиной?

Причины болезней

Их можно разделить на внутренние и внешние. К первым относятся врожденные дефекты разных органов, гамма вредных привычек (причем не только курение, алкоголизм, наркомания, но еще переедание и лень), ко вторым — проникновение в организм всякого рода инфекций, травмы и отравления.

В большинстве болезней виноваты не природа, общество, а только сам человек. Чаще всего он болеет от лени и жадности, иногда и от неразумности.

Думаю, что *главная причина болезней — неправильный образ жизни.*

Неправильное поведение людей — наиболее частая причина их болезней. Поведение — это поступки, психика.

Неправильное питание. У пищеварительного тракта два главных врага:

чересчур обработанная пища;

длительное психическое напряжение с неприятными эмоциями, особенно при избыточном питании сильно обработанной пищей.

Неполноценное питание, не обеспечивающее клетки всем необходимым, является источником многих болезней, плохо сказывается на картине крови и снижает общую сопротивляемость организма.

Частой причиной болезней является *инфекция*.

Повышение температуры активизирует защитные силы организма.

Влияние *недостаточности иммунитета* на организм очень велико.

Инфекция. Микробов много, и ничем от них не защититься. Проблему защиты от инфекции нельзя решить рациональным питанием, физкультурой и даже закаливанием. Появляются новые имена вирусов (гриппозных).

Влияние *психики* на здоровье. *Стрессы* и *эмоции* — причина разных болезней. Причем сейчас возросло значение нервного фактора в болезнях.

Последствия прогресса связаны с неблагоприятными изменениями поведения людей — *физической детренированностью и перееданием.*

Повышение кровяного давления в моменты психического перенапряжения.

Результатом психического напряжения могут быть: спазматическое сокращение стенок желудка, повышение кислотности желудочного сока и язва желудка, гипертония.

Нормальное насыщение кислородом артериальной и венозной крови 4 литра в минуту в покое (но может быть 20 литров в минуту при нагрузке).

Детренированность. Единственным способом тренировать сердце и легкие является физическая нагрузка.

Слишком *большое потребление соли* (при суточной потребности 2–4 г, едят 10–20 г).

Неполноценный сон. Не экономьте время на сне (в среднем сон должен быть восемь часов).

Боязнь бессонницы. Не бойтесь бессонницы. Лежите спокойно и ждите, уснете с запозданием. Не спасайтесь транквилизаторами. Здоровье нельзя удержать лекарствами, они предназначены лишь для лечения болезней.

Алкоголизм. Его последствия страшны.
Наркомания.

Состояние иммунной системы легко проверить по сопротивляемости инфек-ции. У людей с хорошим иммунитетом мелкие ранки не нагнаиваются. Нет гнойничковых заболеваний кожи. Насморки, ангины, бронхиты — все эти «катары верхних дыхательных путей» протекают нормально, длятся столько времени, сколько нужно для приобретения иммунитета на новый микроб — примерно одну-две недели. Совсем избежать их невозможно.

ЧТО ЖЕ НУЖНО ДЛЯ ЗДОРОВЬЯ?

Прежде всего **физкультура,** которая:
укрепляет мускулатуру;
сохраняет подвижность суставов и прочность связок;
улучшает фигуру;
повышает минутный выброс крови и увеличивает дыхательный объем легких;
стимулирует обмен веществ;
уменьшает вес;
благотворно действует на органы пищеварения;
успокаивает нервную систему;
повышает сопротивляемость простудным заболеваниям.

Физические тренировки. Важнейшее правило тренировки — постепенность наращивания интенсивности и длительности нагрузок. Поэтому темп наращивания того и другого должен выбираться с большим запасом, с «перестраховкой», чтобы ориентироваться на самые «медленные» органы. При низкой исходной тренированности добавления нагрузок должны составлять 3–5 процентов в день к достигнутому. Верхних пределов возможностей достигать не нужно — это вредно для здоровья.

При физической тренировке из всех органов и систем наиболее уязвимым является сердце. Именно на его функции и нужно ориентироваться при увеличении нагрузок у практически здоровых людей.

Исходная тренированность определяется по уровню работоспособности сердечно-сосудистой и дыхательной систем.

Прежде всего нужно знать свой пульс в покое. По пульсу в положении сидя уже можно приблизительно оценить состояние сердца:

если у **мужчины** он реже 50 — отлично;

реже 65 — хорошо;

65—75 — посредственно;

выше 75 — плохо.

У женщин и **юношей** примерно на 5 ударов чаще.

Также надо **оценить работу сердца** при относительно небольшой нагрузке. Для этого можно небыстро подняться на четвертый этаж и сосчитать пульс: если он ниже 100 — отлично, ниже 120 — хорошо, ниже 140 — посредственно, выше 140 — плохо. Если плохо, то никаких дальнейших испытаний проводить нельзя и нужно начинать тренировку с нуля.

Следующая ступень испытания сердца — подъем на шестой этаж, но уже за определенное время. Сначала за две минуты — это как раз нормальный шаг. И снова подсчитать пульс. Тем, у кого частота пульса выше 140, больше пробовать нельзя: нужно тренироваться.

К. Купер создал очень хорошую систему физической тренировки. Для контроля тренированности он разработал и научно обосновал два теста (см. с. 195).

Развернутую характеристику каждому виду тренировки (ходьба, бег по дорожке, бег на месте, гимнастика) я даю на с.196.

Человеку, который заботится о своей тренированности, лифтом вообще пользоваться не следует, так же как и транспортом, если дорога занимает не более 15 минут пешком.

Тренировка холодом — вещь хорошая. Во-первых, это физиологические стрессы. Во-вторых, тренировка обменных процессов в клетках кожных покровов приучает их к поддержанию «правильной химии» при необычных внешних условиях и активизирует митохондрии клеток, производящие энергию. В-третьих, укрепляется сердечно-сосудистая система, как при физических нагрузках.

Закаливание повышает сопротивление организма простудным заболеваниям.

Методы закаливания просты: не кутаться, терпеть холод. А если зачихал — не бояться: легкий насморк пройдет, а полезный след останется. Полезен прохладный душ.

Правильное питание — необходимое, но не достаточное условие здоровья. Пренебрегать им нельзя ни в коем случае.

Чем хуже представлены другие компоненты режима, тем строже должна быть диета. И наоборот, при хорошей физической тренированности, закаливании и спокойной психике можно больше позволять себе в питании.

Существует и зависимость от возраста: старым и малым нужны строгости, для молодых и сильных допустимы поблажки.

Есть метод **лечения голодом**. И все-таки научной теории о действии полного голода нет. То, что голод оказывает полезное влияние на организм,— несомненно. И голодание как лечебный метод имеет смысл при условии, что последующее питание человека остается сдержанным.

Потребление **соли** — тоже один из важнейших вопросов. Это миф, что соль необходима организму. Она может оказаться полезной и даже необходимой при однообразном питании рафинированными продуктами.

Вредность соли доказана. Она способствует развитию гипертонии, а гипертония — один из факторов риска развития склероза.

Качество пищи более важно, чем ее количество.

Какую же пищу предпочесть?

Важно не что есть, а сколько есть. Вредность любого продукта невелика, если суммарная энергетика держится на пределе и вес удерживается на минимальных цифрах.

Мягкая, измельченная пищевая кашица детренирует мышцы кишечной стенки. Длительное психическое напряжение с неприятными эмоциями способно извратить нервное регулирование желудка и толстого кишечника.

Вареная пища вкуснее. Больше никаких доводов в ее пользу нет. Для пищеварения это не требуется, для него гораздо важнее жевать. Хорошо жевать.

Чем меньше организм получает пищи, тем совершеннее его обмен веществ, следовательно, тем человек здоровее. У «жадных» субъективная потребность в пище, то есть чувство голода будет пре-

вышать расходы, и человек станет полнеть.

Борьба с собственным аппетитом — главная проблема питания для здорового человека, ведущего активный образ жизни. Трудно есть вкусную пищу и не полнеть.

Не надо считать калории и граммы. При разном образе жизни, разном обмене нельзя определить, сколько калорий требуется конкретному человеку, и трудно спроектировать соответствующую диету.

Таблицы калорийности продуктов следует читать только для ориентировки: какой пищи нужно избегать, а что безопасно. Единственный измерительный инструмент, которым следует руководствоваться,— это весы.

Исключительно важна роль *витаминов, микроэлементов* и других *биологически активных веществ*, получить которые можно только из свежих фруктов и овощей (минимальная доза — 300 г, а лучше 500 г). И чем они разнообразнее, тем лучше.

Замена сырых овощей вареными неполноценна. Витаминные таблетки полезны, но не смогут заменить свежую зелень.

Очень полезны фруктовые и овощные соки, особенно неподслащенные. Их можно пить в неограниченном количестве.

Осторожное отношение к **жирам.** Для худощавого человека при соблюдении первых двух условий жиры не вредны. Мне они представляются не столько вредными, сколько коварными: уж очень много калорий они содержат (девять на грамм).

О белках. Считается, что нужны полноценные белки, содержащиеся только в животных, а не в растительных продуктах. Не нужно вегетарианского педантизма. Животные белки доступны. Вопрос — в количестве. Молоко и немного мяса вполне восполнят незаменимые аминокислоты. Но увлекаться животными белками не нужно!

Об углеводах. Едва ли стоит о них задумываться, если выдержаны главные условия: вес,

необходимое количество растительного сырья, немножко животных белков.

Супами не стоит увлекаться, поскольку в них много соли.

Для здоровья одинаково необходимы четыре условия:

физические нагрузки;

ограничения в питании;

закаливание;

время и умение отдыхать.

Достаточно 20—30 минут физкультуры в день, но такой, чтобы вспотеть и чтобы пульс участился вдвое. А если это время удвоить, то будет вообще отлично.

Ограничивайте себя в пище. Поддерживайте вес: рост (в см) минус 100.

Умейте расслабляться.

ЧТО ТАКОЕ БОЛЕЗНЬ?

Люди очень хотят получить простые и точные сведения о болезнях. Их интересует это гораздо больше, чем здоровье. Потому что к здоровью привыкаешь, а болезнь враждебна и таинственна. Любая болезнь локализуется в клетках. Нарушена химическая фабрика: чего-то клетка недодает своим соседям, чего-то производит больше, чем требуется. Правда, совсем ядовитых продуктов клетки не вырабатывают, в них нет для этого ферментов. Чаще всего дело ограничивается веществами неполной переработки (какие-нибудь «недоокисленные продукты») из-за плохого снабжения от важных органов и регулирующих систем. Разумеется, избыток этих продуктов тоже отравляет организм, но все же не так, как чужеродные токсины. Настоящие яды попадают в организм извне, и, к сожалению, это происходит нередко (химия, алкоголь, наркотики).

Можно сказать так: **болезнь организма** — это нарушение взаимодействия функций органов, которые сами меняются во времени, так как болезни свойственна динамика, нестабильность.

Болезнь связана с тягостными физическими ощущениями или со страхом перед болями и смертью. Здоровье само по себе вспоминается человеком как счастье только тогда, когда его уже нет.

В первую фазу болезни нужно организм щадить: снижать нагрузки соответственно степени болезни. Физический и психический покой и минимальное питание в пределах сниженного аппетита. Психотерапия: жалеть и успокаивать, чтобы уменьшить страх и вселить надежду.

Измерить здоровье и болезнь трудно, границу между ними провести невозможно.

При одинаковых раздражителях слабый менее натренирован и легче заболевает, чем сильный.

ОБЗОР БОЛЕЗНЕЙ

Попытаюсь сделать краткий обзор болезней, чтобы помочь людям без медицинского образования, во-первых, трезво оценить опасность, во-вторых, уделять должное внимание профилактике и, в-третьих, не пренебрегать медициной.

Болезни сердца и сосудов

Все болезни сердца объединяет нарушение функций газообмена тканей. Это выражается в острой и хронической недостаточности кровообращения.

Памятка сердечному больному:
• Сердечный больной должен обладать знаниями и волей.
• Должен знать, что и когда измерять.
• Не толстеть.
• Постоянно контролировать количество жидкости и вес, чтобы по ним дозировать нагрузки и мочегонные средства.
• Не пропускать прием лекарств.

Атеросклероз — изменение крупных и средних артерий, утолщение их стенок, развитие соединительной ткани, отложение холестерина и кальция.

На внутренней оболочке артерии формируются сгустки крови (тромбы) с последующим превращением в твердые бляшки и закупоркой просвета. Кровоток по артерии уменьшается, а потом может вовсе прекратиться.
Факторы риска:
— курение;

— повышение содержания холестерина более 250 единиц;
— неправильное питание;
— избыточный вес;
— низкая физическая активность;
— гипертония;
— бесконтрольность эмоций.

Профилактика атеросклероза — с детства, но и в более позднем возрасте можно замедлить процесс путем перехода на режим ограничений и нагрузок (см. с.179).

Следует особенно подчеркнуть значение холестерина. Он является важным компонентом «химии жизни», участвуя в образовании желчных кислот и гормонов. Тем не менее, высокое содержание холестерина, особенно в сочетании с малым количеством липопротеидов высокой плотности является главным фактором развития атеросклероза и коронарной болезни сердца.

В детстве холестерин низкий, но с возрастом его количество возрастает. Источником является избыток животных жиров в пище. Способствующие факторы — лишний вес, физическая детренированность и стрессы. Норма холестерина до 250 мг/100 мл, или 4–5 миллимолей на литр. Повышение уровня в полтора раза уже опасно, в два раза — очень опасно.

Снизить содержание холестерина можно отказавшись от жирного мяса, сливочного масла, сметаны, добавив к диете усиленную физкультуру, чтобы снизить вес тела до нормального.

Острая недостаточность кровообращения (ОНК) — следствие уменьшения производительности сердца.

Признаки: понижение артериального давления (ниже 80 мм рт. ст.), ослабление и замедление пульса.

Самое опасное, если ОНК вызвана внутренним кровотечением.

Лечение ОНК проводят в реанимации.

Если беда случилась дома, нужно уложить больного с приподнятыми ногами и вызвать «скорую» помощь.

Везти в больницу можно при повышении кровяного давления, когда минует опасность остановки сердца. Дальнейшее лечение проводит врач.

При артериальном давлении 90 мм рт. ст. необходима капельница. Вводят кровезаменители: физиологический раствор, белки, плазму, а при низком гемоглобине — и кровь.

Если АД ниже 80 мм рт. ст. и не поднимается от адреналина или родственных ему лекарств — прибегают к аппарату искусственного дыхания.

В домашних условиях остановку сердца, то есть смерть, определяют по потере сознания, остановке дыхания, расширению зрачков, отсутствию пульса.

При этом не следует ждать врача и всех признаков смерти — нужно начинать реанимацию: массаж сердца и искусственное дыхание рот-в-рот.

Промедление свыше пяти минут смертельно опасно.

Все должны уметь делать массаж (*методику массажа см. на с. 99*). Минимально достаточное кровообращение и газообмен можно поддержать массажем в течение часа-двух.

Шок — продолжительность такого состояния больного, когда повысить артериальное давление не удается.

Хроническая недостаточность кровообращения — осложнение, которое встречается у сердечных больных еще чаще, чем ОНК. Иначе это состояние называют «декомпенсация сердечной деятельности».

Признаки при отеке легких:
— отеки ног;
— увеличение печени;
— жидкость в животе;
— одышка при легкой нагрузке;
— хрипы в легких, иногда кровохарканье;
— глухие тоны сердца.
Лечение:
— сердечные средства;
— мочегонные;
— ограничение соли и жидкости.
Срочно необходимы:
— инъекция сердечных средств;
— обеспечение больного кислородом;
— отсасывание пенистой мокроты;
— кровопускание из вены объемом до полулитра;
— интубация трахеи (введение трубки) в тяжелых случаях и искусственное дыхание аппаратом.

Ревматизм — иммунная реакция организма на инфекцию, поражающая соединительную ткань ряда органов.

Возбудитель болезни: стрептококк.

Причины: ангина, ослабление организма, наследственная предрасположенность.

Признаки:
— опухают суставы:
— нервные подергивания (хорея);
— изменение картины крови — СОЭ выше 20 мм/час;
— небольшие повышения температуры.
Лечение: аспирин, антибиотики, гормоны.

Пороки сердца. Бывают приобретенные и врожденные, компенсированные, декомпенсированные, легкие, средней тяжести, тяжелые.

Диагностика: УЗИ, рентген, ЭКГ.

Течение пороков сердца — хроническое.

Причина пороков неизвестна.

Лекарственное лечение пороков сердца ведут в двух направлениях: отдельно лечат ревматизм и хроническую недостаточность кровообращения.

При ревматизме: аспирин, гормоны, антибиотики.

При ХНК — зависит от тяжести заболевания.

Режим — от ограничения в работе до постельного.

— Уменьшение потребления жидкости (до 0,75 л) и соли.
— При отеках — лазекс 1—2 раза в неделю.
— Дигоксин — ½ или целая таблетка в день (при контроле частоты пульса).
— Ходьба.

Врожденные пороки сердца. Встречаются нечасто. Причина неизвестна. С некоторыми врожденными пороками можно и до старости дожить. Одна треть — неоперабельные больные. Вторую треть можно спасти ранними операциями. Остальных — операциями в более поздний период.

Диагностика: УЗИ, зондирование, ангиография, ЭКГ, фонография, постоянное измерение артериального и венозного давления. Лекарства при врожденных пороках не помогают.

Ишемическая болезнь сердца (ИБС) — сужение коронарных артерий вплоть до полной их закупорки. В результате чего сердечная мышца не получает с кровью достаточно кислорода.

Диагностика — ЭКГ (электрокардиограмма), рентгеноконтрастное исследование коронарных артерий.

В легких случаях успешно *лечат* различными лекарствами (например, нитроглицерин), бе-таблокаторы (обзидан), блокаторы кальция (феноптин) или нитраты длительного действия. В тяжелых случаях применяется операция шунтирования коронарных артерий.

Часто ИБС заканчивается инфарктом миокарда.

Инфаркт миокарда — полная закупорка одной или нескольких коронарных артерий с прекращением кровоснабжения питаемого ими участка сердечной мышцы.

Лечат инфаркты в отделениях интенсивной терапии (реанимации) в кардиологических отделениях, где применяют:

— ЭКГ с монитором;

— капельницы;

— контроль мочи;

— контроль артериального и венозного давления;

— в тяжелых случаях (кардиогенный шок) — интубация трахеи и искусственное дыхание;

— тромболизис — растворение тромбов в коронарных сосудах с помощью введения внутривенно или прямо в аорту, или в устье коронарной артерии специальных растворяющих веществ;

— в последние годы лечат хирургически — делают коронарное шунтирование или расширение сужения баллончиком.

Профилактика:

— не доводить до серьезного атеросклероза;

— постоянно помнить о факторах риска ИБС: курении, ожирении, детренированности, бесконтрольности эмоций.

Болезни сосудов

Тромбоз — закупорка сосуда сгустком крови.

Лечение — хирургическое.

Артериосклероз — сужение просвета сосуда в результате утолщения его стенки.

Причины:

— гипертония, вызывающая спазмы сосудов;

— иммунная реакция на какие-то неизвестные воздействия;

Если заболевание не запущено можно попытаться рассосать тромб лекарствами.

Гипертония — повышенное артериальное давление.

Артериальное давление считается нормальным, если оно не поднимается выше 140/80 мм рт. ст. От 140/90 до 160/95 — «опасная зона». Если давление постоянно выше — это уже гипертония.

Симптомы зависят от стадии заболевания.

Причины:

— отрицательные эмоции;

— недостаток физической нагрузки;

— результат неправильного образа жизни;

I стадия гипертонии — периодические подъемы давления:

— Необходимо держать свое состояние под контролем.

— Постоянно измерять артериальное давление.

II стадия гипертонии — начинаются изменения в сосудах глазного дна;

— гипертрофируется сердце;

— давление стойко повышено;

— лекарства требуются регулярно;

— периодически возникают кризы (когда верхнее давление переваливает за 200).

III стадия гипертонии — серьезные нарушения во внутренних органах, мозговые расстройства. Соединительная ткань в артериях разрастается, нарушается питание «благородных» клеток — почек, сердца, развиваются нефро- или кардиосклероз или и то и другое.

При гипертонии нужно:

— контролировать почки по количеству и анализам мочи;

— наблюдать за сердцем, дозируя физическую нагрузку и применяя сердечные и мочегонные средства:

— обязателен контроль глазного врача;

— комплекс лечебной физкультуры: 10 упражнений ногами, 10 — ногами, сидя на стуле и стоя. (Это, конечно, мало, но уж лучше, чем ничего.)

Чтобы не болеть гипертонией:

— молодому человеку нужно — полчаса в день очень хорошей нагрузки;

— если тратится много нервов, то и нагрузка больше — час или два;

— не следует курить;

— не следует набирать вес;

— не есть много соли.

Диабет — нарушение генетически заложенных регуляторов обмена веществ, в частности, обмена углеводов, потом жиров и в конце концов белков.

Основные причины:

— переедание;

— отсутствие физических нагрузок;

— неприятности дома и на работе.

Нужна интенсивная физкультура.

Различают *три степени тяжести диабета*:

Первая (легкая) — сахар в крови не превышает 140 мг%.

Вторая (средняя) — сахар в крови не превышает 220 мг%.

Третья степень тяжести — уровень сахара в крови превышает 220 мг%.

Кома *гипергликемическая* — от недостаточной дозы инсулина *и гипогликемическая* — от передозировки инсулина.

Диабетическая — когда уровень сахара в крови резко повысился, а *гипогликемическая* — когда содержание глюкозы в крови катастрофически упало.

Лечение комы — в реанимации.

Лечение диабета:

— диета;

— проверка крови на сахар;

— лекарства (например, сахаропонижающие препараты сульфанил-мочевины, бугуаниды);

— физкультура (20—30 минут гимнастики без переутомления);

— есть больше овощей (до килограмма в день), но без картофеля и гороха;

— избегать употребления сладких фруктов (винограда, бананов);

— сахара не есть ни грамма, только заменители;

— хлеба — 100 г (в четыре приема);

— взвешиваться (вес снизить хотя бы до формулы «рост минус 100»).

Инфекционные болезни — патогенный микроб (вирус) — всегда агрессор, он внедряется через так называемые «ворота инфекции» — раны или другие пути. Чаще всего это рот, желудочно-кишечный тракт и органы дыхания, но может быть укус тифозной вши или малярийного комара.

Генетически организм приспособлен справляться с инфекциями своими средствами. Если у него есть запас сил, то для выздоровления достаточно только покоя. Но если сил мало, то помощь медицины необходима.

Антибиотики — сильнейшие средства против микробной инфекции. Несмотря на то, что они бессильны, например, при гриппе, но оказывают пользу в профилактике и лечении осложнений, вызываемых другими микробами, до того мирно спавшими в зеве или бронхах.

Последствия инфекционных болезней:

— аллергический отек гортани;

— зуд, сыпи;

— отеки;

— поражения печени и других внутренних органов;

— раздраженная иммунная система может обрушиться даже на свои нормальные клетки. Это характерно для полиартрита и ревматизма.

При **аллергии** можно принять таблетку димедрола, диазолина, тавегила или супрастина.

Однако к лекарствам следует прибегать не всегда: организм человека обладает мощными возможностями саморегулирования. Обычно вслед за обострением какой-нибудь хронической болезни наступает успокоение — болезненный процесс затухает, излечение может произойти само по себе. Помните об этом и **проявляйте разумное терпение**.

Онкологические заболевания. Их суть — в бесконтрольном размножении клеток. Блокирование избыточного деления клеток после периода роста и развития организма заложено в генах, однако по каким-то причинам в отдельной клетке эта блокировка снимается, клетка «бунтует» и начинает жить по своим законам. Это проявляется во все ускоряющемся делении и росте опухоли. В дальнейшем отдельные опухолевые клетки прорываются в лимфатические или кровеносные сосуды и «засевают» другие части тела, давая начало новым опухолям — метастазам.

Следует:

— наблюдать за собой;

— периодически обращаться к врачу, когда возникают «раковые страхи»;

— УЗИ — ультразвуковое исследование;

— эндоскопия — осмотр внутренних органов через тонкие оптические системы;

— биопсия (микроскопическое исследование кусочков ткани).

Профилактика:

— лечение так называемых предраковых заболеваний наиболее уязвимых органов (желудок, грудь, матка, легкие);

— поддержание активности иммунной системы.

Болезни органов пищеварения

Болезни органов пищеварения имеют следующие причины: переедание, неправильная пища, физическая детренированность и психическое напряжение.

Рак желудка

Диагностика:

— гастроскопия;

— УЗИ.

К сожалению, применительно к онкологии я не могу произнести свои заклинания: «Голод, физкультура, холод, расслабление — и не будет опухолей».

Обращаться к целителям можно только тогда, когда отказано в операции. Ни в коем случае не раньше. Упустите время.

Язвенная болезнь желудка и 12-перстной кишки — самопереваривание желудочным соком маленького (около 1 см) участка внутренней поверхности желудка, когда нарушается его защита слизью. Это происходит в результате местного спазма сосудов. Язва — это не только боли, но и опасные осложнения.

Причина основная — стрессы.

Профилактика — спокойная жизнь, размеренное питание.

Питание: вид и вкус пищи не должны вызывать аппетита, потому что он приводит к выделению очень кислого желудочного сока.

Лекарства: циметизин и гастроцепин (благодаря им можно обойтись без операции).

Холецистит — воспаление желчного пузыря.

Причина возникновения — камни в желчном пузыре.

Диагностика — УЗИ.

Причины образования камней:

— переедание;

— жирная пища;

— ожирение;

— пренебрежение физкультурой.

Профилактика: достаточно делать перегибания через стул и наклоны до пола 200—500 раз в день в два-три приема — и не будет камней, а заодно и запоров.

Заболевания легких

Бронхиальная астма — это приступы удушья: человек вдыхает, а выдохнуть не может. Это мучительное состояние связано со спазмами мелких бронхов, нарушающими акт дыхания.

В основе лежит аллергия.

Аллергены:

— бытовая пыль;

— пыльца растений;

— некоторые ягоды;

— домашние животные;

— продукты химии;

— лекарства.

Лечение:

в легких случаях — эуфиллин или эфедрин подкожно;

в тяжелых случаях — эуфиллин или эфедрин внутривенно, преднизолон по 10—20 мл/день.

Астма хорошо лечится дыханием по К. П. Бутейко (он рекомендует научиться дышать поверхностно — «малое дыхание», чтобы дыхательный центр восстановил свою природную малую чувствительность к углекислоте).

При астматическом статусе добавляют гормон надпочечника — преднизолон. Он же — хорошее лекарство от разных затянувшихся болезней — от кашля до болей в спине:

1 день — 4 таблетки (по 5 мг)

2 день — 3 табл.

3 день — 2 табл.

4 день — 1 табл.

5 день — 1 табл.

6—7 дни — по 0,5 табл.

Туберкулез — сначала похож на затянувшуюся пневмонию: температура, кашель, сдвиги в анализах крови, плохое самочувствие. Рентген обнаруживает характерное затемнение — инфильтрат. Потом в центре появляется полость — это уже каверна. В мокроте находят туберкулезную палочку. Лечение — длительное, но, если позволяют условия, почти всегда успешное.

При туберкулезе может развиться **плеврит** — накопление жидкости в полости между легким и грудной стенкой. Диагностика — по рентгену. Жидкость отсасывают через прокол иглой. При гнойном плеврите показана операция.

Рак легкого

Признаки: кашель, скудная мокрота с прожилками крови.

Профилактика:

Нельзя курить!

Правильный образ жизни.

Неглубокое дыхание (по Бутейко).

Рак молочной железы — возникновение его связывают с недостаточным использованием груди по прямому назначению — для кормления новорожденных.

Необходимо:

— следить за состоянием груди;

— при уплотнении обращаться в поликлинику.

Заболевания почек и мочевыводящих путей

Воспаление почек имеет инфекционно-аллергический характер. Болезнь выражается в нарушении одной или нескольких функций почек:

Задержка воды — появляются отеки.

Плохо выводится мочевина и другие токсические вещества.

Организм отравляется ими — развивается уремия.

Признаки:

— общее плохое самочувствие;

— скудное мочевыделение;

— мутная моча;

— головные боли;

— отеки на лице;

— повышение кровяного давления;

— высокое содержание креатинина и остаточного азота в крови.

Болезни крови

Чтобы правильно судить о своем анализе крови, нужно знать несколько цифр, характеризующих норму:

Содержание гемоглобина — 120—140 единиц (у женщин ближе к нижней границе).

Эритроциты — 3,5—5 млн.

Лейкоциты — 4—6 тыс.

Лейкоцитарная формула:

Эозинофилы — 0,5—5%;

Нейтрофилы палочкоядерные — 1—6%;

Нейтрофилы сегментоядерные — 47—72%;

Базофилы — 0—1%;

Моноциты — 3—11%;

Лимфоциты — 19—72%;

Тромбоциты — 200 тыс.;

СОЭ — в норме 5—15 мм/г, ускорение до 20 мм/г не страшно;

Холестерин — 200—300 мг.

Анемия — снижение уровня гемоглобина и эритроцитов. Опасный предел — середина нормы.

Причины:

кровотечения (острые и большие, скрытые и малые, в кишечнике или даже обильные менструации).

Лечение:

питание (яблоки, гречка);

препараты, содержащие железо;

при кровопотерях переливание крови, эритроцитов, плазмы.

Лейкопения — уменьшение числа лейкоцитов. Встречается довольно часто. Опасный предел — 3000 единиц.

Причины: «химия» — самая разная, включая и лекарства.

Лейкоцитоз — увеличение числа лейкоцитов до 10000 единиц и более. Чаще всего это показатель инфекции (СОЭ достигает 50 мм/ч).

Лечение направлено на первичную инфекцию.

Лейкоз — рак крови, белокровие. Опухоль появляется в необычном виде, но ведет себя так же, как и в других тканях организма: незрелые формы лейкоцитов злокачественно размножаются в костном мозге, дают метастазы, приводят к сопутствующим поражениям других органов и истощению (кахексии).

Диагностика:
— увеличена селезенка;
— анализ крови.

Болезни суставов

Артриты — воспалительный процесс в мягкой внутренней (синовиальной) оболочке сустава. Воспалению способствуют микробы и вирусы при ослаблении иммунитета.

Признаки:
— температура;
— боли;
— отеки в области суставов.
Лечение:
— антибиотики;
— гормоны.

Туберкулезные артриты. Лечат антибиотиками в сочетании с гипсовыми повязками.

Ревматоидные артриты — самые опасные. В них проявляется коварство ревматизма, поражающего соединительную ткань, в данном случае — суставы.

Лечат:
— солями золота;
— гормонами.

Артрозы — поражают суставы, т. е. процесс начинается сразу в суставных хрящах, потом поражает костные поверхности, но на мягкие ткани сустава не переходит.

Чтобы суставы не утратили свою функцию, нужна гимнастика (сотни и тысячи движений в день), но только после того, как полностью снято острое воспаление.

Травмы

Каждому необходимо знать **диагностику травматических повреждений**.

Симптомы ранения сердца: тяжелое общее состояние, шок, пульс еле прощупывается или не обнаруживается совсем. Тоны сердца не слышны.

При повреждении легких — кашель с кровью, одышка.

Повреждения печени и селезенки опасны внутренними кровотечениями. Бледность, падение пульса и давления. Ощупывание живота болезненно.

При повреждениях желудка и кишечника — бледность, падение пульса и давления, рвота. Главная опасность — перитонит (воспаление брюшины).

При повреждениях почек и мочевого пузыря моча окрашивается кровью.

При травме головы — сотрясении мозга — потеря сознания.

Признаки перелома костей рук и ног:
— сильная боль в месте перелома при надавливании пальцем;
— резкое нарушение функции конечности;
— появление через 30 минут на месте перелома отека.

При переломе ребер — сильная боль при дыхании и кашле, при сжатии груди ладонями с боков при надавливании на ребро.

Помните! Процесс реабилитации после травмы больше всего зависит от самого больного. Резервы организма по восстановлению функций велики, но требуется сила воли: никакой специальный массаж не может заменить активных движений через боль.

ДЕТСКИЕ БОЛЕЗНИ

Здоровье ребенка складывается из четырех основных компонентов режима жизни:

Физических нагрузок.

Закаливания.

Питания.

Психического здоровья.

Питание и упражнения — вот два фактора, влияющих на вес и рост ребенка.

Характерный набор детских болезней:

Катар верхних дыхательных путей.

Грипп (во время эпидемии).

Необъяснимые подъемы температур (иногда неделями).

Миндалины увеличены почти у всех.

Болят уши.

Разрастаются аденоиды.

Пневмония.

Бронхиты.

Бронхиальная астма.

Ревматизм.

Необъяснимые боли в животе.

Колиты.

Головные боли.

Близорукость.

Проблема ухудшения здоровья у детей вполне серьезна и требует пристального внимания.

Если нельзя вырастить ребенка, чтобы он совсем не болел, то поддерживать у него высокий уровень здоровья вполне возможно. Инфекционные болезни и мелкие травмы неизбежны. Но они не ухудшают здоровья как некоего количества защитных сил.

Причины болезней:

— очень тепло одеты;

— мало двигаются;

— однообразное питание, содержащее мало овощей, фруктов и белков, а больше сладостей;

— масса лекарств с рождения.

Мало упражнений в детстве не только вредят здоровью, но и тормозят физическое развитие. Движение — это первичный стимул для ума.

Элементы здоровья ребенка:

— физические нагрузки;

— правильное питание;

— закаливание;

— сон;

— здоровая психика.

Тренировка органов движения (суставов, связок, нервного аппарата управления рефлексами):

— физическими упражнениями;

— играми;

— как только ребенок научился ходить — перестаньте возить его на прогулку в коляске;

— не носите ребенка на руках (если не приучать, то и проситься не будет);

— в детском саду и школе — физкультура ежедневная и сильная до пота, до одышки — не менее часа в день;

— желательна утренняя гимнастика — для осанки, суставов.

Физкультура — это тренировка всего организма. Это психическое напряжение. Нагрузки должны быть интенсивными. Мера интенсивности — в учащении пульса и дыхания, в потоотделении, если тепло. Без этого упражнения почти бесполезны. Как минимум нужен один час хороших нагрузок с учащением пульса до 150—170 ударов в минуту.

Закаливание — важнейший компонент здоровья. И здесь главное — преодолеть страх перед простудой. Заболевания неизбежны, потому что вызываются микроорганизмами и в любом месте их достаточно. Иммунная система у детей еще слаба и они заражаются легко, но при хорошем здоровье легко выздоравливают. Если начать кутать — открывается путь для новых простуд.

Принципы закаливания: осторожность, постепенность, систематичность.

Советы:

• Воздушные ванны в первые месяцы (ребенок остается голым или в распашонке) несколько раз в день, начиная с 5 минут. Каждую неделю прибавлять по 2—3 минуты, доведя до получаса, в сумме до четырех часов в день.

Если температура в комнате ниже 20°, то следует уменьшать время или одеваться теплее.

• Следить за поведением ребенка: если спокоен — значит не холодно.

• Проверять кожу — она должна быть прохладной, но не холодной.

• При купаниях начинать с 36°, понижая на 1° в неделю, доводить до 25—23°. При этом следить за тем, чтобы ребенок чувствовал удовольствие от купания.

• После перенесенного заболевания начинайте закаливание постепенно, отступив назад на половину достигнутого ранее, но вдвое ускорив темп раздевания.

• Можно научить ребенка плавать раньше, чем ходить. Плавание — это закаливание, соединенное с физкультурой.

Питание

Правильное питание исключительно важно. В нашем обществе сложилось мнение, что детей нужно кормить с избытком, и чем больше, тем лучше.

Запомните! Избыточная калорийная пища приносит больше вреда, чем пользы.

Как помочь ребенку получать удовольствие от еды:

• Сервируй пищу привлекательно, без комментариев.

• Давай ее маленькими порциями.

• Не указывай количество пищи, которую нужно съесть,— у детей с плохим аппетитом это с ходу вызывает сопротивление.

• Показывай вид полного безразличия к еде ребенка, никакого беспокойства.

• Не требуй «манер» у маленького. Они придут позднее, когда аппетит установится. До этого позволяй есть руками, если он хочет.

• Не корми ребенка за общим столом, пока он не научится хорошо есть.

Все беды от количества и от процедуры питания, а не от состава пищи.

Я глубоко убежден в незаменимости фруктов и овощей.

Вареные овощи в полном наборе нужно давать уже в первый год жизни, начиная от протертых до размятых вилкой и нарезанных мелкими кусочками.

К сырым овощам надо приучать после года, давать очищенные от кожицы помидоры, салат, тертую морковь.

Ягоды рекомендуются после двух лет.

Любую новую пищу надо начинать с очень малой порции в хорошо измельченном виде, вести наблюдение за стулом. Если все благополучно, постепенно увеличивать количество, но не более чем на 20% в день.

Сырая растительная пища исключительно важна для ребенка. Ее долю в рационе следует увеличивать, доведя к трем-четырем годам до 0,4—0,5 кг в день.

Соки нужны, но они полностью не заменят самих овощей и фруктов.

Помните, что любое расширение диеты — это тренировка кишечника.

Во всем соблюдайте постепенность.

Главное правило — постепенность, постепенность и постепенность.

Режим важен или нет? В частности, питание по часам. Я более склонен к консерватизму: режим приучает человека к порядку. Однако всему должна быть мера: не нужно педантизма в режиме, не нужно устраивать драмы из-за минут, без компромиссов не обойтись. И, тем не менее, в основном режим нужен. Вседозволенность себя не оправдала.

Питание обеспечивает ребенку рост и вес. Следить за их динамикой необходимо: взвешивать и измерять.

Рост едва ли стоит измерять чаще, чем два раза в год.

Взвешивать можно раз в месяц.

Рост важнее веса: худые здоровее полных.

Эмоции у детей существуют с самого рождения, чувства включаются по мере созревания центров потребностей. Память удлиняется с развитием интеллекта. У детей процессы возбуждения превалируют над торможением. Поэтому психика детей неустойчива. Маленькие не способны долго концентрировать свое внимание на одном предмете. Но к трем годам, когда сформировалась речь, их психическая сфера качественно мало чем отличается от взрослых, поэтому существуют все опасности, связанные с системой напряжения.

Особенно уязвимы дети в периоды неуравновешенности — 2,5; 3,5; 5,5 лет.

С напряжениями связывают целый ряд типичных детских заболеваний, чаще проявляющихся в определенном возрасте. Так, у детей от полутора до трех лет встречаются расстройства кишечника, обычно в виде хронических запоров; несколько позднее — насморки и простуды, отиты, затем — необъяснимые боли в животе, которым врачи не могут найти причину и которые бесследно проходят к 10—11 годам. Некоторые дети жалуются на утомляемость, другие — на боли в суставах, у третьих — периодические рвоты, у четвертых — головные боли, иногда неделями держится повышенная температура. Напуганные родители ходят от одного врача к другому, те делают массу анализов, обследований, а болезнь тем временем проходит. Видимо, наступает благоприятный возраст.

Так на эмоциональной сфере *телесное здоровье смыкается с психикой.*

Эта сторона жизни ребенка нуждается в более строгом контроле, чем еда, потому что мозг ребенка не рассчитан на такие нагрузки, которые ему дает современная среда.

Главным источником напряжения являются неприятные события.

Нужно стараться не причинять ребенку неприятности без необходимости.

Страхи испытывают почти все дети. Боятся темноты, собак, воды, врачей, уколов, машин... Если относиться к ним правильно, все исчезает бесследно, хотя иногда и затягивается чуть ли не до юности.

Могут развиваться неврозы, требующие помощи врача. **Как быть?**

— Прежде всего не бояться — страхи с возрастом проходят.

— Не суетитесь, не подавайте виду, что обеспокоены.

— Не стыдите ребенка перед другими.

— Не заставляйте ребенка преодолеть страх.

— Уважайте страхи ребенка.

— Серьезно относитесь к его жалобам.

— Постарайтесь изменить обстановку.

— Не спешите применять психотропные средства.

— Очень важно наладить сон.

Сон — важнейший компонент не только физического здоровья, но и психического равновесия.

— Нужно прилагать все усилия, чтобы ребенок спал положенное по возрасту время: от 14 часов в один год до 10—12 часов — перед школой.

— Ни в коем случае нельзя сокращать время сна.

— Очень важен дневной сон, хотя бы до пяти лет.

Воспитание

Раннее детство очень важно для последующего развития человека. Поэтому надежды прежде всего на семейное воспитание, затем ясли и детский сад. Упущенное до школы далеко не всегда можно нагнать в последующем.

Школьное время

Две главные основные задачи воспитания:

— научить максимуму необходимого для будущей трудовой жизни;

— обеспечить максимум счастья в школьный период жизни.

Вот основные компоненты *душевного комфорта ребенка:*

— престиж — одобрение или порицание окружающих;

— интерес — удовольствие от информации и деятельности;

— материальные блага;

— удовольствие от поступков по убеждениям — благородство, долг, честь;

— чувство вины и угрызения совести, если поступки неблаговидные.

Искусство воспитания состоит в том, чтобы сделать нужное для будущего по возможности приятным, а ненужное — наоборот.

Родителям необходимо тщательно изучать личность ребенка: его потребности, чувства, характер, убеждения, уровень интеллекта и душевный комфорт.

Маленький ребенок воспитывается и обучается в процессе жизни — во время игр, еды, прогулок, разговоров, своих собственных действий. Особенно важен их результат: положительный при достижении цели и отрицательный — при неудаче.

Жизнь ребенка складывается из различных поступков, вызываемых внешней средой, собственными поисковыми действиями и внутренними побуждениями — потребностями.

Основы интеллекта закладываются в первые годы жизни ребенка. К четырем годам есть уже половина интеллекта 17-летнего, к шести годам — ⅔.

Изучать детей можно лишь при постоянном общении, но нельзя проявлять излишнее любопытство, посягать на «независимость» личности. Потерять доверие очень плохо для воспитания. Чтобы его вернуть, нужны годы.

Контроль за учебными занятиями — это право родителей, которое признается детьми. Вы должны знать об оценках, о выполнении домашних уроков.

Изучение среды «обитания» и авторитетов. Надежным средством против плохих влияний служит высокий интеллект ребенка и постоянная его занятость в кружках гимнастикой, танцами, рисованием, компьютером.

Родителям нужно бороться за свой авторитет.

Практически все авторитеты замыкаются на дисциплину — важнейший элемент воспитания.

На первом месте — обязанности, и важнейшая из них — школа и уроки, потом домашняя работа. И никаких поблажек для удовольствий, пока не сделано дело. Я — за дисциплину! Только какими средствами ее добиться? Средства могут начать работать против цели. Озлобятся сын или дочь — уменьшится родительский авторитет. Такое возможно, но не от строгости требований, а от несправедливости.

Порядок и дисциплина в детстве окупают себя в дальнейшем.

Образование. На школу надо смотреть как на работу.

Не нужно бояться перегрузки школьников суммой часов работы. Важно, чтобы был правильный режим: сон, труд, физкультура, чтобы было здоровье и эффективная учеба без отрицательных эмоций.

Выводы:

Я не претендую ни на полноту, ни на бесспорность в своих советах, изложенных в этой книге. И этот маленький раздел написан исключительно для общей ориентировки.

• Люди должны знать, что переедание, физическая детренированность, психические перенапряжения и отсутствие закаливания служат главными причинами их болезней.

• Что во всем виноваты они сами, а вовсе не внешняя среда, не общество, не слабость человеческой природы.

• Для лечения болезней нужно прежде всего ликвидировать эти факторы, то есть тренироваться, жить впроголодь и есть сырые овощи, не кутаться и спать сколько хочется и уж, разумеется, не курить.

• Лекарства, к которым эти люди так привязаны, будут при этом действовать гораздо эффективнее.

• Если техника освободила человека от полезных нагрузок, их нужно компенсировать «бесполезными» — физкультурой. Всего один час!

• Ешьте больше овощей и фруктов.

• Строго держите вес.

• Доверяйте своей природе и не бегайте зря к докторам.

ИСТИНА. МОДЕЛИ

ВВЕДЕНИЕ

Человек не может жаловаться на недостаток внимания со стороны науки. В течение всей истории цивилизации его изучают больше, чем любой другой объект. Когда биолог изучает инфузорию, то и в ней ищет законы, с помощью которых мечтает узнать новое о человеке. Даже астрономия стремится к тому же — старается доказать возможность внеземных цивилизаций. Нечего и говорить о сугубо «человеческих» науках — анатомии, физиологии, патологии, психологии и частных их ответвлений. История и философия устремлены туда же.

Накоплена масса сведений о природе человека, выраженных в словесных моделях сотен тысяч книг — научных и художественных. Благодаря этим сведениям лечатся болезни, воспитываются дети, есть достижения в управлении людьми в обществе. Все это есть, но не в той мере, как этого хотелось бы. И часто возникает впечатление, что все эти успехи добыты не с помощью науки, а являются результатом грубой эмпирики, простого накопления опыта тысячелетий. Если еще послушать разногласия ученых или деятельно проанализировать все ими написанное, то покажется, что вообще нет никаких твердых истин о человеческой природе.

Разумеется, анатомия и гистология дали достаточно надежные сведения о структуре организма. Но вот в биологии — сплошные белые пятна. Неизвестно самое главное: чем объясняется обмен веществ? Какое-то странное неуравновешенное состояние белков, молекулы которых все время распадаются, а для поддержания структуры клетки требуется синтез новых. Я уже не говорю о загадке возникновения жизни. Одно время казалось, что ученые, например, известный биохимик А. И. Опарин, уже подошли к разгадке вплотную, а потом появилась «двойная спираль» ДНК и все запуталось: трудно представить стихийное образование такой сложной структуры, несущей функции управления. Старый вопрос: что раньше — курица или яйцо, вполне применим к клетке. Как появилась информация, выраженная ДНК? Конечно, многие болезни можно лечить и без таких деталей, но нельзя объяснить главную болезнь — старость, некоторые другие попроще, вроде аллергии. Пока дело касается анализа клетки — это еще не безнадежно. Научный прогресс вполне ощутим (пример — молекулярная биология), но когда мы поднимаемся выше по ступенькам сложности, противоречия в науках становятся все непримиримее. Более или менее ясно, как функционирует отдельная нервная клетка, но любые объяснения нейрофизиологов, касающиеся феноменов психики, убедительны только для самих авторов. Разумеется, воспитываются детишки, большинство из них становятся хорошими людьми, но участвует ли в этом наука психология?

Хотелось бы знать о человеке гораздо больше. Чтобы предупреждать и лечить сложные болезни. Чтобы без осечек воспитывать детей. Чтобы не было преступников. Чтобы было побольше счастливых. Наконец, чтобы не висела над человечеством угроза самоуничтожения в результате какой-то фатальной глупости.

Можно задать и более частные вопросы, требующие ответа от науки о человеке. О его физической природе — прочен или хрупок? Чем его усилить — ограничениями или напряжениями? О психике: воспитуем ли? Пределы? Необходимые усилия? Лежат ли они в границах возможностей современной техники? Каково разнообразие типов людей? Сколько выпадает из благополучных норм и можно ли вернуть их в лоно добропорядочности? Я уже не говорю о кардинальном вопросе: какой реальный идеал общества, если учитывать природу человека и возможности ее изменения?

Почему так много неясного в человеке? Рациональная наука существует свыше двух тысяч лет, если считать от древних греков. Физики и химики, вооруженные математикой и техникой, достигли большого единодушия в понимании своих объектов, у биологов такого единства уже гораздо меньше, а у психологов и социологов его совсем мало, зачастую нет вовсе. Почему? Может быть, нужен какой-то другой подход? Или сложность объекта фатально ограничивает его познаваемость? Что обещает в этом плане современная технология исследований?

Разумеется, я не в состоянии ответить на такие вопросы и не претендую на изменение «науки о человеке». Я просто выскажу несколько своих предположений о проблеме, исходя из принципов системного подхода, принятого в кибернетике. Отсутствие претензий на новизну и оригинальность избавляет меня от необходимости делать большие критические экскурсы в литературу. Конечно, они могли бы сильно украсить книгу и автора, но уж очень необъятно количество книг и статей по каждому из затрагиваемых вопросов. Поэтому ограничусь минимальным количеством ссылок.

ИСТИНА, РАЗУМ, МОДЕЛИ

Споры об истине идут с тех пор, как существует философия. А может быть, они начались еще раньше и послужили началом самой философии.

Вот круг некоторых наиболее важных предметов спора. Прежде всего — что такое *истина*, как определить это понятие? Существует ли истина объективно, независимо от нашего сознания, или же она продукт его? Абсолютна ли истина, то есть исчерпывающа, раз навсегда дана, не развивается, не зависит от условий, места и времени, или относительна — приблизительна, неполна, развивается, зависит от конкретных условий?

Что является источником познания истины? Чувства, как утверждает сенсуализм, или разум, как говорили рационалисты? Что является критерием истины?

В рамках настоящей работы невозможно разобрать все эти вопросы. Однако мы не можем обойтись без того, чтобы не предполагать их определенное решение. Это же решения, которые даются в философии.

В последнее время опубликован ряд основательных работ, в которых концепция истины обоснована практикой развития современного научного знания. К ним и отсылается читатель. Здесь же ограничимся формулировкой тех гносеологических предпосылок, из которых исходим.

Истина — отражение познаваемой реальности в сознании познающего субъекта, адекватно соответствующее отображаемому объекту. Впрочем, все это — набор ученых слов, не более того.

Например, истина объективна в том смысле, что существует такое содержание человеческих представлений, которое не зависит ни от субъекта, ни от человека, ни от человечества. Истина не познается сразу. (Почему — «сразу?») Абсолютная истина складывается из суммы относительных. «Каждая ступень в развитии науки прибавляет новые зерна в эту сумму абсолютной истины, но пределы истины каждого научного положения относительны, будучи то раздвигаемы, то суживаемы дальнейшим ростом знания». Да где она — абсолютная истина?

Единственным (?) источником познания являются восприятия, чувства. В этом смысле сенсуалисты правы. Однако в процессе познания истины определяющую, ведущую роль играют разум, процесс мышления. «От живого созерцания к абстрактному мышлению и от него к практике — таков диалектический путь познания истины, познания объективной реальности». Практика является критерием истины.

Сформулированные положения имеют общий принципиальный характер. Они проявляются по-разному на различных уровнях развития научного знания.

Наука вырабатывает свои понятия, которые по мере их обобщения становятся все более философски значимыми, приобретая статус общенаучных категорий.

К числу важнейших понятий, характерных для современной фазы развития науки, относятся понятия *система* и *модель*.

Интерес к понятию система резко возрос в связи с разработкой системного подхода и общей теории систем. Существуют различные определения понятия системы. Некоторые авторы насчитывают несколько десятков определений. Прежде всего в глаза бросается разнообразие определений. Однако это носит внешний характер, скрывая внутреннее единство. В любых вариантах определений системы мы имеем: некоторое множество *элементов*, обычно называемое *субстратом системы*, набор *отношений* между этими элементами — *структуру* системы, некоторый принцип — требования, которым должны удовлетворять отношения, образующие структуру системы. Принцип этот может быть назван концепцией или концептом системы. Различие между разными авторами в определениях понятия системы связано, прежде всего, с различиями в выборе концепта системы. Отношения в системе должны связывать ее элементы таким образом, чтобы субстрат выступал как единое целое, в значительной степени обособляя систему от других систем.

Что касается субстрата, то он может быть любой природы, в частности, может иметь идеальный характер, например, *система знаний*. Но идеальное не существует вне материального — сами знания выстроены вполне материальными знаками.

Система обладает свойствами, отличными от свойств элементов. Клетка — система из макро- и микромолекул. Она обладает известными свойствами жизни, которых нет у молекул. Организм — система из клеток, общество — система из людей. Каждый элемент здесь сам может быть рассмотрен как сложная система.

На рис. 9 показана условная схема некоторой материальной системы. Выделены элементы подсистемы, внешние и внутренние связи. Отдельно показан элемент в увеличенном размере, чтобы подчеркнуть, что и он, в свою очередь, представляет собой систему. Показано, что внешние связи вводят данную систему в еще более крупную. Так отражен *принцип иерархичности структуры мира*. По связям обеспечивается обмен веществом и энергией между элементами, объединение их в подсистемы, а также обмен между системами. На рисунке можно провести четкие границы между системами, отделить их друг от друга. Так ли это определенно в реальных системах? Возьмем для примера индивид. Он достаточно четко отделен от другого индивида. Но когда говорят о нервной системе, то ясность уже исчезает. Нервные элементы в органах, например, в сердце,— относятся ли они к нервной системе?

Так исчезает четкость схемы и выступает условность. Где взять критерий для разделения? Выделяют системы *открытые*, имеющие большие связи и большую зависимость от других, и *закрытые*, замкнутые на себя. Это тоже условно, но дает основание для разделения, если определить количественно отношение между внешним и внутренним обменами энергией и веществом. Степень замкнутости системы мы условно определяем длительностью ее самостоятельного существования и функционирования при отключении внешних связей с другими системами. В этом смысле клетка — замкнутая система, организм — замкнутая система, а эндокринные органы — еще не замкнутая система, хотя они и отграничены в пространстве от других органов. Прежнее натуральное крестьянское хозяйство — более замкнутая система, чем современное предприятие, которое при от-

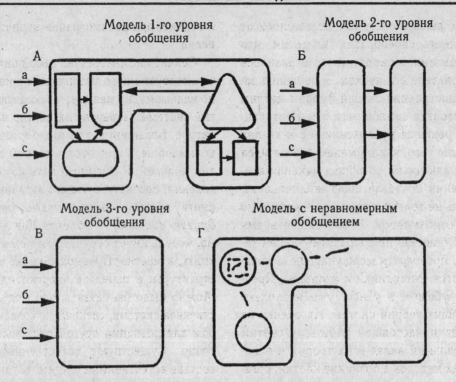

Модель 1-го уровня обобщения

Модель 2-го уровня обобщения

Модель 3-го уровня обобщения

Модель с неравномерным обобщением

Рис. 9. Варианты моделей системы различной обобщенности:

А — самая подробная модель — 1-й уровень обобщения; Б — 2-й уровень, отражающий толь-ко две основные подсистемы и связи между ними; В — самая обобщенная модель, отражаю-щая только внешние связи; Г — модель с неравномерным обобщением. Первая деталь пока-зана подробно, все другие — с возрастающим обобщением. Так воспринимается среда человеческим глазом.

ключении внешних связей не может функцио-нировать и быстро распадается.

Так же относительно понятие *элемент сис-темы*. Что считать элементом клетки? Белко-вые молекулы и ДНК или атомы, их составляю-щие? Можно говорить и о том, и о другом, но, наверное, за элемент следует принимать ближай-ший снизу структурный этаж, в котором уже заложены некоторые функции высшего. В клет-ке есть функции организма, в индивиде — фун-кции сообщества, а в атомах этих функций нет. Наверное, можно построить систему с функция-ми живого совсем из других атомов, как можно построить машину из других материалов и при этом сохранить ее функцию.

Еще одно относительное различение: *струк-тура* и *функция*. О структуре говорилось выше.

В частности, структурой может быть простран-ственное расположение материальных частиц, ограниченное от других или соединенное с дру-гими материальными же связями. Понятие функ-ции — гораздо менее определенно. Для матери-альных систем интуитивно мы его связываем с энергией, с ее передачей от одних материаль-ных образований к другим. Это механические колебания, электромагнитные волны. Но не толь-ко. Функция может выражаться передачей ма-териальных частиц, изменением структуры, пере-движением в пространстве. Возможно, в единстве структуры и функции отражается единство ве-щества и энергии.

Австрийскому ученому Л. фон Берталанфи принадлежит идея построения общей теории систем, то есть такой теории, которая была бы применима к любым системам независимо от их качественного своеобразия. Отметим, что он — не математик, а биолог, и это отразилось на самом характере его подхода к решению задачи. Идея построения общей теории систем казалась настолько смелой, что сам Берталанфи долго не решался публиковать ее и сделал это лишь после того, как не менее смелая идея кибернетики как науки об общих законах всякого управления доказала свою жизненность, воплотившись не только в тома монографий, но и в металл компьютеров. В настоящее время существует Общество по разработке общей теории систем, проводятся международные конгрессы, издаются ежегодники и журналы. Предложено (за рубежом и у нас) уже несколько вариантов общих теорий систем. Их оценка не входит в задачи настоящей работы. Отметим лишь, что реальный вклад этих теорий и основанных на них методов в познание клетки, организма, мышления или общества пока не обнаружился в той мере, которая соответствовала бы декларациям.

В связи с развитием системных исследований многие их энтузиасты стали противопоставлять системный подход философии, считая, что он может заменить философию. Это неправомерно. Философия представляет мировоззрение, она основана на определении отношения между материей и сознанием. Эти же категории не являются категориями системного анализа, который в равной мере применим как к материи, так и к сознанию.

Среди людей, мало знакомых с системным анализом, распространено неправильное представление, будто такой анализ рассматривает явления только в статике и не может отразить развития. В действительности системное представление объекта познания относится и к его динамике, причем не только в части циклических изменений, но и в явлениях самоорганизации, т. е. коренных изменениях структуры и функции во времени и в результате деятельности, с появлением новых свойств и качеств. Такие представления будут проиллюстрированы ниже, при рассмотрении эвристических моделей.

Сейчас нас интересует само понятие *модель*. Существует много различных определений его, по-видимому, не меньше, чем определений понятий система. Перечень их можно найти в литературе. Большинство из них определяют не модель вообще, а лишь тот или иной специальный тип моделей. Я буду исходить из общего определения, соответствующего задачам настоящей книги: *модель — это система, отражающая другую систему — объект*. Как всякая система, модель имеет структуру и может иметь функцию, в частности, выраженную в изменении структуры, в передаче энергии или вещества. Можно было бы сказать, что модель — искусственная система, специально созданная ее творцом для познания другой системы. Но это неточно. Существуют естественные модели в составе естественных систем. К таким относится набор генов (геном) в клетке и модели из нейронов в нервной системе, особенно в коре мозга. Но о них еще будет особый разговор. Сейчас же нас интересуют модели искусственные.

Несколько вариантов моделей сложной системы обобщенности показаны на рис. 9. Варианты отличаются сложностью. Видно, что модель *А* отражает оригинал с наибольшей полнотой, *Б* — более упрощенно, а *В* — в самых общих чертах, только крупные подсистемы, без элементов с минимумом связей.

Система имеет структуру и функцию. Изменение того и другого различно во времени. Модель в качестве системы имеет то же самое — структуру, функцию. Однако соотношения обоих атрибутов в системе, которая не является моделью, и в модели могут быть совершенно различными. Проще всего представить отражение структуры на любом рисунке или фотоснимке. Но модель в структуре может отражать функции объекта, используя для этого специальный код. Пример — запись звука или кино, когда изменение структуры во времени фиксируется на серии статичных снимков.

Вопрос о *кодах*: это набор условных структурных или функциональных элементов, из которых составляется модель и которые имеют структурные и функциональные аналоги в объекте. Элементарный пример: детский конструктор, его различные виды. Инструкция к нему показывает, как воспроизвести различные машины или строения. Другой пример — код рисунков. При этом внешнее сходство совсем не обязательно. Знаки кода могут не походить на элементы структуры или функции системы, например, речь — письмо. Но об этом особый разговор. Код модели (и для структуры, и для функции) может быть совершенно отличным от физической сущности объекта. Правда, он может быть и одинаковым.

Когда дело касается простой системы — например, уравнения эллипса, то модель, допустим, чертеж, может полностью отразить оригинал. Это полная модель. Другое дело, когда система сложная, насчитывающая десятки и сотни тысяч элементов, многие из которых еще точно неизвестны, и связи их не выявлены. В этом случае модель обязательно упрощает объект в различной степени — обобщает его. Впрочем, упрощение связано не столько с недостаточностью средств для моделирования, сколько с условиями создания модели или алгоритмом.

Что такое сложность? Где грань между простой и сложной системами? Каждый воспринимает сложность чего-либо в виде обилия составляющих элементов, их разнообразия, различных пространственных энергетических отношений. Кусок камня — сложный по этим критериям, компьютер — сложен для непосвященного. Пожалуй, число элементов в нем больше, чем в бактерии или в вирусе. Думаю, что *сложной системой* нужно считать такую, которая наделена хотя бы некоторыми признаками жизни: способностью к движению, росту, размножению или в самом общем виде — способностью к поддержанию самой себя в среде путем саморегулирования и приспособления. Ученые называют такие системы адаптивными. До недавнего времени это могли делать только живые системы, но уже скоро появятся технические

устройства с элементами «жизни» — адаптации и саморегулирования.

Непременным атрибутом жизни считается обмен веществ. Мне кажется, дело не в том, что функциональные структуры в живых системах все время обновляются. Ведь некоторые молекулы, например, гены, остаются неизменными. Суть в том, что существуют заложенные программы деятельности, которые выполняются при разных условиях за счет адаптации. Это можно назвать запрограммированным целесообразным поведением, осуществляемым при наличии помех. Такое поведение возможно только когда существует подсистема управления, в которой структурно заложены эти программы в виде моделей.

Теперь, после разъяснения понятий системы и модели, мы можем использовать их для конкретизации сформулированных выше положений теории познания.

Истина — правильное отражение познаваемой реальности — выступает как модель, т. е. как система, отражающая другую систему. При этом модель может быть сколько угодно сложной, такой же, как и система-оригинал. Все зависит от возможностей познающей системы и степени обобщенности модели. Разум у отдельного человека ограничен, поэтому он не может создать полную модель ни одной системы типа живых. Совсем другое дело — общество, человечество в целом. Коллективный труд ученых, вооруженных современной техникой, уже сейчас в состоянии строить очень сложные модели, в том числе и действующие с помощью компьютеров. В обозримом будущем мыслимы полные модели клетки и довольно сложного интеллекта, а в перспективе — разум, более мощный, чем у человека; модели организмов, позволяющие не только лечить, но и реконструировать, создавать новые организмы. Но не будем фантазировать. Сейчас нас интересуют аспекты истины как модели, с помощью которой можно управлять объектом в разном объеме, вплоть до создания нового.

Поскольку истина — это модель, то ее нельзя отрывать от интеллекта, создающего такую модель. Его «технология» прямо отражается на модели — истине. Как они создаются, как воспринимаются другими — все это вытекает из особенностей универсального интеллекта индивидуума и коллективов. Остановимся на **отдельных аспектах проблемы истины**.

1. *Мера истины:* степень совпадения модели и объекта. Полная истина бывает тогда, когда по модели можно воспроизвести объект с одинаковыми качествами и когда все детали настолько точно определены в модели, что с их помощью можно даже улучшить оригинал. Для этого нужен целый комплекс моделей разной обобщенности и детальности. До сих пор такой идеал достигнут лишь для простых систем. Никакая *обобщенная* модель не может быть полной истиной, поскольку на любую сложную систему можно создать бесконечное количество обобщенных моделей. Какую из них выбрать — зависит от интеллекта. Какие модели наиболее активны, те и выбираются. «Степень истинности» обобщенной модели определяется практикой — пределами эффективности управления объектом с ее использованием.

2. *Истинность гипотезы.* Выбор гипотезы ограничивается набором моделей в памяти и их разной активностью. Если избранная гипотеза подтверждается значительным числом фактов, то ее истинность экстраполируется и модель, не будучи полностью доказанной, выдается за полную.

3. *Авторитет* внешнего источника информации. Человек в коллективе воспринимает истины в их модельном виде — чаще всего в словесном изложении, а не через непосредственное восприятие объекта. Есть *чувство правды* — степень совпадения словесных и образных моделей. Оно существенно зависит от доверия к источнику информации. Часть словесных моделей человек может проверить собственными наблюдениями, хотя и с учетом субъективности восприятия и анализа. В зависимости от результатов проверки не только утверждается истинность словесных моделей, но и повышается доверие к их источнику. Это доверие и является авторитетом знания. Если он высок, то новая

словесная модель уже не вызывает сомнений — ее вероятность изначально высокая. Авторитет касается личностей, теорий и методов исследований. Авторитет создает «установку», т. е. изначально повышает активность предлагаемых моделей.

4. Универсальный интеллект в состоянии построить внешние, казалось бы, полные модели объекта, которые будут выражать *объективную истину*. Такими являются действующие модели — аналоговые или на компьютере. Однако если подходить строго, то даже они не будут выражать полную, абсолютную истину, потому что их совпадение с оригиналом будет ограничено «сверху и снизу». При виде «сверху» модели будут казаться полными, так как построенная по ним система обладает структурой и функцией оригинала, которые ему были свойственны на момент исследования. Однако в силу присущей сложным системам самоорганизации, зависящей от «нижних этажей», от элементов и их материалов, невозможно обеспечить идентичность двух сложных систем — копии и оригинала. Конкретным выражением этого является невозможность воспроизвести самого себя, в частности, свой разум, таким, чтобы он «следовал параллельно» самому себе.

5. Перечисленные выше качества моделей, создаваемых универсальным интеллектом, сильно *затрудняют возможность доказать истину*. Каждый интеллект создает свою индивидуальную обобщенную модель сложной системы, чужую модель он моделирует заново, по-своему опуская чуждое для себя и расставляя новые акценты сообразно своим критериям и отношениям к источнику модели. Особенно трудно доказывать истинность словесных моделей — все из-за той же индивидуальной семантики. Даже действующие количественные модели, если они обобщенные, мало облегчают возможности доказательства, поскольку всегда остается спорной правомочность принятого обобщения.

Трудности доказательства истины больше всего связаны с ценностью или значимостью различий сравниваемых моделей, которые определяются активностью критериев-чувств, имеющих связи с моделью. Универсальный интеллект всегда многокритериальный, но соотношение критериев различно у разных интеллектов в зависимости от исходной «закладки» и от самоорганизации в процессе деятельности.

6. *Практика всегда критерий истины.* Но для простых систем применение этого критерия достаточно просто, для сложных — не так. Практика проверки моделей сложных систем — это использование их для управления. Заведомо ложное обнаруживается быстро — и модель отпадает. Но я уже говорил, что для сложной системы можно создать бесконечное множество моделей. Одни будут более, другие — менее удачны. Преимущества должны выявиться при управлении с их помощью. Здесь и начинаются трудности.

Каковы критерии эффективности управления? Если не гибель, то жизнь, но какая? Сложные системы имеют много программ, идущих параллельно, их соотношение может меняться, и как доказать, какая «жизнь» лучше? И кому доказывать? Преимущества одной модели нужно доказывать приверженцам другой модели, у которых — свои представления о значимости тех или иных проявлений жизни, критериев эффективности управления системой. Если к этому добавить, что самые сложные системы изменяются и развиваются очень медленно и поэтому результаты управления могут сказаться поздно, то вопрос о доказательствах истины становится еще более запутанным.

7. Невозможно точно моделировать сложные системы *«типа живых»*, потому что они (сложные системы) связаны как с вышестоящими, так и с нижестоящими. Поскольку им присуща самоорганизация, то динамику можно представить только с учетом воздействий со стороны внешней среды («сверху») и специфики (тоже самоорганизации) элементов данной системы.

Для иллюстрации трудностей можно привести несколько примеров зависимостей, без учета которых нельзя познать связанные друг с другом объекты:

ТЕЛО ↔ ПСИХИКА
ЧЕЛОВЕК ↔ ОБЩЕСТВО
ОБЩЕСТВО ↔ БИОСФЕРА
БИОСФЕРА ↔ ВСЕЛЕННАЯ
(ВСЯ ЗЕМЛЯ)

Если сделать подстановки, то получим еще более сложные зависимости:

ТЕЛО ↔ ПСИХИКА ↔ ОБЩЕСТВО (ЛЮДИ) ↔
↔БИОСФЕРА ↔ ВСЕЛЕННАЯ

Для познания истины, т. е. адекватного моделирования, прежде всего нужны методы исследования объекта: определение структуры и функции как целого, так и частей — все более и более мелких. Для каждого уровня структурной сложности нужны свои методы исследования, которые в основном сводятся к выделению и измерению комплекса сигналов.

В методах исследования долго господствовал аналитический подход: разложение на части и их наблюдение. Однако скоро выявилась недостаточность чистого анализа: важен не только сигнал с одного элемента, но и его отношение с другими. Для этого уже нужен *синтез*: исследование одновременно многих элементов, чтобы выявить их зависимости. При этом требуется не только многоканальная измерительная техника, но и гипотеза — что измерять, поскольку в любой сложной системе имеется такое количество структурных частей разной иерархии сложности, что охватить их измерениями немыслимо.

Отсюда требование: выбрать важные «точки» для наблюдения, которые дают возможность получить наиболее ценную информацию, позволяющую со значительной вероятностью судить о функциях остальных частей системы — как «вверх», так и «вниз». Такие «точки» можно предположить, если есть обобщенная модель системы. Информация, получаемая с них, может быть достаточно достоверна, поскольку все сложные системы саморегулируются и, следовательно, существует корреляция между многими показателями. Правда, это не распространяется на влияния «сверху» — от высших по иерархии систем. Если зависимость от них велика, то наблюдение данной системы недостаточно даже для суждения о ней.

Не менее, если не более, трудна проблема создания самих моделей сложных систем. «Внутренние» модели универсального интеллекта (например, в мозге человека) не могут стать ни объективными, ни достаточными по полноте. Поэтому продвижение по пути познания возможно только при создании «внешних» моделей, поскольку в процессе их построения можно уменьшить недостатки «внутренних» моделей. Можно создать одинаково подробную структуру, уменьшить субъективность и сделать модель количественной, без чего ее нельзя рассматривать достаточной для управления и даже для познания. Это достигается повторным собственным восприятием модели и коллективным творчеством.

Однако далеко не всякая «внешняя» модель может отвечать этим высоким требованиям. Для этого нужны соответствующий код и технология построения модели.

Первыми и универсальными «внешними» моделями были устные рассказы, которые создавались первобытными бесписьменными людьми, хранились в памяти рода и подвергались непрерывным изменениям. Разумеется, ни о каких объективности, количественности и полноте их не могло быть и речи. Картина мира представляла смесь действительного и вымышленного, которое, тем не менее, воспринималось как истина в силу авторитета источников информации — старейшин (наиболее опытных, знающих людей).

Изобретение счета, рисования и письменности, наряду с совершенствованием наблюдений, несколько увеличило полноту и объективность моделей. По крайней мере, в части легко наблюдаемых предметов. То же, что находилось за пределами простого наблюдения и требовало гипотез, по-прежнему было лишено достоверности.

Почти такое же положение остается и до сего времени, если говорить о сложных системах «типа живых».

В связи с развитием техники измерений и исследований появилось много количественных сведений о разных объектах. Параллельно развивалась математика, позволившая манипулировать этими сведениями. В результате простые системы физической и химической природы получили свои количественные модели, отвечающие требованиям объективности и полноты. К сожалению, количество переменных в сложных системах настолько велико, а их взаимная зависимость так тесна, что чистый анализ, хотя и дает цифры, но их ценность невелика, поскольку все зависимости лишь вероятностные. Даже если одновременно регистрируется довольно много (десятки и даже сотни) переменных, то и тогда их компоновка затруднительна, если нет правильной гипотезы о структуре и функции системы. В результате этого во всех науках о сложных системах господствуют словесные описательные модели, дополненные большим или меньшим количеством структурных схем и вероятностных зависимостей между частными функциями. Разумеется, со временем эти модели стали гораздо более объективными, избавились от прямых фантазий (мифов), но многие основные их положения еще опираются больше на авторитеты, чем на строгие факты.

Чем выше стоит система в иерархии сложности, тем меньше достоверность моделей. Впрочем, эта зависимость не прямая. Внутриклеточные механизмы менее поняты, чем отношения между органами. Это связано не только со сложностью (число и отношения между элементами), но и с трудностью исследования ввиду миниатюрности объекта.

Великие ученые давно поняли необходимость количественных моделей. Об этом писали К. Маркс, И. П. Павлов и многие другие. Теперь это знают все, поэтому так увлекаются измерениями. Без цифр, статистик, схем и графиков научная статья считается неполноценной. Однако не следует поддаваться самообману. В любой сложной системе «типа живых» — тысячи и даже миллионы взаимозависимостей, многие можно измерять по одной, по паре, по три и даже более. Соответственно можно получить массу цифр и формул. К сожалению, этого еще недостаточно для построения более или менее полной модели. Ведь нужно увязать их в систему, составить математическую модель. Но именно для этого и не хватает данных, потому что исследования ведутся выборочно, выясняется влияние одной переменной на другую без учета состояния всего множества остальных факторов. Результатом этого является неполнота моделей: словесные гипотезы с частными количественными иллюстрациями. Естественно, что их доказательность слаба.

До недавнего времени из этого положения не было выхода: математика не располагала средствами решения больших систем уравнений, включающих сотни или тысячи переменных. С появлением вычислительных машин картина радикально изменилась: есть возможность получать приближенные численные решения. Разумеется, даже тысяча уравнений не отражает реальной сложности биологических или социальных систем, но все же представляет огромный шаг вперед в сравнении со словесными качественными моделями. Если же учесть развитие вычислительной техники и электроники, то есть основание для оптимизма. Похоже, что человечество стоит на пороге нового века в познании истины. Главным его преимуществом представляется новая возможность суммирования интеллектуальных мощностей членов коллектива. До тех пор, пока результаты исследований выражаются словесными моделями в книгах, коллектив не очень много прибавляет к индивидуальному мышлению. Действительно, модели в книгах статичны, и для того, чтобы они стали действовать, нужен сверхгениальный интеллект, способный перевести много книг в корковые модели образов и синтезировать из них одну. Такого интеллекта нет. У каждого из нас своя семантика, свои авторитеты и свои убеждения. При этих условиях коллективное познание неизбежно носит аналитический характер. Сло-

жение интеллектов выражается в проверке и уменьшении субъективности гипотез, однако не прибавляет им доказательности, пока они выражаются словами.

Совершенно иначе суммируются интеллекты при работе над количественной действующей моделью в компьютере. Следуя аналитическому подходу, каждый ученый изучает свою часть, но результаты выражает не словесным описанием, а уравнениями или алгоритмом, связывающими «входы» и «выходы». Они составляются по размерностям и правилам, предварительно выработанным для всей модели согласно принятой гипотезе. В результате появляется новая возможность складывания частей в общую программу. Результатом всей работы будет модель системы, «живущая самостоятельной жизнью». Она действующая. Ее можно непосредственно использовать для управления, исследуя поведение при различных воздействиях или даже включив в автоматический режим.

К сожалению, в действительности все гораздо сложнее. Хотя наука о любой сложной системе содержит массу гипотез, фактов и цифр, построить по ним количественную модель, т. е. систему уравнений, алгоритм или электронный аналог, оказалось невозможно. В каждой науке полно противоречий, факты не совпадают, а цифровые данные несопоставимы, потому что собраны при разных условиях. Самых важных и решающих часто вообще недостает. Таким образом, возможности, предоставляемые компьютерами и электроникой, остаются неиспользованными. Даже не видно надежды на улучшение положения, потому что исследователи в каждой науке продолжают прежние аналитические тенденции — исследуют выборочные взаимоотношения нескольких переменных без учета всех других или оценивают их в общих выражениях. Цифры и формулы, которые теперь в моде, не меняют дела, поскольку их нельзя использовать из-за различия исходных условий.

Итак, объективная истина о сложных системах, кажется, продолжает оставаться только мечтой.

МЕТОД ЭВРИСТИЧЕСКОГО МОДЕЛИРОВАНИЯ

Но все-таки положение не столь безнадежно. Мы предложили метод эвристического моделирования, который усматривает промежуточную ступень к реальным моделям сложных систем. Суть метода в том, что создается математическая модель объекта на основе гипотезы о его структуре и функциях. При этом используются имеющиеся в литературе количественные данные и, исходя из качественной гипотезы, путем предположений добавляются недостающие.

Зачем нужна такая модель и чем она лучше словесного описания? Конечно, она не является реальной моделью. Однако создание ее представляется мне неизбежным этапом на пути к реальной модели, а значение состоит в следующем.

1. Она требует более или менее непротиворечивой гипотезы. Противоречия неизбежно вскрываются, когда слова приходится заменять цифрами при построении модели, а также при дальнейшем исследовании готовой модели. Важно, чтобы она вела себя адекватно объекту, по возможности в широком диапазоне режимов.

2. Создается формальный язык будущей реальной модели.

3. Модель четко формулирует задачи для экспериментов: нужно получить определенную количественную информацию для уточнения наиболее спорных вопросов. По мере получения новых экспериментальных данных гипотетическая модель приближается к реальной.

4. Модель можно исследовать вместо объекта, и она позволяет предположить его новые свойства.

5. Наконец, ее можно использовать для управления объектом в тех пределах, где она достаточно точно совпадает с ним.

Конечно, значимость отдельных пунктов меняется в зависимости от объекта.

Для создания эвристической модели предлагается *типовой план*:

1. Формулирование *цели* работы или назначения модели. Например, как этап в изучении объекта, как инструмент управления, для отработки формального языка, для проектирования экспериментов. От цели зависит все последующее.

2. Выбор *уровня модели*. Все сложные системы построены по иерархическому принципу. Степень обобщенности модели определяется тем нижним структурным уровнем, начиная с которого модель должна воспроизводить объект. Уровень определяется назначением модели, наличной информацией и возможностями ее переработки. Для управления достаточны высокие уровни, для создания новой системы и ее изучения желательны, по возможности, низкие уровни.

3. Формулирование *качественной гипотезы* о структуре и функциях объекта в пределах, ограниченных целями. Обычно приходится выбирать между несколькими противоречащими друг другу гипотезами. Первый выбор определяется общей точкой зрения авторов. В последующей работе гипотеза подвергается изменениям, если возникают непримиримые противоречия.

4. Построение *блок-схемы* объекта. Элементы, подсистемы и связи определяются гипотезой и выбранным нижним уровнем структур.

5. *Выбор значимых переменных* (ограничение числа связей). Сначала перечисляются все известные переменные для каждого из элементов, потом выбираются значимые согласно гипотезе с учетом поставленной задачи. Так уточняются связи и строится структурная схема объекта, которая становится основой модели.

6. Установление по тем же принципам *внешних «входов»* системы — сначала определяются все внешние воздействия, потом из них выбираются значимые для поставленных целей.

7. Установление *характеристик элементов*, т. е. зависимостей «входы» — «выходы» и «время». Это наиболее произвольный и сложный этап работы, так как количественные данные литературы либо противоречивы, либо недостаточны, либо вообще отсутствуют. Статические и динамические характеристики каждого элемента могут быть выражены графиками, алгебраиче-

скими или дифференциальными уравнениями, их системами.

8. *Отладка модели.* Задаются начальные внешние условия, исходное состояние элементов и производится увязка всех характеристик. При этом производится согласование «входов» и «выходов» как целой системы, так и ее элементов. В процессе этой работы обнаруживается противоречивость характеристик некоторых элементов при крайних режимах, требующая коррекций. Иногда возникает и полная невозможность сбалансировать модель, указывающая на непригодность принятой гипотезы. Отладка производится для нескольких граничных условий. Для сложной системы «типа живых» принципиально невозможно создать идеальную модель, так как нельзя повторить все ее низшие уровни.

9. *Исследование модели,* т. е. просчитывание многочисленных статических и динамических режимов. Это осуществимо только при использовании вычислительных машин. Вначале надо создать и отладить программу, что обычно требует небольших коррекций в самой модели, прежде всего исправления характеристик элементов (например, приведения их к линейным). Само исследование уже позволяет получить новую информацию об объекте, предположить неизвестные дотоле качества.

10. *Верификация модели* — сравнение характеристики модели и объекта при одинаковых условиях с целью определения достоверности модели и особенно границ ее применимости.

Не буду подробно обсуждать математические проблемы эвристических моделей и ограничусь лишь кратким перечислением условий, связанных с их спецификой:

1. Много переменных. Количество их определяется назначением модели и наличием данных. Так, для физиологических моделей, больше других претендующих на приближение к реальным, количество переменных составляет несколько сотен, поскольку для дальнейшего увеличения их числа просто нет достоверной информации (например, чтобы «спуститься» с уровня органов на молекулярный). Модели интеллекта не рассчитаны на воспроизведение процессов в мозге, но количество «слов», которыми необходимо манипулировать, чтобы доказательно смоделировать мышление человека, видимо, должно исчисляться многими тысячами. Напротив, модель личности можно ограничить сотнями переменных, так как она по своему назначению предполагает высокую обобщенность и связана с ограниченными возможностями лабораторной оценки психики. Другое дело — модели общественных систем. Их объем, видимо, весьма велик.

2. Сложные системы содержат множество «горизонтальных» связей в пределах уровня и «вертикальных» — между ними. Переменные на разных уровнях имеют разную специфику и временные характеристики. Все это должно быть представлено в модели, иногда при помощи и дополнительных переменных, отражающих качество основных.

3. Как правило, характеристики элементов нелинейны. Степени их нелинейности крайне различны, и некоторые точки кривых целесообразно выражать «скачками» (или логическими переключениями), отражающими дискретность в деятельности систем.

4. Необходимость обобщать переменные, т. е. заменять несколько конкретных переменных одной обобщенной (условной), является неизбежной при моделировании. Нужны специальные правила, описывающие, что можно, а чего нельзя объединять. По всей вероятности, они должны основываться на корреляциях показателей.

5. В эвристических моделях точность вычислений не обязательна, поскольку ее нет в экспериментальных науках, изучающих моделируемые объекты. Это очень важное условие. Оно позволяет отказаться от сложных математических описаний. Так, например, можно отказаться в ряде случаев от дифференциальных уравнений в пользу алгебраических и динамику систем рассчитывать по временным тактам. Нелинейные характеристики можно заменять кусочно-линейными приближениями.

6. Модели должны предусматривать вероятностные расчеты. Поскольку в системах-объектах очень много неизвестного, то неизбежны

варианты допущений, существенно влияющие на поведение системы. Так, например, в модели внутренней сферы, призванной воспроизводить динамику развития болезни, подобные варианты совершенно необходимы. То же касается моделей общества. Иное дело — искусственный интеллект, который можно создать строго детерминированным.

7. Специфика метода эвристического моделирования выдвигает свои требования к программированию моделей на компьютерах. Программы должны позволять произвольное изменение любой величины, любой характеристики, должны быть гибкими, блочными. Это необходимо для создания самой модели. Задача разработчика программы не ограничивается воспроизведением заданных формул и цифр, часто приходится их заново создавать и вносить поправки в ходе отладки модели с тем, чтобы получить некоторые предполагаемые по гипотезе конечные «выходы».

8. О дискретных и непрерывных моделях. Сложные системы «типа живых» функционируют по программам, в которых скорости различных изменений и превращений меняются в больших пределах, хотя в принципе они всегда конечны. При создании моделей приходится пользоваться обобщениями и масштабами времени, поэтому изменения объектов с большими скоростями воспроизводятся как «скачки» количества или качества. Все это усложняет моделирование, поскольку нужно совмещать традиционные математические методы анализа с логическими.

Создание эвристических моделей требует творческой работы коллектива специалистов в данной области науки и математиков. Те и другие должны проникнуться общими идеями и достигнуть полного взаимопонимания. Роль ведущего в группе определяется не специальностью, а способностью широко охватить предмет и создавать гипотезы. Конечно, нужны также работники-эрудиты, хорошо ориентирующиеся в массе имеющихся фактических данных, программисты, кропотливо отлаживающие сложные программы и готовые в любой момент переделывать их заново в связи с изменением гипотезы.

Эвристические модели приближают нас к теории систем «типа живых», позволяя прогнозировать их поведение, исследовать возможности управления и даже изменения. Более того, эвристические модели обещают совершенно новый аппарат познания. Такие модели систем «типа живых» составляют основу построения в будущем реальных моделей, призванных заменять традиционные книжные модели нашей науки. Разработка эвристических моделей интересна сама по себе, поскольку удовлетворяет чувство любознательности. В самом деле, что может быть заманчивее, чем попытаться заглянуть в механизм работы клетки, целого организма или понаблюдать поведение искусственного «человека»?

Разумеется, реальные модели систем «типа живых», по которым можно было бы создавать новые объекты и даже реконструировать их, дело весьма далекого будущего.

Мне представляется, что для сложных объектов будет целая система действующих моделей — полных (разной степени обобщенности) и частных, в которых будут воспроизводиться детали. Модели эти отразят разные уровни структурной иерархии. Например, можно представить себе действующую модель организма как целого — с его «входами» извне и «выходами» в виде поступков. Наша обобщенная модель личности примерно соответствует этому понятию. Мыслима действующая модель организма на уровне органов — это наша модель внутренней сферы в самом первом приближении. Конечно, в биологии главной должна быть действующая модель клетки как самого низкого структурного уровня, на котором и осуществляются все биологические процессы. Они еще недоступны для моделирования из-за сложности и недостатка сведений.

Как бы ни были сложны модели, они никогда не могут стать копией живой клетки или организма. Поэтому они всегда будут лишь вероятными. Для того чтобы использовать такие модели в целях управления, придется их «привязывать» к объекту или «настраивать» на него, но и в этом случае возможно лишь вероятностное управление с коррекцией эффекта обратными связями. Это примерно то же, что делает человеческий разум в процессе любого функционального акта. Разница лишь в степени эффекта управления.

Действующие модели — аппарат внешней памяти будущего. Они должны заменить книги. Видимо, это будет еще не скоро.

Подведем некоторые итоги рассмотрения проблемы познания или конкретнее — моделирования.

Первое — это *выбор цели*. Могут быть две категории целей: познание и управление. Первые как будто предусматривают строгую объективность моделей, поскольку стимул для их создания — только истина. Однако люди никогда не руководствуются одним стимулом, всегда есть другие, хотя, может быть, и второстепенные. Кроме того, любой творческий интеллект хранит следы самоорганизации, поэтому в нем есть убеждения, установки, направляющие поиск и искажающие его результаты. Следовательно, не следует преувеличивать объективность чистой науки. Полной объективности разума не существует, к ней можно приближаться постепенным совершенствованием и проверкой моделей. Разумеется, математические модели меньше грешат субъективностью, но так как в моделировании сложных систем всегда присутствует эвристический компонент, то будут и искажения.

Цели управления определяют характер моделей, поскольку они задают критерии — источник субъективности. Диапазон управления велик: от приблизительного направления (незначительного изменения деятельности) до полной переделки или создания новых систем. Так же меняется обобщенность управления: одно дело — модель для управления обобщенным объектом, лишенным деталей и специфики, например, лечение инфаркта вообще, и другое — для управления конкретной данной системой с ее особым набором «нижних этажей».

Второе — *обобщенность и детальность моделей*. Диапазон обобщений очень велик. Вопрос сводится к масштабам времени и отражению низших структурных этажей, а также и высшей системы, в которую входит данная. Выбор уровня модели определяется ее целями и возможностями получения информации, а также средствами воспроизведения, кодами моделей. К примеру, если моделировать развитие рака, то без генетических механизмов управления клеткой модель будет бесполезной. Для других заболеваний (например, пороки сердца) достаточной будет модель организма, начиная с уровня органов, в которой клеточные механизмы отражены обобщенно, в суммарных характеристиках. Кроме общих моделей есть еще частные, охватывающие одну функцию или часть структуры. Их правомочность зависит от степени автономности — влияний «сверху» и от «соседей» на том же уровне. Если элемент или подсистема очень тесно взаимодействуют с другими, то их отдельная модель неправомочна.

Третье — *эвристические* и *реальные модели*. Сейчас невозможно построить достаточно детальную математическую реальную модель ни одной сложной системы. Для этого нет количественной информации. Вопрос лишь в степени эвристики, которая тоже достаточно неопределенная, если не заблуждаться по поводу точности цифр, полученных при исследованиях на современном уровне, когда не учитывается масса факторов. Проверка модели практикой в конце концов повысит ее реальность. Учитывая это, не нужно пренебрегать заведомо эвристическими моделями, ведь только через них — путь к моделям реальным.

Четвертое — *коды моделей*. Есть традиционный словесный код описаний сложных систем, принятый в биологических и гуманитарных науках. Чем выше уровень структурной сложности модели, тем менее объективна истина в описаниях. Мерами ее повышения являются цифровые, формальные и графические добавления, которые по существу представляют собой включения из частных математических моделей. Путем постепенного увеличения объема этих моделей, построенных с возможной строгостью в смысле собирания информации и ее выражения, с охватом максимума переменных, можно достигнуть сближения с «действующими» математическими моделями на ЭВМ. Именно они представляют тот идеал, к которому следует стремиться, поскольку их можно непосредственно использовать в автоматизированном управлении объектами. Однако машинные модели нуждаются в словесных комментариях хотя бы для того, чтобы их понимали люди. Впрочем, ни одна модель не в состоянии длительно удерживать соответствие оригиналам, если им присуще свойство самоорганизации, особенно в ее высшем проявлении, когда не только меняются характеристики элементов, но появляются новые структуры и устанавливаются новые связи. Модели могут более или менее «угнаться» за такими системами только при постоянном введении в них исправлений и добавлений.

Возникает сложная проблема взаимоотношения самоорганизующегося объекта и такой же самоорганизующейся управляющей им модели. Примерно такие отношения уже существуют в общественных системах: творчество присуще как их «управляющим», так и «рабочим» подсистемам. Но что произойдет, когда в управлении будет участвовать искусственный интеллект очень большой мощности? Неясен также вопрос и конструкции машинных моделей. Наш опыт создания интеллекта на цифровых машинах показал, что их возможности в этом плане ограничены. Возможно, аналоговые устройства или гибриды будут больше отвечать требованиям имитации сложных систем.

Пока реально можно говорить только о моделировании человека очень обобщенными эвристическими моделями, поскольку возможности исследования индивида крайне ограничены, как и методы воплощения моделей.

Предлагаем такие типы моделей и их объект.

1. *Модель интеллекта.* Цель: воспроизвести механизм человеческого разума, чтобы дополнить аналитический подход психологии синтетическим, сделать эту науку количественной. Приходится рассчитывать только на эвристиче-

скую модель, так как в обозримом будущем нет надежды смоделировать мозг из-за его чрезмерной сложности. Нейрофизиология не предложила даже гипотезы, объясняющей психологические феномены, такие, как вера, убеждения, воля. Словесные же определения психологов, мне кажется, очень мало дают для понимания физиологических механизмов.

Проблема искусственного интеллекта вылилась в самостоятельную область кибернетической науки. К сожалению, без гипотезы о сущности мышления и психики все работы по искусственному интеллекту носят частный и прикладной характер. Они имеют практическую ценность, но не приближают нас к пониманию человека.

2. Модели *личности.* Так я называю очень обобщенные модели интеллекта, которые воспроизводят его «крупные блоки»: критерии (чувства и убеждения) состояния, воздействия среды, собственные суммированные действия у людей разных типов в разных условиях. Такие модели могут иметь ценность для моделирования социальных систем, а также для практической психологии, например, в педагогике, медицине.

3. *Модели «тела».* Они представляют собой воспроизведение физиологии как в норме, так и в условиях болезни. Физиологические модели получают в последние годы довольно широкое распространение и охватывают все больший объем функций. Наша лаборатория имеет в этом большой опыт, подытоженный в статьях и монографиях.

4. В последние годы мы занимаемся созданием *моделей общества.* Эта работа представляет исключительный интерес, так как управление сложной и все усложняющейся системой просто невозможно без моделирования. Существующие (многочисленные!) модели обычно ограничиваются экономикой и представляют собой набор линейных уравнений, отражающих балансы вещей: производство — потребление, накопление — траты. Конечно, без них невозможно плановое управление экономикой. Однако без человеческого фактора такие модели

недостаточны даже для решения экономических проблем. Производительность труда и спрос сильно зависят от психологии людей. Это относится к любой социальной системе. В наших моделях акцент сделан как раз на «человеческий фактор», чтобы как минимум замкнуть экономику на человека. Мы воспроизводим в моделях обратную связь на экономику в виде стимулов к труду и тратам. Одновременно решаем и социологические задачи — определяем уровень душевного комфорта граждан разных социальных групп.

МОЕ МИРОВОЗЗРЕНИЕ

...Учить тому, как жить без уверенности и в то же время не быть парализованному нерешительностью — это задача философии в наш век.

Бертран Рассел

ВВЕДЕНИЕ В МИРОВОЗЗРЕНИЕ

Скажу так: у меня есть своя позиция в философии. Такая: самоорганизация определила биологическую эволюцию, в ходе ее сформировались элементы Общего Алгоритма Разума. Дальше эволюция привела к человеку творческому. Добавьте к этому его стадное существование и получим первобытное общество. С него началась эволюция социальная и НТП. Он обещает новый этап развития разума, возможно, уже Вселенского, оторвавшегося от биологии, от человека, а может быть, и от земли. Но это может и не состояться. Попытаться выяснить.

Все эти вопросы я и хочу разобрать.

Задача — изложить мою систему взглядов и даже не пытаться поставить ее в ряду мнений авторитетов. Поэтому не будет полемики и обзоров «состояния вопроса». Во-первых, у меня нет для этого «инструментария» — картотек с цитатами, вся информация в книгах на полке и в голове, а чтобы книги заново перечитать и выписки сделать, уже нет времени. Во-вторых, нет притязаний прослыть кем-то больше того, что я есть — философ-дилетант. На книгу я смот-

рю как на средство формализации своих мыслей. Они доставляют мне удовольствие.

Когда я перечитывал эту рукопись, то сначала испытывал некоторое смущение, представляя пренебрежение профессионалов психологов, социологов, не говоря уже о философах. Да и то сказать: как бы я посмотрел на них, начни они обсуждать медицинские проблемы? Но потом одернул себя: «Брось смущаться, есть ли у них, гуманитариев, такая твердая наука, чтобы презирать любителей?» И успокоился. Да и не такой уж я любитель. Вот это-то и требует пояснений. Чтобы те, кто прочтут, отнеслись без предвзятости.

Несмотря на крайнюю занятость моей хирургией, поиски «на стороне», в других науках, начатые еще в институте, не останавливались всю жизнь: основываясь на инженерных знаниях, пытался подвести математику под физиологию. В частности, еще до войны выдвинул идею о Регулирующих Системах организма.

В 50-х годах хирургия сердца потребовала углубления в физиологию. Через год создали отдел биологической кибернетики в институте у В. М. Глушкова. Началась работа по моделированию сложных систем: клетки, организма, психики, созданию Искусственного Интеллекта.

Неудачная судьба постигла социологию. Работа началась в 1968 г., но Партия не пустила: изъяли книжку «Метод моделирования социальных систем». Однако самого не тронули. Помог авторитет хирурга.

Тем более удивительными были события после прихода М. С. Горбачева. Никогда я не думал, что доживу до такого времени, когда можно будет критиковать власти и излагать свои взгляды в газетах. Жаль, что перестройка так печально кончилась для нашего народа.

Лично я в новое время получил возможность работы по социологии. Тем более, что меня снова избрали депутатом, на этот раз без благословения ЦК. Я писал статьи в «Литературную» и «Учительскую газету», в «Неделю» и «Комсомольскую правду», печатал социологические и психологические анкеты, получая многие тысячи ответов, составлял и считал модели... Открылось много новой информации и, как это ни кажется удивительным для пожилого и достаточно знающего человека,— менялись взгляды. Они и будут изложены в книге. По состоянию на сегодняшний день, может быть, и не последние еще...

О «ЧУДЕСАХ»

Прежде чем перейти к сути дела, хочу рассчитаться с одним мифом: «о чудесах». Использую это слово вместо всяких новомодных терминов для обозначения явлений, которые не укладываются в традиционные научные рамки. Сделаю это вначале, чтобы больше не касаться и от грубого материализма не отступать.

Но начну издалека. Есть несколько проклятых вопросов. Первый из них: откуда все взялось?

Я не верю в Бога, но нужно понять, как могла возникнуть сложность мира и особенно живых систем. Хорошо, что появилась идея о самоорганизации. Это когда система сама себя строит в процессе усложнения, когда будущее ее зависит от такого количества случайных факторов, что невозможно предвидеть пути развития. В связи с этим приведу пример. Представьте себе зимние узоры на окне. Вроде бы нет ничего кроме воды, мороза и стекла, а вырастают удивительные узоры. Подышите на них — растают, но через полчаса появляются снова и уже совсем другие!

Идею *самоорганизации* выдвинул Илья Пригожин, потом ее подхватили и развили (Г. Хакен и др.). Я о ней скажу чуть позже, а сейчас... Как же быть с «чудесами»? Язык не поворачивается отвергать все, что пишут и рассказывают о ясновидении, телепатии, левитации, телекинезе, телепортации... и много еще о чем. Не говоря о чисто медицинских упражнениях экстрасенсов, магов, знахарей. Я беседовал со многими из них, один даже пробовал на мне свою диагностику: угадал половину той мелкой патологии, что была у меня, а вот электростимулятор сердца пропустил. Когда таких испытывали в нашем отделе кибернетики, они ничего из своих чудес показать не смогли. «Эффект присутствия скептика», как мне пояснял академик, физик В. Е. Лашкарев, который колебал мой студенческий материализм 60 лет назад. Он во все это верил, вплоть до Бермудского треугольника, и называл «вторая физика». Дескать, иногда она замыкается на нашу, и тогда появляются чудеса. Интересная деталь: их «ассортимент» за эти десятилетия не изменился — обо всем я уже слышал от Вадима Евгеньевича.

По части обоснования чудес существует и претендующая на научность литература от ученых. Сошлюсь хотя бы на белорусского профессора А. В. Вейника, а также И. М. Когана, В. Н. Барыкина. В 1994 году в «Вопросах философии» В. И. Дынич с соавторами обозначили их как «альтернативные знания», «паразитные сателлитные науки» и пр. Не пощадили и уважаемых «космистов» К. Э. Циолковского, А. Л. Чижевского.

Мое дилетантское мнение такое: возможно, существует «более тонкая материя» при элементарных частицах, как они сами составляют атомы. Новую структуру, к примеру, «машину», из нее самой не сделаешь, но в живых объектах, в клетках, организмах она проявляется. Может быть, если сконцентрируется, то и НЛО представит. По мнению физика А. А. Полубелова, моего знакомого и энтузиаста всего этого, «излучают» не только атомы, но именно структуры из них, сама сложность. Вплоть до фотографий. Не очень я поверил, но засомневался.

Впрочем, все это романтика, а в практике био-поля регистрируются, но только не в виде какой-то специфической энергии, а просто как очень слабые магнитные и электромагнитные излучения. Все люди излучают эту энергию, она сопровождает нашу банальную биохимию. Но как это ни странно — с разной силой. Экстрасенсы — как раз детекторы и усилители. Не знаю почему, это против физики, но они кое-что могут, доказали практикой.

Излучение — это свойство материи (как тяготение!), а расшифровку делает психика. За свою докторскую жизнь я убедился, сколь она могущественна, если настроена в резонанс. Пример, мнимые лекарства, «плацебо», да и банальная психотерапия от хорошего доктора. За ними 50, а иногда и все 100 процентов эффекта лечения. Еще, к той же теме: заметили, что без человека чудеса не совершаются? «Рамки» и «маятники», показывающие воду в пустыне, болезнь в органе и прочее должен держать человек, автомат оказался не пригоден, не может заменить, не получается. Однако и здесь есть опубликованные опыты, показана регистрация без человека. Не очень достоверно. Может быть, и сам феномен жизни связан с этой «тончайшей физикой»? Нет, не верю: генная инженерия окончательно разрушает миф о «жизненной силе», будто бы определившей биологию.

Сомнения все равно есть: ученые складывают молекулярные кирпичики, а с ними складываются и их «спутники». Вдумайтесь в параллель с этим — телевидение и радио. Какие же ничтожные сигналы бродят вокруг планеты, а аппараты их ловят на резонансах, усиливают и превращают в сигналы, способные даже мир взорвать. Вернитесь на сто лет назад: разве можно было это представить?

Все-таки я остаюсь материалистом: сложный мир, неживой и живой, построен из атомов, молекул, элементарных частиц, квантов энергии. Их мифические тонкие спутники, если они есть, только следуют за грубой материей и, может быть, лишь немного и иногда влияют на события. Были Греция и Рим, а люди и не подозревали об электромагнитных волнах... Теперь они стали «ручные» и могущественные, хотя и не заменили

паровые турбины, даже на атомных станциях. Не приручат ли со временем и экстрасенсорные явления? Категорически отрицать не берусь. Но настраиваться на чудеса и отказываться от материализма не собираюсь. В частности, сложность живой природы состоит из грубой (атомной!) материи, и ею управляют материалистическими способами, той же генной инженерией. Без привлечения чудес.

Почти сорок лет я занимаюсь моделями. У меня сложилось твердое убеждение, что уже сейчас можно смоделировать на компьютерах все функции живых систем. Правда, пока лишь каждую в отдельности и в самых простых вариантах, однако отражающих самую сущность, качество явлений. Так ведь это — только начало «овладения сложностью». То есть: модели тоже доказывают могущество материализма.

Но: довольно. Все равно верящих в чудеса не убедить. Скажут: «примитивное мышление». Я не обижусь: может, и так...

САМООРГАНИЗАЦИЯ

Именно идеи самоорганизации в последние десятилетия позволили приблизиться к объяснению возникновения сложности без привлечения Бога (И. Пригожин, Г. Хакен и др.). Перечислю некоторые положения, как я их понимаю.

Все начинается с исходной неустойчивости частиц материи и их избирательной способности вступать в соединения. Самоорганизация только направляет эту способность по каналам — через нее же и создавшимся.

Предположим, что есть некие активные частицы А, Б, В, Г, Д, Е, Ж. Каждая может соединяться с другой, но далеко не с любой. Соединение осуществляется при столкновениях частиц и подходящих внешних условиях, например, при получении энергии. В результате возникают комплексы, вроде АВ или ГД. Каждый комплекс имеет уже свои собственные свойства и пристрастия для присоединения новой частицы и свои требования к условиям. Таким образом, первый шаг усложнения организации не только породил новую структуру, но предопределил вероятности следующих шагов. К примеру, появляется комплекс ГДЕ. У него, в свою очередь, свои новые свойства, выборы, требования к условиям. Если «обстановка» позволяет, вновь образуется один из нескольких возможных комплексов, например, ГДЕЖ.

Всякий комплекс имеет уже свои собственные свойства, отличные от свойств входящих в него частиц. При этом различна значимость его элементов для выбора следующего шага усложнения: есть «главные» и есть «вспомогательные», заменяемые без потери качества всего комплекса.

В природе каждый элемент (даже если он атом) предполагает сложное строение, подверженное периодическим изменениям, это «флюктуации». В сочетании с изменчивой внешней энергией они еще увеличивают неопределенность путей самоорганизации. Очень важным является появление структурных «этажей», иерархий, когда отдельные элементы становятся «над» остальной структурой и представляют всю ее в последующем выборе пути дальнейших изменений. Например: В → А (рис. 10).

Здесь В и А выступают как «представляющие» и «управляющие» элементы. Условно их можно определить как элементы «модели». Они тоже имеют собственные свойства, но одновременно представляют своих «подчиненных». При дальнейшем усложнении систем они превращаются в некие «подсистемы управления», представляющие сложные иерархические конструкции. Их значимость для самоорганизации всей системы очень велика.

Каждый элемент, простой или сложный, представляется не только голой структурой, но и функцией. Она выражается в излучении различного вида энергии (а также и частиц) целенаправленно или диффузно. Функции тоже имеют свою «структуру» в части количества, вида и изменений во времени. Они играют важную роль в выборе пути структурных изменений.

Перечислю ряд пунктов, дающих общую *характеристику процессов самоорганизации.*

1. Самоорганизующиеся системы открытые, имеют обмен энергией и веществом с внешним

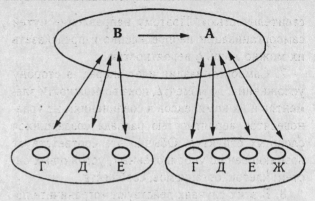

Рис. 10

миром, подвержены случайным внешним воздействиям.

2. Они нелинейны, имеют мощные обратные связи, внутренние флюктуации, динамика их крайне причудлива, с колебаниями, пиками и изломами.

3. Самоорганизация — это самосборка структур, происходящая в результате неустойчивости частиц материи и способности их к соединению между собой. При этом существует возможность выбора для соединения одного из нескольких «партнеров», в зависимости от их качеств, энергетических внешних воздействий и случая. Отсюда множественность возможных вариантов структур, однако не беспредельная, а избирательная. Самосборка может происходить на любом «этаже» сложных иерархических систем.

4. «Принцип бифуркации» — в разделении путей самосборки. Каждый следующий шаг усложнения зависит от структуры, полученной в результате суммы предыдущих шагов. При этом предполагаются бифуркации, как выбор одной из двух альтернатив, который необратимо определяет направление дальнейшего усложнения, без взаимодействия с отвергнутой ветвью альтернатив.

5. Способности элементов к соединению противостоит способность сложных систем к распаду, как результат суммации внутренних сил отталкивания и изменившихся внешних условий.

6. Огромную роль играет случайность внешних воздействий, падающих на изменяющуюся (флюктуирующую) систему с непостоянной «чув-

ствительностью». Поэтому направление путей самоорганизации неопределенно и предсказать их можно лишь с вероятностью.

7. Самоорганизация идет вперед, в сторону усложнения, до момента, пока возможности элементов и их комплексов к соединениям не уравновесятся вероятностью распада создавшихся сложных структур. Обычно это соответствует возникновению упорядоченных, устойчивых систем: клеток, организмов, сообществ.

8. В этих случаях действуют «ограничители» самоорганизации, стабилизирующие систему. Их можно назвать словом «организация», и даже — Разум. Они представлены свойствами элементов или действием антагонистических факторов на разных уровнях структурной иерархии.

9. Развитие внутренних противоречий (в том числе и в результате самоорганизации) может привести к конфликтам, кризисам. Исходом их могут быть компромиссы или катастрофы.

10. Компромисс — это временное устойчивое состояние системы, когда силы (возможности) синтеза и распада уравновешивают друг друга, но не исчезают. При изменениях «обстановки» равновесие сдвигается и может произойти катастрофа или стабилизация.

11. Под катастрофами понимается глубокая деградация, т. е. поэтапный распад сложной структуры на более простые составляющие части, однако еще сохраняющие ту или иную степень сложности, специфичность свойств и способность к новой самоорганизации. Конечным исходом серии катастроф может быть хаос.

12. Хаос — это распад системы до элементов. Новый «Порядок из хаоса» (по И. Пригожину) предполагает начать самоорганизацию с начала, с элементов.

13. Поводом для активации процессов самоорганизации могут служить внешние отношения между подобными системами, которые могут развиваться в сторону конфликтов или сотрудничества.

14. Управление самоорганизацией возможно через внешние воздействия, а также через познание «ограничителей», однако пределы их действия неопределенны и очень различны для разных систем.

15. Самоорганизация живых систем имеет свою специфику: она породила биологическую эволюцию, а та, в свою очередь, расширила сферу самоорганизации и привела к эволюции социальной, к развитию Разума и научно-технических систем.

Теория самоорганизации обычно иллюстрируется на примерах из физики и химии или на схематизированных биологических и социальных системах, не предусматривающих качественное их усложнение с наращиванием структурной иерархии. Гораздо более важной сферой проявления самоорганизации являются биологическая, а потом и социальная эволюции, которые породили сложные системы «типа живых»: клетки, организмы, сообщества. В них отрабатывались не только пути самоорганизации усложнения, но и его «ограничители», обеспечивающие устойчивость, а значит и вероятностную предсказуемость и возможность управления.

СИСТЕМЫ «ТИПА ЖИВЫХ»

Боюсь, что я надоем пристрастием к «пунктам», но они позволяют говорить кратко. Поэтому снова пункты. На этот раз по поводу *специфики биологических систем*.

Здесь следовало бы начать с основ Общей Теории Систем (ОТС), но я отошлю читателей к трудам специалистов, начиная от Берталанфи (см. сводку В. Н. Садовского, а также работы А. И. Уемова).

1. Всем живым системам присуща общая Целевая Функция, реализованная в обобщенных программах: выжить и размножиться. Каждая из них в процессе усложнения делится на «производные». Например, выживание поделилось на «питание» и «защиту». При последующем наращивании иерархии структурных этажей эти функции усложнялись от биохимических и физиологических процессов до поведенческих актов.

2. Они обладают качеством выделения себя из среды и поддержания индивидуальности за счет специфических программ «эгоизма» саморегуляции. Им сопутствуют программы взаи-

модействия и кооперации. Совместно они обеспечивают эволюцию.

3. Элементом каждой такой системы нужно считать тоже сложные системы, способные к самостоятельности. Они ее частично утрачивают, объединяясь в систему высшего уровня. Так появились основные типы живых систем: клетки из макромолекул, организмы из клеток, сообщества из индивидов. Структурные единицы низшего порядка (атомы) нельзя признать элементами сложной (живой!) системы.

4. Границей живых систем является проявление вторичных «управляющих» подсистем, содержащих модели. Если в первых «рабочих» подсистемах циркулируют частицы и энергия, то во вторых, кроме того,— сигналы, призванные передавать информацию, то есть управлять материальными процессами с ничтожными затратами энергии и вещества. *Сигналы* можно представить как комплексы из частиц низшего порядка (электроны, атомы, молекулы), несущие кванты энергии, организованные во времени в структуры из колебаний (звук, свет).

5. Все структуры и функции построены по иерархическому принципу: каждый высший этаж управляет низшими. В процессе эволюции (самоорганизации) происходит наращивание этажей (уровней) сложности. Одновременно формируются обратные связи, обеспечивающие интеграцию системы в единое целое.

6. Внешние и внутренние функции регулируются сочетанием прямых и обратных связей, положительных и отрицательных. Так обеспечивается как поддержание постоянства внутренних параметров, так и «порционность» внешних функций, выражающаяся в «циклах».

7. Зависимости между этажами регуляторов и рабочих подсистем в количественном выражении очень различны — от жесткого соподчинения до значительной автономности. Соответственно различно участие этажей в выполнении программ и реализации Целевых Функций, от универсального обмена веществ до актов сложного поведения.

8. На каждом структурном этаже имеют место свои процессы самоорганизации, в разной степени влияющие на изменения целой системы. В них также можно выделить ведущие и подчиненные звенья.

9. «Степень сложности» живой системы определяется числом элементов, количеством основных структурных этажей и дополнительных уровней управления, диапазоном приспособления к внешним условиям, способностью к изменению программ управления внешней средой (творчеством?), способностью создавать системы более высокого уровня сложности.

Функции клетки, организма, сообщества, в самом общем виде, можно выразить через обмен комплексами и частицами более низкого порядка, с включением «порций» энергии, как между частями системы, так и с окружающим миром. В клетках это атомы и молекулы, в организме — это еще и сигналы, в сообществе — сигналы, силы и предметы. При этом имеют место два вида изменений в самой системе. Первые — циклические, с возвращением к (приблизительно) исходному состоянию в конце цикла. Вторые — нециклические, полностью или частично необратимые. Эти последние протекают по принципам самоорганизации с направленностью на усложнение или на деградацию первоначальной структуры. Оба типа процессов идут в разных масштабах времени, хотя и одновременно. Оба они оказывают влияние друг на друга: медленная деградация уменьшает периодические функции и, наоборот, сами эти функции могут служить усложнением самосборке некоторых субструктур, совершенствующих всю систему. Примером первых может служить любая патология, ухудшающая физиологические функции, например, ритмические сокращения сердца. Иллюстрацией вторых являются процессы тренировки: мышечные упражнения ускоряют синтез белков и повышают дееспособность организма. По такому же типу взаимодействуют быстрые мыслительные процессы (см. ниже) и медленные изменения психики.

На каждом структурном этаже сложных систем протекают оба типа процессов — циклические и нециклические, с самосборкой или с деградацией. При этом каждый этаж оказывает на другие большее или меньшее воздействие и то же — на их разные процессы совершенствования или разрушения.

Модели и иерархические этажи из структур удлинили во времени программы управления через Функциональные Акты, усложнили их в пространстве и в использовании энергии.

Эволюция шла в трех направлениях:

1. Усложнение структур «индивид — семья — сообщество», с возрастанием их иерархии — от стаи до человечества.

2. Возрастание Разума за счет удлинения ФА и наращивания их этажей сложности и обобщенности. От разума генома клеток, через мозг животных к творческому разуму человека, далее к Коллективному Разуму общества с перспективой его технического воплощения в ИИ.

3. Эволюция критериев от потребностей в пище, размножении, защите — к общению, информации и далее к искусственным потребностям сообществ в виде идеологий. Вектор эволюции в сторону усложнения, сначала биологической, потом технической. (К Вселенскому Разуму?)

РАЗУМ

...Нам говорят «безумец» и «фантаст». Но, выйдя из зависимости грустной, с годами мозг мыслителя искусный Мыслителя искусственно создаст.

Гете. Фауст

В сороковых годах, с подачи Н. Винера, у нас появилось слово *«кибернетика»*, и понятие *«информация»* получило новое значение. Винер уравнял ее с энергией и материей. Едва ли это справедливо, если не признавать «бестелесную» и «безэнергетическую» информацию в виде управляющих сигналов от Господа Бога или Вселенского Разума. (Утверждения такие существуют.)

Реальная информация воплощена в моделях, построенных из специфических структурных единиц, а ее передача выражается в сигналах, имеющих энергетическую природу, но также и материальную структуру. То и другое являются лишь продуктом усложнения материи в процессе самоорганизации, но в то же время и ее объектом. По крайней мере, в пространстве и времени ограниченных сферой распространения «живых» систем, пока Разум не вышел в космические просторы и действительно не превратился во «Вселенский».

(В связи с этим: если в принципе допустить такую возможность, то Вселенский Разум уже должен существовать, будучи порожденным более старыми космическими системами. Может быть, он уже управляет нами через воздействия из Вселенной? Об этом так любят говорить «космисты». Управляет не строго, учитывая непредсказуемость самоорганизации, поэтому предупреждение хаоса не гарантируется...)

Так или иначе, биологическая эволюция породила модели и сигналы, составившие своеобразную «субстанцию» Разума, позволяющую оторваться от косной материи неорганического мира и открывшую новые возможности самоорганизации сложных систем как «живых», так и технических.

В последние два десятилетия комплексная наука о механизмах и моделировании мышления получила название «когнитология» (cognitive science). В нее включают: теорию познания, логику (как части философии), психологию, лингвистику и компьютерную математику. Как видите, спектр очень широкий. Впрочем, эта новая наука не создала теории мышления, позволяющей создать его модельное воплощение.

ОБЩИЙ АЛГОРИТМ РАЗУМА (ОАР)

ОАР сформировался в процессе биологической эволюции и используется в любом управлении сложными объектами.

Вокруг термина *Разум* сложился своеобразный миф. Непонятно: «Что? Откуда взялось? Что можно ждать?» Эта таинственность мне кажется недоразумением. Разум вполне материален, его можно создать техническими средствами. Более или менее ясно его происхождение: это продукт биологической эволюции. Или результат самоорганизации материи.

Начнем с определения.

Разум — это аппарат управления объектами по критериям оптимальности посредством действий с моделями.

Есть много определений разума, рассудка, интеллекта. Приведу два. В. А. Звягинцев: «Разум — это свойственное живым организмам порождение знаний и целенаправленная реализации их во взаимодействии данного организма со средой». Как видите, для искусственного интеллекта места нет... А вот что сказал Э. Хант: «...Прагматический подход психологов: интеллект — это то, что определяется в интеллектуальных тестах. Так же поступаю и я».

Развитие разума выражается эволюцией форм жизни, а проще — программ, критериев и моделей. Можно выделить целую серию этапов.

1. Одноклеточные существа. Разум в генах.

2. Многоклеточные организмы. Разум из нервных клеток.

3. Стадное существование. Зачатки коллективного разума как сочетания индивидуальных.

4. Человек разумный. Творческий разум.

5. Общество. Коллективный разум граждан.

6. Техносфера. Ноосфера. Искусственный интеллект.

Деятельность разума состоит в упорядоченном переключении сигналов энергии, активности между моделями (структурами) разума, подчиненными программам, нацеленным на действия. Сами программы тоже представлены моделями. Управление — это использование «рабочих органов» для воздействия на объект. Осуществляется это путем «считывания» структуры моделей сигналами, которые трансформируются в энергию движения в эффекторах — мышцах или механизмах.

Под словом *аппарат* (в определении) подразумеваются как структуры — модели (например, ансамбли из нейронов в мозге или набор генов в клетке), так и функции в виде специфической активности моделей и продуцирования сигналов. Они направляются на другие модели или на «рабочие» элементы Разума.

«Разум управляющий» немыслим без «входов и выходов» на объект. Для живых систем входы — это рецепторы (глаза, уши), выходы — мышцы. Сам разум сосредоточен в «моделирующем устройстве» — мозге, вместилище моделей, «компьютере». Разумеется, для всего этого нужна энергия — «электростанция, тело».

На рис. 11 дана схема отношений человек — среда. Среда представлена различными «координатами» — общество, внешние модели (книги, наука и искусство), техника — комплекс вещей, природа. От всех их идут сигналы u, передающие информацию на рецепторы $Рц$, иногда с включением технических устройств $Ту$. Рецепторы могут избирательно настраиваться настройкой $Н$. Моделирующая установка $МУ$ включает модели образов и программ действий. Она получает также воздействия со стороны «тела» через его рецепторы $Рц$. Включение действий и регулирование их напряжения осуществляется за счет комплекса критериев, в которых представлены значимые качества $О$ — общества, $ВМ$ — моделей, $Т$ — техники, $П$ — природы, $Тл$ — тела, а также $МУ$ — самой моделирующей установки, разума. Модели действий считаются эффекторами $Э$, получающими энергию $Эн$ от тела и передающими ее на объекты среды, иногда с включением технических устройств $ТУ$. Состояние эффекторов воспринимается разумом ($МУ$) через их рецепторы $Рц$.

Мир сложен и непрерывен, хотя и неоднороден. При познании, при моделировании его нужно разделить на фрагменты, на объекты, содержащие «кванты информации». Для такого разделения используются физические границы объектов или пространственные и временные пределы «порций» восприятия. В результате получается мозаичная картина мира, состоящего из дискретных частных моделей. (Параллель с современным цифровым кодом записей музыки или образов).

Модели — «слова» — объединяются в «картину» (текст) через специфические связи, отражающие пространственные или временные связи и отношения между фрагментами объективного мира или последовательности его восприятия разумом. При этом модель — текст —

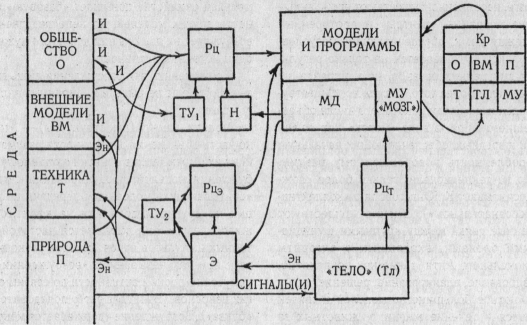

Рис. 11. Расширенная схема интеллекта:

П — природа; Т — техника; ВМ — внешние модели; О — общество. «Входы» и «выходы»: И — информация, сигналы; Эн — энергия; ТУ — технические устройства; Рц — рецепторы; Рцэ — рецепторы органов воздействия; Н — настройка рецепторов; Рцт — рецепторы «Тела»; МУ — моделирующая установка «Мозг»; МД — модели действий; Э — эффекторы

можно заново делить на фрагменты (фразы, абзацы) и повторно моделировать полученные порции информации. Так выделяются их «смыслы», «содержание», представляющие собой модели более высокой обобщенности — среды (мира, картины).

В термине *«смысл»* тоже много мистики. Мне представляются два значения:

1. Самая обобщенная «модель-содержание» с акцентом на структуру.

2. Тоже модель, но с акцентом на главную — целевую функцию.

Квантование информации о мире и манипуляции с «буквами и словами» с целью их использования является одной из трудных проблем понимания Общего Алгоритма Разума. С одной стороны, мир приходится «читать» по кусочкам, но, реагируя на прочитанное действиями, разум должен пользоваться «фразами». Иначе говоря — *обобщенными моделями.* При этом принципы обобщения очень своеобразны и трудны для формализации. Например, человек идет по улице, смотрит по сторонам. Что он запомнил? Одну яркую вывеску, одну красивую фигуру, а остальной путь отпечатался обобщенной моделью собственных шагов. Выделение главного в детальной модели «фигуры» и отражение второстепенного — «фона» — в обобщенном виде, именно в этом состоит специфика отражения мира.

Важное от неважного отделяется в процессе восприятия и оценки, по соотношению критериев, заложенных в объектах и отраженных в потребностях субъекта разума. (В принципе, этот процесс доступен формализации).

Первичная (подробная, равномерная!) модель со временем укорачивается (сжимается) за счет забывания второстепенных участков и замены их «буквами обобщения». Координатой в таких обобщениях выступают время и пространство. Подобным трансформациям подвергаются все модели в памяти: сначала сокращаются, потом исчезают.

В мозге, несомненно, существуют врожденные активные модели — «центры» и проторенные связи между ними, обеспечивающие безусловные рефлексы. Это касается не только регулирования внутренних органов, но и управления мышцами тела. Более того, возможно, существуют врожденные модели некоторого числа объектов внешнего мира, в виде «меток» как полезных, так и вредных, обеспечивающих начальную приспособленность новорожденному разуму. (Именно на такие модели, только более сложные, рассчитывает К. Юнг, говоря о «коллективном бессознательном»). Видимо, существуют проторенные связи между крупными функциональными блоками, входящими в алгоритм Функционального Акта, такие как восприятие, прогнозирование, планирование, решение.

Абсолютное большинство моделей и связей образуются в течение жизни: у животных за счет условных рефлексов — проторения связей между двумя активированными (возбужденными) нейронами, а у человека, главным образом, в результате осознанного обучения и творчества. Повторение и упражнения тренируют их, а отсутствие использования — детренирует.

«Банк моделей и связей» — это *память*. Условно можно выделить активную, или кратковременную, память в виде возбужденных моделей, по которым некоторое время циркулирует энергия импульсов. Наоборот, постоянная, длительная, пассивная память выражается в образовании структурных связей между нейронами, объединенными в модель. Эти связи позволяют более или менее легко активировать всю модель, если на ее часть падает раздражение извне, от других моделей.

Организация длительной (постоянной) памяти очень сложна. За счет «вертикальных» связей объединяются модели разной обобщенности, принадлежащие к одному объекту. К нему прилежат модели качеств и деталей. Параллельно с моделями образов располагаются модели слов речи и других знаков. Все вместе они образуют своеобразные «семейства», имеющие «горизонтальные» связи с моделями критериев (потребностей, мотивов), действий, «меток» времени, пространства. Возбуждение, активация одной из моделей семейства повышает «базовую» активность других моделей, но непосредственно не возбуждает ни одну из них, для этого нужен еще один источник активности.

К сожалению, эти рассуждения лишь гипотезы. Никто еще не выделил нейронные ансамбли в мозге.

Модели, память (как структуры) — это только часть объяснения деятельности разума. Функция их выражается в понятии *активности*, возбуждения моделей, продуцировании сигналов, «считывающих» модель для передачи информации на другие модели или на эффекторы. В живом разуме она выражается частотой спонтанных импульсов покоя, которая резко возрастает при так называемом «возбуждении», при получении порции активности по связям от других нейронов. (В ИИ для этого понадобится своя «буква»). Возбуждение удерживается некоторое время после отключения внешнего источника активности.

Не буду останавливаться на химической и физической природе нервных импульсов, нам достаточно информационной сущности.

Активность — это энергия модели. Она тратится на преодоление сопротивления связей с другими моделями и на их активацию. Главным источником активности в живом мозге является Ретикулярная Формация ствола мозга.

Важным понятием является *тренируемость* функции нейронов: способность увеличивать частоту импульсов в результате повторного использования. (Это свойство тоже необходимо для ИИ.)

Импульсы распространяются по нервным отросткам (аксонам) на другие нейроны, подключаясь к ним через так называемые «синапсы» (точки соприкосновения), имеющие свою «проходимость». Она тоже возрастает (тренируется) при повторном использовании.

В мозге существует огромная избыточность связей, при которой кажется неизбежным тотальное возбуждение всех нейронов. Этому препятствует специфический процесс *торможения*, зеркально следующий за возбуждением как самого нейрона, так и соседних с возбужденным. Это так называемое последовательное и индуктивное торможение, выражающееся в повышении порога возбудимости, затрудняющего активацию модели в ответ на импульсы, поступающие по связям.

Баланс процессов возбуждения (активации) и торможения как раз и обеспечивает, с одной стороны, возбуждение всех нейронов ансамбля как целого, а с другой — блокировку беспорядочного распространения возбуждения на другие ансамбли. Высокая активность нейрона пробивает блокировку только в избранном направлении, при наличии очень проходимой связи. Так устанавливается порядок: выделение моделей-слов, объединение их во «фразы», последовательность их «прочтения», придающая им значение, отражающее реальности мира или работу разума. Если прибавить сюда тренировку и детренированность моделей — участников, то это и составит процесс постоянной изменчивости, пластичности, самоорганизации Разума.

Модель создается разумом в процессе восприятия объекта или творчества. К сожалению, обратная операция — развернуть модель в объект, «сделать» его, возможна только применительно к вещам, созданным человеком. Модели живой клетки есть, но создать по ним клетку пока не удается. Но реконструировать методами генной инженерии уже можно.

Понятие *«критерий»*, применяемое в моем определении Разума, требует особых пояснений. В общем виде критерий — это некое измеряемое качество, присущее объекту. По нему разум дозирует управляющее воздействие, сопоставляя его со своей «потребностью». *Потребность* тоже определяется как качество (критерий?), но уже относящееся к самому разуму. Оно изменяется в результате воздействий разума на объект и получения от него ответа: я называю его условным словом *«плата»*.

«Напряжение» критерия можно выразить количественно (со знаком минус?) как «расстояние» от данного состояния до цели, до идеала, если его измерять по какому-нибудь важному обобщенному показателю. В науке об управлении самый обобщенный критерий заменяется понятием *«целевой функции»* (ЦФ). Поскольку разум имеет дело с очень большим количеством изменяющихся показателей (моделей), то крайне важно иметь такие обобщенные ориентиры. Так же, как «главную цель».

Потребность имеет измерение и знак. Измерение — это *«чувство»*, а знаки (+) *Приятно* и (−) *Неприятно*. Вся деятельность разума направлена на уменьшение неприятного и приращение приятного. В этом состоит *«мотив»* для затраты энергии на «действия с моделями», то есть их активацию. Для каждой потребности можно нарисовать характеристику: «Плата—чувство». Точка «притязание» означает величину платы для достижения максимума приятного. Приращение абсциссы от начальной точки состояния объекта до конечной представляет величину мотива и одновременно «значимость» потребности (рис 12).

В живых разумных системах критерии от рождения заложены в структурах мозга в виде нервных центров потребностей чувств и желаний, находящихся в подкорке мозга. Они постоянно, хотя и неравномерно, продуцируют активность. Однако критерии могут быть привнесены извне через обучение или создаваться в самом разуме, в процессе творчества, в виде вновь созданных и натренированных нейронных ансамблей. К примеру, такими «приобретенными» критериями являются убеждения и верования.

В принципе, для управления сложными объектами используется много критериев. По своей значимости они выстраиваются в иерархию. Для того, чтобы достигнуть однозначности управления, необходимо различные критерии объединить на каком-то одном показателе. У человека таким обобщенным показателем является интегральное чувство *«Приятно — Неприятно»*, или *«Уровень Душевного Комфорта»* (УДК). В нем суммируются приятный и неприятный компоненты каждого частного критерия — чувства. В искусственном разуме нужно строить пирамиду критериев, систему их объединений в главном производном от «целевой функции». Она выражает ствол в «дереве целей», которое строится при проектировании управления очень сложными системами. Значимость частных целей выражается в значимости частных же потребностей.

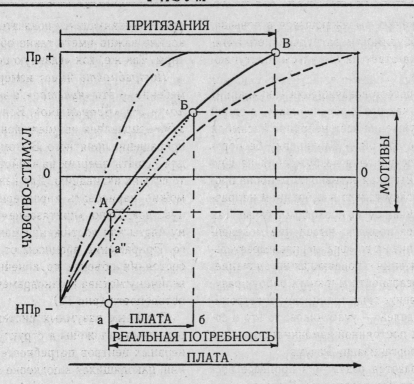

Рис. 12. Основная статическая характеристика потребности.

На оси абсцисс отложена «плата», т. е. выражение потребности в единицах «входов» — в пище и вещах, уважении окружающих, новизне информации. На оси ординат отложены «чувства», т. е. активность соответствующих нервных центров с компонентами «приятно» (Пр) или «неприятно» (НПр). Величиной ординат измеряется мотив к действиям. На основной кривой точка «А» соответствует исходной степени удовлетворения потребности с соответствующими чувством и «платой». Точка «Б» — означает реальный расчет на «плату», и чувство «dЧ» составляет стимул для получения этой «платы». Точка «В» — это максимум притязания. Пунктирами нанесены линии характеристик, измененных в процессе адаптации при длительном удовлетворении или неудовлетворении притязаний, показывающие изменения их уровня

Можно выделить **четыре вида критериев-**потребностей для любого разума.

1. Специфические, как производные от назначения данного разума. Для животных — это инстинкты (питания, защиты, размножения, стадный), для человека — еще и убеждения от идей, для сообщества — идеологии, для ИИ оговариваются в задании. Приоритет потребностей от ЦФ живых существ: размножиться, а потом уже выжить.

2. «Рабочие» потребности-критерии, обслуживающие сами механизмы развитого разума как аппарата управления. К ним относятся произ-

водные от сложных рефлексов И. П. Павлова: рефлекса свободы, цели (чувство «надежда») и потребность в информации — любознательность. Сюда же можно отнести потребности, управляющие программами разума, например, переключение этапов Функционального Акта.

3. «Произвольные» — самые разные, целиком созданные творчеством: чистый продукт самоорганизации!

4. Обобщающие критерии, суммирующие компоненты «приятного» и «неприятного» от всех частных критериев-чувств. Для разума-личности это условный показатель «Уровня Душевно-

го Комфорта» (УДК), главный «внутренний вход» на сознание, по которому выбираются поступки и все поведение.

В механизмах разума участвуют еще три *вспомогательных*, но очень важных *критерия*, имеющих свое выражение в специальных моделях-центрах.

А. «Коэффициент *реальности*» (от 0 до 1), учитывающий степень связи модели в разуме с объектами, реально воспринимаемыми рецепторами в данный момент. Иначе говоря, действительно ли существует объект модели или он «придуман» и не воспринимался органами чувств. Естественно, что «Центр реальности» связан с центрами настройки рецепторов, как и с центром сознания. Выключение этого центра знаменует потерю сознания, а торможение — его ослабление: реальность исчезает.

Б. «Коэффициент *будущего*» показывает снижение «значимости» данного события, если оно произойдет в будущем,— для удовлетворения потребности настоящего времени. Уменьшение обоих коэффициентов сокращает мотивы для ФА.

С. «*Критерий риска*» — показатель достаточной вероятности, при котором заканчивается распознавание или планирование (требующие напряжения и времени) прежде чем включить действие.

Сочетание нескольких качеств (соотнесенных с критериями Разума) характеризует объект управления. Модель такого объекта, который должен получиться в результате акта управления, можно обозначить как «*цель*». Соответственно, набор и ранг потребностей характеризует субъект разума.

Речь. До сих пор слово «модель» использовалось для отражения естественных материальных объектов и функций. Это *код образов*. Предполагалось некоторое структурное сходство модели и объекта. Однако, в процессе обобщения конкретных моделей, их структуру можно упрощать и в результате получить «*знак*», который сохраняет связь с моделью-структурой, с образом. В процессе социальной эволюции первичной человеческой стаи самое большое развитие получили именно модели-знаки, выраженные звуковыми сигналами, которые существуют у животных и птиц. Их сочетания стали пригодными не только для обозначения предметов, их качеств, но и действий, времени и пр. В результате сформировался *язык*, знаками которого можно описывать картины внешнего мира, а также собственные модели разума. Произнесенные одним человеком слова становятся реальностью для других разумов, как истинные объекты при их восприятии и отражении в памяти. С течением времени люди научились механически отражать знаки-звуки речи буквами *письменности*. Так код отвлеченных моделей-знаков стал в один ряд с физическими объектами, сделался их двойником. И, одновременно, средством внешнего отражения процессов мышления, деятельности разума.

Значение изобретения речи в развитии разума огромно. И не только для высшей системы — общества, но и для каждого разума. Ее главное качество — экономное кодирование обобщенных моделей-образов и отношений. Речь проложила путь к абстрактным понятиям и счету.

Развитие речи и общение людей породили еще один критерий: *правда*, правдивость. Он обозначает степень соответствия моделей образа и произнесенных для его обозначения слов. Само по себе описание словами всегда должно бы быть правдивым: это всего лишь действие по «считыванию» модели образа движениями мышц речевого аппарата, как любое движение, то есть — *Функциональный Акт* (ФА).

Однако при планировании каждого движения субъектом Разума учитывается реакция «адресата», чтобы подсчитать эффективность ФА: выгодно или нет. Потом делается выбор: выгодно — включай «действие», невыгодно — оставь ФА в мыслях. В этом изначальная «правдивость» мышечных действий, например, у животных.

Ребенок, когда учится говорить, поступает так же: он кодирует словами то, что видит и чувствует и все воспроизводит в примитивной речи («поток слов»). Когда немного подрастет, научится тормозить произнесение, оставив слова в мыслях. (Если быть точными, то наши словесные мысли всегда отражаются в минимальных нервных импульсах, посылаемых на органы произнесения слов — гортань и язык. Просто они настолько слабы, что звуков не вызывают. Но их регистрируют физиологи.)

Проходит еще год-два, и ребенок изобретает сознательную ложь.

Ложь — это целенаправленные искажения первичной модели в разуме в процессе выражения ее словесным кодом. Обычно это касается передачи образа словами речи. Ложь используется как действие, направленное на другое разумное существо, чтобы получить некоторую выгоду для себя. Ложь, обман, дезинформация, утаивание, искажение — понятия одного порядка. В конце концов, они замыкаются на более общее качество, характеризующее любое перекодирование: точность соответствия различных моделей одного объекта, выраженных разными кодами. «Правдивость» — это критерий такого соответствия. В принципе, он органически присутствует при всяком перекодировании, например, при переводах с одного языка на другой, слов — в математику, образов — в рисунки.

Понятие «*правда*» я использую как показатель соответствия словесных и образных моделей. Или вообще одних моделей другим. В связи с этим еще одна тема: *истина* и *вера*. Кажется, что понятия эти несопоставимы, не перекрещиваются. Но это только кажется. Вспомните: «Разум управляет объектами, а чувства управляют разумом». Истина, как и разум, субъективна. Ее приходится проверять все время: чтобы модели правдиво отражали объект. Как проверить, когда зрительный образ модели из знаков совершенно непохож на образ — предмет описания? Нужно, чтобы в памяти были таблицы соответствия: фразы, слова-образы. Но точного совпадения не бывает, если объект сложен. А идентичность (часто) необходима, чтобы принимать решение. Для этого «неполную» истину нужно принять за «полную».

Неполнота компенсируется *верой*. Она присуща всякому живому разуму. И обязательно понадобится искусственному, ИИ.

Сущность **веры**: механизм расширения сферы «правды» на неполноту отражения объектов в модели. Иначе говоря, механизм повышения вероятности соответствия знаковой модели — объекту, через пренебрежение неточностью, когда нет возможности доказать их тождество. В том смысле, что вера позволяет признать модель правдой, даже когда этого нет. Вера заменяет знание. То есть, она — произвольный акт. Без нее большинство действий со сложными системами были бы невозможны, поскольку разум ограничен в создании моделей, в познании истины.

«Легковерие» или, наоборот, «скептицизм» — это рабочие качества-критерии из числа обслуживающих мысленные этапы (процедуры) ФА. Это количественная мера расширения или сужения «допусков» правдивости. Вера или доверие присутствуют при всех операциях ФА с моделями. Они индивидуальны для каждого разума. Возьмем, например, понятие «*риск*». Это когда «решение» о действиях принимается при «неполной правде», то есть неточном распознавании объекта, приблизительном его прогнозировании, сомнительной эффективности будущего действия. Процент допускаемой неполноты есть качество личности — степень ее приверженности к риску.

В большинстве случаев разум человека сравнивает не модель с объектом, непосредственно воспринимаемым органами чувств, а одну модель с другой, которая каким-то другим разумом уже проверялась на соответствие с объектом. Культурный человек живет больше в мире моделей, чем в мире предметов. Даже за каждой вещью, которую видим, стоит сонм моделей — знания о ней. Большинство их получено не из своего опыта, а из книг или рассказов учителей. Мы верим этим моделям (считаем их правдой) в той степени, в которой считаем надежным источник информации. Признание его надежности — это признание авторитета. *Авторитет* — это «стоящий выше». Здесь мы уже входим в сферу *Коллективного Разума* (КР). Авторитетны не только люди, но и корпорации, наука, религия, любые источники информации.

Предельно формализовать разум можно в *терминах лингвистики*.

Всякая модель представляет структуру из элементов некоего кода «букв» условного алфавита. Алфавитов существует много. Модели — это «слова» и «фразы». Их объединяют в «словари».

«Грамматика» и «синтаксис» предусматривают правила манипуляций с моделями по требованиям логического, то есть целесообразного мышления образами. Сущность манипуляций состоит в активации моделей слов и фраз. «Буква активности» присутствует в каждой модели. Она отражает участие модели в функции разума через генерирование сигналов.

«Язык» включает алфавиты, словари, грамматику, то есть весь аппарат знаков — моделей, пригодных для описания и управления объектами (примеры: языки речи, образов, математики).

«Семантика» данного языка определяет соответствие его элементов (моделей) знакам другого языка. Иначе говоря, определяет значение текстов, написанных на одном языке, через тексты на другом. (Пример — соответствие речевого описания картине образов.)

Разум в такой трактовке представляет собой набор процедур (или операций) с моделями, с использованием различных языков. Он может быть реализован в мозге индивида (человека или животного), в совокупности разумов коллектива (стаи) или в Искусственном Интеллекте (ИИ).

Перечислю *типы* важнейших *операций* с *моделями* в естественных Разумах (и очень желательных в ИИ).

1. Кодирование. «Описание» физических объектов и процессов на выбранном языке с использованием для восприятия рецепторов или технических устройств, с целью получения *Первичной* модели». Она представляет собой структуру из дискретных элементов-точек. Например, зрительного образа в коре мозга, в виде возбужденного (активированного) ансамбля из нейронов.

2. Декодирование — обратная процедура перевода модели в физические процессы (и объекты) через так называемые «эффекторы», например, мышцы. В этом выражаются любые двигательные акты.

3. Обозначение активности структурной модели в разуме своей «буквой», как во временной, так и в постоянной памяти. Существуют количественные характеристики уровня активности модели в зависимости от получаемой энергии на ее «входах» от других моделей, или от рецепторов, воспринимающих внешний мир.

4. Тренировка модели — повышение ее активности при частом использовании. Детренированность ее при покое. (Изменение характеристик в зависимости от использования.)

5. Запоминание — перевод временной модели, представленной активированными (возбужденными) знаками, в структуры постоянной памяти за счет образования связей между активированными (возбужденными) нейронами-знаками. Обычно для этого необходимо повторное возбуждение модели.

6. Забывание — быстрое стирание модели из временной памяти и медленное разрушение структуры связей в постоянной памяти.

7. «Вспоминание» — активирование модели из постоянной памяти при поступлении на ее элементы активности (раздражения) с других моделей или центров критериев потребностей.

Возможны следующие манипуляции с активированными детальными моделями:

8.1. «Огрубление», «обобщение» модели — выделение важнейших элементов (букв, слов) из детальной модели и объединение их в новой упрощенной «обобщенной» модели. Иначе говоря, выделение одного из «смыслов» по содержанию или по другим показателям.

8.2. Выделение «значимых» фрагментов из общей «картины» по некоторым критериям, заданным в программе процедуры («фигура-фон»). Часто они отражают качества. (Пример: обведенная нужная деталь на общем чертеже машины.)

8.3. Развертывание обобщенной модели в детальную — по вертикальным связям между ними. Возможность нескольких вариантов, в зависимости от активности частных моделей и проходимости связей.

8.4. «Привязка» модели связями к координатам времени, пространства, выраженным тоже моделями различной обобщенности («близко—далеко» и «сейчас, недавно, давно» или цифры).

8.5. Такая же «привязка» к моделям потребностей, с различной проходимостью связей. Этим определяется значимость модели, оцениваемой по различным чувствам-критериям.

Существует еще несколько операций с моделями, используемых Разумом.

1. «Обобщение» ряда разнородных моделей путем выделения из них элементов, общих для всех — выделение модели «понятия».

2. Сравнение моделей путем наложения. Выделение общих и различающихся элементов. Отображение их в моделях общего и различий.

3. Образование альтернативных моделей.

4. Последовательная активация цепи моделей по связям. Представление такой цепи в одной обобщенной «модели смысла». Она в «укороченном виде» объединяет самые активные составляющие цепи моделей.

ФУНКЦИОНАЛЬНЫЙ АКТ

Разум действует не непрерывно, а «порциями», «единицами действия». Я их назвал Функциональные Акты (ФА). Они являются как бы некими единицами механизмов мышления и требуют подробного рассмотрения.

Процедуры ФА осуществляются с участием как устройств «входов и выходов» — рецепторов и эффекторов, так и моделей из постоянной памяти. Все действия осуществляются отдельными элементами, объединенными в структуры через связи, пропускающие сигналы.

Энергия для сигналов генерируется как самими элементами — моделями, так и получается по связям от центров критериев. (Их другие обозначения: потребности, мотивы, чувства.)

Расчленим ФА на основные операции с моделями.

1. *Настройка* (активация) рецепторов (органов чувств) в ответ на раздражение от среды (краем глаза увидел животное: настроить зрение!) или возбуждение от сознания («Посмотреть!»)

2. *Восприятие*: рецепторы получают энергию, исходящую от объекта, и кодируют ее специфическим кодом нервных импульсов или других сигналов, продуцируемых дискретными элементами. Распределение этих сигналов в элементах «рецепторного поля» пространства коры мозга образует временную активную модель (объект, картину, структуру) в кратковременной памяти («Увидел животное».)

За этим этапом следует анализ модели, состоящий из ряда операций.

3. *Распознавание*: наложение временной модели на серию моделей, имеющихся в постоянной памяти, чтобы выбрать из них (с вероятностью) самую «похожую» и активировать ее. Она уже имеет связи с другими моделями предметов, понятий и качеств. По этим моделям и их связям с другими Разум определяет данный объект в системе других, известных, составляющих его, разума, «картину мира». В том числе и определяет образную модель словесным кодом. Таким образом, активная временная модель объекта приобретает связи, присущие модели-эталону. («Рассмотрел животное: большая собака и, наверное, злая».)

4. *Прогнозирование*: «высвечивание» вариантов будущих состояний объекта по моделям из постоянной памяти, к которым он уже был привязан в процессе распознавания, включающем и их прошлое (ретроспектива). Выделение двух альтернативных сценариев прогноза для дальнейшей проработки. («Собака бежит ко мне, но еще далеко и может отвернуть».) Выбор наиболее вероятной модели. («Бежит ко мне!»)

5. *Оценка* объекта и первичный *мотив*. По связям этих моделей с моделями критериев и потребностей производится автоматическое «возбуждение чувств» и выделение «первичного желания» — мотива для активации всех моделей последующих этапов ФА. («Собака кусачая, очень страшно, нужно убежать. Альтернатива: пугать собаку криком».)

6. *Оценка возможностей* выполнения альтернативных действий, в смысле мощности эффектов исполнительных органов. («Есть силы бежать!»)

7. *Целеполагание*: желаемая модель объекта, как результат взаимодействия комплекса моделей: исходной, прогнозируемой, критериев, потребностей и возможностей. («Выбирается бег.

Наметил место, куда бежать, где прятаться и рассчитал силы».) В последующем именно расстояние до цели явится мерилом мотивации переключения этапов ФА. Такая же проработка альтернативной цели.

8. *Планирование*. Стратегия: перебор и оценка вариантов воздействий на объект для достижения цели. То же делается для альтернативного варианта. Выбор направления пути для обеих альтернатив. Расчленение пути до цели на участки с частными целями — «дерево целей». Выбор моделей действий для участков в зависимости от «местности». Определение частных потребностей для участков исходя из их специфики. Так составляются четыре плана: промежуточных целей, действий, усилий, чувств-мотивов. Возможно составление и пересчет планов для нескольких вариантов стратегии с выбором наивыгоднейшего. Сравнение идет по «парам» альтернатив, с бифуркациями. («Оценка расстояний до собаки, направление пути, его трудности, определение необходимой скорости бега и его тяжесть».)

9. *Решение*: окончательный выбор между противоположностями и альтернативами. Включение выбранного варианта плана в действие. При акте «решение» значительно повышается активность моделей плана, поскольку нужно возбудить эффекторы органы воздействия («мышцы»), призванные преодолеть сопротивление объекта. («Бежать! Максимально напрячься!»)

10. *Выполнение* плана действий, через считывание его структур импульсами высокой активности, направленными на рабочие органы — эффекторы (мышцы). Коррекция действий обратными связями от объекта и рабочих органов, как результат сравнения действительных усилий и результатов с планом. («Бег с оглядкой на собаку и на дорогу впереди».)

11. *Окончание* ФА: определение степени удовлетворения критериев (или достижения цели), затраченных усилий, запоминание деталей ФА для будущего использования. («Собака остановилась. Зря бежал? Запомнить».)

ФА может начаться не только от восприятия объекта, но и от модели «вспомненной», то есть активированной из постоянной памяти. В таком случае сначала все этапы могут реализоваться «в воображении», с соответствующей «буквой», при отключенном «центре реальности». Если предполагаемые действия обещают успех, тогда включается вспомогательный ФА *поиск*, чтобы найти исходные обстоятельства для начала ФА реального.

Все операции снабжаются энергией (активностью) как от главных критериев разума — мотивов, так и от собственных, вспомогательных, в которых отражена потребность следующего этапа ФА, заложенная в предыдущем (от восприятия, распознавания к прогнозированию, к оценке по потребностям, и так далее.) При этом последовательное включение операций ФА осуществляется по связям между моделями операций через своеобразные «связи-рельсы».

Каждый исполненный этап остается в памяти, присоединяясь к предыдущим, дополняя «модель — текст» всего ФА. Она сверяется с моделями планов и участвует в выборе следующего этапа.

Особенно важны механизмы, обеспечивающие доведение до конца уже начатого этапа — «действие». Для этого часто приходится включать дополнительное усиление (активацию), поскольку все предыдущие мысленные этапы были вероятностные и большинство ФА не обеспечены «мощностями». Кроме того, в ходе данного ФА имеют место «помехи» со стороны других конкурирующих ФА. Источником дополнительной активности является специфический критерий *рефлекс цели*, со своим аппаратом запоминания предыдущих этапов, от которых как бы накапливается потенциал энергии, дополнительно активирующий модели действий и доводящий их до цели. Рефлекс цели описал И. П. Павлов. У человека в том же направлении действует убеждение: «Я должен».

Если энергии оказывается недостаточно для преодоления сопротивления связи к следующему этапу, то ФА останавливается, оставаясь незавершенным. В естественных разумах большинство ФА начинается с активации моделей из постоянной памяти («вспомненных») и останавливается на «мысленных» этапах (распознавание, оценка, прогноз, даже планы), не заканчиваясь действиями. Именно такие ФА составляют основное содержание спонтанного мышления: движение активности, по моделям с меткой «нереально», не связанным напрямую действиями.

Я описал ФА в его типичном, «однолинейном» исполнении, когда он начинается от восприятия объекта и определения цели и завершается окончанием действий. В реальных мыслительных процессах дело обстоит гораздо сложнее. Мысленные и исследовательские этапы ФА осуществляются по альтернативам и по «кругам», с последовательным приближением к оптимуму. Показателем его является максимально достижимая вероятность успеха, а энергия для его «доведения» черпается не только от основной потребности — критерия, но еще и от специфического, описанного Павловым, «рефлекса цели», достижения совершенства, чувства «надежда».

Важнейшим критерием, двигающим ФА, является «возможность» выполнения действия. Информация о ней определяется состоянием исполнительных органов, их «силой» — например, мышц. «Опрос» возможностей включается в каждый круг ФА, наряду с потребностями и реальностью достижения цели.

Круги можно себе представить в таком виде.

Первый — *«прикидка»*. Это нечеткое восприятие объекта, распознавание с низкой вероятностью совпадения с моделью-эталоном, и столь же предположительная возможность действий. «Картина» потребности и возможности позволяет приблизительно определить цель, без четкого разделения на этапы ее достижения. Отсюда, столь же приблизительно, определяется мотив. Если сопоставление плюсов от удовлетворения потребности и минусов от «трудностей» дает большой положительный баланс, повышает уровень приятного, то ФА включается без уточнения деталей, и этапы выбираются в процессе выполнения действий.

Если баланс «за и против» заведомо отрицателен, то ФА обрывается, оставаясь некоторое время во временной памяти — «в мыслях».

Если же «прикидка» обещает успех, но его вероятность недостаточна из-за неточного восприятия, распознавания и приблизительности

планирования, то вступает в действие «потребность совершенства», которая тоже органически присуща естественному разуму. В этом случае включается «второй круг».

Второй круг — *планирование* — выражается в повышении вероятности всех положенных этапов, через их более тщательное выполнение. Но не только в этом. Нужно еще исследовать возможные другие модели-эталоны для распознавания, из которых следуют другие цели, действия и результаты. Все это означает необходимость вернуться к началу ФА: напрячь рецепторы, получить более точную первичную модель, перебрать из постоянной памяти и исследовать на сходство набор похожих. То же касается и оценки возможностей и последующих этапов ФА: они доводятся до такой вероятности, которая удовлетворит требованиям *личности Разума*.

До какой? Ответ не простой. С одной стороны, повышение точности требует времени и энергии — это минус. С другой стороны, затраты могут окупиться уменьшением риска неудачи последних этапов воплощения планов действий и достижения цели — это плюс. Вот здесь появляется тот самый, уже упоминавшийся критерий, и одновременно черта личности: *риск*. Суть его в том, на какой степени неопределенности остановиться и включить действие, даже если уточнение, в принципе, возможно, но заниматься им «не хочется». Наука об управлении и принятии решений разработала теорию допустимого риска, но в основе все равно лежит некий психологический параметр — «рискованность разума».

Так детализируется общий план второго круга: по этапам расписываются действия, промежуточные состояния объекта, затраты энергии от потребностей. Подсчитывается баланс плюсов и минусов, с поправками на вероятности, и только тогда принимается *решение.*

Оно представляется как активация эффектора по плану действий и рецепторов, воспринимающих объект и затрачиваемые усилия, чтобы контролировать соответствие с этапными планами. При небольших расхождениях подключается дополнительный *критерий цели*, добавляющий энергию к главному — от основной потребности. Если расхождение большое, то ФА останавливается: отменяется или пересчитывается на новые цели. Как видно из описания кругов, все этапы ФА сопровождаются многочисленными возвратами к исследованиям, перепланированиям и повторным пересчетам баланса чувств, как главных, так и вспомогательных.

Сложности ФА не исчерпываются тем, что описано. В реальном (или искусственном!) разуме одновременно прорабатываются *два пути* переключения этапов: путь *моделей-образов* и путь моделей из *слов речи*. Оба пути связаны поперечными связями, причем главенство того или другого меняется от этапа к этапу и зависит от специфики деятельности. В ФА словесного общения главным, конечно, является речь, но цепочка образов все равно сопровождает фразы. Кроме того, за каждым этапом следует переключение моделей чувств-критериев. Если к этому добавить отражение «главного пути» в моделях более высокой обобщенности, в ФА высших этажей иерархии, то сложность еще возрастает.

Разумеется, все, что сказано, является лишь гипотезой. Очень трудно вообразить этапы ФА в реальном мозге. Например, как представить себе запоминание во временной активной памяти последовательности картин, воспринятых одними и теми же рецепторными клетками глаза. Для этого нужно, чтобы каждая клетка глаза имела выходы на много клеток коры, которые подключались бы последовательно с отметками по тактам времени. Реализовать это на физических нейроноподобных сетях очень трудно, но возможно. В реальной коре мозга 100 миллиардов(!) нейронов и у каждого — тысячи связей — бесконечные возможности запоминания вариантов моделей.

В принципе, представленный алгоритм ФА присущ разуму животных, разумеется, без словесного сопровождения.

Параллельно усложнению алгоритма ФА, в процессах биологической и социальной эволюции происходило удлинение памяти, образование моделей большой обобщенности по времени и пространству, с возрастанием числа критериев-потребностей, критериев-убеждений и кодов. При

этом используются *иерархии* ФА, объединенных общей целью и взаимозависящих по вертикали. (Пример: иерархия ФА от выполнения студентом домашнего задания до окончания института). Низшие ФА питаются энергией от высших и в то же время подпитывают их в зависимости от успешности в достижении частных целей.

Наверное, стоит остановиться на понятии «*метафоричность мышления*». Что такое метафора? Самые простые примеры — это пословицы, поговорки, в упрощенном виде отражающие другие явления, выражаемые сложными, совсем другими словесными моделями. Иначе сказать, *метафора* — это обобщенная модель, обнимающая целый спектр подробных моделей, из разных контекстов, но объединенных неким обобщенным качеством, которое и выражено короткой фразой — моделью. Основание для фразы лежит не в словах, а в обобщенной, расплывчатой модели-образе, объединяющей (по некоторым признакам-качествам) много (несколько) детальных моделей совершенно различных объектов. По всей вероятности, любая детальная модель в мозге автоматически отражается во множестве обобщенных моделей с акцентами на различных «словах», образуя своеобразный «шлейф». Благо, возможностей для этого достаточно — 100 миллиардов нейронов и по тысяче связей от каждого.

Именно метафоричность естественного разума отличает его от искусственного интеллекта. С этим понятием мы еще встретимся в объяснениях элементов психики.

СОЗНАНИЕ

Самым главным достижением эволюции от животного к человеку было формирование речи и совершенствование функции сознания.

Сознание — это механизм разума, обеспечивающий в каждый момент времени выделение себя («субъекта разума»), в координатах времени и пространствах окружающего мира, и определение самого важного раздражителя, чтобы обеспечивать оптимальную реакцию на него. В этом суть «оперативного разума». Термин «со-

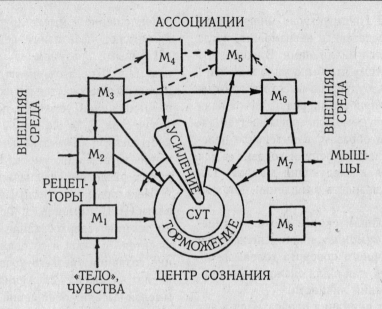

*Рис. 13. Система Усиления—Торможения
(СУТ) M_1–M_8-модели*

знание» — один из самых спорных в психологии и в философии. Не буду даже пытаться дать обзор мнений. (См. «Философская энциклопедия», т. 5, М., 1970.)

Усложнение органов чувств, поставляющих информацию, обилие объектов во внешнем мире, разнообразие действий, мотивированных разными, иногда противоположными потребностями, породили необходимость выделения в каждый момент времени приоритетного ФА, и даже — его этап. В свое время я предложил для этого механизм СУТ — *Системы Усиления—Торможения* (см. рис. 13).

Ее принцип действия состоит в том, что в каждый момент времени из некоего центра как бы «опрашиваются» все модели, выбирается самая активная модель и еще дополнительно активируется. Она и становится «мыслью» в сознании. Все другие одновременно тормозятся, переходя в *подсознание*. В следующий момент обязательно происходит переключение СУТ на другую самую активную модель, выбранную из подсознания по «конкурсу» активностей.

Нейрофизиологическим аналогом СУТ может служить принцип доминирования А. А. Ухтомского. Правда, очень трудно представить его струк-

турное воплощение: чтобы в каждый момент из сотен тысяч моделей выделялась и усиливалась одна самая активная. На помощь может прийти все та же самоорганизация. Если у одной модели высокое возбуждение, то соседние тормозятся в силу принципа «индуктивного торможения». Сама же активная модель обязательно притормаживается за счет так называемого «последовательного» торможения. Этот процесс «выбраковывания» для выделения самой активной стремительно развивается во времени (и «пространстве» мозга!), пока не остается одна самая возбужденная (*Мысль*!). Активность всех других соответственно понижается, при сохранении иерархии активности среди приторможенных (это важно для *подсознания*). Пройдет момент, и начнется обратный процесс последовательного затормаживания самой возбужденной и повышение активности всех других.

Таким образом, механизм быстрой самоорганизации позволяет избежать необходимости иметь один «центр» СУТ (как на рис. 13), в каждый момент собирающий информацию об уровне возбуждения всех моделей по радиальным связям и перераспределяющий по ним активацию и торможение. Ни структурно, ни программно такую СУТ представить невозможно, когда модели исчисляются миллионами. В наших ИИ это удавалось, потому что было мало моделей.

Модель-мысль, будучи на высоте возбуждения, посылает активность вперед по самой важной связи на другую модель, повышает ее активность и таким образом, в интервале переключения мыслей и конкуренции, готовит ее для захвата внимания в следующий момент. Так обеспечивается связность мышления, «*поток мысли*».

Сам этот механизм скорее можно определить термином «*внимание*», но он используется как для элементарного поворота головы в ответ на резкий звук, так и для сложнейших процессов формирования личности.

У человека акт внимания превратился в акт сознания.

Одним из его проявлений стало повышение уровня сознания.

У «человека общественного» это выразилось в расширении числа «координат» слежения. Я выделяю *три уровня сознания*.

На *первом* уровне слежение ограничивается внешней средой с автоматической оценкой по основным потребностям ее раздражителей и ответам на них в виде автоматических, неосознаваемых действий. Это характерно для животных и маленьких детей. Однако уже на этом уровне действует механизм самоутверждения в виде доминирования «личных» потребностей: в питании и защите, вплоть до агрессии.

При *втором* уровне расширяется объем отслеживаемых признаков с включением восприятия речи. Присоединяется слежение за собственным телом, чувствами и действиями. Все завершается формированием модели «Я» — «самости», и противопоставлением себя всему окружающему. Буквой (и звуком!) «Я» маркируется некий гипотетический, самоорганизовавшийся «центр-сеть», перекресток путей от чувств, ощущений с тела, рецепторов внешнего мира, которыми воспринимаются реальность и место в ней индивида. Такое сознание присуще взрослым людям даже с неразвитым интеллектом.

Границу *третьего* уровня сознания я обозначил как слежение за своими мыслями и пе-

ревоплощение в мысли других людей. К этому примыкают «фантазии», действия с моделями, созданными разумом в заведомо нереальном мире. При этом *«центр реальности»* произвольно отключается от части моделей, с которыми манипулирует разум, используя программы творчества. В то же время сохраняется активность центра «Я» в отношении рецепторов слежения за внешним миром. Происходит своеобразное разделение сознания.

Некоторые психологи, философы, нейрофизиологи (П. В. Симонов, З. Фрейд и др.) применяют термин «сверхсознание», «сверх-Эго». Мне кажется, что под него подходит мое определение сознания третьего уровня. Тем более, что число «этажей» слежения в сфере моделей-мыслей высоких обобщений, абстракций можно неограниченно расширять. Например, «слежение за слежением» или привлечение механизмов перевоплощения в психику других индивидуумов — оценки «с точки зрения» кого-то второго — третьего.

Поскольку речь зашла о высших проявлениях психики, то самое время остановиться на модной теме о *подсознании*.

В модельном выражении суть его состоит в параллельной переработке информации по многим каналам, что выражается во взаимодействиях моделей приторможенных от механизмов сознания (от СУТ). Таких моделей множество, абсолютное большинство — «обобщенные», даже «метафоричные». Метафоры и есть обобщенные модели. Вспомните поговорки, как они взаимодействуют с подробными моделями-текстами. И вообще, хотя мозг состоит из нейронов, но функциональной единицей являются нейронные ансамбли — модели. Именно они, взаимодействуя друг с другом через возбуждение-торможение в подсознании, составляют (глубинную) сущность мышления, а «модели-мысли» в сознании представляют лишь пики сложного рельефа вершин и ущелий их активности. Разумеется, принципы взаимодействия подчиняются правилам ФА, только «укороченных», с минимумом этапа «действия». Еще одно замечание касается «тиражирования» — многообразия вариантов моделей, объединенных отдельными моделями-деталями или, по вертикали, моделями-обобщениями, понятиями.

В подсознании осуществляется слежение за второстепенными объектами (не связанными с сильными чувствами), выполнение автоматических ФА, выполнение для них программы «кругов». Главная функция — это выбор наиболее активной модели для выхода в сознание при очередном «движении мысли». При этом из подсознания (то есть неосознанно) действуют многие потребности-чувства и сохраняется связь моделей с рецепторами и эффекторами — рабочим аппаратом восприятия и действий. Классическая трактовка подсознания дана Фрейдом, хотя он и преувеличил значимость сексуальных программ.

Если говорить о «*сфере бессознательного*», то ее можно понимать как взаимодействие моделей, не имеющих выхода в сознание. Возможно, что они локализованы в тех областях мозга (и разума!), что утратили в процессе эволюции связи с центром сознания «Я». Примером являются нервные центры в подкорке, регулирующие функции внутренних органов — сердца, желудка и др. Известно, что йоги с помощью специальной тренировки пробивают эти связи и произвольно управляют внутренними органами. Однако я не могу согласиться с последователями Юнга, что в сфере бессознательного имеются модели сложных понятий и программы поведения с большим количеством информации. Наверное, там представлены типы личности, то есть характеристики процессов активации и торможения, и, может быть, главные регуляторы инстинктов. Может быть, даже некоторые «метки» биологических врагов, но не более. Впрочем, и этого достаточно, чтобы «из бессознания» воздействовать на психику.

ТВОРЧЕСТВО

Большая память и речь предопределили построение гипотез и творчества, используемые для этого программы прогнозирования и планирования изначально заложены в любом ФА алгоритма Разума. Даже у животных.

Творчество представляет собой процесс создания моделей, для которых не существовало предмета вне разума. Это касается как технических устройств (вещей), так и моделей из слов и образов, воплощаемых в знаках. Процесс творчества начинается с формирования очень обобщенной *модели-цели*, модели-задачи, стимулируемой потребностью. Это производится путем перебора наличного «банка моделей», имеющих связи с этой первостепенной потребностью. Модели выбираются из подсознания, и процесс этот подчиняется законам самоорганизации. Поскольку, кроме главной цели и ее необходимых качеств, всегда есть критерии второстепенные, то именно по ним проверяются все «модели-кандидаты», пока не удастся достигнуть компромисса критериев-качеств в новой, пока еще самой обобщенной модели. Ее можно назвать *гипотезой*.

Последующий этап ее «доводки» состоит в подборе моделей-деталей. Он идет по тем же принципам перебора банка моделей одинакового ранга обобщенности, с участием самоорганизации, подсовывающей из подсознания самых активных кандидатов. Иногда это длительный процесс: возбужденная обобщенная модель-задача все время «пульсирует» в подсознании и в подсознании же идет подбор моделей-деталей. Периодически они выходят в сознание и «продукт» — обобщенная и уже обросшая деталями модель — подвергается проверке по вспомогательным критериям, пока не удается получить удовлетворительный результат — новую «модель-продукт» творчества.

Мотивами для творчества может стать любая потребность-необходимость, но чаще всего она сочетается со специфически человеческой потребностью *поиска*, любознательностью. При этом используется один из вопросов, возникающих в этапе ФА — «анализ»: «Что»? «Откуда?» «Куда?» «Почему»? Вопросы заложены в специфической потребности для этого этапа ФА: «распознать» предмет, чтобы выяснить его полезность и пути использования. Детализация потребности в вопросах прививается обществом, тренирующим любознательность. Когда простой перебор моделей не дает ответа на вопрос, то поиск переходит в активное подсознание.

Если активность придуманной модели из слов («идею») повысить тренировкой, то она может стать в разуме столь же значимой, как и модели реальных объектов, приобретая связи с чувствами.

Общеизвестно, что творчество реализуется как в сферах реальностей (техническое и научное), так и нереальностей: мечты, фантазии, искусство. Границы между ними нет, поскольку на этапах «прогнозирование» и «планирование» любого ФА образы (модели) будущего объекта отрываются от воспринимаемого рецепторами. Человек уже со вторым уровнем сознания сначала научается определять степень реальности модели, а потом и произвольно переходить ее границу. Это уже фантазии и мечты. Поскольку они приятны, то могут выделиться в специальное произвольное действие. Если его вооружить механизмами воплощения моделей знаками и словами, то из этого уже может получиться *искусство*. Критерии эффективности любого творчества выражаются в способности его продукта удовлетворять потребности — свои и окружающих. В том числе и специфическую потребность в красоте.

Можно говорить о *двух* различных *вариантах разума*, впрочем, не очень жестко отграниченных друг от друга.

Первый — *Разум-инструмент, Разум-робот*. Он является всего лишь усовершенствованным регулятором для неких устройств или процессов. (Лучше использовать термин «интеллект».) Отличие от простой техники состоит только в множественности критериев оптимизации управления, обилии и сложности моделей, отражающих зависимости «входы-выходы». Конструктор может задать такому аппарату многие свойства, присущие живому разуму, вплоть до обеспечения самостоятельности поведения в необычной среде. Однако во всех случаях разум-робот прямо работает на «хозяина», ставящего задачу.

Второй — «*Разум-Личность*». Для него характерны, как минимум, программы самоутверждения и выживания: он работает «на себя». Это качество достигается через объединение критериев управления (миром и телом) в некоем координационном центре, связанном с «Я», осуществляющим функцию сознания. Его можно обозначить как постоянное определение самого себя в пространстве, времени, обстоятельствах среды, а также и в отношениях с «телом», дающим энергию и часто служащим этим самым «объектом» управления. «Мощность разума» определяется по количеству используемых моделей, числу этажей, их обобщенности, верхним уровнем сознания, разнообразием критериев и программ. Разум проверяется по сложности решаемых задач и, в частности, по способности к творчеству.

Здесь самое время сказать о «*разумности*» вообще.

Разумное управление — это такое, когда результат удовлетворяет критериям или целям, выведенным из них. Критерии могут иметь качественный характер: «Да — Нет», или количественный — «Больше — Меньше». Этого достаточно, если критерии «внутренние», т. е. встроенные в разумную систему: каждый считает свои действия разумными, если достигнут оптимум. По крайней мере, в момент их свершения. Если разумный объект оценивается другой системой, со своим разумом и критериями («внешними» по отношению к первой), то соответственно меняется оценка разумности.

Обобщающий критерий разумности для индивида каждого уровня живых существ — это выживаемость. Он связан с размножением и изменчивостью, «личная разумность» часто вступает в противоречия с теми же критериями организмов другого уровня или другого индивида (отбор.) На этом построены противоречия критериев биологических видов, которые, однако, выравниваются на уровне биоценоза и тем более биосферы (свои «ниши»). Одно ясно — разумность определяется соответствием действий и критериев, а достижение ее — мощностью разума, с его «входами-выходами».

Как это ни парадоксально звучит, но *всякий* данный разум *неразумен*, если смотреть с позиции другого разума, даже более низкого уровня, не говоря о высшем. Он отягчен недостатками, в той или иной степени влияющими на его эффективность и, в то же время, определяющими его сугубую индивидуальность. Именно они мешают людям (а в дальнейшем ИИ) понимать друг друга. Особенно сильно они проявляются при выделении обобщенной модели из первичной, то есть — в выделении *понятий, смыслов* из описания картин и фактов.

Главный *недостаток* — *ограниченность*, неадекватность. Бесконечна сложность мира, и разум выделяет из него и воспроизводит в моделях лишь малую часть, зачастую опуская самое главное.

Второй — *субъективность*. Активность моделей-критериев (потребностей, чувств) направляет все действия с моделями в процессе ФА. Критерии противоречивы и изменчивы, действует сильнейший, часто сиюминутный, отсюда неадекватные решения. Как уже говорилось: «Разум управляет объектами, а критерии-чувства управляют разумом». И далеко не всегда удачно. Крайняя субъективность проявляется в эмоциях, особенно в гневе, которые могут совершенно исказить любые этапы ФА.

Третий недостаток я назвал *увлекаемостью*. В нем больше всего проявляется самоорганизация. Источник ее — тренируемость нейронов, определяемая функцией, а эта последняя зависит от среды, но также и от взаимодействия подсознания и сознания.

Среда влияет через такие качества разума, как *обучаемость* и *воспитуемость*. Первая представлена в запоминании все новых моделей, вторая — в изменении критериев потребностей. То и другое подчиняется воздействиям общества.

«Выход» очередной модели в сознание, т. е. получение усиления от его центра «Я» (СУТ), а, следовательно, и импульса на тренировку, определяется соотношениями активности множества моделей в подсознании. Они взаимодействуют друг с другом, с рецепторами тела и внешней среды, но особенно с центрами чувств. Поэтому очень трудно предусмотреть мозаику их активности, а, следовательно, и переключение сознания и «ход мыслей», в свою очередь изменяющий эту мозаику для следующего такта. Здесь мы видим типичный пример «быстрой» самоорганизации разума, когда картина меняется по

секундам. При этом активность модели, на которую замыкаются положительные обратные связи от чувств, может достичь максимума, извратив на какое-то время всю динамику мыслительных процессов. Такое наблюдается при эмоциях, когда включаются гормоны.

Быстрой самоорганизации можно противопоставить медленную. Она выражается в накоплении моделей в постоянной памяти — «знаний и умений», имеющих некоторую базовую «активность покоя», возбудимость, готовность к «активности действия», если на модель поступят импульсы от других моделей. Быстрая и медленная самоорганизации питают друг друга: движение активности действия оставляет след в образовании новых связей в постоянной памяти и повышении уровня возбудимости. Это, в свою очередь, влияет на «привлечение внимания».

Слежение за мыслями при третьем уровне сознания вносит совершенно новый механизм в этот процесс. С одной стороны, *управляя мыслями,* можно осуществить сознательную тренировку разума, направив ее на самосовершенствование, подчиненное неким придуманным или заданным целям. С другой, возможно «зацикливание» на ложных идеях, искажение всей картины мира и поведение, неадекватное требованиям общества.

Самоорганизация разума не означает хаотичности и полной непредсказуемости разума человека-индивида. Я уже упоминал об «ограничителях» самоорганизациии. Действуют они и в «живом» разуме. Можно назвать несколько. Первое — это биологическая «приземленность» от инстинктов-потребностей. Человеку нужно пить-есть, любить, защищаться, общаться, и лишь немного — любопытствовать и изобретать, чтобы питать энергией творчество, способное оторвать разум от реальной почвы. Второе — генетические характеристики нейронов и нервных центров ограничивают память и способность к созданию отвлеченных понятий: разум оказывается просто слабым. Третье — стереотипы поведения, а значит, и мышления, навязываемые обществом, использующим биологическую потребность подражания, свойства обучаемости и воспитуемости. Поэтому чаще всего самоорганизация способствует приспособлению человека к среде, а не выходу за пределы ее стереотипов.

Генетические особенности, дополненные самоорганизацией, находят выражение в типах личности. Но об этом разговор ниже.

Объединения людей в сообщества и вооружение их техникой значительно расширили возможности «личных» разумов. Цивилизация избирательно тренирует врожденные потребности, в том числе и в информации, дополняет их идеологиями и насыщает память моделями-знаниями. Однако биология человека успешно «сопротивляется» чрезмерной и однобокой тренировке мозга, поэтому процент гениев в результате роста образованности народов существенно не возрастает. Этого нельзя сказать о числе психопатов.

РАЗУМ ЧЕЛОВЕКА

Хотя Общий Алгоритм Разума сформировался в процессе биологической эволюции, теперь он уже существует и вне жизни. Скоро станет такой же реальностью, как материальные объекты. У животных ОАР представлен в сокращенном варианте, у людей — в развернутом, и очень разном, в зависимости от уровня сознания и накопленной в моделях информации. В обществе разум еще более широк, а в мире будущих ИИ он будет беспределен.

Все, что было изложено по разуму, было ориентировано на человека. Однако мне хочется еще кое-что добавить и конкретизировать в части его высших проявлений.

Прежде всего, повторю основные факторы, формирующие наш разум: потребности (материальные, общественные и информационные), обучаемость и воспитуемость, память, творчество, сознание 2-го и 3-го уровней. Последние два фактора развились под влиянием общества, хотя само оно возникло от взаимодействий творческих разумов членов стаи.

Современные люди, переживающие научно-технический и общественный прогресс, живут как бы в трех сферах: материальной, общественной и духовной. В каждой действуют: биологические потребности, идеи, материальные средства, труд.

Материальная сфера обнимает взаимодействия с вещами и реализует потребности в пище и защите, используя труд, технику и знания.

Общественная сфера — это отношения с людьми. Она основана на потребностях в общении, лидерстве, сопереживании, подражании, которые в наибольшей степени подвержены влияниям идеологии и НТП.

Духовная сфера состоит в отношениях с идеями и информацией. Она зиждется на натренированной любознательности, технике и максимально использует возможности разума в части создания моделей отвлеченных понятий и их тренировки.

Разумеется, все три сферы взаимосвязаны, питают друг друга, хотя в каждом индивиде представлены в разных соотношениях.

Духовная сфера особенно сложна для моделирования, и на ней следует остановиться.

Считается, что ее содержанием является триада: *«Истина. Добро. Красота»*. Истина соответствует знаниям, добро — этике и религии, красота — искусству. ФА во всех этих областях деятельности выражаются преимущественно в речи, с превалированием «мысленных» этапов: проработка материала в сознании.

Элементы духовности присутствуют в жизни даже примитивных народов: им необходимы сведения о природе, правила отношений (этика, боги), присуща им и эстетика. Корни последней лежат в биологии, в ритуалах стаи и брачных церемониях животных. Они не имеют практической ценности для выживания и даже акта размножения. При этом люди обходятся вторым уровнем сознания (поскольку владеют речью), а мысленные этапы ФА (анализ: распознавание, прогнозирование, планирование) занимают мало места и просты по содержанию моделей. Концентрация сознания на элементарных моделях — о природе и богах, дополненная специальными ритуалами, ведет к тренировке различных *«табу»*, регламентирующих примитивные сообщества и представляющих зачатки духовной жизни. Ее значение может быть не меньшим, чем у наших современников, хотя «банк моделей» очень беден.

По мере технического и информационного прогресса духовный элемент жизни возрастает. Выделяются «специалисты»: мастера, жрецы, артисты. Они являются носителями творческого начала.

Уже в древней истории можно наблюдать бурный рост духовной сферы отдельных индивидов элиты. Поэты, инженеры и философы античности стояли ничуть не ниже наших ученых и людей искусства. А может быть, и выше. Другое дело — народ. Материальная жизнь его долго оставалась примитивной, но религия сообщала ей достаточную долю духовности и даже третий уровень сознания. Он был беден по содержанию моделей, но уже имел главную черту — контроль за мыслями, чтобы не допускать в них греха. Для этого разрабатывалась специальная психотехника молений, позволяющая концентрировать сознание на избранных моделях-темах.

К нашему времени из трех элементов духовности мы преуспели только в одном — в знаниях. Сомневаюсь даже, что повысился средний уровень сознания: у большинства граждан он остался где-то между вторым и третьим.

Модельное понимание духовности нужно начать с уточнения третьего уровня сознания: как осуществляется слежение за мыслями? Для этого кору мозга человека следует представить себе в виде нескольких слоев нейронов с возрастающими способностями к суммации раздражителей, идущих снизу. Это свойство обеспечивает запоминание последовательности возбуждения цепи нейронов в нескольких моделях-знаках. В результате на высшем уровне автоматически регистрируются процессы, протекающие на нижнем, например, весь ФА с движениями. Получается его обобщенная модель. Как правило, она «маркируется» словом и запоминается в виде фразы, оставаясь связанной с моделями на нижнем этаже. В то же время эта «высшая» модель получает свои связи с центрами чувств-потребностей критериев, имеет привязку к реальности, времени, обстоятельствам и может самостоятель-

но попадать в сознание. Так создаются высший этаж моделей и условия их взаимодействия на уровне сознания,

Действия с этими моделями представляют «мысленные» этапы ФА в духовной сфере: анализ, прогнозы, оценки, выделение мотивов, планирование, выбор альтернатив, мысленная реализация планов и их мысленная же оценка. При этом если сохраняется связь с центром реальности, то такая игра мыслями представляет лишь большое обобщение мысленных этапов реальных ФА нижнего этажа. Однако возможен и другой вариант: отключение *центра реальности*, произвольное переключение всех действий в область нереального, с активацией буквы: «Нереально». Здесь начинаются целенаправленные фантазии. Их можно выразить в устной или письменной речи или в рисунках, потом самому воспринять их как реальность, оценить и представить другим людям. Так получается искусство. Или наука.

Характерно, что модели-мысли второго и третьего уровней сознания чаще всего выражаются внутренней речью, при этом слова проговариваются в виде очень слабых импульсов на речевой аппарат гортани и языка. Соответственно, зрительные образы возбуждают мышцы рук, как будто для выражения модели в рисунке или изделии. Если эти движения задействовать, то духовная сфера получит физическое воплощение: речь, письмо, рисунки — искусство для себя и других людей. По такому механизму рисовали в пещерах древние люди.

Перевоплощение. Примитивный разум воспринимает людей как любые объекты природы: одни полезные, другие опасные. Познание их психической природы начинается со словесных обозначений, касающихся сначала частей тела и действий других людей, с переносом на себя, потом — простейших чувств — боли, голода, страха, при их сопоставлении с внешними обстоятельствами. Так ребенок познает себя: чувства и их причины. Чувства постепенно усложняются, вместе с усложнением моделей среды и, главное, их словесных обозначений. Человек познает мир через слова, потому что образы гораздо сложнее и их нельзя передать другому.

Одно дело — знать о чувствах, и иное дело сопереживать чувствам другого человека. То есть самому испытывать эти чувства при близких обстоятельствах. Это возможно только через *чувства-отношения*: приятен тот «другой» или антипатичен. А также каков сам сопереживающий: эгоист или альтруист, общителен или замкнут. От этого зависит значимость для себя окружающих людей и их суждений.

Частным случаем самооценки через представление о реакции других людей являются *совесть* и чувство *стыда*. Чтобы их испытывать (и моделировать!), нужно следить за своими действиями (и мыслями), запоминать их и иметь в памяти эталон поведения, принятый в обществе и самим субъектом. При высокой значимости этих образцов человек всегда поступает правильно. Чаще всего этого не бывает: правила нарушаются даже непреднамеренно, вследствие недостатков разума. Спустя некоторое время, при других обстоятельствах, человек вспоминает содеянное, сравнивает с эталоном (чужим и своим) и, в зависимости от расхождений — со знаком плюс — испытывает гордость, со знаком минус — стыд или сожаление, угрызения совести. Как уже говорилось, принадлежность к третьему уровню сознания обозначает не только слежение за мыслями, но и управление ими. Это требует «силы воли». Скажу о ней несколько слов.

Сила воли — это активация слов: «Я должен», «Надо». Их возбуждение подключается к избранному ФА, если есть нужда, чтобы его закончить вопреки «помехам» от других чувств. Понятие «должен» отражает критерий «доведения до конца» каждого избранного ФА. Для него есть биологическая основа в «рефлексе цели», обнаруженном И. П. Павловым. На это же работают правила поведения, принятые в обществе.

Чувство *долга* внушается воспитанием, оно тренируемо и зависит от врожденных качеств разума, от характера. Обычно сила воли используется для ФА, требующих значительных напряжений.

Само осознание слежения за мыслями осуществляется через активацию модели слова, соответствующей этому процессу: «Я мыслю...»

Другое слово обозначает «Я управляю» мыслями. Удержать мысль дольше нескольких секунд невозможно: модели-конкуренты обязательно отвлекут на себя активность мифической СУТ. «Материальные» ФА дают передышку вниманию через отвлечение действия на мышцы. Однако и при управлении мышлением, если «светятся» в ближнем подсознании слова «управляю», «должен», усиление от СУТ вернет «Я» к нужным мыслям. Правда, круги с периодическими отвлечениями на другие темы будут повторяться, но процесс мысленного исследования предмета продвигается и результаты его запоминаются. Этот процесс требует тренировки, для которой существуют правила психотехники.

Со словом «воля» связывается еще одно понятие — *свобода воли*. Если сказать грубо — «что хочу, то и ворочу». В центре понятия лежит потребность, мотив, а принцип «воли» используется всего лишь для обозначения верховенства моего «Я» над всеми другими людьми. Сила воли подключается лишь для реализации желания, несмотря на препятствия. Снова обратимся к духовной сфере. Разберем механизмы формирования идей и их содержание.

Модели, которыми манипулирует духовная сфера, принципиально не отличаются от тех, которые используются в материальной или общественной сферах. Первично они являются отражением внешнего мира и словесной информации от людей. Затем они подвергаются обработке в процессе мысленных этапов ФА и превращаются в «свои», вторичные, модели: обобщенные, привязанные к чувствам, продуцирующие мотивы к действиям. Как уже упоминалось, большинство ФА до действий не доходят из-за недостатка мотивов или избытка «тормозов». Но они составляют постоянную память, «опущенную» в подсознание. Базовая активность этих моделей подпитывается чувствами, с которыми они связаны. Наиболее активные из них периодически «вспоминаются» в интервалах между спокойными этапами текущих ФА. Такая модель, во-первых, получает «подпитку» тренировкой, во-вторых, может дать начало мысленным этапам нового ФА, т. е. получает новую жизнь и откладывается в памяти до нового востребования.

Во всех этих пертурбациях с моделями подключается их тренировка, изменяющая базовую активность и проходимость связей. Духовная жизнь в самом широком смысле как раз и представлена накоплением моделей в памяти и самое главное — их повторным использованием для упражнения с нереальными ФА, не притязающими на действия. Это мощный самоорганизующийся процесс становления информационной основы для всех сфер деятельности. В том числе и для общественной: в силу потребности самовыражения внутренняя «жизнь» моделей выдается людям в речевых ФА. Это тоже элемент духовной жизни. (Впрочем, деление на сферы очень условно: просто в духовной сфере гораздо больше умственной работы и творчества, чем в материальной и общественной.)

А может быть, духовность определяется не формой, не набором и не сложностью моделей, а чем-то другим? Например, «генетической» этикой, отношением к людям или эстетикой врожденных ритуалов, близких к искусству? Вот только для «истины» — генов мало, нужны знания. Правда, здесь снова действуют гены: настойчивость и способности. Содержание идей в разумах индивидов определяется НТП, обществом и... самоорганизацией. Пожалуй, главным фактором является опять же биология: потребности, их воспитуемость, обучаемость, способности, разнообразие генетических типов.

Знания, этические нормы, представления о красоте принадлежат Коллективному Разуму, обществу. Его члены воспринимают идеи пропорционально напряжению их «поля» и своим склонностям, избирательно усваивают, изменяют и снова отдают людям, влияя на них в меру своего удельного веса в общении. Так осуществляется эволюция общества, его материальной и духовной жизни. Новые идеи выдает разум индивидов, общество готовит их к этому, являясь их потребителем.

КОЛЛЕКТИВНЫЙ РАЗУМ

Если трудно себе представить механизмы разума индивида, то еще труднее определить Коллективный Разум (КР) сообщества, поскольку для него нет собственной жесткой нейронной структуры.

Тем не менее, такой разум существует, поскольку сообщества самоуправляются, хотя и с разной степенью разумности, руководствуясь собственными, иногда далекими от биологии, критериями-идеологиями.

КР функционирует как сеть из разумов индивидов, объединенных связями через сигналы: речь, письменность, вещи, технику. При этом действуют модели из разумов-участников, подчиняясь ОАР, работая по ФА и принятым в сообществе критериям. Все трудности состоят в том, как представить ОАР через отношения людей.

Понятие «*отношение*» имеет два значения: чувство и действие. Чувство — это критерий того, как один человек оценивает другого: положительно или отрицательно. *Действия* — производное от общественных потребностей: самоутверждение, лидерство, подчиненность, сопереживание, а также и от чувств отношений. Они выражаются в движениях-знаках: рук, речевого аппарата, отражающих модели и рассчитанных на ответные чувства «адресата»: доставить удовольствие или огорчение. Так в отношениях-действиях выступают понятия обмена и новый критерий его оценки: *справедливость*. Понимается — равноценность. Предметы обмена самые различные: вещи, информация, сигналы. Они оцениваются по субъективным шкалам чувств, часто не совпадающим у участников отношений. Отсюда конфликты.

Отношения-действия являются кодом информации, циркулирующей в КР общества. В моделях личности я выражаю их интенсивность «шкалой высказываний и поступков». Знак (+ или −) и направленность действий индивидов и групп зависят от структуры общества и результатов самоорганизации.

Возможны *два варианта* КР. Первый: «*авторитарный* разум», когда управление сообществом осуществляется лидером единолично, так же, как он управляет своими вещами или даже мышцами. Только вместо орудий выступают подчиненные люди, а код воздействий состоит главным образом из слов. Коллектив присутствует как объект управления и источник обратных связей, сопротивления, помощи, а также и моделей-советов. В разуме такого правителя произошло расширение внешней среды с предметов на людей. Правда, если вождь имеет высокий уровень сознания, то он управляет подчиненными, в той или иной степени перевоплощаясь в их психику.

Второй вариант — «разум *демократический*». Здесь имеет место более или менее равное положение членов управляющей элиты, хотя на практике всегда есть иерархия неформального лидерства. В умах каждого из «демократов» присутствуют модели сообщества, собственные идеологические критерии управления («как надо»), а также модели коллег-управленцев. Еще есть модель процедуры согласования. Решение принимается после обсуждения мнений с учетом их разумности и места участников в неформальной иерархии. «Диалог разумов» доступен формализации по общим принципам моделирования интеллекта.

Между крайними вариантами КР есть много промежуточных, в которых регламентированы «веса» участвующих в обсуждении и принятии решений. К ним добавляются разумы экспертов и, конечно, обратные связи — разумы управляемых членов сообщества вместе с их отношениями к властям.

Каждый из вариантов КР имеет плюсы и минусы. Так или иначе, КР ни в коем случае не является суммой разумов индивидов. Более того, вершина разумности КР заведомо ниже уровня самых умных членов сообщества, так как личные сложные модели лидеров приходится адаптировать для более глупых его членов. В конечном итоге все зависит от «способа сложения умов». Они очень различны при разных системах КР и разных условиях его деятельности. К примеру — война или спокойная жизнь государства.

Алгоритм КР соответствует Общему Алгоритму. Единицей действия также служит ФА со всеми его операциями. Вместо циркуляции нервных импульсов между нейронами мозга, происходит обмен сигналами между людьми,

участвующими в коллективных действиях. Они трансформируются в разумах участников КР в активность моделей, направленную на частные ФА, которые, суммируясь, составляют коллективные действия сообщества.

Границу между сознанием и подсознанием в КР можно провести лишь условно, например, отделив высказывания и действия органов управления от слов и действий простых граждан. В моделях КР это можно отразить. Есть и другая трактовка: подсознанием КР являются сознания его участников, выраженные их внутренней речью.

Суммарная эффективность КР все же выше индивидуального. Доказательством является цивилизация, хотя история и современность полны примеров неразумного поведения коллективов и государств. Самоорганизация вполне присуща КР. Так же как и ее специфические ограничители.

ИСКУССТВЕННЫЙ ИНТЕЛЛЕКТ (ИИ)

Мир переживает эпоху, когда ИИ активно внедряется в сферу живого разума. Правда, программы на компьютерах лишь условно можно отнести к разуму, но заявки делаются серьезные. Впрочем, интерес к ИИ в последние годы заметно понизился, когда убедились, что человеческий разум для него пока недостижим. Ученые переключились на «компьютерную науку», как средство усиления интеллектов естественных. (Вспомним, как интерес подогрело поражение Каспарова!)

Занимаясь проблемой интеллекта в Институте кибернетики имени В. М. Глушкова, мы тоже пережили периоды надежд и разочарований.

Основную гипотезу об ОАР я предложил в начале 60-х годов. Скоро после этого группа сотрудников (супруги А. М. и Л. М. Касаткины, Д. Галенко, С. А. Талаев, Э. М. Куссуль и др.) воспроизвели Алгоритм Разума в эвристической модели в виде программы на компьютере БЭСМ-6, моделирующей сеть из 200 условных моделей и 2000 связей, с изменяющейся активностью и СУТ. Некий «Интеллект» передвигался по нарисованному лабиринту к заданной точке, избегая опасностей, преодолевая препятствия, разыскивая пищу, отдыхая. Были воспроизведены среда, потребности-чувства, «мысли» в сознании, подсознание, операции ФА и даже обучение.

Тем не менее, путь оказался тупиковым. Вытянуть в линию большую сеть, чтобы последовательно, по тактам времени, пересчитывать активности каждой модели в сознании и в подсознании, было не под силу нашим программистам и компьютерам. Программы оказались чересчур сложными, и каждый такт пересчетов требовал 5 мин машинного времени. Правда, имитация принципов ОАР удалась. Исследования многократно публиковались в монографиях и журналах, а в 1967 г. книга «Моделирование мышления и психики» была издана в США и я даже докладывал ОАР и модель на конференции по ИИ в Вашингтоне.

Стало ясно, что необходимо воспроизвести движение активности сразу по многим связям. Для этого в 1973 г. был создан аналог разума на физических сетях. Модели образов, движений, чувств были представлены примитивными микропроцессорами со своими характеристиками «входы-выходы», объединенными связями. Рецепторы выполнены в виде датчиков, включая дальномер-сканер пространства, а органы движения представлены моторчиками и колесами. «Разумная» тележка — «Таир» передвигалась по саду института, снова доказывая принципиальную воспроизводимость ОАР. А также ограниченность наших технических возможностей. «Борьба с техникой» длилась более десяти лет, но и здесь мы потерпели поражение: создать большую сеть не удалось.

В 1983 г. Э. М. Куссуль предложил свой *нейрокомпьютер*, воспроизводящий *нейронную сеть*, нацеленную на моделирование интеллекта. Эта работа, даже с участием японцев, продолжалась несколько лет. Сеть из 8000 элементов и связей способна создавать множество моделей-ансамблей. Она воспроизводит обучение, хорошо распознает образы, например, читает тексты, записанные разными почерками. То

есть, сеть работает, но пока лишь на первой линии интеллекта — отделение «фигуры» от «фона», выделение из образа «буквы значения», то есть выполняет функции первичного распознавания образов. Однако до развитого Разума отсюда как до неба.

Мне хочется поделить ИИ на несколько классов в зависимости от назначения, так же как могут быть различны сферы деятельности естественного разума.

1. Управление по критериям объекта, субъекта или сочетания обоих.

2. Управление по программам поддержания постоянства или активного изменения по целям, опять же объекта или субъекта.

В зависимости от этих задач меняется удельный вес этапов ФА: больше слежения, или действия. Для слежения достаточны «метки», матрицы и регуляторы, для создания нового нужно иметь или создавать модели цели и программы, их воплощения действиями. В зависимости от этого находится и классификация интеллектуальных устройств:

1. Автоматы разной сложности, в том числе с гибким программным управлением.

2. Роботы: те же автоматы, но с увеличенной автономностью.

3. Искусственный интеллект с некоторыми программами из ОАР. Отличие от автомата: критерии управления, представляющие качества объекта, участвуют в оптимизации управления.

4. Разум: интеллект-личность. Кроме расширения числа программ, условное отличие от интеллекта состоит в критериях самостоятельности, заимствованных от живых разумов: выживания, приспособления к непредусмотренной среде. Необходимы программы сознания и подсознания, хотя бы в упрощенном варианте. Их мы уже испытали.

Алгоритм для ИИ, как мне кажется, существует, нужно лишь воспроизвести то, что придумала природа в процессе эволюции. То есть ОАР. К сожалению, это «лишь» — технологически — оказывается чрезвычайно трудным. И все же не совсем безнадежным, если учесть Технический Прогресс (ТП) и ограничить задачу, сложность среды и число программ.

Разум человека состоит из трех главных «этажей» и на каждом представлен огромным числом элементов. Это, во-первых, молекулярная структурная сложность нейрона, обеспечивающая взаимоотношения сотен и тысяч «входов-выходов» с избирательной активацией, торможением, тренировкой, запоминанием времени. По существу каждый нейрон коры мозга — это уже разум, и его еще никто не сделал. Во-вторых, это архитектура из различных нейронов. В коре их 100 миллиардов, т. е. практически уже невоспроизводимая сложность. В-третьих, из этого массива нейронов можно создать необозримое множество ансамблей моделей разной обобщенности, отражающих образы среды и воздействий на нее, а также их знаковые эквиваленты на многих языках.

Чтобы продемонстрировать сложность задачи, перечислю еще раз основные программы и механизмы человеческого разума, исходя из гипотезы, что была изложена выше.

1. Программами действий с моделями управляют критерии от объектов управления и субъекта разума.

2. Много критериев. Изменчивая иерархия их значимости. Объединение в интегральном УДК.

3. Создание новых моделей в самом разуме от запоминания внешних воздействий до творчества.

4. Масса рецепторов и эффекторов (с настройкой).

5. Большая память из моделей различной обобщенности.

6. Переменная активность моделей. Торможение.

7. Тренируемость моделей и связей.

8. «Порционность»: Функциональные Акты. Их иерархия.

9. Вероятностное сравнение моделей.

10. Механизм сознания и подсознания.

11. «Центр сознания — Я».

12. Три уровня сознания.

13. Параллельные системы моделей: образы и знаки.

14. Фантазии: творчество в нереальном мире.

Любую из процедур ОАР, взятую в отдельности, можно алгоритмизировать для компьютера, но объединить их все вместе — дело пока совершенно безнадежное. С добавлением каждого нового пункта из списка, программа ИИ возрастет пропорционально числу моделей, задействованных в процедуре. Сложность программы даже невозможно себе представить. Приходится признать, что создать универсальный Алгоритмический Разум, сравнимый с естественным по воспроизводимости программ,— невозможно. По крайней мере, в обозримом будущем.

И, тем не менее, ИИ реален. Можно даже предположить, что для ограниченных целей он будет «разумнее» естественного разума, поскольку позволит уменьшить его природные недостатки.

Разумеется, создавать ИИ имеет смысл только для задач с большим количеством информации, в которой трудно ориентироваться человеку. Например, для воспроизведения процесса лечения больного или управления обществом.

Чтобы создать «целевой» ИИ, нужно описать объект. Сначала следует выделить несколько уровней сложности структур и функций, которые нужно воспроизвести. Для организма человека иерархия структур выглядит так: целый организм, системы органов, орган, клеточный уровень. Соответственно, для данного и вышестоящих уровней обобщения моделей составляется перечень функций и их «патологии», требующих управления от ИИ.

Модели можно представлять разными кодами и их набором. Это могут быть слова, матрицы зависимостей функций с вероятностями и динамикой, цифровые характеристики и даже целые цифровые модели. Перечисляются нарушения функций, их проявления, методы регулирования, эффективность. Фактически, нужно составить описание «анатомии, физиологии, патологии и терапии» объекта, сделанное на специфическом языке, допускающем структурирование информации и последовательность использования ее единиц. Например, можно сделать «фельдшерские» модели болезней и их лечения («признак — болезнь — лекарство»). Однако суть медицины представляют «врачебные» описания разной сложности. Опять-таки возможны различные модели: описание догматическое или вероятностное, статичное или с отражением динамики. По существу, нужно переписать учебники в модельном виде. Создать номенклатуру терминов и понятий, составить схемы их отношений. Необходима целая иерархия таких схем, в которых каждая соединяет понятия одного уровня: клеточного, органного, целостного. При желании можно вводить вероятности, временные зависимости, альтернативные линии связей. Можно создать целые феноменологические модели развития физиологических и патологических процессов. Конечной задачей описания является возможность составления матриц связей и зависимостей, с расположением понятий по два-три.

Подобные схемы можно составить и для лечения. Я не программист, мне трудно дать советы по составлению программ ИИ. Выскажу лишь несколько соображений, исходя из ОАР, как аппарата управления (а не изучения объектов). Для иллюстрации я буду пользоваться привычным для меня интеллектом врача.

Нужно сохранить принцип Функциональных Актов. И даже иерархии ФА, направленных к одной цели. Для этого необходимо иметь несколько уровней обобщения каждой модели, отражающей объект или действие. (Например, признаки болезни возможны на уровне цифр лабораторных исследований, словесных заключений, обобщающих понятий).

Этапы ФА зафиксировать в адресах переключения моделей в направлении от восприятия к действиям.

«Буквы активности» должны входить в каждую модель. Они отражают ее ценность применительно к цели, и по ней отличаются однородные модели. У врача — это достаточность для включения следующего этапа ФА в движении к диагнозу или исходу.

Память должна состоять из наборов матриц, отражающих структуру знаний в принятой номенклатуре понятий-терминов и их связей, представленных в описаниях. (Например: «признак — диагноз», «диагноз — прогноз»). Вероятность связи можно отражать своей «буквой».

Возможны матрицы из трех и более слов. Матрицы нужны также для разных уровней обобщения: признак-орган, признак синдром, синдром-диагноз и пр. Или, например, картина крови: мало гемоглобина и эритроцитов, значит, анемия, как признак патологии.

Всю задачу управления можно свести к «путешествию по матрицам», в котором путь направляется схемой отношений структур и функций и «буквами» величин критериев, полученных от объекта, частных — например, вероятности, или обобщенных, отражающих приближение к цели.

Цель является главным двигателем обобщенного ФА управления. В ней представлены картина и состояние главных критериев. Для лечения цель — достижимая степень нормализации основных показателей здоровья органов. Для отдельных этапов ФА (диагностика, лечение) критерием переключения на следующий может служить, например, «достаточность». Этот частный критерий зависит от величины «главного», хотя бы «опасность».

К примеру, иерархия ФА врача выглядит так. Обследовать — лечить. Исследование — диагноз — прогноз. Лечение: выбор метода по характеру патологии — планирование — выполнение — наблюдение — коррекция. На каждом этапе: варианты и вероятности. Весь процесс направлен на повышение вероятностей достижения конечной цели. Цифра необходимой и достижимой вероятности определяется опасностью болезни и сложностью лечения.

Общий принцип тактики управления с помощью ИИ состоит в очередности операций: действия на объекте с целью получения информации или управления сменяются «мыслительными» на компьютере — обработкой информации (действия с моделями). Получается: компьютер — модель — объект — информация — снова компьютер. Например, расспрос больного: получают данные, компьютер дает набор гипотез о диагнозе с вероятностями и рекомендует исследования для их проверки. За этим следуют само исследование больного, новые данные, их анализ по матрицам и так далее, повышение вероятности диагноза до нужного уровня, после чего следует другой этап ФА — оценка, выбор тактики.

Исследование объекта в виде рутинных операций можно поручить человеку или специализированному аппарату, если таковой создан.

«Круги» приближения к оптимуму управления должны присутствовать в ИИ в целях экономии времени и сил. (Зачем больному с насморком подробное исследование всех органов?) Например, такой порядок: жалобы больного («Что болит?»), перечень нескольких самых вероятных болезней и, тут же, их оценка по прогнозу, степени опасности и возможности лечения, то есть — взгляд в конец первого круга «ФА лечения». Отсюда возникают критерии: степень опасности и возможности лечения, определяющие важность, а следовательно, и необходимая вероятность последующих кругов — диагностики, вариантов лечения. Они завершаются «решением» и вариантами ожидаемых осложнений. Далее следуют круги выполнения лечения с обратными связями от больного, новыми гипотезами осложнений, проверкой и лечением. Так до конца, до допустимого уровня эффективности управления — лечения. Всюду «ведут» цели и возможности действий в смысле трудностей их выполнения и переносимости для больного.

Маловероятно, что в недалеком будущем лечение больного, воспитание юноши или управление государством можно будет доверить ИИ. Главная причина трудностей — в сложности и самоорганизации объектов: большом количестве обратных связей и творчестве. Тем более, что собирание физиологической, психологической и социологической информации трудно автоматизировать, переложив на компьютеры. И тем более — реализацию самого управления. Это, однако, не исключает их использования в качестве советчиков и справочников для управляющих. Подсказки в диагностике, прогнозировании и выборе оптимальной тактики могут стать очень полезными, поскольку машина может манипулировать большими массивами информации, а в ее оценке можно исключить субъективность.

Интеллект-советчик программируется как для автоматического режима, только предусматриваются остановки и возвраты от оператора, спо-

собного вводить дополнительные условия. Здесь видятся широкие возможности для искусного программиста, работающего в паре со специалистом самой высокой квалификации.

Можно предполагать, что наиболее полезен ИИ-советчик в медицине: здесь меньше самоорганизации, т. к. в биологии человека нет элемента творчества. Гораздо хуже — в педагогике и социологии: объекты очень изменчивы, а количественные данные ненадежны, поскольку измеряется психика, а не физика и химия. Кроме того, для психики и общества не создано надежных моделей. Тем не менее, я оптимистически смотрю на будущее, даже в сфере управления государством: модели можно усовершенствовать, а статистик есть достаточно.

Еще одна область использования ИИ применительно к сложным системам — это автоматизированное слежение за некими важными параметрами, способными быстро и непоправимо изменяться. Это называется «мониторинг» и термин уже широко используется, только не связывается с интеллектом. Следят за электрокардиограммой и артериальным давлением больных в реанимации, следят за изменениями общественного мнения. Отклонения от заданных границ подает сигнал персоналу для принятия мер. Если монитор связать с ИИ-советчиком, то можно прогнозировать ситуацию из данной точки состояния параметра и выдавать рекомендации для управления. При ситуации срочности, если «управляющего» не окажется на месте, можно предусмотреть даже меры спасения. Это уже реализовано у больных с тяжелыми нарушениями ритма сердца, когда в ответ на возникновение приступа беспорядочных сокращений (фибрилляции, означающей смерть) автоматически включается разряд тока от аппарата, вшитого под кожей. Он восстанавливает правильный ритм. В будущем можно предполагать значительное расширение сфер применения мониторинга с элементами ИИ.

Компьютер с программой интеллекта нужно использовать параллельно с накоплением статистической информации об объектах. Ее обработка призвана вносить коррективы в вероятности. Точно так же, как и данные из литературы... То есть интеллект должен «быть живым» и постоянно учиться. Можно, разумеется, сконструировать программы творчества в виде гипотез и их проверки, но едва ли это будет рационально: сложность большая, а отдача без участия человека малая.

Я даже верю, что на очень ограниченном материале можно уже теперь создать алгоритмический разум, воспроизводящий высшие психические функции человека: сознание третьего уровня, перевоплощение в другую личность, воображение и несложное творчество. Разумеется, все это лишь в порядке иллюстрации к гипотезе об ОАР. Практической пользы от такого разума не получить, поскольку он сможет оперировать очень малым числом моделей и будет глупее человека. Однако в научном плане задача мне представляется интересной. К сожалению, другие ученые так не считают: работы очень много, а в итоге получишь очень ограниченного человечка с минимальным набором действий, способного думать и жить лишь в предельно упрощенной среде.

Чтобы создать мощный ИИ на нейроноподобных сетях, нужны принципиально новые технологии: сверхминиатюрные микропроцессоры с обучающимися связями и тренируемыми характеристиками активности — «нейроны» и элементы, способные образовывать ансамбли. Но это еще не все. Нужно создать «базовые структуры», как ствол мозга, в которых воплощены простейшие рефлексы и центры критериев, на которые надстраивается обучение. В них нужно заложить механизмы самоорганизации, чтобы научить и воспитать Разум, как ребенка. Впрочем, это уже в сфере фантазий. Реальный ИИ придется создавать на компьютерах. Однако нейронные сети можно использовать на «нижнем этаже» для распознавания образов.

ИИ как аппарат оперативного управления сложной, меняющейся, самоорганизующейся системой значительно проигрывает живому разуму. Невозможно представить одновременное действие такого количества программ, какое объединено в разуме человека.

Другое дело — интеллект аналитический: он способен переработать массу информации, если

нацелен на решение задачи, ограниченной по целям и критериям. (Дельфийский оракул?) Впрочем, любую задачу можно расчленить на несколько, использовать сеть компьютеров и получить необходимое решение. Поэтому сочетание естественного разума и ИИ должно дать большой выигрыш в достижении оптимальности в управлении даже «живыми» системами.

Правда, и это будет еще не скоро. А пока очень нужны «решатели проблем» нашей реальной жизни. Общий Алгоритм Разума, которому посвящена эта глава, может оказаться полезным. Преувеличивать пользу не буду: уже сформировался поток развития мирового интеллекта, и мелкие струйки в нем не имеют значения. Но работать над ними все равно интересно...

При всех условиях остается вопрос: сможет ли разум спасти человечество? Это означает — сможет ли совершенствование разума обогнать разрушительную самоорганизацию неразумных человеческих существ и сообществ.

Ответа нет. Но все же порассуждаем.

Можно выстроить такую цепь событий. Существовала (или создана Богом ?) неорганическая природа с циклическим развитием: взрыв — расширение — сжатие. И способность материальных частиц к образованию соединений. Впрочем, не просто «способность», а некое «желание», неустойчивость, беспокойство (употребляя термины из психологии). Отсюда — самоорганизация и усложнение структур. Сначала в сфере неорганической природы — минералы, потом органика, далее образование ДНК и биологическая эволюция на отдельной планете. Простая биологическая жизнь могла продержаться до космической катастрофы, чтобы потом все началось сначала, где-то в другом уголке Вселенной.

Но... в процессе той же биологической самоорганизации, на этапе существования стадных животных, появился «человек разумный». (Случайность: мог бы и не появиться? Или не случайность?) Результат: формирование творческого разума, социальная эволюция по тем же принципам самоорганизации, НТП и ИИ. Отсюда новые возможности — уже целенаправленного развития, вплоть до распространения разума в космических просторах. (Чтобы сохраниться хотя бы от одного взрыва Вселенной до другого.)

Читатель, возможно, заметил, как тускнел мой энтузиазм к созданию ИИ, способного обогнать человека. Особенно меня потрясла цифра 100 миллиардов нейронов и еще по тысяче и больше связей. И еще — под этим — структурная сложность самой нервной клетки. Где уж нам соревноваться с природой!

Но... вот совсем недавно я узнал, что в Интернете появилась программа Большой Советской Энциклопедии и на нее поступили тысячи запросов. Обещают не только воспроизвести соответствующую статью из БСЭ, но и еще ответить на много частных вопросов, аналитического (?) характера. Когда я взглянул на 30 томов по 700 страниц (по три столбца мелкого шрифта в каждой) и представил, что в этом огромном «пространстве информации» производится параллельный поиск ответов на запросы тысяч абонентов... То какой же сложности достигают программы распараллеленного (?) поиска!

После этого мое настроение улучшилось. Если приложить к созданию ИИ усилия, сравнимые с расшифровкой генома, то, пожалуй, можно воспроизвести значительную часть из списка возможностей человеческого Разума.

ЧЕЛОВЕК

Понять человека — вот чего я хочу на этот раз. Кажется, наивно об этом мечтать: что еще можно прибавить к уже сказанному и написанному учеными? Но попробую, порассуждаю: гимнастика для ума.

Есть уверенность, что разум человека и общество можно объяснить исходя из схемы на рис. 14.

Стрелки показывают, что эволюция шла с положительными обратными связями: первобытный человек, изобретая речь и орудия, превратил стаю в общество, а оно, суммируя в знаках результаты индивидуального труда, изменило человека и расширило сферу его деятельности. И так будет до тех пор, пока позволит биосфера, которой человек себя противопоставил. Он перестроит свое поведение или погибнет. Хотелось бы выяснить это, превратить схему в модель.

В чем двигатели сугубо *человеческой* эволюции?

Первое: принцип любого живого разума — примат собственного удовольствия. Конечно, человек работает на семью, на общество, даже на будущее своей биологии, но только потому, что это приятно самому.

Второе: вечная неудовлетворенность. Вся деятельность разума направлена на достижение счастья. Допустим, это удалось — критерии счастья достигнуты. Увы! Ненадолго. Вступают два врага. А — внешний: среда стремится столкнуть с вершины. Б — внутренний: адаптация. Настройка регулятора «центра счастья» в мозге закономерно меняется: повышаются притязания на «плату» за усилия — и уже достигнутое сместилось от «счастья» на «безразличие». Или и того ниже. Восстановилось нормальное положение — недовольство, толкающее на новые усилия для достижения эфемерного счастья.

Таков закон всего живого. Только у человека это острее, ярче: адаптация наступает быстрее, а мощный интеллект интенсивно ищет новые пути достижения счастья, используя творчество.

Как показано на схеме, индивид и общество объединены положительными обратными связями, однако не равноценными. В начале эволюции человек был умнее стаи, не имеющей еще собственной информационной базы. В дальнейшем роли поменялись. Разум индивида имеет физиологические ограничения, а интеллект общества — в знаках, вещах, и идеях — беспределен. Этим же объясняется факт, что диапазон разнообразия людей по интеллекту несравненно больше различий биологических: все зависит от того, кому, сколько перепало от общества в дополнение к собственным генам.

Чтобы познать человека, нужно понять его разум и биологические регуляторы-потребности: чувства, мотивы. То есть, создать модель личности.

ЛИЧНОСТЬ (ОБЩИЙ ВЗГЛЯД)

По этой теме написано очень много. Я не в состоянии дать разбор позиций многих философов и психологов и ограничусь формулиров-

Рис.14. Человек, эволюция, общество

кой: «Понятие *личности* обозначает целостного человека в единстве его индивидуальных способностей и выполняемых им социальных функций». Не помню, откуда я это выписал.

Наше определение исходит из интеллекта, поскольку именно в нем выражается сущность человека. С этой точки зрения личность — это совокупность врожденных и приобретенных качеств интеллекта, придающих человеку его индивидуальность. Такое определение не хуже и не лучше многих других, поскольку лишь повторяет давно известный факт: все люди разные. Различия зависят от врожденных черт и их изменений в течение жизни под влиянием общества и в результате собственной деятельности. Это самая обобщенная словесная модель. Можно говорить о разном удельном весе врожденного и приобретенного, среды и деятельности, но трудно возражать против того, что это — компоненты, из которых строится личность.

На другом конце шкалы обобщенности интеллекта находится «полная» его модель, способная отразить в реальном времени весь разум с его мыслями, чувствами, действиями.

Особенности этих крайних моделей таковы: первая, модель-определение, не несет информации о данном человеке, а лишь о совокупности людей. Вторая модель — «полный интеллект» —

говорила бы все о человеке, но она невозможна принципиально из-за постоянной самоорганизации. А главное, ее нельзя сделать, слишком сложно.

Между двумя крайними точками можно поместить бесконечное множество моделей человека, индивида с разной степенью обобщенности. К сожалению, методы исследования людей столь неточны, что любая модель не будет достоверна. Тем не менее, можно создать модели эвристические, полезные и для общества, и для отдельного человека.

Обобщенные модели личностей людей, принадлежащих к определенным социальным группам, должны войти в будущие модели общества. Они внесут в них психологический элемент. В настоящее время модели общественных систем почти исключительно экономические, с дополнением внешней среды, иногда и политического строя. Психику людей и идеологию они не учитывают, поэтому их прогностическая ценность относительна. Общество — сильно самоорганизующаяся сложная система, и корень этого качества находится как раз в психологии людей: введение ее в модели необходимо.

Модель личности индивида в будущем должна быть на вооружении «практикующего» психолога. К ее составлению он должен стремиться, занимаясь со своими пациентами. Модель будет полезна, чтобы дать советы по поведению, выбору поля деятельности и отношений с окружающими. Сейчас психологи делают то же самое, но руководствуются данными анализа, судят по отдельным чертам личности и больше полагаются на интуицию, чем на знания. Модель позволит синтезировать отдельные качества в единое целое и внесет элемент расчета, особенно, если использовать компьютер. Конечно, точность подобных расчетов невелика. Трудно получить исходную количественную информацию о человеке. Для этого пока мало хороших методов исследования. Кроме того, любые обобщенные модели приблизительны. И все же вероятность модели будет выше, чем впечатления, основанные на интуиции.

На рис.15 показана очень упрощенная схема взаимоотношений индивида и общественной среды. Справа помещена схема личности и перечислены ее основные составляющие. Слева сгруппированы в обобщенном виде компоненты общества, с которыми личность соотносится в своей жизни. Между ними «входы» и «выходы». Их число можно было бы значительно увеличить, но возможности моделирования достаточно ограничены. Кроме того, сбор информации все равно весьма приближенный. Разумеется, состав модели будет значительно меняться в зависимости от цели и связанного с ней обобщения.

По правилам составления эвристической модели сначала нужна гипотеза, выраженная в схеме: состав «квадратиков» — элементов, определение «стрелок», их размерность. Задается исходное состояние системы-объекта, в данном случае личности, «входов» и «выходов», характеристики их зависимостей и изменений во времени. «Адреса», с которыми связан объект, можно предполагать неизменными или моделировать также и их, если они значительно меняются под воздействием личности, то есть учитывать обратные связи.

Самую большую трудность при моделировании личности дают номенклатура и размерность состояний и «стрелок», то есть «входов» и «выходов». Модель требует цифр, а подавляющее большинство пунктов выражается только словами. Следовательно, необходимо придавать им «вес» и устанавливать «шкалы». Все это привносит в модель большую степень субъективности. Я буду описывать модель как гипотезу, которую можно формализовать. Прежде всего, нужно доказывать именно состав модели, а потом уже спорить о том, что больше, что меньше. Конечно, наш вариант состава модели — это только вариант. Ассортимент психологических понятий, которые можно было бы завести в модель, необозрим. Приходится из него выбирать понятия, в известной мере, произвольно: то, что автору кажется более важным.

Прежде всего, обратимся к вопросу, из чего состоит личность, вернее, чем можно ее ограничить в зависимости от назначения. Будем говорить о двух вариантах целей: для описания индивида, то есть для психологии, и для целей моделирования общественных систем, в которых заложены и другие компоненты: экономика, техника, природа, социальный строй (более обобщенная модель). Сначала о первом варианте.

Итак, *состав модели* самой личности (индивида), без входов и выходов, то есть — для психологии. Грубо ее можно разделить на следующие разделы: состояния, характер, способности, потребности, убеждения.

I. *Состояния*: формальные и неформальные данные, существенно влияющие на личность: а) возраст; б) пол; в) образование, квалификация; г) семейное положение; д) общественное положение: социальная группа, профессия, ее ранг в иерархии престижности; е) материальное положение семьи; ж) уровень тренированности или здоровья. Размерность всех величин в условных единицах.

II. *Характер* (чисто врожденные черты, мало меняющиеся от воспитания и условий). Физиология характера заложена в интимных биохимических процессах нервной и эндокринной систем, идущих от генов. Не буду их касаться и обращусь к сути. Кстати: понятие «характер» мне нравится больше, чем «темперамент». Он больше подходит для целей моделирования. В нем меньше градаций по силе, определяющих

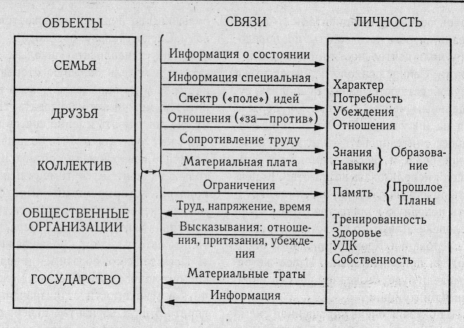

Рис. 15. Схема взаимоотношений личности и среды

дееспособность: сильный, средний, слабый. Нет других деталей, необходимых для описания индивида, идущих еще от Гиппократа:

а) «сила» характера — это способность к напряжениям и тренировкам, способность противостоять утомлению и другим тормозящим влияниям. У людей с сильным характером «значимость» утомления, как главного тормоза в мотивах, меньше втрое, чем у слабого. Средние типы посередине;

б) устойчивость или, проще, настойчивость (способность к длительным напряжениям) в противоположность импульсивным типам. Для обобщенной модели этот показатель вводится как коэффициент к «силе» характера, неустойчивость уменьшает ее;

в) оптимизм и пессимизм — важные качества, которые я условно отношу к характеру, поскольку они, видимо, не поддаются изменению всю жизнь. Они коррелируют с силой характера, с эмоциями и некоторыми чувствами. В модели эти качества отражаются высотой нулевой линии, отделяющей «приятно» от «неприятно». Сюда же относится способность рисковать, о которой я упоминал раньше;

г) эмоциональность. Общеизвестны главные эмоции: радость (восторг), горе, гнев, ужас. Склонность к тем или иным эмоциям зависит от первых трех черт характера. Развитие воли (высший уровень сознания) и интеллект позволяют, в некоторой степени, произвольно контролировать эмоции;

д) «коэффициент будущего» тоже отнесен к характеру, хотя связь кажется сомнительной. Людей можно разделить на «близко смотрящих» и «далеко смотрящих». Возможно, эти качества и не требуют специального выделения, поскольку зависят от импульсивности характера. Настойчивые и малоэмоциональные смотрят дальше, чем «легкомысленные», а эмоциональные не способны к длительным напряжениям. «Коэффициент будущего» играет роль при расчете динамики поведения и изменений состояний личности;

е) склонность к риску: степень решительности, способность принимать решения с разной степенью достоверности результата действия. Сюда же — «реалисты» и мечтатели.

Я перечислил уточняющие пункты «б, в, г, д» скорее для психолога, живущего «без моделей», чем для социолога, использующего психологию для моделей общества.

III. *Способности* характеризуют интеллект. Это обучаемость, воспитуемость, память, комбинаторика. Есть специфика этих качеств в науке, искусстве, мастерстве. Не буду детализировать.

IV. *Потребности.* Это самая важная часть модели, и на ней придется остановиться подробнее. Психологи обычно разделяют социальные и биологические потребности, акцентируя внимание на тех или других, в зависимости от идеологии. Мне кажется такое деление искусственным по двум причинам. Первая: общественные потребности тоже заложены в биологии, поскольку наши далекие предки были стадными животными. Вторая: все биологические потребности у человека уже потеряли свою первоначальную «чистоту», поскольку они формируются под влиянием общества. Вторичные центры чувств в коре мозга тренируют или детренируют основные подкорковые центры, даже такие, как голод или секс. Подавление или стимуляция достаточно устойчивы при стабильной жизни, но врожденные качества могут проявиться при экстремальных изменениях.

Механизмы биологических потребностей заложены в физиологии нервной системы. В основе должен быть «центр», структура нейронов, способных генерировать возбуждение. На него замыкаются «входы». Для самых древних потребностей — это рецепторы, воспринимающие химические вещества «внутри тела», например, содержание глюкозы в крови. Для инстинкта *продолжения рода* входами является цепочка признаков: запахов, «меток» в облике партнеров, картины брачного поведения, ощущения от непосредственных соприкосновений. Обобщенные «выходы» выражаются в желании («либидо»), а детали сексуального поведения имеют черты научения и подражания. Все это активируется от половых гормонов. Высокая значимость секса среди потребностей, на фоне снижения голода, боли и утомления, в цивилизованном обществе не вызывает сомнения. Однако мне кажется, что она ниже той роли, которую сексу отводил Фрейд.

Чувства к *детенышам* имеют ту же природу: запахи, касания, облик, зафиксированные во врожденных моделях,— это на входах. «Выходы» у человека в значительной степени прививаются обществом.

Инстинкт *защиты* и *нападения* построен по общему плану: от рефлекса на боль, через запах и облик врагов, на чувства страха и ненависти, на модели желания «бежать» или «сражаться».

Очень спорным является потребность *собственности.* Сначала есть элементарный голод, производный от пищевого рефлекса и инстинкта самосохранения. Сюда же смотрит *«жадность»*: нужно съесть больше, чтобы был запас в виде жира, питание в дикой природе неравномерно. Если подключить разум и его функцию предвидения, то вот и повод для создания запасов. Однако запасы делают животные, едва ли способные к дальнему предвидению. Это значит, что возможна специфическая «потребность в собственности», от генов, на базе которой разум построил пирамиду: от пищи до предметов роскоши, питаемую адаптацией и уже другими потребностями.

Наиболее сложен и многообразен *общественно-стадный* инстинкт. Потребность — «голод на общение» — представлена в центре, имеющем информационные входы в виде врожденной модели (картины) себе подобных, которые сначала дополнили, а потом и заменили собой специфические запахи (своей стаи) у стадных животных. Сама потребность в *общении* — это «чувство отношения», замыкание образа на интегральные центры «приятно» или «неприятно». Это замыкание выражается *симпатией* вплоть до любви, или *антипатией* — до ненависти. Чувство включает желания двигаться — «К» или «От», даже до агрессии. Чувства отношений сильно подвержены воздействиям обратной связи ответных действий «адресатов». В общении же проявляется потребность в *самовыражении*: отражении своих чувств движениями, мимикой, позами, звуками, а в перспективе и в рисунках. Взаимодействия по общению требуют «сравнения и измерения», оценки самого себя и определения соотношения чувств от своего действия и от ответа на него со стороны партнера. Результат сравнения выражается в «чувстве *справедливости*» от обменов действиями. В этих обменах проявляются новые грани общественной потребности.

Сначала идут *эгоизм* и *альтруизм,* выраженные условным коэффициентом, соотношением значимостей «Чужое» — «Свое» или «Отдавать» — «Получать». Вторым является потребность действий *самоутверждения, лидерства* или *подчинения.* Они требуют на «входах» сложных информационных механизмов измерения качеств и действий оппонента и сравнений их со своими.

Лидерство представлено желанием управлять другими людьми, как собственными руками, исходя из оценки своего превосходства. Подчиненный тип, наоборот, испытывает желание выполнять требования лидера, а также искать у него защиты. Самоутверждение предусматривает сопротивление любым помехам в исполнении своих действий. Подобным же образом проявляется и потребность в *свободе.* К проявлениям лидерства следует также отнести чувство *зависти* к идущему впереди, обладающему любым преимуществом перед субъектом. От этого чувства, построенного тоже на измерении и сравнении, включаются как соревнование, усиливающее деятельность, так и агрессия в адрес преуспевающего.

В отношениях всегда выступает потребность подражать, у подчиненных типов больше, у лидеров меньше. На этом же построен и выбор авторитетов. Особняком стоит *сопереживание* как способность моделировать собственные чувства от картины, отражающей чувства другого лица, и включать желание помочь ему. Этология и физиология твердо установили: есть биологические корни у *альтруизма.* Но не у всех и очень разно. П. В. Симонов на собаках установил: сопереживают страданиям 20%.

Потребность в информации — *любопытство* появляется вместе с развитием разума у птиц и млекопитающих. Может быть, оно есть и у более низко организованных существ в виде потребности в любых раздражителях, для того чтобы вооружить инстинкты защиты и питания слежением за внешним миром, раз уж для

этого даны органы чувств, способные выделять «фигуры на фоне».

Вспомогательные критерии разума также имеют биологическую почву. Разница может быть в том, что данные на «вход» выделяются из механизмов ФА. Например, этап «распознавания» отделяет известное от неизвестного, включает чувство любознательности и действия по исследованию объекта. Или такое: повторение одинаковых ФА вызывает утомление не только в мышцах, но и в нервных структурах, проявляющееся в специфических чувствах «скуки», «*надоело*», тормозящих дальнейшие действия и стимулирующих отдых или переключение. Это очень универсальный принцип, он касается самых высоких проявлений интеллекта, в которых о физическом утомлении не может быть и речи. Существует и противоположная потребность — напрягаться, начинать действовать после отдыха.

Исключительно интересна потребность в *играх,* хотя модельно представить ее довольно затруднительно. Биологическая ценность игр неоспорима: это тренировка функций для жизни. Содержание игр представляет собой имитацию действительных ФА, модели которых, видимо, заложены во врожденной памяти. При этом происходит какое-то странное ограничение «центра реальности», позволяющее соседствовать вполне объективным оценкам и действиям с «придуманными» сюжетами.

Пожалуй, в этой же сфере действий находится чувство *юмора.* Оно включается от механизма сопоставления предметов, имеющих общие черты и, тем не менее, противоположных в чем-то главном. Все замыкается на слова... Впрочем, не буду хитрить: алгоритм юмора объяснить не могу. Возможно, имеет значение метафоричность мышления, выраженная только у человека.

V. *Убеждения.*

Они входят в сферу мотивации наряду с биологическими потребностями. Я определяю их как *словесные формулы* с *чувственным значением,* оценивающие мир и определяющие действие. Исторически, наверное, первобытные люди сначала научились выделять свои чувства в сознании и обозначать их словами, как и объекты внешнего мира. Потом, через речь, индивидуальный опыт стал коллективным: теперь уже сообщество стало учить своих членов распознавать понятия по словам и оценивать по шкале «приятно-неприятно», «хорошо-плохо». Натренированные повторением, растиражированные в массах, понятия превратились в идеологию общества, а ее отражения в разумах индивидов — в их убеждения. Так слово стало не только чувством и средством воспитания, но и вполне материальным объектом внешнего мира в одном ряду с вещами и природой. Особенно, когда появились книги. Значимость убеждений в сравнении с потребностями наши респонденты оценили низко: около 30%. Видимо, эта величина очень различна: вспомните фанатиков, готовых на смерть ради отвлеченной идеи. Но таких ничтожно мало. К счастью.

Трудно дать классификацию убеждений, особенно до очерка об идеологиях, т.к. диапазон их простирается от допущения присутствия Бога до предрассудков из сферы быта или науки. Попробую перечислить важнейшие шкалы идей, указывая крайние точки и по возможности подыскивая им биологическую базу в чувствах и алгоритмах разума.

Трактовать происхождение альтернативы *«Бог — материя»* можно так: материализм постоянно порождается опытом общения с вещами, а идея Бога исходит из распространения на все сущее принципов причинности и гипотезы о духе как носителе жизни. Наверное, у древних предков, пока они не знали воздуха, дух связывался с движением чего-то невидимого, нематериального, наблюдаемого при дыхании живого существа. В последующем древние люди распространили понятие «духа» на все явления природы, в которых проявлялось движение как атрибут жизни. Духовное можно рассматривать как имеющее отношение к Богу и религиозным ценностям, а также как работу мысли, не замыкающейся напрямую на материю. Например, искусство, отвлеченные науки.

«Труд — развлечения» связываются с физиологическими полюсами «напрягаться — отдыхать». То и другое может быть приятным, а следовательно, предметом тренировки и ценности. «Общественное — личное», или *«альтруизм —*

эгоизм» и, еще дальше — *«индивид—коллектив»*. Корни для обоих понятий имеются в потребностях. Эгоизм — основа поведения живых существ, но и для альтруизма есть биология — во многих проявлениях стадного инстинкта, прежде всего в *сопереживании*, а также в *общении*. Альтруизм детализируется: семья, друзья, коллектив, партия, нация, наконец, родина. Акцент на значимость понятий лежит в самоорганизации на базе «свои—чужие». Существует еще *«непримиримость или терпимость»* к различиям взглядов и поступков. Сюда ложится и «око за око», и «всепрощение», и «непротивление злу насилием». Все замыкается на отношения, на справедливость обменов, какую крайность выбрать и тренировать.

Можно говорить о феномене «принадлежности» или *«вовлеченности»* индивида в сообщество, понимая под этим относительную значимость общественных установлений и регламентаций поведения в сравнении с потребностями, замыкающимися на вещи.

К перечислению общих психологических установок следует добавить убеждения, детализирующие отношения морали, сформировавшейся в виде *«ТАБУ»* в первобытных сообществах и детализированной в различных религиях. Они изобретены как минимум ограничений, необходимых для самого существования любого сообщества. «Не убий», «Не лги», «Не кради», «Не прелюбодействуй», «Чти родителей», «Помогай ближнему», «Трудись»... При этом связь заповедей с чистой биологией уже довольно слабая, но, тем не менее, видна: в стаях животных тоже существует этика, запрограммированная инстинктами.

Наверное, сюда же примыкают понятия *долга, совести, чести*, существующие в любом обществе.

Идеологии накладывают на отношения дополнительные ограничения. Прежде всего, они касаются распределения собственности и власти, разумеется, обоснованные все той же «справедливостью», для которой действительно существует биологическая база в генах, только без количественных шкал обмена. Они придумываются изобретателями идеологий, по-своему трактующими, что ценнее. Например, «свобода или равенство»? Первое выводится из потребности, второе — из рассмотрения точки зрения на людей: на что делать акцент, на их одинаковость или на различия? То и другое существует, выбор важнейшего идеологи реализуют через понятие *«ценности»*.

Потребности и убеждения совместно определяют поведение человека, во многом противоречивое.

Потенциальная действенность каждого критерия (мотива) выражается его значимостью, причем со знаком (+) или (−), связанным с центрами *Приятно — Неприятно*.

Для обобщающей характеристики чувственной сферы нужно обозначить и перечислить потребности и пункты убеждений, создать классификацию мотивов. Затем нужно придать каждому пункту его значимость: получим список ценностей. Его можно отнести как к обществу, так и к личности, при этом полного совпадения не будет. Если каждому пункту придать еще и *притязание*, тогда получим приблизительную характеристику, как на рис. 15. Наложив на этот список действительные значения «плат» и «утомления», существующие в обществе для разных социальных групп, получим «частные» чувства «приятно или неприятно» по каждому критерию. Остается только просуммировать их, и у нас будет «Уровень Душевного Комфорта», УДК.

Разумеется, все эти упражнения условны, но для целей социологии, когда объединяют людей по социальным группам,— они полезны. Можно этот метод применить и для конкретной психологии к оценке личности, однако усредненные данные будут очень далеки от истинного уровня счастья или несчастья, поскольку существует самоорганизация общества и психики индивида, основанная на увлекаемости разума и способности к тренировке.

Модельная *статическая характеристика* одной, частной, потребности показана на рис. 12. На шкале абсцисс отложена «плата» за собственное внешнее воздействие, которое призвано удовлетворять потребность. Эти «платы» могут выглядеть очень различно — от пищи, регистрируемой рецепторами в желудке, до степени вы-

игрыша в соревновании, отмечаемом при сравнении моделей «я» и «соперник».

Нулевые значения «платы» установить трудно из-за их специфики и разных масштабов времени. В графиках принят условный субъективный нуль при данном состоянии адаптации. Параллельно оси абсцисс проведена горизонтальная линия «нулевого чувства» удовлетворения потребности, когда неприятное ощущение уже исчезло, а приятное еще не определяется. Она делит ось ординат, на которой откладывается размерность чувства, соответствующего потребности в универсальной шкале «приятного» — вверх и «неприятного» — вниз. Пример: голод — вниз, насыщение — вверх. «Оптимизм— пессимизм», как черта личности, смещает нулевую линию вниз или вверх, определяя доминирующее настроение, УДК.

По степени активации обобщающего чувства «Приятно — Неприятно» сравниваются все чувства, совсем разные по специфике: «Удовольствие едино». (Кстати, это сказал философ Бентрам.) Диапазон между максимумом и минимумом определяет значимость данной потребности в сравнении с другими. На рис. 12 проведена основная кривая характеристика потребности в координатах «плата—чувство». В каждый момент состояние удовлетворения потребности можно отметить точкой на этой характеристике, например, точка «А» показывает, что личность не удовлетворена, но не очень сильно. По мере «насыщения» приращение приятного на единицу «платы» уменьшается и приближается к нулю. Для некоторых потребностей возможна другая ветвь, показанная точками,— это уменьшение приятного от пересыщения. Полное насыщение отмечено точкой «В» на верхней горизонтали. «Плату», соответствующую ей, мы называем максимальной потребностью, или *уровнем притязаний*. Это очень важный показатель для социологических моделей. Точка «В» очень условна, поскольку максимальные притязания не конечны, человеку многое хочется. Поэтому имеет смысл пользоваться реальными притязаниями — некой точкой «Б», не дающей полного удовольствия, но приблизительно соответствующей «половине счастья»! Есть небольшое замечание к рис. 12. Быстрое лишение «платы», к которой человек привык и рассматривает как должное, приводит к более резкому снижению уровня чувства, чем постепенное ее уменьшение, когда включается адаптация.

Тот же рисунок показывает, что *«счастье»* определяется не столько величиной *«платы»*, сколько *уровнем притязания*. По крайней мере, это справедливо для той части характеристики, которая лежит выше нулевой линии или подходит к ней снизу. Эта истина постигнута еще древними философами, вспомним хотя бы Диогена. Но это уже не от природы человека, а от убеждений. Однако самоограничение, как способ достижения счастья, не прививается, он против природы, нацеленной на создание резервов, а бороться с ней очень трудно.

Повторяю, что все подобные модели довольно условны. Приращение платы от точки «А» до точки «Б» — есть реальная потребность данного индивида, выраженная в масштабе «платы» (dПл), а ее удовлетворение обязательно создаст приращение приятного «dЧ». Эта величина тоже очень важна: именно она измеряет первичный мотив для действия.

Если притязания постоянно удовлетворяются, то этот уровень «платы» уже не дает счастья и удовольствие уменьшается. Так снова проявляется *адаптация*: для максимума счастья нужна уже другая, повышенная «плата». В модельном выражении адаптация выражается перемещением точки «В» вправо, возрастанием уровня притязаний. И наоборот, если «плата» систематически снижается, то сначала человек чувствует себя очень несчастным, потом привыкает, и его уровень притязаний уменьшается: точка «В» смещается влево. Пределы адаптации для разных потребностей неодинаковы. Так, к голоду невозможно адаптироваться, а к отсутствию власти можно.

Важен вопрос и об изменении *значимости потребности* в процессе адаптации: возрастает ли чувство максимума приятного с ростом притязаний? И то же самое — уменьшается ли степень неприятного при длительных лишениях? Ясности в ответах нет. Натренированное удовольствие, видимо, становится больше — при-

мер «Власть». Но муки голода при систематическом голодании едва ли уменьшатся. С другими потребностями может быть иначе: адаптация к недостатку коснется и уменьшения значимости: можно отвыкнуть от лидерства, от информации, от свободы, и уменьшение соответствующей «платы» не будет восприниматься трагически. Примеры для этого есть в нашей недавней истории.

Формирование уровня притязаний — очень сложный процесс, но моделировать его необходимо. Видимо, это можно сделать путем придания «весов» отдельным факторам. Вот как они выглядят.

1. Исходное усредненное состояние. Из бедности не рассчитывают на богатство.

2. Реальность достижения. Чувство реальности у людей разное. Есть мечтатели, которые искренне притязают на несбыточное. Впрочем, это не прибавляет им энергии, мечтатели чаще всего слабохарактерны.

3. Среднее состояние в данной социальной группе и в высшей группе с учетом «лидерства» и характера. Подражание — потребность биологическая, поэтому каждому хочется иметь то, что есть у других, знакомых и «таких же, как я». Лидерство стимулирует быть первым среди равных и догонять стоящих выше. Именно этот фактор первично формирует притязания, а затем они подправляются реальностью.

4. Еще одно исправление идеала вносится от убеждений. Они могут активно нейтрализовать зависть, моду, соревнование. Как минимум нужно, чтобы собственные убеждения не отличались от убеждений других людей, по которым формируются притязания. В массе людей это встречается редко. Господствует некий закон: «так принято».

Нельзя рассматривать потребности и исходящие от них мотивы изолированно от «входов» — внешних раздражителей, «плат» и «выходов» — собственных действий. Функциональный Акт включает образы, чувства и действия. Поэтому наша основная гипотеза о модели личности содержит количественное выражение всех трех элементов.

Суть расчетов модели личности показана на рис. 16. На нем графически воспроизведена модель личности и общества, как система из четырех алгебраических уравнений.

На левом квадрате изображены зависимости «труд—плата» и «труд—утомление». Эти две функции представляют собой «шкалу плат», которыми общество, семья, друзья или даже природа оплачивают труд или любое напряжение. Иначе говоря, это то, что человек должен получить в обмен на затраченные им усилия. Зависимости платы от труда могут быть самые различные: повременная, одинаковая, прогрессивная и пр. Так или иначе, эти зависимости существуют, и человек о них знает, когда планирует трудовые Функциональные Акты. У него в памяти есть модели этих кривых. Как всякие модели, они не всегда правильно отражают действительность, но именно на них человек ориентируется при планировании своих ФА.

Правые два квадрата относятся уже к собственно личности. Средний представляет собой функцию «плата»—чувство», рассмотренную ранее на рис. 12. Правый квадрат несколько сложнее. Его ординаты выражают чувство в том же масштабе, как и средний квадрат, абсциссы — условный труд. Это «выход». Труд лучше всего выразить в функции времени, часах, когда идет речь о дневной работе, или в других единицах, минутах (например, если планируется короткая рабочая операция). Нулевая горизонтальная линия рассекает чувства на приятные и неприятные. Весь квадрат выражает чувство как функцию напряжения, или количества труда. При этом «плата» на оси абсцисс выступает опосредованно, через труд: в этой кривой отражена не только характеристика потребности, но и «шкала платы», предлагаемая обществом. На данном примере кривая чувства в правом квадрате почти повторяет средний квадрат, но она может быть совершенно иной. Все зависит от вида «шкалы платы», потому что характеристики «плата»—«чувство» примерно однотипны. Для простоты примера взято только одно «чувство—мотив» и одно «чувство—тормоз», каким является утомление. (Кривая «утомительности» труда в зависимости от его интенсивности показана вверху на левом квадрате для некоего среднего человека.) Это неприятное чувство, и оно откладывается вниз от нулевой линии, чтобы показать его отрицательность. Утомление параболически нарастает с продолжительностью или напряженностью труда. Возрастание утомления определяется прежде всего особенностями труда.

Индивидуальность личности определяется двумя факторами: степенью тренированности (при равной квалификации) и силой характера. Я уверен, что сильные личности меньше ощущают усталость, чем слабые. Утомление, как чувство, имеет у них более низкую значимость, если сравнивать чувства по размерности «Приятно — Неприятно».

Стимулирующие и тормозящие труд чувства суммируются. Их сумма показана кривой («сигма Ч»). Она имеет явно выраженный максимум. Это понятно: одна составляющая, чувство—мотив, затухает по мере насыщения потребности, вторая составляющая — утомление — прогрессивно возрастает. Если найти производную от функции суммы чувств («сигма Ч») по труду, то именно он больше всего отражает суммарный мотив к работе («СТ»). Естественно, что человек выберет такую интенсивность (или продолжительность) труда, при которой имеет место максимум функции «Приятно—Неприятно», или когда производная функции «чувство—труд» становится равной нулю. В данном примере суммарное чувство, при выбранной мере труда, будет немного положительным («приятно», УДК со знаком «плюс»), но очень далеко до максимума. Так оно всегда и бывает. В том случае, который можно назвать счастьем, шкала платы очень благоприятна, а труд не утомителен, и человек полностью удовлетворяет свою потребность. Но в силу закона адаптации, через некоторое время притязания возрастут, кривая «чувство — плата» понизится и, соответственно, снизится сумма приятного.

На правом квадрате приведены еще две пунктирные кривые, которые демонстрируют значение силы характера или тренированности. Показана кривая быстро нарастающего утомления,

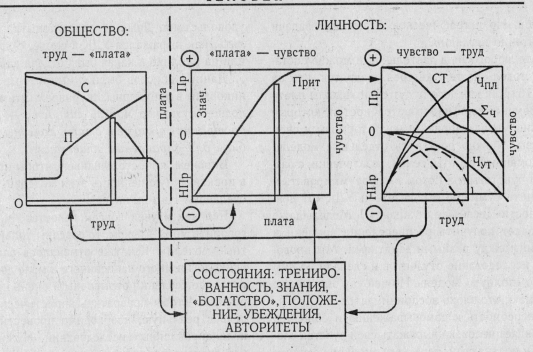

Рис.16. Основная модель личности

Вертикальный пунктир отделяет квадрат «общество» от собственно «личности». Верхние три квадрата представляют «труд» — напряжение и время любой деятельности, направленной на получение «платы» и удовлетворение потребности. Шкалы «плат», предоставляемых обществом за труд, показаны в левом квадрате: «П» — «плата», «С» — сопротивление труду, его утомительность. Средний квадрат — это характеристика потребности (как на рис. 12). Правый квадрат — чувства, выраженные в функции труда: «Ч_{ПЛ}» (приятное от «платы»), «Ч_{УТ}» — неприятное от утомления. Сумма чувств — «сигма Ч». Она имеет максимум. Величину стимула можно выразить через производную «Ст = dЧ/dTp». Пунктиром показаны характеристики для слабого человека, плохо переносящего утомление. Он выдает меньше труда и его «сигма Ч» — в зоне «неприятно».

круто спускающаяся вниз, что бывает у слабого человека. Предположено, что характеристика основной потребности такая же, как у сильного. Сумма чувств (второй пунктир) имеет похожую конфигурацию, но максимум значительно смещен влево (оптимальный труд будет гораздо меньше), а максимум чувств при этом ниже нулевой линии, в зоне «неприятно». Слабый человек при прочих равных условиях будет несчастен. Правда, в результате низкого удовлетворения потребности со временем он уменьшит уровень притязаний, изменится наклон кривой на среднем квадрате (она сместится влево), и этим несколько компенсируются потери от утомления, точка максимума поднимется ближе к

нулевой линии. В ту же сторону будет действовать и возрастание тренированности со временем. Таким путем человек адаптируется к своей жизни. Чтобы отразить этот процесс в модели, нужно сделать расчет динамики, но не буду его здесь приводить.

По существу, приведенные графики представляют собой систему из трех алгебраических уравнений: «труд — плата», «труд — утомление», «плата — чувство». Четвертым уравнением служит индивидуальность утомления, отличающаяся лишь коэффициентом от «стандартной» кривой для среднего человека. Эти уравнения можно представить в виде формул и решать аналитически, что и делается с использованием компьютеров. Но и графическое выражение задачи достаточно наглядно.

Для любого вида деятельности можно составить модель из тех же трех квадратов, что на рис. 16. Для каждого будут свои «шкалы плат» во времени, свой набор потребностей, которые должны удовлетворяться, свои тормозы и свои мотивы. Можно составить отдельные модели: для домашней работы, семьи, развлечений, с разными чувствами, а потом их просуммировать и получить суммарные показатели УДК «от деятельности» (если «не от жизни»!). Модель даже позволяет получить распределение времени и усилий между разными занятиями. Мы проводили исследование студентов и сделали по ним такую «полную» модель. Но не буду описывать: понимаю, что плохо воспринимается.

Потребность к самовыражению и общению побуждает человека выражать свои чувства словами и поступками, адресуемыми окружающим: семье, коллективу, своей социальной группе, широкой публике. Чем сильнее чувство, тем больше хочется его выразить, тем большее удовольствие доставляет само выражение. Если чувство неприятное, то выражение его, тем не менее, тоже приносит некоторое облегчение, если слова обращены к дружественному человеку. Реакция слушателей — это обратная связь, она может стимулировать или тормозить высказывания в зависимости от отношения к адресату: симпатии, антипатии, авторитета, страха.

ЭКСПЕРТНЫЕ ОЦЕНКИ ПСИХИКИ

В социологических опросах через газеты в 1990 г. я попробовал получить модель личности конкретного респондента. Для этого ему задавались вопросы с градуальными вариантами ответов. Они позволяли определить точки на моделях: притязания, плату, утомление, интенсивность труда, мотивы труда, сумму чувств от труда. Отдельно спрашивалось об удовлетворении от других (кроме труда) сфер деятельности: семьи, домашней работы, развлечений, и сумма чувств — УДК, степень удовлетворения или не-

удовольствия. Даже делалась попытка определить, как выражался УДК в семье, с друзьями или на публике и какая была отдача адресатов.

Данные опросов были суммированы и опубликованы в популярных журналах. Этим я хочу подчеркнуть, что *модель личности — это не абстракция и может стать полезным пособием для управления обществом.*

Впрочем, я не столь наивен, чтобы поверить в практическую ценность этих моделей. Но что сделаешь? На то и наука!

Человек изучен совсем недостаточно. Если говорить моим языком, то созданы только «частные модели». Как уже отмечалось ранее, по психологии много написанного и мало достоверного, все сведения отрывочны и очень противоречивы. Чтобы превратить эвристическую модель в реальную, необходимо провести много целенаправленных исследований. Нужны единая система представления результатов, согласованная методика. Конечно, я не в состоянии сделать квалифицированные предложения психологам в этом плане. Да и кто меня послушает? Сначала нужно убедить в правомочности метода моделирования, в необходимости синтетического подхода в дополнение к аналитическому. Нужно договориться о составе личности, чтобы составлять карты для исследований. О трактовке взглядов, убеждений, потребностей — биологических, социальных и т. д. Все это очень трудно.

Я попытался получить *количественные характеристики психики*, а также «вычленить» методом экспертных оценок биологического человека из социального. Для этого в «Литературной газете» в июне 1990 года была напечатана анкета о природе человека, составленная по моей гипотезе. Была цель — получить мнение специалистов: психологов, социологов, педагогов, врачей, а также всех других, кто задумывался над этой проблемой. Мы получили около 4000 ответов, рассортировали их по профессиям и положению респондентов, выбрали «экспертную группу» — из психологов, педагогов, врачей, юристов, то есть людей, имеющих отношение к психологии. Таких набралось около пятисот. Затем по их ответам провели статистический анализ. Приведу из него некоторые данные.

Воспитуемость мне представляется в изменении изначальной значимости потребности, т. е. чувствительности ее центров в мозге. Она реализуется через тренировку нейронов и формирование новых связей в раннем возрасте. Наши респонденты оценили воспитуемость очень низко — 25%. Это значит, что «очень жадного» нельзя сделать «добрым», а только уменьшить жадность до «средней».

Общественные потребности являются биологической *основой этики*. Полностью это признали 56%, частично 26%, отвергли — 18% (из числа ответивших определенно). Превалирование эгоизма над альтруизмом — в десять раз — признали почти все. Количественная *мера эгоизма* отразилась в таких цифрах: люди, в среднем, готовы отдавать для своих детей 15% дохода, детям в своем городе 1,5%, в своей стране 1%, а детям в Африке 0,1%. Эгоизм, как и властолюбие, связаны с лидерством: «за» 80%. Культура сдерживает эгоизм: «за» 81%. В коллективе эгоизм уменьшается незначительно. Но, в принципе, коллективизм ценится не очень высоко: за хороший коллектив граждане готовы жертвовать всего 7% дохода. Образование на это не влияет.

Только 40% согласились, что у «слабых» людей есть потребность объединяться против «сильных». Еще 71% признали *потребность в вере*. Инстинктивную враждебность к чужим признали 48%, не признали 28%. По вопросу об агрессивности ясности не получилось. Чувство справедливости допустили 59%, его отсутствие — 37%. «Потребность в правде» признали 63%. «Нет» — 18%. «Биологическую совесть» допустили 44%, 37% отнесли совесть к убеждениям. (Мнение специалистов нашло отражение в «Таблице потребностей», см. рис. 17.)

Люди очень различны. По экспертным оценкам получилось, что человек, входящий в выделенные 10% «сильных», в три раза сильнее человека, входящего в 10% «слабых». Такие же примерно различия определили и по значимости потребностей. Разнообразие людей по способностям к обучению, видимо, еще больше.

Разделение людей по *типам психики* можно детализировать до бесконечности. В основу, мне кажется, следует положить «силу характера», затем выделить по значимости первую потребность, вторую...

В связи с этим интересны экспертные оценки школьников. В 1989 году В. В. Кольченко по моей просьбе напечатал в «Учительской газете» анкету и получил от учителей почти 500 ответов со списками 10 000 учеников. У каждого были оценены в баллах: «сила характера», способности, любознательность, лидерство, общительность, щедрость, доброта, «совестливость», а также мнение учителей о воспитуемости этих качеств и влияние семьи. По оценкам характеров дети разделены на три группы: сильные, средние и слабые. «Сильные» составили 20—28%, «слабые» 10—16%, остальные — «средние». Разброс процентов относится к разным возрастам. У старших «качества» ухудшились почти на одну четверть. Способности сильно связаны с любознательностью и силой характера. Лидерство — с общительностью. Но не с совестью, добротой и щедростью. Эти три качества связаны между собой и выделяют детей с повышенной нравственностью. В хороших семьях больше совестливых. Воспитание меньше всего влияет на характер и лидерство. В целом эти оценки подтвердили мнение наших респондентов из «Литературной газеты».

Разумеется, ко всем этим цифрам нужно относиться с осторожностью: нелегко выделить биологического человека из социального, нужно еще учитывать и субъективность экспертов. Но в целом они подтвердили мое предположение: человек по природе «больше плохой, чем хороший». Если верить этологам, он хуже обезьян. Не знаю, насколько это справедливо, но преувеличивать пессимизм в оценках людей все же не стоит. Если бы плохое уж очень сильно превалировало над хорошим, то человеческие сообщества не состоялись бы вообще.

Радикально переделать природу можно только генетической хирургией, а возможности общественного воспитания довольно ограничены. Впрочем, может быть, этим своим жестким чертам — эгоизму и агрессивности — человек и

Таблица потребностей
(«Человек биологический»)

Потребности. Названия чувств: положительных, отрицательных	Значимость по максимуму приятного	Адаптация к приятному: повышение притязаний и значимости	Значимость по неприятному	Адаптация к неприятному: снижение притязаний	Степень разнообразия типов
1. Материальные потребности: жадность, собственность, голод	Большая	Большая	Большая (по голоду)	Малая	Небольшое, среднее
2. Безопасность: покой, боль, страх	Малая	Большая	Большая (боль)	Малая	Средняя (храбрецы, трусы)
3. Семейные потребности: секс, любовь к детям	Большая	Малая	Большая (горе)	Средняя	Малое

Общественные потребности

4. Самоутверждение. Лидерство—подчиненность. Свобода. Подражание — вера авторитетам	Большая (власть)	Большая (властолюбие)	Средняя (подчинение)	Хорошая (привыкание к подавлению)	Большая («вожди», «рабы»)
5. Общение. Самовыражение. Сопереживание. Эгоизм—альтруизм. Чувства отношений: симпатия, антипатия, любовь	Средняя	Малая	Средняя	Средняя	Большая (общительные — замкнутые)
6. Любознательность. Скука	Средняя	Средняя	Малая (скука)	Хорошая	Большое (от способностей)
7. Потребность в деятельности, труде, отдыхе	Малая	Средняя	Малая	Средняя	Большая («трудоголики» и лодыри)
8. Потребность в играх	Средняя	Большая	Малая	Хорошая	Средняя

Рис. 17

обязан своим возвышением? Но первобытные времена миновали: для мира, добра и прогресса нужны другие качества. Они все же есть в человеке!

Мера потребностей. Бесконечно разнообразие людей по набору параметров личности. Все-таки мне хотелось хотя бы грубо очертить природу *человека биологического*. С этой целью была скомпонована таблица потребностей, составленная на основании своих исследований и сведений из литературы, вызывающих доверие.

Мы выделяем пять «измерений» для каждой потребности и ее значения в балансе душевного комфорта.

Таблица нуждается в комментариях, так как в ней много спорного. Прежде всего — «значимость» отдельных потребностей. Нами принято следующее условие: измеряется максимум ординаты избранной потребности (по рис. 18) при условии, что все другие удовлетворены приблизительно до «нулевого чувства». Выделены всего три градации значимости: большая, средняя и малая. Это значит, например, что удовольствие от вещей больше, чем от работы, и еще больше, чем от «добрых дел». Три степени значимости установлены для средних людей по их врожденным качествам.

Второй столбец определяет адаптацию к избытку, вызывающую расширение притязаний на высшую «плату». Всем известна жадность к собственности, власти и развлечениям. Наоборот, человек вполне удовлетворяется достигнутой безопасностью или не очень стремится расширять свою деятельность для помощи страждущим. Среднее положение занимают адаптация к семейному счастью и достаточность информации.

Значимость по максимуму неприятного (третий столбец) при отсутствии «платы», удовлетворяющей потребность, принимается при том же условии. Наверное, голод и страх сильнее, чем неприятные чувства от семьи, подавления личности или отсутствия информации. Хотя и здесь могут быть индивидуальные различия.

Четвертый столбец говорит об адаптации к несчастью по уменьшению ординаты на рис.18 при нулевой плате. Какие потери в уровне душевного комфорта остаются при длительном отсутствии «платы»? Видимо, к страху и голоду нельзя привыкнуть. Трудно, но можно — к одиночеству, отсутствию семьи, утомительным нагрузкам. Еще легче — к скуке от недостатка информации, к подчинению лидеру.

Пятый столбец обозначает степень врожденного разнообразия людей по данной потребности. Чем глубже инстинкт, тем он более одина-

ков у всех, и наоборот. Отсюда высокая значимость у всех людей материальных факторов и семейных потребностей, средняя — для отдыха и безопасности и большие различия в лидерстве, потребности в информации и альтруизме.

Если теперь просмотреть таблицу по горизонтальным строкам, то можно сравнить отдельные потребности. Потребность в *собственности* очень значима, притязания к ней легко возрастают, а привыкнуть к большим лишениям, например, к голоду и холоду — трудно. Видимо, мало людей, которые равнодушны к материальным условиям.

Так же трудно привыкнуть к *угрозе жизни*, она всегда будет «значима», но вполне можно адаптироваться к ограничениям свободы самовыражения. *Семейные потребности* дают много счастья. Они одинаковы у всех, но адаптация к хорошему и плохому не столь трудна. Потребность в *лидерстве* очень различна у людей. От ее выраженности зависит ее удельный вес: в счастье больше, в несчастье меньше. Обычно это называют властолюбием и тщеславием. Адаптация к плюсам и минусам хорошая.

Столь же различно выражены, но гораздо менее значимы, потребность в *общении* и сопереживании, качество доброты. *Эгоизм* превалиру-

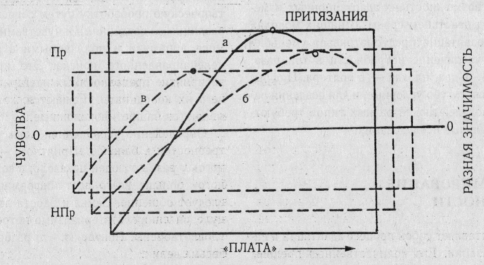

Рис. 18. *Сравнительные характеристики потребностей а, б, в.*

Показана их различная значимость, которая выражается величиной ординат, определяющих стимулы к действиям

ет у всех живых существ. И *доброта* в 2—3 раза уступает эгоизму. Убеждения, как нигде, могут внести исправления в это соотношение.

В шестой строке я объединил одинаково «бескорыстные» две потребности: в информации и в деятельности. Чаще они идут параллельно. От рождения значимость их невелика и не сравнивается с самосохранением или продолжением рода. Тем не менее, если эти главные потребности удовлетворены хотя бы в малой степени, интерес может стать главным стимулом жизни. Различия людей в этом плане весьма значительны, а тренируемость, то есть рост притязаний, не столь велика.

Наконец, последняя строка относится к потребности в расслаблении как противоположной от жажды деятельности. Она стимулируется утомлением, а ее приятный компонент — это удовольствие от отдыха и развлечений. Значимость утомления прямо связана с силой характера: для «сильных» она невелика, для «слабых» — очень важна. Адаптация к утомлению выражена в средней степени. Наоборот, притязания на отдых и развлечение очень тренируемы. Отсюда прямой путь к известному качеству лени.

В таблице приведены предположительные врожденные характеристики различных потребностей и возможность их адаптационных изменений под действием среды. В наших моделях высокая адаптация предусматривает уменьшение или увеличение потребности в три раза, средняя — в два, плохая — в полтора. Цифры, разумеется, сугубо условные, и для создания реальных моделей людей разных типов требуются специальные исследования.

ФОРМИРОВАНИЕ ЛИЧНОСТИ

Представляет собой процесс адаптации и самоорганизации. Его количественные пределы пока можно лишь предположить. Это является постоянным предметом разногласий среди психологов и социологов разных направлений и школ. Я ограничусь лишь перечислением механизмов изменения личности.

Первое место принадлежит формированию активности подкорковых центров потребностей в результате ранних воспитательных воздействий типа *импринтинга*. В ходе роста мозга закладываются структурные связи с корковыми моделями и устанавливается круг тормозных или активирующих моделей-образов, постоянно воздействующих на центры.

В более позднем возрасте (с 8—10 лет) используется главным образом создание *убеждений*, которые взаимодействуют с центрами потребностей. Кроме того, развитие интеллекта расширяет возможности предвидения и оценки и таким образом создает систему ограничений поведения, основанную не на потребностях, а на расчете. Человек не делает плохо не потому, что не хочет, а потому, что это невыгодно с учетом дальних последствий. Потребности остаются, но «входы» на них представляются в более обобщенном по времени виде. Глупый человек действует импульсивно, а умный рассчитывает и поэтому кажется более осторожным и даже трусливым.(Компромиссы!)

Наиболее трудно предвидеть самоорганизацию. По существу, это те же убеждения, но создающиеся не в результате прямого восприятия формул извне, а через их анализ и творческую проработку путем сопоставления с различными сведениями и чувствами, хранящимися в памяти и получаемыми в результате целенаправленного поиска. Это критическое восприятие преподносимых идей, в результате чего их координаты смещаются, хотя и редко меняются на противоположные.

Определение усредненной доли разных потребностей в балансе «Приятного — Неприятного» у разных людей показало: в зоне «Приятного» больше всего дает информация, потом следует общение. Семья и работа лежат около нулевой линии. Материальные потребности не удовлетворены. Повторяю, что разброс данных весьма велик.

Исследование потребностей на моделях разных социальных систем позволяет сделать несколько предположений. Вот как они выглядят.

Значимость «семейных» потребностей — это секс и дети — достаточно велика и, видимо, не зависит от социального строя. Пожалуй, они наиболее «биологичны». Материальные потребности: вещи, пища, одежда, жилище — в высокоразвитых странах удовлетворяются в большей степени, чем это необходимо для нормальной жизни. Значимость их высока, но может быть значительно уменьшена при удовлетворении минимума, при равенстве и отсутствии примеров для расширения притязаний. Современный капитализм превратился в общество потребителей, деньги и вещи стали в нем главной потребностью.

Безопасность практически выражается уровнями социального обеспечения и безработицы. Социализм в свое время начисто снял эти проблемы, но теперь они вернулись и еще с добавкой преступности.

Этого нельзя сказать о лидерстве как потребности и престиже как мотиве. В любом коллективе проявляется желание его членов самоутверждаться и завоевывать превосходство над другими. Поскольку современная техника и разделение труда связаны с «технологическим» неравенством, то всегда будут условия для повышенных притязаний на место в иерархии, и лидерство останется важным стимулом деятельности. Есть даже предположения, что в недалеком будущем главным мерилом положения в обществе будут не деньги, а статус. Нечто похожее мы уже пережили при социализме. Одним из проявлений лидерства является чувство *собственного достоинства*. Его уровень характеризует зрелость общества.

Потребность общения универсальна. Она удовлетворяется главным образом в сфере труда и семьи. Прогресс экономики и культуры уменьшает возможности общения и увеличивает отчужденность, особенно у пожилых людей.

Наиболее трудное положение с потребностью в информации. Простое выражение этого — требование к разнообразию труда. Технология массового производства породила конвейер, который лишил работу всякого интереса. В то же время потребность в информации возрастает прямо пропорционально образованию: чем больше человек знает, тем он больше хочет знать. Так возникает одно из самых важных противоречий индустриального века: рост образования и большой процент самого скучного труда на конвейерах или станках при поточном производстве. Сгладить это противоречие можно только через технологическую революцию: автоматы и робототехника должны заменить людей на однообразной работе.

ТИПЫ ЛИЧНОСТИ

Для моделей общества необходимо представить себе распределение граждан по типам личности с примерными характеристиками каждого типа. Только таким образом можно ввести «человеческий фактор» в эти модели. Конечно, поневоле придется ограничить число типов, поскольку ни одна модель не «переварит» весь спектр разнообразия людей. В научной литературе циркулирует много классификаций типов. Напомню хотя бы древнейшее разделение людей по темпераментам на *холериков, сангвиников, флегматиков* и *меланхоликов*. Довольно удачное, хотя и сугубо частное — предложенное К. Юнгом деление по общительности на *интровертов* и *экстравертов*. Менее удачными, на мой взгляд, являются идущие от него же типы, предлагаемые соционикой. А также и его архетипы.

Мы попытались создать свою классификацию типов, выделяя только те черты, которые имеют общественное значение. Если сказать предельно коротко, то *человек* — это *характер, ум* и *чувства*. В каждом качестве свои градации. Немного подробнее это выглядит так.

За основу деления взята сила характера, в которой выражена способность к напряжению, определяющая удельный вес в труде и руководстве. Вторым признаком выделяются способности: большие, средние, слабые. На третьем месте выделяются четыре важнейшие потребности: лидерство, жадность, любопытство и лень.

I. *Сильные* — с характером сильным и настойчивым. Они проявляют себя в самых разных сферах. А. *Собственники.* Тип жадных людей, стяжателей. Б. *Лидеры*. В зависимости от развития чувства сопереживания (доброты) лидеры становятся или вожаками коллектива, организаторами, или эгоистическими властолюбцами. Между этими крайностями есть масса переходных ступеней, зависящих от способностей. В. *Творцы* — люди способные, с высокой любознательностью и удовольствием от созидательной деятельности. Опять-таки в зависимости от общительности они становятся творцами-одиночками (как люди искусства или ученые-теоретики) или возглавляют творческие коллективы.

Достижения в любой сфере обязаны напряженному *труду*. Импульсивные натуры, способные на сильное, но короткое напряжение, редко достигают успеха и при хорошей дозе эгоизма иногда занимают антисоциальную позицию. В таком случае жадные ищут нечестных путей обогащения, а лидеры комплектуют кадры преступников и авантюристов. Они имеют высокие притязания, но не могут реализовать их честным путем, плохо адаптируются к неудачам, озлобляются и получают самооправдание для преступлений.

II. Типы *со средней силой характера* обычно остаются «середняками». В зависимости от образования, уровня способностей и воспитания, они приобретают ту или иную квалификацию и занимают самые различные места в общественных группах, от среднего рабочего до среднего академика. Часто они остаются в той социальной прослойке, в которой родились.

III. *Слабохарактерные* люди отличаются неспособностью к напряжениям, а следовательно — они всегда посредственные работники. Правда, сильные стимулы (например, страх или конкуренция) могут повысить уровень тренированности и работоспособность, но только временно. Если они даже получают хорошую «стартовую подготовку» в детстве и юности, то потом все равно остаются неудачниками. В зависимости от выраженности «главной» потребности, они могут быть добряками при сопереживании или примитивными лодырями, если социальные условия благоприятствуют этому. Отсутствие силы воли делает их жертвами таких пороков, как

алкоголизм или наркомания. Из них же комплектуются «профессиональные» больные: к врачам их толкают мнительность и страх.

Мое описание типов очень бледно. Психологи и литераторы дают более широкую гамму. Есть такие системы тестов, что буквально выворачивают личность наизнанку! Как пример, Миннесотский тест. Исследования на «IQ», как и другие тесты, несомненно, очень полезны. Однако даже простой расспрос и биография дают достаточно данных для суждения о месте человека в обществе.

«Познай самого себя» — так записал Платон совет Сократа, и так я хочу закончить разговор о моделях личности и типах.

Стоит ли пытаться? Не могу ответить определенно. Кто не потерял веру в себя, тому стоит: поможет определиться и планировать жизнь. А кто сомневается, что самооценка окажется неблагоприятной, всегда может утешиться: «Дело ненадежное, в чем-то я слаб, но зато в другом...» и так далее. Каждый из нас любит себя, находит оправдание даже в пороках. И — утешается.

Познание — это тоже ФА: восприятие, распознавание, оценка.

Можно проверять себя по тестам, но едва ли стоит. Достаточно сравнения с людьми своей социальной группы, а также с группами, лежащими выше и ниже собственной: где нахожусь — у верхней планки, у нижней или посередине. Одно условие необходимо: сознание третьего уровня, умение следить за мыслями.

Пункты для сравнения перечислены в модели и типах. Повторю:

1. Состояния: доход, положение в своей среде и семье, роль, престиж и пр. Образование. Способности, знания, умения. Культура.

2. Характер, сила, настойчивость, эмоциональность, объективность, увлекаемость, оптимизм, пессимизм (риск), будущее, настоящее.

3. Потребности: жадность, трусость—храбрость. Секс, дети, семья. Общительность, лидерство—подчиненность, эгоизм, доброта—черствость.

4. Попытаться выделить главную потребность и расположить другие по значимости, по притязаниям, по их удовлетворению — вторую, третью.

5. Убеждения. Бог: степень веры—неверия. Мораль: по заповедям, значимость и строгость. Терпимость или агрессивность. Политика и экономика, в координатах социализм—капитализм, демократия—единовластие. Значимость идеологии в сравнении с потребностями.

6. Сферы деятельности и их оценка. Работа, дом, семья, отдых, развлечения, искусство, общество. Для каждого: благоприятность среды (плата), ее соотношение с притязаниями (желаниями), степень «частного»(+)(−), его доля в общем УДК. Надежды—безнадежность.

7. Суммарное счастье—несчастье. Перспективы.

8. Возможности повышения УДК: а) за счет воздействия на среду;: б) за счет понижения притязаний. Варианты. Компромиссы. Вероятности.

Эту работу можно сделать с психологом. Однако не уверен, что получится лучше. У нас нет еще психологов и доверия к ним.

СФЕРА ИНТЕЛЛЕКТА

Эволюция человека обязана его уму, т.к. другой его компонент, стадность, присущ многим биологическим видам. Наука о мозге пока не позволяет понять, как осуществляется мышление. Нет даже всеобщей уверенности, что оно обеспечивается исключительно нейронами и нервными импульсами, без привлечения каких-то мифических, нематериальных сил. Такое сомнение высказала академик Н. П. Бехтерева, ведущий нейрофизиолог России в интервью для телевидения «Останкино» 09.01.94 г. В свое время я был хорошо знаком с Наталией Петровной, и ее заявление меня удивило. Но не переубедило. Впрочем, я давно заметил, что физиологи не имеют концепции алгоритма разума. Поэтому они и не могли помочь кибернетикам в построении ИИ.

В главе о разуме я уже сказал о нем все важное. Самая трудная часть — это *механизмы сознания*.

Движение «возбуждения—торможения» по моделям («нейронным ансамблям») происходит в результате взаимодействия нескольких источ-ников активности и торможения. Это и рецепторы от внешней среды и тела, и центры потребностей в подкорке, и возбужденные модели от «мысленных» этапов ФА, и активные модели из постоянной памяти — «воспоминания». И, наконец, модели, «проработанные» в подсознании и просто «случайные», оказавшиеся «на перекрестке» движения активности от разных источников. Главным организатором мозаики возбуждения—торможения является «центр сознания» — модель «Я», принимающая и отправляющая сигналы усиления — внимания к самым активным «просителям» из числа перечисленных. То есть — идет процесс «быстрой самоорганизации» с участием главной «электростанции» мозга — Ретикулярной Формации РФ ствола мозга,— активирующей мозг из подкорки. Дирижером и регулировщиком движения является механизм сознания, сконцентрированный в модели «Я». При этом нет нужды представлять этот центр как строго локализованный участок коры мозга: многократное тиражирование моделей позволяет представлять его как некую рассредоточенную сеть из моделей-дублеров, а механизм действия напоминает голографию. Понимаю, что описание поверхностно — но в том-то и секрет самоорганизующейся системы. При этом «узоры» и «мозаики» возбуждения-торможения не являются совсем случайными: центры потребностей, недремлющие рецепторы, и очень натренированные модели из памяти дают для них «точки привязки», которые направляют самоорганизацию моделей-деталей.

При первом уровне сознания значимость «центра» относительно невелика: он лишь добавляет энергии самому сильному из местных ФА. Это примерно соответствует не столько функции сознания, сколько понятию «внимания». Ведет при этом периферия, соотношение активности чувств и их взаимоотношения со средой. У ребенка это примерно соответствует годовалому возрасту.

При втором уровне прежде всего меняется — расширяется — сеть «опорных моделей». Появляются и тренируются модели слов, параллельные образам. Одновременно растут вверх, как в тропическом лесу, деревья моделей: стволы — их базовые образы или слова — обобщенные модели, а переплетающиеся ветви моделей деталей чем выше, тем мельче. Одновременно возрастает аппарат слежения за «местностью» и увеличивается мощность главного источника, получившего новое воплощение в модели слова «Я». Параллельно повышению уровня сознания расширяется массив моделей, добавляются новые их секторы и координаты: «присутствующие», люди и сообщества, отношения к ним, словесные модели убеждений, модели со значком «нереально» и продукты творчества. На этом уровне человек уже знает о том, что он «думает», но еще не научился управлять мыслями.

Особенно важен *третий уровень* сознания, характерный слежением за самим переключением «импульсов усиления», т. е. за *мыслями*. Одновременно они, мысли, запоминаются, анализируются и произвольно направляются по мысленным этапам ФА, подчиняясь новым критериям — убеждениям: «как надо думать», производным личного творческого опыта.

В управлении мыслями работает принцип *«свободы воли»* прежде всего как выражение самой возможности управлять ими. Вслед за мыслями могут следовать «волевые действия», требующие гораздо большей активности нейронных моделей, а следовательно, и сильных мотивов. При этом к потребностям и убеждениям добавляется новый, специфический — *воля*. Она выступает как долг перед собой и является результатом высокой оценки себя среди других людей. («Я должен это сделать, потому что «я сильный».) Огромная роль в волевых действиях принадлежит характеру: он определяет силу и устойчивость напряжения, то есть высоту активности нейронных ансамблей, одинаково нужной и для управления мыслями и внешними объектами.

Все это вместе является источником самоорганизации разума, «созданием самого себя». Пути и пределы этого процесса неопределенны и трудно предсказуемы. Результатом могут быть самые фантастические построения в сферах науки, искусства, религии. Они осознаются как

«нереальные», что означает отрицательное отношение к центру реальности.

Остановлюсь коротко на особенностях принятия решений в зависимости от уровня сознания. При первом уровне внешний раздражитель автоматически включает один из безусловных и условных рефлексов, прямо замкнутых на избранную потребность. Автоматическое торможение со стороны других потребностей, включаемых от сопутствующих или внутренних раздражителей, может разрешить или затормозить избранный ФА, в зависимости от баланса мотивов и тормозов.

При втором уровне сознания, после рефлекторной мысли в ответ на раздражитель, включается ее отражение в сфере моделей общества: как следует действовать с учетом принятых ценностей. От этого поступают дополнительные мотивы, или чаще — тормозы. Все это, разумеется, в случае, если есть время. Если раздражитель очень сильный, автоматически включается рефлекторный ответ по простому варианту.

При третьем уровне сознания на первый план выступают собственные убеждения и оценки, результат осмысления как самого себя, так и общества. Здесь же определяется и баланс значимостей: импульсивных побуждений от инстинктов, роли, отведенной обществу, самооценка своих суждений. Выбирается решение и в нем балансируются «веса» трех компонентов.

Все, что я изложил, есть дань алгоритмизации мышления. В реальной жизни на алгоритм оказывает воздействие еще ряд факторов. Прежде всего «обстоятельства», отраженные в широком круге моделей, которые «опрашивает» механизм сознания. Здесь: место, время, «присутствующие» люди и сообщества, «расписания» во времени и значимости их всех. Здесь еще и иерархия собственных планов. Но и это не все. Есть еще «настроение»: состояние чувственной сферы, положение точки на шкале «Приятно-Неприятно», пессимизм или оптимизм, надежда или разочарование в связи с чем-то, недавно пережитым. К этому добавляются неопределенные ощущения с внутренних органов, оценки предположения успешности или неуспешности предстоящих ФА. Тут же присутствуют важные моральные ограничители: долг, честь, совесть. Где линия в чаще этих факторов? Что ее направляет? По всей вероятности, характер и еще лидерство, способность к риску, воля.

Чем живет *современный* человек? Насколько он отличается от тех, что жили несколько тысяч лет назад? Нельзя ответить просто: очень различны материальные средства жизни, общественные системы, верования и, соответственно, должны бы отличаться люди. Однако не стоит преувеличивать разницу. Да, разные вещи, разный труд, разные мысли, тем более, что они главным образом словесные. Но так ли уж различны мотивы? Удовлетворение потребностей осталось основным содержанием жизни, изменилось их соотношение, но и то не у всех. Есть бедные народы, они живут почти примитивной жизнью. Но и в богатых странах все главное осталось: питание, секс, дети, общение, защита от опасностей, информация, развлечения, немного помощи ближним. Для некоторых еще творчество, управление техникой и людьми.

Остались условия удовлетворения этих потребностей: труд, напряжение, преодоление зависимостей и препятствий. Очень усложнились только мысли и ФА. Теперь они замыкаются главным образом на слова, людей и вещи, а не на природу и не на Бога.

Сколько же места в поведении занимает реализация убеждений? Думаю, что не много. Десять процентов? Но даже и в этом присутствуют все те же потребности: лидерство, общение, подражание, жадность.

Хорошее общество такое, когда лишь у немногих граждан «зашкаливает» напряжение потребностей в сторону несчастья, разумеется. Излишков счастья не бывает, их съедает адаптация. Но перетренировка потребностей встречается, несомненно, чаще, чем в первобытной «орде». Это личности, акцентированные на власти, жадности, сексе, редко на творчестве, еще реже — на милосердии. Не они все же определяют образ общества, а ординарные граждане. Физически большинство из них детренированы материальной культурой, одержимы мнимыми страхами. Но, тем не менее, не думаю, что род человеческий ослаб в чисто биологическом смысле, несмотря на запугивание экологов.

Вопрос о разуме: конечно, он возрос. Но так ли уж, если в среднем? И у многих ли — сильно? Сколько процентов возвысилось до третьего уровня сознания? И скольким из них достало мудрости преодолеть свою природу для пользы людям? Более того, удалось ли этим мудрецам существенно изменить общество, если не считать развития технологий?

Или еще: насколько свободен или запрограммирован человек в выборе своей судьбы?

Судьба — это поведение, поступки, действия. Кто или что ими управляет?

Ответы уже были: потребности от генов. От них же способности и характер. Вместе — это тип. Изменчивость типа от влияния общества — примерно 25—30 %.

Второй фактор — среда физическая и общественная. Ее воплощение — идеология, государство: собственность, власть, вера и, главное, уровень экономики — техники, которые определяют культуру народа. Значимость среды больше, чем генов. Она еще до рождения расставляет людей по социальным структурам, группам и уже предопределяет спектр социальных ролей.

Но насколько? Жесткость этого предопределения закономерно уменьшалась в ходе истории от созревания общества и его идеологий. В направлении богатства, культуры, относительного равенства — к независимости личности и свободе выбора. От рабовладельческого общества до гражданского. До «равных возможностей», когда судьба, вроде бы, должна зависеть только от врожденных качеств.

Среда предоставит возможности, несколько альтернативных путей (ролей, карьер) для реализации своего типа, потребностей, характера, способностей.

Значит, личная судьба в будущем обществе только в генах? Да, с поправкой на самоорганизацию как разума индивида, так и среды. Это значительная поправка, если учесть агрессивные наклонности человека, которые нуждаются во внешних ограничителях, а свободное общество как раз и стремится их отменить.

Получается, что судьба еще не обозначит счастья.

ЗДОРОВЬЕ

Нельзя закончить главу о человеке, не коснувшись темы здоровья. Болезни — это враг не меньший, чем голод или унижение. Побороть его, пожалуй, еще труднее... Человек обречен болеть, вопрос лишь в том — сколько, и можно ли уменьшить. По нашим исследованиям причин для несчастия, болезни где-то на пятом месте, после бедности, работы, семьи, теперь еще и преступности.

Я врач, хирург и, кроме того, 40 лет агитирую за здоровье. Смею сказать, что дело это знаю. Но не буду писать много, ограничусь тезисами.

Физическая природа человека прочна. При современных условиях он мог бы жить и работать почти не болея. Вернее, болея, но легко. По крайней мере, до старости, лет до 80—90, в зависимости от наследственности.

Человек запрограммирован в генах на выполнение Целевых Функций: выжить и дать потомство. Для этого предку нужно было сильно работать мышцами. Тело, обмен веществ, внутренние органы должны обеспечить их энергией. Эволюция создала для этого программы регулирования физиологических функций: сочетание постоянства параметров и их «форсажа» — в период максимума нагрузок. Условием хорошего здоровья являются «резервные мощности» сердца, легких, печени, всех органов и систем. Этот термин соответствует отношению максимально возможной функции при крайних напряжениях к величине этой функции в состоянии покоя. Пример: сердце в покое дает 5 литров крови в минуту. Спортсмен может дать и 30. Среднездоровому нужен запас — по крайней мере, до 10. Резервы добываются тренировкой. В диком состоянии все идет автоматически: чтобы выжить, нужно очень много и напряженно двигаться. Теперь у большинства людей работа не требует нагрузок, но резервы все равно нужны для стрессов, болезней и старости.

Когда «биологический» индивид отработал размножение, природе он больше не нужен. Наступает старение, программа (и мотивы!) выживания ослабевает, тренировка уменьшается, резервы мощности падают — прокормиться и

защититься невозможно, и гибель близка. Процесс идет с положительной обратной связью, то есть — ускоряется. Конечно, она, старость, всегда была неприятна, но что поделаешь? Издержки эволюции!

Разум человека все попутал. Огонь и орудия облегчили выживание, и человек захватил главенство в природе. Начался технический прогресс, накопление знаний, и пошло расслоение сообщества на знатных и простых, богатых и бедных. Легкая жизнь доставалась только элите, 90% работали тяжело и питались плохо. Из-за этого средняя продолжительность жизни в течение столетий возрастала медленно. Сюда же прибавились разрушительные войны и опустошительные эпидемии в городах. Поэтому истинный демографический взрыв обозначился только в XX веке, когда НТП обеспечил улучшение жизни большинству населения, а элементарная медицина ограничила инфекции

Проблему болезней люди осознали давно. Сначала их относили за счет злых духов и соответственно боролись: заклинали и задабривали. Наверняка видели в этом толк, как и теперь — от бесполезных лекарств. Уже Гиппократ понял профилактику, но о ней быстро забыли, аж на две тысячи лет. Правда, духи и заклинания под другими именами держатся до сих пор, поскольку вера всегда конкурирует с наукой,

Теперь медицина прочно стоит на ногах, а психологию побороть не может. Потому что профилактика не заложена в генах. И даже наоборот — напрягаться и ограничивать желания — гены требуют только по необходимости. А между тем, цивилизация обеспечила избыток пищи, дала лекарства и освободила стариков от работы: можно долго жить и без «резервных мощностей». Долго жить — в болезнях.

А можно ли так, чтобы и долго, и здоровому? Несомненно. Для этого, я не устаю повторять, нужно соблюдать «Режим ограничений и нагрузок». С самого детства я никакой физкультуры не делал и ничем себя не ограничивал. А в 40 лет меня «достал» позвоночник, стало трудно оперировать, я разработал этот самый «режим». (Даю справку:1000 движений гимнастики, полчаса ходьбы или бега, еда по весу: рост минус

100—110). Выполнял неукоснительно, спина периодически болела, но возник блок сердца и пришлось вшивать электрокардиостимулятор. Режим восстановил. К восьмидесяти, когда перестал оперировать, начала подступать старость: стало шатать при ходьбе, ослабла сила. Было противно. Тогда, в начале 1994 г., решил провести «Эксперимент по омоложению»: в три раза увеличил нагрузку, чтобы через волю «разорвать обратные связи процесса старения. Оно уменьшает мотивы к движениям, от этого возрастает детренированность, и она, в свою очередь, еще ускоряет старение». На два года старость отступила, а на четвертом настигла. Мое дефектное сердце (стеноз аортального клапана) отказало. В 84 года мне сделали операцию: вшили искусственный клапан. Состояние улучшилось, и через два года я вернулся к эксперименту: 2 часа гимнастики с гантелями, полчаса бега и час ходьбы. Но оптимизма поубавилось. До ста лет не дожить. Не все органы поддались эксперименту. К счастью, голова пока служит исправно.

Я снова сделал этот экскурс в биографию, чтобы подкрепить утверждение: люди болеют по своей вине, природа же крепка. Увы! В нашей стране это никому не докажешь. Общество не созрело для правильной идеологии, а значит, и для здорового образа жизни. Нужно ждать. Примеры развитых стран достаточно доказательны: продолжительность жизни уверенно возрастает. Лечебная медицина участвует в этом только на 7—10 %, остальное — за счет профилактики и условий жизни. Так ученые подсчитали. Может — преувеличили, но не много.

Идея проста: **если техника освободила от полезных нагрузок, их нужно компенсировать «бесполезными» — физкультурой. Всего один час! То же касается питания: больше овощей и фруктов и меньше жиров: строго держать вес. И еще: доверять своей природе и зря к докторам не бегать. Хотя, если по делу, есть отличные лекарства, и пренебрегать ими не нужно. Вот только не попадать в плен к врачам: они зациклены на лечении, сами не соблюдают профилактику и не знают ее.**

Но как найти разумных врачей? Чтобы все дозировал: режим, лекарства, психотерапию? Как найти — не знаю. Нет смысла дальше развивать тему о здоровье. Пишу эту книгу не для того, чтобы научить жить, а *хочу помочь понимать себя и мир*.

В связи с медициной упомяну об *«экстрасенсах»*, воздействующих на пациентов с помощью мифических «биополей».

Известно, что внутренние органы регулируются вегетативной нервной системой, которая не имеет прямого представительства в коре мозга, а следовательно, напрямую — не подвластна сознанию. Лишь очень сильные нарушения функции органов ощущаются в виде неопределенных болей. Однако ценой упорных упражнений по концентрации сознания, например, по системе йоги, можно «пробить» барьер между корой и подкоркой и достигнуть произвольного управления деятельностью сердца, кишечника, сосудов, да и самой психики. С другой стороны, точные физические измерения показали, что вокруг человека имеются тепловое, электрическое и магнитное поля, видимо, больше всего зависящие от деятельности нервной системы. Они очень индивидуальны и изменчивы. Существует также и восприятие этих полей какими-то неизвестными рецепторами, причем тоже сугубо индивидуальное. Можно предположить, что упражнения по концентрации сознания ведут к усилению этих полей и позволяют использовать их для воздействия на окружающих.

Я совсем не настаиваю на таком простом объяснении экстрасенсорных феноменов. Может быть, все-таки «другая физика» Лашкарева есть?

Так мы разобрали человека по составным частям: сфера интеллекта, сфера чувств и убеждений, механизмы и уровни сознания, наше бренное тело. Но человека как целого еще нет. Он в личности и... в душе.

ДУША

Ну, и как же она, душа? Разум и чувства в моем модельном представлении все равно напоминают собой машину. Увы! Меня это не смущает: материализм, так до конца! Однако в оценках людьми друг друга да и самого себя такой подход оставляет чувство неудовлетворенности. Требуется какая-то другая интегральная оценка. Это же вытекает из Алгоритма Разума: обобщенная модель всегда доминирует над детальными. Нужда в таком обобщении и вылилась в понятии «душа».

Это понятие было организовано самим словом: «Душа». Наверное, оно появилось рано, когда люди впервые связали жизнь с дыханием и обозначили ее словом «Дух».

Если слово «сознание» говорит о том, что «Я есть» и знаю себя в окружающем мире, то душа обозначает не только самую суть жизни, интеграл обобщенных чувств от тела, но и отношение к окружающему. Сначала к Богу и вечности, а потом к людям и к природе: меру измерения доброго на шкале «добро-зло». Отдельное выражение души — это движение «К» и «От», либо дробь «Давать/Брать». При этом «давать» включает массу адресатов, много людей, от самых близких и родных до совсем чужих в других странах и даже до животных, деревьев, камней...

Больше всего качество души для верующего освещается отношением к Богу и через него уже — к людям. Неверующий хуже чувствует душу: себя он переоценивает по природному эгоизму, а плохие оценки со стороны окружающих относит за их же счет. Только за Богом признается беспристрастность суждений и не-усыпность слежения за моей, твоей, любой — душой. Это означает: чтобы завоевать его благоволение, нужно быть действительно хорошим. Итог: вера возвышает душу, сдвигает отношение к людям в сторону альтруизма, добра. Ну а кроме того, в материалистической трактовке, вера в Бога удовлетворяет биологическую потребность в высшем авторитете, с его способностью спасти и защитить, идущую от чувства детеныша к родителям и к вожаку в стае. Качество души, с позиции общества, определяется пределами преодоления природного эгоизма за счет веры и убеждений в необходимости христианских или идеологических добродетелей.

Жаль, но я снова свернул к модельному, т. е. словесному, представлению чувств. А ведь за отрицание этого «сведения» к модели как раз и ратуют приверженцы некой высшей духовности.

Так есть душа или нет?

Есть. Она в самом слове — «Душа», в его нейронной модели, с которой связаны другие модели — нейронные ансамбли, выражающие убеждения в существовании идеалов добра и возвышающие человека над эгоистическим материализмом. А может быть — и потребности в Боге.

Фикция? Но разве не такие же фикции — все словесные формулы и идеологические доктрины, изобретенные людьми? Однако они движут миром, хотя и не всегда в правильном направлении. Пусть лучше будут фикции Бога и Души.

ИДЕАЛЫ И РЕАЛЬНОСТИ

Идеалы основаны на вере. Однако чем человек становится разумнее, тем больше он ищет доказательств реальности идеалов. Если они вступают в противоречие с действительностью, то низвергаются и часто меняются на противоположные. Это очень болезненно.

Николай Амосов

УЧЕНЫЙ И ОБЩЕСТВО

У КАЖДОГО свое понятие о новом этапе истории, начавшемся после апреля 1985 года. Для многих интеллигентов и для меня — это возможность принять посильное участие в делах общества. Раньше мы или поддакивали, или молчали. Были, конечно, люди вроде Сахарова, но таких — единицы. Я — из числа молчавших, что боялись потерять работу на своем участке.

Кроме хирургии — а в нашей клинике сделано без малого 50 000 операций на сердце,— тридцать лет я руковожу отделом в Институте кибернетики имени В. М. Глушкова, где мы занимаемся созданием эвристических моделей сложных систем «типа живых» — от организма до общества. Занимаемся квалифицированно — диссертации, степени, монографии, технические устройства и даже премии. Обществом, к сожалению, занимался я один, поскольку открыть тему было невозможно. В 1969 году мне удалось даже напечатать маленькую брошюрку — «Модели-

рование общественных систем», 100 экземпляров, но ее быстро изъяли.

Метод моделей как основа любой теории сейчас уже не требует защиты, особенно после того, как ученые США (К. Саган) и наши (Н. Моисеев и др.) просчитали «ядерную зиму». Модели широко распространены в экономике, однако из них вынута сердцевина — психология и социология. Без них они теряют большую часть ценности.

В трактовках таких сложных систем, как личность, общество, наши философы расходятся с западными на все 100 процентов. И не смогут договориться, пока не будет теории, опирающейся на методику измерений и математической модели. То есть, пока наука об обществе не перейдет из сферы гуманитарной в естественнонаучную.

Можно бы и не горевать — пусть себе философы развлекаются. Но беда в том, что миру просто необходимо решать вопросы психологии и социологии, потому что от этого зависит, быть или не быть человечеству.

Не собираюсь обманывать: эвристическая модель — всего лишь гипотеза, выраженная средствами математики. Однако она необходимый этап на пути к модели реальной, к настоящей теории. Путь этот долгий.

Прежде чем обратиться к реальностям мира, побуждающим, просто требующим создания моделей, остановлюсь на одном вопросе: о Разуме. Опять-таки без хвастовства (притязаний к обществу не имею, мне — 75) скажу, что наш отдел квалифицированно занимается созданием искусственного интеллекта (ИИ). Он будет, но сейчас вопрос не в нем. Четверть века назад мы создали гипотезу об Общем Алгоритме Разума (ОАР) как аппарате оптимального управления объектами. С его помощью мы пытаемся объяснить разум естественный. И подойти к искусственному интеллекту. Понимаю, что мое заявление психологи сочтут безответственным. Не обижен. Доказать все равно не смогу, пока не заработают модели ИИ. Дело — в другом. Есть несколько качеств любого разума — от собаки до общества,— которые (увы!) ограничивают надежды на возможности «разумного» поведения, как человека, так и человечества.

Вот эти качества. Ограниченность: модели Разума всегда проще объекта, поэтому можно пропустить важные детали. Субъективность: чувства ставят задачи разуму, они же оценивают результаты. Чувства — от потребностей и идеологий. Те и другие — разные, отсюда — трудности доказательств истины. Увлекаемость: сложный разум — самоорганизующаяся система, он способен к творчеству, к созданию (и тренировке!) новых моделей, они могут изменить критерии оптимальности, увести разум в сторону. Еще момент: «коэффициент реальности будущего». Все наши действия рассчитаны на удовольствие в будущем — насколько оно вероятно и долго ли ждать. От этого и зависит, стоит ли напрягаться сегодня.

Вот и получается, что наш уважаемый разум очень ненадежен. Хотя он и вывел нас в люди, но за ним нужен глаз да глаз: измерения, диалоги, споры, проверки, в частности — модели.

Двести лет прошло со времени Великой французской революции, объявившей не только свободу, равенство и братство, но и Царство Разума. И ничего не свершилось... Атомная война и экологическая катастрофа висят над человечеством и напрасно взывают к разумности.

О войне говорить не будем — все ясно. Жизнь прожил — не славословил вождей, но тут скажу: М. С. Горбачев отодвинул опасность. Спасибо.

С экологией сложнее. В 1970 году Медоуз напечатал книгу «Пределы роста». Была сделана модель, показывающая, что будет с человечеством, если сохранится прирост населения при одновременном приросте потребления на душу населения. Следствия: истощение ресурсов, нехватка пищи, но главное — загрязнение среды и ускоряющаяся гибель биосферы. К 2020 году произойдет «коллапс» — вымирание человечества. Авторы предупреждали: «Остановитесь!» Шум был большой. Хотя никто не остановился. С этой книги начались «глобальные проблемы». Наши, конечно, не напечатали: зачем пугать граждан? (Данные Медоуза неоднократно оспаривались, но выводы сделаны. Высокоразвитые страны начали экономить энергию и материалы. Появились «зеленые», борются за экологию, и небезуспешно.)

Рецепты от катастрофы давно известны. Перестаньте ссориться, откажитесь от гонки вооружений, помогите слабым странам, ограничьте потребление — и можно сбалансировать планету. Если не навсегда, то по крайней мере надолго. Пока, в самом деле, что-то придумают.

Нет смысла повторять эти интеллигентские стенания. Нужно искать, думать — почему? Что делать?

Но сначала — о реальностях.

Первая — научно-технический прогресс, НТП. С него все началось, и им же нужно спасаться: обратно в пещеру пути нет.

Никто не будет оспаривать такую цепь причин-следствий: наука — техника — экономика — повышение материального уровня жизни всех граждан — общий рост образованности и информированности — изменение труда от физического к интеллектуальному — смещение соотношения социальных групп («синие воротнички» в США — 25 процентов, фермеры — 4-5 процентов). Теперь разница между странами больше определяется не идеологиями, а технологией, ВВП — внутренним валовым продуктом на душу населения.

Без претензий на полноту и компетентность перечислю главные достижения и угрозы НТП. Лидером прогресса является микроэлектроника: изменила все технологии и практику управления. Оборотная сторона: неограниченные перспективы для автоматического управления оружием.

На втором месте — химия. Это агротехника, машиностроение, быт. Но, в то же время, она больше всего загрязняет внешнюю среду и грозит оружием не менее страшным, чем атомное.

К химии примыкают генная инженерия и биотехнология. И здесь необъятные перспективы пользы и страха. Да, новые растения и даже животные, много пищи, лекарств. Но ведь и новые микробы, против которых нет защиты — вроде СПИДа, и бактериологическая война.

Нет необходимости распространяться о пользе атомной энергии. Хотя после Чернобыля стало ясно, что безопасность — штука дорогая, но без АЭС уже не обойтись. Еще одно: атомные станции держат нас заложниками в собственной стране, даже если боеголовки уничтожат.

Можно бы еще сказать о лазерах, что режут металл и помогают хирургам. Но беда, что они и ракеты могут взрывать на взлете. Как у инженера Гарина.

Впрочем, довольно ужасов. Обратимся к хорошему. Наука и техника уже сейчас могут практически решать почти все глобальные проблемы: ограничение рождаемости, производство пищи, сбережение ресурсов, защиту среды.

Наука подвела мир к смертельной черте. Она же может и отвести. Скажем — надолго. Так кто же виноват? Правительства? Нет, биологическая природа человека. Наука все может. И эту нашу природу переделать. Но хватит ли для этого времени? Ответа нет.

Ответ есть: правительства должны думать о науке неусыпно. В частности, позволять ей делать ошибки, не дрожать за чистоту идеологических риз. Прежде чем наука через гены кастрирует нашу жадность и агрессивность, нужно, чтобы она прояснила психологию человека и разрешила идеологические споры — это возможно, и это позволит человечеству продержаться до золотого века разумности.

Вторая реальность — современный капитализм. Я уже не застал разговоров о мировой революции, но о «загнивании» — слышу до сих пор. Сколько можно! Знаю о капитализме дос-

таточно: он жизнеспособен и динамичен, стоит на крепких биологических основах. Притом, воспринял от нас социальные программы и получил мощные подпорки у народов. К тому же на 100 процентов мобилизовал НТП. По части экономических основ капитализма у нас до сих пор преподается забавная сказочка: эксплуатирует рабочий класс и прибыль кладет в карман. Все это так примитивно! Да, каждый капиталист старается выжимать соки, но все вместе они заинтересованы в покупательной способности, в росте производства и НТП. Профсоюзы ограничивают их жадность, но тоже в меру, чтобы не разорились. Правительство между ними балансирует — опять же не только из идеи, хотя и это есть, несомненно, а из лидерства, властолюбия. Социальными программами удерживает популярность в народе, налогами и субсидиями регулирует экономику. Многопартийная система и демократия предохраняют от диктаторов и разложения аппарата, разделение власти и пресса обеспечивают обратные связи. У нас не печатают статистики о Западе, а она показывает устойчивый рост производства, потребления, образования, здравоохранения, социального обеспечения. Рост — больше нашего.

Отнюдь не идеализирую капиталистический строй: эксплуатация и неравенство. Да, эффективен, потому что зиждется на жадности и лидерстве. Но также — и на любознательности — от образованности. И на некоторой идейности — от христианства. В основе — индивидуализм, даже эгоизм. Но они тренируют тело и волю. Вот откуда успехи.

Вдохновляет ли на подражание вечная гонка конкурентов? Сильных — да, слабых — нет. Годится ли она как идеал для человечества? Нет, потому что большинству граждан это тяжело и счастья не обещает. Кроме того, планета не выдержит такого сумасшедшего потребления ресурсов.

Капитализм — реальность, с которой приходится считаться. Объем ВВП в США почти вдвое больше нашего. Япония тоже нас обогнала. «Общий рынок» — почти в полтора раза больше Америки. Вместе набирается превышение ВВП над нами в четыре-пять раз. Это только по количеству. Но главное — превосходство в качестве этого ВВП. Тут уж расчет не на годы — на десятилетия...

Скажу так: мне неприятно раскрывать третью реальность — наше общество. Сам я — его часть. С 1930 года работаю... Но что сделаешь? Обманами тешиться больше нельзя. НТП и капитализм уж очень реальны.

Три года гласности развеяли мифы о нашей системе. Теперь все читают публицистику — В. Селюнина, Ю. Черниченко, Н. Шмелева, А. Нуйкина, Г. Попова, Л. Гордона, А. Афанасьева и многих других. Добавьте выступления на XIX партконференции (Е. Чазов, Г. Ягодин. Ф. Моргун и др.) — и можно ограничиться простым перечислением наших недостатков.

Экономика топчется на месте, и вообще директивное планирование осуществить невозможно при наличии 25 миллионов названий производимых изделий. В натуральном исчислении за 60 лет рост экономики в 6–7 раз, а не в 90 (В. Селюнин).

Передовая наука — только физика и космос, остальные — отсталые.

Социальная справедливость сомнительна. Вверху — «элита», «внизу» — бездельники.

Социальные завоевания — широкие, но бедные

Высочайшая мораль? Уже все есть: коррупция, мафия, рэкет, проституция, наркомания. Не говоря об алкоголизме, разводах, брошенных детях.

Грустная получается картина.

Но нет, не будем драматизировать. Никакая катастрофа нам не грозит.

Жили при застое и не замечали. Бодренько шагали с лозунгами, боролись в соревновании, ордена, награды шли к круглым датам. Ну, не будем первыми в мире... Вторые и третьи тоже живут.

Это гласность все разворошила.

Что делать? Без всякого подхалимажа скажу — путь выбран правильный. Только хорошо бы освятить его наукой... А то уже много раз правильные пути выбирали. И сворачивали на старые колеи.

С философов надо бы спросить за изгибы идеологий. Впрочем, что с них спрашивать? Вся эта наука работала «на вождя». Он изречет, а команда начинает судорожно листать классиков и подбирать цитаты. Классики были умны и плодовиты. Я уже пять вождей пережил, и все, самое противоположное, делалось по Марксу и Ленину. Так и сложилась у меня крамольная мысль: нет теории человека и общества. И следующая: вот приложение для моделирования — начало длинного пути исследований, чтобы превратить эвристические модели в реальные. В теорию.

Эвристическая модель начинается с перетряски гипотезы. Два возражения у меня имеются к философам, объясняющим общество: недооценка биологической природы человека и предвзятое изучение истории.

Итак, человек. Почитаешь наших ученых, так получается, что все, что ниже глаз,— почти как у шимпанзе, а выше — продукт общества: сделай революцию, уничтожь частную собственность, повторяй лозунги — и коммунизм обеспечен.

Почему не получилось?

Люди оказались неподходящие. Не такие, как думали. Впрочем, в этом и сейчас никто не признается. А без того, чтобы знать, каков человек, невозможно проектировать общество. Это должно быть для нас самой главной задачей.

В нашей литературе есть несколько ошибочных, на мой взгляд, представлений о человеке. Вот они.

Люди принимаются одинаковыми. В действительности диапазон различий — по набору потребностей и силе характера — примерно 1:3.

Воспитуемость считают почти безграничной. Из каждого ребенка воспитанием можно сделать ангелочка, и он еще передаст свое ангельство потомкам. Это неверно. К сожалению, степень воспитуемости неизвестна. Мы берем в своих моделях 25–40 процентов.

«Коллективизм в человеке сильнее индивидуализма». Как раз наоборот: человек прежде всего эгоист. Однако альтруизм ему присущ и воспитуем.

Биологические потребности, как производные инстинктов — на словах признаются, но в трактовках поведения ими пренебрегают. Да и сами потребности упрощают, сводят до простейших чувств: голод, секс, страх, агрессия. В то же время этологи и биосоциологи нашли у стадных животных целую гамму общественных чувств с очень большой значимостью. Мы вводим в модель такие: потребность в общении, самоутверждение, лидерство. Но есть и полярная потребность — подчиниться авторитету сильного или группе. Еще есть сопереживание и подражание, любознательность. Более того, мы допускаем биологические корни правдивости, справедливости и даже искусства. Не удивляйтесь: есть потребность в игре у детенышей и у взрослых — это имитация настоящих действий, вызывающих те же чувства.

Еще один предрассудок: бедные и угнетенные являются носителями высших моральных ценностей и поэтому призваны принести их всему человечеству. Этому нет доказательств.

Еще одно замечание: упустили исторический опыт организации управления — необходимость разделения властей и обратных связей. Без них общество деградирует. Винер говорил о тоталитарном государстве, что в ответ на сигналы обратной связи оно реагирует уничтожением его носителя. Мы долго были в подобном положении.

Самый интересный вопрос в моделях общества: как отразить идеологию? Что считать справедливым и почему? Я думаю, что есть два источника происхождения идей — Алгоритм Разума и биологические потребности. Разум выдвигает гипотезы, выражает их словами и тренирует, пока они не становятся источником активности, управляющим поведением наравне с центрами биологических потребностей. Так возникли гипотеза о Боге и идеализм, гипотеза о материальных силах и материализм, этические идеи о справедливости в распределении собственности и власти.

Так мы подошли к *идеалам*.

Если упростить предельно, то идеал общества — это его модель с координатами, обеспечивающими реализацию неких формул, уже дав-

но имеющих хождение: «Свобода, равенство, братство», «От каждого по способности, каждому по потребностям» или по труду...

У людей есть потребность верить в идеалы и авторитеты. И здесь снова биологические корни: слабый защищается прикосновением к сильному.

Потому идеалы и предлагаются, что действительность любого общества полна недостатков и люди во все времена мечтали их радикально устранить. Как известно, ни одна мечта еще не осуществилась.

Нужны ли идеалы? Необходимы. Для воспитания. Если бы людям с самого детства говорили об их истинной эгоистической природе и развенчивали идолов, то они стали бы еще хуже. Идеалы основаны на вере. Однако чем человек становится разумнее, тем больше он ищет доказательств реальности идеалов. Если они вступают в противоречие с действительностью, то низвергаются и часто меняются на противоположные. Это очень болезненно.

Поэтому нужны идеалы реальные, фактически они уже не заслуживают своего названия и превращаются в компромиссы. По ним и приходится управлять обществом, чтобы смягчать разрушительные противоречия реальностей.

Что важнее — «идеальность идеалов» или идеальность авторитета? Пожалуй, важнее последнее. Вера ищет воплощения в личности, хотя бы в прошлом. На этом построены религии. И даже — идеологии.

Вот главные противоречия нашего времени, требующие решения.

Экспансия жадного и могущественного человека угрожает биосфере. Одним усилением защиты, видимо, не обойтись: нужно ограничивать потребление. Компромисс.

Нетерпимость идеологий не только чревата войной, но и мешает договориться о защите природы. Нужно искать научную платформу для компромиссов.

Неравенство является сильным стимулом прогресса, но в то же время служит источником недовольства слабых граждан. Нужен компромисс внутри идеологий.

Сама природа человека вступает в противоречие с будущим планеты. Лидерство, жадность, немного сопереживания и любопытства, при значительной воспитуемости — вот естество человека. Нужно ли его насиловать, внедряя социализм? Наверное, это самый трудный вопрос. Опыт последнего полустолетия и его реальности предлагают положительный ответ. Нужно! Нужно использовать воспитуемость человека для социализма. Частное предпринимательство, даже при демократии, угрожает природе, поскольку стимулирует потребительство.

Реальные идеалы нашего общества, порожденные компромиссами, в значительной степени уже сформулированы в документах партии. Однако это не значит, что к ним нечего добавить. Попытаюсь изложить свое мнение по пунктам.

1. Да, недопустима эксплуатация. Нужно добавить: не только экономическая, но и моральная. К ней относится и «технологическая», вызванная служебным подчинением. Уменьшить ее можно только демократией и высоким уровнем морали. Нельзя унижать человеческое достоинство.

2. Труд есть обязанность, а не потребность. Он — источник богатства и тренировки. Для стимуляции труда не избежать неравенства в заработках и даже безработицы.

3. Потребность в собственности заложена в генах, но регулировать размеры имущества необходимо, чтобы не стимулировать жадность и зависть. Кроме того, собственность желательна гражданину, чтобы чувствовать себя независимым от государства, особенно если оно является основным работодателем.

В связи с этим: морально ли использовать наемный труд для частного предпринимательства? Не морально, но компромиссы заставляют его допускать — при строгих законах.

4. Демократия необходима — от правительства до предприятия. Воля большинства должна сочетаться с уважением к интересам меньшинства. Полезно заимствовать демократические процедуры Запада: разделение власти, выдвижение нескольких кандидатов «снизу», тайное голосование, ограничение сроков и пр.

5. Конституция должна обеспечить гражданские права в полном объеме, включая и свободу ассоциаций, однако при соблюдении принципа социализма. Обратные связи осуществляет независимая пресса. (Исследование на моделях показывает, что при наличии двух партий с одинаковой исходной идеологией возможен дрейф в сторону капитализма.)

6. Необходимо восстановить в правах общечеловеческую мораль.

7. Охрана природы должна стать моральной категорией и пользоваться приоритетом в любых компромиссах.

8. Нужно пересмотреть атеистическую догму «Религия — опиум для народа». Эта формула никогда не соответствовала исторической правде, поскольку не останавливала политической активности. Но религия всегда поддерживала мораль, а вера в Бога облегчала страдания многим людям.

9. В сфере экономики единственно возможный вариант — рынок самоуправляющихся предприятий с государственным регулированием, обеспечивающим защиту природы и социальные программы. Частное предпринимательство необходимо (компромисс!), но подлежит контролю.

Чем же отличается общество, обрисованное этими пунктами, от капитализма западного образца? В самом деле: собственность, демократия, права человека, социальная защита, конституционные гарантии, охрана природы, рынок. Все это там есть.

Ну и что? Разве это плохо? Человечество движется в сторону совершенствования своих форм организации, и никто не может претендовать на монополию в идеях.

Тем не менее, отличия есть и, на мой взгляд, значительные. Первое — сам социализм: общественная собственность на средства производства, правда, с небольшими уступками частному предпринимательству. Это преимущество не экономическое, а только моральное. Хозяин всегда лучше управляет, чем коллектив. Но мораль дороже. А кроме того, сверхвысокую эффективность не выдержит планета. Компромисс!

Второе: отсутствие эксплуатации. Подчиняться хозяину унизительно, а начальству от общества — нет.

Третье: демократия «снизу» — самоуправление предприятиями, выборность руководителей, что при капитализме пока нереально.

Четвертое: компромиссное ограничение неравенства, необходимого для повышения производительности до некоторого оптимума.

Преимущества хороши, только когда малы недостатки. Поэтому нашему обществу просто необходима высокая научно-техническая и экономическая компетентность. В противном случае выигрыши в «качестве жизни», порожденные эффективностью капитализма, пересилят наши моральные плюсы. Не надо забывать об эгоистической сущности человека. В век международной интеграции и информированности, при гласности уже не закроешь свои дефекты железным занавесом. Тем более, что мы еще не показали наши добродетели и уже успели изрядно попортить природу.

Так мы подошли к *перестройке*. Что в ней главное — демократия или ускорение? Думаю — ускорение. Оно нужно всем.

В экономике пока дела идут туго. Попытаюсь назвать причины исходя из природы человека. Первая — всеобщая детренированность. Совершенная техника как фактор производительности затрагивает в лучшем случае треть трудящихся. Из этого и нужно исходить в надеждах на ускорение через технический прогресс. А остальные две трети? Они мало дают, потому что просто плохо работают. Если они не возьмутся за работу как следует, то ускорения не достичь.

Причина детренированности — командная экономика. Не работал универсальный регулятор — рубль. Начальники для своего благополучия «выбивали» низкие планы, дополнительные штаты. Когда стало мало рабочих — усилилась «выводиловка». Это совпало с ростом алкоголизма. Тогда стандарты труда окончательно пали. Множество людей теперь не только не хотят работать, но уже и не могут. Не секрет, что напряжение труда у нас в два раза ниже, чем на Западе. Соответственные и произ-

водительность, и уровень жизни. Если учесть негодное управление, да вычесть военную технику — откуда же взяться богатству?

Вторую причину я осторожно назвал бы «эрозией идеологии». Общечеловеческую мораль выбросили как буржуазную, а вера в социализм, призванная ее заменить, сильно понизилась из-за лжи и падения уважения к начальствующим чинам.

Много упреков делается бюрократам. Борьба с ними не обещает успехов, пока не будет пересмотрена система хозяйства.

Есть еще один тормозной психологический фактор: ложное милосердие. Уволить плохого или ненужного работника исключительно трудно, а с демократизацией — стало еще труднее. Все жалеют: «А как он будет жить?» Сопереживание само по себе хорошо, при всеобщем эгоизме, но идет оно от иждивенчества: «Государство не обеднеет».

Вот и получается: все поддерживают перестройку, но почти никто не хочет напрягаться.

Нужны стимулы. Где их взять? Что говорят психология и модели?

Самое простое — повысить зарплату. Но ее нужно обеспечить хорошими товарами. Для них требуются новые машины. Но у машиностроителей нет хороших материалов и даже мало хороших конструкторов. Нужно еще, чтобы на машинах добросовестно и квалифицированно работали. В общем, цепочка с товарами растянется на годы. А пока прибавка зарплаты не побуждает напрягаться вдвое-втрое.

В капитализме важнейшим стимулом, хотя и со знаком минус, является страх перед безработицей. Боюсь, что и нам без нее не обойтись. В Югославии и Китае, при безработице, социализм не рухнул, выстоит и у нас. Не нужно заблуждаться — мы держим десятки миллионов работающих безработных. Если малая часть (два процента?) получит пособие вместо гарантированной зарплаты, дисциплина труда сразу поднимется.

Еще один стимул заложен в новой системе организации труда и экономики. Это — хозрасчет и коллективный подряд. Маленькая группа — бригада — вполне «биологична». Она выступает и как хозяин оборудования, и как борец за выгоду и, самое главное,— в ней действует коллективистская сторона сущности человека: потребность в уважении со стороны ближних, и совесть перед товарищами.

Важный, хотя и не главный, резерв ускорения — в раскрепощении инициативы индивидуалистов. В «популяции» их 5—10 процентов, но это люди сильные, и главное их желание — работать самостоятельно, в одиночку или с группой «ведомых». Их стимул — лидерство, самоутверждение, а потом уже — жадность. Они ценны не только тем, сколько сделают, но и как пример для других.

Быстро активизировать наше общество невозможно, поскольку тренировка требует времени, так же как и восстановление идеалов, морали и авторитета руководителей.

Общая линия партии — «больше демократии — больше социализма» с раскрепощением индивидуальных интересов — не вызывает сомнений. Но ее конкретное воплощение, на мой взгляд, требует серьезного научного подкрепления, с отказом от всех прежних догм. И еще одно: не следует обещать, что через 2—3 года положение с товарами и продовольствием радикально улучшится. Боюсь, что понадобится 7—10 лет. Трезвую правду с хорошим объяснением народ способен понять и принять, обман же вызывает раздражение и окончательно подорвет веру в социализм.

Может ли наука помочь в устройстве общества?

Думаю, что может. Старые идеалы поведения людей вполне достаточны, но компромиссы к ним, порожденные реальностями, может рассчитать только наука. У нашего общества нет модели. Управление им идет в значительной степени вслепую. Пробы и ошибки оказались весьма болезненными и стойко придвинули нас, скажем так, «к потере статуса». Любые эксперименты на обществе в наш век опасны. Поэтому модели необходимы. Не панацея и не спасение, но могут дать дополнительный материал для принятия решений.

Можно назвать ряд задач. Каков оптимум неравенства в заработках и процента частного предпринимательства? Не следует ли увеличить социальную защиту детей и стариков за счет уменьшения ее здоровым молодым людям? Каков оптимальный объем обратных связей для управления, а если без хитростей — сколько нужно свободы, чтобы начальство не портилось, социализм не деформировался и устойчивость не потерять? Какими средствами можно повысить «духовность» нашего социализма? Сколько средств нужно выделить для экологии?

К сожалению, ни одну задачу не решить, потому что отсутствует основной исходный материал — не изучена психосоциальная природа человека. Нет распределения людей по типам (сильные, слабые), неизвестна значимость важнейших биологических потребностей человека.

Научный подход к познанию и управлению обществом мне представляется в проведении исследований по двум направлениям.

Первое — крупномасштабное психо-социологическое изучение граждан, принадлежащих к различным социальным группам. В основу его необходимо положить единую гипотезу о составе личности, которую сформулировать по экспертным оценкам психологов, социологов, педагогов и практиков из сферы управления. Взгляды будут разные, но некоторые — усредненно — можно получить. По гипотезе нужно разработать методику, пригодную для массового распространения. При этом индивидов нужно изучать вместе с социальной группой, к которой они принадлежат. Сами исследования потребуют привлечения больших сил, но начинать можно с малого.

Второе направление как раз состоит в создании эвристических моделей общества, для начала с гипотетическими характеристиками социальных групп. По мере накопления фактического материала по психологии эти характеристики будут заменяться реальными, и таким путем сами модели будут сдвигаться от гипотез к теориям. Не нужно обольщаться — путь этот очень длинный.

Начав эту статью с грустных реальностей, я заканчиваю ее призывом к интеллигенции, к специалистам: давайте вложим свой труд в дело непредвзятого изучения человека и общества.

Это сейчас важнее физики и биологии, так как они уже ничего не могут предложить для спасения. Едва ли мы получим обнадеживающие данные, поскольку мощь разума явно вошла в противоречие с человеческой природой. Но, кроме науки, у человечества нет надежды на выживание.

КОММЕНТАРИИ

Эта статья была написана для «Литературной газеты» в середине 1988 года. Довольно долго ее отказывались печатать, но время шло в сторону демократии, и в конце концов редакция согласилась. Было много откликов, и я остался автором «Литгазеты» до 2000 года.

Потом газета со статьей у меня потерялась и нашлась совсем недавно. Я перечитал — и решил предложить для нового сборника, в качестве введения в главу об обществе.

С этой статьи началась моя общественная карьера — уже при «новом режиме» — горбачевском. В конце 1988 года я отказался от директорства в своем институте и коллектив выдвинул меня в народные депутаты Союза, даже в противовес кандидату от Партии. Было пять конкурентов, но меня выбрали в первом туре.

Так я попал в Москву, одержимый романтическими надеждами на перестройку. В Верховном Совете я пробыл полтора года и ушел, убедившись в его полной никчемности. Активности не проявлял, выступил один раз.

Но время пребывания в Москве использовал с большой пользой для себя: именно тогда я радикально пересмотрел свои взгляды, сформировавшиеся при социализме и изложенные в той самой статье.

Как это случилось? А вот так: я получил доступ к секретной информации и завел знакомства с центральными газетами.

В закрытых фондах библиотек марксизма-ленинизма и Верховного Совета СССР я открыл для себя мировые и советские статистики — экономические, политические, социальные. И обнаружил, что никакое «человеческое лицо» социализм спасти не может — это утопия плюс — тирания.

Главный вывод: он — социализм — «небиологичен». Следовательно — нежизнеспособен. Подробности будут изложены ниже в текстах об обществе, заранее нет смысла полемизировать.

Второе направление работы — эксперименты по психологии и социологии. Поскольку денег у меня не было, я использовал свои знакомства в газетах. Тиражи тогда исчислялись многими миллионами, и я решил печатать анкеты (40 пунктов), с расчетом получить массу ответов, чтобы обработать их в Киеве, в своем отделе биокибернетики. Надежды оправдались — общее число ответов достигло 30 000. «Литературная» и «Учительская» газеты напечатали анкеты по психологии, из которых были отобраны 500 экспертов, а «Неделя» и «Комсомольская правда» — социологические опросники от читателей. По ним мы получили «социальный срез» граждан Союза.

Эти материалы потом мне очень пригодились для обоснования своих взглядов на человека и общество.

ОБЩЕСТВО

ПРОИСХОЖДЕНИЕ ОБЩЕСТВА

Общество — высшая система, стоящая над человеком. Очень трудно их разделить, потому что прямые и обратные связи между ними одинаково важны (см. схему рис. 14). По мере развития цивилизации вес общества в этой связке настолько возрос, что большинство людей утратили прямые связи с природой и не могут выжить в одиночку. Так, в процессе биологической эволюции, при формировании многоклеточных организмов, теряли свою независимость клетки. В высокоразвитых странах только 10% работающих граждан непосредственно замкнуты на природу, выращивая пищу и добывая полезные ископаемые. Остальные работают в сфере отношений, техники и информации.

Малое сообщество людей заложено в генах наших предков. Это были небольшие стаи, состоящие из семейных ячеек, объединенные на потребностях стадного инстинкта: общения, лидерства, самоутверждения, подражания, подчиненности, сопереживания. С них начиналась социальная психология: возрастала значимость этих чувств в сравнении с «личными» потребностями в пище, защите, сексе. И одновременно возрастало разнообразие типов, призванное обеспечить эффективность сообществу.

Эволюция гоминидов. Подчиняется общим законам самоорганизации.

Исходное состояние: Неустойчивость→Самоорганизация + условия = организация→Разум, потребности, их тренировка.→Отбор→ Эволюция (новое состояние).→Обратные связи на условия.→Новый виток самоорганизации.

Формирование «человека разумного» началось с мозга, с Разума: удлинилась память, появились программы создания обобщенных моделей, прогнозирования, выдвижения простейших гипотез. Затем расширилось творчество: изобретались орудия и слова. Они и стали «внеорганизменной» основой высшей системы — общества. Дальнейшее ее развитие шло двумя взаимозависимыми потоками: ростом разнообразия техники — от труда, и идей — организуемых обогащением речи. При этом идеи, распространяясь в разумах людей, стали основой *убеждений*,— конкурентами биологических потребностей. Можно сказать так: идеи стали «генами общества», как нового уровня систем.

Речь, огонь, орудия труда и оружие увеличили возможности выживания и расширения стаи: она превратилась в племя, потом в народ, ограниченный от «чужих» своим языком, традициями, религией, самоутверждением властителей.

Дальнейшая самоорганизация (и эволюция) конкретных сообществ связана с условиями существования: а) с природой — бедной или обильной; степь, лес или море — разные условия добывания пищи, влияющие на выбор в бифуркациях организации — ставки на индивида или коллектив; б) с соседями: опасные или мирные — требующие соответствующих «ответов».

Трудные условия существования стимулируют напряжение и «запускают» программы тренировки, акцентирующие потребности: инициативы, лидерства, агрессии, влияющие на выдвижение вождей и выбор идеологии. Так зарождаются цивилизации — по принципу А. Тойнби: «Вызов — Ответ».

По мере развития разума в сферу познания, после природы, попадают сам человек и общество. Развиваются понятия о причинности, реальности,— выдвигаются идеи материализма или альтернативные — целенаправленности свыше, или Бога. Идеология начинает теснить биологию, развивая и изменяя социальные потребности, дополняя Целевые Функции (ЦФ) выживания и размножения — придуманными понятиями Вечной Жизни, «Конца света», Добра и Зла. И другими абстракциями.

Первые идеи, надстроившиеся над стадным инстинктом, выразились в запретах — *«табу»*. Они ограничили разрушительные для большого сообщества «изобретения» разума: красть, лгать, убивать. Для укрепления табу придумали богов. Суть дальнейшего развития идей состояла в выборе одного из альтернативных понятий, имеющих базы в противоречивых потребностях, обозначение его словами и распространение в обществе.

Перечислю эти альтернативы. «Одинаковость или различия» людей, соответственно — ставка на *индивида* или *коллектив. Собственность:* общая или личная. *Право на власть:* сильного, богатого или всего сообщества. *Ценности:* эгоизм — альтруизм. Агрессивность — терпимость. Труд — развлечения. Настоящее — будущее. Материя — Бог.

Направление детализации идеологии идет от простых понятий морали: заповеди, долг, совесть, грех,— к политике, например, единовластие или демократия, с расширением гражданских прав на низшие социальные группы. При этом менялись соотношения важности различных «координат» идеологий — власти, собственности, морали, религии и ценностей: нации, родины, права.

Можно обнаружить *бифуркацию* развития *общественных* идей. Одно направление делает акцент на личность, другое — на сообщество, коллектив, государство. В первом выпячиваются свобода, частная собственность, право на неравенство, инициатива — вплоть до агрессии, захватов земель и покорения соседних народов.

Во втором — равенство, коллективизм, регламентация жизни; упор — на *труд,* изобретение орудий, торговлю, развитие речи и философии. Соответственно формировались избранные типы личностей: от греков до римлян, а потом — викингов.

В истории цивилизации менялось содержание самого понятия человека как субъекта, единственно достойного свобод и прав: от права силы к знатности, к богатству, уму и, наконец, к равенству всех перед законом, к всеобщности.

ЧТО ГОВОРЯТ ЭТОЛОГИ?

Не надо думать, что общество создалось как бы само по себе или его сотворил Бог. Все было сложнее.

Способность материи к самоорганизации породила биологическую эволюцию, развитие стадного человека, его творческий разум. Отсюда самоорганизация вступила в новый виток: началась эволюция социальная и технический прогресс.

О законах самоорганизации я уже говорил, биологичность человека (как будто!) доказана (см. работы В. Р. Дольника). Все его личные качества есть у животных. Даже элементы Общего Алгоритма Разума.

Удивительные данные публикуют этологи, изучавшие сообщества и стаи (см. сводку материалов в статье А. В. Олескин в «Вопросах философии» 1995, № 5 или самую полную «Sociobiology», Wilson 1980г.). Я перечислю лишь некоторые, самые-самые. Колония бактерий уже система, а не сумма. Уже есть в ней отбор, борьба за выживание. О пчелах и муравьях написаны десятки книг (сводка у А. В. Захарова). Все известно: иерархия в структуре, специализация функций. Но, представьте,— не жесткая, при изменении обстоятельств разведчик может стать нянькой. А войны муравейников? Кланы крыс дерутся смертельно. Конрад Лоренц написал прекрасную книгу «On agression». Говорил, что члены стаи ссорятся постоянно, даже дерутся, но до убийства доходит редко. Чаще только демонстрируют силу. Однако убийства бывают.

Даже голуби, символы мира, могут забивать друг друга до смерти. А какую дружбу у серых гусей описал Лоренц! Позавидуешь. Нет, не обладаем мы монополией на «человечность» психики!

Существует несколько «сквозных» качеств отношений в самых разных сообществах: создание семьи, забота о потомстве, охрана территории, запрет на близкородственное скрещивание. Есть несловесные коммуникации. Агрессивность, сексуальность, сохранение информации негенетическим путем (даже у насекомых). Есть альтруизм родственный и неродственный, как обмен услугами, причем равноценными (справедливость!). Дарвиновские механизмы эволюции (изменчивость, борьба, отбор) дополнились творчеством и подражанием, понятиями кооперации, симбиоза, конкуренции сообществ, а не только индивидов. Кооперация распространена от бактерии до человека.

Интеллект и творчество стали для человека важнейшим источником отбора, намного обогнав мутации и изменчивость. Именно появление интеллекта объясняет быструю эволюцию человека, а не слепые мутации. Отбор по уму, а потом уже подстраивались гены.

Но у этологов есть и пессимистический вывод: непреодолимость агрессии, как основной тенденции в эволюции (см. «Об агрессии» Конрад Лоренц, 12 изданий за шесть лет! Но на русский не перевели, «биологизма» коммунисты не допускали). Правда, у животных существует так называемая «канализация» агрессивности: ритуал переключения, отвлечения, изоляция конкурентов. И даже преодоление барьеров от различий сообществ через знакомство и помощь. Оказывается, и соревнование есть, причем даже у насекомых. Но главное все же *доминирование и подчинение*. Оно есть уже у бактерий! — клетки разделяются, слабые гибнут, происходит их химическое разложение, и это дает пищу сильным, выживающим.

Отсюда важный вывод: *иерархия неистребима, равенство невозможно*. Но бывает и смягчение рангов, и даже преодоление на кооперативной основе. Подчиненные особи могут формировать «коалиции» для ограничения власти вожака вплоть до его свержения. Доминан-

ты в стае бывают разные в разных видах действий: битва, передвижение, добывание пищи. Для каждой ситуации своя система отношений. Муравьи могут менять свою «профессию»: разведчик, фуражер. Так же, как у людей — переменные роли.

Есть механизмы координации в стае: отношения меняются от воздействий вожака, от местных контактов, от взаимной стимуляции через некие неопределенные (химические?) влияния или даже модные теперь биополя.

Этологи представляют материалы, в которых можно найти факты обоснования демократии, анархизма, социализма, олигархии элиты, не говоря уже о деспотизме (сводка в книге Somit A, Peterson. № I, 1978). То есть в животном мире возможен плюрализм власти, причем даже у одного вида, в зависимости от ситуаций (и самоорганизации)! Как специально для людей: не закреплено в природе жесткого политического строя! В частности, возможны общинные, кооперативные организации в сочетании с иерархическими структурами. Это важно для социальных технологий, чтобы не быть в плену ни одной ортодоксальной идеологии.

К. Лоренц пишет, что у животных могут разыгрываться все человеческие страсти: любовь, ревность, ненависть, дружба, верность, измена, «кланы», похищения детей, сексуальные насилия, детоубийство.

В коллективных действиях бывают две системы: авторитарная и демократическая. В разных ситуациях каждая имеет преимущества: демократическая раскрепощает инициативу и увлекает к кооперации, в «спокойных» условиях существования (земледелие) авторитарная разрывает дружеские связи, но эффективнее управляет при острых ситуациях — войны.

Биологическое (то есть от материализма!) происхождение общества не облегчает проблему: как им управлять, чтобы было счастье и чтобы оно было прочным. С материализмом даже труднее: на Бога надеяться нельзя.

В то же время биология ограничивает возможности управления обществом: все «технологии», как минимум, нужно бы проверять на биологичность. Творчество — вещь великая, идеологии можно придумать какие угодно, можно их распространить через ТВ, можно даже получить иллюзию, что они привились, переделали человека, но не надо поддаваться обманам. Потребности можно изменить только на 20—30 процентов. И то не очень стойко: сдвинь шкалы «платы», и он вернется — «человек биологический». Двадцатый век кончился, сколько было новаций — и социализм реальный, и фашизм, и всякие другие системы «гуманизма», а посмотрите, что творится?.. Смертную казнь запретила царица Елизавета, и запрет держался 20 лет! И это в варварской, неграмотной России восемнадцатого века. Значит, честные люди Бога боялись. Но в ХХ веке были ГУЛАГ и Освенцим, жертвы измеряются десятками миллионов. Да и сейчас бытовых зверств столько, что народ не хочет отмены смертной казни. Впрочем, в Ветхом Завете жестокостей не меньше, если отнести к населению. Все это не настраивает на оптимизм в оценке людей.

Позволю себе повториться и перечислю биологические потребности человека, относящиеся к теме общество, идеологии и пр. Они были приведены в табл. рис. 17.

На первое место я поставлю *лидерство*. Есть у некоторых людей — лидеров — страсть: объединять, командовать, организовывать, нацеливать окружающих на какое-то дело, неважно на какое, но — особое и трудное. Быть при этом первым, чтобы все признавали, уважали, хвалили. Такой деятель готов за это и «живот положить». У настоящего лидера сильный характер, способности, скажем осторожно, неплохие, но не обязательно блестящие. И главное — умение себя показать. Теперь это называется «харизма». Вообще лидерство есть у каждого, но обычно его мало, только для самоутверждения, чтобы защитить себя, сохранить достоинство.

Но есть, и тоже у всех, и противоположное качество: идти за лидером, включиться в команду, даже слепо следовать за авторитетом, куда поведет. Называется: *подчиненность*. На этих двух качествах, лидерстве и подчиненности, строятся *авторитарные группы* с одной вершиной и пирамидой подчинения: из уважения, но при случае и палкой! Соответственно, ее Кол-

лективный Разум, КР, строится по авторитарному типу.

Другое важное качество, конкурирующее с первыми,— *коллективизм*. Основан на общении, симпатиях, альтруизме, перевоплощении. Всю компанию, коллектив можно замкнуть на дело, которое интересует всех,— пища, защита, «открывание истины», мало ли что еще. Даже у каких-то земляных букашек, перекапывающих землю, забыл для чего, описан «эффект группы»: вдвое больше нарабатывают, чем тем же числом, но в одиночку. Лидерство здесь тоже проявится, но «мягкое», от способностей, без палки. Называется «неформальный лидер». (Представьте себе: такие бывают и в стае животных, параллельно с жестким вожаком!)

Третье качество — *принадлежность* к группе. Не только участие, но разделение целей, трудов, скорбей и судеб. Чем теснее группа, даже физически теснее, тем сильнее это чувство. Яркие лидеры этому мало подвержены, но большинство — да. Особенно когда собирается толпа, масса. «На миру и смерть красна». Чем больше общности и связей, работ, цели, положения, тем прочнее принадлежность. Даже если разобщены расстояниями. Происходит как бы растворение в группе: все свои потребности — в пище, в защите, в агрессии, в целях — подчиняет человек интересам группы. Она как бы сама становится «личностью», со всеми ее индивидуальными потребностями.

Идеалы группы провозглашают лидеры — формальные или неформальные.

Личные отношения людей в группе состоят из притяжения и отталкивания, с добавлением стремления занять место повыше. При этом нужно соблюсти отношение «лидерство / подчиненность» и оборонять свой статус от конкурентов. И всем вместе членам дорожить принадлежностью к группе, действовать вместе, получая от этого личную выгоду. На соотношении этих межличностных и коллективных интересов и создается группа с распределением ролей.

Отношения в группе реализуются через механизмы самоорганизации. Есть генетические качества психики у персонажей, плюс изначальные психологические установки, есть случайность первых соприкосновений, впечатления, импульсивные действия. На них ответы — обратная связь, все закрепляется в памяти. Еще случай, еще повтор, еще прибавление в память, смотришь, уже тренировка первых, очень часто — неверных действий. Они уже наметили дальнейшее «К» или «От». Так и идет: случай, память, вектор направления, еще случай и уже бифуркация отношений. Еще память, тренировка — и это уже структура. Все, как те узоры на окнах от мороза. Впрочем, не будем преувеличивать: самоорганизация не безнадежна. «Его Величество Разум» может помочь в организации. Придумано даже название: «социальные технологии» (слово «технологии» вошло в большую моду, всюду его толкают!)

Параллельные группы «одного уровня» ведут себя как люди: испытывают друг к другу те же чувства и взаимодействуют с теми же мотивами. То есть или действуют совместно, или образуют пирамиду частичного или полного подчинения, уступая притязаниям на лидерство самым активным. Впрочем, сочетания обеих моделей тоже часто встречаются.

К сожалению, толпа одинаковых людей способна на протест и драку, а создавать ничего не может (!). Да, да… а как же демократия? А так, как мы видим: чтобы демократия в масштабах страны заработала, народу нужно оч-ч-чень долго созревать. И без этих самых «структур» в форме властей, партий, где роли расписаны, все равно обойтись не удается. Правда, разум у демократов скорее коллективный, с примесью неформального лидерства. Но и авторитарный Разум включается, когда дело доходит до серьезного: воевать, «быть или не быть».

Дружба и вражда действуют одинаково на уровне малой группы и в отношениях пирамиды из групп. Этологи сосчитали, что эгоизма в мире больше, чем альтруизма. Таков Инстинкт: нужно сохранить себя, тогда только останется возможность сохранить группу. Исключений мало, только для детенышей самого юного возраста.

Но если бы был один голый эгоизм, агрессивность и «человек человеку волк», то не устоял бы мир. Что-то здесь не так! А вот что: разум и компромиссы. Во всех семьях и группах ссорятся, но не везде дерутся и, тем более, смертным боем. Во всех ФА есть элемент «планирование» и там обязателен расчет альтернатив и выбора пути в бифуркациях. На том и держимся. На компромиссах. И на «маленьком альтруизме». Если эмоции гнева его не захлестнут.

Еще существует кооперация: взаимопомощь и распределение ролей для коллективных действий. Смысл ее в расчете выгоды от совместной работы, так же, как проектируются компромиссы, но с добавлением чувства коллективизма («эффект группы»!) и альтруизма. (См. Axelrod R.)

В общем: люди как животные. Но умнее. Страны как люди, к сожалению, не как самые умные. Но есть надежда на НТП, рост экономики и науки. Она прибавит разума странам. В том числе и через ИИ.

Вот как все выглядит отлично… Умилительно даже. Если бы не глобальные проблемы. Их ведь наука породила, сомнения нет. Без человеческого разума биосфера на земле спокойно дожила бы до большого космического столкновения. Я-то думаю, что она и теперь доживет, но вероятность не стопроцентная и требует серьезного обсуждения.

КОДЕКС СТАИ

Подытожу этологию сводкой правил «этического кодекса стаи», прародительницы общества людей.

1. Каждый член стаи ведет самостоятельную жизнь, замкнутую на природу и частично — на семью. Он добывает пищу, размножается, заботится о потомстве, защищается от врагов и непогоды. Тем не менее, выполнение этих функций идет с учетом присутствия других членов стаи, сочетается с общением.

2. Несомненно, встречается дружба между равными по положению.

3. Существуют и истинные коллективные действия. Чаще всего они носят характер агрессии в процессах охоты и нападения или обороны

от другой стаи. Эти действия обязательно возглавляются вожаками.

4. Идет непрерывная борьба за партнеров для семьи, за место в иерархии. От нее зависит удовлетворение «личных» потребностей. Ссоры часто доходят до драки, но никогда — до убийства. Чаще они разрешаются в ритуальных действиях, позах, звуках. Всегда прекращаются при возникновении общей опасности. В таких случаях берет верх потребность объединиться и подчиниться высшему авторитету.

5. В стае существует деспотическая власть вожака, завоевывающего и удерживающего свое место в борьбе с конкурентами. Вожак поддерживает порядок с применением силы в отношениях «сограждан», но он же и показывает пример храбрости и самоотверженности в трудных ситуациях.

6. Параллельно с вожаком существует иерархия ролей, доминирования, со знаками подчинения старшим «по чину». Но среди молодых самцов часто встречаются группы равных, стоящих в оппозиции к высшим и вожаку.

7. Все особи, принадлежащие другой стае, то есть чужие, являются врагами. С ними ведется смертельная борьба. Так же защищается своя территория с энергией большей, чем при собственной агрессии.

8. Детеныши и слабые оберегаются всей стаей.

9. Существует справедливость обменов при индивидуальном общении: ласками, услугами, но также и угрозами. Действуют обратные связи.

10. Программы взаимоотношений отрабатываются в играх.

Все правила поведения обеспечиваются соответствующими потребностями и чувствами, заложенными в генах.

Насколько изменился человек, уйдя от животных? Насколько общество изменило его биологию, предложив информацию, технику, организацию, идеологию? Мнения ученых в этом вопросе диаметрально расходятся. Одни считают, что современный человек отгорожен от предка непроходимой пропастью. Так утверждает, прежде всего, христианство. Другие, как Фрейд, например, полагают человека тем же животным,

каким он был в «орде». По существу, вопрос сводится к двум пунктам: а) насколько можно изменить воспитанием активность центров врожденных потребностей и б) можно ли создать «искусственные критерии» для разума (для поведения) и какова будет их активность в сравнении с естественными потребностями. Под искусственными критериями я понимаю *убеждения*, привитые идеологией общества.

Проблема воспитуемости исключительная: от нее зависит быть или не быть человечеству. Я много копался в литературе, но вразумительных ответов не нашел. Причина разнобоя мнений: отсутствие целостной гипотезы о составе личности, не говоря уже о механизмах разума. Соответственно, не могло быть и целенаправленных исследований со стороны психологов и социологов. Именно поэтому я когда-то и запустил в «Литературной газете» свою «психологическую» анкету для экспертов.

Рискуя повториться, резюмирую — каков он, «человек биологический», если коротко? Он описывается основными животными потребностями, «личными» и общественными, выраженными в чувствах. Некоторые из них представляются шкалами, на полюсах которых находятся качества противоположные. Например, эгоизм — альтруизм, жадность — доброта, агрессивность — терпимость, трусость — храбрость. Расположение точек на шкалах очень различно и оно определяет тип. Есть «такие и такие». Но в среднем человек, в сравнении с другими животными, выглядит неважно. Он агрессивен, жаден, сексуален, эгоистичен. Правда, не труслив, любопытен, способен к азарту и риску, когда сопротивление желаниям и действиям мобилизует эмоции и напряжение... Увы!.. одновременно лишая части разума. Но самое главное: он обучаем и воспитуем. И не только в тех 25%, что присвоили ему наши эксперты, но еще на 30% за счет тренировки «убеждений» — полезных для сожительства словесных формул идеологий, которым его обучает общество (интересные данные о первобытных людях приводит В. Р. Дольник в серии статей в «Знание — сила» за 1994 г., №№ 2, 3, за 1995 №№ 5, 6 и «Природа» за 1993 г. №№ 1 и 2).

ПРЕДЫСТОРИЯ ИДЕОЛОГИЙ

Стая закончила формирование «человека биологического», причем в двух разных вариантах: «мирного творца и работника» и «лидера — захватчика и грабителя».

Творческий разум способствовал превращению стаи в качественно новую систему — общество людей. Оно, еще до цивилизации, научило человека примитивной речи, изготовлению орудий и добыванию огня. Жить стало легче, стая возросла в размерах, но усложнилось управление. Появилась властная элита. Тут же возникли элементы специализации труда и первые ремесленники. Потом и предприниматели. Вместе с ними — торговцы.

Агрессивность человека не уменьшилась, изобретение языков еще больше отделило своих от чужих. Войны стали более жестокими. Появились пленные, рабы. Говорят (В. Дольник), что и людоедство было изобретением, а не природным качеством людей. Между тем к собирательству и охоте добавилось земледелие, а потом и скотоводство. Развитие сообществ шло неравномерно, влияли условия и... лидеры. В том числе — агрессивные. Грабеж, захваты чужих земель, их богатства и рабов стали основным средством становления и расширения государства. Территории превратились в царства. Чтобы держать порядок, понадобились законы, заменившие первобытные «табу» и закреплявшие справедливость обменов: жертвовать частью свободы ради безопасности. А чтобы законы были одинаковые для всех подданных, нужны знаки и письмена.

Может быть, этот момент стал началом цивилизации: сообщество обрело собственную память, не зависящую от личных разумов старейшин и жрецов. Да, чуть не забыл о важном приобретении социальной эволюции: Боги! Они сопутствовали человеку, может быть, с первых изобретенных им слов. Так же как и попытки изобразить, нарисовать то, что видит. Искусство всегда было рядом с религией и идеологией! Вместе они обслуживали власть и богатство.

В общем, до цивилизации все шло от генов, от стаи. Не случайно же в разных уголках планеты народы шли через одинаковые этапы. Всюду были цари, боги, рабы, заповеди (потом «кодексы»). Даже вооружение однотипное: луки, копья, мечи, палицы, пращи. Одинаковы и эпохи: палеолит, неолит, бронза, железо... Нет, я не собираюсь писать историю, нет ни эрудиции, ни места в книге. Перечисляю все это с одной целью: показать генетические корни культур.

Но вот языки оказались разные, значит, каждый народ изобретал свое видение мира, в генах не предусмотренное. Так же и письменность. Так же и семьи. Потому что в генах человек больше развратник, чем однолюб. Самоорганизация закрепляла одну из форм брачных отношений, выросших из альтернативных потребностей, и вписывала ее в заповеди. Получается, что новый этап истории общества уже украшен индивидуальностью от творчества. Хотя КР сначала лишь повторял все атрибуты индивидуальных Функциональных Актов, сформировавшихся еще в мозге животных. Только прибавилось памяти, особенно с появлением письменности, то есть с «обобществленными» моделями, с сохранением информации.

Рост материальной культуры шел разными темпами. Поэтому цивилизации, из примерно похожей дописьменной стадии народов, вырастали совсем не закономерно. Больше того — вырастали как исключение. Народов и языков на планете сотни, а цивилизаций А. Тойнби насчитал всего 21. Кажется, я уже упоминал о его гипотезе: «вызов и ответ». Очень подходит к самоорганизации! Думаю, что важнейшую роль в создании цивилизаций сыграло не трудолюбие, а агрессивность.

Вместо переписывания истории ограничусь *ключевыми словами*. Расслоение в первобытном обществе. Правители и элита. Захватчики и жертвы. Жрецы и философы. Купцы, промышленники. Ремесленники. Крестьяне. Рабы. Самоорганизация идей — уже Греция дала набор философских школ: атомисты, Платон, Аристотель, скептики, киники, циники, стоики, эпикурейцы...

ОТКУДА БЕРУТСЯ ИДЕИ?

Любые: о разуме, человеке, обществе, Боге, о самих идеях? Почему они столь различны? Это только кажется, что идеи берутся из ничего. И то, что часто они взаимоисключающи, еще не говорит о спонтанном творчестве

Утверждаю: под всеми идеями о предметах, что перечислил, лежат или биологические потребности (в их крайних пунктах?), или элементы Алгоритма Разума, или сочетание того и другого. Прямо как по Юнгу: «коллективное бессознательное».

Создание идеи проходит через такие этапы:

а) Творец идеи, через механизм сознания, должен выделить в окружающем мире некое качество или явление.

б) Усилить его модель, связав с потребностью.

в) Поставить в ряд других явлений через гипотезы об их связях.

г) Обозначить все словами, записать в память.

д) Натренировать повторением.

е) Убедить какую-то группу людей, что это — истина, использовав авторитет или подражание, или недовольство своим положением в обществе.

Процесс закончен: идея материализовалась для самостоятельной жизни в умах. Стала «геном» в культуре, в геноме общества — этой надбиологической структуре. Как и «живой» ген, он может долго храниться невостребованным, пока не изменятся обстоятельства в обществе и не активируется потребность, которой он созвучен.

Постараюсь пояснить свою мысль примерами.

Материя или Бог? Первое: материализм есть плод примитивного опыта общения (через глаза и руки) с предметами практического человека: материал, энергия, причина-следствие. Кое-что при этом остается непонятным, но не много, границы его уменьшаются, можно рассчитывать, скоро объяснится и это: вера материалиста нацелена на оптимизм.

Идея наоборот: «Все создал Бог». Я об этом уже писал: распространение в бесконечность причины в идее причинно-следственных отношений, к высшей силе, плюс потребность в вере и авторитете — от биологии — от подчиненности родителям и вожакам.

«Высшие силы», основание религий, тоже можно придумать разные. У иудеев, христиан и мусульман «живой бог» — как человек. У буддистов некая нематериальная сила, у китайцев от Конфуция — дух предков.

Или возьмем «бессмертие души». Да, оно существует, если есть Бог или другое «нечто», потому что не может разум примириться с уничтожением жизни. Наоборот: «Нет души» — это когда признается только голая материя: тогда душе просто нет места.

Идея о равенстве: «Всем платить поровну». Исходная мысль — элементарное наблюдение — люди физически одинаковы по потребностям тела, поэтому имеют право получить равную долю в продукте труда всего сообщества. Отсюда пошла идеология социализма: коллективный труд, распределение его продукта поровну.

Противоположная идея: силы и возможности работать у людей совершенно различны, значит, и получать должны разно. В этом — источник идеологии капитализма: частная собственность, индивидуальный труд, предпринимательство. Соревновательность — рынок.

То же касается власти: видно сразу, что бедный и необразованный управлять не сможет, ума не хватит. За это же говорит опыт стаи. Сила и умение есть у богатых и знатных — им и власть, и права на выборах. А бедным не давать голосовать, они дела не понимают и к тому же налогов не платят. Царь тоже годится для власти, если к богатству и силе прибавить Бога: для простого народа важно — «помазанник». Но демократы говорят наоборот: идут от равенства людей, наблюдают унижение слабых от вожаков, протестуют и требуют равенства — демократии.

«Мир неизменен?» или «все течет»? Это от наблюдений, исследований: смотря как посмотреть, что взять за обобщенную идею: относительное постоянство и повторяемость или наоборот — изменчивость, динамичность. «Все возвращается на круги своя», но если точно измерять, то и не совсем к прежнему уровню — изменения безвозвратны. «Стрела времени».

Или еще: Аристотель о человеке: «Общественное животное»... А христиане: «по образу и подобию», если этот образ уже создан в воображении и принят за истину.

Но я не буду продолжать, впереди еще придется касаться многих идей. Скажу лишь, что уже великие Греки всю философскую кухню противоположных идей показали блестяще. Нет, не удержусь, приведу слова, как греческие философы разных школ пикировались друг с другом. Стоик Эпиктет об Эпикуре: «Вот жизнь, которую ты объявляешь стоящей: есть, пить, спариваться, испражняться и храпеть». (Цитирую по Б. Расселу.)

Вывод: *истинность идей* всегда *сомнительна*, поскольку противоречивы сами потребности, от которых идеи возникают и оцениваются, а механизмы и недостатки разума авторов идей и публики не обеспечивают проверки ее по важным критериям, не говоря о сомнительности любых критериев. Скажу больше: идея — это модель, а из сложной системы можно извлечь бессчетное число моделей. Все дело — каким масштабом мерить. В случае идеологий — измерение потребностями. Но они противоречивы.

Правила морали, то есть отношения людей, заповеди, сформировались еще в первобытный период человечества. Потом они мало менялись, поскольку в них заложена база потребностей, необходимых для самого существования сообщества. Действительно, что возразишь против таких правил: не ссориться, и уж тем более не убивать своего, не враждовать из-за женщин, не красть, не лгать, уважать родителей и любить детей. Но... «Око за око» или «прощать грехи» несовместимы — так и осталось, как след от бифуркации развития идей.

То же и надстройка повыше: идеи об идеях, идеологии оказались очень изменчивы: власть, собственность, Бог — разные в разных странах. Здесь действует самоорганизация.

САМООРГАНИЗАЦИЯ ОБЩЕСТВА

Никак не могу обойтись без моделей! Поскольку я уже сказал, что явления самоорганизации и сложность биологии не позволяют рассчитывать на точные модели биологических систем, то и ограничусь самой упрощенной моделью общества — только для того, чтобы иллюстрировать качественные явления. Она показана на рис. 19.

Схема предназначена для абстрактного общества — годится для капитализма и социализма. Состав модели. Крупные прямоугольники: «Правительство», «Фонды» (производства). Бюджет. Аппарат. «СМИ» и три укрупненные социальные группы: «Управляющие» — годится для чиновников от партии и менеджеров от капитала, «Специалисты» — в широком смысле слова, «Работники». Уточнять не стану — иначе нужна новая схема. Смысл выделения групп: оттенить качество ролей в обществе — в любом.

Модели каждого большого квадрата рассматривались отдельно. Вот их состав: а) Собственность — доход; б) Культура; в) «Притязания»; г) Потребности; д) Убеждения; е) «Культура»; ж) УДК (для правительства — небольшие вариации?). «Входы»: доход, «культура», «идеология», «ограничения».

«Выходы»: «труд», «накопление капитала», высказывания и поступки, УДК, Убеждения, Отношения: (+ или −) к правительству, другим группам.

Вспомогательные — малые квадраты: «СМИ — поле идей», «Производство, торговля». «Фонды», «Собственность государства», «Распределение».

Обозначения на длинных внутренних связях: «Труд». «Доход» (деньги). «Отношение» («да», «нет»). «Ограничения». «Управление». «Информация». «Идеологии» — спектр.

Внешние связи: «Торговля». «Инвестиции». «Международные отношения» (политика).

Чтобы превратить схему в модель, нужно наполнить ее цифрами. Создать шкалы, зависимости,— все это возможно. В свое время, двадцать лет назад, я упражнялся в этом: Пока не

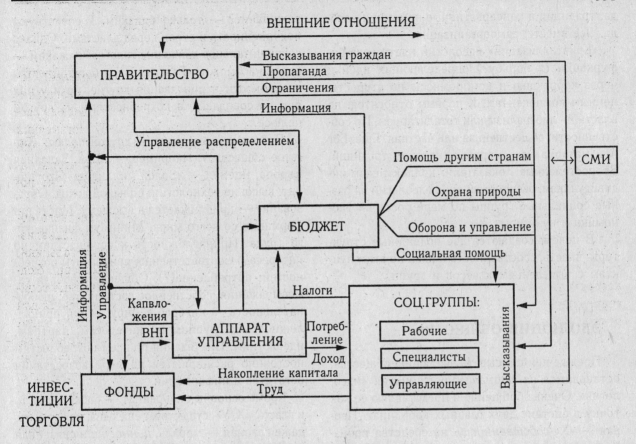

Рис. 19. Модель государства

вник в суть дела: бесполезное занятие — каждый квадрат — самоорганизующаяся система. Поэтому я это делать больше не стану.

Есть исходная официальная идеология — распределение власти и собственности и состояние страны (власть, экономика и культура). Под них существуют социальные группы: их удельный вес, собственность, культура, права, вариант идеологии. Потребности, задействованные в группах, и их насыщение — различны. Отсюда — противоречия, даже враждебность социальных групп. При этом каждая выбирает из «банка» альтернативных идей, циркулирующих в обществе, одну компромиссную между собственными потребностями и господствующей идеологией всего сообщества. Результат: общество — как мозаика групп, спектр идей и карта отношений, пропаганда в пределах регуляторов государства: от «координаты» власти.

Далее: пропаганда. Распространение идеи, при наличии «почвы» в потребностях большинства населения. Следует эволюция (или революция) управления — под новую идею: сопротивление и успехи. Идет перераспределение народа по социальным группам, как результат новой экономики, культуры, технологий и власти. Еще следствие: перераспределение активности потребностей в разных социальных группах.

Идет время. Проверяется эффективность новой идеологии. Возникают новые запросы на другие идеи, созвучные уже новому состоянию общества: экономика, культура, идеология, социальные группы — перераспределение потребностей. Отсюда берет начало новый виток эволюции идеологии (или коррекции прежней). Не все гладко: действуют тормоза процесса эволюции — лидеры, группы, подидеи, контрпропаганда, традиции и консервативные привычки народа. Все вместе: самоорганизация.

«Кристаллизация» идеологий идет через бифуркации (и борьбу?) определяющих идей и через коррекцию и компромиссы по второстепенным компонентам. К первым относятся: по власти — либерализм или тоталитаризм. По собственности: общественная или частная. Еще: Бог или материализм, мораль. Значение традиций. Второстепенные показатели: коллективизм-индивидуализм, распространение идеологии на разные социальные группы по мере роста их экономики и культуры.

В целом: создаются две подвижные структуры: власть, собственность и идеи по этим пунктам с выделением классов и групп.

ЭВОЛЮЦИЯ ОБЩЕСТВА

Прежде чем описывать эволюцию общества, остановимся на формализации понятия «идеология». Очень обобщенно я представляю ее как точку в системе двух главных координат. Первая — «Х»-собственность на средства производства в виде процентов частной и государственной. Есть корреляция с неравенством. Вторая — «У»-координата власти — по условной шкале «процента свобод и прав» — от тоталитаризма до плюралистической («народной») демократии.

Третья координата, «Z», собственно говоря, не является идеологической, но тем не менее она — самая важная. В ней отражен уровень экономики, например, ВВП на душу. С ним коррелирует много показателей, влияющих на идеологию (Х и У) и прежде всего богатство, уровень образования и характер труда. Они определяют распределение и значимость потребностей и притязания. Например, «самое бедное» общество. Культура — минимум. Неграмотность. Расслоение по доходам — огромное. Порядок в уменьшении значимости потребностей (для абсолютного большинства народа): голод — еда, семья, безопасность, общение — в очень узком кругу. Притязания: выжить ценой тяжелого труда. Свобода? — абстракция, нет притязаний. Сопереживание? — только близким. Господствуют подчиненность и страх перед властями. Однако сокрушительное движение толпы за вожаком — вполне возможно. Разумеется, у богатой элиты потребности и притязания другие, но и у них они не совпадают с потребностями на другом полюсе.

Вот он как выглядит — другой полюс: «Богатое общество». Например — США, Западная Европа, Япония — «Золой миллиард». Это значит: высокие технологии, большой доход. Образование — приближается к высшему. Масса информации со всего мира. Минимум физического труда. Принадлежность к сообществам по интересам. Соответственно, приоритеты потребностей: потребление(?). Общение, свобода самовыражения, собственное достоинство, любознательность — интерес к миру; вещи, принадлежность к группам по интересам, партиям, идеологиям. Притязания по всем потребностям постоянно расширяются по мере возрастания богатства и информации

Кроме основных координат — собственность и власть, «Х, У», существует еще одна, может быть, даже главная — мораль, ценности и связанная с ней — религия. Условная шкала (для измерения) — показатели преступности и благотворительности. Мораль касается богатых и бедных обществ (стран?), хотя основания для нее — различные. Для бедных — только Бог, религия и традиции. Для богатых — еще и, может быть, даже главное — культура, историческая память.

СОДЕРЖАНИЕ МОРАЛИ

По пунктам, с противоположными «полюсами». Знак плюс (+) работает на приращение координаты Z (экономика), минус (–) тормозит прогресс

1. Мораль: заповеди от Моисея и дополнение от Христа: непротивление злу насилием, доброта и всепрощение. Ценности заповедей менялись в ходе развития общества. Совесть, долг, честь — не кради, не лги — остались, тем более — «не убий», а супружеская верность отошла на задний план. Впрочем, все относительно:

«из высших соображений» общество может отпустить любой грех. Социология может мораль измерить.

2. Вера в Бога (+) или материализм (−). Иначе: материальное — деньги, доход, вещи, или духовное — от религии или от идеи. Есть такое полезное качество: «идейность», даже марксистская.

3. Психологическая установка: на труд (+) или на отдых и развлечения (−). Сюда же — выбор пропорции: «тратить(−) или копить (+)».

4. Преимущество личного (+) (идет от богатых и сильных) или коллективного — от бедных (−).

5. Терпимость (+) или агрессивность (−) — в отношениях личных и групповых. Однако — установка на конкуренцию (+) или на кооперацию. Впрочем — возможен компромисс (+,−).

6. Объем притязаний: большие (+) — стимулируют напряжение. Малые (−) — расхолаживают.

7. Смирение или недовольство: удовлетворяться достигнутым (−) или стремиться к большему (+).

8. Вопрос о коллективизме — не ясен: полезен для трудящихся и не нужен хозяевам. Все же скорее (+), чем (−).

9. Дисциплина: законы соблюдать (+) или нарушать (−).

Важное замечание: различны приоритеты как самих пунктов, так и их противоположных значений. Иначе говоря, есть: «пункт» и его «знак», у каждого — своя «сила», значимость. В каждом обществе, в каждой группе и даже у каждого человека есть свой «рейтинг», расклад заповедей и ценностей по их «силе»: абсолютные, более важные и менее важные.

Выбор диктуется многими обстоятельствами: приоритетами личности, семьи, группы или государства, а также конкретными условиями и обстоятельствами жизни. Изменчивость показателей весьма большая, особенно — в личном плане.

Есть *обобщенные показатели морали* и оптимальности ценностей — Преступность. Трудовая этика. Коррупция. Благотворительность. Религиозность.

Я так подробно остановился на морали и ценностях потому, что они являются базой для любой идеологии. Если в обществе низкая мораль и превалируют отрицательные ценности, то даже оптимальную идеологию невозможно реализовать с пользой.

Главным «выходом» общества (?) является «труд», производство и потребление, соотношение которых выражается в динамике экономики — ВВП на душу населения. Все эти показатели являются результатом деятельности всех основных групп общества, причем главная роль принадлежит «управляющим», потом — «специалистам» и на последнем месте — «работники». Именно в этом лежит корень проблемы производительности: идеологии («Х» и «У») определяют распределение продукта, а следовательно — ту самую «плату», которая является стимулом труда.

Для иллюстрации различий в эффективности стран отсылаю к таблице сравнения бедных, средних и богатых стран по данным ООН, представленной на стр. 346.

Собственность и *лидерство* — вот главные мотивы труда. Разница особенно велика в «богатом» обществе, потому что оно обеспечивает «фонды» — технологию.

Одновременно обеспечивает обилие товаров, стимулирует «материальные потребности» и «притязания» — в том числе и у работников. Вместе с прогрессивной оплатой это(?) приводит не только к напряжению труда у «сильных» типов, но и понижает УДК (у всех работников), за счет «зависти» к богатым.

Низкое УДК — это недовольство работников. Оно формирует другой «выход» их группы — протест, «высказывания» против «управляющих»— эксплуататоров, а потом и против правительства. В бедных обществах, с низким уровнем свободы, высказывания протеста блокируются полицейскими мерами, таким путем искусственно поддерживается устойчивость. В то же время низкий уровень образования «работников» в бедном обществе ограничивает распространение и углубление демократии: это может привести к потере устойчивости и прямо затормозит приток капитала от богатых стран.

Без капитала выход из бедности замедлится (исключение составляют бедные страны с большими природными ресурсами — у них есть шанс).

СОЗРЕВАНИЕ ОБЩЕСТВА

Мне очень нравится термин «созревание» — общества, идеологии, цивилизации. В нем динамика и прогресс, как будто растет дерево или ребенок. В перспективе, к сожалению, маячат увядание и старость. И даже смерть. Но ведь это как посмотреть, что считать системой для фатального отсчета: клетку, организм, гражданина, государство, цивилизацию или все человечество и даже разум для Вселенной.

Идея созревания общества очень распространилась в последние десятилетия среди ученых-технократов и философов. Достаточно перечислить термины: «индустриальное» (Ростоу), «постиндустриальное» (Bell D.), «Открытое» (К. Поппер, Сорос), «информационное», «гражданское» (Гельнер Э.). Содержание каждого не очень четко очерчено, но отражает идею эволюции общества, идущей не от философов, а от НТП. Правда, марксисты оставались верны своему старому противопоставлению: «империализм — коммунизм», но это уже история.

В связи с этим: сложные отношения разума и биологии. Конкретные обезьяны (или волки) смертны, умирают не состарившись, а стая, в принципе, бесконечна. Воспроизводство компенсирует относительное старение ее членов, а память у стаи короткая, не накапливает вредной информации, способной повредить биологии. Разум мал, не может существенно помочь, если условия ухудшились, но и не повредит созданием вредного поведения. Однако даже в биологии открылась «стрела» — эволюция видов не только от мутации генов и изменчивости, но нового фактора «накопления разума и творчества». Примеры — японские обезьяны, о которых я уже говорил, и еще — новое: английские синицы научились открывать колпачки из фольги на бутылках с молоком, которые разносчики оставляют в подъезде домов. Изобрели — и способ быстро (за несколько лет) распространился повсеместно, так что пришлось изменять упаковку. Об этом сообщалось в журнале «Сантифик Америка» в начале 90-х годов. Именно подобные примеры облегчили понимание вопроса: почему человек так быстро дошел до «разумного»? Секрет — не только в увеличении объема коры — «от мутаций», но и в возрастании разума, который стал фактором отбора благодаря обучению сородичей. Интеллект, как таковой, ускорил отбор. Добавьте к этому агрессивность, и вот результат — кроманьонцы быстро расправились с неандертальцами.

Другое дело современное общество. Поколения, разум, творчество, накопление информации и новых вещей все время вступают в противоречие с природой. Правда, отдельная людская стая не погибает, но счастья нет, а на горизонте глобальные проблемы для самой высшей системы — человечества. Все равно что живет больной (с болезнью Альцгеймера, например, как у Рейгана!): еще ест и ходит, и газету читает, а патология съедает мозг, и конец все равно придет.

Странное положение: Разум общества старается прибавить ему жизни и счастья «на сейчас», а на дальнюю перспективу виден только вред.

Нет, наверное, я не прав — не только вред. Если смотреть еще дальше, то это вечная жизнь через расселение в космосе. Но нужно успеть: не умереть человечеству, пока не расселимся... Ладно, оставим фантазии.

Собственно говоря, пути созревания идеологий (для вечности человечества?) уже видны. Они выглядят довольно прозаично: расширение демократии, разные формы собственности, вмешательство государства в экономику и социальную защиту, в образование, науку, здоровье, природу. Контакты стран. Международный порядок, обеспечивающий прогресс и стабильность отношений с природой. При сохранении Бога. Все вместе: созревание общества.

На рис. 20 показаны характеристики созревания общества, выраженные рядом показателей. Все хорошо! Человечество движется куда следует! Для каждой бедной страны очень заманчиво: есть надежда стать цивилизованной.

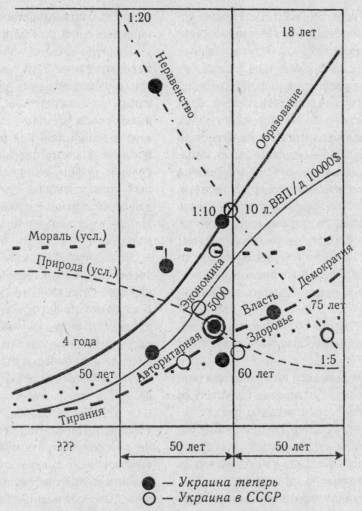

Рис. 20. Динамика созревания общества

● — Украина теперь
○ — Украина в СССР

К сожалению, это только взгляд сверху. В действительности все гораздо сложнее. Если сказать предельно просто, то система «страны — человечество — планета (биосфера)» несбалансирована. Биология человека необуздана. Самоорганизация, скажем осторожно, малоуправляема. Проблемы остаются. Главная — трата ресурсов. Люди проедают запасы энергии, что сделала природа за миллиард лет, превращая их в углекислоту и ожидая от этого изменения климата. Население растет быстрее, чем производство пищи, и угрожает остальному живому миру — животным и растениям. Мир между странами не гарантирован. Вон Хаддингтон уже предвидит «войну цивилизаций» западной и восточной. Правда, не очень убедительно. О счас-

тье граждан говорить не приходится — уже миллиард людей недоедают, а сто миллионов — голодают. Это наряду с «золотым миллиардом» богатых. Не ясно еще, что обещает культуре распространение электронной информации. Получается: проблемы человечества не решены и задачи для разума остаются (см. по этим вопросам статьи и книги академика Н. Н. Моисеева. Увы! — уже покойного...).

Разум — это идеологии: повлиять идеями на биологического человека через устройство общества и воспитание. Идеи, в смысле задач «что делать», созданы, я их перечислил. Вопрос в том, как их детализировать и осуществить. Природа человека, развращенная сиюминутным разумом, будет сопротивляться. Об одномоментной переделке всех и вся нечего и мечтать. Нужно управлять процессом созревания. Методика («инструментарий и технологии», как теперь любят говорить ученые!) должна меняться на каждом его этапе, по мере изменения информационной и материальной основы сообществ и стран. При том, что генетическая природа человека останется неизменной (нельзя рассчитывать на массовую генетическую хирургию — это нереально, непомерно дорого). Следовательно, задача состоит в том, чтобы менять отношения, содержание идей, материальную основу жизни и тем достигать необратимости каждого нового шага вперед. Притом не вызвать взрыва. Чтобы (может быть!) дождаться искусственного изменения генов, то есть самой природы человека биологического. Хотя бы выборочно — для будущих завоевателей Вселенной.

Теперь пришло время об идеологии поговорить еще раз, если на нее замыкается будущее человечества.

Идеологией всегда ведали политики. На подхвате они использовали философию, социологию, психологию и лишь совсем недавно подключили к ним (робко!) биологию. Точнее социобиологию и биополитику. Это уже сдвиг в сторону естественных, то есть настоящих наук, имеющих реальные корни в генах, а не в словах.

Как я уже упоминал, идеологию можно обозначить как комплекс идей-моделей, воплощенных в законах, в государственных устройствах и в умах граждан. Оказалось, что, благодаря технологиям добывания пищи и защиты, сообщества могут выживать при самых различных идеологиях. Выживать — да, могут, но живут по-разному. Поэтому законен вопрос оптимизации.

Самые общие *критерии оптимальности* идеологий таковы.

Первый — «счастье граждан», или «благо народа».

Второй критерий — устойчивость против распада в результате внутренних конфликтов или утраты сопротивляемости внешним силам.

Третьим критерием нужно считать «прогресс», выраженный главным образом в технологиях, замкнутых на экономику, удовлетворяющую потребности. Приращение благ, кроме того, необхо-

димо для противодействия адаптации, закономерно снижающей первый критерий — счастье.

Понятие «счастье» очень изменчиво. В принципе, максимум УДК зависит от тренированности и удовлетворения разных потребностей, а также их соответствия убеждениям. Все это является следствием государственного устройства и экономики. Как правило, счастье неравномерно. На кого рассчитывать стратегию? На средние цифры, на «ценные» социальные группы («управляющих», «специалистов»?), на граждан своей страны, а может, на все человечество? На ныне живущих или учитывать будущие поколения?

Ясно, что невозможно удовлетворить все требования в одинаковой степени, поэтому всякие идеологии являются компромиссными, а следовательно, при субъективности оценок индивидуального разума — неоптимальными. Если рассчитывать по максимуму, то нужно идти от сохранения природы, тогда вечно будут: человечество, страны, люди («Пусть всегда будет солнце, пусть всегда будет мама, пусть всегда буду я...» А?). К сожалению, такой подход слишком утопичен. Идеологию реализуют люди, граждане, с их разумом, отягченным недостатками, и с ограниченной значимостью будущего. Отсюда возникает еще требование к идеологии: она должна быть реальной, т. е. способной привлечь людей, противостоять их эгоизму и запросам сегодняшнего дня.

У животных оценки и действия заложены в генах. Идеологии направлены на то же самое, только идут «от ума». Почему же они столь различны? Потому что творчество свободно: человек наблюдает, думает и создает разные гипотезы о самом себе и об обществе, отталкиваясь опять же от избранных черточек биологии человека, различия в потребностях и механизмов разума. Впрочем, я уже об этом говорил.

Вот тут и начинаются бифуркации, крайние варианты, прежде всего в части распределения собственности и власти.

Прошу прощения, я повторюсь: две главные гипотезы.

Первая. Люди равны по потребностям, поэтому собственность и плата за труд должны быть одинаковыми. Естественно и право на одинаковую власть, то есть равенство. Конечно, работать при этом нужно всем вместе, коллективом.

Все бы хорошо, если так, только сильные типы, лидеры — недовольны. Говорят: «Несправедливо!» И работают вполсилы: дескать, все равно платят одинаково. В результате создается неэффективная система. Эта гипотеза породила православное христианство и социализм. Хотя слабых в обществе большинство, но чтобы удержать уравнительность и коллективизм, нужны сильная власть, террор, конечно же — «от имени народа».

Вторая гипотеза. Люди разные по возможностям, они соревнуются, и сильные имеют право иметь больше. То же и власть: право управлять выигрывается в состязаниях. Теперь недовольны уже слабые, они завидуют и борются. Но власть у сильных, и они лишь медленно уступают. Тем более, что всякая власть приятна сама по себе, даже больше, чем собственность. Такая система эффективна: сильные работают во всю мочь, слабые подтягиваются и подгоняются страхом потерять место в иерархии. От этой гипотезы пошли «протестантская этика» в религии, капитализм и все виды авторитарной власти. Впрочем, и демократии тоже, только «усеченной».

Обе гипотезы верны: телесные потребности («еда») одинаковы, а способности совершенно различны. Это давно поняли практики власти, лидеры, воплощавшие идеологии философов. Поэтому и шли на компромиссы: дозировали плату и власть в распределении их между сильными и слабыми. Старались повысить эффективность систем в целом и заодно возвыситься сами. Личные амбиции лидеров всегда были велики, хотя и само дело доставляет им удовольствие.

Другие компоненты идеологий — мораль и ценности имеют значение, может быть, даже больше, чем собственность и власть, поскольку управляют отношениями «ты мне — я тебе». Их биологические корни лежат в этике стаи, но они подверглись обработке адаптацией и тренировкой от общества. И получили выражение в словесных формулах — убеждениях. Причем, с бифуркациями между крайними, но также и с компромиссами.

Я о морали уже говорил, но скажу еще раз. Мораль — это заповеди от Моисея. Не убивай, не кради, не лги, не завидуй, не отбивай чужих жен, чти старших. Трудись. Но так же и «око за око», как отражение биологической справедливости при обменах как ласками, так и угрозами. Нет вопросов! Без заповедей общество тут же развалится от драк. О коррективах Заповедей от Христа я тоже говорил.

Ну а ценности, их можно определить как «значимости»: что более важно, что менее, если приходится делать выбор в действиях. Примерно такая цепочка для приоритетов деятельности: «Я сам», семья, работа, общество, государство. В идеологии: что важнее, собственность или система власти? Культура или деньги? Мораль или политика? Свобода или равенство? Материальное или духовное? Бог или материя? Настоящее или будущее?

Или вот другая система для оценки и тактики поведения: «мое или наше», вместе или порознь, свои или чужие, терпеть или драться, работать или лежать. Верность или измена.

Акценты по ценностям прививаются воспитанием параллельно с содержанием идеологии и морали.

Для всех крайних точек идеологий, морали или ценностей есть потребности в генах, но их распределение среди людей совершенно различно, и у каждого типа личности и индивида свой набор врожденных приоритетов. А идеология общества требует одного стандарта. Чтобы его добиться, используется воспитание. Но его недостаточно, и общество включает принуждение, идя на снижение УДК. Выбор оптимума — вопрос компромиссов: ограничивая одних, прибавляем другим.

БОГ

О Боге следует сказать отдельно. Задан ли Бог в генах? И да, и нет. Да, потому что есть потребность в высшем авторитете: в отце, в вожаке. Нет, потому что для генов Бог чересчур абстрактен. Но это уже дело ума.

А именно: в механизмах Разума заложен поиск — для каждого явления должна быть причина. Возрастал у людей разум, расширялся круг наблюдаемых явлений, поиск причин для них привел к необходимости найти «причину всего сущего». Ее и обозначили словом: Бог. Наверное, это было самое главное изобретение человека. Бог все видит, все оценивает, кому даст, кого накажет. Независимый, неизменяемый, беспристрастный, всевидящий — арбитр. Не как люди — разные и переменчивые.

При этом нет споров о его справедливости. Только верь. *Вера*, между прочим, заложена в механизмах разума, я изучал и моделировал. Но заложено и противоположное — *скепсис*. Боюсь, что он-то нас и погубит: без идеологии невозможно, а любому, самому научному ее обоснованию, не поверят. И не будут слушаться. Конечно, такой Бог, как Иисус Христос, задает людям совсем не биологичные задачи: «Отдай последнюю рубашку», «Подставь другую щеку», «Возлюби врага своего». Но если бы не было идеалов, то человек так бы и не поднялся над обезьяной! Оказывается, в идеалах есть потребность. Биологическая.

Так существует ли Бог? Да, существует. Он выдуман, но внедрен обучением (в виде моделей из нейронов) в разумы миллиардов людей и распечатан в массе книг. Бог материален более, чем вещи — он управляет историей. Даже и до сих пор. И еще одно замечание: то, что распространился тот Бог, который больше милосердный, чем жестокий, указывает, что в нашей биологии доброго начала больше, чем злого. Это — важно: многие полагают, что наоборот.

СОЦИАЛЬНАЯ ЭВОЛЮЦИЯ

Двигателями социальной эволюции и развития идеологий являлись творческий разум человека и его общественные потребности. Можно наметить *три ветви прогресса*: технологии вместе с информацией (они породили богатство),

собственность и власть. Каждая замыкалась на свою потребность: технологии на любопытство, собственность на жадность, власть на лидерство. Все они усилили генетические различия людей по потребностям, наслоив на них разнообразие социальных ролей в обществе.

Прогресс технологий начался с изобретений орудий труда и оружия для войны. На почве изобретений выделились мастера и философы. Они создали базу для повышения производительности труда и накопления вещей. Тогда понадобились торговцы. От них пошли собственники капитала. Третья ветвь, «правители», существовала уже в стае: вожаки должны были гасить внутренние ссоры и организовывать коллективные действия — охоту и войны.

В то же время, история человечества — это поток самоорганизации отношений со сменой идеологий, проповедующих права на владение собственностью и право на власть одних групп людей над другими. При этом в ходе истории последовательно сменялись права сильных, знатных, богатых и, наконец, пролетариев, допуская внутри элит каждого класса как диктатуру, так и демократию. Неизменным оставалось только творчество: накапливалась информация, усложнялись техника и труд, распространялось образование. Вот только мечты философов управлять государством так и не сбылись!

В конечном итоге возрастала экономика. За ней шла эволюция законов в сторону расширения прав и свобод, отражая включение в активную экономическую и общественную жизнь все большего процента населения. В схеме «управляющие» — «объект» они составили обратную связь, толкающую правителей на изменение идеологии, если они хотели удержаться у власти. Далеко не всегда этот процесс шел по восходящей, нарушение гармонии между управлением и объектом зачастую заканчивалось хаосом, или, по крайней мере, резким замедлением прогресса.

«Вертикальное» расслоение внутри сообществ на классы и группы, связанное с технологиями и идеологиями, сочеталось с «горизонтальным» распределением народов по планете в виде государств, организованных на базе наций, религий или просто на отношениях силы, богатства и техники. Оба принципа, дополняя друг друга, составили содержание геополитики: отношения государств и идей, а также тенденции всего человечества.

Выше я уже пытался упорядочить обзор идеологий, создав для этого систему показателей по распределению собственности, власти, информированности, морали и ценностей, жестко привязав все к координате исторического времени. Но этого было бы недостаточно. Нужно выделить еще одну, более важную координату — «энергетический потенциал», проявляющийся в развитии всех этих показателей, с добавлением военной силы. Время — важный фактор, но усилия важнее. Именно они определили неравномерность развития стран и зависели от энергии вождей, элит и общества. От *пассионарности*, сказал бы Л. Н. Гумилев. Впрочем, мне больше нравится «вызов и ответ» А. Тойнби: племя попадает в трудные обстоятельства, возникает вызов для жизни. Но находятся вожди, они выдвигают объединяющую идею, увлекающую людей на «ответ», на крайнее напряжение сил, идет тренировка ума и воли, общество как бы переходит на новый энергетический уровень. Начинается восхождение, вплоть до новой цивилизации. Энергия держится некоторое время, потом медленно иссякает. Все вместе: самоорганизация. Вполне физиологичное объяснение истории и дополнение Дарвина: творчество вместо мутаций, плюс тренировка и отбор.

Впрочем, история развивается не столько взрывами, сколько спокойными процессами эволюции. Суть их в разумности управления, переделке среды обитания, изменении отношений и даже самой природы человека. (Увы! Нестойкого изменения — от убеждений, но не от генов). Иначе сказать — в приближении идеологии (и государственного устройства по ней) — к некоему оптимуму, обеспечивающему «потенциал развития» на каждом его уровне. Внешне это выражается в приросте экономики и связанных с ней факторов. Все вместе вполне укладывается в принципы самоорганизации.

Очень трудно сказать: какое общество лучше всех. Критерии оптимальности я уже перечислил. Повторю один, главный, самый банальный — УДК — «счастье граждан». Можно иначе: степень удовлетворения, минимум недовольства. Все равно — идеал недостижим: люди разные, положение в обществе разное. Попытки ООН сравнивать страны «по счастью» не увенчались успехом: средние коэффициенты, по опросам, оказались близкими у капиталистов и социалистов, в богатых и бедных странах. Это значит, что к «счастью» нужно подходить через объективные показатели, отражающие удовлетворение основных потребностей. Это — доходы, обеспечивающие пищу и защиту, это здоровье и долголетие, образование. ООН объединил их в ИЧР — Индекс Человеческого Развития. Показатель привился, его считают и публикуют. Однако он выглядит не очень убедительно: над всем превалирует богатство. Поэтому хочется что-то детализировать и добавлять. Хотя бы минимум, критерии устойчивости и прогресса.

Сейчас как раз много говорят о том, что идеологии подходят к некоему логическому завершению. Как я упоминал, его называют по-разному: общество постиндустриальное, информационное, открытое и, наконец, социальное государство. А философ Френсис Фукуяма даже сказал: «Конец истории!» Вот так...

Анализируя развитие различных стран за прошедший век, я попытался представить себе типичную динамику изменений их показателей во времени при различных исходных данных. Удалось выявить три (условные!) стадии созревания развития, от примитивного уровня до высокоразвитого общества. Если угодно, это «стрела цивилизации».

СТАДИИ СОЗРЕВАНИЯ

Первая стадия начинается при очень низкой экономике ВВП/д порядка 300 долл. Если находятся вкладчики капитала, то начинается промышленное развитие со скромными показателями: прирост ВВП 3–5%, что при росте населения в 2% дает ВВП/д 1,5–2 %. Это мало, но через 20–30 лет доход на душу достигнет 800 долл., а еще через поколение эта цифра удвоится. Страна приобретет собственных капиталистов и капитал, возрастет грамотность, сформируются рабочий класс и свои специалисты. Так создаются предпосылки для *второй* стадии.

Она характеризуется бурным развитием с возрастанием ВВП на 5–10%, со снижением прироста населения до 1%. Фонды, капитал, прибыли быстро растут, поскольку трудящиеся еще не научились «качать права», хотя демократия уже зародилась. Требования к экологии (и расходы) еще низкие. Правда, загрязнение среды уже возросло до опасных пределов. Средний уровень образования достигает 9–10 классов. Такими темпами страна развивается примерно 2–3 поколения, обещая скоро перейти в высший разряд.

Развитые страны, а это уже *третья* стадия, характеризуются высоким уровнем ВВП/д (более 10–20 000 долл.), но замедлением темпов его прироста до 2–4 %, хотя в абсолютных единицах прирост остается на больших цифрах. Замедление связано с сильным удорожанием социальной сферы и ростом затрат на экологию. Прирост населения прекращается, продолжительность жизни достигает 75 лет, а процент пенсионеров — 30%. «Образованность» составляет 15–18 классов. В составе национального продукта услуги далеко обгоняют промышленность, чистые наукоемкие производства вытесняют тяжелую индустрию в более слабые страны. Местные экологические проблемы выходят на передний край, граждане дисциплинируются, загрязненность среды на своих территориях снижается до безопасных пределов. В идеологиях господствуют частная инициатива и парламентская демократия с высокой социальной защитой, с обеспечением гражданских прав и значительной долей государственного управления рыночной экономикой.

Впрочем, я далек от идеализации даже этой стадии созревания общества. Тем более, что развитие идеологий не во всех странах идет по типичному пути. Самоорганизация и приспособляемость приводят к своеобразным «петлям», боковым тропам, на пути прогресса. По крайней мере, в его начальной и средней стадиях. Наибольшие отклонения касаются систем власти и ценностей.

Первые бифуркации произошли очень давно, во времена формирования больших религий, когда отделились условно — восточные и западные ветви: иудаизм, христианство и ислам с одной стороны и буддизм, индуизм, конфуцианство с другой. Разделение каждой из ветвей тоже прошло через бифуркации. В основе западных религий лежит «Бог единый» и исход во всеобщее царство небесное под управление Бога. На востоке в центре находятся «души» — собственная, предков, их восхождение к некоему абсолюту, не очень ясному для христиан. Принципы морали мало отличаются, но ценности различны. На западе (особенно — у христиан-протестантов) в центре индивид, лично ответственный перед Богом, но с допущением относительной свободы изменения ролей в обществе. На востоке в центре социальных ценностей коллектив, род, клан, иерархия родства и фиксированных ролей. И даже — равенство духовных и материальных ценностей. Все это отпечаталось в новых идеологиях в виде прохладного отношения к демократии.

Разница мировоззрений затормозила НТП на Востоке и, если бы не влияния Запада, то Китай, Япония и Индия до сих пор не вышли бы из феодализма. Хотя теперь отчуждение восточных культур преодолено через НТП, капитализм, транснациональные корпорации (ТНК), торговлю и образование, но печать на идеологии власти и ценностях осталась. Главный дефект коллективизма, будь то от религии или от коммунизма, заключается в торможении инициативы и творчества. Посчитайте, сколько Нобелевских лауреатов у Японии, при ее-то технике и убедитесь. Почти то же было и в Союзе.

На *третьей* стадии созревания идет энергичное выравнивание идеологий по всем координатам: посмотрите хотя бы на «маленьких тигров». Динамика созревания показана на рис. 20, а показатели «зрелого общества» сведены в таблицу 1.

История знает массу государств с разными системами власти, собственности и морали. И все же, несмотря на «зигзаги идеологий», фоку-

Таблица 1

Зрелое общество

Власть	Парламентская республика
Равновесие с природой	80%
Здоровье	Продолжительность жизни 75 лет
Образование	Более 16 лет обучения
Неравенство доходов	Меньше чем 1:6
Прирост населения	0,1%
«Высокие» технологии	Более 40%
Низкая преступность	?

сы самоорганизации, обозначился единый вектор. Его я и назвал словом «созревание». Как это объяснить?

Предположительно, цепочка такая: Творческий Разум — НТП — продуктивность труда — удовлетворение потребностей — адаптация — новые цели — новые действия — новые идеологии. Видимо, есть биологическая последовательность потребностей: пища — лидерство — жадность — сопереживание — любознательность. Отсюда — изменение приоритетов и «вектор созревания»: богатство — демократия — информация — экология. Технический прогресс ведет к изменениям организации и через обратную связь — к новой стимуляции образования и НТП.

Есть распространенное обозначение эволюции общества: индустриальное, постиндустриальное, информационное, «открытое». Или еще одно, от коммунистов: капитализм — империализм — социализм — коммунизм. То и другое — неинформативно.

Важнее перечислить наращивание *признаков созревания*, по *параметрам*: А. *Технологии*: пар — электричество — электроника + атом — космос — глобальные сети. Б. Состав *экономики*: пища (сельское хозяйство) — техника — услуги. В. *Власть*: авторитарная — демократическая — традиционная, потом — «социально ориентированная». Г. *Собственность* — индивидуальная — корпоративная — ТНК+«разная». Уменьшение неравенства. Д. *Мораль*: групповая — религиозная и идеологическая — общечеловеческая. Е. *Труд*: ручной — «машинный» — интеллектуальный. Ж. *Культура*: национальная (книжная) — массовая («индустриальная?» — кино, телевидение) — «электронная?» планетарная — Интернет. Соответственно *образование*: начальное, среднее, высшее — 4–10–20 лет. З. *Демография*: уменьшение смертности — уменьшение рождаемости — остановка прироста населения. И. *Экология* — от местного уровня — к государственному — к планетарному.

Попытку объединить в одной цифре *«Качество жизни»*, которое примерно соответствует созреванию, предприняли специалисты ООН. Для этого они предложили *«Индекс Человеческого Развития»* (ИЧР; новое название 2000 года — «Индекс развития человеческого потенциала»), объединяющий четыре коэффициента: 1. Реальный доход на душу (тысячах долларов, с учетом их покупательной способности в стране). 2. Продолжительность предстоящей жизни. 3. Грамотность взрослых. 4. Обобщенный показатель состояния внешней среды («экология» включается не всегда).

Показатели 1–2–3–4 с коэффициентами объединены в один — ИЧР. Каждый год ООН выпускает книгу статистики и комментариев на 174 страны. Из них: 1-я группа: «развитые» (45 стран, 19% населения планеты); 2-я: «развивающиеся» (94 страны, 72% населения) и 3-я — «менее развитые» (35 стран, население — 9%. Их постеснялись просто назвать: «бедные»!). До распада СССР отдельно выделяли «социалистов». По показателям экономики некоторые из них попадали в развитые, но по другим пунктам ИЧР всегда оказывались во второй группе. В ней они и остались на сегодня.

Привожу таблицу основных данных для сравнения стран, опубликованную в 1999 г.

Важны сведения по динамике созревания. Приведу такие. Экономика: прирост ВВП на душу, в среднем за 30 лет — в 1-й и 2-й группах — 2,3%, в 3-ей — 1,4%. Это — хорошо.

Таблица ООН: сравнение стран с разным уровнем развития

Группы стран	Население в %%	ВВП/д	Продол-жительность жизни	Грамот-ность взрослых	Природа	ИЧР	Средне-годовой прирост ВВП	Населе-ние (?)
Развитые	18,5	21,65	77,0	98,3	79	0,904	2,3%	0,5
Развивающиеся	72,5	3,32	66,6	75,9	64	0,662	2,2	1,7
«Бедные»	9,0	0,98	50,6	48,5	30	0,416	1,4	3,0
Весь мир	100	6,33	66,7	78,0	63	0,706		
Украина	49 млн.	2,19	68,8	99,0	77	0,721	−8,1	−0,3
Россия	149	4,37	66,6	99.0	77	0,747	−7,2	−0,1
Китай	1200	3,13	69,8	82,9	69	0,701	+10,4!	1,0

Плохо — рост населения. В 1-й группе — 0,5%, во 2-й — 1,7%, а в 3-й — совсем плохо — 3%! Это мешает их прогрессу. Прирост образования закономерен: по 1 году за пять лет. В бедных странах — это половина грамотных, в развивающихся — подбирается к 10 классам, в развитых — половина молодежи учится в колледжах и университетах. Эволюция власти — от диктатур — к демократии. К сожалению, часто — только формальной.

Созревание идет всюду, но неравенство в мире огромно. Сообщу еще несколько цифр по крайним группам: богатая пятая часть населения земли владеет 86% ВВП. Бедная — пятая часть — 1%. Почти такие же соотношения по экспорту товаров и услуг. По внешним инвестициям — чуть лучше — 68 и 1%. А по Интернету — вообще ужасно: 99,3 и 0,2%! «Средние» страны (где и мы с вами) не привожу, чтобы не перегружать цифрами — их легко подсчитать по остатку...

Самоорганизация в созревании непредсказуема. Годовые приросты экономики, даже усредненные для всего мира, колеблются от 1 до 3%. Разброс приростов ВВП по странам — еще больше. Особенно отстают бедные страны. Во многих из них за период с 1965 по 1999 гг. доход на душу даже уменьшился. Найти закономерности не удается. Например: советский социализм плох, но почему китайский за 20 лет повысил экономику в 8–10 раз и обогнал Рос-

сию по темпам роста ВВП на душу? Почему в соседней Индии прирост в три раза меньше? Или возьмем две Кореи — народ один, но на юге — бум, на севере — застой. Или наш пост-социализм: в Чехии ВВП на душу 10500, на Украине — 2190 (с учетом паритета покупательной способности доллара). Может быть, главный фактор — традиции трудолюбия и религия? Протестантская этика или конфуцианство?

Трудно дать рецепты бедной стране, как двигаться вперед — у каждой свои беды. Но кое-что общее есть. На *первое* место нужно поставить необходимость сильной власти. Широкая демократия и полный набор гражданских прав при бедности, отсутствии культуры, объединяющей идеи и традиции, не позволяют разрешить противоречия между ветвями власти, партиями, профсоюзами, кланами и группами: страна погрязнет в преступности, раздорах и забастовках, инвестиций не будет, даже свой капитал уйдет за границу (то, что мы имеем в СНГ).

Вторая горькая правда: затраты на социальную сферу должны соответствовать уровню экономики.

Третье: начальный быстрый рост экономики невозможен без эксплуатации. То есть — до достижения богатства народу приходится пережить бедность.

Так или иначе — с разной скоростью, но созревание идет во всех странах и по всем параметрам.

Сделаю к показателям динамики созревания небольшие *пояснения* по отдельным «координатам», чтобы использовать их для оценки уровня созревания конкретных стран.

Власть: шкала от тирании до плюралистической демократии с одновременным расширением гражданских прав на все слои населения. Обобщенный показатель условный «уровень прав и свобод».

Экономика: главный показатель — ВВП/д. Добавочные показатели: неравенство личных доходов, доля государства в экономике и социальной защите. Государственное регулирование рынка.

Техника: уровень (процент) тонких технологий в составе промышленности. Они питают экономику и требуют образованности народа.

Мораль: общечеловеческая, то есть насколько выполняются заповеди, независимо от социальных различий. Оценка — по преступности, коррупции, религиозности.

Дополнительные, но очень важные показатели: уровень образования, здоровья (обобщенный по долголетию). Экология.

Методика подсчета обобщенных показателей такая: каждый разбивается на несколько частных факторов, они оцениваются экспертами, затем соединяются с весами по важности.

С помощью представленных характеристик можно определить обобщенный условный *уровень созревания* каждого конкретного общества, описав его перечнем показателей, взятых в процентах к зрелому обществу (из графиков рис. 20) и просуммированных с весами значимости. Получим нечто подобное ИЧР. Нужно учесть, что веса эти будут различны в зависимости от «стрелы времени», отражающей рост экономики, НТП и даже изменение «идеологической моды» (для примера: «мода на социализм» заняла половину двадцатого столетия, а теперь прошла). Разумеется, все эти построения довольно искусственны, и общество с «неполной зрелостью» может быть вполне благополучным. Все зависит от соотношения: на что граждане притязают и что они имеют. Примером мог служить наш социализм времен застоя.

ИДЕАЛЫ ЗРЕЛОГО ОБЩЕСТВА

На идеалах для зрелого общества следует остановиться. Разобраться, как они взаимодействуют с противоречивой биологией человека.

Власть удовлетворяет потребность в лидерстве, но только у тех, кто правит. Подчиненный, естественно, испытывает чувство ущемленности, в зависимости от места в иерархии престижа и в той мере, в какой у него представлено собственное достоинство, идущее от лидерства. Правда, этому чувству (у слабого) противостоят потребность в авторитете и понимание необходимости власти как воплощение порядка и защиты. Поэтому подчиненный — не обязательно несчастный.

Так или иначе, любая система власти являет собой компромисс, всех она удовлетворить не может. Демократия как раз более удачна: власть дают избранным и только на время, пока им доверяют. Вершиной является «народная демократия», когда по важным поводам голосуют все. Пример — Швейцария. Но плебисциты сложны, дороги и требуют от граждан высокого уровня культуры. Поэтому и существуют представительства — парламенты, для того, чтобы народ участвовал в Коллективном Разуме государства. А также для противостояния главе исполнительной ветви власти — президенту, чтобы его не заносило на самоуправство. Партийные парламенты надежнее личностных, поскольку партия большинства является коллективным поручителем за парламент перед всем народом, который продемонстрировал ей свое доверие преимуществом на выборах. Конечно, если партий много, то ни одна не добьется большинства, и парламент будет недееспособен. Получается, что созревание демократии, кроме хорошей конституции, выражается в создании двух-трех ведущих партий, при высоком уровне общественного сознания граждан. Кстати, демократию тоже не нужно переоценивать: власть большинства может быть и несправедливой и жестокой. Поэтому и говорят о «гражданском обществе», в котором демократия дополняется строгими законами, защищающими индивидуальные права граждан от посягательств государства.

Третьим участником «системы сдержек и противовесов» властей является судебная система во главе с Конституционным судом. Он должен быть независимый, несменяемый, противопоставляющий свою мудрость и «вечность» шатким эмоциям народа, парламентариев и правительства.

Четвертая власть представлена свободной прессой и телевидением, выражающими обратные связи от общественности на правительство. Без нее нет демократии, хотя журналистов и не избирают. Это компенсируется свободой конкуренции в борьбе за умы граждан.

Значение компонента власти, так же как и его прирост, и содержание в интегральном показателе «степени зрелости» идеологии зависит, прежде всего, от богатства общества, от его ВВП/д. Голодному гражданину свобода не важна. Наоборот, большой средний доход обязательно сочетается с образованием и потребностью в правах, свободе, демократии. Неграмотным людям трудно разобраться в партийных списках при голосованиях в парламент, для них, дай Бог, выбрать одного президента или мэра, больше ориентируясь на его физиономию с телеэкрана. Впрочем, ни высокий доход, ни демократия еще не гарантируют гражданский мир в государстве. Поляризация по идеям или религиям может лишить народ ощущения счастья.

Понятие «власть» прочно связывается со словом «политика», а далее следуют бранные слова. Это закономерно в силу специфики власти: подавление и ограничение личных желаний граждан, которые весьма противоречивы и нацелены на максимум. Только в странах со зрелой демократией регламентация поведения чиновников в сочетании с высоким общественным сознанием граждан обеспечивает ей необходимый уровень морали. Соответственно, процесс созревания демократии тесно связан с экономическим развитием, да и просто со временем. Динамика этого процесса только на картинке выглядит стройно, в действительности, на первой и второй стадиях созревания общества имеют место провалы и отступления — в диктатуры, тирании, тоталитаризм, с последующим мучительным выходом на правильный путь эволюции.

Важнейшим дополнением к координате «власть» является уровень морали. Никакая демократия (и судебная власть) не работают в аморальном обществе, с высокой коррупцией чиновников и должостных лиц разного ранга, с высокой общей преступностью населения. Именно такой вариант мы имеем в России и на Украине. К сожалению, повысить уровень морали гораздо труднее, чем изменить систему власти.

Экономика. Ее высокий уровень (ВВП/д) важен потому, что определяет все другие компоненты идеологии. В то же время не существует идеального распределения собственности между гражданами, государством и корпорациями. Идеальное — это такое, что исключает «эксплуатацию человека человеком». В той или иной форме эксплуатация присутствует всегда, она в психологии стадного человека: сильный подавляет и использует слабого. При Советах государство эксплуатировало больше капиталиста. Весь вопрос в убежденности граждан, что принятое распределение богатства — справедливо. Для этого важно различие между богатством и личным доходом. Деньги богатого, вложенные в производство, работают на общество, а полученные в карман и затраченные на виллу — раздражают бедного человека. Их нужно ограничить налогами, чтобы установить норму «личного» неравенства. Она должна лишь не очень много превышать биологическое неравенство возможностей сильных и слабых. Это примерно 1:5—7. Чем общество свободнее, культурнее, тем сильнее требование (личного?) равенства. Созревание общества по фактору экономики (кроме роста ВВП) выражается в повышении роли государства в распределении благ, то есть процента потребления, обеспечения социальных прав, устойчивости и прироста.

Значимость экономики в оптимизации идеологии велика всегда — в богатых и бедных странах. Она отражает приоритет пищи в инстинкте самосохранения.

О *морали* зрелого общества, пожалуй, говорить не стоит: заповеди. А вот ценности — предмет серьезный. Альтернативы я уже перечислял. Конечно, нужны доброта, трудолюбие, «духовность». (Как надоело это слово! Сказали бы просто: Бог!) Труднее найти равновесие между личным и коллективным, между свободой и равенством. Думаю, что компромисс определится сам по себе, если будут высокие доходы, образование, хорошая демократия, обеспечивающая гражданские права, свободу общественной жизни и зарегулированные налогами и льготами личные доходы. Внешним выражением этого компонента зрелого общества могут служить два измеряемых показателя: благотворительность и преступность. А также отношение к религии. Разумеется, цифровое выражение показателя «мораль» очень относительно. Получить его можно только через экспертные оценки.

Показатель «*здоровье*» выражается в *демографии* и, в частности, в продолжительности жизни. Цифра уверенно приближается к 75 годам. Больше всего влияет богатство страны, но также и общее благополучие народа, мораль, устойчивость общества, социальная защита.

Образование необходимо для технологии, наращивание его может идти довольно быстро, примерно по одному году обучения за 6—8 лет истории, если считать по молодому возрасту. Другое дело — культура. Здесь требуются десятилетия, но без нее не может быть истинной демократии и морали.

О значении *культуры* и *науки* спорить не приходится, их прогресс не только сопутствует, но и определяет созревание общества. Так же и *защита природы*, поскольку от нее зависит само существование человечества. Обеспечить баланс «человек—природа» в планетарном масштабе очень трудно. Однако многое можно достигнуть в пределах государства, что уже доказали передовые страны Европы.

Есть еще один показатель зрелости идеологии, важный, хотя и трудно определимый: дух единства народа, чувство «*принадлежности*» к отечеству, государству, строю. Называют: *объединяющая идея*. Или хотя бы «патриотизм». Его можно составить из таких факторов: близость убеждений среди граждан по главным чертам идеологии, достаточное доверие к властям, минимум противоречий между группами населения и различий в удовлетворенности условиями жизни. Разумеется, ни один из этих факторов не достигнет 100%, но цифра 60—70 очень желательна.

Гармоничное созревание предусматривает некоторое соотношение обязательного прироста экономики с развитием техники, нарастанием образованности и массовой культуры, постепенной демократизацией власти, уменьшением неравенства, расширением гражданских прав и социальной защиты, улучшением здоровья. Что касается состояния морали и экологии, то в этих сферах дело идет сложно: сначала имеет место падение, потом намечается подъем. Количественные различия показателей зрелости варьируются в сравнительно небольших пределах 10—20 %.

Процесс созревания планомерно совершается во времени, причем скорость его как раз зависит от соотношения компонентов. Искусственно вызванные активными деятелями скачки в сферах политики, экономики или морали, то есть революции, чаще всего приводят к последующему застою и даже к деградации. Впрочем, процесс созревания содержит большую долю самоорганизации, поэтому не может быть идентичным для всех стран. Примерами является новейшая история стран дальнего и ближнего Востока, а также и России после Октябрьской революции. Религия или идеология значительно извратили соотношение компонентов созревания и его темпы. Казалось даже, что и нет никакой закономерности в эволюции общества, что можно обогнать сложившиеся уже к XX веку тенденции созревания в странах Запада. Но последние десять лет перестройки все поставили на свои места: есть порядок в мире!

Пару слов в дополнение: большинство граждан привыкают к государственной идеологии, если она держится долго. Но в то же время всегда существует в умах меньшинства (и в книгах) гамма других идей. Я уже сравнивал их с генами организма: в составе генома они содержатся в большом избытке, задействована лишь малая часть, но потенциально любой ген может проявиться при изменении условий. Подобным же образом можно говорить о некоем «поле идей» в обществе, когда «дремлющие идеи» отражены условными коэффициентами распространенности. При изменениях в положении страны эти гены-идеи активируются, относительное единодушие смещается в сторону беспорядка, начинается эволюция государственного строя или даже революция. Все это касается и зрелого общества, поскольку ему присущи самоорганизация и колебания, как всякой сложной системе. Зрелость эволюцию не останавливает, поскольку не прекращается творчество.

К сожалению, самоорганизация предусматривает не только эволюцию, но и *конфликты*. На базе противоречивых генов-идей возникают активные центры влияния со своими лидерами, привлекающие сторонников. Создается и обособляется организация, формируется «образ врага», «свои» теряют способность воспринимать «чужих», и дело доходит до открытой борьбы, которая может поддерживать себя в течение десятилетий. Вспомните хотя бы Северную Ирландию.

Обычно слово *идеология* связывалось у нас с понятиями капитализм, социализм, национализм и прочие «измы». Как же в этом плане выглядит *зрелое общество*? Не под одно традиционное определение оно не подходит, поскольку содержит признаки (гены!) из разных идеологий. Например, такие: рынок, но со значительной долей государственного регулирования. Собственность наполовину управляется государством. В такой же приблизительно степени оно регулирует доходы граждан и отвечает за их социальную защиту. О гражданских правах, морали, демократии не приходится и говорить. В целом зрелое общество определяет уменьшение материального неравенства до уровня биологического, то есть примерно 1:5—7. При этом подразумеваются три группы потребностей: материальные (собственность, доход, социальная защита), общественные (гражданские права, общение, свобода, достоинство), информационные (образование, высокие технологии в труде, искусство).

Детали государственного устройства разных сообществ будут определяться самоорганизацией. Например, традициями, культурой.

Одно ясно уже сейчас: не нужно переоценивать существующие в настоящее время различия между странами — они постепенно уменьшаются. Для доказательства этого достаточно взглянуть на Японию и «тигров». Их конституции и стиль жизни по мере НТП и повышения уровня экономики быстро приближаются к американским.

МОДЕЛИРОВАНИЕ ОБЩЕСТВА

Я попытался подойти к оптимизации идеологий через модели социальных систем. Использовались три типа моделей: структурные, статистические и экспертные. В первой делалась попытка воспроизвести экономику, государственный строй страны и психологию граждан в количественной модели, состоящей из структур, во второй — воспользоваться статистиками из публикаций ООН и в третьей — выразить модель общества в системе факторов, оцениваемых экспертами. Все подходы оказались ненадежными, что и следовало ожидать, учитывая сложность систем и самоорганизацию. Поэтому и выводы из моделей имеют ограниченную ценность.

Всякая модель — это разные степени упрощения. Важно только не перейти предела потери качества, присущего системе.

На рис. 19 была показана самая упрощенная схема государства. Социальные группы на нем представлены упрощенными «моделями личности». Так же отражено «правительство». «Фонды» касаются средств производства. Личные (недвижимость, вещи) отражены в разделе «состояния» моделей личности. По линиям связи циркулируют, опять же условные, «труд», «продукт» (вещи и услуги), «высказывания» и «запреты». Деньги не представлены, хотя в расчетах все предметы обмена переводились на них.

Замыкание в каждом квадрате «входов на выходы» происходит через мотивы: чувства и убеждения, ограниченные самыми простыми: материальный, престиж, страх, свобода. Убеждения входят в эти же мотивы и действуют через притязания: сколько нужно денег, положения, безопасности (в том числе и от безработицы, и от властей), сколько возможностей для высказываний и инициативы.

Принцип исследования модели состоял в том, что параметры общества задаются исходя из выбранных трех координат Х и У, отражающих распределение собственности и власти, и дополнительной Z, выражающей уровень экономики (ВВП/д), воплощенной в квадрате «ФОНДЫ и производство».

Модель предназначена, главным образом, для исследования взаимодействия идеологии и психологии в их влиянии на экономику и политику.

Первая задача состояла в *сравнении социализма* и *капитализма* для трех точек экономики: ВВП/д малого — 500, среднего — 2000 и высокого уровней — 10–20 тыс. долл. Для систем власти выбирались две точки: авторитарное и либеральное правление. Требовалось определить устойчивость и прирост.

В самом общем виде методика исследования модели состоит в следующем. Из существующих статистик для избранных точек выбираются и задаются распределение населения по социальным группам, проектируются примерные шкалы «плат», т. е. кривая дохода в зависимости от напряжения труда. Задаются также безработица, утомительность труда, условная сила пропаганды, ограничения на высказывания — все как было показано в «моделях личности». В качестве выходов для социальных групп брались «напряжение труда» (в условных единицах утомления, по кривой тренированности), «высказывания» по шкале интенсивности (в зависимости от соотношения недовольства и страха). Это, по прежним меркам, «классовая борьба». Труд формируется из шкал «плат» и условий. Тренированность зависит от интенсивности труда.

При этом притязания и значимость чувств/убеждений задавались исходя из идеологии (Х, У) и экономики Z. Тут же на модели личности группы определялся УДК из материальной сферы. Для того чтобы сосчитать суммарное «недовольство» для высказываний, добавляются еще чувства от сравнения данной социальной группы с другими по доходам, престижу, условиям труда, образованию. Значимость этих факторов и притязания на роль в обществе зависят от организованности группы, т.е. ее самосознания, а также от подавления свободы со стороны государства и адаптации к «несвободе».

«Входами» на «личность правительства» является высказывание недовольства граждан, состояние экономики, в сопоставлении с притязаниями, задаваемыми идеологией.

Чувства правительства те же человеческие: властолюбие, жадность, страх, сопереживания. Значимость идеала убеждений у правителей выше, чем у рядовых граждан. Выходы правительства составляют управление экономикой в виде влияния на размер налогов и распределение «продукта» по статьям расходов, исходя из приоритетов от значимости чувств. Кроме того, на выход выдается интенсивность пропаганды и строгость ограничений свободы.

Отладка модели состояла в составлении и увязке балансов распределения и движения труда и «продукта» с замыканием через мотивы. Идеология задавалась через шкалы «труд—плата», «труд—утомительность», через притязания на характеристике «плата—чувство».

Примерная методика показана на рис. 21 в виде расчета напряжения труда и УДК для капитализма и социализма примерно одинакового уровня экономики.

Хочу обратить внимание на следующие различия между обеими идеологиями. На левом квадрате «труд — плата» шкала «платы» у капиталистов идет круто вверх, обеспечивая рост доходов для наиболее сильного и квалифицированного работника. «Плата за нулевой труд» выражает социальную помощь. В развитых странах она тоже достаточна и даже выше, чём при социализме. Однако за работу при некотором пороге напряжения платят много больше. При социализме (пунктир) плата уравнительна, идет плавный подъем от нулевого труда, т.е. можно получать зарплату, почти не работая. Для капитализма добавлена кривая вероятности безработицы при плохой работе. Она идет ниже нулевой линии, стимулируя «страх». Он суммируется к минусам УДК, связанным с низкой оплатой.

ШКАЛЫ ОТ ОБЩЕСТВА:
А. «ТРУД—ПЛАТА»

ШКАЛЫ ЛИЧНОСТИ:
Б. ПЛАТА—ЧУВСТВА
В. ЧУВСТВА—ТРУД

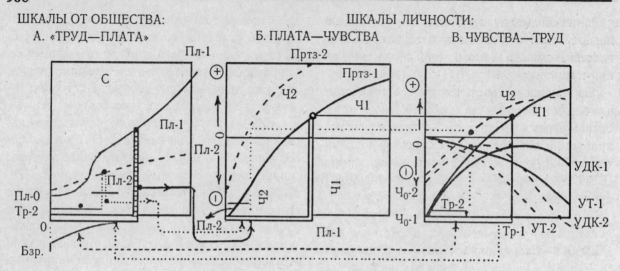

Рис. 21. Расчет чувств и напряжения труда:

для капитализма (буквы с индексом 1) и для социализма (с индексом 2). Шкалы «А» «Пл-1» — плата за труд, капитал. «Пл-2» — социализм (пунктир). «Пл-0» — за «нулевой» труд — соцпомощь. Платы со шкалы «А» переходят на квадрат «Б» — «Плата — чувства» — на ней нарисованы характеристики: Ч-1 при капитализме, Ч-2 (пунктир) — при социализме. Для каждой свои уровни притязания. «Пртз-1» — максимум платы при капитализме. «Пртз-2» — притязания при социализме. Квадрат «В»: «Чувства — Труд», на котором суммируются чувства от «платы» — «Ч-1» — капитализм. «Ч-2»— социализм (пунктир), с чувствами утомления от труда: «Ут-1» кривая утомления при капитализме — с высокой тренированностью, «Ут-2»— то же для социализма — с низкой тренированностью (благодаря малым нагрузкам). Точки максимума на кривой суммы чувств УДК-1— капитализм, УДК-2 (пунктир) — социализм, обе примерно на одном уровне, с малым минусом. Эти же точки на абсциссе отсекают напряжение труда «Тр-1» и «Тр-2» — второе передается по шкале общества — «А» для получения «платы»

В среднем квадрате (Б) — «Плата—Чувство» отмечаются различные величины «платы», поскольку различны шкалы платы за разный труд. Однако разница в чувствах (УДК) не столь велика, как в плате, за счет уменьшения *притязаний* при социализме, учитывая их полную нереальность. При капитализме «приятность» круто нарастает до самого максимума возможностей. При социализме нарастание очень пологое. Кривые утомления тоже не одинаковы: «капиталисты» более тренированы, поэтому характеристика у них смещена вправо в сравнении с «социалистами». Различна и «степень несчастья» при нулевом труде.

Характерен ход суммарных кривых чувств и сравнимых с ним мотивов. При капитализме точка максимума на суммарной кривой «Чув-ства — Труд» отсекает напряжение труда вдвое больше, чем при социализме: «капиталисты» работают вдвое напряженнее, чем «социалисты». Тем не менее, разница в УДК невелика: у «советских» УДК повышается из-за скромности в притязаниях (поскольку недостижимы) и отсутствия страха безработицы, у «капиталистов», наоборот — «счастье», т. е. УДК, понижается от высоких притязаний. Состав мотивов исходит из значимости потребностей и притязаний, которые, в свою очередь, зависят от материального и социального положения, культуры, организации социальной группы. В конечном счете, все от тех же координат идеологии.

Предупреждаю читателей: не воспринимайте всерьез представленные модели. Все они — не что иное, как упражнения в «эвристическом моделировании» применительно к социальным системам: иллюстрация для логики общества, для его механизмов. Во-первых, наполнить эти модели статистикой практически невозможно. Во-вторых, самоорганизация поломает все модели, еще до того как они будут созданы. И тем не менее модели как схемы — полезны: их качественное содержание призвано помочь в управлении обществом. Я понимаю уязвимость этого моего заявления. Дескать — зачем? Если без толку? Сознаюсь: не утерпел — уж очень красиво!

ГРАНИЦЫ УСТОЙЧИВОСТИ

Зоны устойчивости социальных систем в трех главных координатах идеологий: власть, собственность и уровень экономики — показаны на рис. 22. Все другие коррелируют с ними. Абсцисса «Х» выражается процентами собственности государственной и частной. Условно это соответствует отношению плановой и рыночной экономики и, кроме того, отражает неравенство. Если огрубить еще больше, то это доли «социа-

лизма-капитализма». Ордината «У» представляет системы власти. На рисунке они перечислены от тоталитаризма до плюралистической парламентской демократии. Там же показаны условные «проценты прав и свобод».

Третья координата, «Z», отражает меру богатства общества. Она очень важна, т. к. богатство напрямую удовлетворяет потребность в собственности, а косвенно — в информации и защищенности от всех несчастий бедности. Фактически, именно уровень экономики выбирает две другие координаты идеологии, хотя и допускает их значительный разброс в силу традиций, высокой приспособляемости людей и наличия резервов в жизнеобеспечении, предоставляемых НТП.

Важной задачей является определение «полюсов» *устойчивости*. При конкретном анализе устойчивость оценивалась как достаточная, если режим власти и собственности не менялся в течение двух поколений, т. е. 40–50 лет. В структурной модели общество считали неустойчивым при «проценте хаоса» более 70. Хаос — это падение экономики и морали и неподчине-

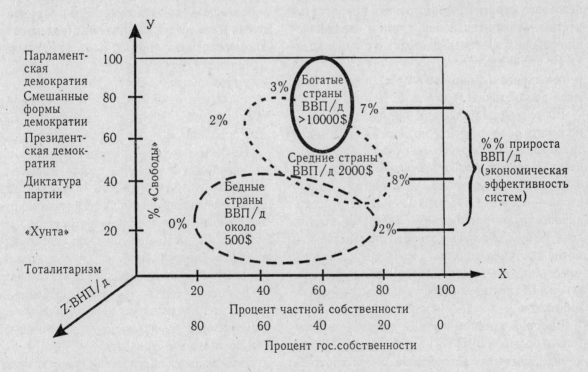

Рис 22. Границы устойчивости

ние властям. Общество теряет устойчивость, когда более половины граждан недовольны жизнью в результате падения доходов или несоответствия системы власти уровню культуры. Впрочем, этого мало. При тоталитарной власти страх парализует выражение недовольства, и народ высказывает «одобрямс!» любому режиму, пока его не тряхнут извне. Это и было в странах соцлагеря, пока Горбачев не торпедировал социализм в Советском Союзе. Правда, он сам этого не ожидал и думал всего лишь усовершенствовать экономику, расширив самостоятельность предприятий и обновив технику.

Конечно, устойчивость очень условная величина, и я отнюдь не настаиваю на траекториях ее границ на рис. 22. В значительной степени они сделаны не по расчетам, а по анализу материалов ООН, касающихся экономики и политики стран с разным уровнем развития.

Прирост экономики считается признаком здорового общества. Уменьшение ВНП или его величины 0 +2% — это плохо, +4, +5% — удовлетворительно, больше 5% — хорошо. Встречаются цифры и в 10–15%, но они вызывают недоверие к статистике. Источники прироста известны — это напряжение труда и квалификация рабочих, инженеров, организаторов и хозяев. Но все не так просто. Воспитание этики труда и накопление знаний требуют традиций и времени процветания. А может быть и генов.

Во всякой деятельности прежде всего нужно искать биологические мотивы. Таковыми для труда являются голод, собственность, лидерство, страх. Надежно только второе. Голод проходит с насыщением даже дешевой пищей. Боль и страх — сильные чувства, но в массе и постоянно их трудно организовать. Лидерство, то есть конкуренция как соревнование за первенство, как мотив, доступно сильным, а их 10–15%. Зависть тоже идет от лидерства, но мотивы от нее ненадежны. Коллективная собственность вообще «не работает».

Высокий *средний личный доход* — это не только большой ВВП/д, но и высокий КПД экономики. Он выражается в доле личного потребления в произведенном. При социализме она

составляет 35–40%, у капиталистов — 60–70%. Снижение идет за счет потерь и качества продукции, а также затратной технологии и военного производства. Зато тоталитарные государства могли показывать высокие темпы роста, до минимума снизив потребление и пуская всю продукцию в накопление. Заводы работали — чтобы делать новые заводы. И еще танки и пушки. Впрочем, темпы прироста ВВП завышались, поскольку подсчитывались только по выпуску основного продукта, не учитывая огромного отставания в инфраструктуре и личной собственности.

Вопроса о счастье граждан, как критерия идеологии, я уже касался. Для всеобщего удовлетворения надежны только высокие показатели благосостояния, исключающие голод и нужду для всех. Средние и низкие доходы на душу предполагают значительный процент бедных и для суждения о «среднем счастье» требуют дополнительных коэффициентов. Главный из них — неравенство, второй — система власти и бесправие, оскорбляющие достоинство. Третий — культура. Она определяет притязания на благополучие, и еще — на экологию. Дело в том, что пока очень мало людей физически страдают от плохого состояния природы. К среде привыкают и начинают замечать ее вредности только... от культуры, когда читают в газетах. Это не значит, что критерий экологии второстепенный в оценке идеологий. На него замыкаются глобальные проблемы, т. е. будущее человечества.

Полюсы зон устойчивости — то есть пределы «свободы» и «частной собственности», достаточные для устойчивости (с учетом адаптации) — показаны на рис. 22 для стран с разной экономикой. Разумеется, цифры сугубо приближенные. Есть самоорганизация, способная сломать устойчивость при любых показателях, увлекая публику даже заведомо ложными идеями.

Вот несколько *пояснений* к цифрам и графикам для пределов устойчивости стран с разным уровнем экономики, а значит, и всех других показателей «зрелости».

Полная плюралистическая демократия встречается только в высокоразвитых странах. Для бедных и средних доступна лишь «усеченная» демократия с избирательными цензами и президентским правлением.

При социализме (80% госсобственности и 40% «свободы») невозможно достигнуть высокого уровня личного потребления, а большие проценты экономического роста на поверку оказываются не пригодными для сравнения, поскольку учитывают только госсектор. Это касается Советского Союза при Сталине, а также Китая. Отсутствие должных стимулов к труду для всех социальных групп, низкий КПД и большие потери ставят пределы росту. Если при этом все же удается установить демократию, то либо она будет неустойчива и смещается к диктатуре, либо активные граждане со временем потребуют частную собственность в производстве, и социализм превратится в капитализм. То, что и произошло в странах СНГ. Поэтому трудно выбрать оптимум политического устройства, а точнее пределы демократии и гражданских прав при социалистической экономике.

Для большинства граждан «слабых» и «средних» стран бедность настолько превалирует, что свобода их не очень волнует. Поэтому всякого рода диссиденты не имеют поддержки в массах, если только нет голода и грубого террора. Кроме того, привыкание к «несвободе» дается не так уж трудно. За это говорит опыт интеллигенции Советского Союза: открытых диссидентов было очень мало.

Всего труднее сравнивать идеологии по «счастью граждан». Слишком оно различно у богатых и бедных, старых и молодых, неграмотных и ученых. «Индекс человеческого развития», ИЧР, устойчиво коррелирует с ВВП на душу и длительностью периода благополучия.

Однако. Если грубо сравнивать социализм и капитализм при одинаковом среднем уровне ВВП/д (около 2000 долл. годового дохода на душу), то «социалистические» слабые и средние (по типу личности) граждане окажутся счастливее. Социальная защита действует, безработицы нет, труд необременителен, а свобода им не нужна. Зато сильные люди при социализме испытывают ущербность — они не могут себя

реализовать из-за уравниловки и регламентации. От этого не столько страдает средний УДК общества, сколько уменьшается его эффективность, поскольку именно сильные обеспечивают прогресс.

Короче, действует банальная истина: счастье народа пропорционально богатству страны. Оптимальность идеологии выражается в способности этого богатства достигнуть. Тем не менее, путь к этому не так прост: «Сделай капитализм» и готово! Бедным странам очень трудно вырваться из бедности и капитализм им мало помогает. Нужны не только начальный капитал, но и мораль, и образование, и тренированность народа. А достижение этого требует времени, даже не лет — поколений!

Еще один вопрос: как разные идеологии (координаты X, У, Z) способны справляться с *глобальными проблемами*? Напомню их: население, потребление ресурсов, загрязнение, пища. Так вот: бедные страны, при любой идеологии, не могут решить ни одной глобальной проблемы. При средней экономике возможности примерно одинаковы: тоталитарная власть легко ограничит рождаемость, но не может обеспечить эффективную, а значит «чистую» экономику. Производство с низким КПД будет избыточно тратить ресурсы и загрязнять среду. Тоталитарная власть запретит «зеленое» движение, но не решится снизить производство до низких цифр, чтобы за счет этого временно снизить его вредоносность. При капитализме и демократии больше возможностей достижения баланса с природой, поскольку существует общественное мнение, но высокий ВНП/д все равно необходим. Однако такой фактор, как ислам, может затормозить регулирование рождаемости и ограничить возможности улучшения экономики.

Этот раздел я хочу закончить *сравнением капитализма* и *социализма* в аспектах экономики и политики. Для этого приведу две таблицы, ориентируясь на сравнение стран с примерно одинаковым средним уровнем ВВП/д, поскольку «богатый» социализм оказался невозможным. В таблице даны приблизительные значения соотношений.

Почти все пункты таблицы показывают ограниченные возможности социализма: высокие материальные и энергетические затраты, низкая производительность труда, большое загрязнение среды, низкий к.п.д.— все это не позволяет повысить производство выше среднего уровня. Не хватит ресурсов, не позволит экология, а тоталитарная социалистическая система не способна к реформированию. Что и было подтверждено всей историей СССР и, в частности, периодом застоя, даже при наличии нефтедолларов. По производству стали, тракторов, комбайнов, химии страна обогнала США, а по потреблению вещей, услуг, здравоохранению и экологии отставала даже от среднеразвитых стран Запада.

Причина этого лежит в несоответствии коммунизма биологической природе человека. Подавление рефлекса свободы и инстинкта собственности оказалось невозможно компенсировать идеологией равенства и коллективизма, хотя и для них есть гены. Но более слабые. Их не хватило даже при тотальной пропаганде.

Таблица 2

Сравнение социализма и капитализма

	Социа-лизм	Капи-тализм
1. Способность к росту экономики по ВВП	1	2
2. Научно-технический прогресс	1	2
3. КПД экономики по доле личного потребления	1	2
4. Затраты материалов и энергии на единицу продукта	1	0,3
5. Загрязнение среды	1	0,3
6. Экономическое неравенство	1	3
7. Социальная защита (охват населения)	1	0,5
8. «К-т гуманизации» и другие показатели ООН	1	1
9. Возможности социального прогресса	1	2
10. Качество и производительность труда	1	2

Ниже приведена таблица сравнения общественных систем в сфере политики (рис. 23).

Возможно бесконечное сочетание перечисленных в таблице параметров с их разными степенями. Философы и политики их изобретают, а жизнь апробирует и отсеивает. Но не однозначно. Приспособляемость человека обеспечивает значительную свободу выбора. Государство должно ограничивать действия одних граждан, пытающихся нарушить регламентированные идеологией права других на жизнь, собственность, свободу в допустимых и возможных пределах, а также защитить от эксплуатации любого свойства. По каждому поступку должна быть мера права: сколько — кому, сколько — нельзя, сколько — сомнительно, за что и сколько наказывать. И как гарантировать меру исполнения закона. У государства, кроме того, есть прямые обязанности: защита от внешних угроз, руководство экономикой, экологией, поддержание стабильности самой власти и, в то же время, обеспечение возможности ее эволюции. При этом важно соблюсти долю консерватизма, чтобы не утратить устойчивость в силу увлекаемости разума граждан и самих властей. Оно обязано думать об удовлетворении потребностей народа в культуре, информации, о помощи при болезнях и старости.

В связи с тоталитаризмом не могу удержаться, чтобы не привести «Советы тиранам», извлечение из «Политики» Аристотеля в изложении Б. Рассела:

1. Предотвращать возвышение любого человека, если нужно, то и казнить.

2. Запретить совместные обеды, всякие сборы и любое образование, способное вызвать оппозиционные чувства.

3. Взять всю общественную жизнь под надзор.

4. Нанимать шпионов.

5. Сеять раздор и приносить обещания подданным.

6. Держать всех занятыми: строить общественные здания.

7. Вести войны, чтобы народ нуждался в вожде перед лицом врага.

	Тоталитаризм	Либерализм
Отношение к собственности	Любые виды: государственная или частная. Государственное регулирование экономики	Частная=70–90% государственной. Рыночная экономика
Отношение к свободе	Резкие ограничения по соответствию основной идее	Малые ограничения условиями морали и безопасности страны и граждан
Наличие доминирующей идеи	Обязательно: (Идеология, вождь, нация, родина). Притязания на экспансию	Множественность идей
Пропаганда	Тотальная: «железный занавес» на чуждые идеи извне и внутри	Свобода информации
Гражданские права	Ограничены идеей и формальны по существу	Полный набор прав и свобод
Социальная база	Возможна разная: от узкой сильной группы до большинства народа	Разная, но достаточно широкая, с учетом широты избирательных прав
Отношение к Богу	Разное: от узаконенного атеизма до религиозной диктатуры	Свобода вероисповедания
Отношение к морали	Морально то, что соответствует идее и моменту	Общечеловеческие ценности
Культура и наука	Ограничена идеологической цензурой и целями	Свобода и поощрение
Система власти	Варианты: а) Вождь + бюрократия (или партия); б) То же + формальные выборные органы. При любом уровне экономики. Террор инакомыслия	Разделение властей — законодательной, исполнительной, судебной с разным удельным весом и социальной базой, зависящей от уровня экономики
Агрессивность	Большая	Малая

Рис. 23. Сравнение идеологий

Как видим, советы вполне современные, очень «психологичные» и пригодные для диктаторов.

Структурная эвристическая модель, на которой я сравнивал социализм и капитализм, носит больше иллюстративный характер и мало пригодна для управления конкретным государством. Оно гораздо сложнее, и множество факторов не удастся замкнуть на психологию, чтобы получить уравнения и балансы. Поэтому я попытался создать феноменологическую или, если сказать проще, экспертную модель, но тем не менее с цифрами, отражающими коэффициенты *соизмеримости со зрелым обществом*.

Такая модель, воплощающая государство, составлена применительно к Украине и представлена в шести квадратах-факторах, объединенных прямыми и обратными связями. Я ее опишу в главе об Украине, опустив подробные коэффициенты от экспертов.

Обобщенные коэффициенты для Украины в СССР нанесены на кривые созревания, рис. 20.

Конечно, представленные коэффициенты еще не модель в точном смысле слова и я не заблуждаюсь на этот счет. Цифры самые приблизительные, но по ним можно хотя бы предположить — где мы стоим и каковы тенденции на будущее.

УПРАВЛЕНИЕ. ПОЛИТИКА И ПОЛИТИКИ

Управление — Функция разума — по определению. Существует огромное Разнообразие

Объектов Управления и Субъектов Разума — «Управляющих». Разные объекты — машины, деньги, информация, природа. Отдельно — или через людей. Есть группы. Организации. Страна. Многие страны. Их исходные качества. Динамика изменений. Диапазон (глубина) изменений от управления. Реформы. Революции. Много разных понятий, и все связаны с управлением.

Политика — главный метод управления. Ее называют «искусство управления», подчеркивая таким образом трудности формализации. Она касается управления людьми, обществом, а через людей — любыми объектами: техникой, природой. Политика — использует все те же механизмы Разума — для выбора целей, альтернатив, путей (стратегий), этапов (тактика) и целей. Опять же — разные сферы применения. Есть техническая политика. Финансовая политика. Внешняя политика. Социальная политика.

Ограничим понятие: политика направлена на управление людьми. Она замыкается на психологию. «Публичная политика» — на массы народа. Основной подход — методы убеждения — на массы народа (но наряду с тем — есть принуждение). «Правильная — неправильная» политика — от достижимости целей. Или — от выбора целей (конечной, промежуточных?). В общем — очень неопределенное понятие — политика. Не буду искать уточнений у политологов — не прибавит информации.

Методы управления людьми — основаны на механизмах психики — замыкаются на чувства, производные от потребностей и убеждений. Какие методы? Принуждение: через страх, боль, через воздействия на родственников. Просьбы — через уважение, симпатию. Через обещания — в будущем. Правдивые? — желательно. Но и через ложь. В том числе — оправданную сегодня ложь — ради правды в будущем. Через убеждения — логику, доказательства правдивости. Есть пропаганда — повторять и повторять, с расчетом на массы. Общеизвестно: так работают СМИ.

Свойства психики масс: «заразительность» толпы. Солидарность. Сопереживание. «Принадлежность» и «Подражание» группе. Вражда к «чужим» и «инакомыслящим». Следование за лидером. За большинством. Подчинение «харизме» вождя. Свойства толпы: жестокость — больше, но есть и доброта, хотя — меньше. Возбуждение. Даже экзальтация — до героизма.

Факторы восприятия пропаганды: типы личности. «Лидеры» — скептики («сами все знаем!»), «подчиненные» — доверчивы. Влияние образования: индивидуализм, логика, память, сомнения — все вместе — тормозит восприятие новых идей (и лидеров?).

Надежность пропаганды — создание убеждений, симпатий и групп сторонников. Их динамика: стойкость или переменчивость — от «толпы» и уровня образования. От УДК: «несчастные» — не стойки.

Управление через методы политики — важнейшая проблема общества. Через управление реализуется идеология: как расставить граждан в отношениях друг к другу, к природе и вещам, чтобы побудить к максимуму труда, чтобы получить от него больше продукта. Чтобы затем все распределить: кому, сколько и как давать от общего пирога — денег, власти, свободы, много других предметов, нацеленных на потребности и убеждения. Я их уже не раз перечислял. Впрочем, «давать» — это при социализме. В свободном обществе функция сложнее: смотреть, кто сколько берет, и деликатно регулировать согласно «правам» (от идеологии), заботясь, чтобы общий «пирог» возрастал.

Полной справедливости при управлении не бывает, да и кто может ее определить? У каждого свои оценки приоритетов. Сами приоритеты производны от природы человека, а его потребности противоречивы и различны да еще зависят от идеологии, от возможностей общества их удовлетворять.

Две главные заботы управления (страной?): самоутверждение государства во внешнем мире и устойчивость во внутренних делах. Равновесие между ними поддерживается через компромиссы.

В системах, от клетки до государства, работает одинаковый принцип: Разум системы управляет внешними объектами и собственным «телом» через программы Функциональных Актов, ФА, используя модели, руководствуясь критерями оптимальности и учитывая обратные связи. Через них воспринимается действие управления на объект, чтобы предвидеть, планировать, вносить коррективы или вообще менять программы.

Управление обществом, его КР воплощается в политике. Она представляет собой то же управление, но расписанное по вертикали власти, в частные ФА, наложенные на экономические и общественные структуры. К сожалению, это академичное определение реализуется через противоречия идеологий различных партий, организаций, групп, личностей. При этом объективные недостатки отдельных разумов дополняются страстями и активным нарушением морали, вплоть до преступлений. Не зря слово «политика» часто сочетается с бранными эпитетами. И это тоже самоорганизация!

Разные идеологии диктуют разные взгляды на управление внутри страны. Два основных идут от тех, «первородных», гипотез: 1. Все одинаковы, примат коллектива. 2. Права личностей на инициативу и разнообразие. Соответственно: или мера по науке, или максимум от возможностей, но при этом чтобы не ущемлять приоритетные потребности других. Опять же разный взгляд на них — от идеологии. По одной — была бы работа, пища и крыша, по другой — прежде всего — свобода. Ясно же, что та, вторая, годится для общества, где пища уже давно обеспечена.

При отношениях с внешним миром государство руководствуется все теми же биологическими потребностями, что и человек в обществе: самоутверждение, выгода, престиж, лидерство, но также и дружба. И откровенная вражда. Притязания зависят от внутренних возможностей: сколько денег на оборону, чем и сколько можно торговать, кто подходит для союза, на какую роль в нем можно претендовать. Отсюда и политика.

Схема внутреннего управления простая: правительство — это Разум, объект — это народ, «тело» — техника и экономика. Сведения о том и другом — обратная связь, а цели и критерии оптимальности — от идеологии. Сами программы реализуют алгоритм Функционального Акта: Состояние страны изучается: Модель! Прогно-

зируется: Варианты! Сопоставляется с дальними целями — Идеология! С возможностями — опять модель! Строятся планы, выбирается лучший — Решение! И — пошел, пошел! Выполняй, наблюдай и корректируй.

Все звенья схемы можно расписать, смоделировать и оптимизировать по критериям идеологии и чувств, как народа, так и самих правителей. Но это в идеале, в мечтах технократов. В реальной жизни — все не так. Идеологии и критерии разные у властей, организаций и групп населения. Зависимости: «труд — деньги — вещи — информация — высказывания — поступки» — все различны, связаны, кроме идеологии, психологии и морали, еще с техникой и экономикой, с внешним миром. Сюда же вмешиваются субъективность, ограниченность и увлекаемость Коллективного Разума. А самое главное — присутствует *самоорганизация* — непрерывная изменчивость всех структурных этажей общества. В результате гармония власти, собственности, техники и морали, нацеленная на прогресс и устойчивость, нарушается, страна отстает в развитии или даже деградирует. (Что мы и наблюдаем у себя). И это еще при условии правильного выбора самой идеологии в смысле конечных целей, с направлением на *созревание* общества. А ведь вполне возможны грубые идеологические ошибки лидеров, поддавшихся утопическим иллюзиям и увлекающих за собой народ в сторону от «стрелы цивилизации». Кроме того, существуют личные интересы правителей, их откровенный эгоизм, карьеризм и стяжательство...

За 30 лет упражнений в моделировании общества я нарисовал десятки схем, но создать полноценную (структурную) количественную модель, воспроизводящую движение вещей, идей, чувств, слов и денег — мне не удалось. Тем более, чтобы позволяла еще и моделировать политику. И другим политологам — тоже, насколько я знаю. Так что схемы, которые я нарисовал и еще нарисую, преувеличивать не стоит.

И, тем не менее, модели и схемы необходимы, задача привлечь науку к управлению обществом остается. Надежды основаны на прогрессе информатики. А также, немного,— на экспертных моделях: пока Искусственный Интеллект не на уровне, нужно создавать Коллективный Разум из экспертов. Однако он достаточен для управления только при наличии лидера. Иначе — договориться трудно.

В самых общих чертах, практика управления укладывается в регулирование двух кругов (циклов?) процессов. Их обобщенное качество — цикличность, колебания. Они свойственны любой системе с обратными связями.

Экономический круг. Участники все те же: работники, менеджеры, правительство. При капитализме и демократии существует нормальная динамическая *цепочка факторов*. Вот она: смотрите в тексте пункты и стрелки. Адаптация к существующему уровню жизни, плюс пропаганда → рост притязаний → борьба работников → повышение зарплаты → рост издержек производства → падение прибыли → повышение цены, плюс конкуренция →падение спроса → снижение производства → уменьшение инвестиций → отток капитала → уменьшение промышленных фондов → спад экономики → безработица → недовольство правительством. Но: начинается «ход назад»: затухание «классовой борьбы» → «наступление капитала»: рост инвестиций → обновление техники → подъем производства → уменьшение безработицы.

Наступает затишье. И начинается новый цикл: адаптация к повышению заработка → возрастание притязаний... и т. д.

Так идет закономерное развитие: *«волны классовой борьбы»* (как назвали бы коммунисты), спады и подъемы экономики с обновлением техники при спадах, с последующим возрастанием объема производства, суммы зарплат, спроса. Раньше спады достигали глубокого кризиса, теперь государство научилось регулировать колебания через установление процентных ставок по кредитам банков, тарифов и лицензий во внешней торговле, размещением госзаказов, изменениями в социальном законодательстве, борьбой с монополиями, ставками налогов. Не всегда и не везде гладко (не гладко даже чаще!), но схема выдерживается. Компьютеры позволили оперативно контролировать всю экономику и улучшили ее управляемость.

Непременным условием устойчивости прогресса являются достаточный уровень морали во всех звеньях (рабочий — капиталист — чиновник). А также культура и личная собственность (даже взятая в кредит) у основной массы населения. Конечно, важно относительное единство идеологии, побуждающее к поискам компромиссов в конфликтах. (Так называемое «социальное согласие».) Все вместе: нужна достаточная зрелость общества. Если этого нет, возможен длительный застой, даже кризис.

Вторая сторона: *политический* круг управления. Его участники — при демократии: правительство, оппозиция, СМИ, партии. Власть — законодательная, исполнительная, судебная. Народ: спектр социальных групп, со своими общественными организациями, их уставами и убеждениями.

Исходная посылка: «народ всегда недоволен». Он добивается облегчения труда, снижения налогов, повышения социальных услуг, роста доходов, безопасности, прав и свобод. Взамен обещает голоса на выборах. Но все это требует от правительства повышения расходов бюджета, значит — роста налогов, и все вместе — тормозит экономику, запускает кризисные явления, сокращает производство, вызывает отток капиталов, повышает безработицу. То есть, запускается все тот же *порочный круг* экономики. Только на этот раз недовольство направляется на правительство, ведет к оттоку голосов в сторону оппозиции, обещающей блага в будущем. Допустим, она побеждает на выборах. Если обещания выполняются, хотя бы частично, то новое правительство держится два, даже три срока. За это время происходит адаптация, притязания возрастают, прежние деятели надоедают, появляются новые требования, например, борьба с преступностью, с бедностью, экология, здравоохранение, образование. И даже — вооружение, стимулированное военными. Происходит смена правительства, побеждает оппозиция. Потом начинается новый цикл.

Внешние отношения с соседями состоят в поддержании и даже повышении прежнего статуса страны. Эта карта иногда выгодно разыгрывается на внутренней сцене, консолидируя общество вокруг правительства, поскольку затрагивает биологические потребности защиты и самоутверждения, присущие всем гражданам еще со времен стаи: «образ врага» объединяет народ и побуждает прощать правителям их просчеты. .

Созревание идеологии происходит за счет НТП, при правильном соотношении экономики и политики, через умеренные колебания около оптимума с обязательным приростом производства.

К сожалению, не всегда и не везде.

Причины неудач Коллективного Разума общества состоят в «нестыковке» интересов его участников и их непостоянстве. Рабочие требуют слишком много, хотя сами по себе требования необходимы для стимуляции НТП. Капиталисты, в свою очередь, хотят иметь больше прибыли, чтобы расширять производство, обновлять технику и побеждать конкурентов. То же касается претензий народа к действующему правительству. Оно, чтобы удержаться у власти, делает не только верные шаги к прогрессу, но и популистские, вредные для экономики, направленные на увеличение поддержки избирателей на выборах.

Очень вредит низкая мораль общества: лень, групповой эгоизм, нечестность, и даже преступность, всех участников обоих «кругов» — экономического и политического. Это нарушает правильное соотношение ролей и нагрузок в едином трудовом процессе и ведет к снижению его эффективности. Еще хуже, когда общество раскалывается по идеологическим или религиозным мотивам и у противников нет желания идти на компромиссы. Результат: потеря устойчивости. Не будет капитальных вложений, не будет не только роста, но и стабильности. Начнется спад, а то и кризис.

Все, что здесь написано, не больше чем до предела упрощенные схемы, за которые мне даже неловко. Они недостаточны, чтобы практически реализовать эффективное управление через науку: законы, пропаганду, контроль исполнения,

учет обратных связей от народа и организаций. Схемы нужно наполнить моделями общества разной обобщенности, по типу тех, что были представлены, только гораздо подробнее. Данные для них могут дать социология и экономическая статистика. Модели должны не только констатировать состояние, но и предсказывать, как система будет реагировать на разные стратегии управляющих воздействий.

Не скрою, что это очень сложно, а может быть — и невозможно. Структурные модели для этого не подойдут, но их можно заменить моделями экспертными, по типу уже приведенной выше. Однако при этом у «главных управляющих» должны быть гипотезы, по которым и предлагаются вопросы экспертам. Правильные гипотезы исходят из правильной идеологии, ее Целевых Функций. Они, в свою очередь, обязательно должны учитывать биологию человека, ее консерватизм и изменчивость. И — самоорганизацию.

Она значительно усложняет управление — то есть организацию, задачи для разума общества. Но не всякого.

Вот при *социализме* советского образца особенных проблем с управлением не возникало. Существовала жесткая организация власти под идеологию, разрабатываемую в Политбюро, во главе с «Первым». Была устоявшаяся система управления всеми функциями общества, осуществляемая ЦК и его рабочими органами: отделами, секторами.

ЦК управляло всем: экономикой — через Госплан. Другими функциями государства — через Совет министров. «Все под контролем!», как теперь любят говорить: внешняя политика, образование, наука, здравоохранение, культура, соцобеспечение... и так далее. Еще существовали «приводные ремни» — так называемые общественные организации — комсомол, пионерия, профсоюзы, ... много учреждений. И тоже с территориальной иерархией подчинения и контроля со стороны Партии. Законность поддерживал суд. Это так называлось, в действительности — «телефонное право» райкомов, обкомов, ЦК.

Главными помощниками партии по поддержанию «дисциплины и порядка» были КГБ и

МВД. Первый — политика, разведка, второй — «бытовой» порядок. Рядом с ними — ГУЛАГ — система лагерей. Идеологией общества Партия управляла «самолично»: ее органы контролировали все СМИ. Начиная со стенгазет.

Кадрами на всех уровнях распоряжались «отделы кадров» — в них были сосредоточены сведения по «номенклатуре» — то же — по этажам территорий и подчинения.

Теперь, оглядываясь назад, после десятилетия «демократии», можно сказать, что система работала хорошо. Грубых «проколов» было мало, хотя выполнять планы никогда не удавалась. Я лично собирал газеты с пятилетними планами со съездов Партии, и когда, через пять лет, проверял выполнение планов по отчетам Совмина — расхождения достигали 30%. Но все уже забывали, что обещали, и бодро рапортовали: «Все выполнено!» Вот если бы политика была эффективна в экономике! Между прочим, вариант Гитлера эту эффективность обеспечивал. Я знал об этом. Наш госпиталь закончил войну на территории Восточной Пруссии, население все выехало, в пустых квартирах было сколько угодно книг, можно было рыться на полках, не посягая на собственность. И я читал: очень эффективно руководили нацисты! Соединили капитализм с жестким государственным управлением, тотальной диктатурой и пропагандой и сотворили чудеса. За шесть лет, с 1933 до 1939, преобразили страну.

Успешность любого управления зависит от его коррекции — от обратных связей и их влияния на принятия решений. В этом лежит приложение самоорганизации. Были ли они при Советах? Были. Много? Нет. Кажется, это Винер сказал: «Тоталитарная система в ответ на сигнал обратной связи реагирует уничтожением ее источника». Так примерно и было. Были выступления из публики? Письма? Протесты? — Пожалуйста! Только смотря какие. В первые годы после революции рабочие, избалованные «кровавым царским режимом», пытались протестовать — несогласные с Партией устраивали забастовки и даже восстания. Чрезвычайная Комиссия скоро привела их в чувство, и эти игры

прекратились. Нет, правда, было еще стихийное выступление против повышения цен в Новочеркасске в 1962 году. Последовал адекватный ответ — расстреляли, судили, посадили. Демонстрация, когда шесть диссидентов вышли на Красную площадь с плакатиками, против оккупации Праги. Исход — лагерь. Синявский и Даниэль напечатали на Западе свои «клеветнические» писания, и тоже «получили по заслугам». О ссылке А. Д. Сахарова все знают. Самым печальным в этих историях была «обратная связь» — собрания и коллективные письма трудящихся, включая и академиков: все клеймили предателей. Народ этот сигнал понял — и желающих демонстрировать не стало. Диссиденты ограничивались подпольной деятельностью и тайными контактами с Западом. Да и таких было ничтожно мало, если учесть население Союза почти в триста миллионов. Причина — не только страх, а убеждение в бесполезности. Но главное — абсолютное большинство граждан не сомневались в социализме: не было серьезного повода протестовать «по большому счету». А по мелочам... Рассуждали так: «Да ну их к черту!» Притерпелись. Гражданские чувства атрофировались за десятилетия диктатуры.

«Пишите письма, товарищи! Сигнализируйте о недостатках!» — это была единственная форма обратной связи. Но тоже — не безопасная. Во-первых — письма индивидуальные, никаких коллективных! Во-вторых — без притязаний на «потрясения основ» — только хозяйственные дела. Критика начальства — не выше мелкой номенклатуры — административной, не партийной.

Конечно, специалисты (и просто — активные граждане) писали «докладные записки» в ЦК с различными предложениями по технике и организации — из самых патриотических побуждений: «Улучшить! Усовершенствовать!» Я помню, что мне сказал мой друг, авиаконструктор О. К. Антонов, когда я ему посоветовал написать в ЦК о состоянии в авиапромышленности, когда он жаловался на беспорядки: «Бесполезно! В Центральном Комитете таких предложений — сундуки лежат!»

Вывод. В «развитом социализме» обратной связи не было. Это была одна из причин его поражения. Или — еще к этому: вспоминаю выступление на Академии по вопросу экономики, незадолго до «конца»: «Чтобы догнать Америку, нужно увеличить производство вдвое. При наших затратах материалов и энергии на единицу продукта это физически невозможно: не хватит сырья, рабочей силы, и природа задохнется в отходах».

В целом: самоорганизация при советском социализме отсутствовала: система закостенела. Менялись только персоналии, но не политика. Как Сталин ее установил в конце двадцатых годов, как напугал коммунистов репрессиями, так страха хватило до прихода Горбачева. Но о перестройке я еще порассуждаю: другая эпоха.

Что в этом самое досадное? Обман — действовал! Всеобщая ложь была столь искусной, что все ей верили... Те немногие, что знали правду,— молчали. Я — тоже верил, что «социализм с человеческим лицом» — лучшая идеология для мира.

САМООРГАНИЗАЦИЯ В ОБЩЕСТВЕ

Схема:
Самоорганизация → организация (разум) →
отбор → эволюция.
← обратные связи ←

Выражение «эволюции» применительно к странам — это созревание идеологий. Или — цивилизации? Затрудняюсь определить... «Организация» — это государство, его КР, обладающий способностью к саморегулированию. К поддержанию целостности, а в последующем — и все Мировое сообщество.

Вот *«слои самоорганизации»* в обществе.

Первый слой – *Индивид:* его психика, личный разум — уровень сознания, творчество, создание моделей и их воплощение через действия. Продукт — вещи, речь, модели. А главное, сам человек, изменение его психики. От него — за-

мыкание на группы, общество, с положительными обратными связями — снова на индивида.

Мотивы для действий, для выражения моделей — потребности, убеждения, притязания, направленные на других людей, на высшие структуры — на группы, на государство...(На мир!) Тормозы для выражения моделей — страх подавления, подчиненность авторитетам. Пределы моделирования — познания и творчества — знания (способности). Возможности — от положения человека в группе, в обществе, от самого общества, его идеологии, зрелости. Идеал: свободный, образованный (информированный) гражданин в свободном обществе.

В связи с этим: *«Роль личности в истории».* Сколько слов марксисты потратили на эту тему! Доказывали, что роль невелика, что все дело — в «производительных силах», «Пока общество не созреет...» и так далее.

Роль — большая. Начиная от бригадира — изобретателя, через талантливых начальников — до руководителя государства. Если он — личность. А если у него еще и «харизма» — уже тянет на «вождя». Разного калибра — зависит от масштаба.

Содержание понятия «харизма» объяснить не могу. Это один из пунктов, в котором есть подозрение на «другую физику» Лашкарева... Впрочем, нет смысла говорить много: «личность» может стать важным элементом самоорганизации общества. Причем, как с плюсом (вожди и герои), так и с минусом — исторические «злодеи».

На самой вершине пирамиды личностей — создатели великих религий: Будда, Христос, Магомет, Конфуций. Куда уж больше самоорганизации! — появились «на ровном месте» — и определяли судьбы человечества. Ниже их стоят великие завоеватели. Тоже немало — перекраивали географию и историю, но — локальную, не мировую.

Второй «слой»: *социальные группы,* их КР. Источники влияний — интеллект членов группы. Возможности — от структуры КР группы: демократическая или авторитарная. От знаний, квалификации. Группы — это общественность, партии и само правительство, парламент. Здесь генерируются идеи членов за счет индивидуального творчества и суммируются через общение. Мотивы для их выражения: положение группы (лидирующее, подчиненное), ее идеология (агрессия, терпимость), организованность (единение), амбиции лидеров и участников. Тормозы — внешние — идеология общества (Х, У, Z), его организация — (Конституция? Строгости? КГБ?), противодействие других групп, их идеологии и положение. СМИ. Значение группы зависит от места в организации общества, ее групповая идеология, квалификация. Коллективный характер. Личность лидера — харизма.

Третий «слой»: самоорганизация в *целом обществе,* в государстве. Выражается во взаимодействии групп и участии (влиянии) лидеров. Воплощение — в общественном мнении, в борьбе идей и групп, в правительстве, парламенте. Результат — в формировании и проведении политики государства — внутренней и внешней. Возможности их изменений зависят от степени созревания цивилизации. Зрелые общества — консервативны и устойчивы, расхождения в идеологиях групп — невелики, изменения — скорее косметические. Незрелые — наоборот — неустойчивы и даже хаотичны. Убеждения групп расходятся, вплоть до полярных. Соответственны и отношения — антагонистические. Коммунисты называли это «классовой борьбой», ученые-политологи — «конфликтами групповых интересов». Исходы — подъемы и застои — вплоть до революций, до смены координат Х, У, морали.

Текущее выражение самоорганизации «третьего слоя» — это «общественная жизнь»: собрания, митинги, выборы, съезды партий, демонстрации... Борьба в СМИ. Характер и соотношение групп, их идеологии: сочетание прогресса и консерватизм в воплощении идей (конституция(?). Отношений групп — «Классовая борьба?» Независимость СМИ. Общественное мнение. «Рейтинги». Результат: изменение политики — внутренней и внешней. Изменение самой конституции и даже политической системы.

Четвертый слой: *международное сообщество.* Самоорганизация выражается в политике государств и их отношениях друг с другом — в *геополитике.*

Современный Мир — это *стая государств.* Те же биологические законы, но с добавлением идеологий. Причем — с небольшим добавлением. Вспомните вражду и дружбу стран с противоположным общественным строем. «В политике Англии нет друзей и врагов, есть интересы». Не помню, кто это сказал, но очень верно.

Существует переплетение этих самых интересов: лидерство — соревнование — конкуренция. Обиды, вражда — вплоть до войны. Но также и любопытство — общение, обмены, торговля, подражание, кооперация, союзы. Даже — дружба. (Вспоминаю: «Породненные» города: «Киев — Флоренция». Участвовал в обмене делегациями в разгар холодной войны в 1968 году. Дружбы не заметил: проформа, по указаниям ЦК из Москвы.)

Однако общий объем отношений и взаимозависимость возрастают по мере созревания стран-участников. Снова — «Стрела времени»! Теперь это называется «глобализация». Разговор о ней еще впереди.

Самоорганизация выражается в волнообразной динамике отдельных государств и их влияния на мир. «Вектор созревания человечества» она не меняет, но на темпы действует.

Личный компонент в политике. Он всегда присутствует: в мотивах самого политика (и в такой же степени — в мотивах его команды). Здесь — все те же биологические = эгоистические — потребности: жадность, зависть. Особенно «лидерские» чувства — тщеславие, честолюбие, властолюбие. Но также и жажда деятельности, потребность руководить, командовать. А у настоящего лидера — и быть первым, «брать на себя». Сопереживание подчиненным, жалость, доброта — тоже присутствуют, но в гораздо меньшей степени. Политика — жесткая профессия. Соотношение убеждений по идеологии, например,— коммунизм, и биологии — очень разное. Для большинства политиков карьера и деньги — важнее идей. Доказательств этому за время перестройки получили сполна: посмотрите, как быстро забыли о коммунизме номенклатурщики — они все за рынок, и особенно — за частную собственность. Главное — для себя. Впрочем, диапазон личностей политиков широкий: от чистых карьеристов до бессребреников, фанатиков идеи или дела.

Разумеется, жадность и зависть у простых граждан тоже представлены, однако не больше, чем у лидеров. Зависит от уровня морали. Но тоже — по-разному, в разных группах. У интеллигентов — эгоизма меньше, у профессионалов экономики и материальной сферы, владельцев собственности — больше.

Еще один важный фактор — характер. «Сильная личность» — необходимое качество политика-руководителя. А для политика публичного желательна даже харизма.

Карьера и жадность — пороки, которые политики тщательно скрывают. Народ, хотя и сам — не ангел, но тянется к высокой морали своих лидеров. Правда, уже имеем сдвиги: олигархов легко выбирают в парламент, особенно если подмажут избирателей. Приходится признать, что на Западе стандарты морали для политиков выше наших. Сенатор в Америке, будучи приглашен в ресторан, обязан сам оплатить счет.

ПРАКТИКА ПОЛИТИКИ

Разум действует через ФА. Через их иерархию. Субъект Разума — политик, управляющий — один или группа с лидером.

Как это выглядит?

Начало: получение власти. Варианты. Первый: в результате выборов — от народа, процент голосов выражает степень доверия и ожидания избирателей. Есть конкуренты: их идеология и притязания сторонников. Это нужно учитывать избраннику.

Второй вариант: назначение от начальства. Существует его идеология. Он задает полномочия, ответственность и контроль.

Так или иначе, есть потребности и идеология самого управляющего. Общая идея цели: «Как должно быть». Ее координаты: «Власть, экономика, мораль».

Далее следует первоначальное *восприятие* объекта. Исходная модель идеологии — «Что имеем в объекте»: мера капитализма — социализма, с детализацией. Очень важно: мнение народа — единство или разногласия в оценке этой меры.

Хорошо бы иметь модель общества, но это невозможно.

Разумеется, политик, только что занявший должность, не составляет такую количественную модель «своего объекта» — будь то страна, область или район. Для этого нет механизмов, да и интеллекта у политиков. Но в качественном выражении такая модель обязательно должна быть в его разуме. А в идеале — для страны — должна быть в аппарате управления.

По программе этапов ФА, за восприятием и распознаванием следуют *прогнозирование* и *оценка* исходного состояния объекта в соответствии с требованиями собственной идеологии и личных чувств. Получается картина объекта с некоторым «коэффициентом точности».

Следующий этап ФА — *целеполагание*. Управляющий (политик) ставит цели: будущее желаемое состояние объекта — как на долгую перспективу, так и на период времени управления, например, до перевыборов. Вопрос: «Чего бы хотелось достигнуть». И даже примерные варианты — максимум и минимум.

Цели исходят из собственной идеологии, ее соотнесения с исходной идеологией народа и возможностями страны, главным образом — в экономике.

Глобальная цель — «построение коммунизма» — декларировалась вполне серьезно, Хрущев обещал — в восьмидесятых годах. Правда, «наполнение» не уточнил. Формулу: «От каждого по способностям, каждому — по потребностям» никто всерьез не принимал: понимали, что иллюзия, природа человека не позволит. Поэтому притязания скоро сократили: от каждого требовать по способностям, но давать уже только «по труду». «Сколько давать» — уточнялось на съездах Партии: квартиры, пенсии... Называлось — строим (потом — уже построили): «развитой социализм». Но о гражданских правах не упоминали. Даже не было такого термина: предполагалось, что имеем максимум возможного.

Впрочем — не будем смеяться: «империалисты» тоже декларируют глобальные цели: «Открытое общество», «Гражданское общество». Их содержание не очень определенно.

Нужны ли дальние цели? Несомненно: они отражают психологию: «человек живет для будущего» — это звучит как парадокс, но доля правды в нем большая. Цель появляется уже при первой прикидке ФА управления и стимулирует энергию до его завершения. Если завершение откладывается в неопределенное будущее — нужны глобальные цели. Могу свидетельствовать: над хрущевским коммунизмом смеялись, но из подсознания декларация действовала. Прошло одиннадцать лет, а тоска по светлому будущему осталась. Декларация о гражданских правах, о которых теперь все знаем, его не заменила.

Давайте подумаем: разве «рай за гробом» не является такой целью? Тем более, если человек несчастен.

Воспоминания по теме. Когда-то давно я спрашивал свою тетю Катю — культурную и очень религиозную сельскую акушерку:

— Неужели ты веришь в ад? В котлы с кипящей смолой, в раскаленные сковороды? Или в рай с райскими кущами?

— Коленька! Котлы — это пропаганда для неграмотных. Ад — это означает уничтожение души. Окончательная смерть. Человек очень боится смерти... Рай для него — это вечная жизнь.

Конечно, для реальной практики нужны цели ближние — в пределах Функциональных Актов разного ранга.

Этап ФА — *планирование* — обнимает два понятия: «программу», идущую от целей: стратегию — «обобщенный ФА», и тактику — этапы и промежуточные цели. Это «дерево целей» и вторичные ФА. Программы и планы существуют во всех органах управления — от государства до корпораций, и даже в мелких фирмах. Разница — в объеме детальности и строгости исполнения. При социализме — планы жесткие, при рыночной экономике — для частного сектора — рекомендательные — «индикативные». Но и тогда государственный сектор управляется по строгим планам, выраженным в бюдже-

те. По крайней мере — на год. Корпорации и фирмы имеют достаточно строгие планы развития и финансирования, основанные на маркетинге — изучении рынка и перспектив развития технологии.

Планы составляются на каждый этаж структуры. При этом решающее значение имеет мера централизации системы, предусмотренная в конституции или уставе фирмы. Планы могут составляться «сверху— вниз», или «снизу— вверх», или компромисс: кому, что и сколько. Соответственно распределяется подчинение и ответственность.

Целеполагание и планирование предусматривают варианты: в зависимости от прогнозов обстановки, принятой идеологии и даже личных качеств политиков.

Этап управления: *решение* — завершает сомнения и споры о планах. Даже при существующих алгоритмах сравнения вариантов, решение — «Вот это — в дело!» — остается волевым актом, поскольку Разум «ограничен, субъективен и склонен к увлечениям».

Этап *действия* предусматривает реализацию программных планов, включение управления исполнителями, их усилия, материалы и энергию. «Шкалы оплаты» (в модели личности) наполняются средствами, стимулируют труд, и он превращается в вещи и информацию. В свою очередь, «платы» замыкаются на чувства подправленные(?) «притязаниями», и составляют основу УДК народа, с «плюсом» или «минусом» — счастье или несчастье. При этом «личное» замыкается на группу, суммируется с другими ее членами, и вот уже готов мотив для групповых «высказываний» — одобрения, а чаще недовольства, в адрес «управляющих» всех уровней. Групповые мотивы могут усиливаться от солидарности с другими и выливаться в реальных протестах. Но могут и блокироваться тормозящими чувствами страха от репрессий управляющих, добавляя недовольство в УДК — от жизни.

Конечно, мое описание управления и политики — схематично и даже примитивно. Но ведь и задача неподъемная. Кое-что, может быть, удастся раскрыть на примере Украины.

Реальная политика — это смесь «модельного» (программного?) и «ручного» управления объектом, с использованием честных и нечестных приемов: компромиссов, невыполнимых обещаний, обменов и обманов, публичной демагогии и альтернатив. Теоретически цель одна — эффективное управление «для блага народа», «достижения намеченных ориентиров», выполнение «программы». Однако незримо присутствует другая цель правителей: удержаться у власти, обогатиться, обеспечить себе платформу для будущего благополучия.

Публика это чувствует, относится к политикам с недоверием, а чаще и с неприязнью. Впрочем, демагогия нередко достигает цели, и политик благополучно выигрывает следующие выборы.

Бывают ли «честные» политики-профессионалы?

Несомненно — бывают. По крайней мере, такие, для которых политика и ее истинные цели составляют главное дело жизни. Правда, на заднем плане все-таки присутствует карьера, но на авансцену она не выходит.

Как исключение — встречаются и чистые идеалисты от политики, которые «голыми» приходят во власть и такими же уходят. Именно таких хотел бы видеть народ.

ИДЕОЛОГИЯ ДЛЯ УКРАИНЫ

ПРОБЛЕМЫ УКРАИНЫ

Чтобы понять проблемы Украины, придется еще раз сравнить социализм и капитализм.

Возьмем сферу экономики.

Социализм примерно вдвое уступает по темпам роста, по НТП, по производительности труда, по затратам материалов и энергии, по качеству товаров, по доле личного потребления в составе валового продукта, по экологии.

Зато при социализме надежнее социальная защита, нет безработицы, меньше неравенства. То есть, выигрывают показатели, важные для слабых и бедных.

Для подтверждения тезиса об отставании социализма в экономике приведу выдержку из статьи в «Известиях» от 4 ноября 1997 г.

А. Илларионов, директор независимого Института экономических исследований, сравнил, разбив по парам, развитие 18 социалистических стран с примерно соответствующими им по географии 12 странами капитализма. Таблица большая, но суть в следующем. С 1950 до 1990 года суммарная экономика капиталистов возросла в 4,1 раза, и внутренний валовой продукт на душу в конце периода колебался от 4 000 $ в Таиланде до 20 000 $ в ФРГ. У социалистов возрастание составило 2,1, а колебания ВВП на душу населения — от 1 000 $ во Вьетнаме до 10 000 $ в ГДР и Чехии. Украине дано 4 800 $.

Это еще не все.

Вопрос: сколько из произведенного государством на душу (ВВП) попадает в личное потребление гражданина? Сведения тоже есть: у капиталистов такой КПД составляет 60—70%, у социалистов — 50%. Спрашивается — почему? В бывшем СССР больше средств шло на вооружение, в потери на возобновление техники из-за ее плохого качества и обслуживания при высоком расходе материалов. Если к этому прибавить, что производительность труда была в 2 раза меньше, чем на Западе, то есть работников на единицу продукта держали вдвое больше, то и получается, что личное потребление на душу в бывшем Союзе было в 4—6 раз меньше, чем в Европе.

Какой *вывод* из этих сравнений и рассуждений? Я его уже называл. Частная собственность и рынок, несомненно, эффективнее. Они замкнуты на неравенство, на сильных людей с их жадностью, завистью, лидерством. Слабых людей подгоняет страх безработицы. Но именно сильные типы определяют прогресс общества, который, в конце концов, обогащает не только богатых, но и бедных. Однако до этого приходится пройти через период нужды бедных слоев населения.

Второй (после экономики) показатель оптимальности — *устойчивость*. Казалось, в этом социализм, бесспорно, выигрывает: никаких кризисов! Однако тишина оказалась обманчивой. Стоило Горбачеву дать чуть-чуть свободы, и скала рассыпалась за 2—3 года.

Устойчивость определяется отношением: недовольство и власть. При социализме власть — диктатура, устойчивость от страха, недовольство скрыто. И оно сразу же проявляется, когда власть слабеет. (Вспомним шахтерские волнения

1989 г.) При капитализме и демократии недовольство тоже есть, но открытое — в забастовках, в СМИ, на перевыборах. Устойчивость основана на сознательном выборе просвещенного народа, с традициями свободы. Однако демократия, при бедности и без опыта, не обеспечивает стране устойчивость и прогресс в экономике. Народ не воспринимает власть как свою.

По координате *«власть»* я сравнил две крайние идеологии: *тоталитаризм* (читай коммунизм) и — *либерализм*.

Координата власти (Т — тоталитаризм, Л — либерализм):

Идеология: Т: одна идея — политика, религия, вождь или нация. «Железный занавес» на чуждые идеи.

Л: свобода идеологий.

Гражданские *права*: Т: ограничены идеей и формальны.

Л: полный набор прав и свобод.

Отношение к *морали*. Т: морально то, что соответствует правящей идее.

Л: общечеловеческие ценности.

Система *власти*. Т: вождь + формальная демократия. Одна партия. Террор инакомыслия.

Л: многопартийная демократия с разделением властей.

Агрессивность. Т: большая. Л: малая.

Координату *«мораль»* трудно определить количественно, хотя и говорят о «высокой» или «низкой» морали. Приблизительно она соответствует уровням преступности и благотворительности. В тоталитарных государствах мораль поддерживается строгостью законов в сочетании с коллективной ответственностью. При демократии высокий уровень морали возможен за счет религии в бедных государствах или за счет культуры — в «богатых».

Координата *«информация»* имеет два выражения: свобода СМИ и образование. По первому — социализм проигрывает вчистую, по второму — при равенстве ВВП на душу — даже выигрывает. Примеры — Куба и СССР.

Конечно, между крайними полюсами возможны компромиссные варианты. Именно их и реализуют демократические страны с выраженными компонентами «идейности» — социализма, религии или нации.

Для прогресса нужна гармония всех координат идеологии: собственность побуждает к труду, власть обеспечивает законность и оберегает от преступников, мораль и вера (в Бога? в идею?) поддерживают совесть, информация — облагораживает общество.

Не следует преувеличивать и думать, что при социализме люди всегда и поголовно несчастны. Рациональное плановое хозяйство способно удовлетворить насущные нужды всех граждан. Если бы не повышение притязаний примерами от капиталистов, то, по минимуму, этого достаточно. Особенно, когда есть идея «светлого будущего». И коллективизм в отношениях людей.

Можно ли найти компромисс рынка и плана в экономике? И притом дозировать демократию? Оказалось, можно, но только при сохранении диктатуры одной партии. Пример — Китай. Но у тех же китайцев на Тайване темпы прироста много выше. Были попытки совместить две системы в странах Южной Америки и Африки, получался или застой, или «бандитский капитализм» с нищетой.

НЕСКОЛЬКО СЛОВ ПО ИСТОРИИ. ПЕРЕСТРОЙКА

Неверно говорят, что к моменту прихода к власти Горбачева советская система полностью исчерпала себя. Да, трудности были, но запас устойчивости оставался. Народ привык к идее социализма, к ограниченности материальных возможностей и не мыслил менять строй. Конечно, интеллигентам хотелось получить немножко свободы, но без претензий на смену идеологии. Квалифицированные экономисты видели, что система буксует, но больше относили это за счет перегрузки военными расходами. Тем более, что прирост ВВП, за счет нефтедолларов, продолжался, хотя и замедлился до 3–5%. Поэтому перестройка была типичной «революцией сверху». Достаточно почитать решение съезда

КПСС в 1985 г. «Ускорение через машиностроение».

Но были и другие решения Партии в 1985—1988 гг., расшатавшие диктатуру: «гласность», кооперативы, самоуправление предприятий с выборами директоров, запрет алкоголя, послабление цензуры.

Этих скромных мер было достаточно, чтобы система пошла вразнос. Запрет на водку не повысил производительности труда, но стоил четверти бюджетных доходов,— они компенсировались печатанием денег — эмиссией. Кооперативы еще прибавили в торговлю свободных денег: в результате нарушилось соотношение «спрос — предложение», возник дефицит товаров и началась инфляция. Трудовые коллективы потребовали для работников новых льгот, а директора их дали, боясь провала на выборах. Самоуправление предприятий расшатало дисциплину поставок: начались трудности с выполнением планов. Ослабление пограничного контроля породило «челноков» и спекуляцию, разрушило монополию внешней торговли, на которой держался внутренний рынок с самого момента революции.

На этом фоне в 1989 г. прошли полудемократические выборы народных депутатов: Партия впервые разрешила частичное свободное выдвижение кандидатов «снизу», от общественных организаций. На 1-м съезде прозвучали лозунги о демократии (Сахаров) и призывы прибалтов к независимости. Отменили статью конституции о руководящей роли КПСС. На 2-м съезде Горбачева выбрали президентом. Новый Верховный Совет принимал половинчатые законы, вроде бы направленные на рыночную экономику («социалистический рынок»), а в то же время реальная плановая экономика рушилась на глазах от всеобщего дефицита товаров, бюджета, внешней торговли... Забастовали шахтеры... Началось движение за независимость союзных республик. На этой почве в Тбилиси и Баку произошли беспорядки с человеческими жертвами.

Потом руководители долго составляли Союзный договор, но подписать не успели, так как помешал ГКЧП. На его подавлении набрал силу Ельцин, объявивший независимость России. За ней последовали другие союзные республики. Новые попытки Горбачева склеить Союз через референдум (хотя он и подтвердил почти поголовную приверженность советского народа к Союзу) прервались Беловежской Пущей: распад СССР состоялся. Тот же народ в республиках, при повторном референдуме, дружно (90%) проголосовал за независимость. Вот сколь непостоянно «мнение народа»! Инициаторами независимости были не столько народ, сколько амбициозные республиканские политики: каждый хотел полноты личной власти. В результате все союзные республики пошли в свободное плавание. Компартии были формально отставлены от власти, но подспудно партноменклатура продолжала править. (Увы! И до сих пор.)

Восторг от независимости и национализма не заменил нехватки разума у властей: разразился экономический кризис. В России правительство Гайдара объявило «шоковую терапию»: свободные цены, приватизация. Появились импортные товары, но последовала грандиозная инфляция с обесцениванием зарплат и вкладов в сберкассах. Заводы остановились из-за сокращения военных заказов, разлада взаимопоставок и конкуренции импорта. Народ обнищал. Кризис быстро распространился на весь СНГ.

СОБЫТИЯ В УКРАИНЕ

О нашем украинском кризисе писалось так много, что я ограничусь лишь повторным перечислением ключевых событий.

Независимость в 1992 году — эйфория надежд. Разрыв производственных связей, ослабление служебной дисциплины и снижение производства. Открытые границы — дешевый импорт — вытеснение своих товаров. «Шоковая терапия» — огромная инфляция, потеря сбережений. Катастрофическое снижение реальных зарплат и пенсий. «Новые украинцы»: номенклатурная приватизация, нажива на экспорте и разнице цен — «счета в швейцарских банках» — виллы и «мерседесы». АО, «красные директора» госпредприятий и неразбериха с министерства-

ми, развал управления промышленностью. Неудачи с инвесторами. Однако банкротств нет —
заводы не закрылись, хотя стоят (не работают).
Рабочие не увольняются, безработица малая, только зарплату не платят. «Социальная сфера» —
школы, институты, наука — тоже сохранены, но
финансы срезаны в 3¬4 раза. Больницы выру-
чала гуманитарная помощь.

Инфляция остановлена в 1996 г. девальва-
цией валюты, однако без эффекта на экономику:
к 1999 г. ВВП упал уже на 60% и составлял в
1998 г. чуть больше одной тысячи долл. на душу
населения против 25—30 тыс. долл. в США и
Европе. (В действительности падение было меньше... Реальный ВВП на душу был около 2000).
Справедливости ради следует заметить, что плохие показатели, фигурирующие в справочнике
ООН, в значительной степени объясняются теневой экономикой, составляющей 40—50% общего объема (в статистику она не попадает,
налоги с нее не платят!), а также разницей в
покупательной способности доллара. (Коэффициент Паритета Покупательной Способности —
ППС.)

Страна несколько лет жила в долг: МВФ,
пирамида облигаций внутреннего займа (ОВРЗ),
неуплата России и Туркмении за нефть и газ,
задолженность бюджетникам. Налоги «душат»
предприятия — до 80% от прибыли, но собирали — половину. Удержались только производство металла и химия, они дают деньги на
«критический импорт». Однако энергоемкость
единицы валового продукта (по данным Мирового Банка) в 10 раз (!) больше, чем в Европе
и Японии, в три раза выше, чем в Китае. (Если
бы учитывать «тень», то показатели были бы
вдвое лучше. Но все равно с такими тратами
энергии немыслимо добиться значительного
подъема в экономике.) Неоднократно реформи-
рованные колхозы сократили продуктивность на
40%, но огороды наполовину компенсировали
потери. Голода не было и нет. Легкая промышленность уменьшилась в пять раз, пищевая —
в три. Притом товаров в магазинах достаточно — импорт. Спрос мал — нет денег... Доходы
на душу, по статистике, снизились до 60 долл.
в месяц, это меньше половины советского вре-

мени. Правда, по расчетам потребления, по по-
купкам — цифра доходов получается на треть
больше — добавка идет от теневой экономики.
Неравенство 1:15. Бедствуют одинокие пенсионеры и многодетные семьи. Интеллигенция — «вы-
живает». Молодые и способные эмигрируют.

В то же время «новые украинцы» нажили
огромные капиталы за счет разницы цен на экспорт и импорт, за счет облигаций ОВРЗ, по которым выплачивались более 100% годовых.
Много было всякой плутни — я не в состоянии
ее раскопать. Откуда-то взялись миллиарды(!)
долларов у олигархов — буквально из воздуха! Впрочем, и на Западе первоначально капиталы наживались на спекуляциях.

ЧТО ДУМАЕТ НАРОД?

Я уже писал, что в 1990—1991 гг. предпри-
нял большие анкетные исследования через газеты «Неделя», «Комсомольская правда», «Литературная» и «Учительская» газеты. Материалы
были обработаны и опубликованы. Они очень
помогли в суждении о психологии человека, но
остались невостребованными для политики. Распался Союз, потом были шоковая терапия, кри-
зисы, возможности у меня исчезли.

Но я по-прежнему уверен, что для управления обществом (идеология!) нужны модели и
исследования, объединяющие социальную психологию, социологию, экономику, политику.

Пока не буду дальше развивать тему в сторону технологии самого управления, а остановлюсь на частном вопросе, на обратных связях.
Применительно к Украине, прежде всего, нужно
выяснить, что представляет собой народ. То
есть — *социология*.

Для этого в 1997 г. было решено повторить
опыт 1991 г. с опросами через газеты. Мое дело
было составить анкету и сделать анализ, а всю
работу выполнили энтузиасты Л. Б. Малинов-
ский, В. Б. Бигдан и Т. И. Малашок под руководством чл.-корр. НАНУ Б.Н. Малиновского. Ранее он создал Фонд по истории компьютерной
техники при Доме ученых, а теперь увлекся социологией. Деньгами немножко помог фонд

Сороса. В марте—апреле 1997 г. анкету напечатали семь республиканских газет. Их общий тираж превысил миллион.

До 1 мая пришло свыше 10000 ответов. Их рассортировали по регионам, 4400 ввели в компьютер и сосчитали по оригинальной программе. Выделили группы по возрасту, полу, национальности, региону проживания, роду занятий, образованию, материальному положению. Сосчитали средние показатели для всей Украины, используя демографические коэффициенты статистики распределения населения. Избыток анкет позволил при сортировке выровнять превалирование в ответах служащих и образованных, больше читающих газеты, чем рабочие и крестьяне.

Для сокращения текста представлю лишь общие результаты анализа анкет. Поскольку на каждый вопрос можно было давать несколько положительных ответов, а здесь выбраны лишь важные и альтернативные, не следует искать стопроцентной суммы, достаточно сравнивать соотношения цифр.

Народ живет бедно — 44% и недоволен — 45%. Причины недовольства: плохое положение в стране — 72%, бедность — 28%, болезни — 22%, задержки зарплаты — 21%, преступность — 16%. 17% хотят уехать за границу на время, а 5% — даже насовсем.

Граждане хотели бы поднять доход, в среднем, в четыре раза, но только половина всех трудоспособных готова увеличить труд на 3/4.

Уже зарождается средний, по нашим меркам, класс: машина, квартира, дача, доход более 500 грн. на человека. Таких уже почти четверть.

Мнения по идеологии разложились поровну: «больше социализма» пожелали — 29%, «больше капитализма» — 30%, за частную собственность — 38%, за государственную — 34%, за коллективную — 27%. За собственность на землю — 35%.

Мнения по политике: за президентскую республику — 37%, за парламентскую — 12%, за Советы — 32%, за личную диктатуру — 12%.

Народ изверился в лидерах. Треть не верят никому, даже частично. Доверяют президенту и правительству — 23%, Верховной Раде — 8%, местным властям — 1% (!), Руху — 16%, коммунистам — 20%, всем другим партиям вместе — 9%, суду — 5%, СМИ — 17%.

68% видят причину слабости власти — в карьеризме и нечестности политиков, 47%, кроме того,— в мафии. Соответственно 77% считают, что отставание в экономике проистекает от коррупции и бюрократии, 47% — от плохой квалификации, еще 39% — от низкой морали. За равенство наций 77%. Дать преимущество украинцам — 17%.

Русский язык «использовать на равных» хотят 36%. Запретить — 1%, ограничить во всех сферах — 16%, допустить, как язык культуры и науки — 37%. Но 57% признали русский «языком общения в быту».

Контакты с Европой предпочитают 48%, наоборот, с Россией — только 14%. Еще 21% ответили: «В равной степени».

Вступить в НАТО советуют 28%, а в союз с Россией — 18%. Нейтралитет — 24%. 44% не видят угрозы для Украины, но 28% видят ее со стороны России, а 20% — «от империалистов». За Севастополь готовы воевать 17%.

В Бога верят — 42%, не верят — 18%, другие — сомневаются. Для повышения уровня морали 67% высказались за ограничение секса и насилия на телевидении, 39% — за преподавание религии в школах.

Общественная активность. Высокая: готовность бастовать — 7%. Средняя: митинги, пикеты — 14%. Низкая: собрания — 17%, разговоры — 55%. Направления активности: экономика — 64%, политика — 13%, экология — 12%. Национальные интересы — 17%. Причины низкой активности: неверие в полезность — 53%. Нет времени — 15%, страх — 4%, лень — 3%, другие — 16%.

Отношения между народом и руководителями: нормальные — 11%, недоброжелательные — 77%. Отношение к бизнесменам: безразличное — 56%, плохое — 38%.

Главные трудности Украины. Спад производства — 72%. Преступность и коррупция — 56%. Задержка пенсии и зарплаты — 14%. Отсутствие объединяющей идеи — 25%.

Прогнозы. На улучшение за 2–3 года надеются 8%, через 5–10 лет — 45%. «Будет еще хуже» — 30%. Возможен социальный взрыв — 29%, экономическая катастрофа — 27%, экологическая — 28%. Украина достигнет европейского уровня — 29%, «догнать Европу невозможно» — 30%.

Анализ по группам показывает, что по большинству пунктов различия во взглядах не превышают 1/4 среднего уровня. Но есть значительные отклонения. Больше всего они касаются расхождения мнений между поколениями, меньше — между нациями, регионами, полами и профессиями. Остановлюсь на главных цифрах.

Молодые (до 40 лет, а особенно до 25 лет) высказываются за капитализм против социализма, соотношение: 38% на 15%. После 60 лет цифры обратные. Точно так же по доверию коммунистам: молодые — 5%, «старики» — 38% и, соответственно, за Советы: молодые — 20% и старшие — 50%. В Европу хотят 56% молодых, а в Россию только 9%. Отношение молодых к Руху спокойное, ему доверяют 12%.

Подобный же, но менее выраженный водораздел пролегает между Западной Украиной и всеми другими, очень однородными регионами.

Русские, естественно, выступают за равенство языков — 70%, за союз с Россией — 44%, а за НАТО — 12%. У украинцев соответственно цифры по языку — 32%, за союз с Россией — 18%, за НАТО — 34%. По части политики и доверия расхождения небольшие. Кстати, русских среди ответивших было 21%, что примерно соответствует их удельному весу в населении.

Женщины более консервативны и недоверчивы: 43% не доверяют никому! Мужчины — 32%.

Главный вывод можно сделать уверенно: молодые решительно настроены — на капитализм, Европу, президентство, с умеренным национализмом. Пожилые, естественно, больше оглядываются назад. Конечно, они еще могут повлиять на ближайших выборах, но уже не остановят движения к зрелой идеологии и западным стандартам жизни.

Интересно сравнить наши новые цифры с данными жителей Украины от осени 1991 года.

Сейчас люди вспоминают то время с тоской: хорошо жили! Все заводы работали, зарплату платили вовремя. Товаров, правда, мало было в магазинах, но постоишь и получишь. Объем производства был вдвое больше, чем теперь, значит, продукция была, просто ее быстро раскупали, потому что денег было достаточно.

Притом, свобода и демократия уже торжествовали в умах. Казалось, с коммунистами покончено навсегда, суверенитет уже завоеван. К тому же и частная собственность получила права — для некоторых это было важно.

Теперь у многих от этих чувств осталась одна досада: «ошиблись»! Но не у всех. Богатые довольны. И большинство молодых — тоже.

Как уже упоминалось, через «Комсомольскую правду» мы получили в 1991 г. около 30 000 ответов со всего Союза. Около пяти тысяч были из Украины. По тем же правилам, что и теперь, было отобрано 1940 анкет и данные введены в компьютер. Приведу лишь малую часть цифр, чтобы сравнить: что было и что есть.

Самое главное: по многим показателям жизнь людям казалась тогда хуже, чем теперь. Например, бедными себя обозначили 49%, а теперь — 44%, «несчастными и недовольными жизнью» — одинаково, примерно по 50%. 28% тогда хотели за границу, сейчас — 21%. На бедность, как причину, мешающую счастью, указала половина, а теперь только 27%. К сожалению, сравнивать доход трудно, цены несопоставимы. Но на одного члена семьи приходилось около 200 рублей, и казалось мало. Ныне граждане получают в среднем около 120 гривень, а треть — 50 и меньше.

Зато появился «средний класс». По автомобилям соотношение раньше и теперь — 17% к 28%, по собственным квартирам — 19% к 57%, по участкам земли — 22% на 45%. Про дачи мы не спрашивали, а сбережений было и тогда мало — 1000 руб. на семью. Ныне только 22% граждан имеют до 2000 гривень, лишь единицы — больше этого, а у остальных по нулям!

То есть «успехи капитализма» налицо: бедные обнищали, а неравенство возросло втрое!

Но новому начальству народ уже в 91-м мало верил, даже меньше, чем теперь: президенту Украины 12% (но и Горбачеву, еще правившему в Москве,— 7%), Верховной Раде — 3%, «демократам» — 6%, «Патриотам» — 5% (так мы обозначили шовинистов и националистов, чтобы было понятно всем в Союзе). А коммунистам — только 2%. 65% не доверяли никому. А мы-то теперь удивляемся — 30% разочарованных! В общем, ждали от властей многого, а получили ничего. И рассердились, забаллотировали, хотя бы в анкетах.

Правда, тогда еще надеялись на что-то новое: за «прежний социализм» высказались всего 5%! 54% поставили на «шведский капитализм», 37% — на «свой путь», остальные не определились. Этому соответствовали и взгляды на систему власти: за прямые выборы президента, мэров и губернаторов — 52%, за Советы всего — 6%. Еще 11% — за такую власть, «как при Горбачеве». 17% сказали, что «все власти плохие», а 15% воздержались. Еще мы спрашивали: что делать с КПСС? 12% высказались за запрещение и только 4% против запрещения.

Посмотрите, какой был откат от социализма и коммунистов! И это после семидесяти лет пропаганды. Причем во всех слоях, даже у пенсионеров. В 91-м году еще держались надежды на новый идеальный строй, чтобы социализм соединить с капитализмом, но его исполнители уже тогда оскандалились, и народ их быстро отринул.

И вот *теперь* мы наблюдаем, как маятник симпатий качнулся обратно к Советам, к социализму. Это закономерное явление, исходя из теории циклов. Почти все страны Восточной Европы пережили подобное. Теперь у них уже намечается новый отход «вправо». Впрочем, наши молодые устояли.

Еще один *вывод* из двух анкет: адаптация к бедности. Тогда 8% были готовы бастовать, теперь 7%. А три четверти народа живут вдвое хуже.

Сравнение данных двух опросов пока не оставляет надежды на консолидацию общества вокруг одной идеи. Правительству придется иметь дело с народом, который находится в состоянии идейного хаоса, не любит власть и только терпит ее, как неизбежное зло.

Примечание. 30 декабря 2000 г «Зеркало недели» опубликовало обзорную статистику Л. Шангиной: «Народ золотой середины». Статья большая, привести данные не могу. Выводы от сравнения с нашими от 1997 года: жизнью недовольны — больше половины. Скептицизм в отношении власти изменился мало. Ориентация на Россию возросла до 31%. Надежды на улучшение не прибавилось.

Свое мнение по оптимальной идеологии для любого сообщества я уже высказывал, называя ее «зрелой». Я не признаю никакого «третьего пути», ни для Украины, ни для другой страны. Правда, это не означает одинаковости компонентов идеологии, для всех они меняются в зависимости от этапов созревания общества, то есть от уровня экономики, культуры и времени. От традиций. От самоорганизации. Демократия эволюционирует от президентской к парламентской, возрастают объем гражданских прав и степень социальной защиты, меняется соотношение разных форм собственности. Но все это можно определить лишь как этапы достижения зрелости общества. У каждого из них есть свои «контрольные точки» на кривых. Есть и свои лозунги. Их правильный выбор определяет благополучие общества и бесконфликтность эволюции. Особенно в условиях, когда убеждения людей диаметрально расходятся.

Для этого нужны мудрые политики... и обратные связи!

Вот здесь и могут пригодиться наши исследования: они помогут планировать законы и пропаганду. Правда, должен предупредить, что нельзя проектировать долгосрочную стратегию, основываясь на одномоментном социологическом срезе. Самоорганизация в обществе очень велика, и суждения народа могут драматически изменяться, если случаются события вроде голода, революции, войны или даже... очередной перестройки. Но в спокойные периоды истории убеждения народа более консервативны, особенно у людей старшего поколения.

Так или иначе, научный подход к управлению обществом требует мониторинга через опросы публики и экспертов.

ЭКСПЕРТНАЯ МОДЕЛЬ УКРАИНЫ

Она представлена на рис 24, очень схематична и достаточно спорна, но я все-таки рискнул ее привести, чтобы как-то детализировать состояние Украины по ряду важных параметров.

Каждому фактору придан обобщенный «индекс созревания», выведенный путем суммирования с весами частных показателей и отнесения его к «идеалу зрелости». К нему же приписана цифра годового приращения (динамика) с плюсом или минусом.

Все коэффициенты показаны в квадратах рисунка в соотношении с «уровнем зрелости». Годичная динамика, выраженная в сотых долях, практически — в процентах от исходного «коэффициента зрелости», с соответствующими знаками (+) или (−).

На показателях экспертной модели я и остановлюсь подробнее, сравнивая времена, прошлое советское и настоящее — первое полугодие 2001 г. А также рискну предложить: что делать.

Итак, квадрат первый: *идеология* и *власть*. Перечислю его компоненты.

Была цель — коммунизм, а теперь — пустота. Называть капитализм целью общества пока стесняемся. При Советах согласие граждан с единой идеологией страны было 90%, теперь разнобой. Пожилые живут еще в прошлом, молодежь уже каждый в своей карьере. Идеология процентов на 10 поддерживалась террором (он сильно ослаб в период застоя), на 90% — пропагандой. Теперь вместо ГУЛАГа народ боится бандитов, а все СМИ называет «вранье». Авторитет у райкома был, теперь у администрации его нет. Недовольных при Советах было процентов 30 — жаждущих свободы интеллигентов, а также и стяжателей-лидеров. Теперь

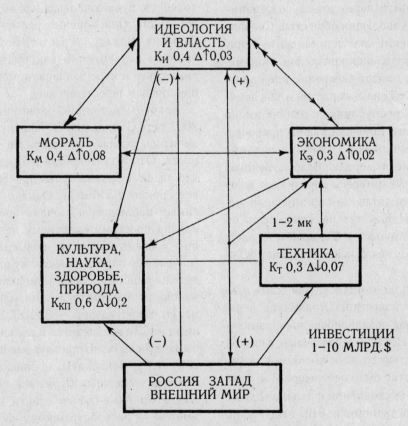

Рис. 24. Экспертная модель Украины

недовольных 50–60%. Главный показатель — «сила власти». При коммунистах она была «ой-ой»! А теперь нет совсем. Соответственно упала и законопослушность граждан...

Собрав все вместе, я оценил в 1997 г. индекс идеологии и власти цифрой 0,4. Я и сейчас не могу изменить эту цифру. Декларации есть, а выполнение минимальное. Но динамический показатель обозначил +0,03. Казалось, что все-таки системы власти налаживаются. Лет через двадцать дозреет! Еще: есть средней силы обратная связь от экономики, а слабая — от морали. Обе с плюсом.

Увы! Теперь — в 2001 г.— динамику я могу обозначить лишь 0! Власть теряет устойчивость: события описывать не буду — они меняются слишком быстро, прогнозы делать — опасно.

Что делать? Нужно бороться за умы граждан: критиковать прежнее и пропагандировать дальние цели цивилизованного общества. Ближняя цель: «порядок», борьба с коррупцией. Потом придется пройти через этапы созревания сознания народа и эволюции общества. Сначала понадобится усиление власти президента и правительства для управления кризисной экономикой. Параллельно пойдет внедрение идей демократии, создание 2–3 сильных партий и дальше — к парламентской республике, с выборами по партийным спискам. Конечно, нужны правоверные чиновники и милиция... Только где их взять, если нет веры, денег и морали? Ведомственные, групповые и частные интересы парализуют волю правительств. Проклятая самоорганизация может все погубить! Как тут не затоскуешь по харизматической личности? Только бы не застрять на диктатуре, как бывало в странах Южной Америки.

Второй индекс: *экономика*. О советском прошлом теперь все известно. Ограничусь перечислением: да, была сбалансированная, замкнутая, военная (25% ВВП), неэффективная, с низкой производительностью труда и высокими затратами. Но неравенство было небольшое, 1:4, а социальная помощь (в сравнении с Западом) даже опережала уровень экономики. ВВП на душу, по разным оценкам, составлял 2–3 тысячи долл.

Правда, на личное потребление доходила только треть, остальное съедала система, но и то было прилично при ценах 1988 г. Тем более что в прошлом царский режим и коммунисты народ богатством не избаловали. Приросты экономики перед перестройкой упали до 3%, да и те были за счет нефти.

Ну а что теперь? Четыре года назад писал: «Кризис. Нет четкости в собственности, показатели плохие». Давал очень округленные цифры: 50% падения ВВП, включая и ту, что «в тени». Налоги не платят 30–40%, бартер в торговле примерно столько же. Дефицит бюджета, с учетом задолженности по зарплатам — каждая восьмая гривна. Чернобыль, шахтеры, армия и полчища служащих увлекают доходы бюджета как в черную дыру! Неравенство 1:15, если не больше. Можно бы еще многое перечислять... Индекс я оценил в 0,4, а динамику все же с плюсом +0,03. Экономика «самоорганизуется» за счет роста сферы услуг, торговли, подсобных хозяйств, ручейков западных инвестиций и той же «тени». Она, конечно, растет уродливо и без больших надежд, но растет! Во всяком случае, уровень потребления как будто бы перестал снижаться и курс доллара не меняется. Инфляция, правда, не остановлена.

Каково состояние экономики на этот — 2001 год? С приходом В. Ющенко, кажется, намечалось улучшение. Теперь снова неопределенность. От Правительства и Президента пишут, что падение производства прекратилось и даже есть прирост в 6–8%. Однако оценки независимых наблюдателей очень противоречивы, и истина простому смертному неизвестна. Средний уровень жизни не повысился — об этом говорят все опросы, поскольку прибавки к зарплате и пенсиям съедает инфляция. Но задолженности бюджетникам снизились до минимума. Называют цифры — 5–10%, но точно никто не знает. То же касается и пенсий — не идеально, но лучше. И это при двух наводнениях (1998 и 2001 гг.) в Закарпатье и Западной Украине и огромных снежных бурях на юге республики. Будто бы намечаются сдвиги в сельском хозяйстве — распространяется частная собственность на землю. Но если учесть состояние техники в селах, при остановленном сельхозмашиностроении, то в улучшение верится плохо. Правда, технику теперь покупают на Западе. Говорят — что продуктов хватит, а экспорт — разве что подсолнечник... Народ приспособился: 60–70% продуктов, не считая зерна, дают приусадебные участки селян и «сотки» горожан. Голод не угрожает, но питание, по крайней мере, трети народа, гораздо хуже, чем «раньше». (Я помню, как это слово «раньше» произносили в 20-х годах применительно к царскому времени, когда сравнивали с ним советские цены. Впечатление, что весь XX век для нашей страны шел под уклон, несмотря на «бурный рост» всего и вся.)

Меры оздоровления экономики я опишу позднее.

Третья сфера — техника: *технологии и производство*. При Советах все нацеливались на мировую революцию: гони оружие! Отличные ракеты и танки, а предметы быта — почти от времен царя. Впрочем, атомные станции опасны, электроника в самолетах была устаревшая. Металла и энергии на единицу продукта тратится в три раза больше, чем на Западе, а производительность труда, наоборот, в три раза ниже. Качество изделий плохое, обслуживание изделий — еще хуже. Они ломаются в три раза чаще импортных. Отсюда огромная потребность в новых машинах, в стали, угле, электричестве. Всего этого выдавали так много, что практически было уже невозможно увеличить производство полезных вещей, не хватило бы ресурсов. О загрязнении среды и говорить нечего, за этим никто не следил и денег жалели.

Был (и есть!) еще один порок: «низкая трудовая этика», а попросту лень, халтура и воровство. Рабочая сила оказалась дешевой только по зарплатам, а не по сумме затрат. Если учитывать низкую производительность труда, его качество и навешенную на него социальную сферу, то издержки производства были выше, чем у капиталистов. Это выявилось теперь по себестоимости наших товаров, когда их сравнили с западными на рынке.

Что после этого перечня можно говорить о *промышленности*? Стало еще хуже! Техника не

обновлялась и даже почти не ремонтировалась. Все делают плохо и дорого, конкурировать не можем. Поэтому 70% заводов (кроме металлургии и химии) «лежат», дельные рабочие с них ушли, остались одни... неприспособленные, держатся за место даже без зарплаты. При том, что старая директорская номенклатура, захватившая власть и акции, осталась такой же «подкомандной». Правда, люди в сельском хозяйстве продолжают работать, хотя и сократили продукцию примерно на треть. (Потери частично компенсировались приусадебными и дачными участками.) Я оценил технику очень низко, всего в 0,3 с коэффициентом ухудшения в 0,07. Это значит, что если еще десяток лет заводы простоят — всю механику можно выбросить. А хорошие специалисты будут торговать на базарах. Будто и не было Великой Индустриальной Державы. Трагичный факт!

Основные фонды Украины по производству оборудования оценивались приблизительно в 100 миллиардов долларов. Чтобы обновить все полезное для мирной жизни, нужно вложить 70 миллиардов и дать десять лет сроку. Быстрее просто не освоить, даже если кто даст деньги. Дать же, увы, могут только западные капиталисты. Часто слышу, что и наши хапуги много нахватали, накопили и вывезли за границу. Это преувеличение. Может, с пару десятков миллиардов есть, но из них половина «неликвидные», заделаны в виллы и «мерседесы». Больше просто неоткуда было взять, при низком производстве. Именно поэтому в схеме заложена прямая связь от внешнего мира с коэффициентом помощи от 0,01 до 0,1, считая по стоимости основных фондов. То есть от 1 до 10 миллиардов долларов в год. К сожалению, связь от «морали» еще долго будет с минусом, пока народ не привыкнет к требованиям капиталистического производства.

Остается сказать немного о *приоритетах технической политики*, если для нее будут деньги. Мечты технократов о высоких технологиях и серьезном выходе с ними на внешние рынки — почтенны, но неосновательны. Нет для этого «наработок», как теперь любят говорить «технари». Придется довольствоваться тем, что имеем, в порядке уменьшения возможностей: металлургия и химия, энергетика, сельское хозяйство, транспорт, машиностроение для этих отраслей, с добавлением танков на продажу. Легкая и пищевая промышленность должны подняться с помощью иностранцев. Конечно, страна большая, некоторые заделы (ракеты, самолеты) есть и пути к тонким машинам и электронике не закрыты, но только «гнездами», а не фронтом. Дальнее будущее определят таланты. А пока все надежды на совместные предприятия: они принесут западные технологии, хотя и не самые передовые (чтобы мы не лезли в конкуренты!), научат менеджеров управлять, а рабочих работать.

Мораль и *психика*: насколько мы порядочны и счастливы. К сожалению, мало первого и еще ниже — второе. Несчастных, по опросам, процентов пять и еще сорок — недовольных. Преувеличивать их значение в масштабах будущего не следует, поскольку большинство — из прошлого и без перспектив. Молодежь смотрит вперед и надеется на счастье. Это, однако, не прибавляет ей морали. Раньше был кодекс строителей коммунизма, а теперь что? Строителей капитализма? Не звучит. А вот карьера и деньги, в сочетании с безбожием и культивированием индивидуализма (называется «личности»!), вполне реальный фактор для падения морали. А тут еще секс и бандиты на TV и кассетах. Если в семье еще есть какая-то совесть и честь, то применительно к чужим людям и «структурам» — почти никакой. «Цинизм и вседозволенность» — в сочетании с отсутствием инициативы, вытравленной из психики за время социализма. Коэффициент созревания в плане морали я определил в 0,4 с отрицательной динамикой в 0,08. Это примерно соответствует росту числа преступлений. Если так будет и дальше, то удвоение произойдет за 10 лет. Торможение этого несчастья можно ждать от возрождения экономики, законности и религии. Надежды реальные, но с большой задержкой во времени — на десятилетия, на поколения. Потому что низкая мораль воспроизводит сама себя с избытком.

Так и хочется сказать: встряхнуть бы народ каким ни на есть «великим почином», как раньше, при первых пятилетках и сразу после войны... В этом плане был расчет на национальную идею, но, похоже, не оправдался. Исчезла опасность для державы, и порох подмок. Придется ждать, пока подтянутся другие факторы.

Культура, *наука*, социальные службы находятся уже совсем в бедственном положении. Книги не печатают, кроме бульварных, лаборатории стоят без реактивов и приборов, журналы не выписывают, молодые и способные ученые уезжают массами, остаются старики. Правда, учителя и врачи работают. Зарплату последнее время платят. То же и *природа*: не заметно, что дело уже худо — воздухом дышим и воду пьем. Рассуждаем: только бы не Чернобыль.

Но сколько же ждать? Хорошо, что пока еще есть задел от социализма — относительно высокая образованность народа, приличное (за эти ничтожные деньги!) здравоохранение, пенсионеры с голода не умирают... Мы еще не Эфиопия! Вот только демография откровенно подводит: продолжительность жизни мужчин упала до 60 лет. (А «там», между прочим, и цифра за 70 встречается!). Рождаемость так упала, что на целую четверть не покрывает смертность. Коэффициент созревания я определил в 0,6, с годовой деградацией в 0,1.

Последний квадрат относится к внешнему миру, а точнее к Западу и России. Такое уж наше положение: Россия хочет вовлечь в свою орбиту, чтобы позднее организовать новое «воссоединение», а США и Европа — чтобы не допустить этого. Россия вежливо (пока!) угрожает, мы отвечаем, а те, другие, помогают, чем могут. Им нужно закрепить распад Союза — во что бы то ни стало. Конечно, у правительств на Западе нет таких денег, чтобы давать по 10 миллардов на промышленность, спасибо, что одалживают по мелочам, на прокорм «бюджетной сферы».

Большие деньги есть у корпораций, но они хотят гарантий выгоды, а их-то как раз и нет. Хорошо, если поспешим с законами и порядком, а если запозднимся, то помочь будет уже трудно. Вон, Южная Америка, совсем рядом от Штатов, а созревания нет как нет. Все та же самоорганизация: обратные связи от второстепенных, казалось бы, факторов съедают результат усилий на главных направлениях.

Нам-то кажется, что мы не Эквадор и не Перу. Однако как посмотреть. На то и задумана моя модель-схема, чтобы прикинуть динамику хотя бы на самые ближайшие годы, по коэффициентам прироста или упадка и влияниям факторов друг на друга.

В итоге получилось вот что. Сценарий без долларовой подпитки обещает прирост реальной, а не вымышленной экономики от 0 до 3 %. Это значит, что в следующие 15—20 лет еле отыграем назад за годы падений. К сожалению, такую прибавку всю съедят богатые, бедным мало что достанется. Если щедрые капиталисты поверят и будут вкладывать хотя бы по 6—8 миллиардов в год, прирост возрастет до 4—6% и за десять лет можно почти что выйти на уровень 1991 года. Разумеется, мораль существенно не изменится, но бедность и неравенство уменьшатся, культура и наука оживут. Если высокими технологиями и не овладеем, то уж приличные автомобили будут. Страна большая, внутренний рынок спасет, поскольку доходы удвоятся. Даже при не очень высоком качестве товаров. Сейчас суммарный коэффициент созревания получается около 0,43, значит, он повысится примерно до 0,6. Не так уж много, но жить можно.

Правда, в новые «тигры» мы не выйдем, хотя они, в Азии, тоже начинали в большой бедности. Для этого есть несколько причин. Другие у них люди и другой был старт: издержки бюджета «на все про все» были 20 % от ВВП против наших 50%. Социальной помощи не было вообще, зарплата была низкая, вот они и вкладывали в накопление фондов чуть не половину валового продукта. А как работали! Без отпусков, количество рабочих часов за год в полтора раза больше, чем у нас. Да и сами часы полнее: «трудовая этика» не та. Генералов-президентов, которых недавно осудили (в Южной Корее), тоже нельзя сбрасывать со счетов: прав не давали, но управляли эффективно. В частности, проводили жесткую промышленную политику: защищали своих капиталистов и стимулировали экспорт: торговать азиаты всегда умели. И все

равно, понадобилось 20 лет, пока разбогатели и приблизились к благам цивилизации. Да и теперь еще стандарты далеко не европейские. Даже в Японии.

Поэтому **о «догнать» мечтать не стоит**. Впрочем, не надо расстраиваться: Запад живет явно не по тем средствам, что имеет планета для людей. Транснациональные Компании (ТНК) эксплуатируют слабые страны (и нас, кстати, тоже не пожалеют), а это кончится лет, наверное, через двадцать, дольше не дадутся. (Проблема «Север — Юг» существует!)

Вот только бы не было неожиданностей. Волнения народа, например, шахтеров. Это ничего, пока нет харизматического лидера, вроде Лукашенко. А как появится? Он может стать хуже стихийного бедствия. Усиление президентской власти нам сейчас было бы очень полезно, но ведь какой попадется президент? Риск большой. Переворот может случиться и в России, тогда возникнет военная угроза. Второй Чернобыль тоже возможен, если учесть состояние техники и дисциплины. Не думаю, что будет война, что страна развалится, есть еще резерв прочности, но ущерб в десятки миллиардов отбросит нас в глубокую яму. Впрочем, я не считаю, что следует сильно опасаться этих «страшилок». Серьезнее опасность победы коммунистов на выборах: возврата к социализму не произойдет, коммунисты-политики поняли вкус денег, но развитие задержится.

КУДА ИДТИ?

Только на Запад, к созреванию, к стандартам Северной Америки. Нужно учить английский: на нем уже пришел Интернет и много чего еще будет. В США утекают умы со всего света. Кроме того, там есть наша диаспора, поможет, не столько долларами, сколько влиянием. На Россию заглядываться не стоит. Будущее ее туманно. Всплеск, что организовал Сталин, во-первых, не был столь велик, как показывали коммунисты, во-вторых, дорога повела в тупик. Все передовые технологии замыкались в ВПК. Но одно важно: нельзя забывать русский язык, он еще долго будет нужен Украине для культуры, для экономики (40% внешней торговли!), а главное, как проводник к науке, не столько российской, сколько западной, переводной. Не говоря уже о Пушкине, Гоголе, Толстом и Достоевском. Только переживут ли они масс-медиа и Интернет?

К сожалению, реальности экономики пока такие, что те скудные инвестиции, которые перепадают, идут из России: там не боятся наших «порядков», потому что сами такие.

Ну а пока, для нас? Какие идеи по части устройства общества? Да все те же: идти к идеалам созревания! Это значит: разные формы собственности, с акцентом на частную, но при небольшом различии в личных доходах (1: 8–9?). Кто очень хочет командовать, пусть заводит свое дело. Кто предпочитает работать «от сих до сих» с приличной зарплатой, пусть идет по найму, лучше в частную фирму — по крайней мере, научат работать. Профсоюз будет бдить права. Государство позаботится о слабых и больных, но не слишком: человек от природы ленив, и его нужно подгонять... Поэтому здесь останется поле для волнообразной «борьбы классов», как говорили раньше. Или для самоорганизации, как я скажу теперь. В распределение власти мы должны двигаться по дороге к парламентской демократии с выборами по партийным спискам. Созревание на этом пути потребует десятка лет и будет зависеть от экономики.

В *морали* есть одна проблема: индивид или коллектив, в условиях капитализма. На Востоке коллективизм пока выжил. В Японии пожизненный наем на работу, «бригады качества», «честь фирмы». Но устои трещат: эти социальные фокусы сдерживают эффективность производства, потворствуют ленивым. Кооперативное движение на Западе тоже не расширяется, как бы об этом ни мечтали наши сторонники «народного капитализма». Процент кооператоров, больше для торговли, чем для производства, колеблется что-то около десяти, если считать по объему оборотов.

Мы уже вступили на путь индивидуализма. Призывы от церкви к «соборности» — движение не остановят. Надежда только на цивилизо-

ванный рынок, он требует честности и труда. Если достигнем, будет и у нас. А пока ? Кроме пропаганды заповедей от имени Бога, ничего нет.

Истинные патриоты справедливо тоскуют по *объединяющей идее*. В ней выражается «дух народа», двигающий его на военные и трудовые подвиги. Нет никакой мистики в этом «духе»! Это идея, представленная набором лозунгов, указывающих на угрозу от врагов (даже мнимых), содержащих призыв и предлагающих пути спасения. Если движение возглавит яркий лидер, если обеспечена пропаганда, если позади агитаторов стоят молодцы в униформе, то убеждения становятся основным мотивом для объединения и напряжения народа. Мотивом, который сильнее биологических тормозов эгоизма, страха и лени. Та самая пассионарность Л. Н. Гумилева, на которой выигрываются войны и строятся пятилетки. Однако ее нужно правильно направить, чтобы в итоге не проиграть, как проиграли социализм и фашизм.

На Украине это не получилось. Национальная идея не сработала, поскольку независимость пришла без хлопот, угрозы для нее не было и героической защиты не потребовалось. Следовательно, не осталось мотивов и для трудовых подвигов. А тут еще подоспело разлагающее влияние частной собственности, подогревшее жадность и эгоизм «номенклатуры». И еще: если учесть 300 лет совместной с Россией истории, из которых последние 70 украинской нации никто не угрожал, приплюсовать к этому ухудшение жизни от перестройки, то можно понять, что многих тянет назад, к Союзу и к социализму. Хорошо, что у молодых нет этой ностальгии.

Но не надо отчаиваться от безыдейности. Кроме национальной, существует еще *регионарная* идея, тоже основанная на биологии. Суть ее в следующем. Если некое сообщество почему-либо отъединяется от окружения, и отношения между людьми замыкаются внутрь, то тренировка (привычка, самоорганизация!) работает на ослабление внешних и усиление внутренних связей. Из них вырастает «чувство принадлежности», которое со временем превращается в патриотизм, любовь к родине. Особенно это касается молодых, не обремененных памятью о прошлом существовании в другом сообществе. Регионарная идея действует параллельно с другими консолидирующими факторами: общностью языка, профессии, религии. Сильно помогает объединению «образ врага», основанный на чистой биологии, на этике стаи. Об этом хорошо знают политики и придумывают врагов, если их нет. Наблюдая независимую Украину девять лет, можно заметить, как возрастает патриотизм.

Некоторые *предварительные* **прогнозы** можно сделать уже сейчас. Например, такой. Коммунисты могут прибавить голосов на следующих выборах. Молодежь голосовать не придет, а старики тоскуют по Советам, они сыты демократией. Впрочем, революции не будет, поскольку коммунисты уже не те, да и молодые воспротивятся. Но созревание общества замедлится, если сохранять существующие отношения в Высших Сферах — все против всех. Нечто подобное пережила недавно Болгария.

Для пользы дела было бы крайне важно усиление роли президента. Нужны трудные решения и его «политическая воля», как теперь говорят. Тем более, что все шесть лет нашего наблюдения за общественным мнением президент пользуется втрое большим доверием, чем парламент, хотя и его рейтинг в абсолютных цифрах невысок. Дело можно бы значительно поправить, если бы президент заставил декларировать доходы и имущество должностных лиц. Эта мера может вообще повлиять на мораль общества и привлечь к управлению молодых идеалистов. Они — очень нужны, поскольку прежняя коммунистическая номенклатура, захватившая все важные места, безнадежно заражена цинизмом и неспособна учиться. К этой же теме: нужна центристская партия из молодых предпринимателей и интеллигентов, способных к научному мышлению.

В 2001 году внутриполитическое положение Украины особенно осложнилось в связи с «делом» пропавшего журналиста Гонгадзе, а потом — с арестом бывшего вице-премьера Юлии Тимошенко. Парламент не выходит из кризиса, отношения его с Президентом напряженные. Премьера отставили. Общественность раздирается противоречиями между молодежью — «за-

падниками» и сторонниками ориентации на Россию. Сейчас наметился сдвиг в эту сторону: Запад нас «обманул» — деньги не вкладывает, только советы выдает, а Россия все-таки делает кое-какие инвестиции, хотя явно «не технологические». Соответственно, меняется расстановка сил: оппозиция смотрит больше на Запад, а Президент вынужден считаться с Россией. Все это не способствует стабилизации страны. Но, тем не менее, полезные сдвиги в экономике видны. И это вселяет надежды.

Способна ли наука помочь Украине в выборе и реализации идеологии? Опыт пока говорит: не помогала. Существуют, правда, политологи и институты, но что-то я не вижу в их деятельности ничего, кроме расчета хитрых шагов для достижения властями их меркантильных целей.

Было бы полезно проведение серьезной работы по моделированию общества и психосоциологическому мониторингу. Хорошо бы создать «информационный центр» — небольшую группу молодых энтузиастов из социологов, психологов, экономистов, политиков. Они должны представлять гипотезы и планировать исследования. Не считаю, что нужно использовать существующие институты. На целостный подход они неспособны. Впрочем, это тоже мечты. Нет энтузиастов.

Если говорить о сути дела, то уверен, что включение биологических представлений поможет политологии стать наукой. Координаты идеологий: собственность, власть, мораль, ценности — должны замыкаться прежде всего на потребности, а потом уже на убеждения от идей. Добавлю к этому несколько фраз «от науки», даже рискуя повториться.

Есть генетические приоритеты в значимости потребностей, они меняются в зависимости от типов: сильные, средние, слабые от «платы», которую дает общество за труд сообразно положению гражданина. Власть осуществляет пропаганду, от нее зависит уровень убежденности граждан «за» или «против» идей. Убеждения формируют «притязания на плату». Сопоставление того, «что получаю», с тем, «что хочу», определит недовольство индивидов и групп. Оно высказывается, тихо или грубо, смотря как власти держат порядок. От условий, платы, потребностей и убеждений, стимулов и тормозов зависит интенсивность труда. Его эффективность — от уровня техники и организации, что опять же связано с идеологией и ее воплощением в государстве. Наконец, все замкнуто на внешний мир, через торговлю, обмен идеями, отношения дружбы или вражды. Если коротко сказать, то для научного управления обществом нужна упрощенная экономическая модель с учетом психологии и социологии, с циркуляцией высказываний в СМИ и поступков социальных групп, а может быть, и лидеров. На ней нужно искать оптимальный сценарий конкретного управления.

Сложно? Да. Но терпимо, если есть гипотеза, модели, статистики и социология. Важно правильно нащупать уровень обобщения: когда уже представительно, но еще обозримо. Что это даст? Не преувеличиваю: неучтенных факторов очень много и самоорганизация велика. Особенно в переходные периоды. Но даст основу, от которой можно исходить в исследованиях социологических и модельных и даже «полевых» (экспериментальные районы). Притом не думаю, что это потребует много денег. Попробовать стоит.

У меня есть друзья предприниматели. Вот что они говорят о нашем капитализме.

Западные инвесторы не идут — боятся бюрократии, произвола и коррупции чиновников, грабителей, переменчивых законов, плохой инфраструктуры, плохой судебной системы, расходов на социальную сферу. Подоходный налог для них (в свое время) снизили, но масса других поборов осталась. Это НДС, отчисления в социальные фонды — 35% от фонда зарплаты. Еще много местных и внебюджетных поборов. Так и набирается 70—80%. Запрещены: вывоз прибыли и продукции. Землю под завод купить нельзя — только аренда. (Впрочем, намечаются сдвиги). Свои банки очень слабы, а зарубежные не пускают — кредиты недоступны. Уволить нерадивого работника очень сложно, а социалистическая уравниловка и иждивенчество отучили людей честно работать. Чиновники и рабочие питают к хозяину «пролетарскую не-

нависть». В целом это называют «плохой инвестиционный климат».

По поводу *теневой экономики* — *«тени»*. Ее суть: «нал» («наличность»), «двойная бухгалтерия», «давальчество», бартер, взаимозачеты, неплатежи. Завод работает, а по документам — стоит. Значит, налог не из чего платить... Директор может на всем этом нажиться, рабочего без зарплаты — подкормить, чиновнику — взятку дать. Получается, что «тень» выгодна всем... Может быть, и государству? (Без «тени» как бы можно по году выдерживать трудящихся без зарплаты?)

Очень заметно падение морали. Она и при Советах не была высокой, поскольку не верили в Бога, но все же люди чувствовали ответственность перед товарищами по работе, обществом, даже перед родиной и идеей коммунизма. Теперь идеология поменялась. Говорят: в основе — личность, а коллектив и идеи — вздор. Это значит — делай, что хочется, хватай, где можно... Культ животного эгоизма. Хотя многие объявили, что поверили в Бога, но пока это только декларации, а не тормоза поведения.

Низкая мораль — нет совести, чести, долга, ответственности, качества в труде. А для многих — это уже взятки, мелкие кражи. Еще дальше — грабежи, насилие, вплоть до заказных убийств. Преступность выросла в 2—3 раза. Но не только это. Качество «рабочей силы» тоже очень низкое — социалистическая уравниловка и иждивенчество отучили людей интенсивно и честно работать («они делают вид, что платят, а мы делаем вид, что работаем»).

Паралич власти. Наша экономика оказалась заложницей демократии: политики не могут принять жесткие законы. Боятся, что в следующие выборы их не изберут. Или вообще свергнут досрочно. Применить силу нельзя из страха показаться недемократичными. Да и силы такой нет у правительства.

Меры оздоровления экономики предлагают во множестве, их можно прочесть в газетах. Назову те из них, которые кажутся мне очевидными. Отлично понимаю, что мои суждения вполне могут быть ошибочными — я же не специалист. Подозреваю, что экономисты надо мной посмеются, скажут: «Детский лепет!» Я не обижусь.

Только ведь и у специалистов пока ничего не вышло: страна десятый год катится вниз.

И еще скажу — к этой же теме — о неудачах. Технократы от науки (и от социализма) уверены, что любые трудности можно разрешить правильным управлением. Я тоже так думал, когда начинал работать над моделями: именно они и представлялись мне тем аппаратом Разума, который позволяет решать проблемы или по науке, или силой. Постижение идей самоорганизации в последние пять лет значительно охладило мой управленческий энтузиазм. Теперь я уверен: «Нет, не все проблемы можно решить!» Самоорганизация на всех трех уровнях — личностном, групповом и государственном — многие сложные проблемы делает «нерешаемыми». В лучшем случае, можно отвести систему от уровня хаоса и добиться компромисса между плохим и посредственным.

В связи с этим, даже само перечисление мер звучит наивно: если все очевидно — то почему не реализовано? Снова виновата самоорганизация: за каждым пунктом стоят противодействующие силы и объективные препятствия. Я попытаюсь их обозначить.

ПРЕДЛОЖЕНИЯ И ВОЗРАЖЕНИЯ

1. Удерживать курс гривни. Практика показала, что это возможно.

2. Добиваться эффективных частных собственников — через денежную приватизацию. с торгов, с контролем выполнения условий продажи.

Оказалось, что это долгий и трудный процесс. Вокруг каждого тендера затевается борьба интересов и кланов, дело затягивается на годы и заканчивается вовсе не оптимальным образом для государства, учитывая все, что происходит в «тени».

3. Национализировать неэффективные приватизированные предприятия, особенно со смешанным капиталом: государство владеет контрольным пакетом акций, но не управляет, передоверив плуту-директору.

Процедура тоже оказалась трудной, требующей долгих лет (годы!), процедура в судах, так как собственники будут сопротивляться.

4. Ужесточить управление государственными заводами и теми, где государству принадлежит контрольный пакет акций.

Нужна новая система назначений управляющих — конкурс, договор, контроль. (Сомнения — те же: «красные директора» забрали большую силу, министерства слабы и неповоротливы, а законы о труде не позволяют очистить коллективы от балласта. Профсоюзы сопротивляются увольнениям. Сроки и эффект мероприятий определить трудно.)

5. Центральное планирование в промышленной политике необходимо, поскольку нужны государственные капиталовложения и перестройка структуры промышленности под реальную рыночную экономику и нужды государства.

Но создание программ планирования и аппарата зависит от интеллекта правительства и потребует нескольких лет. Госплан уже не возродить.

6. Снизить налоги на предприятия. Это повысит эффективность экономики и улучшит собираемость налогов.

Мера необходимая, но трудная. Снизить налоги — значит сегодня увеличить дефицит бюджета, а повышения производства нужно ожидать несколько лет. Их нужно как-то прожить! И еще: увиливать от налогов не перестанут, даже после их снижения. Такая уж совковая мораль: обман государства не считается грехом. Обеспечить контроль и строго судить неплательщиков тоже невозможно — их слишком много, строгих законов — нет, суды ненадежны. (У нас — не Штаты!)

7. Очень важно искоренить теневую экономику.

О трудностях я уже писал: сразу повлиять на всех участников «тени» невозможно.

8. Ввести компьютерный контроль доходов налогоплательщиков и прогрессивный налог на недвижимость. До минимума ограничить льготы.

Мера встретит сопротивление на всех уровнях. К примеру, большинство начальников разбогатели и будут тормозить дело. Кроме того — нет реальной возможности учесть недвижимость и частную собственность.

9. Повысить таможенные тарифы, чтобы взбодрить предприятия, которые еще способны к эффективной работе.

Требует кропотливой работы, так как эффект «защиты» сработает не быстро, цены на рынке повысятся, импорт сократится, финансы государства и потребители пострадают.

10. Ввести выборочное регулирование цен на «защищаемую» продукцию. Это необходимо для компенсации издержек от «защиты производителя».

К сожалению, вмешательства в цены всегда опасны своими психологическими последствиями: ажиотажным спросом, дефицитом и злоупотреблениями торговцев.

11. Облегчить процедуру банкротств.

Очень существенная мера, но трудновыполнимая, поскольку убыточных фирм — масса, закон о банкротствах — трудный, судебные процедуры медлительны, реализация приговоров затрудняется законами о труде.

12. Провести повсеместное сокращение штатов — с увольнением ненужных работников во всей сфере бюджета и госпредприятий. Легализовать скрытую безработицу на неработающих предприятиях.

Все это исключительно трудно, поскольку вызовет массовое сопротивление трудящихся и Верховной Рады. Законы о труде такие, что увольнение работника требует столь многих расходов, что его дешевле держать на должности, оплачивая по минимуму, и ждать, пока сам уйдет. Требуется постепенность — растянуть процесс на несколько лет, а это значит — оставить все, как было. А между тем, число чиновников, по сравнению со временем Советов, удвоилось

13. Попытаться ввести общественные работы для безработных.

Грустный факт: наши безработные не пойдут, например, на дорожные работы, даже за приличную зарплату, как пошли в США при Рузвельте. Тем более что многие уже привыкли жить в бедности и утратили всякое желание работать.

14. Сократить расходы бюджета: штаты управления, Чернобыль, дотации на ЖКХ (при адресной помощи бедным), необоснованные льготы. Закрыть убыточные шахты и госпредприятия.

Все это — старая и безнадежная мечта администраторов. Помехи будут со всех сторон: «чернобыльцы», бюрократия, шахтеры, квартиросъемщики (при объективной бедности многих), «льготники» — бывшие начальники. Поэтому мера — почти нереальная для экономии государственных расходов и очень взрывоопасная для кандидатов на выборах.

15. Усилить борьбу с коррупцией и преступностью.

Лозунг — чисто ритуальный. (Мера столь же необходимая, сколь и трудная для выполнения. Нужно повысить мораль, поднять экономику, уменьшить безработицу, усилить власть. Все это пока нереально, поэтому остается только слабосильная милиция.)

16. Вернуть вывезенные капиталы — законные, и — через амнистию — незаконные. Возможность реально существует и должна дать эффект.

Однако владельцы счетов согласятся, только когда будут гарантии безопасности и выгоды — то есть — подъем экономики и доверие к властям. Одним махом это не сделать. Для доверия требуются время и успехи.

17. «Привлечь иностранных инвесторов».

Тоже — давняя мечта правительств. Но, как любят повторять: «Отсутствует инвестиционный климат». Когда он появится — неизвестно. Запад — хочет гарантий, Россия — сама бедная, новых технологий не сулит, и ее присутствие в экономике Украины вызывает опасения у националистов.

18. Так же трудно побудить рядовых граждан вынуть доллары из загашников и положить в банк.

Трудности те же — нужен устойчивый подъем экономики и доверие к властям.

19. По части сельского хозяйства убедительных идей не нашел. Нужны крупные фермы, но для них пока нет условий — кредитов, техники, законов о земле, психологии крестьян.

20. Техническая политика — приоритеты и порядок очередности — мне представляется так: металлургия, химия, энергетика, пищевая и легкая промышленность, машиностроение для нужд сельского хозяйства, транспорта, легкой, пищевой и угольной промышленности. Автомобили. Вооружение — для экспорта. Потом уже следуют электроника, авиация, космос, биотехнологии. Не потому, что не можем, но конкуренция непреодолима. Однако пытаться все равно необходимо. Научно-конструкторские разработки нужно вести на всех фронтах, но выбор конкретных объектов для производства зависит от затрат, рынка, степени готовности предприятий. Нет оснований изначально делать ставку на наукоемкие производства: во-первых, для этого нет условий, а во-вторых, такая большая индустриальная страна, как наша, для своего существования прежде всего требует «нормального» машиностроения.

Между прочим, к вопросу *о системах власти*. Забавно сказал Б. А. Березовский: «Коммунисты регулируют все: мысли, производство, распределение. Левые социал-демократы — производство и распределение. Правые социал-демократы — только распределение. Либералы — ничего не регулируют».

Где находимся мы? Боюсь — что в «либералах»: ничего не регулируем, потому что не умеем. Печально….

Наша *власть* известна: есть конституция, демократия, выборы. Вот «наполнение» разное — идеалисты, номенклатура, «капиталисты», даже преступники. Убеждения: коммунисты, социал-демократы, либералы. Акценты: капитал или нация.

За коридорами власти — народ, распределение по многим показателям. Главное — молодые и пенсионеры. Второе: бедные, «средние», богатые. Третье: городские, сельские. Этим водоразделам приблизительно соответствуют убеждения по политике — за социализм и против. К России или в Европу. (См. наши опро-

сы). Актив народа: партии. Их уже сотни, но большая — только коммунисты. Идеи других плохо различимы, построены больше на амбициях лидеров. Отдельно — СМИ — много разных газет и каналов ТВ. Есть большое давление от властей и капитала.

Десять лет я занимаюсь социологией Украины и смотрю в ее будущее, а оно все еще не совсем устоялось. Но кажется, что главное — уже есть: независимости ничего не угрожает — ни извне, ни изнутри. Вот уже отпраздновали десятилетие … Не много для вечности? Важно начало. Настоящей государственности на Украине не было никогда. Сечь — это еще не государство.

Похоже, страна вступает в фазу устойчивого развития. Второй год идет рост производства. Урожай 2001 года обещают хороший. За время, пока В. Ющенко управлял правительством, ликвидировали задолженности по пенсиям и зарплатам бюджетникам. Народ, в основном, успокоился. Я сказал «в основном», а не «окончательно». Потому что еще не определилось направление ориентации страны — к кому «прислониться» — к России или к Европе. Интеллигенции хотелось бы к Европе. В России мы уже были, а Европу открыли последнее десятилетие и она — понравилась. Но… не все зависит от желания. Есть еще грубые материи. Нужны капиталовложения, покупатели на государственную собственность, а капитал с Запада не идет. Русские фирмы уверенно выигрывают торги, даже когда этого не очень хочет правительство. Они не боятся плохого инвестиционного климата, привыкли дома жить в таком же. Приватизация еще не закончена, долги за газ не уплачены, 40% внешней торговли замкнуто на Россию… куда денешься? Вон прислали Черномырдина — известно для чего — заглядываются на газо- и нефтепроводы: хотят гарантировать свой экспорт в Европу. Запад деньги понемногу дает — но, ох, невыгодные это деньги. Дадут миллион, и из него наполовину — навяжут товары и услуги своих (дорогих) специалистов. Но отдавать все равно нужно.

Экономика диктует политику. Прижать русский язык хотелось бы, а подумаешь. В Москве скажут: «Недружественные шаги». Последовать за Лукашенко в Славянский союз пока не предлагают, но вот Молдавия уже встала в очередь. У Путина, наверняка, есть тайные задумки. Представляю, как от всего этого сводит челюсти у националистов с Западной Украины и из Киева. Опросы населения в этом плане хотя и стали спокойнее, чем были до Чечни, но половина населения старшего возраста поглядывают на Север. Они же точно помнят, что никакого ущемления украинцам от Советской России не было: бери национальной культуры, сколько переваришь. Да и теперь 60—70% центральных газет печатают на русском языке: есть спрос. То же касается и книг. И рейтингов телепрограмм. Трудно проводить антирусскую политику, когда больше половины населения говорит только по-русски.

Ничего — время работает на украинизацию. Дети учатся в украинских школах, все будут знать язык, даже если пока между собой говорят по-русски. То же касается вузов. Печатная наука переходит на украинский. Правда, словари составлены совершенно ужасные, даже слова с латинскими корнями исковерканы на хуторской диалект, но постепенно терминология отладится. Все равно, в науке будущее — не за русским, а за английским языком. То же и в Интернете.

Наверное, главное в том, что перестали уже смотреть на Россию как на «старшего брата», как на образец для подражания. Приверженность своей стране с вектором на Запад укореняется в народе. Взять даже наш институт сердечной хирургии: много ездят врачи по всему миру и совсем редко — в Москву: там нечему учиться.

К чему я все это говорю? Нет угрозы независимости на культурном фронте. Мирная русская экспансия не угрожает. А на военную — не осмелятся: Европа и Америка присматривают. И это — хорошо. Пусть Украина вписывается в Большой Мир.

Когда впишется? Вопрос сложный. По рейтингу ИЧР (Индексу Человеческого Развития, ООН) место Украины просто позорное — в разные годы — от 70-го до 80-го. Где-то среди стран третьего мира. Но — не будем «комплексовать». Россия от Украины немного ушла вперед — на 10—15 пунктов, а она претендует на Величие.

Есть у Украины, как и у России, один важный компонент ИЧР — образование. Три поколения. Это главный пункт, на мой взгляд. Важнее других: продолжительности жизни и ВВП на душу. Потому что это — культура и цивилизация, которых не добить за 10—20 лет, как добыли благополучие «Маленькие Тигры» и нефтяные шейхи Ближнего Востока, быстро выскочившие в экономические лидеры.

Однако... Однако! Можно и замерзнуть на низкой точке. Если в стране не будет Единства и Энергии. Для них не обязательна «национальная идея» — уже ясно, что она не состоялась. Да и мир теперь «нацию» не очень высоко ставит в шкале ценностей: вон сколько хлопот на одних только Балканах. Гораздо надежнее — патриотизм. Замыкание на слове «Родина». У всех — украинцев и русских. Вот это как будто начинает прорезаться. Русские ведь не бегут в Россию. Значит, осознали: Украина — своя страна.

Плохая слава идет про украинцев в плане власти: «Два украинца — три гетмана». Так и у нас теперь: сотня партий и движений. Натерпелись под гнетом КПСС, дорвались: можно покрасоваться на публике. Слова в названиях и программах у всех одинаковы, только местами меняют. Называются: «демократическая, национальная, либеральная, консервативная, социалистическая», а в программах — «Украина. Благосостояние народа. Прогресс экономики. Рынок. Демократия. Экология. Культура. Правовое государство, либеральные ценности, нация...», не стану продолжать. Только коммунисты верны себе. От рынка, правда, уже не открещиваются, но столько оговорок, что от него ничего не остается. Есть у меня их книжечка, но не буду анализировать: взгляд назад. Но стойкую пятую часть избирателей они имеют.

Вступила ли Украина в состояние устойчивости? Сомнительно. Достаточно посмотреть на парламент. Только что, при премьерстве Ющенко, ощутили намек на порядок в экономике, как депутаты его уже свергли. Разобраться в обвинениях невозможно. А чего стоят «кассетный кризис», «дело Гонгадзе», арест Юлии Тимошенко? Трудно понять логику политиков. Идет борьба денег и амбиций, а не забота о благе страны. Твердым, хотя и не очень последовательным, остается только Президент. Во время президентских выборов все кандидаты высветились: конкуренты были еще слабее. Строго его не сужу: ну поматерился человек, я тоже матерюсь, правда, во внутренней речи — остались активные слова со времен рабочей юности. К тому же в распечатках кассет нет прямых указаний — «убить журналиста».

Чтобы представить будущее Украины, попробуем составить баланс явлений: «Что есть хорошее, и что — плохое».

И «чего нет»— в таком же разрезе.

Итак, **«Что есть — хорошее»:**

Свободные выборы.

Рынок. Частная собственность (превалирующая).

Система образования. Относительно культурные граждане.

«Вертикаль власти» администрации президента. Даже его «государственные секретари» при министрах: нужен президентский догляд за министрами!

Небольшой (25–30%?) наш «средний класс» собственников — владельцев автомобилей, домов и приличных квартир.

Активная молодежь — учится бизнесу и английскому языку.

«Что есть — плохое». Много:
Бюрократия. Коррупция. Теневая экономика. Кадры старой управленческой элиты.

Бедность значительного процента граждан.
Избыток мелких партий.
Груз устаревшей техники.
«Утечка мозгов» и вообще — активных работников.
Остановка науки.
Низкий уровень доверия властям.
Отсутствие объединяющей идеи.

«Чего нет» — хорошего:
Судебной системы.
Полноценных законов о бизнесе.
Увы! — Нет харизматического лидера.
А также достаточного числа хороших менеджеров.

«Чего нет»— плохого — слава Богу!:
Опасности реставрации коммунизма.
Присоединения к России.
Фашистской диктатуры.
Нет национальной розни и межэтнических конфликтов.

Этот схематический обзор плюсов и минусов не дает повода для большого оптимизма, но и не внушает особенной тревоги. Страна живет в относительно устойчивом режиме — не благодаря единству довольных граждан, объединенных идеей, а за счет их неверия в возможность изменить положение активными протестами.

Но самоорганизация коварна. Недовольных много, взгляды публики на политику и ее персонажей очень различны, а «политической воли» и авторитета у начальства — маловато. В таких условиях местные волнения могут вспыхнуть из-за пустяка и привести... нет, не к смене идеологии и ориентации, а только к перестановке властных персонажей. Но это уже затормозит прогресс экономики.

РОССИЯ: ВЗГЛЯД СО СТОРОНЫ

ПРЕДИСЛОВИЕ

Я гражданин Украины: живу в Киеве 49 лет. Здесь десятки моих учеников и тысячи бывших пациентов. Интересы Украины — мои интересы. Но в то же время я — русский: по языку, по культуре, поэтому судьба России мне близка. Украина от революции, в конечном итоге, выиграет непременно, а вот Россия... боюсь, что может проиграть окончательно. Большая страна — останется. Великая — едва ли. Впрочем, после 1917 года говорили то же самое: «Пропала Россия!», а вон что получилось! Второе место в мире точно занимала.

У меня широкий круг научных интересов: социология, экономика, политика, психология, кибернетика. Много писал на эти темы. Правда, не очень глубоко. В Киеве большая академическая библиотека с Отделом публикаций ООН. У меня страница в Интернете. Плюс к этому смотрю новости по трем российским программам ТВ, выписываю три российские газеты. Имею за плечами большой стаж работы в Верховном Совете СССР и даже — в последнем, горбачевском. Поскольку издатели этой «энциклопедии» выразили желание иметь главу о России, я попытаюсь кратко изложить свои взгляды на положение в моей бывшей родине. Заранее предупреждаю: я не специалист, а скорее — дилетант во всех перечисленных науках. Моя профессия — хирургия. Ей было отдано три четверти энергии. Все остальное — увлечения. У меня нет штата помощников, которые бы собирали материалы. Поэтому в тексте статьи могут быть ляпсусы. Категоричные суждения, которые я рискнул высказывать, нужно принимать с учетом сказанного. «Что с него взять, с доктора?»

ИСТОРИЯ

Никто специально не разваливал Союз. Стоило только Горбачеву чуть толкнуть, и пошло — поехало! Это называется «самоорганизация». Но в дальнейшем было сделано много ложных шагов. Я не смогу их все перечислить.

Горбачев начал свою деятельность генерального секретаря вполне типично: созвал Съезд Партии и выступил с «новыми инициативами»: «Ускорение через развитие машиностроения». Сулил обеспечить прирост 9–10%. Это было не опасно: ну не выполнили планов... разве впервой? Они никогда не выполнялись.

Потом появилось нечто новое: слово «гласность». (Вот тут он сделал первую ошибку!) Запахло свободой. Последовал взрыв тиражей газет и журналов с «белогвардейской» литературой. Облегчили выезд за границу.

Известно, что плановая экономика со стабильными ценами держалась на строгом поддержании равновесия «свободные деньги — количество товаров». Превышение денег автоматически вело к дефициту, очередям, ажиотажному спросу и новому дефициту. Так же действовала и острая нехватка товаров.

Запрет на алкоголь не повысил производительность труда, как обещали, но уменьшил доход бюджета почти на 40%. (Так говорили, может — преувеличивали). Пришлось допечатать деньги. Второй шаг в ту же сторону: кооперативы. Снова — «живые» деньги в обороте вместо безналичных расчетов. Этому способствовала демократизация управления предприятиями, чтобы «освободить инициативу»: советы трудового коллектива, выборные директора — первый шаг к расшатыванию дисциплины. Нарушились обязательства поставок, начали рваться технологические связи — уменьшилось производство. Затем появились аренда, коллективная собственность. Она, как правило, неэффективна. К процветанию это не привело, но началось личное обогащение самых ловких из номенклатуры, а также — директоров.

Результат: вместо ускорения экономика затормозилась.

Следствия: дефициты, «левые деньги». Ослабление контроля на границах породило «челноков» — ненормативную торговлю, которую раньше называли спекуляцией. Однако дефицит продовольствия она не сняла.

В 1989 году новации коснулись власти — пошла демократизация: наполовину свободные выборы народных депутатов. (Меня тоже избрали вопреки кандидату от КПСС.) На первом Съезде отменили 6-ю статью Конституции о контроле Партии, признали Пакт Молотова — Риббентропа, литовцы сделали заявку на независимость. Возникла первая организация оппозиции: «Межрегиональная депутатская группа» в рамках Съезда. Выступал А. Д. Сахаров. (Его проект Конституции, который ему не дали огласить,— очень сомнителен, я вникал.) Произошли кровавые события в Тбилиси и Баку.

На новые веяния в Союзе соцстраны отреагировали быстро: началось движение против коммунистов. Остановить его танками уже не решились. Варшавский пакт распался. Горбачеву пришлось согласиться на вывод войск из Германии, выторговав у Коля хорошую компенсацию. Потом он (Горбачев) встретился с Рейганом. Международный мир изменился: наметилась капитуляция СССР.

Трудящиеся почувствовали ослабление власти — забастовали шахтеры. Им пошли на уступки. По всей стране прошли митинги экологистов с требованиями о закрытии вредных предприятий, а попутно и защиты социальных прав. Вспомнили и о жертвах сталинизма (общество «Мемориал»).

Все это отразилось на экономике: уже нет разговора об ускорении, даже не удается удержать прежний уровень. Бюджет 1990 года принят с большим дефицитом. Его восполнили печатанием денег и внешними займами. В торговле пошла «ползучая» инфляция, не компенсирующая дефицита. Народ недоволен и напуган. Но пропаганда новых идей породила надежды на обновление общества. Особенно у интеллигенции: поначалу свобода была дороже дефицитов.

Б. Н. Ельцин вышел на широкую политическую сцену в 1987 году: был недоволен линией партии. В 1989 году народ признал его лидером демократов. Никакой внятной программы он не представил, но заявил амбиции на роль вождя — сначала в масштабах Российской Федерации. В 1990 году в России выбрали народных депутатов — на 90% из членов Партии. Съезд избрал (с трудом!) Ельцина председателем. И тут выдвинулась вздорная идея: «самостоятельность России». Ее только и ждали честолюбцы в союзных республиках: каждый «первый» хотел сам править, без оглядки на Москву.

Так и случилось: ослабление власти пошло от Горбачева, а распад Союза — от Ельцина. Есть их персональная вина перед Россией.

1990 год прошел в «борьбе программ» перехода к рынку. «500 дней» Явлинского, программы Рыжкова, Правительства и т. д. Идеи рынка уже овладели умами депутатов и даже партийных начальников. Правда, они хотели бы иметь «социалистический» рынок. Никто толком не понимал, что это значит. Мне запомнилась фраза академика Абалкина: «Мы хотим жить, как в Америке, а работать, как в Союзе». Истину сказал. Еще и теперь так.

А между тем экономика падала: денег становилось больше, а товаров — меньше, дефицит продуктов нарастал.

Первое полугодие 1991 года прошло в попытках согласования интересов союзных республик, чтобы составить Союзный договор («Ново-Огаревское сидение».) Всем национальным вождям хотелось самостоятельности, однако еще боялись оторваться от России.

Договор был готов, но в августе Горбачев уехал отдыхать в Форос, в Крым.

И тут грянул ГКЧП. Дело с этим путчем до конца так и не прояснилось. В июне 2001 года бывший главный «кэгэбист» Крючков в интервью «Литературной газете» сказал, что Горбачев был предупрежден об угрозе переворота, но внимания не обратил. Так было или нет — никто не знает.

Путч — это «звездный час» Ельцина в борьбе с Горбачевым. После него все республики объявили о самостоятельности. Попытки создать новый союз делались уже больше для проформы. В январе 1992 года состоялась встреча в Беловежской Пуще. Советский Союз распался. Горбачев подал в отставку.

Этапный момент правления Ельцина — реформы Гайдара. Экономика шла вниз, и нужно было что-то делать. Половинчатые меры правительства эффекта не дали. Экономисты Гарвардской школы предлагали быстрый переход от социализма к капитализму через «шок». Его этапы: освобождение цен — приватизация — финансовая стабилизация. Польша уже попробовала, и получилось неплохо.

Ельцин как председатель правительства взял Гайдара своим замом и дал санкцию начать реформы. В январе 1992 года освободили цены, полностью открыли границы, ввели свободный курс рубля. Произошло то, что и должно было: «шок» в экономике. Цены подскочили в десятки раз, магазины наполнились западными и своими товарами, курс рубля рухнул. Большинство заводов, работавших на внутренний рынок, остановились. Предполагалось, что через несколько месяцев начнется выздоровление экономики. Этого не произошло: страна вошла в кризис, из которого не вышла и до сих пор. Гайдара уволили. Пришел Черномырдин, чтобы лечить шок. Спрашивается — какие же они экономисты, если

не могли предусмотреть, что наши товары не могут конкурировать с западными, если отменить монополию внешней торговли? (Большевики при введении НЭПа этого не сделали.) Что и произошло. И осталось до сих пор. По высказыванию в «АиФ» (июль 2001) Ю. Афанасьева, 82% экспортируемой продукции России является производным продуктом ее недр (нефть, газ, металлы) и только 8% создано заново. (Точность — на совести автора.)

Потом сделали следующий шаг в реформе — приватизацию с ваучерами (паями в госсобственности) и аукционами на продажу заводов. Продавали за гроши, поскольку не было покупателей или их не подпускали, чтобы «родину не распродавать». Этот шаг приписывают второму реформатору — Чубайсу. (Помню его обещание народу: за ваучеры купите акции и через несколько лет каждый гражданин будет иметь на них «Волгу». Или его слова по поводу распродажи за бесценок: «А что делать, если больше не дают?») Полностью отдать заводы в частные руки побоялись — отсюда игра в смешанные компании, с контрольным пакетом у государства. От этого был только вред: государство не управляло, но положилось на директоров. Результат: они обогатились. Что побудило так спешить с приватизацией? Думаю, что полный провал системы управления государственной собственностью в условиях рынка. Была слепая надежда, что собственник все наладит, а рынок все скорректирует.

Гайдар и Чубайс — два имени, которые народ России проклинает до сих пор. Я не в состоянии дать им объективную оценку. Гайдар в своих мемуарах пишет, что он просто-таки спас Россию от гибели: не было даже хлеба, и голод угрожал в самое ближайшее время. Неудачи он, естественно, списывает на помехи со стороны. Трудно с этим согласиться: перед «шоком» в стране еще работало, по крайней мере, 80% предприятий. В частности, добывалось 500 миллионов тонн нефти. Хлеб-то уж можно было купить! Тем более, что дороги известны — уже давно зерно покупали.

До 2001 года экономика буксовала, и только теперь, кажется, наметился сдвиг на фоне высоких цен на нефть. (Путин 16 июля 2001 года сказал в интервью перед поездкой на саммит «Большой восьмерки», что будто бы теперь в России такой подъем, какого не было в стране 30 лет).

Защитники «шока» могут заявить: «Все было сделано правильно». Но сколько же потребуется времени, чтобы заработали те тысячи стоящих заводов и вернулись сотни потерянных миллиардов?

Шок в других странах тоже давал экономике кратковременный пик вниз, примерно наполовину. Но не в 4 же раза — и на десять лет! Мешали Гайдару, естественно, коммунисты, правящая элита, которая оставалась на своих местах. Конечно, они пытались регулировать экономику, но на основы рынка — свободные цены и открытость границ — не покушались. И собственность не отбирали. Говорили, что во всех «рыночных» странах государство вмешивается в экономику. Даже в США «резервная система» регулирует процентные ставки по займам при падениях и «перегревах» экономики. Вот и наши «регулировали».

О методах приватизации хорошо сказано в «Программе Грефа»: «миллионеров назначали». В самом деле, разве мыслимо признать «честным» бизнес, в котором иные ловкие чиновники-управленцы и «номенклатура», понятия не имевшие о рынке, за несколько лет становились миллиардерами(!) Журнал «Фобс»(в мае 2001г.) опубликовал их список — во всем мире насчитали около трехсот, из них до десятка — из России. Там фигурируют известные фамилии. Не говорю, что они (вульгарно) воровали, но создавали «правила игры», позволявшие «честно» обогащаться. В этом им способствовала администрация президента — будто бы пресловутая «семья».

ПЕРЕСТРОЙКА

Перестройка была проведена не только бездарно, но даже преступно.

Какими грандиозными потерями она обернулась для страны!

По данным Международного банка, в 1998 году по ВВП на душу населения Россия уступала Америке в 12 раз! Если учесть, что ее население после распада Союза составляет половину от США, то соотношение экономической мощи всей страны будет 1 к 24! (Советская статистика считала отношение своей экономики к США как — 2 к 3. Но в ней не учитывалась разница в инфраструктуре. Поэтому в действительности соотношение было хуже, но, по— честному, 1:3 было. А у Китая, между прочим, динамика обратная — соотношение с экономикой Америки улучшается.) Однако средний доход на душу там все равно в 2–3 раза меньше даже российского.

Бюджет России в 2000 году был в 70 (!) раз меньше чем в США (29 против 1840 миллиардов долл.) В 1988 году бюджеты СССР и США почти равнялись, хотя в Союзе половина шла на «народное хозяйство», то есть на промышленность; надо думать, что львиная доля — на военную. Правда, в сравнениях «дохода на душу» есть один фокус: по обменному курсу рубля в 1998 году он составлял 2230 долл. против 29000 в США, то есть в 12 раз меньше, но с учетом ППС (Паритет Покупательной Способности), российская цифра гораздо лучше — уже 6400 долл.— отношение «всего» 1 к 4,5. Поскольку население России теперь в два раза меньше Штатов, то экономическая мощь, соответственно, меньше в 24 или, в лучшем случае, в 9 раз. Грустное сравнение! Если учесть, что армия в России осталась почти такой, как раньше, что на России висит огромный внешний долг, то сравнение экономик совсем печально.

Бедственное положение народа соответствует показателям экономики: больше половины граждан живут за чертой бедности. Не буду уточнять, об этом много пишут.

Ни одна западная страна после отмены социализма не пережила такого падения, как страны СНГ. Да, там тоже была инфляция, но производство падало разве что вдвое, провал длился 2 — 4 года, и теперь есть устойчивый рост. А Китай вообще переходит к капитализму в процессе непрерывного подъема.

История причудлива: странно, но удачный переход к капитализму сочетался с противоположным отношением к коммунистам: в Польше, Венгрии и Чехии (и в Прибалтике) сразу же запретили, а в Китае сохранили за ними полную власть.

СРАВНЕНИЯ

Вот передо мной толстый том справочника «Народное хозяйство СССР в 1988 году». (Напечатано в 1989 году.) Перестройка уже пошла полным ходом. Я тогда заседал в Верховном Совете СССР, развал начинался на моих глазах... А уж что было дальше... лучше не вспоминать!

Какая великая страна пропала!

Вот несколько цифр из справочника.

Национальный доход на душу составлял 2/3 от США. Продукция промышленности — 79%.

Стали в Союзе произвели 163 млн.т., в 1,7 раза больше чем в США, а вместе со странами СЭВ больше, чем страны НАТО. Нефти качали в полтора раза больше США — 624 млн. т. Я уже не говорю о паритете по ракетам, о танках, (цифры не печатали), их, будто бы, делали больше, чем весь остальной мир!

Или возьмем науку: полтора миллиона научных работников, 50 тысяч докторов наук, почти полмиллиона кандидатов. Самая большая армия ученых в мире. Нет, я не скажу, что самая продуктивная, но достаточно мощная.

Не так плохо Союз выглядел и по продовольствию. Правда, мяса (на душу) съедали процентов на 20–30 меньше, чем в Европе и Америке, но молока и масла — столько же. И яиц, и рыбы, и сахара, а уж о хлебе и картошке и говорить нечего. Разумеется, теперь реформаторы говорят: «Не верьте! Половина добра пропадала в потерях». Это неправда. Потери — да, были, но едва ли больше 10%. Оставалось еще достаточно. Тем более, что продукция приусадебных участков в отчетности не учтена... Впрочем, сельское хозяйство уже при Советах выглядело плохо: низкая производительность колхозного труда общеизвестна.

Конечно, продуктов много... Только почему за всем были очереди и все в дефиците? Опять же, сравним производство и торговлю хотя бы с соцстранами: там было намного лучше. При той же продуктивности. Разница — в психологии. Ажиотажный спрос порождает дефицит. Между ними есть положительная обратная связь: взаимно усиливают друг друга.

Я ничуть не защищаю социализм: утопия, небиологичен в своей основе (не стимулирует труд и новации), непроизводителен, не экономичен. Вот, к примеру, «перлы» из того же справочника: в сравнении со США, производство станков — в полтора раза больше, тракторов — в 6 раз, комбайнов — в 10 раз. Но если подсчитать, сколько сельхозтехники тратилось на тонну (или миллион тонн) зерна, то получается — в двадцать раз больше, чем у капиталистов. Поэтому постоянно всего не хватало. То же касается трат электроэнергии на единицу продукции (ВВП) — в 5–7 раз больше, чем в Европе. Не говоря о Японии. Такое же положение с металлоемкостью. При таких затратах, для дальнейшего роста объемов производства, в Союзе просто не хватило бы ресурсов! Когда открылся рынок для западной бытовой техники, оказалось, что наша неизмеримо хуже.

(Да, но китайская была тогда еще хуже нашей. А теперь, смотри — подтянулись. Так что не все было потеряно(?) Потому что... потому... Если бы — с умом!)

Признаки падения эффективности в годы перед перестройкой отражены даже в справочнике: снижался прирост, зарплата росла в три раза быстрее роста производительности труда.

ВЛАСТЬ И ИДЕИ

Цифры говорят: рыночная экономика России не удалась. Не лучше положение и с демократией. Как красиво она выглядит на Западе! «Правовое государство», «открытое общество». А у нас? Коммунисты (по злобе!) называют: «Дермократия».

В конституциях все записано «как в лучших домах» — права, свободы, «разделение властей», регламенты, обеспечивающие устойчивость управления. А в действительности... Глаза бы не глядели! Да, конечно, проводятся демократические выборы. Почти свободные: постоянные жалобы коммунистов на фальсификации ни разу в суде не подтвердились. Видимо, они были несерьезны. Но как грязно идут сами кампании! В местных СМИ льются потоки лжи. Ведется откровенный подкуп избирателей, оказывается давление на кандидатов. Да и сами кандидаты странные: где те идейные демократы, искренние радетели общественного блага? Выступают или карьеристы из номенклатуры не очень высокого пошиба, или странные личности, не имеющие за душой никаких общественных заслуг, а иногда и просто бывшие преступники. Все выкрикивают популистские лозунги, предлагают нереальные программы... Зачем они идут во власть? Удовлетворить амбиции — «порулить»? Обогатиться на взятках? Получить неприкосновенность? Еще явление: кланы. «Команды единомышленников», а на самом деле — просто шайки сообщников.

Выбрали — и все зажато: пресса, телевидение. Чуть где прорезались независимость и критика — чиновник подает в суд на журналиста или газету. Требуют сумасшедшие взыскания «за моральный ущерб». Или нашлют на редакцию санинспекцию, пожарников, налоговую службу. Смотришь — и нет газеты.

Такое впечатление, что вывелись порядочные люди на Руси. Остались одни карьеристы и стяжатели.

Понимаю, что мои обвинения в безыдейности российского народа преувеличены. Есть честные люди, энтузиасты справедливости, социального прогресса, искренне желающие сделать добро народу, России. Настоящие демократы. Но их невозможно разглядеть за толпой карьеристов и плутов. Общий моральный климат в сферах власти такой, что идеалисты не удерживаются и уходят из государственной службы в частную жизнь. К тому же возник явный кризис в сфере идей: не знают, «что и как строить?»

Ельцин и здесь приложил руку своей формулой: «Берите суверенитета, сколько осилите». В результате наплодил удельных князей, каждый со своей конституцией: нарушилась «вертикаль власти». Теперь, правда, Путин ее исправляет... При коммунистах-то этой вертикали было сверх меры!

Крах идеологии коммунизма, идей коллективизма и «светлого будущего», над которым теперь так издеваются циники-журналисты, не прошел бесследно для интеллигентов и для всех мало-мальски мыслящих граждан. Была идея, созвучная общественным биологическим потребностям стадного животного — человека. Она слабее эгоистических потребностей, но если ее тренировать воспитанием, то становится вполне значимой. По крайней мере, для некоторых типов личности. Эту идею не смогла испортить даже диктатура партии. Тем более, что ее деятелей все же нельзя упрекнуть в чрезмерном стяжательстве. Никакого сравнения с теперешними властителями.

И вот вместо альтруизма, то есть коллективизма и коммунизма, нам предлагают нечто непонятное и сомнительное: «личность выше государства и общества». Что из этого следует, в самом простом варианте? Идеал справедливости отношений явно сдвинут в сторону эгоизма: сильному все позволено. Если ты что-то хочешь и силен — имеешь моральное право добиваться, не оглядываясь на окружающих. Да, конечно, это не соответствует Нагорной проповеди, но в ней же чистая фантастика: «Отдай последнюю рубашку», «Подставь вторую щеку». Где уж там! Хотя бы заповеди Моисея не нарушались, в части кражи и лжи. Но и то сказать: с чьих позиций расценивать степень нарушения заповедей — с личных или общественных? Ведь все суждения субъективны. Тем более, что 70 лет твердили, что Бога нет, значит, проповеди и заповеди не имеют силы. А когда Маркса с Лениным отправили на свалку, то где теперь человеку обрести стержень? Откуда взяться идеалистам? «Имеем, что имеем».

Даже идея Россию подвела. Думали: «Великая!», а Горбачев и Ельцин дунули — и стала второразрядная страна. Теперь уже настоящая «Верхняя Вольта с ракетами», как когда-то обозвала нас Тэтчер. (Тогда несправедливо обозвала!)

В треугольнике «Власть — Мораль — Собственность» главная потеря коснулась морали. Ее стандарты снизились — и вот всеобщая коррупция властей, преступность, «теневая экономика», неплатежи, поголовное уклонение от налогов. Осталась ли вообще совесть у народа?

Конечно, обнищание способствовало этим процессам. Даже толкает людей на воровство.

Остановки заводов не только ведут к разрушению оборудования, но и гибельны для трудовой этики работников. Слабые типы привыкают к безделью и уже не притязают на хорошую жизнь.

БАЛАНС ПОТЕРЬ И ОСТАТКОВ

Сколько раскрадено и испорчено и сколько осталось? Это важно не для прокуратуры — прошлого уже не вернуть, а для прогнозов на будущее.

В связи с этим: вопрос о «фондах». Фонды — это цена оборудования, дающего национальный доход (по терминологии советских статистиков).

Так вот, в начале реформ, в 1988 году, основные фонды всех отраслей производства Союза составляли 1800 миллиардов рублей. На РСФСР падало 1100 миллиардов. В справочнике приведен его состав — промышленность, сельское хозяйство и другие статьи — в частности — социальные. Капиталовложения составили 8% фондов в год. Для России это было 88 млрд. руб. (Представляете цифру? Теперь бы России половинку этой суммы — 40 миллиардов долларов в год!)

Сколько из этих 1100 миллиардов фондов осталось спустя 12 лет? И в каком они состоянии?

У меня нет детальных данных об объемах производства в России за 2000 год. Только отрывочные сведения из прессы и немного — из Интернета. Знаю, что нефти добыто около 400 миллионов тонн, стали сварено около 60 миллионов тонн, то есть снижение примерно на 30%. Но это — экспортные отрасли промышленности, работающие на природных запасах. По машиностроению и легкой промышленности потери достигают 80%. Сельское хозяйство и пищевая промышленность утратили около половины. Энергетика пострадала меньше других отраслей. Военная промышленность — больше, работает только на экспорт, давая товаров на 5—7 млрд. долл. Надежды на конверсию не оправдались. В целом производство упало на 60%.

Это, однако, не означает, что оставшиеся действующие фонды в должном рабочем состоянии.

Известно, что для поддержания оборудования «в форме» существуют ежегодные отчисления на амортизацию в размере 5—8% его стоимости. Полагаю, что со времени перестройки больше 2—3 % на срочные ремонты не отчислялось. За 12 лет накопилась нужда в ремонтах и реконструкции, примерно наполовину первоначальной стоимости еще работающих предприятий. Они производят те 40% продукции, которые еще дает промышленность. А каково состояние тех заводов, которые остановлены совсем или еле дышат? Плохое, конечно. В общем, очень приблизительные и оптимистичные расчеты показывают, что исчезло фондов примерно на 500 — 700 млрд. руб. Конечно, не все они присвоены олигархами и капиталистами помельче. Наверное, половина оборудования просто исчезла, превратилась в лом.

Это те миллиарды, в дореформенных рублях, которые нужны для восстановления производства в России.

К ним нужно прибавить амортизацию «непроизводственных» фондов — квартиры, социальная и бюджетная сферы. По России они составляли 600 млрд. руб. Они тоже амортизировались и тоже не ремонтировались. Прибавьте к потерям промышленности еще 100 млрд.

Большая сумма получается, очень большая! Дорого обошлась революция России! Около 40 % всего прежнего достояния. Столько потеряли в войну. Впрочем, любая революция стоила примерно столько же. Вспомним хотя бы Октябрьскую: после гражданской войны промышленность «лежала». Но НЭП ее поднял за 5 лет.

Подсчитал эти цифры, засомневался, проверил — кажется — все верно. Возможно, плюс — минус 10–15% ошибки. Положения они не меняют.

Ну а если пересчитать на доллары? Полагаю, что примерно столько же. Советский курс доллара был 67 копеек, и он приблизительно соответствовал реальности. За десять прошлых лет доллар «похудел» на треть. Теперь так и выйдет — доллар за «бывший» рубль.

Куда девалась собственность? «Разворовали» — это слишком обще, но близко к истине. Образовался новый класс богатых людей — около 3% населения: «новые русские». Это не только настоящие бизнесмены, скупившие по дешевке предприятия, но и директора государственных заводов, и чиновники, нажившиеся на взятках. Они построили виллы вокруг городов, сделали «евроремонты» в апартаментах, накупили роскошных автомобилей, открыли рестораны. То есть изъяли капитал из производства, омертвили его. Но главное — вывезли за границу. «Бегство капитала» — первый признак неустойчивости государства. В наших СМИ постоянно мелькают цифры — вывозят 20–25 миллиардов долларов в год. Иногда называют общую сумму — 100 и даже 200 млрд. Это большие цифры, сравнимые с исчезнувшими фондами. Всем кажется — верните их, и Россия завтра оживет. Однако эти цифры — безответственны. Во-первых — преувеличены. Во-вторых, они включают суммы оборотных средств, используемых в частной международной торговле. Кроме того, доля вывезенного капитала уже возвращается под видом инвестиций западных компаний. Поэтому не приходится рассчитывать, что вот они и возродят Россию.

Примерно 500–600 млрд. долл. нужно, чтобы вернуть экономику к полноценной жизни.

Как быстро можно восстановить утраченное? Ради интереса, обратимся к советскому прошлому, к динамике развития. 60% фондов 1988 года были уже в 1978 г. Значит, 40% прибавилось за 10 лет. И это при условии, что машиностроение будто бы на 40% работало на вооружение, что одновременно, и сверх расширения фондов,

производились нормальные отчисления на амортизацию существующих.

Получились цифры столь же обнадеживающие, сколь и нереальные для нового времени. Не может государство из бюджета каждый год выделять на реконструкцию заводов (восстановление фондов) 50–70 млрд. долл., когда и весь бюджет около 30 млрд. Да и сами эти фонды, которые нужно расширять, теперь уже на три четверти принадлежат частному капиталу. Народ уже не тот: не выдержит такого зажима семейного бюджета. Это в первую пятилетку могли запустить такую эксплуатацию, что на потребление шло 20–25%, а остальное — на накопление, на промышленность. Да!

Теперь на дворе капитализм, и у него свои законы: выжать максимум прибыли, а куда ее девать — дело владельцев капитала. Может быть, лучше вывезти за границу? «На всякий случай» — вдруг опять начнут отбирать? (Коммунисты бдят, да и президент, похоже, человек решительный.)

Есть еще один интересный нюанс. Непроизводственные фонды Союза составляли 900 млрд. Считайте — 60% — Россия. Получается 540 млрд. Это жилой фонд, здравоохранение, образование, наука, культура — без торговли и снабжения. Все это осталось в наследство новой России. Так вот, амортизация этого хозяйства в Союзе требовала 10 млрд. Бюджет в переводе на долю России составлял 280 млрд. руб. Выделить из них 10 не представляло труда. А теперь? Когда бюджет 29 млрд.? При том, что 12 лет почти ничего не ремонтировалось... Неудивительно, что в зимнее время города сидят без тепла и света: все обветшало.

Кроме затрат на ремонты фондов социальной сферы, нужны главные средства — на саму эту сферу. Подумать только: 60 млрд. тратилось только на просвещение, науку и здравоохранение. Социальное обеспечение и страхование стоило бюджету еще 40 млрд. руб. В сумме поддержание жизни народа, сверх зарплаты, требовало от бюджета около 80–100 млрд. руб. (Пересчитано только на Россию.)

Просто удивительно, как советское государство управлялось с таким социальным хозяйством, да еще и выделяло на оружие, достойное «сверхдержавы» и мировой революции. Сколько выделяло? Формально из бюджета СССР, на армию — только 5%. Сколько фактически, из статьи «На народное хозяйство», а это было — 53% бюджета — 242 млрд.— никто не знает. На Западе подсчитали, что 15% «валового продукта» шло на оборону — это свыше 300 млрд. Наверное, империалисты преувеличили — весь бюджет Союза был 470 млрд. Но не очень много перебрали: кроме 240 млрд. («народное хозяйство»), еще урывали из статьи науки, образования, из средств предприятий.

Всё это я перечисляю, чтобы показать, сколько трудностей от социализма досталось в наследство демократической России.

Как можно было поднять эти непомерные социальные и оборонные расходы теперь (пусть даже без оружия), когда производство не работает, а все «учреждения» остались? Только снижать реальную зарплату и пенсии «потребителям» этих трат — «бюджетникам» и пенсионерам — через новые деньги и цены. Да еще и задерживать их выплаты — на месяцы и годы. То есть — демократы опять вывели беднейший народ на тот уровень жизни, что был, примерно, перед войной, если судить по доходам на душу. Кроме того, следует учесть, что для среднего трудящегося создался еще «налог» — специально от капитализма: содержать богатых. Неравенство при Советах было около 1:5, считая по 10% бедных и богатых, а стало 1:12. (А, может,— и 1:15) Не удивительно, что многие хотят обратно в социализм.

ЕЩЕ ЦИФРЫ И ОБСТОЯТЕЛЬСТВА

Я, наверное, надоел этими цифрами: что уже говорить — дело прошлое!

Не скажите. Это прошлое висит над Россией тяжким грузом. (А у некоторых вызывает желание «переиграть».)

Увы — финансы, фонды — еще не весь груз, что мешает войти в капитализм. Есть еще —

психология граждан. Это особая тема, но обойти ее я не могу: не будет истинной картины.

Только ли из-за военных расходов при Советах мы жили, скажем осторожно — «недостаточно хорошо» в сравнении с Западом, так что захотели лучше?

Разберемся.

Вот данные из того же справочника, СССР в процентах от США: производительность труда в промышленности — 54%, в сельском хозяйстве — 16%. Видите, социализм был уже совершенно «зрелым», но не очень эффективным. Тут уж на военные расходы не спишешь — это качество «системы».

Производительность труда определяется такими факторами: 1. Напряжением сил работника. 2. Его квалификацией. 3. Организацией труда — чтобы все работали и были нагружены. 4. Механизацией: сколько «фондов» и какого качества приходится на одного работника.

У нас относительный порядок был только в пункте «2» — всех учили, и в пункте «3» — все работали. Правда, начальникам проще было запросить новые штаты, чем побудить подчиненных «вкалывать». Поэтому был избыток работников.

С пунктом «4» была недоделка: «фондов» — механизации — делали много, железа и электричества не жалели, но качество — конструкции, изготовление и обслуживание — было откровенно плохое. За военным производством не хватало средств на совершенствование мирной техники. А, может, снова виновата «система». Отсюда — устаревшее оборудование. Пример: мартеновские печи в металлургии.

Самое плохое положение — с пунктом «1»: лениво работали и некачественно. «Как бы ни работать, лишь бы не работать». «Они делают вид, что платят, а мы делаем вид, что работаем». «Воровство как форма распределения благ при социализме». Правда, воровство было — больше по мелочи — «несуны». Не то что теперь: олигарх уж тяпнет, так тяпнет — целый завод!

Причина плохой работы — социализм. Работа — это напряжение, это мотивы. Перечислю их. «Угроза боли» — от рабства — она уже не действовала, лагеря закрыли. Голода тоже нет, изобилия еды — еще нет. Безработицы нет — нет мотива страха. Но — увы! — нет и самого главного: ненасыщаемого стимула — собственности. И конкуренции, связанной с ней. Это касалось всех — рабочих, инженеров, даже начальников. Для них, правда, был еще один стимул — власть, карьера. Было еще любопытство, но это преимущество творческих личностей.

Увы — социалистические мотивы — «работать для коллектива и для будущего» — биологию не заменили. Поэтому и работали плохо.

Впрочем, в России труд никогда не был в большом почете. Его не требовала православная вера, тормозила община, крепостное право, а уж довершил — социализм.

С тем теперь и в капитализм пришли. Называется: «низкая трудовая этика».

Цифры инвестиций, потребных для возрождения России, что я представил, для мирового капитала невелики. Тем более — с растяжкой, в лучшем случае, лет на десять, быстрее капитал не освоить: нужно внедрять новые технологии, учить людей работать.

Но пока капиталисты не надеются на россиян. Ссылаются на плохой «инвестиционный климат». Он-таки — плохой.

Вроде бы все основные рыночные реформы сделаны, а оказалось — не до конца. Завод купить можно, а землю под ним — пока нельзя. К тому же — долги на нем висят за много лет, с пенями. Социальные законы так защищают трудящихся, что лодыря выгнать очень трудно. Притом, самые дельные работники уже ушли с завода за время кризиса. Все воруют, работают лениво. Дешевая рабочая сила оборачивается плохим качеством. Предприятия при Советах обросли заводскими поселками, различными социальными службами, требующими больших расходов. Отказать — нельзя.

Всюду — коррупция. Россия по ней занимает одно из важных мест. Бюрократия после Советов удвоилась в количестве и обнаглела. Сошлюсь на Т. И. Заславскую. В СССР перед перестройкой было 700 тысяч чиновников, а в нынешней России — их 1200 тысяч (Знание — сила, № 10, 2000). На любое действие нужно разрешение (сертификат!). Власти города могут придраться к пустяку и жизни не дадут. За каждый шаг — взятка и проволочка во времени. Сверх того — откровенный рэкет, даже бандитизм. При том, что на суд надеяться нельзя, он совершенно ненадежен.

Еще — плохая инфраструктура: дороги, связь, финансы.

Законы несовершенны и непостоянны, зависят от политической конъюнктуры: победят коммунисты и начнется пересмотр законов.

Много есть всякого, чего я не знаю.

Вот и думают капиталисты: «Зачем рисковать?» На планете есть места понадежнее. И — не дают деньги.

Почему так затянулся переход к капитализму?

Социализм за 70 лет привел к очень глубоким изменениям во всех сферах жизни общества. Его идеи прочно вошли в мысли граждан. По себе сужу: еще в 1988 году я верил в «социализм с человеческим лицом». Перелом произошел в 1989–1990 годах, когда, будучи членом Верховного Совета в Москве, имел возможность познакомиться с закрытыми и зарубежными статистиками. Понял — социализм неэффективен, утопичен, не соответствует биологической природе человека. Жалел об этом: казалось — строй, который ближе всего к идеалам христианства, если бы коммунисты его не извратили жестокостями и агрессивностью. Не я один так думал. Независимые социологи в 1990 году проводили опросы населения в бывших соцстранах. В Союзе 65% высказывались за социализм, а в западных наших сателлитах — только 20–30%. Вот одна из причин медленной адаптации к новым идеям.

Теперь уже привыкли к капитализму, но коммунисты все еще имеют стойкую четверть избирателей.

Многие до сих пор мечтают о «своем пути»: сохранить преимущества того и другого, совместив их в разных пропорциях. Наивные люди — они просто не знают, что это уже есть в западных странах. Помню, как на Первом съезде народных депутатов Чингиз Айтматов с трибуны предложил «шведский социализм». Это так и есть: частная собственность, рынок, но социальные законы лучшие, чем были в Союзе. Притом — полная демократия. Да, но налоги с частных лиц составляют 50%! — «За все нужно платить». Наши граждане — хотят получить даром. Им так казалось при Советах.

ВЫБОР

Очень сложный вопрос о выборе оптимального строя для России. Это — не Швеция, не Германия, не Китай, не Южная Корея.

Разберемся в обстоятельствах.

Россия — большая страна с традициями величия. От этого — обязательства и трудности — за место в иерархии «стаи государств» тоже нужно платить.

География России и хороша, и плоха. Две трети территории — холодные и неудобные. Редкое население. Но недра богатые — все об этом знают, перечислять нет смысла. Однако много ископаемых — далеко и в трудных местах. Правда, опыт уже есть и трубы проложены. В целом, плюсов все же больше: не зря последние тридцать лет страна только на нефти и держится — пресловутые «нефтедоллары» даже разбаловали Союз: перестали совершенствовать технику. Так сказал президент 18 июля 2001 года на пресс-конференции (сам слышал по ТВ).

Об экономике я уже писал: собственность массивная, но низкого качества. Притом — запущенная. Груз устаревшей промышленности: уголь, металлургия, химия, машиностроение. Много низкотехнологичной военной техники: танки, артиллерия. Заводы ВПК не загружены, но их продукция еще пользуется спросом в неразвитых странах — дает валюту и технологию поддерживает: расчеты на конверсию не оправдались. Гражданские самолеты могут делать хорошие, но «Боинги» на рынке забивают. Есть большая, тоже устаревшая, энергетика. Кроме атомной: она вполне на уровне и будущее страны обеспечит. Гордость России — космос. Престижно, но денег не дает. Высокие технологии — физика, электроника — присутствуют только в научных и опытных разработках, в промышленности широко не реализованы. Не

выдержали соревнования: в свое время средств мало давали.

В целом: промышленность, кроме нефти, газа, стали и химии — не очень доходна. Но все же — выручает страну и даже обещает прирост.

(Возможно, я пропустил что-нибудь важное, прошу извинить.)

Важнейший элемент российской действительности — **армия**. Два элемента — ядерное сдерживание («потенциал») и собственно вооруженные силы. Первый определен договорами о нераспространении и ПРО, второй — зависит от истории, экономики и реализации новых технологий. Президент хвалится, что существуют возможности «адекватного ответа» новой американской системе ПРО. Ему виднее. Хотя и сомнительно — не в плане техники, в экономике.

Зато вооруженные силы находятся в откровенно бедственном положении. Армия свыше миллиона, а финансы на содержание одного военнослужащего составляют 5000 долл. в год. Это меньше Штатов в 30 раз, и даже в три раза меньше Турции. Оружия для современной «точечной» войны, как в Кувейте или Югославии, нет и не предвидится — нет денег. Есть армия, пригодная, чтобы воевать с чеченцами и то не очень успешно. О военной реформе говорят уже лет пять, а сдвигов нет. Все упирается в деньги. Одно есть точно, и в избытке — генералы. Их всегда в России было много: психологический фактор торможения реформ.

Российский народ. Десять лет назад я провел очень большой опрос через анкеты в газетах — «Неделе», «Комсомолке». 35 тысяч ответов, но картина уже устарела, и я не стану приводить данные. Упомянул, чтобы похвалиться — я знаю толк в социологии. Много эпитетов в разные времена было высказано в адрес русского народа! Не буду полемизировать. Я повидал много людей разных национальностей. Могу сказать: отпечаток нации существует. Сколько процентов личности? Не много — 10? 15? Основа человека в генах — они, видимо, не очень разнятся, по крайней мере, у народов одной расы. Различия — «культуральные» — от традиций. Но они существуют, считаться приходится.

Применительно к русским приведу эпитет известного социолога Т. И. Заславской, который я вычитал у не менее известного социолога Ю. Левады: «Лукавый раб». Каково звучит? «Лукавый раб подчиняется, а сам думает — как обойти».

Мое мнение: русские — хороший народ. Лучше? Хуже других? Воздержусь. Каждый народ хорош по-своему. И — плох. История накладывает отпечатки, но они стираются, когда человек попадает в другую страну. Современный пример: наши плохо работают дома, а в Германии или в Штатах — очень хорошо. Правда, туда едут только люди смелые.

Огромна роль культуры, среды и семьи. Но в масштабах государства социологи находят обобщающие черты. Оказалось, что их спектр довольно быстро меняется. В связи с этим приведу наблюдения Ю. Левады за 10 последних лет (Знание — сила, № 2, 2000).

Три периода. *Первый:* «Состояние восторженной мобилизации». 70% уверены, что ситуация в стране улучшается во всех отношениях. Ельцина прославляют. Замечу от себя: по нашим анкетам от 1990 года, цифра оптимистов была около 50%.

Второй период: «Разочарование и приспособление». Раскол в обществе. Демобилизация и деидеологизация. (Какие трудные слова! Наука.) Ельцина уже клянут. Но пятая часть уже приспособилась, еще столько же — в стадии приспособления. Это обнадеживает.

Третий период — современный. «Негативная или агрессивная мобилизация». Мнения: «Сильный лидер для страны важнее законов». «Западная демократия несовместима с российским менталитетом». «Прежде нужно накормить страну, а потом заниматься демократизацией». В Чечне — за наступление — 70%. То есть явный крен в сторону «сильной руки». Кроме того, популярна идея «своего пути». Неудивительно, что Путин имеет такой высокий рейтинг.

«Что тревожит?», в порядке значимости: инфляция, безработица, коррупция, преступность. Чечня — на седьмом месте, она беспокоит только 6%. Но за сближение с Западом все же высказывается большинство: «некуда податься». Еще одно наблюдение: «Очень верят телевидению».

Мое собственное мнение о народе: «Никакой». Не добрый и не злой. Непостоянный. Как ребенок.

МНЕНИЕ О ГОСУДАРСТВЕ

Состав государства как системы такой: Власть — избранная и бюрократия. Бизнес. Государственный сектор. Общество: партии, организации социальных групп по профессиям и интересам. Выразителями всех сил являются СМИ. Отношения между силами выражаются сотрудничеством и борьбой. Объединяет общая идея: например, родина — патриотизм. Идеологии, религии могут объединять, но могут и разъединять. Устойчивость государства зависит от соотношения интересов социальных групп и жесткости власти. Ограничение информации, высказываний и свободы организации тоже увеличивает устойчивость: народ привыкает и смиряется. При этом даже уменьшается недовольство. Так было при Советах. Наоборот — полная свобода самовыражения может раскрутить мелкие противоречия до больших. Коммунисты это хорошо знали, поэтому «советский народ», под замораживающим взглядом Партии, безмолвствовал, но был относительно доволен. Публичность разрешалась только на футболе. Такая «квазиустойчивость» способствовала развитию государства и отучила от высказываний.

Демократы утверждают, что полная свобода всегда полезна. С этим не могу согласиться. От свободы близко до хаоса. Это опасно для страны, когда действует только самоорганизация. В некоторой степени это подходит к современной России. Надежды на быстрый прогресс в связи с демократической революцией растаяли, и общество перешло в третий период по Леваде — «агрессивной мобилизации». Большое благо, если в это время появляется харизматический лидер, выражающий одну оставшуюся значимую идею — Родины, ее сохранения и величия. Ельцин был таким лидером в 91-м и 93-м, но растерял свою харизму неумным правлением.

Эволюция власти в России такова: при коммунистах — Партия господствует сверху донизу. Строгость? Несомненно. Единство? — Да. Идейность? — Присутствовала, в меру. Коррупция? Небольшая. Метод управления иерархией власти: партбилет и угроза отлучения от номенклатуры. Пряник? Повышение в ранге, связанное с удовольствием от власти и дополнительными казенными благами. Аппарат Советов был низовым слоем Партии. То же касалось и начальства хозяйственных учреждений и общественных организаций. Включая науку.

В начале перестройки, на короткое время, к выборной власти пришли демократы из идейной интеллигенции. (Вроде Гавриила Попова в Москве.) Но — не справились. Саморегуляции управления уже не было, а рутина им была незнакома и чужда. Они вынуждены были опереться на прежний административный аппарат. Он же при очередных выборах представил кандидатов из числа номенклатуры «второго эшелона», которым не было власти до перестройки из-за засилья в Партии стариков. Поскольку, в своей основе, аппаратчики всегда были циники, то исчезновение «власти партбилета» быстро привело к коррупции и увеличению штатов чиновников. Так вместо партийной номенклатуры возникла новая каста — бюрократия. Законы для нее — «блат», «клан» и деньги. Вершину этого класса (элиту), с добавлением бизнесменов, желающих получить прибыли и судебную неприкосновенность, составили кадры кандидатов на выборные должности. Неудивительно, что они использовали «грязные технологии» и «административный ресурс» — любимые выражения наших СМИ. Разумеется, небольшой процент идеалистов преодолевал эти барьеры — но очень небольшой.

Я не склонен также преувеличивать честность бизнеса — она не состоит в его изначальной природе, но в условиях коррумпированной бюрократии и власти бизнесменам ничего не оставалось, как подстроиться к общим порядкам. Что они и сделали не без удовольствия. Приватизация по Чубайсу предоставила шансы. Так создалась иерархия бизнеса с олигархами в вершине, спаянная с бюрократией и одинаковая с

ней по морали. Деловая управленческая квалификация бюрократии от номенклатуры и бизнесменов от бюрократии не очень высока. Они не прошли обучения рынком. Научатся ли? Не обязательно: примеров застоя в капиталистических странах предостаточно. Конечно, небольшая струйка дельных и достаточно идейных людей просочилась в эти загаженные сферы. Иные, может быть, и от КГБ. При Андропове кэгэбисты считались самыми честными в отличие от милиции...

Вот такая грустная картина. Надежда — на смену поколений. Но это долго.

Результатом всего этого (грешен — хотелось написать «бардака») явился экономический застой. (А, может быть, Чечня?)

Что нужно? Умная и честная политика. Аппаратчики от Совмина и депутаты Думы обеспечить этого не могут. Они — в плену прежних стереотипов и текучки. А нужен научный (системный) подход. По правилам управленческой науки.

Например, такой *порядок действий:*

1. Определить (и выбрать) систему ценностей с (количественными) приоритетами: человек или общество? Для страны — лидерство или «среднее» положение? Материальное или духовное? Терпимость или непримиримость?

2. Оценить состояние системы, чтобы наметить рубежи притязаний. Макропоказатели страны и «микропсихология народа». «Уровень Душевного Комфорта», по моей терминологии.

3. То же касается оценки внешних сил. Расклад потенциальных друзей и недругов — геополитика.

4. Ведущие тенденции мирового развития: Глобализация, «Созревание цивилизации», Защита природы.

5. Исходя из пунктов 2–3–4, выбрать вариант общества. Наметить «дерево целей» и их приоритеты. Отсюда — стратегия.

Ну и так далее, по азбуке управленческой науки. (Не могу отрешиться от технократических привычек! Технократ уверен, что даже социализм с помощью компьютеров можно сделать оптимальным).

Азбука всем известна, а вот наполнение ее содержанием и деталями, применительно к целому государству, исключительно трудно. Требует большой коллективной работы политиков и ученых.

Слава Богу, России повезло: такой коллектив был создан.

«ПОВЕСТКА ДНЯ ДЛЯ ПРЕЗИДЕНТА 2000 г.»

Книга: «Стратегия для России. Повестка дня для президента 2000 года» была выставлена в Интернете. Там я ее и прочитал. Рукопись состоит из 9 разделов, в которых представлены труд коллектива «Совета по внешней и оборонной политике (СВОП)» и материалы «круглых столов» по каждой теме. На них приглашались опытные политики и ученые. СВОП образован еще в конце 1998 года, не понял, по чьей инициативе. Фамилии Грефа, предложившего свою «Программу Грефа», о которой много сообщалось в СМИ, в тексте я не нашел. Но идеи, что им предлагались для Правительства, совпадают со «стратегией».

Поскольку труд можно прочесть, я не буду его пересказывать, а ограничусь информацией, которая мне импонируют, без претензий на полноту и систематичность.

Вот раздел текста по поводу «Порядка» как альтернативы демократии. При опросах за него высказались 70—80% опрошенных граждан.

«Порядок» вызвал такие возражения:

1. Может вылиться в авторитарный режим.

2. С другой стороны — отказ от силы в пользу «демократии без границ» приведет к инертности и застою. Формула «Управляемая демократия» — неопределенна и вводит в заблуждение.

3. Нужно избегать консолидировать страну на антизападной основе.

Есть два понимания «сильного» государства: режим правопорядка и режим произвола. Естественно, авторы — за первое.

Предлагается несколько исправлений конституции: «прибавить власти Кабинету министров», отняв немного от президента. Нужна административная реформа: отрегулировать отношения с губернаторами и усилить местное самоуправление. Вместе это значит: «Укрепление вертикали власти», но без нарушения демократии.

«Политика должна быть стабильна, прозрачна и понятна народу». Авторы выступают за частную собственность и конкуренцию на равных. Нужны реформы: налогов, таможни, судебной системы, в политике, поддержки бизнеса. И (наконец!) начинать реформу военную. Мы видим, что проекты таких законов вносятся в Думу.

Еще предложения из текста: Нужно обнародовать программу развития страны. Обеспечить права человека и свободу СМИ. Оппозиция необходима, через нее происходит цивилизованная смена элит. И вообще, желательно превратить президентскую республику в «президентско-парламентскую».

От президента и реформ будет зависеть будущее страны: пойдет ли она вперед к свободе и процветанию, будет ли топтаться на месте, откатится ли назад или ограничится очередным «подмораживанием России» от распада.

Очень интересна глава о коррупции. Высказывания чрезвычайно резкие. Вот их смысл.

Масштабы коррупции огромны. Она приняла системный характер. Государственная политика уже зависит от частных интересов. Взятки стали основным доходом чиновников. Теневая экономика использует государство и СМИ для повышения своих доходов. Потери государства около 20 млрд. долл. сравнимы с доходами бюджета 1999 г.

Последствия коррупции: возрастание теневой экономики. Разрушение полезного эффекта конкуренции. Нарушение механизмов рынка. Она питает организованную преступность. Разрушает демократию — искажает выборы.

Вывод цитирую: «Коррупция стала образом жизни целой страны. За 10 лет усилия реформаторов построили недееспособное кланово-олигархическое государство». Сильно сказано? Но полагаю, что с некоторым перехлестом.

Вот высказывания по поводу военной политики. Армия 1,2 миллиона — не нужна и непосильна для страны. Так же непосильно и одномоментное ее сокращение. Нужно сохранить атомные силы сдерживания, чтобы обеспечить стране чувство защищенности во враждебном мире. На это же работает декларация военной доктрины о возможности первыми применить атомное оружие. К ракетам нужна армия 500—600 тысяч, пригодная для ведения ограниченной войны, достаточно оснащенная, но не по высшему технологическому классу американской, он стране не по карману. Ассигнования на одного военного — близкие к турецким. Реформа должна растянуться на десять лет. То есть, авторы признают, что Россия больше не притязает на роль сверхдержавы. Но и комплекса неполноценности испытывать не должна — ракеты достаточно гарантируют защищенность и независимую политику.

Впечатление от СВОП: очень разумная программа для президента. Реальная.

Перечитал эти строки о своей бывшей родине и поймал себя на чувстве сожаления и горечи. Кажется, пусть бы Горбачев капитулировал перед США и НАТО — это соответствовало реальному соотношению сил. Освобождало экономику от непосильного бремени военного состязания, а мир — от угрозы тотальной ядерной войны. Честь ему и хвала от народов всего мира.

Но зачем распад Союза? Я совершенно не верю, что он был «тюрьмой народов», какой действительно была царская Россия. Республики имели все условия для процветания национальной культуры и экономики, притом обладали преимуществом принадлежности к большой стране, ее культуре и науке более высокого уровня. Что они теперь? Глухая провинция. Когда еще они впишутся в Европу, о чем любят говорить их тщеславные вожди. Могут и вообще не вписаться. А любая национальная культура, с песнями, танцами и даже литературой — Увы! — доживает последние десятилетия. Глобализация, Интернет, английский язык и голливудские фильмы на ТВ поглотят ее безвозвратно... Так стоит ли из-за этого городить огород?

Впрочем, я рассуждаю с позиций ученого: распад Союза закрыл дорогу науке в республиках. Возможно, и в России: надолго, если не навсегда.

ЗАКЛЮЧЕНИЕ

Так что же будет с Россией? Есть варианты. Первый: удержатся демократия и рынок. Ничего хорошего не предвижу. Это будут *наша* демократия и *наш* рынок. Борьба амбиций, кланов и партий. Все политики замкнутся на популизм, преследуя личные цели. Поэтому никаких решительных законов по оздоровлению страны не примут. Так и останется Россия царством бюрократии и коррупции. Возможно, что 5—8% прироста экономики удастся удержать, при хороших ценах на нефть. Но что они стоят в огромной обнищавшей стране? Их разделят владельцы собственности и власти. Никаких стратегических прорывов не произойдет. Мораль не улучшится, а без нее плохой «климат» останется, больших капиталов не дождаться, внешние долги нужно платить. Как пишут в той записке от СВОП, за 20 лет Россия поднимется (а проще — «доползет») до уровня «среднеразвитой» страны.

Второй вариант — прорыв к Величию. Знаю, что скажут: «невозможно». Потерять половину населения и 70% богатств (включая фонды отпавших республик), растеряв с «утечкой мозгов» и упадком науки половину интеллектуального потенциала... Да, все верно: катастрофа.

Но вспомним начало двадцатых годов прошлого столетия в Союзе. Было еще хуже. Разруха. Заводы стоят. Блокада. Бандитизм. Восстания. В эмиграции три миллиона лучших умов и весь капитал, какой можно было увезти. В 1932 году я работал техником на стройке пятилетки. Помню плакат: «Даешь шесть миллионов тонн стали!» (До революции было 4.) А спустя пять лет было уже 18! И это без внешней помощи. Но — со Сталиным. Страна восстала из пепла. На чем восстала? На железной организации, идущей от Партии, на ЧК, на жестокой эксплуатации всего народа. И на Идее коммунизма.

Другой пример: фашистская Германия, 1933 год. Почти те же исходные условия Веймарской Республики и те же методы. Причем при рыночной экономике, только «управляемой» от Национал-Социалистической Партии, но без конфискации собственности. При формальной демократии. Через восемь лет немцы уже начали завоевание Европы. Приросты до 18%! Цифры сам читал в немецких журналах в 1945 году, в Кенигсберге. Те же методы, что и у большевиков. И снова — вождь, идея нации и социализма. В обоих примерах, перед началом пути, народ был в полной растерянности.

Или еще пример: Великая Французская революция, Наполеон, идея: «Свобода, равенство, братство».

Так что все дело — в психологии. В идеях. И — в Лидере.

Психология — это биологические потребности, модифицированные через убеждения — от идей. Идеи, в принципе, ничего не предлагают отличное от природы, в смысле поведения и отношений людей — друг к другу, к сообществам — малым (разные группы), и к большому — государству. К богатству. К труду. К свободе. К Богу. К вождям. К борьбе. Они — идеи — только расставляют акценты, выдвигая и тренируя самое важное. Набор общественных потребностей определяет поведение как индивида, так и коллективов. В частности — есть потребность в лидерстве — у сильных типов, и в следовании за лидером — у всех. Это касается как индивидов, так и групп и целых стран.

На каких потребностях основаны эти движения масс народов к величию? Для этого обратимся к лозунгам и названиям. «Свобода» — для нее есть биологический рефлекс свободы. «Равенство, справедливость» — от потребности самоутверждения (индивида и группы) против других — богатых. «Социализм», «коммунизм» — потребность слабых объединиться против сильных. «Нация» — от самоутверждения одного народа среди других.

Притягательность идеи Величия, нации или страны, идет от лидерства — «приятно быть первыми». «Агрессия» — это способ реализации самоутверждения, она мобилизует силы.

Идея без лидера не работает. Не может захватить большинство. Поклонение вождю, объе-динение в этом поклонении значат даже больше самой идеи.

Обратимся к современной России.

Для движения народа к Величию есть основания. К нему призывает прошлое. Толкает чувство ущемленности от положения «страны второго сорта». Бедственное состояние большинства народа и его протест против богатых. Недовольство демократией. Почти всеобщее желание «сильной руки».

Не хватает только вождя.

Есть надежда, что Путин может принять на себя эту миссию. Не буду разбирать соответствующие качества. Похоже, что они есть.

Разумеется, возникает масса сомнений в реалистичности самой идеи. Уж очень много напортили предшественники. Но если обратиться к примерам, которые я приводил, то в них положение было еще хуже. И тем не менее — величие состоялось. Так и в России: есть рычаги у власти и резервы у страны.

Разумеется, «реальные политики» от демократии скажут: «На черта нам величие, была бы еда»! Дело вкуса. Но думаю, что возрождение России привлечет много умов и сердец. Ну а если не привлечет — значит «пассионарность» (по Гумилеву) оставила Россию навсегда.

Было бы нескромно в моем положении фантазировать и расписывать: что и как делать. Тем более, что в «Программе для президента 2000» дано очень много дельных советов. Их нелегко реализовать в условиях демократии, глобализации, однополюсного мира: ни США, ни Китаю Великая Россия не нужна. Но в том и состоит искусство политика-лидера, чтобы развязывать узелки противоречий и преодолевать препятствия. Даже непреодолимые.

К сожалению, броский лозунг подобрать трудно, поэтому надежды на объединение народа для восстановления Величия основаны исключительно на личности: не президента, а вождя.

Вероятность того или другого варианта будущего я оценить не могу. Мои личные симпатии — на втором.

ГЕОПОЛИТИКА

МИР — СТАЯ ГОСУДАРСТВ

Как стал тесен земной шар! Банальная истина: средства связи пространство и время сократили до минут. Космос сделал почти то же с перемещением людей.

Исчезла ли биология? Как раз — нет, не исчезла. Даже наоборот — законы биологии приобрели невиданное ранее могущество.

Мир превратился в стаю государств. Те же законы и почти та же «этика стаи», только ее члены получили другое воплощение: государства.

Потребности являются основными мотивами взаимодействия в «международных отношениях». Общий Алгоритм Разума — аппарат их воплощений (?)

Разумеется, мне возразят: «Позвольте, но у нас же существуют идеи, религии, ценности».

Все верно: существуют. Облагораживают нашу животную (обезьянью!) природу. Но — насколько? Я уже приводил цифры международного альтруизма — помощь слаборазвитым странам — от 0,1 до 0,3 % бюджета. В сравнении с 3—10% на вооружение. При том, что бедность — очевидна, а угрозы военного нападения — в современном мире — очень проблематичны.

Так и выстраиваются «ценности» в ряд — вполне биологический.

Защита от врага (даже мнимого) плюс лидерство — самоутверждение — это работает на армию. Эгоизм в собственности (и пище) — как в стае: каждый за себя, хочет захватить побольше. Исключения — тоже как в стае —

для детенышей. Экспансия — постоянное желание расшириться, подавить ближних — сдерживается их защитой. То же касается борьбы за место вожака или, по крайней мере — за роль повыше в иерархии силы. Для любопытства тоже есть место — но одно из последних. Так же и для общения.

Я уже не говорю о том, как мы расправляемся с другими животными — где там гуманизм?

Нет смысла продолжать: стая!

Идеи (и Боги!) гораздо больше облагородили отношения людей внутри стран, чем между странами.

Есть ли надежда?

Одна несомненная: появление внешнего врага прекращает внутренние распри и объединяет стаю для защиты.

Утешение слабое: угроза должна быть прямой и реальной. Например — нападение из космоса. Или угроза астероида. Как видите: очень проблематично. К счастью.

Еще один путь: сильный вожак. Это гарантия мира — но только на время.

Может быть, мои рассуждения чересчур примитивны?

В запасе у человечества есть еще Разум. Сможет ли он все сосчитать, «оптимизировать»? Выбрать «убеждения», натренировать их до силы, способной противостоять разрушительным биологическим потребностям, разъединяющим членов стаи?

Затрудняюсь ответить: «ДА». «Разум управляет объектами, а чувства управляют самим разумом»,— так я писал в главе о разуме.

Но лазейка все же есть: выбор и тренировка потребности самосохранения из числа нескольких других — разрушительных. Чтобы она стала доминирующим мотивом поведения членов стаи — международного сообщества.

ГЛОБАЛИЗАЦИЯ

Глобализация — это современный (и планетарный!) этап созревания цивилизации. Суть: возрастание международных связей, экономической взаимозависимости стран, распространение новых технологий, единых стандартов жизни и идеологии. Процесс идет в различных сферах, сам по себе, без плана. Двигателем являются все те же человеческие потребности: жадность, лидерство, подражание, любопытство. Только воплощенное в странах и организациях, а не лицах.

Как и во всем, в *глобализме* есть плюсы и минусы. Вот *плюсы*.

1. Мировая экономическая система уже существует. Межгосударственная торговля превысила половину общего товарооборота, равно как и потоки капитала. Главные выразители: банки, Транснациональные Корпорации (ТНК), много международных соглашений государств: о свободной торговле, открытых границах, таможнях, экспортных квотах и еще всяких других, которых я не знаю.

2. Техника. Спутниковая связь, сотовые телефоны, Интернет — охватили всю планету и сделали информацию доступной всем. Так же как международный транспорт резко увеличил потоки пассажиров и грузов. Не вдаваясь в детали: ускоряется процесс обновления, унификации и распространения технологий, международной кооперации и разделения труда.

3. Политика. Всеобщее распространение получили стандарты демократии и защиты гражданских прав. По крайней мере, так объявили большинство государств, хотя некоторые явно поторопились.

4. Объединяющей силой является ООН. Она осуществляет и координирует оказание гуманитарной помощи. Возглавляет (наряду с Международным Банком Реконструкции и Развития) слежение за всеми сторонами жизни развивающихся и бедных стран.

5. Совет Безопасности, совместно с Европейским Содружеством и НАТО, останавливают локальные военные конфликты, ограничивая их распространение. Тем более, что противостояние военных блоков окончилось, НАТО осталось единственной силой, а торможение со стороны России ослаблено ее экономической слабостью.

6. Страны с однотипной экономикой и идеологией стремятся к более глубокой интеграции. (Пример — Европейское Содружество.)

7. Сильно возросла международная миграция. Ученые ищут условий для науки, спортсмены и артисты — денег и славы, а бедные и безработные — работы.

8. Культура и спорт. Идет распространение по всему миру новостей, особенно спортивных, поп-музыки, голливудских фильмов, мод одежды, манеры поведения, английского языка, стандартов образования, Интернет. Особенно это касается молодежи. Для нее идеологические, религиозные и национальные барьеры если не сломаны, то сильно ослаблены. Бурно растут международный туризм и деловые путешествия.

9. Экология становится частью «морали человечества». Проводятся конференции, заключаются соглашения по защите природы.

В целом — глобализация способствует распространению гуманизма: защиты гражданских прав, равенства, борьбы с бедностью, образования.

К сожалению, не все так благостно, как кажется с первого взгляда. Вот перечень *вредных последствий*.

А. Глобализация не остановила, а даже усилила расслоение стран: вперед выходят богатые, энергичные и умные. Те, которые не сумели включиться в мировые финансы и торговлю,— обречены на отставание. К числу их относятся все страны СНГ. Увы!

Б. Высокая специализация персонала повысилась в цене — а безработица среди неквалифицированных рабочих увеличилась. В результате возросло неравенство на рынке труда, порождающее бедность и нестабильность общества.

В. Идет укрупнение ТНК, некоторые из них по богатству превосходят бюджет средней страны и становятся влиятельной политической силой.

Г. Глобализация несет с собой даже прямые угрозы. Например, финансовый обвал в одной стране может быстро охватить полмира — как было в 1998–1999 гг. Соответственно — миллионы людей оказываются в бедности, а страны могут потерять политическую стабильность. (Индонезия 1996 г.)

Д. Международные торговые и финансовые связи используются преступниками для «отмывания капитала», торговли наркотиками и оружием и служат средством маскировки политическим террористам.

Е. Распространение низкопробной кино- и видеопродукции и поп-музыки вытесняет национальную культуру и даже угрожает самобытности народов. И одновременно — понижает уровень морали, способствует росту преступности. Пишут даже, что бум путешествий может способствовать распространению эпидемий.

Что остается в осадке? Все-таки глобализация скорее полезна, чем вредна. А самое главное — она есть, идет сама собой, и остановить ее нельзя. Поэтому нужно приспосабливаться: использовать преимущества, уменьшать недостатки и торопиться с включением в общий поток: жестокая конкуренция в мире осталась.

В течение 2000 и 2001 годов распространяются массовые протесты против глобализации, организованные какими-то непонятными организациями молодежи по типу тех студенческих движений, что имели место в 1968 г. Демонстрации и уличные беспорядки приурочиваются к международным финансовым конференциям, обсуждающим вопросы глобализации. Протестанты — как будто бы представляющие слаборазвитые страны, к ним заранее готовятся, как и организаторы, и перед открытием разгораются настоящие бои... Правда, пока это выглядит несерьезно.

ОДНОПОЛЮСНЫЙ МИР

Вся история человечества выглядит как постоянное соперничество стран и борьба за лидерство. Со времен древности в разных частях света возникали самодостаточные цивилизации, со своей культурой. Они завоевывали более слабые страны, создавая империи. Однако большие расстояния, плохая техника транспорта и связи не позволяли объединить всех в одну державу. Мир оставался многополюсным. В последние полстолетия на первый план выдвинулись США и СССР — число полюсов сократилось до двух.

Но вот распались Советский Союз, Варшавский Пакт. Россия наследовала ядерный щит, но без экономики он уже не может притянуть в свою орбиту соседей. Тоталитарный социализм уступил в экономическом и идеологическом соревнованиях с либерализмом, социал-демократией и даже с религиозным фундаментализмом Востока. Правда, еще держится социализм с «китайской спецификой», но и он дрейфует в сторону либерализма. Северную Корею и Кубу в расчет можно не принимать — мировую революцию они не зажгут.

Так обозначился единственный полюс силы — Соединенные Штаты Америки. Pax Amerika.

Сторонники *многополюсного* мира, из числа самых сильных стран, ущемленные в своем лидерстве лишением шансов занять первое место, лицемерно ссылаются на ограничения в соревновании, как ущерб для прогресса. Однако — неосновательно. В стае соревнование не прекращается потому, что лидерство и борьба за повышение статуса органически присущи всем особям. Но большинство «средних и слабых» не мечтают о первом месте, им выгодны порядок и устойчивость, которые поддерживает вожак. В равной степени это касается и «стаи государств». Даже если лидер так силен, что для соперников первое место недостижимо, остается борьба за второе, третье. То есть, стимул для соревнования и напряжения сил сохраняется, но уже без риска гибели человечества в мировой войне. В свое время, лидерство толкало на завоевания мирового господства немцев, японцев, русских. Мы помним, чем это кончалось для них самих и остального мира.

Реальными конкурентами США в борьбе за первенство являются Европейское содружество, Китай, Япония и Россия. Изучение публикаций позволило мне приблизительно прикинуть соотношение сил соперников по ряду показателей. Для простоты я выбрал три важнейших. Кроме того, добавлено соотношение соперников по населению (табл. 3). Разумеется, цифры не претендуют на точность, но грубую ориентировку дают.

Таблица 3

Соотношение сил

	США	Китай	Европа	Япония	Россия
Экономика (ВВП). (Прирост, %)	1 (3%)	0,45 (10%)	1 (2%)	0,4 (3%)	0,1
Наука и технологии	1	0,1	0,5	0,4	0,3
Мощь вооружения	1	0,1	0,3	0,05	0,3
Сумма всех трех	3	0,65	1,8	0,85	0,65
Население в миллиардах	0,3	1,2	0,5	0,15	0,15

Примечание: прирост экономики в Китае через 20 лет, наверное, понизится до 5—8%, за счет эффекта созревания. (Как было с Японией). Через 30—50 лет он догонит США по ВВП, но отставание в науке, технологиях и качестве вооружения все равно останется, а это показатели, которые сами себя ускоряют.

Значимость (в соревновании) каждого фактора неодинакова, но все они взаимосвязаны. Наука и техника нуждаются в образовании, питают экономику и вооружение, получая взамен финансы. (США тратят на оборону почти столько, сколько вместе все остальные конку-

ренты). В сочетании с генами сильных личностей (рискнувших на эмиграцию в Америку!) и «протестантской этикой», эти три компонента вывели страну вперед, поддерживают лидерство и питают силу, то есть — вооружение. Крайне важным элементом является интеллект страны. Мощные лаборатории привлекают ученых со всего мира, в том числе и от конкурентов. Расходы на науку огромны. У американцев почти половина Нобелевских премий по науке, 80% патентов. И многое другое: «впервые», «первые».

В то же время образование, культура и демократия, присущие США, стимулируют в других странах «вечные ценности» — сопереживание, свободу, гражданские права и экологию, поэтому гегемония Штатов не грозит миру возвратом к социализму или фашизму. Даже наоборот — гарантирует от таких вспышек в отдельных странах. (Самоорганизация коварна — все может случиться!)

Разумеется, антагонизм между странами не исчезнет, но он не выйдет за безопасные рамки соревнования. (Как в стае: ссорятся, но не до убийства!) Последняя иллюстрация к сказанному: за десять лет фактической гегемонии США суммарные военные расходы в мире уменьшились почти вдвое. Почему? Просто, «средние» и слабые страны успокоились: им нечего гадать — к какому лагерю примкнуть. Они поняли, что не стоит затевать драку между собой: лидер не допустит. Когда нет шансов для себя — уже не так важно, кто будет вожаком. Ну а претенденты на гегемонию — Россия и Китай, конечно, недовольны. Таков закон стаи. Но пока у них нет экономических и интеллектуальных сил. Даже в случае объединения. Кроме того, коалиция двух таких лидеров — все равно плохо: у них свои противоречия, каждый потенциальный партнер не будет лучше США.

На этом, пожалуй, я оставлю геополитику: по моим же воззрениям — самоорганизация непредсказуема, а разумность стран очень сомнительна. Но в целом — мир вероятностный, поэтому риск схватки за место вожака стаи государств сомнителен. По крайней мере — пока.

БУДУЩЕЕ

ПОСТАНОВКА ВОПРОСА

Была бы другая судьба у нашей планеты без человека? Слово «судьба» предполагает: запрограммированность — внутреннюю или внешнюю.

В первых главах я не раз возвращался к идеям эволюции с позиций материализма: жизнь возникла в результате процесса самоорганизации. Эту гипотезу, как альтернативу божественному началу, нельзя подтвердить, пока не воспроизвели в лабораториях зарождение жизни. Впрочем, тем более, что ученые не доказали Бога. Однако если туманно само «зачатие» жизни, то ее дальнейшая эволюция более или менее понятна. Когда между генами человека и обезьяны разница всего в несколько процентов, то нельзя же представить себе, что их кто-то добавил извне планеты.

Я не осмелюсь полемизировать с философами о термине «случайность», хотя понятие — компонент феномена самоорганизации. В моих представлениях «не случайно» то, что жестко отражено в структурах и программах взаимодействия систем, на каком-то этаже их усложнения. Поведение отдельного животного запрограммировано в его моделях потребностей, действий и некоторых «метках» среды, отраженных в геноме. Сама среда создается независимо от животного, но этими «метками» программирует его реакции: у одного, у другого, у третьего. Все вкупе: разумы животных и состояние среды предопределили их отношения. Нет:

предопределили отнюдь не жестко — иначе откуда возникает самоорганизация?

Что это: Судьба? Случайность? То и другое. Судьба — это вероятность, заложенная в соотношении программ «субъектов» и структур среды. Изменятся условия (космическая катастрофа?), и соотношение скоростей синтеза и распада сместится в сторону деградации — смотришь: и нет земли «живой!». Так, наверное, и случилось бы в конце концов. Жизнь была бы лишь игрой вероятностей: атомных и космических.

А человек спутал все карты. Подумать только: ведь он теперь замахивается «править бал» в атомных, да и космических делах. Претендует на создание «судьбы», намереваясь, например, расселиться по Вселенной, создать «неживой», т.е. вечный разум.

Заложена ли судьба человека, а значит и разума, в строении атомов и Вселенной? Например, в «первом взрыве»? Если это свершилось, значит, была заложена? Тогда вопрос возникновения жизни и человека — лишь в вероятности, то есть — событие во времени. После которого следуют взрывы расширения и нового сжатия?

Впрочем, лучше я остановлюсь. Мощности человека для вмешательства в судьбы мироздания кажутся столь ничтожны, что ему не совладать с космическими судьбами небесных тел... Скорее всего так и промелькнет жизнь «зеленой плесенью» на одной из необозримого множества планет в космическом пространстве и времени.

Но, как бы то ни было, человек все равно «звучит гордо»!

Поэтому очень досадно, если человечество само себя загубит, все равно что покончит самоубийством, даже не дождавшись космической катастрофы.

А может быть — это тоже записано в судьбе-вероятности? Или у Бога?

Неужели все закончится гибелью? Думаю, что мало кто этому верит. Так же как каждый человек, в подсознании, не верит в собственную смерть, хотя и знает, что она будет.

Познание судьбы человечества, или вероятности — выжить или погибнуть — вот предмет этих моих рассуждений.

Главный тезис: биология человека, как гиря, висит на разуме человечества, мешает ему управлять своей судьбой. Есть ли шансы у разума ее преодолеть?

ИСТОРИЯ

Сейчас мир охвачен страхом перед экологической катастрофой. В один голос: газеты, митинги, симпозиумы ученых, конференции правительств: «Человечество смертно!» Впрочем, не стоит преувеличивать, угроза миру реально не воспринимается. Реальность для каждого: смог, мертвая рыба в реке, пугающая статья в газете.

История говорит: страхи перед «концом света» много раз охватывали народы, начиная еще с Вавилона. Источником обычно бывали религии, так как они пугали народ наказанием за грехи. Смешно звучит: во времена Христа, «конец света» ожидался, буквально, со дня на день (недавно вычитал об этом у Ренана — «Жизнь Иисуса»).

Человеку свойственно бояться: в этом проявляется инстинкт самосохранения. Страх пропорционален вероятности угрозы и ее отдаленности во времени. В моделях разума это отражается «коэффициентом будущего». Он определяет значимость отдаленной опасности в сравнении с непосредственной угрозой. Коэф-

фициент у человека возрастает с ростом его ума, способности предвидеть и планировать.

Интеллект общества — это его наука. Как будто она рассчитала наши отношения со «средой обитания» и предупреждает, что если не изменить поведения, то человечество может погибнуть. До того мир уже был напуган и атомной войной, и даже «атомной зимой». Почва для страха была подготовлена.

Так возник на нашем языке термин: «глобальные проблемы». Теперь экология — самая модная наука. Правда, в практике это пока выражается всего несколькими процентами или даже долями процентов национального дохода, потраченного на очистку от мусора и выбросов. Но это только начало. Партии «зеленых» уже заполучили места в парламентах, хотя, надо признать, их значение возрастает медленно и в последний год даже наметился спад: люди устали, и угроза уже не воспринимается, поскольку не подтверждается практикой: в развитых странах продолжительность жизни возрастает.

Краткая *история* «глобальных проблем» такова. В 1962 г. журналистка из США Р. Карлсон выпустила книгу «Молчаливая весна» о том, как на полях Америки от химии гибнут птицы и скоро там воцарится молчание. После этого зашевелились ученые и политики, но до широкой публики ничего не доносилось еще почти десять лет. В это время была создана интересная организация «Римский клуб». Группа ученых во главе с Денисом Медоузом, за деньги «Клуба», по методике Форрестора сделала модель, связавшую народонаселение, производство пищи, промышленность, трату и состояние минеральных ресурсов, загрязнение среды обитания и его вредоносность для всего живого. В основу модели была положена статистика этих показателей с 1900 года. Как будто бы получился «Закон экспоненциального роста», когда идет ежегодный прирост населения и душевого производства на некий одинаковый процент — от уже достигнутого уровня. Авторам удалось создать модель, получить систему уравнений, прямых и обратных связей, вложить их в компьютер и показать, как в результате взаимовлияния ускоренно нарастают другие показатели: расход ресурсов, загрязнение, ущерб природе.

Получилось, что при сохранении существующего порядка, в 2020 году произойдет «коллапс»: резкое и быстрое ухудшение экологической обстановки, снижение производства пищи и товаров, а к 2050 году дойдет дело до быстрого вымирания людей. К слову сказать, по их модели население по сравнению с 1970 годом возрастет втрое, производство пищи на душу упадет вчетверо, загрязнение возрастет в 15 раз, ресурсы исчерпаются на 95%.

Если задержаться с торможением рождаемости, коллапс все равно произойдет, но несколькими десятилетиями позднее. Ну а если бы удалось заблокировать рост населения в 1980 году, то человечество было бы спасено.

Книга Медоуза «Пределы роста» была опубликована в 1972 году и вызвала в мире целую бурю. Журналистам пожива была на несколько лет. Ученые упрекали авторов в некорректности модели и гипотезы. Правда, упрекали напрасно: Медоуз четко сказал: это не «предсказание сроков», а предупреждение — через раскрытие механизмов и тенденций. Книгу Медоуза я купил в Лондоне в конце 70-х годов, храню и до сих пор обращаюсь к ней не как к источнику верных прогнозов, а как доказательству их несостоятельности. И могущества самоорганизации!

Советские ученые и пресса, разумеется, подправленные партией, сначала проигнорировали Медоуза, не опубликовав книгу, изданную во всех странах, а потом постарались опровергнуть: «Наша система плановая и все будет отрегулировано в свое время». Пусть, дескать, товарищи строят коммунизм, помехи со стороны природы не будет. Так говорить было легко, поскольку вся негативная информация засекречивалась.

«Римский клуб» в последующие годы выпустил еще несколько докладов, в которых публиковались уже уточненные модели. Они не опровергали основную идею об угрозе и необходимости борьбы за спасение планеты, но в то же время сняли налет сенсации и настроили

общественность на практическую работу по экологии. Важными вехами были две международные конференции на уровне правительств в Стокгольме в 1974 году и в Рио-де-Жанейро в 1992 году. Здесь, в частности, была представлена сумма денег: сколько стоит спасение. 100 миллиардов в год нужно вкладывать в разные программы, чтобы обеспечить устойчивое будущее, а 120 — для неотложной помощи бедным со стороны развитых стран. Совсем не так много, если сравнить с военными бюджетами всех стран — от 800 до 1000 миллиардов.

Наша официальная позиция изменилась только с перестройкой и гласностью, а особенно после Чернобыля. Теперь все запреты с экологии сняты, и мы имели даже перехлест: к примеру, «по требованию трудящихся», без серьезных оснований, закрывали заводы по производству лекарств. А в то же время никаких серьезных мер по защите среды не принимается. Да и трудно их принять: беды заложены в нашей экономике и идеологии. Тяжелая промышленность была настроена на вооружение, неэкономична, избыточна и грязна, химизация сельского хозяйства ведется неправильно. Очистить производство исключительно трудно: нужно заменять технологию и обновлять оборудование на десятки миллиардов долларов. И одновременно изменять трудовую этику и систему собственности, чтобы люди беспокоились о деле и берегли природу.

Когда обрушились режимы в странах Восточной Европы и туда приехали объективные наблюдатели с Запада,— они ужаснулись. Загрязненность оказалась в несколько раз выше, чем у них дома. Что можно сказать после этого? Только одно: социализм несовместим с сохранением природы.

Я не могу сделать обзора состояния всей экологической проблемы. Нет должной квалификации, и требуется много места. Поэтому ограничусь общим взглядом на будущее человечества с позиции модельного подхода, пытаясь соединить экологию, экономику, политику и психологию.

ФАКТОРЫ РИСКА

Думаю, что в подходе к глобальным проблемам, как и ко всякой «сложности», правомочен только системный подход.

Схема взаимодействия факторов, составляющих систему «человечество», представлена на рис. 25.

По существу, эта схема представляет содержание модели Медоуза с качественным выражением зависимостей, при новой трактовке многих факторов. К слову: динамика модели Медоуза за 25 прошедших лет не оправдалась.

Линии между квадратами показывают как прямые, так и обратные связи, сообразно стрелкам на концах. Характер воздействия представлен в виде маленьких стрелок на концах больших: острие вниз указывает на торможение, вверх — на повышение, стимуляцию.

Остановлюсь на каждом факторе и их связях.

Важнейшим показателем является *численность населения*. Его динамика определяется соотношением смертности и рождаемости, а эта последняя — уровнем *плодовитости* («фертилити»): средним числом детей на одну женщину. Для простого воспроизводства населения нужен показатель 2,1, ниже идет сокращение, выше — возрастание. Цифры «фертилити» от Африки до Японии и Европы колеблются от 5—6 до 1,7. Этому соответствуют и демографические перспективы стран. Нужно учесть, что понижение прироста отстает от снижения плодовитости на целое поколение: действует инерция массы взрослых женщин.

Регулятором плодовитости является экономика, ВВП на душу населения. Богатство страны, действуя через рост культуры, здоровья и социальную защиту, закономерно снижает плодовитость, опять же с некоторым временным «лагом», нужным для преодоления традиций.

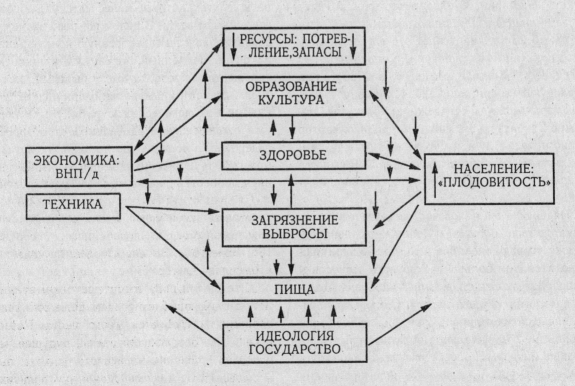

Рис. 25. Связи между факторами «глобальных проблем»

Скудность пищи, и даже голод, как и загрязнение среды, практически не влияют на плодовитость бедных народов. Инстинкт можно победить культурой. Но не только. Конкретные методы сокращения рождений состоят из распространения противозачаточных средств, снижения детской смертности, развития пенсионного обеспечения, роста образования и занятости женщин и, наконец, государственного регулирования семьи.

Второй компонент демографии — *смертность* — закономерно снижается до 10–15 на 1000 в результате помощи медицины и ликвидации голода, даже при невысоком доходе порядка 500 долл. в год на душу.

Прогнозирование населения планеты исключительно важно, но представляет большие трудности. *Прогноз* ООН от 1982 года оказался заниженным почти на полмиллиарда. Новый расчет 1992 г. предложил три сценария. Средний вариант, при принятой плодовитости 2,1–2, дает 10 миллиардов к 2050 с последующим повышением до максимума — 11,5 к 2150 г. «Высокий» сценарий, с плодовитостью 2,5, дает 12,5 миллиарда в 2050 г и возрастание к 2150 году аж до 28 миллиардов. И это еще не конец. Зато при «низком» сценарии, с плодовитостью 1,7, пик в 7,8 миллиарда будет в 2050 г., при последующем снижении до 4,3. Разброс данных характеризует ненадежность расчетов. Надежно «работает» на снижение только фактор экономики... К ней и обратимся. Между тем, приятная новость пришла в средине 1997 г., когда впервые замедлился темп прибавления населения.

Надеждой для человечества является экономика, прирост богатства. Это кажется даже парадоксом: ведь очевидно, что чем больше производится, тем больше расходуется ресурсов и выбрасывается отходов. Именно поэтому Медоуз предлагал «нулевой рост». Однако три последние десятилетия продемонстрировали четкие вторичные отрицательные обратные связи роста экономики: НТП обеспечивает ее экономность и «безвредность», а одновременное повышение культуры сильно тормозит плодовитость. Прав-

да, эти полезные следствия (обратные связи) вступают только при достижении некоторого порога ВВП/д что-то около 2–3т.$ среднего дохода и с задержкой во времени на одно поколение.

Двигателем экономики является удовольствие от потребления и собственности, покупаемых ценой напряженного труда. Голод, нужда, страх и принуждение способны обеспечить лишь небольшой кратковременный подъем экономики. Так же, впрочем, действуют и коллектив и «сознательность» — идеи значительно слабее биологии! Универсальным тормозом труда является его утомительность, а в экономических категориях — возрастание затрат на производство, связанное с дороговизной ресурсов, экологией и социальными требованиями работников.

Потребление, выраженное в материальных вещах, что особенно вредно для планеты, относительно уменьшается по мере роста богатства: дом, автомобиль и домашняя техника становятся доступными всем, а мода на роскошь прошла. Поэтому возрастание ВНП/д выражается больше в услугах, которые менее материало- и энергоемки, чем вещи. В целом же рост экономики страны похож на своеобразную кривую: сначала очень медленный подъем из-за нищеты и невежества народа, потом — быстрый, за счет эксплуатации (при машинах!) при низких социальных и экологических затратах, потом новое, уже окончательное замедление от возросших издержек на социальную помощь, экологию, а может быть и с изменением психологии, смещением ценностей с напряжения на расслабление.

Следует отметить, что прирост ВВП, производства вещей и услуг, очень неравномерен и подвержен большим колебаниям: от 1–3% до 10 и даже 15%. Впрочем, подобные колебания характерны для всякой сложной системы с положительными обратными связями и нелинейностями. Хорошо, что современные политики и экономисты научились управлять колебаниями и спасаться от разрушительных кризисов XIX и первой половины XX веков.

Связь ВВП/д и *демографии* очевидна. Высокая рождаемость в слабых странах тормозит экономический рост, особенно «в начале пути» из-за затрат на детей и требования новых рабочих мест. С другой стороны, при очень низкой рождаемости, высоком доходе и социальных гарантиях возрастают продолжительность жизни и соответственно доля пенсионеров, затрат на пенсии и медицину.

Роль идеологии в экономике очень велика. Характерно, что даже и большие успехи в слаборазвитых странах в начальном периоде их восхождения, достигались при жестком администрировании формальных президентов, диктаторов или военной хунты. Но только при частной собственности. Потом уже следовала демократическая фаза. То есть власть — условие важное, но не единственно необходимое. Социализм определенно тормозит развитие экономики. Временные успехи в избранных областях промышленности достигаются только жесткой эксплуатацией трудящихся и ограничением потребления, т. е. снижением КПД. Так было в первые пятилетки в СССР. Агрессивность идеологии лишь избирательно способствует росту техники и даже науки.

Что касается воздействий на экономику других факторов, кроме политики, то важным плюсом является наличие природных ресурсов, особенно в начальный период развития страны. Сюда же следует отнести положительную обратную связь от культуры, вернее — от образования.

Тем не менее, все перечисленное напрямую не определяет условия «экономического чуда». Возможно, что главным является психология народа: способность к инициативе, к напряжениям, в сочетании с бережливостью. Они предопределяются если не генами, то вековыми традициями, а также религиями. Здесь и «протестантская этика» Западной Европы и США, и конфуцианство китайцев. Очень разнообразна «экономическая палитра» мира и трудно для каждой отсталой страны найти причины ее отсталости, как, впрочем, и выделить положительные факторы для быстро преуспевших. Однако главные из них все же ясны: традиции, трудовая этика, нравственность, ставка на индивидуализм

в идеологии, начальная культура. При этих условиях в современном мире с транснациональными компаниями (ТНК) можно найти источники капитала, чтобы преодолеть первый барьер бедности.

Главным выходом и «двигателем» экономики является научно-технический прогресс, НТП. Именно техника и информация создают этот самый прирост ВВП, в котором добывающая и обрабатывающая промышленность, замкнутая на ресурсы, постепенно уступает место высоким технологиям и сложным информационным услугам. При этом потребление природных ресурсов сначала перестает возрастать, а потом даже начинает уменьшаться. Это выражается энерго- и материалоемкостью единицы ВНП: они снижаются очень значительно.

Возможно, в связи с этим процессом проблема недостатка энергии в последнее время как-то отошла с переднего плана. Пугает уже не отсутствие энергии, а последствия ее избыточного суммарного потребления, в плане «перегревания планеты». Мне еще помнятся расчеты из английского марксистского журнала начала 60-х, что если все население планеты будет потреблять, сколько средний американец, то все запасы истощатся за 7 лет. Почти так же мрачен был и прогноз Медоуза. Но, как это ни странно, ничего драматического за последние двадцать лет не произошло. Наоборот, экономисты прямо говорят: был бы капитал, будут и пища и ресурсы. Капитал движет технологией, а она решит все вопросы. Правда, экологи с этим не согласны, но их голоса звучат уже скромнее. Например, так: «Да, спасение возможно, если бы обуздать хотя бы рост населения». Оптимизма прибавилось от прогресса технологии и науки. Можно сказать, что повышение цен на нефть в начале 70-х и «зеленая волна» экологов привели к психологическим сдвигам, подтолкнувшим технологов.

Атомной энергетике отводится значительное место с расчетом на новые безопасные реакторы и мощные бетонные хранилища отходов. Предполагается, что страхи, подогретые Чернобылем, скоро пройдут. Где-то впереди маячит термоядерный синтез, но доверие к нему ослабло, поскольку все время отодвигаются сроки пуска прославленных «токомаков». Следует заметить, что разведанные запасы нефти и газа пока не только не убывают, но прибавляются, не говоря уже об угле. Этот факт в значительной степени тормозит инициативы альтернативных энергетиков, поскольку капитал не хочет рисковать, а огромные существующие мощности электростанций еще не выработали свой ресурс. Так или иначе, теперь на первый план вышла не проблема нехватки энергоресурсов, а перегревание планеты от накопления углекислоты в результате сжигания углеводородного топлива. Тенденция потепления в последние пару лет как будто получает подтверждение, хотя существуют и скептики (см. А. Яншин).

Сильно продвинулась проблема *энергосбережения*: новые моторы и светотехника с высоким КПД, новое машиностроение, строительные конструкции, а самое главное — экономическое давление и психологическая настроенность позволяют прогнозировать замораживание потребления энергии на достигнутом уровне, по крайней мере, для развитых стран. В развивающихся странах потребление энергии будет расти в связи с развитием экономики, причем за счет традиционных источников — они доступнее альтернативных. Это беспокоит мировую общественность.

Может быть, более серьезной, чем энергетика будет проблема *ресурсов*, *нехватки минерального сырья*. Еще Медоуз привел таблицу резервов и запасов и предполагаемые сроки их исчерпания при разных сценариях развития. По некоторым позициям сроки оказались очень малы, например, 13 лет — по ртути, 23 — по цинку, 36 — по меди. По железу, правда, 240, а по углю больше двух тысяч. Спустя 15 лет похожую таблицу опубликовал Л.Фрош в журнале «В мире науки» (1989, № 11). Цифры сроков исчерпания выявленных ресурсов, если считать по современному мировому потреблению, исчислялись уже в 100 и более лет. Впрочем, когда авторы брали предполагаемые 10 миллиардов жителей планеты и современные американские стандар-

ты потребления, то показатели снова падали до 16 лет по никелю, и всего до 7 — по нефти, т.е. то же, что я вычитал из журнала 30 лет назад. Проблема, несомненно, существует, но положение не столь безнадежно, как кажется с первого взгляда, поскольку будут расти разведанные запасы, сначала на суше, потом со дна морей и океанов.

Между ресурсами и экономикой существуют прямые и обратные связи сложной конфигурации: сначала рост ВВП/д увеличивает потребление материалов, но, после достижения некоторого уровня, потребление может даже уменьшиться за счет прогресса технологии, финансируемого возросшим капиталом.

Представленные рассуждения оптимистичны: энергетическое и материальное обеспечение человечества достаточно на одно-два столетия, а не на бесконечность. Но мы так привыкли надеяться на науку, что прогнозы за пределами столетий мало кого волнуют.

Следующий пункт глобальных проблем — *«экология»*.

Мне встретилась цифра, что люди уже сейчас потребляют 40% от того, что синтезирует биосфера под воздействием солнца. Очень сомневаюсь в точности этой цифры (методики не приведены), но если так, то чего же ждать при удвоении населения? 20% останется для не зависимой от человека жизни где-нибудь в заповедниках. Планета превратится в сплошную фабрику вещей и пищи, хотя даже при этих условиях природа еще будет сопротивляться.

Вред биосфере прямо зависит от населения, потребления и производства на душу, а также и количества отбросов, этому сопутствующих. НТП способен активно влиять на все эти компоненты, но лишь в определенных пределах.

Приведу к этому еще одно выражение: «Человечество погубят один миллиард мясоедов и полмиллиарда шоферов». И это правда. Каждый мясоед и шофер берут от природы втрое больше, чем вегетарианец и пешеход. Расчет простой: для питания человека с минимумом мяса (30 г в день) нужно 300 кг зерна в год. А если съедать по 200–300 г мяса, как в Штатах или

Европе, то требуется 800 кг — за счет корма скоту. Соответственно, на бензин, изготовление и содержание машины нужно 2000 долл. в год, что соответствует среднемировому доходу 5— 7 человек. Посадить граждан на автобусы и велосипеды, ограничить мясо 30 г в день, а этого вполне достаточно для здоровья,— и можно сэкономить верную треть ресурсов. То есть продлить на сто лет «безопасное» время до достижения стабилизации населения. Иначе говоря, все экологические неприятности человека определились его пороками: жадностью, ленью и лидерством, стимулируемым цивилизацией. Впрочем, она же через творчество и НТП может найти решение проблем. Но может и не найти. Не успеть.

В принципе, есть «две экологии»: местная и планетарная. Первая тоже «многоэтажная». «Наш район» требует: «не строить завод», наш город: «запрещаем АС». И, конечно, вся своя страна хочет, чтобы ее реки были чисты, воздух хороший и вода без нитратов. Ну а океан и атмосфера вроде бы ничьи, слишком много других хозяев, пусть они и заботятся. «Наш» — разве что прибрежный шельф, где рыбу ловим и нефть качаем. И вообще поставим высокие трубы над электростанцией: если страна маленькая, то серу отнесет за границу.

Локальную экологию соблюсти можно, это почти доказали страны Западной Европы за последние десять лет. Не справились пока только с загрязнением грунтовых вод, но решение не за горами. Правда, есть одно «но»: некоторые особо грязные производства на своей территории запретили и корпорации ищут для них «квартиры» за рубежом. Как, например, Хаммер, осчастлививший Одессу своим аммиачным заводом. Не следует, впрочем, преувеличивать экологическую экспансию богатых стран: если бедные не пустят их к себе, найдут выход и дома. Просто будет дороже.

Дорого ли обходится природа над своей страной? Видимо, не очень, порядка 2–4% ВВП, т.к. совершенная технология очистки сама дает дополнительную продукцию. Был бы начальный капитал. В этом и состоит загвоздка для стран

бедных и отсталых. У них нет условий для чистоты: технологии примитивные, оборудование устаревшее, изношенное, денег на обновление нет. Дисциплина и этика труда низкие, работники неквалифицированные, правительственный контроль плохой. Закрывать вредные производства не позволяют экономика и безработица. В результате идет латание дыр и ожидание помощи со стороны богатых стран и транснациональных корпораций (ТНК). Однако можно ожидать, что в тех странах, которые выходят на дорогу прогресса, как «маленькие тигры», возможны скорые сдвиги. Экологическая чистота — это условие высокого качества продукции. С другой стороны, в очень слабых странах Африки проблемы не столь актуальны, поскольку промышленность мала, а пространства много. Природе у них угрожают люди, а не техника: неправильное сельское хозяйство при большом приросте населения.

Подобные же цифры можно привести для характеристики оскудения водных ресурсов, вырубания лесов, загрязнения рек, прибрежных районов морей и океанов.

Важным компонентом угроз и сомнений будущему считается *вымирание биологических видов*. Не случайно эта тема была одной из главных на конференции в Рио в 1992 г. Приводятся тревожные сведения — что чуть ли не каждый час на планете исчезает один вид. Существует «Красная книга», и уже подсчитано, что через сто лет потери могут достичь одной трети ныне живущих видов. Правда, среди них много насекомых, но говорят, что в природе все одинаково важны. Спорить не приходится — жалко. Не для того сотни миллионов лет трудилась эволюция, чтобы теперь генетические кладовые пустить враспыл за считанные десятилетия. Однако трезвый взгляд и здесь не лишний. С одной стороны, мероприятия по охране природы достаточно действенны, чтобы защитить все живое, хотя и не без ущерба для количества. С другой — не следует пугаться, что из планетарного генофонда исчезнут важные звенья, которые могут понадобиться природе для будущей эволюции. Эта эволюция для человека уже остановилась: другие масштабы времени. Генетическая хирургия способна создавать полезные разновидности растений неизмеримо быстрее, чем это делает природа. Это мы уже видим на примере трансгенных овощей.

Обеспечение пищей, наверное,— самый важный компонент будущего для людей. Большинство высказываний пессимистичны: голод остановит размножение людей. Называют разные предельные цифры: 8 миллиардов, 10, даже 12. Есть и такие: была бы энергия, пищу можно синтезировать. Тем более, что голод всегда маячил над людьми и вымирание беднейших народов предсказывали многократно. Если не вспоминать Мальтуса, то в 60-х годах нашего века, когда определился бурный рост населения, предрекали массовый голод после 1980-го года. Но: грянула «зеленая революция», и с 1950 до 1984 г. годичный прирост продовольствия составлял 3%, а населения — 2%. Но... Снова «но»! Пишут, что возможности дальнейшего повышения урожайности через химию, орошение и селекцию исчерпаны и с 84-го по 90-й годы зерна прибавлялось только по 1%, т. е. чуть больше половины, чем рождалось детей, и будто бы запасы зерна спустились до небывало низких пределов. Впрочем, на представляемых кривых пик вниз составил 25%. Могло быть случайное стечение погодных или рыночных обстоятельств.

Второй аспект: потребление пищи. Пишут, что миллиард людей недоедают, миллион голодают, до ста тысяч умирают в связи с голодом. Наверное, эти цифры соответствуют действительности. Но много людей едят заведомо лишнее. Вот характерные сопоставления: 75% населения планеты, живущих в развивающихся странах, в сравнении с остальными 25% в развитых странах, потребляют 70% «мировых» калорий, 58% — белков и всего 32% жиров. Природа человека такова, что он может оставаться здоровым, съедая как много, так и мало пищи, в разумных пределах, конечно. Здесь тоже заложен резерв для выживания. Взаимодействие фактора пищи с другими — очевидно. Рост ВВП повышает резервы, рост населения их понижа-

ет. Такая же зависимость касается и загрязнения среды.

Здоровье. В конце концов, это самое главное: прежде чем начнется массовое вымирание людей — будут болезни. Предполагается, что их вызовут загрязнение среды, «озоновые дыры», недостаток пищи (особенно белков). Все это так... и не так! Мне кажется, что биологическая уязвимость человека сильно преувеличена, и болеет он не столько от внешних вредностей, сколько от неправильного, небиологического поведения, связанного с его социальной жизнью. Особенно в нашей стране. Пресса последние годы пестрит сообщениями о росте заболеваемости в районах с повышенной загазованностью или радиацией. Я сомневаюсь в достоверности этих данных. Как правило, наши статистики лишены надежного контроля, т. е. сравнения с другими районами, где этот фактор отсутствует. Посмотрим на Запад. В 60—70-е годы многие города (Лос-Анджелес, Токио, Мехико и др.) были очень загрязнены и, тем не менее, демографические показатели в них медленно улучшались. Смею думать, что человек гораздо более стоек к внешним факторам, чем об этом думают медики. Или возьмем смертность мужчин в наших постсоциалистических странах: продолжительность жизни на 10 лет меньше, чем у женщин. А нормальная разница должна составлять 2—3 года. В трудоспособном возрасте — от 20 до 60 — мужчины умирают в три раза чаще, чем на Западе. Причина: социальные факторы. Пьянство. Безделье.

ЗАМЕЧАНИЯ К «ГЛОБАЛЬНЫМ ПРОБЛЕМАМ» от 2000 г.

Вот динамика главных показателей прошедшего XX столетия. Население выросло в 3,7 раза. Экономика — в 40 раз. Образование, считая по проценту грамотных взрослых — очень приблизительно — с 13 до 82%. Продолжительность жизни — с 50 до 67 лет. Все колонии получили независимость. Демократия почти повсеместно. Хотя бы формальная.

НТП ошеломляющий: самолеты, ракеты, космос, спутники, радио, телевидение, атомные станции (правда, и атомные бомбы тоже), компьютеры, Интернет, генетика, протезирование функций и пересадка органов, клонирование, биотехнологии. «Зеленая революция»... И так далее. Невозможно перечислить даже самое важное.

Полезен и горький опыт истории: две мировые войны, фашизм, социализм, ГУЛАГ и Освенцим.

К сожалению, отрицательные последствия цивилизации тоже прогрессируют. Не случайно три десятилетия назад были сформулированы «глобальные проблемы» человечества («Римский клуб»).

Эти проблемы в соотношении с последними тенденциями выглядят так.

1. Возрастает население. Но есть отрадные признаки: в связи с созреванием цивилизации, темпы прироста замедлились в сравнении с шестидесятыми годами почти вдвое. Появилась уверенность, что лет через 50—70 произойдет стабилизация населения планеты на уровне 9—11 миллиардов. Это много, но еще переносимо для природы.

2. Ускоряется рост мировой экономики: в средних странах — 5—7%, в бедных — 3—6 %. Наоборот, в богатых странах прирост ВВП замедлился до 2%. По мере созревания замедление ожидает весь мир — и это хорошо (называется — «сбалансированный рост»). Плюсы от ускорения — НТП, рост образования, торможение прироста населения. Минусы — возрастание вредных воздействий на природу.

Но все же к середине XXI века суммарный ВВП возрастет в 3—4 раза. Замедление наступит только после созревания развивающихся стран. Хватит ли ресурсов на такое производство? Уже никто не сомневается — хватит. Энерго- и материалоемкость единицы ВВП в развитых странах уже уменьшилась вдвое, а прогресс идет. Пока разведка ископаемых обгоняет рост потребностей промышленности.

3. Да, природная среда ухудшается. Уменьшаются площадь лесов и количество пресной воды, вымирают биологические виды, загрязняются океаны, расширяются пустыни, сокращаются пахотные земли, возрастают «озоновые дыры», повышается температура атмосферы, учащаются природные катастрофы. Все вместе ограничивает ресурсы пищи и вредит здоровью.

Будут ли эти процессы фатальными для биологии планеты? Нет, не будут. Пока еще — не будут! НТП обещает сокращение отходов производства и улучшение их утилизации. Конечно, не до идеального уровня, но — достаточного для безопасности. Есть надежда, что вредоносное воздействие техники на природу возрастет не в 4 раза (как ВВП), а может быть — в два. При этом повысится экологическая культура, расширятся «зоны сохранной природы», какие сегодня представляют Европа, Северная Америка, Япония. Агротехника и биотехнологии компенсируют сокращение посевных площадей и обеспечат население пищей. Не будет и смертельной угрозы для жизни людей. Здоровье больше зависит от культуры, богатства и медицины, чем от загрязненности среды. Созревание цивилизации это обеспечит.

4. Природа может преподнести сюрпризы: пример — СПИД. Не думаю, что новые инфекции могут представить угрозу человечеству, но для некоторых беднейших стран Африки — это проблема выживания.

5. Опасность тотальной ядерной войны, кажется, миновала, но стабильности мира угрожают межэтнические, религиозные и идеологические конфликты. Они разделяют страны, ведут к террору, к возникновению агрессивных режимов, распространению и накоплению атомного и химического оружия в соперничающих «средних» странах... Наркотики тоже стали фактором угрозы благополучию человечества. Надежда — на однополюсный мир: проще принимать решения, когда есть авторитетный (и богатый!) арбитр, к тому же владеющий большой дубинкой.

Оценка в целом: баланс отрицательных и положительных тенденций еще не достигнут, но надежда появилась. Самое обидное, что наука, техника и мировая экономика уже сейчас способны во всем мире зарегулировать рождаемость, всех обеспечить пищей, энергией и материалами, уничтожать отходы, сбалансировать природу. Мешают все те же биологические качества человека: лидерство, эгоизм, алчность. И — неразумность. Но это небезнадежно: созревание касается и накопления разума тоже. По крайней мере — мониторинг среды уже налажен. Природа достаточно устойчива, и обвальная катастрофа в планетарном масштабе невозможна. Разговоры о необратимости деградации биологических систем после опускания до некоторого уровня — пустые. Популяции животных и растений живут автономно, приспособляемость их велика, и пока солнце светит — одновременно на всей планете они погибнуть не могут. Наконец, можно надеяться: когда угроза достигнет опасной черты — меры приняты будут. Страх подтолкнет Разум.

Общественный Разум — это идеология, наука и культура

Сначала о культуре, а проще об образовании, как факторе глобального развития. Биологические корни заложены в «ненасыщаемости» одной из потребностей, обеспечивающих разум: интерес побуждает к знаниям, а знания стимулируют интерес. Эта положительная обратная связь начинает действовать после достижения некоторого порога образования. Возможно, что именно культура в последние 40 лет больше характеризует мир, чем рост экономики. Доказательство вижу в том, что грамотность закономерно повышается даже в тех самых слабых странах, что последние десять лет живут на благотворительности, без всякого прогресса в экономике.

Уровень *образования* нельзя быстро повысить простым увеличением числа школ: восприятие школьных знаний готовится в семьях, в культуре родителей. Каждое новое поколение способно прибавить 2–3 класса, даже если будут школы. По статистике ООН образованность среди молодежи развивающихся стран прибавляется на 1 год обучения каждые 10 лет с затуханием по мере роста уровня. Первый, начальный, уровень достигается за 20–30 исторических лет самой бедной страны, 2-й — среднее образование — предполагается за 30–40 лет, 3-й — высшее — уже неопределенно, не подтверждено статистикой, зависит от ВВП/д. Во всяком случае, к 2000 году прогнозировался 1-й уровень у 90% молодежи всего мира, 2-й у 40%, а 3-й у 12%. Не знаю — исполнились ли прогнозы.

Понятие «*культура*» трудно определить количественно, во всяком случае оно шире, чем «образование» и отстает от него примерно на одно-два поколения.

Фактор «культура, образование» имеет много связей, т. к. прежде всего замыкается на экономику, богатство. Многие статистики подтверждают, что уровень образования снижает рождаемость, улучшает здоровье, повышает производительность труда. В свою очередь, большой прирост населения тормозит расширение образования. Культура, собственность и политическая зрелость — связаны между собой.

Последним в списке факторов, но может быть самым важным для будущего, является *идеология* и ее воплощение в государстве. По существу, оно призвано управлять, организовывать взаимоотношения людей и природы, обеспечивая себе, т. е. обществу, неопределенно долгую жизнь.

В главе об обществе была представлена концепция идеологии, и я лишь назову две ее координаты: распределение власти и собственности. Обе они зависят от уровня экономики. Производными от идеологии, но не жестко связанными с биологическими потребностями, являются так называемые «ценности»: мораль, труд, развлечения, знания, экология и, пожалуй, главная — Бог и материя.

Оптимальное «поведение» государства, в плане отношений к глобальным проблемам человечества, достаточно четко сформулировано экологической наукой и общественностью. Требование «нулевого роста» заменено стабилизацией (а лучше — сокращением) потребления ресурсов и энергии, сокращением выбросов, расширением финансов на природоохранные меры.

Для богатых стран это еще и увеличение помощи странам беднейшим, нацеленной на спасение от голода, ограничение рождаемости и рост производства. Для всего этого необходимо всемерно стимулировать собственную экономику, направляя ее в безопасное для природы русло.

В схеме государства три главных компонента.

1. Народ, с его потребностями, трудоспособностью, культурой и убеждениями. На «входах» у него «плата» за труд и ограничения на «высказывания». На «выходе» напряжение труда и распределение своей доли продукта — на траты и собственность.

2. Капитал — равноценный «фондам», сумме собственности. Является воплощением мощи экономики. Эффективность капитала выражается в производительности: ВВП, ВВП/д и КПД, как отношение потребления и накопления. Международное движение капитала выражается в торговле, инвестициях и помощи.

3. Правительство, взаимодействующее с капиталом и управляющими частного сектора. Осуществляет организацию производства, регулирование рынка и распределение продукта, руководствуясь идеологией («что считалось справедливым»), требованиями народа и его потребностями. Мотивы распределения выражаются в системе приоритетов: а) настоящее — будущее («проедать или накапливать»); б) личное или общественное, включающее социальную помощь, культуру, здравоохранение, стимуляцию производства; в) оборона; г) помощь другим странам; д) экология. Регулирование личных доходов осуществляется налогами и законами, исходящими из идеологии и экономики.

Деятельность государства в отношениях с другими странами и природой выражает Коллективный Разум, КР. Как таковой, он обладает всеми недостатками любого разума: он субъективен, ограничен и склонен к увлечениям. Ограниченность выражается в недостатке информации и моделей действий, в конечном итоге — в уровне науки и образованности народа. В частности, и способности оценить «Глобальные проблемы».

Субъективность проявляется в оценках и выборе действий, производных от биологических потребностей, измененных идеологией. Здесь, прежде всего, проявляются: эгоизм (помощь богатых стран составляет 0,1% от их ВВП), и близорукость в оценке будущего в сравнении с материальными нуждами данного момента. Отсюда — мало денег на экологию и культуру. Самоутверждение и агрессивность проявляются в неизменно высоких расходах на военные нужды: 3–10% бюджета. Во всем мире это составляет целый триллион долларов, в десять раз больше, чем на экологию. Такова психология человека: по нашим социологическим опросам, даже при угрозе катастрофы, но через 20 лет, граждане готовы (сейчас) отчислять в счет ее предотвращения всего 1% своей зарплаты. Правительства должны смотреть дальше, но их щедрость ненамного больше. В условиях демократии они ориентируются на оценки избирателей. В частности, это выражается в отчислении на «свою» экологию: у бедных стран это меньше 1% ВНП, у богатых подходит к пяти.

Благоприятная динамика страны выражается в приращении основных показателей: экономики, культуры, здравоохранения, чистоты внешней среды. Пожалуй, в основе всего лежит необходимость приращения всех показателей, доставляющих удовольствие. Эта потребность заложена в психике индивида и государства, она работает против адаптации.

В основе прогресса общества лежит *труд*. Организация, т. е. идеология государства, должна его максимально стимулировать, для того чтобы противодействовать обратной, тоже биологической потребности — в расслаблении, покое. Если не удается побудить к напряжению всех граждан, то хотя бы самых активных, определяющих организацию экономики. На этом основано преимущество частной собственности перед государственной и коллективной. К сожалению, для слабой страны этого недостаточно, поскольку существует еще ряд отягчающих условий: а) низкий исходный уровень экономики — ВВП/д что-нибудь между 300 и 500 $; б) плодовитость более 3–4 и соответственно прирост населения более 2%; в) мало полезных ископаемых; г) плохая инфраструктура; д) неграмотность молодежи превышает 50%; е) отсутствие традиций труда и низкая трудовая этика. Страна с такими «ограничителями», даже при политической стабильности (что бывает редко), не может найти вкладчиков капитала, чтобы запустить экономику. Гуманитарная помощь для этого явно недостаточна.

«СТРЕЛА ЦИВИЛИЗАЦИИ»

В разделе «общество» я сделал попытку нарисовать динамику созревания общества, выделив три стадии (см. рис 20).

С некоторой натяжкой «кривые созревания», можно использовать для прогнозирования мира на ближайшие 50—60 лет, т. к. в них увязаны различные факторы. Было искушение выразить все величины и связи формулами и получить видимость точности, но я удержался: все равно это будет лишь фикция, поскольку под зависимостями нет строгой теории, а только статистики. Кроме того, нужно учесть самоорганизацию, присущую всем «живым» системам. Если «стрела прогресса» вполне определенна, то скорости его очень различны и неравномерны. В частности, это доказывают цифры прироста ВВП по годам, в разных странах он меняется от −3 до +8, +10. Поэтому формулам я предпочел таблицу, включающую основные прогностические показатели для групп стран, разделенных по принадлежности к общепринятому делению их на развитые и развивающиеся (рис. 26).

Цифры таблицы получены путем изучения статистик ООН за 1992—1994 гг., а затем в них введены поправки из отчета за 1996 г.

Комментарии к таблице выглядят так.

Развитые страны. Подгруппа «А». Сев.Америка, Западная Европа, Япония, Океания (теперь их называют «золотой миллиард»). Характеристика уже была дана в описании стадий. Важно: эти страны останутся основными источниками капитала, а также поставщиками зерна. Для этого они имеют значительные резервы. Сумма вредных выбросов, по меньшей мере, не возрастет, а может быть и уменьшится. То же касается и потребления энергии и материалов. Предпосылки для этого заложены в динамике за последние 10 лет. Переход на альтернативные источники энергии к концу периода будет в самом разгаре, поскольку старая технология уже выработает свой ресурс и будет заменяться новой.

Подгруппа «Б» включает посткоммунистические страны — СССР и Восточной Европы. Их будущее менее определенно: переход к «гуманному капитализму» сопровождался экономическим кризисом, восстановление идет медленно и болезненно, поскольку экономика и психология были сильно деформированы социализмом. Хотя исходный ВВП формально был значителен, но потребление на душу раз в 4—5 меньше, чем в передовых странах из-за низкого КПД и военного производства. Поэтому переход на новые стандарты экономики, по всей вероятности, займет весь период времени.

Тем не менее, к концу его ВВП возрастет, хотя, возможно, и в меньшей степени, чем я предположил. Очень трудным будет преодоление отставания по линии защиты природы. Громадную устаревшую металлургию и химию нельзя оздоровить пристроенными очистными сооружениями, заводы нужно строить заново. Этот процесс затянется, и суммарные выбросы не уменьшатся, но, полагаю, и не возрастут. Тем не менее, страны группы «Б» отнесены к развитым по причинам минимальной рождаемости, высокой образованности и наличия базовой промышленности. После переходного периода им легче вписаться в Европу, чем развивающимся странам других континентов.

Восточно-европейские сателлиты СССР не включены в эту группу: их положение гораздо лучше. Чехия, Словакия, Венгрия и Польша довольно быстро вписались в Европу и успешно овладели основами западного капитализма. Сказались традиции и культура. Прибалтийские страны занимают промежуточное положение, но с хорошими перспективами: Запад им помогает всем, чем может, создает кордон против России. Румыния, Болгария по своему положению

	Развитые страны			Развивающиеся страны			Мир
	«А»	«Б»	«В»	«Г»	«Д»	«Е»	
Население							
1. Исходное	0,8	0,4	1,2	2,3	1,8	0,5	5,8
2. Средний прирост, %	0	0	0	0,8	1,1	2	1,1
3. Конечное, млрд	0,8	0,4	1,2	4,0	3,7	1	9,9
ВНП							
4. Исходный, суммар. трилл. $ 80 г.	14	2,5	16,5	2,8	1,1	0,1	20,5
5. Исходный ВВП/душу, тыс. $	16,2	6	13	1,2	0,6	0,3	3,5
6. Средний прирост/душу	1,2	2	1,3	3,5	2	1,2	
7. Конечный ВВП/д	39	15	30,8	5,7	1,9	0,8	6,8
8. Конечный ВВП сумм.	31	6	37	23	7,2	0,8	68
Выбросы							
9. Начальные, тонн/душу	4,5	5,8	4,9	1,4	0,8	0,8	2
10. Выбросы начальные, млрд.т	3,6	2,3	5,9	3,2	1,5	0,3	11,9
11. Выбросы конечн., млрд. т	3,6	2,4	6,0	10	5	1	22
12. Ресурсы и энергия в % к сумм. потреб. в наст. время	49	24	73	22	4,%	0,5	100%
13. То же, конечное в %, к сумм. потреб. в наст. время	45	25	70	60	9	1	140%
14. Баланс по зерну, конечный, млн. т	+150	+0	+150 %	−50		−100	0

Рис 26. Динамика мира к 2050 г.

Развитые страны: «А» — Америка, Европа, Океания; «Б» — бывший СССР и Восточная Европа; «В» — сумма; развивающиеся страны: «Г» — с быстрым развитием; «Д» — с медленным; «Е» — остальные

ближе к нам и перспективы пока туманны. Не говоря уже о странах, возникших после распада Югославии: они пережили войну.

В сумме, 1-я группа развитых стран (столбец В) сохранит свое лидирующее положение, хотя ее удельный вес в экономике снизится с 84 до 54%. Не буду преувеличивать точность этих цифр: я их подсчитывал из данных Всемирного Банка, но моя квалификация недостаточна для серьезного анализа.

Развивающиеся страны поделены на три столбца: «Г» — с быстрым развитием, «Д» — с медленным и «Е» — отсталые.

В столбец «Г» вошли «маленькие тигры», Китай и еще несколько стран из Юго-Восточной Азии, а также производители нефти. Некоторые из них дают столь высокий прирост, что если его прогнозировать дальше, то каждые 7—8 лет ВНП будет удваиваться; и они быстро перегонят развитые страны. Такие темпы нельзя долго удержать, поэтому я задал умеренный прирост в 5%, который определил конечный суммарный рост ВНП в 8 раз. При среднем приросте населения в 1% ВНП/д будет примерно соответствовать Европе 70-х годов. Если приложить это к Китаю, то можно вообразить его мощь! Разумеется, эти темпы можно оспорить в сторону увеличения, но нужно принять во внимание жесткие ограничители со стороны ресурсов и экологии.

Цифры по вредным выбросам показывают более чем трехкратный рост. Это много, но всего лишь соответствует «вредностям» первой группы «А» в данное время. Если бы ориентироваться на данные СССР, то было бы в три раза больше. Учитывая характер производства, т.е. необходимость тяжелой промышленности и химии на этой стадии развития, меньшей загрязненности достигнуть не удастся. По потреблению энергии и материалов эти страны обгоняют Запад, как в современном, так и в будущем их уровне. Это естественно, если учесть 4 миллиарда населения и душевой доход, равный европейскому, двадцать лет назад. К тому же, они будут обеспечивать полуфабрикатами часть потребности развитых стран. Экономическими показателями предусмотрен значительный прогресс в технологии, поскольку они не будут воспроизводить отсталую технику. К сожалению, если цифры по населению и ВВП более или менее надежны, то по материалам, энергии и выбросам они вызывают сомнения. Однако едва ли преуменьшены, учитывая мировой опыт.

Столбец «Д» составляют страны, находящиеся в начальной стадии цивилизации. У них еще высокая рождаемость и низкое образование. Цифры в этом столбце еще сомнительнее, чем в предыдущем. К тому же опыт этих стран в только что закончившиеся полвека не позволяет настраиваться на больший оптимизм. Тем не менее, ВНП/д возрастет в три раза, но соответственно вырастут выбросы и потребление материалов.

Наконец, в последнем столбце, «Е», показана группа из 46 стран, которые ООН и сейчас рассматривает отдельно от других развивающихся из-за крайне низкого ВВП/д, равного 250 долл., застывшего на одном уровне. Перечисление их займет много места. Почти все они расположены в Африке. Наиболее крупные Эфиопия, Судан, Сомали. Эти страны живут «на пособии», на гуманитарной помощи. Однако и в них намечается прогресс хотя бы в распространении грамотности, обещающий рост экономики тоже. Прирост населения в 2% будет снижаться очень медленно, поэтому число жителей достигнет 1 миллиарда.

Накормить их будет большой проблемой для мира, поскольку дефицит по зерну достигнет 100 миллионов тонн, считая по минимальной потребности в 200 кг на душу. (Уровень ниже 180 обозначает уже голод). Конечно, развитые страны имеют резервы сельскохозяйственного производства, но чтобы кормить полмиллиарда людей хлебом, нужно 15 миллиардов долларов в год. Это почти половина всей помощи, которую дают развитые страны сейчас.

В последнем столбце таблицы, «Мир», подведены итоги: «планетарный прогноз» к 2050 г. Население 10 миллиардов рассчитано по среднему сценарию ООН 1992 г. Так, вероятно, и будет. Это серьезный груз для планеты, и, к сожалению, еще не окончательная цифра. Прогнозы экономического роста дальше 2020 г. мне не попадались, делаются лишь общие предположения. Я ориентировался на самые реалистические. Получилось, что суммарный ВВП возрастет в 3,3 раза. Напомню, что за предыдущие 40 лет рост был пятикратный. Наверное, теперь таких темпов не обеспечить: затормозят ресурсы, экология и высокие социальные требования народов.

Экономическое неравенство стран останется: «стадии цивилизации» они будут проходить с различной скоростью. Особое опасение вызывает последняя группа: их судьба ляжет тяжелым грузом на человечество. В этом, между прочим, объяснение, почему я расчленил прогноз на группы стран: за средними данными по миру скрылась бы катастрофичность положения беднейших, а они-то и определят потери.

Суммарное потребление материалов и энергии возрастет на 40%. Это означает, что «цена» единицы ВНП уменьшится в 2,4 раза. Для этого тоже есть предпосылки: например, производство стали и потребление энергии в мире за последнее десятилетие не возросло. Экономия в развитых странах компенсировала рост в развивающихся. Однако такое положение не может оставаться долго: бурный рост промышленности в третьем мире еще впереди, и для этого понадобятся ресурсы и энергия, хотя и будут использованы передовые технологии. В странах второй группы предположено возрастание ВВП в 8 раз, а потребление ресурсов только в три. Подобное соотношение было и в развитых странах в последние 40 лет.

Загрязнение внешней среды пропорционально росту населения и ВВП. Видимо, оно не перейдет опасных пределов. Суммарное количество выбросов возрастет вдвое, причем исключительно за счет развивающихся стран. Мало это или много? Население увеличится в 1,9 раза, ВВП в 10. Но материалоемкость только утроится и дисциплина экологии и экономики наверняка возрастут. Правда, не исключаю, что эти оценки слишком оптимистичны. Так, с 1965 по 1988 годы рост выбросов стран третьего мира по CO_2 оценен в 3,3 раза, их удельный вес в мире удвоился. Думаю, что даже если увеличить мои предположения раза в полтора, то и тогда никаких глобальных экологических катастроф еще не произойдет. Природа на территории развитых стран останется надежно защищенной, страны второй группы будут следовать за лидерами, финансы им это уже позволят. Хуже будет положение в самых отсталых странах: не будет средств для экологии, а помощь уйдет на насущные нужды — борьбу с голодом и программы снижения плодовитости. Природа сильно пострадает: исчезнут леса, обмелеют реки.

Полагаю, что здоровье населения стран первых двух групп не пострадает: культура, медицина и достаточное богатство компенсируют возможные потери от экологии. Хотя частота рака и уродств возрастет, но уравновесится уменьшением смертности по другим заболеваниям. Потери в последней группе стран повысятся в связи с плохим питанием, хотя и не до пределов, влияющих на воспроизведение населения. Гуманитарная помощь не позволит.

Климат в планетарном масштабе не должен измениться. Если количество потребляемой энергии возрастет на 40%, то это не может привести к значимому потеплению атмосферы. Конечно, «местный» климат пострадает во многих регионах: от сведения лесов и расширения пустынь. В связи с этим будут потери от экологи-

ческих катастроф, особенно в слабых странах, но переносимые для человечества. «Озоновые дыры» увеличатся, т. к. едва ли развивающиеся, да и постсоветские страны быстро откажутся от фреона, чтобы повлиять на содержание фторуглерода в атмосфере. Кроме того, инерционность этого показателя очень велика.

Основным залогом и регулятором развития мира является капитал, как эквивалент накопленных вещей и информации. Его способность к росту не может уменьшиться, тем более исчезнуть, поскольку в гамме потребностей потребительство и собственность занимают первое место у большинства людей. У некоторых к этому еще добавляется интерес от самого дела. Все вместе, они организуют труд, он воплотится в машинах, сооружениях и информации и, в свою очередь, увеличит производительность труда. Катализатором в этом процессе выступает интеллект, вес и динамика которого в мире возрастают пропорционально мощи экономики. Так цепочка: «капитал — труд — вещи — интеллект — капитал» — движет прогрессом и не позволяет ему остановиться. Но инстинкт размножения, эгоизм, лень, агрессивность, в сочетании с бедностью и некультурностью, могут его затормозить. Организация общества, т.е. идеология и политика, призваны стимулировать первую цепочку и тормозить вторую. Получится ли это?

Мои «материальные» прогнозы могут показаться столь радужными, что создастся впечатление, будто я опровергаю предупреждения Медоуза, как коммунисты опровергали Мальтуса. Это не так. Тот и другой говорили правильно: без самоограничения человечеству не выжить, не хватит места. Я всего лишь доказываю, что возможна отсрочка «нулевого роста» потребления природных ресурсов, а не всей экономики, и что человечество, скорее всего, перенесет это относительно безболезненно, в силу естественного накопления интеллекта. Через ноосферу Вернадского, а не через коллапс Медоуза. Разумеется, мои расчеты можно назвать тенденциозными и спекулятивными. Доказать их трудно, как, впрочем, и опровергнуть.

ДРУГИЕ АСПЕКТЫ ПРОГНОЗОВ

В людях и образе жизни еще не будет больших изменений: биологическая природа человека пока не подвергнется реконструкции. Если научные подходы для этого уже наметятся, то время и материальные возможности не позволят распространить новые технологии (к примеру — генная терапия) настолько широко, чтобы повлиять на жизнь масс людей.

Как следует из таблицы, экономические условия для бедных стран улучшатся, для богатых не изменятся, но жизнь все равно будет требовать много рутинного труда. Теоретически, машины уже смогут делать почти все, но «ограничители» на время и средства их внедрения, рост населения и сокращение ресурсов не дадут наработать «критическую массу» техники. В развивающихся странах третьей группы человек еще долго будет дешевле машин. Не изменятся в них и мотивы труда: нужда, собственность, лидерство, плюс — немного интереса и сопереживания. В социальном составе населения в богатых странах возрастет лишь разнообразие труда и изменится его характер: от коллективного — к индивидуальному. В бедных странах прибавится процент квалифицированных рабочих и специалистов, может быть — в 2–3 раза. Уровень образования повысится всюду, во второй группе стран приблизится к среднему. Однако это будет лишь информированность. Теле- и видео не могут заменить книг, т. к. они не тренируют воображение, поскольку мелькающие картинки не оставляют времени для раздумий.

Разумеется, Интернет, разветвленные информационные сети, банки данных, спутниковое и кабельное телевидение смогут представить «на дом» любую культуру, но будет ли на это спрос? Сомнительно. Большинство граждан вырастут в плену развлекательного ТВ. Это не значит, что исчезнет читающая публика, но ее процент сократится. Близится век узких профессионалов и расцвета масс-медиа. Духовный потенциал возрастет значительно меньше, чем ВВП/д. Это в плане общей культуры: искусства, исто-

рии, этики, религии. Подозреваю, что средний уровень культуры понизится. «Полные собрания сочинений» Тургенева и даже Толстого уже никому не будут нужны!

Впрочем, о религии вопрос особый: она не исчезнет, а скорее закрепится на современном уровне, поскольку есть биологическая потребность верить, способная противостоять скепсису материализма. Так как вера в Бога — главный резерв морали, то государства будут поддерживать религии. Свобода, частное предпринимательство способствуют эгоизму, и только религии объединяют людей, напоминая о милосердии. К сожалению, потребность верить порождает еще и мистику: образование не может ее остановить. Уже сейчас народ захлестывают восточные секты и разные уродливые увлечения. Официальное христианство уже не в силах остановить их распространение, особенно если учесть гражданские свободы. Впрочем, я остерегусь утверждать, что это очень вредно: Америка переживает разнообразие религий уже сто лет: ничему плохому они не учат.

НАУКА

Естествознанию будет обеспечено неограниченное развитие. Другое дело — философия и идеология. Я не ожидаю здесь никаких сюрпризов. Точные науки, в принципе, должны поглотить психологию, теорию познания, этику и социологию. Поэтому, строго говоря, не будет места для рассуждений «О духе, сознании, Вселенском Разуме и даже о Добре и Зле». Тем не менее, все это останется, т. к. питается не от знания, а от веры, т. е. от биологии. Творческий разум изобретает слова, а чувства делают из них реальность, утверждаемую распространением в обществе. Боги изобретались, воплощаясь в словах. Слова закреплялись в корковых нейронных моделях масс людей и книгах, и таким образом становились реальностью, почти так, как если бы они изначально закладывались в гены. На этом же механизме основана и мистика. Впрочем, я об этом уже говорил.

В мире все измеримо и управляемо. К сожалению, пока управляемо лишь в пределах биологической природы человека и его ограниченного разума. И — самоорганизации — порождаемой ими постоянно. Поэтому, пока не произойдет несколько прорывов в естественных науках, пока они не распространятся повсеместно, люди не изменятся, и жизнь будет течь в старых берегах.

Будущее, даже дальнее, не обещает бесконфликтности в обществе, не гарантирует постоянного социального прогресса и торжества оптимальной (то есть «зрелой») идеологии. Недостатки Разума присутствуют на всех уровнях: у граждан, сообществ и всего человечества. Следовательно, будут увлечения, «циклы», колебания и несовпадения интересов, продуцируемых эгоизмом и агрессивностью на всех уровнях общественных структур. Особенно опасными будут бедные страны, пока в них не сформируется капитал и они не интегрируются в мировое хозяйство. Эгоизм, нужда и превалирование ближайших целей могут мобилизовать народы на авантюрные действия. На терроризм и даже на войны. Но я все же надеюсь на общечеловеческий разум, воплощенный в коллективной безопасности с возможностью применения силы для поддержания компромиссов и порядка. Гарантиям устойчивости мира послужат развитые страны с отработанной идеологией и высоким уровнем Общественного Разума, способного контролировать эмоциональные всплески граждан. Конечно, это потребует материальных затрат и часто будет держать в напряжении даже и весь мир.

Для предотвращения конфликтов очень важно участие стран в международном сообществе. Оно осуществляется через торговлю, взаимопомощь, миграцию, а главное через движение капиталов и потоки информации. (Через глобализацию!) Трудно сказать, какой из этих элементов важнейший, по всей вероятности, капитал и товары. Впрочем, распространение идей может быть еще важнее, если брать большие отрезки времени. Достаточно вспомнить великие религии и социализм, изменявшие картину мира. Хотелось бы надеяться, что войны в этой обойме отношений уже не будут играть большой роли.

Следует заметить, что при всей моей приверженности к биологии человека, я не рискую напрямую вывести будущее человечества из его генов, реализованных в биологических потребностях. Говорить можно лишь о том, чего биология заведомо не позволит — даже для спасения человечества. Например, чтобы помощь бедным странам сравнялась у богатых с собственными потребностями, или что они ограничат свои притязания уровнями бедных, а сильные допустят равенство в отношениях со слабыми. Поэтому приходится прогнозы рассчитывать по статистической динамике отдельных факторов, используя в то же время их взаимозависимости, тоже устанавливаемые статистически.

ДАЛЬНЕЕ БУДУЩЕЕ

Что станется с человечеством и планетой за пределами расчетного периода? Для ответа можно было бы продолжить прогнозирование на следующие 50 или даже 100 лет, используя прежнюю методику и «кривые созревания цивилизации». Едва ли это стоит делать, поскольку достоверность прогнозов сильно уменьшится из-за НТП и той же самоорганизации. Тем более, что, видимо, встретятся критические точки, например, стабилизация населения или эпохальные научные открытия. Может быть, цивилизация продолжится по дороге, ограниченной биологической природой человека, сдерживаемая истощением ресурсов и загрязнением среды. Однако скорее всего произойдет ускорение НТП за счет нескольких прорывов в науке и реализации уже накопленных заделов. Человечество будет искать нового баланса с природой, чтобы прекратить траты запасов прошлых эпох.

Не хочу уподобляться фантастам и предсказывать нечто потрясающее. Тем более, что не имею специальных знаний. Кроме того, нужно всегда помнить о грузе десяти миллиардов людей (через 50 лет) и накопленного оборудования, фондов. Инерция их огромна, и невозможно быстро перевести планету на новые базисные технологии, еще труднее представить новые идеологии. Экономика будет жестко ограничивать изменения жизни для большинства населения земли. Так, для стран третьей группы, а это 5-й и 6-й столбцы таблицы, понадобится, может быть, сто лет, чтобы достигнуть современного уровня развитых стран. Рутинный труд на полях и заводах, а не интеллектуальные высоты, долго будет основой их жизни. Правда, это не остановит прогресса стран развитых.

Перечислю прорывы, которые реально можно ждать от науки и технологии, полагаясь на уже существующие заделы.

Физики до сих пор надеются, что термоядерная энергия добавится к атомной в дополнение к альтернативным источникам и даст полное обеспечение любым технологиям, не истощая последние запасы недр. Трудно на это рассчитывать после стольких разочарований. Во всяком случае, атомная энергетика еще далеко не исчерпала себя и, видимо, останется основным источником энергии. Опасности ее преувеличивать не нужно, хотя самоорганизация общественного мнения в любой стране может надолго заблокировать прогресс технологии и снова перевести энергетику на уголь. Пример — Германия. Но прогресс в целом остановить нельзя. Ограничения на энергию из-за опасности перегревания планеты останутся, независимо от источников энергоснабжения. Экологические катастрофы участятся, расходы на них возрастут, но человечество они все же не погубят.

Мой бывший сотрудник Э. М. Куссуль профессионально занимается микромеханикой и уверен, что она сделает революцию в плане экономии материалов и энергии. Не знаю, сомневаюсь. Слишком много машин нужно переделать: инерция старой техники задержит... Много предлагается чудесных проектов, но редко их проверяют на реалистичность выполнения.

Компьютерная цивилизация уже началась, а электроника на молекулярных элементах еще увеличит возможности для создания микропроцессоров, пригодных для любых целей. Но со-

ревнование по сложности структур с живой природой будет долгим и трудным. Уже ясно, что попытки простого копирования биологии— (так называемая «бионика») техническими средствами неэффективны. Когда я слышу о 100 миллиардах нейронов в мозге и у каждого нейрона — еще тысячи связей, я снимаю шапку перед природой, и энтузиазм чтобы ее «догнать и перегнать» сразу тускнеет... Но гений человека уже доказал: можно не копировать, а изобрести заново и даже лучше природы.

Искусственный интеллект: перспективы описать невозможно. Основная веха: творческий разум. Алгоритм его для меня ясен, хотя и понимаю, что это звучит лишь декларацией. По всей вероятности, будут использоваться нейрокомпьютеры, хотя для них нужна новая элементная база. Впрочем, возможности традиционных цифровых вычислительных машин тоже далеко не исчерпаны... В общем, предстоит очень долгий путь, и результаты его для «человеческой» цивилизации совсем не ясны.

Геном расшифрован. Сейчас дня не проходит, чтобы не сообщали о новых открытых генах. Осталось расшифровать белки. Говорят, что это труднее генома. Но тоже — преодолимо. Обманываться радужными надеждами, однако, не нужно: 30–40 тысяч генов, несчетное (пока) количество их сочетаний — ох как далеко до истинной генной инженерии! И, тем более, внедрения ее в широкую практику. Но впечатление такое, что ученые уже прошли больше половины пути. Правда — впереди еще трудности (и дороговизна!) массового внедрения... Так что на ближайшие полвека массовой генетической переделки человека ожидать не следует. Придется жить по старинке.

Но новые виды растений и даже животных, в сочетании с клонированием, помогут разрешить проблему питания. Это — реально. Так же как генетическая терапия многих болезней.

Управление функциями всех органов с помощью вживленных микропроцессоров вместе с химическими стимуляторами и ингибиторами, реализующими программы моделей организма, даст новую базу для лечебной медицины. Однако все равно невозможно программированное управление организмами миллиардов людей, поэтому профилактика сохранит свое значение. Увы! Для здоровья придется напрягаться.

Старение тоже можно отсрочить, но не очень много. И даже — крамольная мысль! — едва ли имеет смысл, если наука не овладеет управлением памятью и еще рядом функций мозга. Нужно пережить старость самому, чтобы оценить трудности ее преодоления.

Очень возможно, что исправление генов в зародышевых клетках в соединении с искусственным оплодотворением даст новое направление старой науке евгенике. Это нужно: ведь биологический человек противоречив и во многом — несовершенен. Впрочем, это может заработать очень нескоро. Вообразите: евгеника, плюс искусственный интеллект — заманчиво? Или страшно?

Ближе лежит массовая генетическая диагностика физических и психических дефектов у зародышей с целью раннего прерывания беременности. Это тем более важно, что процент уродств возрастет в связи с загрязнением среды, «озоновыми дырами» и совершенствованием методов выхаживания больных новорожденных детей. Естественный отбор совсем перестанет работать, придется его дополнять искусственным. В связи с этим изменится настороженное отношение общественности к радикальным воздействиям на природу человека и его неотъемлемые права. Например, взгляд на допустимость принудительного лечения по суду злостных преступников электродами в мозге и химией. В принципе — это возможно. Религии примирятся с этим, как примирились со взятием бьющегося, т. е. живого, сердца для трансплантации. Почему бы и нет?

Но, кажется, я уже попадаю в сферу утопий: какой человек и какое общество имеют право жить на земле, и как это реализовать через технику. Так можно договориться до расселения людей по Вселенной и компьютерного бессмертия. Во всем этом нет ничего невозможного, и даже потребуется не так много времени, если

сравнивать с биологической эволюцией: может быть, 1−2 столетия.

На этом я лучше остановлюсь, чтобы не выглядеть смешным. Прогнозировать науку и технику — дело ненадежное.

Сделаю главный вывод: человечество, скорее всего, не погибнет. Угрозы футурологов не убедительны. Разрушительные тенденции должны компенсироваться охранительными мерами: это диктуется минимальной разумностью. На нее можно надеяться. Но потери в слаборазвитых странах неизбежны. Может быть, потребуются сотни миллионов жизней, чтобы побудить всех людей планеты к экономии, а богатых еще и к состраданию. Эгоизм и жадность слишком сильны в человеке, чтобы рассчитывать на безоблачный прогноз.

ЗАКЛЮЧЕНИЕ

Перед тем как делать прогнозы наступившего века, полезно оглянуться на начало только что ушедшего. В США, Франции, Англии уже были отработанные демократии и механизмы капитализма. Мировая общественность надеялась на спокойную жизнь и чудеса техники: автомобили, самолеты, телефон... Дальше возникло то, чего не ждали (самоорганизация!): мировая война, революции, социализм, фашизм. Потом обрушился шквал разрушительной техники: ракеты, атомная бомба, космос: все на фоне противостояния Запада и СССР. За последние полвека успехи экономики и созидающих наук резко уменьшили смертность, увеличили производство вещей, но и количество отходов. Возникли «глобальные проблемы». Радио, телевидение, химия, транспорт и жилища коснулись всех граждан, а компьютеры — по крайней мере — многих — глобализация!

Можно ли было все это предвидеть? Разумеется, фантасты писали, но ведь они еще массу всякого вздора придумывали — кто им верил?

Вот и я не буду рисовать картины нового, XXI века — признание самоорганизации охлаждает фантазии. Разумеется, наука сделает новые открытия, но «бытовые» возможности человечества будут отягчены грузом 10–11 миллиардов жителей (с 30% стариков), устаревшей техникой, медленным ростом доходов, ухудшением природы. Поэтому на быстрое изменение жизни людей в планетарном масштабе рассчитывать не приходится. Тем более что люди не превратятся в ангелов. Поэтому в мире останутся и жадность, и бедность, и голод, и жестокость, разве что не возрастут их объемы, поскольку созревание продолжится: бедные страны перейдут в средние, а средние подтянутся к богатым.

Безнадежно прогнозировать *научное творчество*. Например, беспочвенны надежды улучшить генофонд всем 10 миллиардам. Может быть, генетическая диагностика зародышей позволит отбраковывать дефективных детей, но когда еще будет результат? Равно как лекарства смогут понизить пики вредного поведения, но тоже — как охватить наблюдением 10 миллиардов? Поэтому страсти и пороки останутся.

Однако для нескольких прорывов уже есть задел. Важным, наверное, будет распространение Интернета. Оно изменит многое: образование, труд, бизнес, общение, СМИ, ликвидирует железные занавесы, распространит идеи зрелого общества, даст для демократии обратные связи. Второй пункт — генетика и биотехнологии. Это — пища, медицина, новые организмы, вплоть до клонирования человека. Третий — искусственный интеллект: сфера управления, а потом и творчество во всех областях деятельности человека.

Главная задача: рассчитывать и регулировать самоорганизацию в сфере идеологий и отношений государств, чтобы не повторился век XX. Созревание, глобализация и однополюсный мир смягчают опасности, но не исключают их полностью. Трудно примирить противоречие между необходимостью жесткого управления людьми для выживания человечества и принципами свободы личности.

Что касается оптимальных идеологий, то есть регулирования их координат в меняющемся мире,

то в принципе они доступны науке социологии, вооруженной техникой мониторинга психики граждан и средствами регулирования ее через СМИ. Только реализация трудна — самоорганизация мешает.

Впрочем, общие принципы отношений между людьми заложены великими религиями еще в позапрошлом тысячелетии, а может быть, даже в этике стаи. Имя им — компромиссы для достижения устойчивости и прогресса. Меняется только содержание.

При всех условиях остается вопрос: сможет ли разум гарантировать спасение человечества? Это означает: сможет ли совершенствование разума обогнать разрушительную деятельность неразумных человеческих существ и сообществ?

Ответа нет. Но все же порассуждаем.

Можно выстроить такую цепь событий. Существовала (или создана Богом?) неорганическая природа с циклическим развитием: взрыв, расширение, сжатие. И — способность материальных частиц к образованию соединений. Впрочем, не просто «способность», а некое «желание», беспокойство (термины из психологии, но не будем придираться. Может быть, именно это свойство от Бога?). От него пошли самоорганизация и усложнение структур. Сначала в сфере неорганической природы: минералы, потом органика, далее образование ДНК и биологическая эволюция на отдельной планете. Простая биологическая жизнь могла продержаться до космической катастрофы, чтобы потом все началось сначала, где-то в другом уголке Вселенной.

Но в процессе той же биологической самоорганизации, на этапе существования стадных животных, появился «человек разумный». (Случайность: мог бы и не появиться? Или не случайность?) Результат: формирование творческого разума, социальная эволюция, по тем же принципам самоорганизации, научно-технический прогресс — НТП, и дальше до искусственного интеллекта — ИИ. Отсюда новые возможности уже целенаправленного развития вплоть до распространения разума в космических просторах. (Чтобы сохраниться хотя бы от одного взрыва Вселенной до другого?)

Для разума есть три «генеральные» проблемы: дать счастливую жизнь человеку, реализовать оптимальную идеологию государству и обеспечить будущее человечеству на земле. Приоритеты задач идут от последней: счастливо или не очень, но люди живут, если есть государства, а те в свою очередь существуют, пока есть биосфера.

Похоже, что естественный разум «в одиночку» три обозначенные проблемы решить не может. Об этом говорит опыт истории и сам факт возникновения угрозы человечеству. Она ведь не была заложена в биологии!

Но существует ли принципиальная решаемость этих проблем? Или все зависит от этой странной самоорганизации, которая может привести как к прогрессу, так и к хаосу? Могут ли люди, вооруженные ИИ и технологиями, вмешаться в управление человеком, государством, планетой, чтобы отвести опасности катастрофы и даже прибавить людям счастья?

Определенно ответить на эти вопросы нельзя: вера во всемогущество разума к концу XX века сильно убавилась: нельзя вылечить любую болезнь, обеспечить процветание каждому государству и безопасность природе на всей планете. Все это лишь в области вероятностей, хотя и с преимуществом плюсов. Мне кажется, что это так, но без уверенности.

Может ли наука повысить вероятности?

Наука — это Коллективный Разум ученых, технологии исследований, Искусственный Интеллект и реализация всего этого в практике управления. Приходится признать, что пока успехи очень скромны. Достаточно посмотреть на статистики бедности, болезней, преступности, войн и картины гибели природной среды. Нельзя же считать достижением, что число людей на планете за время цивилизаций (10000 лет) возросло в 1000 раз, если при этом все другие «божьи создания» оттеснены на обочину.

Есть несколько вопросов. Первый: возможно ли справиться с этими системами человеку, обществу, человечеству? Оптимист скажет: конечно! Посмотрит на достижения... и перечислит. Но пессимист все опровергнет. Оба правы:

можно, но мало, и, главным образом, по мелочам. Например, таким: вылечивать некоторые болезни, обеспечить небольшой прирост экономики в благополучных странах, заключить конвенцию о защите китов, без гарантии выполнения.

Подойдем к делу от кибернетики, сравним сложности естественных «объектов» и наших научных моделей. Не стану оглушать цифрами макромолекул, клеток, нейронов, людей, их разнообразия и состояний... На нашей (человеческой) стороне тоже изрядно: вон сколько книг написано, сколько в них слов, фраз и даже цифр. Но все же несопоставимо мало, если сравнить со сложностью природы. И, кроме того, в природе существует порядок: этажи структур и функций, регулирование, интеграция, программы Целевых Функций. А у нас (то есть в науке и практике управления) — почти полный разнобой. Выше физики пока не поднялись. Обо всем живом — только примитивные описания. Нет ни одной действующей модели, даже самой обобщенной. Отсюда и управление: «методом тыка».

Второй вопрос: возможно ли создать искусственные системы управления, сопоставимые по эффективности с естественными? Чтобы через них добиться баланса хотя бы с природой. Ответ ясен — пока нет. Слишком большая разница и, кроме того, трудно скоординировать самоорганизацию.

Значит, что — дело безнадежное? Как повезет? Для пессимиста — да, если сравнить темпы убывания природы с темпами наращивания мощи наук и эффективности управления.

И все же надежды не потеряны. У человечества еще есть резерв времени (я пытался это показать.) И есть уже некоторые заделы в технологиях.

Так что, может быть, все решится само собой?

К примеру, психологию людей можно на 20—40 % изменять рациональным удовлетворением потребностей и воспитанием правильных убеждений. Теоретически достаточно, чтобы сбалансировать отношения с природой. Правда, для этого нужно «зрелое» общество — проблема трудная, но решаемая... То же и применительно ко всему человечеству: оно автоматически «поумнеет», когда все страны «созреют».

К сожалению, уверенности в такой «благости», скажем, около половины. Это явно мало, но возбуждает интерес: можно попытаться что-то сделать. Рассмотрим хотя бы подходы.

Что для этого нужно? Что я могу ответить? Конечно, только одно — наука!

И ее воплощение: «действующие модели».

Физику элементарных частиц, видимо, изменить нельзя, но все, что сложено из более крупных «кирпичиков» материи, можно скомпоновать иначе. Это как раз и касается трех перечисленных задач. Во всех трех объектах: человек, общество, человечество, количество «первичной» информации («кирпичиков») очень велико и довести до каждого управляющие воздействия от идеальной программы в ИИ невозможно. Но существует иерархия собственного управления систем и, если ее познать, смоделировать, то можно добиться очень многого. Особенно, если объединить усилия Коллективного Разума, вооруженного ИИ, с технологиями воздействия на избранные элементы систем.

Есть ли предпосылки к тому, что ИИ значительно расширят свои возможности и смогут взять на себя новые задачи в решении проблем?

Наверное — есть, если посмотреть на стремительный рост компьютерной техники и науки.

На эту тему я могу сделать лишь робкие предположения, исходя из того, о чем говорилось выше.

Нейронные сети, возможно, получат импульс к усложнению со стороны микромеханики: появятся микроскопические искусственные нейроны, из которых можно собирать огромные сети с самоорганизацией. Ее разумное действие возможно лишь при наличии неких основных структур, подобных подкорке мозга, в которых локализованы критерии, как источники активности для моделей. Создать их очень трудно, но без этого едва ли удастся построить аналоговый разум достаточной мощности. Так или иначе, на нижних этажах восприятия и переработки информации у нейрокомпьютеров есть перспективы развития.

Наоборот, на высших этажах интеллекта будущее принадлежит цифровым машинам. Можно предположить такие сферы расширения возможностей компьютеров: 1. Иерархии моделей высокой обобщенности вплоть до формирования отвлеченных понятий. 2. Реализация многих параллельно идущих Функциональных Актов, с механизмами соподчинения и доминирования. Этим будет реализован аппарат подсознания и принцип «метафоричности мышления». Сюда же относится моделирование сознания разного уровня. Крайним выражением его явится центр «Я-самости», олицетворяющий Разум-личность.

Так ИИ пройдет ступеньки от вспомогательного монитора и советчика при человеке до управляющего. Именно такой Разум понадобится для внеземных цивилизаций без людей. И даже, более того, понадобится творческий Разум.

Все, что сказано выше по поводу ИИ, представляет собой совершенствование инструментария познания. Не менее важна тема методологии: как применять инструмент для решения трех задач, что указаны ранее.

Для управления системой нужно ее познать. Это значит — изучить, создать комплекс моделей, тем более сложных и многочисленных, чем глубже познание. В частности, «для реконструкции» нужно глубокое познание, очень много моделей разной обобщенности. Особенно их крайнего выражения: «действующих».

В разделе об эвристических моделях я упоминал, что при существующей методологии наук о живых системах, при индуктивном подходе, такие модели появиться не могут. Вместо теории клетки, организма, общества существует набор не стыкующихся частных моделей. Они необходимы, но недостаточны, поскольку ограничены, статичны и не воспроизводят целостности, зависящей от вертикальных — прямых и обратных — связей между структурными этажами.

Необходимы иерархии действующих моделей разной обобщенности. Путь к ним через эвристику, модели гипотез, с последующими целенаправленными исследованиями сомнительных или ключевых точек объектов и постепенным приближением к моделям реальным. То есть, к истиной теории систем психики, общества, человечества, биосферы. К таким моделям, которые способны следить за процессами самоорганизации, прогнозировать и рекомендовать «ограничители», спасающие от сползания к хаосу деструкции.

Для этого нужен Коллективный Разум ученых, вооруженных всей мощью инструментальной науки, объединенных компьютерными сетями и снабженных исследовательскими ИИ. В содружестве с ними должны работать коллективы ученых-политиков с оперативными ИИ. Все вместе они должны управлять государствами...

Каждый реалист — ученый или политик, усмехнется, прочитав эти слова:

— Слыхали мы такие технократические бредни!

Понимаю, что это выглядит именно так, но прогресс идет быстро. Приходит время создавать интегральную науку, в которой будет реализован Разум по типу человеческого мозга, но с добавлением очень большой внешней памяти и тоже из моделей, а не склада фактов.

Нужно создавать научные центры нового типа, в которых ученые разного профиля объединяются через компьютерную сеть и опираются на систему действующих моделей избранного объекта, замкнутых на систему действующих моделей.

Возможно ли это? Наверное — да. Оптимизм внушает международная программа расшифровки генома, которая уже совсем близка к завершению.

ОСНОВНЫЕ ИДЕИ МОЕГО МИРОВОЗЗРЕНИЯ

Понятия: Истина, Разум, Человек, Общество, а также Судьба человечества всегда тревожили умы людей. Я тоже думаю о них со студенческих лет, а последние три десятилетия даже пытаюсь исследовать с помощью моделей. Не скажу, что достиг многого, но сложились некоторые убеждения, которые и представляю здесь с предельной краткостью, но, к сожалению, с потерей «научности».

Самое главное: биология человека определяет «коридор вариантов» его поведения, а также и развития общества.

Мир материален и построен по системному принципу: есть структуры из атомов и молекул и связи, по которым они взаимодействуют, обмениваясь энергией и частицами. Этими связями и обменами и определяется взаимозависимость систем, от полной «отдельности» до «слитности».

Частицы и атомы неустойчивы, способны соединяться в сложные структуры и распадаться. Это свойство породило процессы *самоорганизации*, которые вылились в биологическую эволюцию, когда возникли системы «типа живых», использующие энергию солнца. Уже в первых клетках появился новый этаж усложнения материи: модели, представленные молекулами ДНК и РНК.

Модели — это структуры с упрощением и искажением, отражающие другие системы.

Истина об объекте — это комплекс его моделей разной обобщенности и детальности, выраженных разными кодами — от словесных описаний до математических формул. Истина всегда относительна и может быть оспорена.

Сложные системы взаимодействуют между собой не только через обмен энергией и частицами, но и через сигналы и представляющие собой более или менее сложные структурные или энергетические комплексы, «считывающие» модели и несущие информацию.

Высший этап самоорганизации материи выразился в биологической эволюции и появлении функции управления объектами с Целевыми Функциями (ЦФ) субъекта разума: выживания, размножения, совершенствования.

Разум: аппарат управления через действия с моделями, по критериям оптимальности, воплощающим ЦФ субъекта разума. Простейший разум есть уже в клетке в виде ее генома. Следующим уровнем стал мозг животных.

Атрибутами разума служат: «Моделирующая установка» — мозг, рецепторы (глаза, уши), органы исполнения (мышцы), источник энергии — («тело»).

Действия с моделями — это избирательное повышение их активности — «возбуждение». Она генерируется элементами модели — нейронами, передается по связям, затухая в преодолении их сопротивления. Главный источник активности Разума — это критерии управления, а если сказать просто, то чувства и убеждения. Разум управляет объектами, а чувства управляют самим разумом. Но есть одно важнейшее свойство Разума: активированные модели способны к тренировке — повышению активности, и при этом между ними проторяются новые связи. За счет этого разум все время изменяется, преобразует себя. В этом проявляется его *самоорганизация*: «быстрая память» — движение возбуждения по нейронным ансамблям, и «медленная» — образование новых ансамблей за счет проторения новых связей и повышения проводимости уже существующих. Это — длительная память Разума.

Этапы усложнения абстрактного Разума отражают ступени эволюции:

а) Клетка с моделями и сигналами из молекул.

б) Многоклеточные организмы, включая человека, имеющие модели из нейронов и использующие сигналы из нервных импульсов.

в) Общество с моделями и сигналами из слов.

Впереди — эра технической эволюции с моделями из электроники.

Эволюция выработала Общий Алгоритм Разума (ОАР), воплощаемый в последовательной активации моделей по программам, реализующим «порции управления» от простого рефлекса до сложных Функциональных Актов (ФА), реализующих ЦФ. Они состоят из таких этапов: восприятие, распознавание, оценка, прогнозирование, целеполагание, планирование, решение и действия.

Сознание. Одновременно разум прорабатывает много ФА разной направленности, важности и продолжительности. Чтобы доводить самый важный (по критериям субъекта разума) ФА до конца, должна существовать система приоритетов, которая в каждый данный момент дополнительно усиливает самую активную модель, в меру тормозя все остальные. В наших моделях Искусственного Интеллекта (ИИ) для этого задействована Система Усиления Торможения (СУТ). Она, в частности, позволяет воспроизво-

дить элементы психики. Например, «мысль» — это модель, усиленная в данный момент. Функция сознания обеспечивает выделения и активации наиболее значимых моделей, отражающих положение «Я» в пространстве, времени и в системе отношений. «Подсознание» — это движение активности по приторможенным моделям, готовящее «кандидатов» в сознание, осуществляющих слежение за объектами мира и выполнение простейших ФА. В мозге функция сознания реализуется за счет движения процессов возбуждения и торможения по нейронным ансамблям коры. Самоорганизация играет огромную роль в деятельности разума человека: в формировании объектов сознания и в постоянной памяти.

Элементарный разум животных обеспечивает реализацию инстинктов. Усложнение Общего Алгоритма Разума (ОАР) у человека выражается в программах речи, творчества и высших уровнях сознания, когда предметом слежения служит не только внешний мир, но и собственные мысли. Таким образом, они получают возможность автономной жизни и саморазвития (гипотезы, творчество: наука, искусство).

ОАР можно воспроизвести в Искусственном Интеллекте (ИИ) разной сложности. Правда, до достижения уровня человеческого разума еще очень далеко, если учесть, что природа сконцентрировала в нем сложности трех уровней «живого» разума: клетки, организма и общества, с колоссальным числом элементов. (В коре мозга содержится 100 миллиардов нейронов, каждый с тысячами связей.) Тем не менее, это возможно и несомненно будет, хотя и не в виде повторения биологических структур. Сложность естественного разума может быть компенсирована огромным быстродействием электронных элементов в ИИ.

Любому разуму присущи недостатки: ограниченность (модели проще объектов), субъективность (оценки и решения зависят от чувств), увлекаемость (самоорганизация).

В связи с этим — о «чудесах»,— что не поддаются объяснениям физики. Это телепатия, левитация и многое другое. Сам ни разу чудес не видел, но так много пишут, что опасаюсь сказать: «Не может быть никогда». Мой покойный друг, физик, академик Вадим Евгеньевич Лашкарев говорил: «Существует другая физика. Иногда она замыкается на нашу, и тогда происходят чудеса». Не берусь комментировать, но уверен, что их значение в обычной материальной жизни так же ничтожно, как квантовая механика.

Человек является продуктом эволюции мозга, обеспечившей его Разум удлинением памяти и программой творчества. В сочетании со стадностью существования предков — гоминидов, эти свойства породили общество и оно, в свою очередь, добавив речевое мышление к образному, вывело человека на современный уровень разума. Он воплотился в творчестве, в знаках, вещах, религии, науке, искусстве. Однако биологическая природа, выраженная в потребностях и ЦФ, осталась и постоянно проявляется в поведении.

Человек сформировался на земле, а не за ее пределами, о чем говорит почти полное совпадение (на 95%!) его генов с шимпанзе, а также вся гамма его ископаемых предков.

Совершенствование человека проявляется в повышении уровня сознания и умножении его «координат»: возрастают знания и расширяются объекты слежения и управления — от внешних предметов до собственных мыслей, до перевоплощения в разумы других людей и действий с заведомо нереальными моделями — (искусство, игры). Этим несколько смягчается эгоизм поведения и уменьшаются недостатки разума.

Я попытался прояснить количественные характеристики психики людей путем опроса через «Литературную газету» (июнь 1990 г.). Получил свыше пяти тысяч ответов, из которых выделено 500 «экспертных» — от психологов, врачей, социологов, философов, педагогов. Вот что они дали после обработки. Различия людей по силе характера, соответствующие их трудоспособности и лидерству, составили отношение 3:1 между типами сильными и слабыми. Воспитанием (образованием, религией, идеологией) можно изменить врожденные потребности на 25%. Среди чувств-потребностей эксперты отметили такую последовательность уменьшения значимости по силе воздействия на мотивы деятельности: страх, голод, секс, собственность, общение, лидерство, интерес, свобода, игра. Существуют биологические корни этики: потребность в любви, в вере, авторитетах, справедливости, правде. Наряду с этим существуют жестокость, агрессивность, а главное — эгоизм. Он в 20 раз превышает альтруизм.

Психологию мы пытались воплотить в модели личности. В них суммируются Функциональные Акты, их мотивы и действия, с замыканием на реакцию общества: сколько платить за труд и как наказывать за протесты. При крайнем упрощении, модель личности — это система из четырех уравнений. От общества: «труд — плата» — это стимул. «Труд—утомительность» — это тормоз. От гражданина: «плата — чувство» показывает, как растет приятность от платы и уменьшается от утомления, в свою очередь, зависящего от тренированности и силы характера. Решив систему уравнений, определим, сколько человек выдаст труда, сколько заработает и какой обретет Уровень Душевного Комфорта, т. е. сколько счастья или несчастья. Простой вариант модели расширяется с учетом многих потребностей, введением динамики, т. е. чувств «надежд и разочарований». Модели составляются для разных видов деятельности: труд, учение, развлечения; с учетом различного набора потребностей. Важнейшими «выходами» модели, кроме «труда», являются высказывания «за» и «против», отражающие отношение субъекта к правительству и к другим социальным группам.

Модели «обобщенной личности» нужны нам для моделирования общества. Данные для них мы получили из газетных анкет. Я не переоцениваю ни наши анкеты, ни модели, ни экспертов, знаю, что нужна более солидная работа. Однако для развития общественных наук модели мне кажутся очень важными.

Общество. Развитие его предопределено стадным образом жизни предков — гоминидов и появлением у них творческого разума. Творчество породило речь и разнообразие языков, орудия труда и борьбы, а также идеи — убеждения. Однако поведение осталось ограниченным биологическими потребностями, лишь частично измененными убеждениями от идей. При этом сообщества воспроизводят ЦФ и черты индивидов и своеобразную этику стаи, послужившую источником морали. Главные ее черты: сочетание самоутверждения индивида с долей коллективизма, борьба за лидерство, но запрет на убийство членов стаи, защита детенышей, объединение всех против общего врага, коллективная внешняя экспансия.

Разум общества воплощен в разуме его членов с разной степенью участия, зависящей от идеологии, государственного устройства, уровня техники и экономики. В первую очередь он направлен на управление гражданами и только через них воздействует на природу, материальную сферу и на другие сообщества.

Код моделей в *Коллективном Разуме* (КР) общества представлен словами и знаками, действия выражаются ФА, а критерии — биологическими потребностями и идеологиями. В той же степени, как индивидам, ему присущи недостатки: ограниченность, субъективность, но особенно выражена *самоорганизация,* как результат творчества многих людей в сферах вещей и идей.

Можно говорить о различной степени «централизации» коллективного разума, зависящей от идеологии, и ее воплощения в государственном устройстве. При тоталитарном режиме вершина сознания сосредоточена в мозге главного правителя, управляющего обществом как своими руками, руководствуясь собственными чувствами и идеями. Подобные же идеи заложены в умах граждан, признающих право вождя.

При плюралистической демократии «Я» общественного разума размыто в коллективном правлении, действующем через дискуссии и компромиссы. При этом в умах граждан могут соседствовать различные модели общества, со своими понятиями справедливости и критериями, побуждающими общественные группы к противоречивым действиям, зачастую нарушающим устойчивость государства. В этом проявляется самоорганизация.

По мере НТП сильно возрастает значение информационной базы общественного разума. Сначала это книги и газеты, потом радио и телевидение, дальше банки данных и компьютерные сети. Теперь на первое место выходит Интернет. В будущем присоединится ИИ, воспроизводящий алгоритм управления обществом и дополняющий правительство. Возможно, он возьмет на себя многие функции разума общества, обеспечивая потребности граждан и прививая им новые убеждения, призванные смягчить биологический эгоизм людей.

Как уже упоминалось, основу общественного разума составляют *идеологии*. Они являются предметом творчества, как вещи, но всегда имеют под собой биологическую базу. Авторы идеологий выбирают точку на шкалах, опирающихся на противоречивые биологические потребности и крайние чувства, их выражающие, формулируют идею словами, распространяют ее среди граждан, таким образом формируя их убеждения.

Перечислю основные шкалы для компромиссного выбора координат идеологии:

а) свобода или равенство;

б) материальное или духовное;

в) труд — развлечения;

г) общественное — личное (или эгоизм-альтруизм);

д) терпимость — непримиримость;

е) настоящее — будущее;

ж) Бог — материя или вера — знания,

з) Ценности: общечеловеческие или групповые (нация, религия, класс, идеология).

Оптимальность идеологии традиционно определяют «счастьем народа», а также устойчивостью и прогрессом. Теперь добавляют еще сохранение природы.

В связи с этим стоит остановиться на вопросе о *Материальности Идеи*. Мы так привыкли: есть вещи, и есть идеи, одни постоянные, реальные, другие нечто эфемерное, призрачное:

сегодня есть, завтра нет. Так вот: эти представления неверны. Идеи, выраженные словами, если они запечатлены в нейронах мозга большого количества людей, напечатаны во множестве книг, становятся столь же реальными, как и вещи, как объекты природы. Потому что они управляют реальными действиями масс людей, меняют ход истории куда больше, чем землетрясения или наводнения. Идеи — это гены общества. Другое дело, что они менее стойки в историческом времени, чем гены. Есть у них специфическое качество: распространяются только те идеи, которые созвучны некоторым избранным из гаммы противоречивых биологических потребностей. Более того, сама способность идеи к распространению подчеркивает степень значимости для людей той потребности, на которую она опирается. Возьмем для примера идею Доброго Бога. Она больше всех распространилась в лице мировых религий и оказалась самой стойкой. Это значит, что доброе начало в природе человека сильнее злого.

Для исследования идеологий мы используем *модели общества*. В основу положены биологические качества человека, выраженные в абстрагированных моделях личности социальных групп, их изменения от убеждений и НТП. Само общество, вернее, государство, представлялось точкой в системе трех главных координат его модели: «Х» — распределение собственности между общественной и личной (одновременно это экономическое неравенство граждан), «У» — система власти от тоталитаризма до плюралистической демократии. Важнейшей координатой, однако, оказалась третья — «Z», отражающая технологию и экономику в виде показателя Валового Внутреннего Продукта на душу населения (ВВП/д). Именно экономика определяет образование и культуру «человека общественного» и существенно влияет на приоритеты его биологических потребностей.

Кроме главных координат, существуют вспомогательные (религии, мораль, традиции, место в мире и пр.), но они коррелируют с главными. Сочетанием главных и вспомогательных координат определяется распределение граждан по социальным группам, их статус, удовлетворение потребностей, интенсивность труда, вероятность высказываний «за» или «против» в адрес правительства и общественных групп.

В результате исследования моделей получилось то, что можно было ожидать, исходя из природы человека. Вспомним цепочку убывающих приоритетов мотивов труда и высказываний: боль, страх, голод, секс, дети, собственность, лидерство, свобода, сопереживание, интерес и, наконец,— убеждения. От роли в обществе, степени удовлетворения потребностей и типа личности меняется последовательность в цепочке: у сильного, богатого, свободного и образованного — одна, у бедного и замученного — другая. Соответственно разное и предвидение дальнего будущего, планирование отношений и деятельности.

Взяли мы богатые, средние и бедные страны и просчитали на абстрагированных моделях — от социализма к капитализму, в относительных цифрах, определили пределы координат для устойчивости общества, уровень прироста ВВП. Нет смысла приводить цифры, действительность последних лет все высветила. Частная собственность «биологична», она лучше общественной, поскольку больше стимулирует труд и сбережение его продукта, действуя через жадность и лидерство сильных членов общества. Но 30% доходов нужно государству для улучшения капитализма, при современных гражданских правах, для обеспечения социальной помощи слабым членам общества. Социализм проигрывает в сфере экономики, что у бедных стран, что у средних. Богатых социалистов вообще не бывает. Социализм детренирует и разлагает общество. КПД экономики, т. е. сколько гражданин потребляет из наработанного, падает до 30–40% вместо 60–70% у «капиталистов». Ресурсы тратятся непомерно. Однако и капитализм мало помогает, когда в стране нет капитала, низкая мораль, граждане неграмотны, привыкли к бедности и рожают слишком много детей. В таких случаях очень трудно раскрутить экономику и переделать под нее граждан.

Что касается власти, то тут положение примерно такое: оптимум колеблется от ограниченной демократии и даже диктатуры в очень бедных странах к плюрализму стран богатых.

Ну а с «благом народа» дело совсем запутано. Сильные и лидеры всегда счастливее, особенно при капитализме. Социализм не дает им развернуться, на том и проигрывает вся система. Слабым типам лучше при социализме: мало платят, но надежно, а работы не требуют.

Хочу подчеркнуть, что в формировании идеологий и общественного строя огромная роль тоже принадлежит самоорганизации. Три ее уровня: творчество индивидов, социальных групп и целого государства. Управлять всеми ими — исключительно трудно, что и демонстрируется в крайнем разнообразии стран.

Судьба человечества. Угрозы его гибели и «глобальные проблемы» обсуждаются уже четверть века. Они возникли из-за очевидной неспособности людей сбалансировать рождаемость и потребление с ресурсами и биосферой планеты. Это тем более досадно теперь, когда НТП уже позволяет обеспечить этот баланс при удовлетворительном уровне жизни. Я попытался заново рассмотреть перспективы человечества с учетом биологической природы людей и приращения их разумности в связи с НТП. Для этого были взяты статистические данные ООН по исходному состоянию и тенденциям бедных и богатых стран, замкнуты на потребности и построены приблизительные прогнозы на следующие 50—60 лет. При рассмотрении материалов четко выделился один фактор, вселяющий надежду: идет неуклонное повышение образования во всех развивающихся странах, даже самых бедных, и это оказывает прямое влияние на ограничение рождаемости и экономический рост.

Вот некоторые данные из прогнозов. Население возрастет до 10 миллиардов, однако рождаемость уменьшится и к средине или к концу XXI века предполагается ее снижение ниже уровня смертности. Объем производства повысится в три раза, а потребление энергии раза в полтора. В 2—3 раза увеличится суммированная нагрузка на природную среду. Однако это еще не приведет к фатальным последствиям: перегревание атмосферы сомнительно. Объем потребления на душу населения в богатых странах

удвоится, в бедных возрастет почти в шесть раз, но все равно составит лишь пятую часть от потребления богатых. Главной проблемой для них останется питание. Планета еще способна прокормить 10 миллиардов жителей, но при нормах, не превышающих уровень сегодняшнего дня. При этом, около ста миллионов людей в самых бедных странах будут голодать и жить за счет благотворительности богатых.

Вред экологических сдвигов для здоровья, мне кажется, преувеличивают: человек прочнее, чем говорят врачи. Улучшение медицины и разумность поведения почти компенсируют вредности от ухудшения природной среды. Хотя смертность немного возрастет, но это не представит угрозы человечеству. Правда, проблема СПИДа для слаборазвитых стран очень обострится.

Широкое распространение ожидаемых достижений науки: биотехнология и генная инженерия, альтернативная энергетика, ИИ, возможность управлять психикой и многое другое — будет затруднено инерцией массы населения и устаревшей техники. Тем не менее, к концу периода можно ожидать «прорыва», способного изменить представление о человеке и обществе. Впрочем, делать дальние прогнозы бесполезно из-за непредсказуемости творчества и самоорганизации на всех структурных уровнях человечества.

Наоборот, социальная эволюция идеологии в мировом масштабе, видимо, выйдет на некоторый оптимум, он будет близок к современному положению в высокоразвитых странах, нащупавших компромиссные точки на тех шкалах, что я перечислил. Но золотого века ожидать человечеству не приходится, учитывая скудность материальных возможностей большинства населения планеты, не соответствующих его притязаниям, питаемым богатыми странами; неизбежны рецидивы «социального помешательства» в отдельных регионах. Надежда только на глобальный разум человечества, уже формирующийся на наших глазах в стенах ООН. Пока, к сожалению, с низким уровнем сознания...

В общем, человечество не погибнет. Но для спасения нужна упорная работа.

ПОСЛЕСЛОВИЕ. СУГУБО ЛИЧНОЕ

Так я сделал круг: обозрел мир. Спрогнозировал будущее. Места для паники не нашел. Осталась только легкая тревога: неопределенность от самоорганизации. Но организация (разумность) пересиливает: вероятность гибели человечества невелика. Потери будут, однако предвидимые и терпимые — от ограниченности разума и сложности задач. И от самоорганизации.

Что еще осталось додумать, чтобы дожить жизнь спокойно?

О! Очень многое. Может быть — для меня — главное. Определить себя в разных мирах: тела, семьи, общества, информации, мыслей. Выбрать оптимальное поведение.

Раньше я не раз забавлялся, моделируя самого себя. Модель несложна: мое «Я» замыкается на среду, воспринимает раздражители, чувствует, отвечает действиями, получает «плату». И дальше — новый цикл Функциональных Актов: «делать то, другое, третье...». Главное в такой модели — самоанализ: разум, потребности, убеждения, мотивы, характер, знания, динамика. Второе — «миры»: что они требуют и как ответят на мои действия. Не буду описывать — схоластика, скучно. Модели жить не помогали, решения шли из подсознания, почти спонтанно. Но в итоге получалось неплохо. Если бы не смерти больных — то и вообще — счастье. Но и то: против совести, перед больными, не грешил, подарков не брал, операции делал только необходимые. Но ошибки были. И это было мучительно.

Теперь — старость. Решать уже нечего — пенсионер. Идет эксперимент по преодолению старения через нагрузки и ограничения: все нормально. Но на лестницах шатает, резкие движения скованны и память на ближние события ухудшилась. Прогноз на жизнь: от 3 до 6 лет. Если не случится что-то непредвиденное. Будут страдания на финише? Наверное, будут. Но знаю — умирать не страшно: есть опыт своей операции и сотни наблюдений за умирающими. Боюсь другого: угасания интеллекта. Жить тогда — зачем?

«Входы»: книги, радио, телевизор, Интернет. Семья. Раз в неделю— коллеги, ученики, заседания. За пределами кабинета: «страна с переходной экономикой». (О ней уже писал. До «созревания» далеко). Мне лично ничего не нужно, (почти ничего), но бедствующим бывшим пациентам сопереживаю. Изменить ничего не могу. (И не пытаюсь, прикрылся старостью. Значит — черствость. Будем откровенны.)

Через самоанализ я извлек из подсознания тайны своих потребностей. Получился такой порядок оставшихся приоритетов на сегодняшний день. Приятные: любознательность и творчество. Немного перепадает от общения. Чуть-чуть — от тщеславия. Активно плохо — страх болезней и старости. Все остальные потребности, которые не раз перечислял, отошли на задний план.

Тогда в чем вопрос? Все в том же: сохранение воли, памяти, интеллекта, душевного комфорта на последнем спуске.

Может быть, попробовать сменить ориентиры? От реализма — в религию, в мистику? Стоять в храме со свечечкой? Или модные теперь увлечения медитацией? Заглушить интересы и умереть еще до смерти. Бр...р!

Нет, это не по мне. Я не изменю своей позиции. Рассуждая от науки, всегда считал, что чрезмерная концентрация активности (методами психотехники) на одной модели — мысли вредна для творчества. Чтобы метафоры роились в подсознании и иногда выдавали хорошие идеи, возбуждение должно «гулять» по коре мозга. Поэтому не следует создавать в сознании один очаг концентрации активности, тупо повторяя молитву или заклинание — «мантру». Доказательства? Пожалуйста: что дали для прогресса, для рациональной науки восточные мудрецы, йоги? Ничего!

Поэтому — оставим все как есть, не задумываясь о конце и не боясь деградации разума: читать, думать, записывать на компьютере, чтобы не забывать... Одно только нужно воспитать в себе: не притязать на признание. Ценить мышление само по себе.

О чем буду думать? Да все о том же: мировоззрение. Не ясна связь самоорганизации и организации. В частности: возможности обратной связи. Приложения: биология, психология, социология, Искусственный Интеллект. Техногенная цивилизация. Замыкание реальности на виртуальность. Сторонний интерес: «другая физика». Что в ней — есть действительно, что — от самовнушения?

Немного надеюсь на свой эксперимент по преодолению старости. И на хирургию — под занавес. Профессор Керфер обещал еще раз перешить сердечный клапан, если этот откажет. Почему нет? Эксперимент поможет дожить... Кроме того: смерть от операции — самая хорошая.

Впрочем — это несерьезный разговор. Остановлюсь.

СПИСОК ЛИТЕРАТУРЫ

Амосов Н. М. Регуляция жизненных функций и кибернетика.— Киев: Наукова думка, 1964.

Амосов Н. М. Моделирование мышления и психики.— Киев: Наукова думка, 1965.

Амосов Н. М. Искусственный разум.— Киев: Наукова думка, 1969.

Амосов Н. М. Метод моделирования социальных систем.— Киев: Институт кибернетики, 1969.

Амосов Н. М., Лищук В. А., Палец Б. Л., Лиссов И. Л. Саморегуляция сердца.— Киев: Наукова думка, 1969.

Амосов Н. М. Моделирование сложных систем.— Киев: Наукова думка, 1968.

Амосов Н. М., Касаткин А. М., Касаткина Л. М., Талаев С. А. Автоматы и разумное поведение.— Киев: Наукова думка, 1973.

Амосов Н. М. Алгоритмы разума.— Киев: Наукова думка, 1979.

Амосов Н. М. Природа человека.— Киев: Наукова думка, 1983.

Амосов Н. М., Байдык Т. Н., Гольцов А. Д., Касаткин А. М., Касаткина Л. М., Куссуль Э. М., Рачковский Д. А. Нейрокомпьютеры и интеллектуальные работы.— Киев, 1991.

Амосов. Н. М. Мое мировоззрение // Вопросы философии.— № 6, 1992.

Амосов Н. М. Кредо, 1992.

Амосов Н. М. Разум, человек, общество, будущее.— Киев: Байда, 1994.

Амосов Н. М. Преодоление старости.— М., 1996.

Амосов Н. М., Палец Б. Л., Агапов Б. Т., Ермакова И. И., Лябих Е. Л., Соловьев В.П. Теоретические исследования физиологических систем.— Киев: Наукова думка. 1977.

Амосов Н. М. Идеология для Украины.— Киев, 1997.

Амосов Н. М. Мое мировоззрение.— Донецк: Сталкер, 1998.

Амосов Н. М. Размышления об обществе, будущем и об Украине.— Киев, 2000.

Амосов Н. М. Раздумья о здоровье.— М.: Молодая гвардия, 1979 (много изданий, на разных языках).

Амосов Н. М. Здоровье и счастье ребенка.— М.: Знание, 1979.

Амосов Н. М. и *Бендет Я. А.* Физическая активность и сердце.— Киев: Здоровье, 1975.

Амосов Н. М. Автобиография // Вестник НАНУ, Киев, 2000.

Богданов А. А. Тектология, 1989.

Вейник А. В. Термодинамика реальных процессов.— Минск, 1991.

Винер Н. Кибернетика и общество.— М., 1968.

Гумилев Л. Н. Этногенез и биосфера.— Л, 1989.

Гельнер Э. Условие свободы: гражданское общество и его исторические соперники.— З-С, 1996, №№ 2,4, 7, 8.

Гете. Фауст.— М., 1953.

Дольник В.Р. Этологические экскурсии по запрещенным садам гуманитариев // Природа, 1993, №№ 1, 2, 3, 23.

Дольник В. Р. Homo militaris // Знание — Сила, 1994, №№ 2.3.24.

Дольник В. Р. Право на землю // Знание — Сила, 1995, №№ 5,6.

Дыкич В. И. и др. Вненаучные знания и современный кризис научного мировоззрения // Вопросы философии, 1994, № 12.

Ермак В. Д. Соционика // Социон, Киев, 1997.

Журнал «В мире науки», 1989, № 11 (весь номер посвящен «Глобальным проблемам»).

Захаров А. А. Организация сообществ у муравьев.— М., 1991.

Звегинцев В. А. Язык и знание // Вопросы философии, 1982., № 1.

Лоренц К. Кольцо царя Соломона.— М., 1975.

Магун В. С. Потребности и психология социальной деятельности.— Л—М., 1983.

Минский. Теория фрэймов.

Моисеев Н. Н. Информационное общество как этап новейшей истории // Свободная мысль, 1996, № 1

Налимов В.В. Спонтанность сознания.— М., 1989.

Олекскин А. В. Биополитика и ее приложение к социальным технологиям //Вопросы философии, 1995, № 7.

Отчет по человеческому развитию. Издание ООН, 1994.

Обзор мирового экономического и социального развития за 1996 г.— ООН, 1997.

Поппер К. Открытое общество и его враги.— М., 1980.

Поппер К. Нищета историцизма // Вопросы философии, 1992, № 8, 9, 10.

Пригожин И. Р. и Стенгерс. Порядок из хаоса.— М.,1986.

Полубелов А.А., Траченко В. А. От биолокации к биополю.— К.,1995.

Римский клуб // Вопросы философии, 1995, № 3.

Рассел Б. История западной философии.— М.,1959.

Спасти нашу планету, Изд-во ЮНЕП (ООН), 1992.

Социальное развитие: Доклады ООН о социальном положении мира, 1993.

Симонов П. В. Высшая нервная деятельность человека.— М.,1975.

Садовский В. Н. Основания общей теории систем.— М., 1974 .

Тойнби А. Дж. Постижение истории.— М., 1991.

Уемов А. И. Системный подход и общая теория систем.— М, 1978.

Фрейд З. Введение в психоанализ: Лекции.— М.,1989.

Фрейд З. Психология бессознательного. — М.,1990.

Фукуяма Ф. Конец истории? //Вопросы философии, 1990, № 11.

Философская энциклопедия.— М., т.1–5.— 1960–1970.

Философский энциклопедический словарь.— М.,1989.

Хант Э. Искусственный интеллект.— М., 1978.

Хакен Г. Информация и самоорганизация, 1991.

Юнг К. Психологические типы.

Юнг К. Коллективное бессознательное.

Эфромсон Р. М. Родословная альтруизма // Новый мир, 1971.

Ярошевский Г. М. Личность и общество. — М., 1973.

Яшин А. Потепление наступит, но это полезно. З—С, 1996, № 11.

Brawn L. R. State of the world. 1991. UN.

Brawn L. R. State of the world. 1990. UN.

Bell D. The coming of postindustrial society. N-Y. 1973.

1997 Index of economic freedom Edited The Wall Street Journal

Lond-range World population Projections. UN 1992.

Lorenz K. On agression.

H. Meadows, D.Z.Meadows +The limits to growth. 1972. London.

Overoll socio-economic perspective to the Year 2000. UN. 1991.

The state of world population. UN. 1992.

Somi T. A. Peterson S. A. Sociobiology and politics. N-Y. 1978.

Wilson E.O. Sociobiology. 1980. 75. World economic survey. UN. 1992.

ПРЕДМЕТНЫЙ УКАЗАТЕЛЬ

СОДЕРЖАНИЕ

Содержание

По вопросам оптовой покупки книг
«Издательской группы АСТ» обращаться по адресу:
Звездный бульвар, дом 21, 7-й этаж
Тел. 215-43-38, 215-01-01, 215-55-13

Книги «Издательской группы АСТ» можно заказать по адресу:
107140, Москва, а/я 140, АСТ – «Книги по почте»

Научно-популярное издание

Амосов Николай Михайлович

Энциклопедия Амосова
Алгоритм здоровья
Человек и общество

Редактор Т.М. Мороз
Художественный редактор И.Ю. Селютин
Технический редактор А.В. Полтьев
Верстка Л.В. Спичковой

Общероссийский классификатор продукции
ОК-005-93, том 2; 953004 — научная и производственная литература.

Гигиеническое заключение
№ 77.99.11.953.П.002870.10.01 от 25.10.2001 г.

ООО «Издательство АСТ»
368560, Республика Дагестан, Каякентский район,
с. Новокаякент, ул. Новая, д. 20
Наши электронные адреса:
WWW.AST.RU
E-mail: astpub@aha.ru

Издательство «Сталкер»
83048, Украина, г. Донецк, ул. Артема, 147а
Свидетельство ДК 146 от 11.08.2000

Отпечатано в полном соответствии
с качеством предоставленных диапозитивов
в ОАО «Ярославский полиграфкомбинат»
150049, Ярославль, ул. Свободы, 97.